Comportement humain
et organisation

2e édition

John R. Schermerhorn
Ohio University

James G. Hunt
Texas Tech University

Richard N. Osborn
Wayne State University

ADAPTATION FRANÇAISE :
Claire de Billy
Faculté des sciences de l'administration
Université Laval

ÉDITIONS DU RENOUVEAU PÉDAGOGIQUE INC.

5757, RUE CYPIHOT
SAINT-LAURENT (QUÉBEC)
H4S 1R3

TÉLÉPHONE : (514) 334-2690
TÉLÉCOPIEUR : (514) 334-8289
COURRIEL : erpidlm@erpi.com

■ **Supervision éditoriale :**
Jacqueline Leroux

■ **Traduction :**
Charly Bouchara et Catherine Ego (chapitres 14 et 15)

■ **Révision linguistique :**
Sylvie Dupont

■ **Correction d'épreuves :**
Sabine Auguste et Léo Guimont

■ **Recherche iconographique :**
Chantal Bordeleau

■ **Couverture :**
■ ⋅⊃€ (photographie : Todd Davidson/The Image Bank)

■ **Photographies :**
voir p. P1

■ **Édition électronique :**
Infographie DN

Dans cet ouvrage, le générique masculin est utilisé sans aucune discrimination et uniquement pour alléger le texte.

Cet ouvrage est une version française de la 7ᵉ édition d'*Organizational Behavior* de John R. Schermerhorn, Jr., James G. Hunt et Richard N. Osborn, publiée et vendue à travers le monde avec l'autorisation de John Wiley & Sons, Inc.

Dépôt légal : 1ᵉʳ trimestre 2002
Bibliothèque nationale du Québec
Bibliothèque nationale du Canada
Imprimé au Canada

ISBN 2-7613-1275-9

4567890 II 0987654
20205 ABCD   VO7

Préface

Le changement! Voilà le maître-mot qui caractérise les nouveaux milieux de travail. On ne peut, en effet, nier les occasions ni les enjeux qu'offre un environnement en constante évolution. C'est donc dans cette optique, pour répondre aux défis exigeants qui attendent les organisations du XXIe siècle et leurs membres, que nous avons mis à jour *Comportement humain et organisation*. Comme dans l'édition précédente, nous mettons l'accent sur les fondements du comportement organisationnel mais, cette fois, nous proposons en plus des applications aux milieux de travail axés sur la haute performance ainsi qu'au contexte mouvant des organisations d'aujourd'hui et des carrières qui s'y déroulent.

Cette seconde édition de *Comportement humain et organisation* est l'adaptation française de la septième édition d'*Organizational Behavior*, un manuel utilisé dans de nombreuses universités américaines et canadiennes. Pour ses auteurs, l'étude du comportement organisationnel est essentielle à quiconque vise la réussite professionnelle dans les milieux de travail contemporains. L'ouvrage est tout particulièrement destiné aux étudiants de premier et de deuxième cycles en sciences de l'administration; il intéressera également tous les autres étudiants conscients de la valeur pratique du comportement organisationnel et du rôle que cette discipline jouera dans leur future carrière. Il s'adresse aussi aux enseignants qui veulent transmettre à leurs étudiants de solides bases en la matière et favoriser le développement de leurs compétences par un grand nombre d'activités pédagogiques stimulantes. Enfin, les gestionnaires, tout comme les personnes qui souhaitent améliorer leur compréhension de la dimension humaine de l'organisation et agir plus efficacement dans leur milieu professionnel, y trouveront assurément matière à réflexion.

L'objectif de l'ouvrage est d'aider les étudiants d'aujourd'hui à devenir les chefs de file de demain. Il importe qu'ils soient donc bien préparés à ce qu'ils vont rencontrer dans ces organisations qui font face à l'incertitude et au changement continuel, et qui évoluent au même rythme que les technologies. La société dans son ensemble a changé : on s'attend maintenant à ce qu'un rendement élevé aille de pair avec une qualité de vie équivalente; on considère l'éthique et la responsabilité sociale comme des valeurs fondamentales; on respecte l'immense potentiel de la diversité culturelle et démographique; et on reconnaît les conséquences croissantes de la mondialisation sur la vie quotidienne et sur la concurrence.

C'est en nous appuyant sur ces considérations que nous avons remanié *Comportement humain et organisation*. Nous avons mis à jour tous les chapitres en tenant compte des recherches scientifiques les plus récentes et nous avons actualisé les données statistiques. En outre, nous avons changé les exemples afin qu'ils reflètent la nouvelle réalité québécoise, canadienne et internationale.

Enfin, l'ouvrage se veut une contribution à tous ces programmes d'études qui misent sur les applications pédagogiques des technologies de l'information. Il est, en effet, accompagné d'un site Internet, dans lequel sont proposés, entre autres, une série de questionnaires interactifs qui permettent au lecteur d'évaluer sa compréhension des concepts et notions abordés dans les chapitres, des exercices, des cas, des autoévaluations et plusieurs hyperliens pertinents. De plus, le lecteur trouvera dans le livre les adresses des sites Internet des organisations mentionnées dans les exemples, ce qui lui permettra d'aller chercher des informations complémentaires.

Pour terminer, je désire remercier toutes les personnes qui ont contribué à la réalisation de cet ouvrage. À l'Université Laval, j'exprime toute ma gratitude à Bernard Garnier, doyen de la Faculté des sciences de l'administration, pour ses encouragements, son appui constant et ses judicieux conseils. Je tiens aussi à manifester ma reconnaissance à Frédéric Potok pour son travail de recherche documentaire qui enrichit beaucoup l'ouvrage. Je remercie également Marie-France Lebouc pour la lecture attentive des cas. Aux Éditions du Renouveau Pédagogique, mes remerciements vont à toute l'équipe éditoriale, qui a œuvré avec dévouement et enthousiasme.

Claire de Billy
Université Laval
Québec

Sommaire

Table des matières

DEUXIÈME PARTIE

La gestion des individus

4 Diversité et différences individuelles

5 Perception et attribution

6 Motivation et renforcement

10

Travail d'équipe et équipes hautement performantes

QUATRIÈME PARTIE

LA GESTION DES ORGANISATIONS

11

Les caractéristiques fondamentales des organisations

Pouvoir et jeu politique
15

Information et communication
16

Le processus décisionnel
17

Présentation

■ CARACTÉRISTIQUES PÉDAGOGIQUES

Captiver le lecteur tout en offrant un contenu solide, voilà l'objectif qui a présidé à la rédaction de cet ouvrage qui présente de nombreuses caractéristiques dignes de mention.

- *Introduction du chapitre* Chaque chapitre s'ouvre sur un récit authentique. On y raconte des expériences vécues par des organisations québécoises, canadiennes et européennes qui montrent comment des gens peuvent faire évoluer leur milieu de travail. Ces récits servent également à présenter au lecteur ce qu'il va découvrir dans le chapitre. Les adresses des sites Internet des organisations mises en vedette dans les récits étant fournies, l'étudiant avide d'en savoir plus pourra aisément satisfaire sa curiosité.

- *Questions clés* Cette rubrique attire l'attention du lecteur sur les éléments essentiels du chapitre dont elle fait ressortir les principales sections. Les questions sont en outre reprises dans le *résumé*, en fin du chapitre, où l'on y donne des éléments de réponse.

- *Encadrés* Tout au long du chapitre, des encadrés illustrent des pratiques de gestion dans des organisations contemporaines, souvent québécoises et canadiennes, parfois européennes. Les descriptions sont brèves, généralement accompagnées d'une photo, et fournissent des exemples concis d'applications concrètes sans interrompre le déroulement du texte. Les thèmes sont les suivants: *Entrepreneuriat, Éthique et responsabilité sociale, Mondialisation, Organisation hautement performante, Technologie* et *Diversité de la main-d'œuvre.*

- *Le CO et les fonctions de l'organisation* Cette section, que l'on retrouve dans chaque chapitre, vise à donner une perspective globale et intégrée à l'étude du comportement organisationnel. Cette discipline, qui ne désigne pas une «fonction» spécialisée de l'entreprise, constitue un ensemble de connaissances s'appliquant à toutes les fonctions de l'organisation: marketing, gestion des opérations, finance, comptabilité, gestion des ressources humaines… Le lecteur découvrira donc des illustrations du rôle du comportement organisationnel dans toutes les fonctions de l'organisation.

- *Exemples en marge* Accompagnés d'un bref commentaire, ces exemples fournissent des applications supplémentaires du comportement organisationnel.

Le lecteur y trouvera d'autres adresses de sites Internet, qui lui permettront d'aller chercher des informations complémentaires sur les organisations décrites.

• *Le gestionnaire efficace* Cette rubrique présente des conseils et des suggestions pratiques ainsi que des lignes de conduite concrètes à adopter. Elle vise à sensibiliser le lecteur aux compétences à développer et à le préparer à sa nouvelle carrière.

• *Glossaire* Les termes clés, mettant en évidence les concepts les plus importants, apparaissent en gras italique dans le texte et sont repris dans la marge avec leur définition. Ce sont ces termes clés que l'on retrouve dans un glossaire complet à la fin de l'ouvrage.

• *Guide de révision* À la fin de chaque chapitre, cet outil d'apprentissage contribue à soutenir les connaissances et à préparer aux examens.

Il contient trois sections :

1. un *résumé,* basé sur les questions clés du début du chapitre auxquelles il donne des éléments de réponse, et qui fait ressortir les éléments essentiels du chapitre ;

2. une liste de *mots clés* (avec page de référence), qui renvoie aux termes apparaissant en gras italique dans le texte et à leur définition en marge ;

3. des tests d'*évaluation des connaissances,* proposant des questions à choix multiple, un questionnaire « vrai ou faux ? » ainsi que des questions à réponse brève et à développement qui servent d'outils de révision intégrée (une version interactive de ces tests est offerte dans le site Internet d'ERPI, à l'adresse suivante : **www.erpi.com/schermerhorn**).

■ CAHIER D'APPRENTISSAGE

Un grand nombre d'*études de cas,* d'*exercices* et d'*autoévaluations* ont été regroupés dans ce *Cahier d'apprentissage* intégré au manuel. Ainsi présentés, ils aideront les enseignants à animer leurs cours. Plutôt que de les associer de façon trop étroite à un chapitre précis, nous les récapitulons dans un tableau général de référence afin d'orienter les choix de chacun.

■ SOUTIEN EN LIGNE

Cette 2e édition de *Comportement humain et organisation* s'accompagne d'un site Internet qui aidera l'enseignant à maintenir un climat d'apprentissage stimulant.

Ce site Internet interactif vient compléter la matière enseignée en classe. On y propose un éventail varié de ressources destinées tant à l'enseignant qu'à l'étudiant. On y trouve, entre autres, des tests interactifs d'évaluation des connaissances, des exercices associés à chaque chapitre, des études de cas, des autoévaluations interactives, un recueil d'articles de FastCompany, des hyperliens pertinents, ainsi que des ressources offertes exclusivement à l'enseignant.

Vous pouvez visiter ce site de soutien à l'apprentissage et tirer profit de toutes ses ressources à l'adresse suivante : **www.erpi.com/schermerhorn**

Le comportement organisationnel de nos jours

LA BAIGNOIRE AUX DOLLARS

www.maax.com

Placide Poulin a radicalement transformé la douche : bruine tropicale, arômes, jeux de lumière et musique. Il s'attaque maintenant à la baignoire Internet !

Lorsqu'il s'est lancé en affaires, en 1969, Placide Poulin fabriquait des pièces de motoneiges en fibre de verre. L'effondrement du marché de ces véhicules, au début des années 70, a forcé le Beauceron à trouver un nouveau débouché. Ç'a été les accessoires de salle de bains. Il y a fait une véritable révolution en imposant la fibre de verre là où régnaient en maîtres la fonte et l'acier.

De 1994 à 1999, les ventes de MAAX, l'entreprise de Poulin, ont plus que décuplé, passant de 33 à 432 millions de dollars. Et sa «baignoire Internet», dont la mise en marché est prévue pour l'an prochain, devrait rapprocher l'homme d'affaires de 62 ans de son objectif ultime : des ventes annuelles d'un milliard de dollars. [...]

Il y a une trentaine d'années, sa petite usine de Tring-Jonction, en Beauce, fabriquait six douches en fibre de verre par jour. Aujourd'hui, grâce à ses 24 usines en Europe, aux États-Unis et au Canada, il produit quotidiennement 6 000 douches, baignoires, spas et autres accessoires de salle de bains.

Avec ses 2 755 employés, Poulin a réussi à devenir le leader de ce marché au Canada ; il occupe la cinquième place aux États-Unis. Et pas question de s'endormir sur ses lauriers. «Nous avons 45 personnes à la recherche et au développement, dont 25 en Beauce, dit-il. Bon an, mal an, MAAX lance une trentaine de nouveaux produits.»

De sa prochaine grande création, la «baignoire Internet», il dira très peu de choses. Sinon qu'elle permettra de naviguer (littéralement !) tout en prenant un bain, que le clavier sera imperméable et qu'on pourra donc le laisser tomber dans la baignoire. [...]

En 1999, la douche Rainforest – bruine tropicale, doux arômes, jeux de lumière et haut-parleurs incorporés – a valu à MAAX le prix Innovation au Salon de l'habitation de Montréal.

MAAX a beau ne pas faire partie de ce qu'il est désormais convenu d'appeler la nouvelle économie, cela ne signifie pas pour autant que Placide Poulin tourne le dos à l'informatique. L'entreprise a sa salle d'exposition virtuelle à www.maax.com. [...]

Sa croissance fulgurante, Placide Poulin l'attribue entre autres à la nouveauté de ses produits et aux acquisitions, 14 usines depuis 1992. […] «On a acheté tout ce qu'on pouvait acheter en Amérique du Nord. On se tourne maintenant vers l'Europe, dit-il. On devrait y faire, au cours des trois prochaines années, quatre ou cinq acquisitions.» MAAX est déjà présente aux Pays-Bas où elle emploie 55 personnes.

En mars, l'entreprise a lancé sa propre gamme de robinets et, dès juillet, elle fabriquera des meubles-lavabos. Placide Poulin souhaite qu'un jour ses clients puissent tout trouver chez lui, de la baignoire de luxe au mobilier en passant par les robinets et autres accessoires de salle de bain. «Déjà, on offre de tout, sauf les toilettes et les lavabos, ajoute-t-il. Mais ça viendra peut-être.» Comment pourrait-on ne pas le croire!

Daniel Chrétien. *L'Actualité*, 15 juin 2000, p. 74.

Cet ouvrage, *Comportement humain et organisation* (2e édition), parle des gens, de gens comme vous et moi, qui travaillent et poursuivent leur carrière dans les milieux de travail nouveaux et exigeants que nous connaissons aujourd'hui – de gens qui, en ces temps incertains, cherchent à s'accomplir de toutes sortes de manières dans leur vie personnelle et professionnelle. Il traite de sujets incontournables dans l'environnement de travail contemporain : rendement élevé, amélioration de la productivité, usage de la technologie, qualité des produits et services, diversité de la main-d'œuvre, équilibre entre vie professionnelle et vie personnelle, avantage concurrentiel dans une économie planétaire, etc. Il s'intéresse aussi à la façon dont une conjoncture des plus complexes pousse les gens et les organisations en quête d'un avenir gratifiant à changer, à apprendre et à se perfectionner sans cesse.

Placide Poulin, l'entrepreneur dont il est question dans notre introduction, a parfaitement compris de quoi il en retournait. Il a su rester à l'affût des occasions qui se présentent dans son environnement et en tirer parti de manière inédite. Son exemple montre bien comment de bonnes idées alliées à un solide esprit d'entreprise peuvent mener au succès. Car, peu importe le cadre de travail où vous évoluez – PME, grande entreprise, fonction publique ou autre –, une certitude s'impose : pour les individus comme pour les organisations, la réussite passe aujourd'hui par la flexibilité, la créativité, l'apprentissage et la volonté de s'adapter au changement. Tels sont les mots d'ordre du monde actuel, et ce seront aussi ceux du monde de demain.

Questions clés

Le chapitre 1 présente le comportement organisationnel comme un champ de connaissances très utile pour atteindre la réussite professionnelle dans l'environnement dynamique contemporain. Voici les questions clés que vous devriez garder à l'esprit en le lisant :

- Qu'est-ce que le comportement organisationnel, et en quoi est-il si important ?
- Comment peut-on faire l'apprentissage du comportement organisationnel ?
- À quoi ressemblent les organisations en tant que milieux de travail ?
- Qu'est-ce qui caractérise le travail de gestion ?
- Comment l'éthique influe-t-elle sur le comportement humain au sein des organisations ?

Le comportement organisationnel de nos jours

Les hommes et les femmes qui œuvrent dans les organisations d'aujourd'hui vivent une nouvelle ère. Sur plusieurs plans et à bien des égards, nos institutions et les gens sur lesquels elles reposent font face à des défis inédits. La société dans son ensemble a évolué : on s'attend maintenant à ce qu'un rendement élevé aille de pair avec une qualité de vie équivalente, on considère l'éthique et la responsabilité sociale comme des valeurs fondamentales, on respecte l'immense potentiel de la diversité culturelle et démographique, et on admet les répercussions de la mondialisation sur la vie quotidienne et sur la concurrence. Le champ de connaissances qu'englobe le terme « comportement organisationnel » apporte un éclairage du plus grand intérêt sur cette nouvelle donne avec laquelle doit maintenant composer le monde du travail et des organisations.

■ QU'EST-CE QUE LE COMPORTEMENT ORGANISATIONNEL ?

On appelle **comportement organisationnel** – CO en abrégé – l'étude du comportement des individus et des groupes au sein des organisations. L'apprentissage du CO peut vous apporter une meilleure compréhension de vous-même et d'autrui dans un contexte de travail ; elle pourrait même contribuer à votre réussite dans les milieux de travail toujours plus dynamiques et complexes d'aujourd'hui et de demain.

La figure 1.1 illustre le déroulement logique de cette nouvelle édition de *Comportement humain et organisation*. L'ouvrage s'intéresse d'abord à l'environnement de travail actuel, et plus particulièrement aux organisations hautement performantes et aux répercussions de la mondialisation. Puis, il se penche sur le comportement des individus et des groupes au sein des organisations, pour en arriver ensuite à la nature même des organisations et, finalement, aux processus fondamentaux du CO : le leadership, le pouvoir et la politique au sein des organisations, l'information et la communication, la prise de décision, les conflits et la négociation, le changement, l'innovation et le stress.

■ *Comportement organisationnel* Étude du comportement des individus et des groupes au sein des organisations

■ LES NOUVEAUX PARADIGMES DU COMPORTEMENT ORGANISATIONNEL

Les nouveaux milieux de travail n'ont plus guère de ressemblance avec ceux d'autrefois ; ils présentent des caractéristiques inédites, leur approche des mécanismes de production est différente et ils sont au service de consommateurs et de marchés qui ont changé. La dernière décennie du XXe siècle, en particulier, a connu des bouleversements spectaculaires tant par leur nature que par la vitesse à laquelle ils se sont manifestés. En 1993, un observateur décrivait le phénomène en ces termes : « [...] une révolution angoissante, culpabilisante, douloureuse, libératrice, déconcertante, exaltante, énergisante, frustrante, enrichissante, déroutante, stimulante. Autrement dit, une révolution qui ressemble beaucoup au chaos[1]. » Pourtant, ce que nous avons vécu comme une révolution à ses débuts est devenu notre réalité quotidienne à l'aube de ce nouveau siècle. L'intensité de la concurrence mondiale, l'interdépendance toujours plus étroite des économies nationales, le

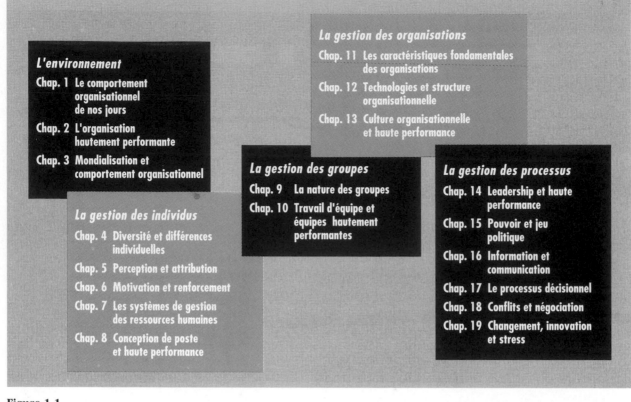

Figure 1.1
Comportement humain et organisation (2ᵉ **édition): les grands sujets d'étude du CO**

renouvellement incessant des technologies de l'information et des communications, les nouvelles formes d'organisation et les mouvements démographiques constants sont maintenant la norme. Nous vivons non seulement avec ces changements, mais avec leurs retombées sur les organisations – le commerce électronique, par exemple[2] – comme sur les individus – pensons aux exigences actuelles en matière de compétences et de formation personnelle continue[3]. Les premières comme les seconds n'ont plus qu'à lutter pour s'en tirer le mieux possible en s'efforçant de suivre le rythme effréné du changement[4].

Dans un article intitulé «The Company of the Future», Robert Reich, professeur à Harvard et ancien secrétaire d'État au Travail des États-Unis déclare:

> Tout le monde travaille pour quelque chose ou pour quelqu'un, qu'il s'agisse d'un conseil d'administration, d'un fonds de retraite, d'une entreprise capitaliste ou d'un employeur traditionnel. Tôt ou tard, vous devrez décider pour qui vous voulez travailler[5].

Lorsque vous aurez vous-même à prendre cette décision, vous souhaiterez sans doute vous intégrer à un milieu de travail en croissance et dont les valeurs correspondent aux vôtres. En cette période de grandes mutations, le présent ouvrage peut vous préparer à poser des choix qui tiennent pleinement compte des tendances actuelles dans les nouveaux milieux de travail[6].

- *Disparition de la direction centralisée* Dans l'environnement de plus en plus concurrentiel des entreprises, les structures hiérarchiques traditionnelles se révèlent trop rigides, trop lourdes et trop coûteuses pour un rendement efficace.

- *Émergence de nouvelles attentes au sein de la main-d'œuvre* Une nouvelle génération de travailleurs apparaît; moins tolérante envers la hiérarchie, elle exige plus de flexibilité et veut être jugée au mérite plutôt que sur le statut professionnel.

- *Influence croissante des technologies de l'information et des communications* Les organisations sont maintenant truffées d'ordinateurs; les répercussions du phénomène sur l'utilisation de l'information sont déjà considérables et on peut difficilement prévoir jusqu'où elles iront.

- *Nécessité de l'autonomisation* Dans la conjoncture actuelle, les organisations doivent miser sur le savoir, l'expérience et les compétences de leur personnel, toutes choses qui exigent un cadre de travail souple, laissant à chacun toute la latitude nécessaire pour favoriser son engagement et sa participation active à son milieu de travail.

- *Importance du travail d'équipe* Les organisations d'aujourd'hui présentent des structures aplanies; modelée par la complexité des marchés et les exigences des clientèles, l'organisation du travail est de plus en axée sur le travail d'équipe et sur la collaboration entre pairs.

- *Souci d'harmoniser travail et vie privée* Dans une société elle-même de plus en plus complexe, les organisations se préoccupent davantage de la façon dont leurs membres parviennent à concilier les exigences parfois conflictuelles de la vie professionnelle et de la vie personnelle.

> **Les tendances actuelles dans les nouveaux milieux de travail**

■ LE COMPORTEMENT ORGANISATIONNEL ET LA DIVERSITÉ

Un des mots d'ordre du XXIe siècle sera la ***diversité de la main-d'œuvre***. Pour réussir dans les nouveaux milieux de travail, on doit maintenant posséder les compétences qui permettent de collaborer harmonieusement avec une multitude de gens différents par leur sexe, leur âge, leur aptitude physique et mentale au travail, leur origine ethnoculturelle, leur culture locale et nationale[7]. La *valorisation de la diversité*, qui est l'un des grands thèmes du CO, suppose une gestion et des rapports de travail fondés sur un respect total des différences individuelles; elle nécessite, par conséquent, une sensibilité réelle aux relations interpersonnelles et interculturelles.

Nous avons beau répéter dans nos livres et dans nos cours combien il est important de valoriser la diversité, beaucoup reste à faire à cet égard. Dans certaines situations, l'avancement des femmes et des gens issus des minorités s'arrête à cette barrière invisible qu'on appelle le ***plafond de verre***. Encore récemment, dans un article de fond que consacrait la *Harvard Business Review* aux questions raciales, on pouvait lire des constats comme ceux-ci: «Bien des gens de couleur se heurtent encore aux portes closes du racisme institutionnel, […] les préjugés et l'ignorance n'ont absolument pas disparu des milieux de travail américains.» En conclusion, l'article relevait toutefois «certains indices de progrès[8]». De fait, une étude récente auprès de 860 entreprises des États-Unis révèle une augmentation de 18 % du nombre d'Afro-Américains dans les conseils d'administration, et cela

■ *Diversité de la main-d'œuvre* Différences de sexe, d'origine ethnoculturelle, d'âge ou d'aptitude physique et mentale au travail au sein de la main-d'œuvre

■ *Plafond de verre* Barrière invisible qui freine la promotion des femmes et des minorités dans les organisations

sur une période de deux ans ; pour les femmes, l'augmentation était de 4 %[9]. Mais, de toute évidence, des inégalités subsistent dans les rangs des cadres de direction : à peine 11 % de femmes occupent ce type de fonction dans les 500 plus grandes sociétés répertoriées par le magazine *Fortune,* et, même à ces échelons, elles ne gagnent que 68 cents pour chaque dollar touché par leurs pairs masculins les mieux payés (voir *Le gestionnaire efficace 1.1*)[10].

LE GESTIONNAIRE EFFICACE 1.1

COMMENT PROMOUVOIR LA DIVERSITÉ

- Axez le recrutement sur le talent.
- Établissez des plans de carrière pour tous les membres de l'organisation.
- Instituez un mentorat qui favorise la diversité.
- Élevez des individus issus des minorités à des postes de responsabilité.
- Fixez des objectifs de diversité et exigez qu'on vous rende des comptes en la matière.
- Intégrez la diversité aux stratégies de l'organisation.
- Instaurez la diversité parmi les cadres de direction.

L'apprentissage du comportement organisationnel

Nous vivons et travaillons dans une économie fondée sur le savoir et sans cesse ballottée par les vents du changement, d'où l'importance que les organisations, comme les individus, accordent maintenant à l'*apprentissage*. Seuls les « apprenants » pourront garder le rythme et réussir dans cet environnement capricieux[11].

■ LE COMPORTEMENT ORGANISATIONNEL ET L'IMPÉRATIF DE L'APPRENTISSAGE

■ *Apprentissage organisationnel* Processus d'acquisition de connaissances et d'utilisation de l'information qui permet aux organisations et à leurs membres de s'adapter aux circonstances

Les consultants et les experts insistent sur l'importance de l'*apprentissage organisationnel,* ce processus d'acquisition de connaissances et d'utilisation de l'information qui permet de s'adapter aux circonstances[12]. Les organisations en quête de nouvelles idées et de nouvelles occasions d'affaires doivent pouvoir changer constamment et pour le mieux. Cela vaut aussi pour chacun d'entre nous : nous devons continuellement nous perfectionner pour suivre l'évolution de notre environnement professionnel.

Le concept de *formation continue* jouit d'une popularité méritée par les temps qui courent. Vos expériences de travail quotidiennes, vos conversations avec vos collègues et vos amis, les conseils et les recommandations de vos mentors, l'exemple des gens qui vous inspirent, les ateliers et les séances de formation et toute l'information que vous pouvez glaner dans les médias peuvent – et doivent – devenir pour vous autant d'occasions d'apprendre. Vous trouverez à la fin de ce livre un

ORGANISATION HAUTEMENT PERFORMANTE

Les organisations dotées d'une culture d'apprentissage attirent les nouveaux diplômés. Avec ses 80 000 employés et son chiffre d'affaires de 9 milliards de dollars, la firme de comptables et d'experts-conseils Ernst & Young LLP est l'une de ces entreprises, comme en témoignent les installations et le personnel qualifié de son Center for Business Innovation voué à la formation. «Travailler ici m'a permis de me constituer une liste de contacts impressionnante [...] jamais je n'aurais pu la créer seul [...], affirme John Jordan, directeur du service de commerce électronique. J'apprends trop ici pour être tenté de m'établir à mon compte[13].»

www.eyi.com

Cahier d'apprentissage en comportement organisationnel spécialement conçu pour vous aider à entreprendre ce processus : études de cas, exercices et autoévaluations vous aideront à progresser dans votre apprentissage, individuellement ou en petit groupe.

■ LES FONDEMENTS SCIENTIFIQUES DU COMPORTEMENT ORGANISATIONNEL

Il y a plus d'un siècle que les universitaires et les spécialistes se sont mis à l'étude systématique de la gestion. Les premières recherches portaient surtout sur les conditions matérielles du travail et sur les grands principes de l'administration et du génie industriel. Cependant, à partir des années 1940, le champ d'étude s'est étendu à l'élément humain – facteur essentiel s'il en est un. Dès lors, la recherche sur les comportements individuels, la dynamique des groupes et les relations entre gestionnaires et travailleurs a pris un essor considérable. Devenu une discipline à part entière, le comportement organisationnel se consacre aujourd'hui à l'analyse scientifique 1) du comportement des individus et des groupes au sein des organisations, et 2) de l'influence des structures, systèmes et processus organisationnels sur le rendement[14].

Interdisciplinarité des connaissances Le CO est un ensemble de connaissances interdisciplinaires étroitement lié aux sciences du comportement – la psychologie, la sociologie et l'anthropologie – ainsi qu'aux sciences sociales connexes comme l'économie et les sciences politiques. La singularité du CO réside dans le fait qu'il intègre et applique des connaissances issues de ces diverses sciences humaines pour parvenir à une meilleure compréhension du comportement humain dans les organisations.

Recours à des méthodes scientifiques Le CO s'appuie sur des méthodes de recherche scientifiques pour établir et vérifier empiriquement des hypothèses concernant le comportement humain dans les organisations (voir la figure 1.2). Les chercheurs et les penseurs du CO se réclament de la pensée scientifique parce que 1) ils procèdent à une collecte de données systématique et contrôlée; 2) ils soumettent

Figure 1.2
Les méthodes de recherche en comportement organisationnel

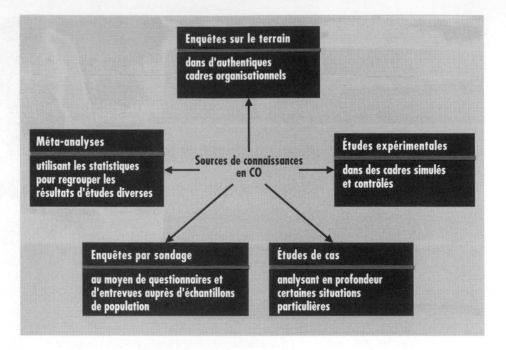

les hypothèses qu'ils avancent à une vérification rigoureuse ; et 3) ils ne retiennent que les explications scientifiquement vérifiables. Nous reviendrons sur les concepts et les plans de recherche en CO dans le module *Les fondements de la recherche en comportement organisationnel* (p. 521).

Priorité aux applications Le champ d'étude du CO se concentre surtout sur les applications susceptibles de bonifier sensiblement le rendement des organisations et des gens qui y travaillent. Ainsi, les chercheurs se penchent sur des résultats ou des variables dépendantes comme l'efficacité fonctionnelle, l'engagement et la satisfaction professionnels, l'absentéisme ou la rotation de la main-d'œuvre. En ce sens, le CO est vraiment une science sociale appliquée qui peut améliorer concrètement le fonctionnement des organisations et les expériences professionnelles de leurs membres. Voici quelques-unes des questions pratiques qu'abordent cette discipline et cet ouvrage : Comment doit-on utiliser des gratifications comme les augmentations de salaire au mérite ? Dans quelles circonstances faut-il concevoir les postes de travail en fonction d'individus plutôt que de groupes, et vice-versa ? Quels sont les ingrédients d'une équipe à rendement élevé ? Comment peut-on faire évoluer les cultures organisationnelles ? Les décisions doivent-elles se prendre individuellement, en consultation ou en groupe ? Lors d'une négociation, quelle est la meilleure façon de conclure une entente qui ne fait que des gagnants ?

■ *Approche de la contingence*
Approche qui tente de répondre aux besoins de gestion en tenant compte des particularités du contexte

Approche de la contingence Loin de soutenir qu'il existe une seule et unique méthode – ou une méthode meilleure que les autres – pour gérer des organisations et des ressources humaines, les spécialistes en CO reconnaissent la nécessité d'adapter son style de gestion aux particularités de la situation dans laquelle il s'exerce. En privilégiant une approche fondée sur la contingence, les chercheurs tentent de déterminer les meilleures façons d'analyser et de gérer différentes situations. Ainsi, nous verrons au chapitre 3 que les concepts et les théories peuvent s'appliquer différemment selon les pays[15]. En effet, ce qui réussit parfaitement dans un contexte culturel donné ne donne pas forcément les mêmes résultats dans un autre contexte culturel. L'environnement, les techniques, les tâches, les structures et, bien sûr, les êtres humains sont d'autres variables contextuelles dont nous traiterons dans cet ouvrage.

Les organisations en tant que cadres de travail

L'étude du comportement organisationnel exige que l'on envisage les organisations en tant que cadres de travail. D'un point de vue théorique, une **organisation** est un regroupement d'individus qui œuvrent, après répartition du travail, à un objectif commun. Cette définition englobe aussi bien les associations, les organismes sans but lucratif et les groupes religieux que les petites et grandes entreprises, les syndicats, les établissements d'enseignement, les établissements de santé et la fonction publique. Le champ de connaissances du CO peut s'appliquer à toutes ces organisations et les aider à atteindre les résultats que l'on attend d'elles.

■ *Organisation* Regroupement d'individus qui œuvrent à un objectif commun, à savoir la production de biens et services pour la société

■ RAISON D'ÊTRE, MISSION ET STRATÉGIES

La raison d'être des organisations est d'offrir des biens et des services à une *clientèle*. Les organismes sans but lucratif proposent des biens et services *d'intérêt public* dans divers secteurs : santé, éducation, justice, etc. Petites ou grandes, toutes les entreprises à but lucratif produisent, quant à elles, des biens et services *de consommation*, qu'il s'agisse d'automobiles, de pâte à modeler, de produits bancaires, de voyages, de rasoirs jetables, de restauration ou de logement.

Le *mandat* d'une association ou l'*énoncé de mission* d'une entreprise informe les effectifs de l'organisation et tous les gens avec qui elle est en relation de son objectif primordial[16]. Ainsi, la société biopharmaceutique BioChem Pharma dit se consacrer «à la recherche, au développement et à la commercialisation de produits novateurs destinés à la prévention et au traitement de maladies humaines, notamment le cancer et les maladies infectieuses[17]». La chaîne de détaillants Wal-Mart affirme, quant à elle, vouloir «donner aux gens ordinaires la possibilité d'acheter les mêmes produits que les gens riches[18]». De plus en plus, ces énoncés de mission visent à transmettre une *vision* claire des objectifs à long terme et des aspirations des organisations. Ainsi, l'énoncé de mission d'Air Canada exprime le désir «de donner un service sûr et fiable à ses clients au cours du nouveau millénaire[19]». Des visions audacieuses et motivantes peuvent attirer l'attention des consommateurs et contribuer à mobiliser le personnel autour d'un objectif de performance stimulant. Comme l'exprime Robert Reich dans sa description de l'organisation de demain : «Les gens talentueux tiennent à faire partie de quelque chose en quoi ils peuvent croire, qui donne un sens à leur travail, à leur vie – de quelque chose qui relève d'une mission[20].»

Après avoir défini sa raison d'être et sa mission, l'organisation déploie les *stratégies* qui lui permettront d'atteindre ses objectifs. La vague de fusions et d'acquisitions à laquelle nous assistons actuellement (l'association Daimler-Chrysler, par exemple) témoigne des stratégies de déploiement par lesquelles les organisations

www.pg.com

✥ DIVERSITÉ EN MILIEU DE TRAVAIL

Depuis quelques années, il [Procter & Gamble] s'est engagé officiellement à favoriser leur carrière [celle des femmes] et à leur donner une place plus importante dans son management. [...]

L'initiative s'inscrit dans un vaste et ambitieux programme destiné à promouvoir la « diversité » dans l'entreprise. Concept de base : P&G doit être capable d'attirer, de fidéliser et d'assurer une carrière à tous. Sans distinction de sexe, de race, de nationalité ou d'âge. « C'est d'une importance vitale pour l'avenir de l'entreprise », affirme Durk Jager, le nouveau président. Du politiquement correct, certes, mais qui permet en même temps à la firme de mieux refléter le monde qui l'entoure, de mieux comprendre les besoins des consommateurs et, finalement, de gagner en créativité et en efficacité…

Les femmes comptent parmi les premières bénéficiaires de cette démarche. [...]

Quatre leçons à retenir de la méthode de Procter & Gamble :

L'engagement affiché du top management. Le PDG a fait de la promotion des femmes et des minorités une affaire qui engage sa responsabilité.

Une évaluation régulière de la politique. Tous les ans, des objectifs quantitatifs et qualitatifs sont fixés et les résultats sont évalués au plus haut niveau.

Le tutorat inversé. De jeunes salariées sensibilisent des hauts dirigeants à leurs difficultés de carrière.

Une ligne d'assistance. Pour faciliter la vie des femmes, un service gratuit de conseil par téléphone a été mis en place.

Jean Botella. « Procter fait mousser ses femmes ! », *Management*, février 2000, p. 22-26.

---

tentent de s'assurer une position solide dans des domaines où règne une concurrence féroce. Si l'organisation tient à réussir dans un tel contexte, il lui faut des stratégies bien formulées et bien implantées[21]. À elle seule, la planification ne suffit pas pour soutenir l'objectif stratégique global : *dépasser les concurrents et conserver son avance*.

C'est à cette étape, celle de l'action, que des connaissances en CO se révèlent particulièrement utiles, voire essentielles, pour assurer la mise en œuvre efficace des stratégies. Tout ce qui arrive dans une organisation découle des efforts des gens qui y travaillent ; or, la façon dont ces gens travaillent ensemble est justement le principal sujet d'intérêt du CO.

■ LES INDIVIDUS ET L'ORGANISATION EN TANT QUE SYSTÈME OUVERT

Invité à commenter le rendement de sa banque, Richard Kovacevic, directeur général de Norwest, a eu ces mots : « Notre réussite tient beaucoup à l'exécution du travail [...] des gens talentueux, professionnels, motivés, qui ont leur travail à cœur, [...] voilà notre avantage concurrentiel[22]. » Les dirigeants des organisations d'aujourd'hui reconnaissent qu'il est important de mettre les gens au premier plan. Ils redécouvrent un vieux concept : les êtres humains constituent le principal actif d'une organisation.

Le respect du *capital intellectuel,* c'est-à-dire de la somme de connaissances, d'expertise et de dévouement de la main-d'œuvre d'une organisation[23] est l'un des thèmes majeurs du CO aujourd'hui. Même en cette ère hautement technologique, les gens – les *ressources humaines* – demeurent indispensables pour concrétiser, par leurs connaissances et leurs compétences, la raison d'être, la mission et les stratégies d'une organisation. Ce n'est que par l'effort humain que les organisations peuvent tirer avantage de leurs *ressources matérielles* comme les techniques, l'information, les matières premières et les capitaux. À la suite d'un sondage mené auprès des entreprises les plus admirées aux États-Unis, le magazine *Fortune* allait jusqu'à affirmer récemment que « le meilleur indicateur prévisionnel de la réussite générale d'une entreprise est sa capacité à attirer, à motiver et à conserver des gens talentueux[24] ».

L'importance actuelle des stratégies organisationnelles axées sur le consommateur et sur le marché remet à l'ordre du jour la nécessité, pour l'organisation, de bien comprendre ses interactions avec l'environnement dans lequel elle agit. La figure 1.3 montre l'organisation comme un *système ouvert* : elle reçoit de l'environnement des ressources qu'elle transforme avant de les y réexpédier sous forme de produits finis (biens ou services). Si cette interaction se passe bien, l'environnement apprécie ces produits et une demande continue pour ces derniers se crée. La demande stimule la production, ce qui permet à l'organisation de survivre et de prospérer à long terme. Il peut néanmoins y avoir des problèmes dans la relation organisation/environnement. Si l'intégrité de la chaîne de valeur se détériore, et que les produits qu'elle offre ne satisfont plus sa clientèle, l'organisation aura tôt ou tard des difficultés à obtenir ce dont elle a besoin pour opérer ; si les choses empirent, elle sera forcée de cesser ses activités.

■ *Capital intellectuel*   Somme de connaissances, d'expertise et d'énergie mise à la disposition d'une organisation par ses membres

■ *Ressources humaines*   Êtres humains qui accomplissent tout ce qui contribue à réaliser la mission d'une organisation

■ *Système ouvert*   Système qui transforme des ressources humaines et matérielles en produits finis (biens et services)

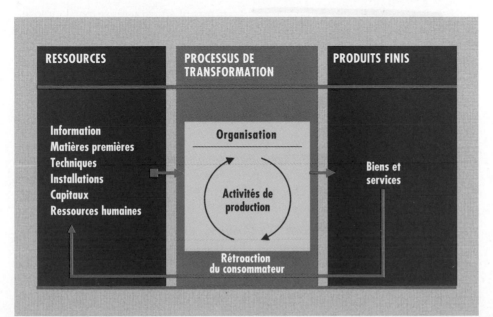

Figure 1.3
Les interactions entre l'organisation et son environnement

Le gestionnaire et le comportement organisationnel

Quels que soient votre point de départ et votre trajectoire, un jour ou l'autre, vos connaissances en CO vous aideront à relever les défis inhérents aux fonctions du **gestionnaire.** Dans toute organisation, le gestionnaire exécute des tâches qui impliquent un soutien direct aux efforts déployés par d'autres. Occuper un poste de gestionnaire confère des responsabilités particulières au chapitre du rendement : les gestionnaires aident d'autres membres de l'organisation à accomplir des tâches importantes dans les délais prévus, conformément aux standards de qualité et d'une manière satisfaisante pour eux. Dans les nouveaux milieux de travail, l'obtention de ces résultats passe davantage par l'*encadrement* et le *soutien* que par les fonctions traditionnelles de *direction* et de *contrôle ;* d'ailleurs, le mot gestionnaire y est de plus en plus associé à des rôles de *coordonnateur,* d'*entraîneur,* de *chef d'équipe* ou de *leader*[25].

■ *Gestionnaire* Au sein d'une organisation, personne dont la tâche consiste à soutenir les efforts déployés par d'autres

■ LA NATURE DU TRAVAIL DE GESTIONNAIRE

Quiconque occupe un poste de gestionnaire ou de chef d'équipe assume la responsabilité d'un travail qui repose en grande partie sur les efforts d'autres personnes. En ce sens, le travail des gestionnaires est à la fois très complexe et très exigeant. Voyons ce qu'en disent les chercheurs[26].

Les gestionnaires consacrent de longues heures à leur travail. Leur semaine de travail ordinaire dépasse largement les 40 heures, et elle tend à s'allonger au fur et à mesure qu'ils gravissent les échelons de la hiérarchie, les dirigeants d'entreprises étant souvent ceux qui consacrent le plus de temps à leur travail.

Les gestionnaires sont très occupés. Leur travail se caractérise par l'intensité et la diversité des tâches à accomplir au cours d'une même journée. De plus, divers incidents exigeant une attention immédiate viennent souvent alourdir encore une journée déjà bien remplie ; ces incidents sont d'autant plus nombreux que les cadres occupent une fonction subalterne.

Les gestionnaires sont souvent interrompus. Leur travail est fragmenté : ils doivent accomplir rapidement des tâches très diverses, et cela malgré de fréquentes interruptions.

Les gestionnaires travaillent la plupart du temps avec des gens. Constamment en relation avec leurs patrons, leurs pairs, leurs subordonnés et les employés subalternes, sans compter les clients, les fournisseurs et les autres personnes de l'extérieur, ils travaillent très rarement seuls.

Les gestionnaires sont des communicateurs. Ils passent une bonne partie de leur temps à obtenir, à distribuer et à traiter des informations ; le plus souvent, il s'agit de communications verbales directes au cours de rencontres planifiées ou impromptues. Les cadres de niveau supérieur passent généralement plus de temps en rencontres organisées à l'avance que les cadres de niveau inférieur.

■ LE PROCESSUS DE GESTION

Le *gestionnaire efficace* est celui dont l'unité de travail, le groupe ou l'équipe atteint à répétition ses objectifs sans que l'engagement et l'enthousiasme de ses membres ne fléchissent. Cette définition illustre les deux facettes de la tâche du gestionnaire : *l'efficacité fonctionnelle*, c'est-à-dire le rendement et la qualité de ce que produit l'unité de travail, et la *satisfaction professionnelle*, c'est-à-dire le sentiment qu'inspirent aux individus leur emploi et leur cadre de travail. De même qu'on ne devrait pas laisser une machine tomber en panne par manque d'entretien, on ne devrait jamais négliger l'apport des ressources humaines au point de le gaspiller ou de le perdre. Aussi, les spécialistes du CO attirent-ils l'attention du gestionnaire autant sur des questions comme l'identification à l'organisation ou la satisfaction et l'engagement professionnels que sur l'efficacité fonctionnelle.

Une partie non négligeable du travail de gestionnaire ou de cadre consiste à donner une valeur ajoutée à l'organisation par des interventions qui facilitent la tâche du personnel. La façon traditionnelle de décrire ce rôle comme un ensemble de tâches ou de *fonctions* à remplir constamment et souvent simultanément reste toujours exacte. La figure 1.4 résume les *quatre fonctions du gestionnaire* – la planification, l'organisation, la direction et le contrôle –, fonctions qui correspondent aux responsabilités suivantes[27] :

- **planifier,** c'est-à-dire établir des objectifs généraux et des objectifs de rendement, et déterminer les actions à entreprendre pour les atteindre ;
- **organiser,** c'est-à-dire mettre sur pied des structures et des régimes de travail, et coordonner les ressources en fonction des buts et objectifs à atteindre ;
- **diriger,** c'est-à-dire communiquer avec le personnel afin de lui insuffler de l'enthousiasme, de le motiver à faire du bon travail et de maintenir de bonnes relations interpersonnelles ;
- **contrôler,** c'est-à-dire veiller au bon déroulement du plan d'action en faisant le suivi du rendement et en prenant les mesures correctives appropriées au besoin.

■ LES RÔLES ET LES RÉSEAUX DU GESTIONNAIRE

Dans une étude qui est devenue un classique du comportement organisationnel, Henry Mintzberg est allé au-delà de cette description élémentaire en cernant les trois types de rôles que le gestionnaire doit être prêt à jouer au jour le jour[28]. La figure 1.5 illustre cette catégorisation. On y trouve d'abord, dans le rectangle de gauche, les *rôles interpersonnels* impliquant des relations directes avec d'autres personnes : animation d'événements officiels ou assistance à de tels événements (représentation), stimulation de l'enthousiasme et réponse aux besoins du personnel (leadership), relations avec les individus et les groupes importants (liaison). Les *rôles informationnels,* regroupés dans le rectangle de droite, concernent l'échange d'informations : recherche de l'information utile (collecte et contrôle des données) et partage de celle-ci à l'intérieur (diffusion des données) et à l'extérieur (propagation des données, rôle de porte-parole) de l'organisation. Enfin, les *rôles décisionnels,* rassemblés dans le rectangle du centre, ont trait à la prise de décisions ayant des répercussions sur d'autres personnes : détermination des problèmes à résoudre et recherche d'occasions d'affaires (entrepreneuriat), intervention dans la résolution de conflits

---

Les fonctions du gestionnaire

- **Planifier**   Fixer des objectifs et déterminer les actions à entreprendre pour les atteindre
- **Organiser**   Répartir les tâches et coordonner les ressources en fonction des objectifs
- **Diriger**   Insuffler au personnel de l'enthousiasme et de l'ardeur au travail
- **Contrôler**   Surveiller le rendement et prendre les mesures correctives qui s'imposent

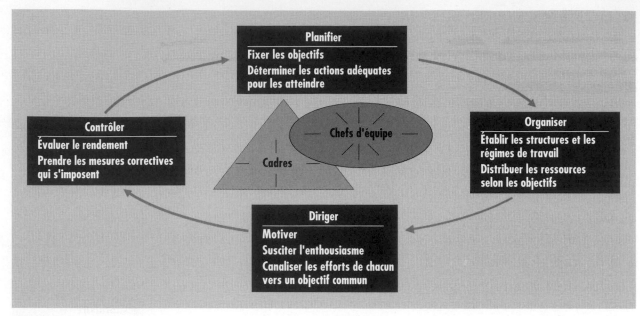

Figure 1.4
Les quatre fonctions du gestionnaire

(gestion des perturbations), affectation des ressources en fonction de leur utilisation (répartition des ressources) et discussions avec diverses entités (négociation).

La capacité d'entretenir de bonnes relations avec toutes sortes de gens, à l'intérieur comme à l'extérieur de l'organisation, est absolument essentielle pour bien remplir ces rôles et pour assumer l'ensemble du travail de gestion[29]. Les cadres et les chefs d'équipe doivent savoir créer et maintenir des réseaux d'amis et de collègues avec lesquels ils travailleront et en qui ils pourront placer leur confiance : *réseaux de tâches* (contacts spécifiques liés au travail) et *réseaux socioprofessionnels* (contacts pour conseils de carrière et occasions d'affaires)[30].

Figure 1.5
Les dix rôles du gestionnaire efficace

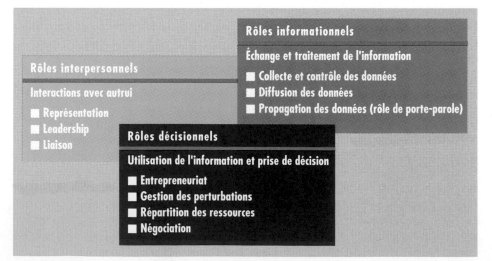

■ LES COMPÉTENCES ET LE SAVOIR-FAIRE DU GESTIONNAIRE

Une *compétence* est une aptitude à traduire un savoir en actions qui produiront les résultats escomptés. Robert Katz distingue trois types de compétences essentielles au travail de gestion : les compétences techniques, les compétences humaines et les compétences conceptuelles[31]. L'importance relative de ces divers types de compétences, précise Katz, varie selon le niveau de responsabilités du gestionnaire. On considère que les compétences techniques ont plus d'importance aux échelons inférieurs de la hiérarchie, où les superviseurs et les chefs d'équipe doivent traiter des problèmes liés de près au travail quotidien. Aux échelons supérieurs, les cadres s'occupent davantage de questions touchant la raison d'être, la mission et les stratégies de l'organisation ; ils prennent des décisions à long terme, à la fois plus vastes et plus délicates, qui exigent des compétences conceptuelles. Quant aux compétences humaines, intrinsèquement liées aux fondements du CO, elles ont pratiquement autant d'importance à tous les échelons de la hiérarchie.

Les compétences techniques   Une *compétence technique* est une aptitude à s'acquitter de certaines tâches spécialisées. Découlant d'un savoir ou d'une expertise acquise par la formation ou l'expérience pratique, elle permet d'utiliser efficacement des méthodes, des procédés et des procédures choisies en fonction des tâches à accomplir. L'aptitude à se servir des technologies de l'information et des communications est un bon exemple de compétence technique. Dans les nouveaux milieux de travail, de plus en plus dépendants de la haute technologie, les compétences en traitement de texte, en gestion de données, en analyse de chiffriers électroniques et en intranet sont souvent des préalables à l'embauche des cadres. Certaines compétences techniques s'acquièrent par les études ; d'autres exigent une formation spécialisée ou une expérience de terrain.

Les compétences humaines   Au cœur du travail de gestion, d'encadrement et de direction d'équipes, les *compétences humaines* confèrent la capacité de travailler efficacement avec d'autres personnes. Quelqu'un qui a de solides compétences humaines dégage, et inspire, de la confiance, de l'enthousiasme et un engagement sincère dans les relations interpersonnelles ; une telle personne a une excellente connaissance de soi et sait faire preuve d'ouverture d'esprit et d'empathie pour comprendre ce que ressent son entourage. Les gens dotés de ces qualités peuvent interagir sans heurts avec les autres ; ils sont capables de les convaincre, de dissiper les malentendus et de résoudre les conflits. À une époque où les hiérarchies traditionnelles et les structures verticales cèdent la place aux relations latérales et aux structures collégiales, les compétences humaines sont devenues primordiales[32].

Les compétences conceptuelles   Tout bon gestionnaire est capable d'appréhender une organisation ou une situation dans son ensemble, et de résoudre des

---

Le CO et les fonctions de l'organisation

GESTION DES RESSOURCES HUMAINES

Les secrets des vrais coachs

En arrivant à l'Institut de cardiologie de Montréal, Linda Vaillant, la nouvelle pharmacienne en chef, s'est retroussé les manches, prête à relever un nouveau défi. Mais – ô surprise ! – celui qui s'est pointé n'est pas celui qu'elle attendait.

En acceptant le poste, cette spécialiste en oncologie croyait que le plus difficile serait de maîtriser l'énorme masse de connaissances concernant les traitements en oncologie. Mais le vrai défi en fut un de gestion des ressources humaines…

« Au bout de quelques mois, j'ai réalisé qu'il n'est pas important que je sache tout. L'important, c'est qu'un membre de mon équipe le sache, et que moi, je puisse compter sur lui », dit-elle. Un coach est un chef d'orchestre qui harmonise la complémentarité des compétences. Il ne sait pas lui-même jouer de tous les instruments, mais il sait reconnaître le talent des musiciens. Depuis un an et demi, la jeune femme de 34 ans a donc consacré l'essentiel de ses énergies à la consolidation de son équipe de travail.

Marie Quinty. *Affaires PLUS,* janvier 2000, p. 32.

■ *Compétence technique*
Aptitude à effectuer certaines tâches spécialisées

■ *Compétence humaine*
Aptitude qui permet de bien travailler avec d'autres

■ *Compétence conceptuelle*
Aptitude qui contribue à l'analyse
et à la résolution des problèmes
complexes

problèmes pour le plus grand bien de toutes les parties concernées. On appelle ***compétence conceptuelle*** cette aptitude à analyser et à résoudre des problèmes complexes en tenant compte de toutes leurs facettes. Le gestionnaire doit pouvoir envisager l'organisation comme un système global; il doit comprendre son fonctionnement d'ensemble, le rôle de chacune de ses constituantes et les liens qu'elles entretiennent entre elles. Les compétences conceptuelles du cadre lui permettent de discerner les problèmes et les occasions d'affaires, de recueillir et d'interpréter les données utiles, et de prendre les décisions éclairées qui servent les fins de l'organisation.

L'éthique et le comportement organisationnel

■ *Comportement conforme*
à l'éthique Comportement
considéré comme juste et moral
selon les valeurs sociales
dominantes

Le mot «éthique» a du poids en CO. Un ***comportement conforme à l'éthique*** est une façon d'agir considérée comme moralement juste selon les valeurs ayant cours dans un contexte donné, par opposition à un comportement que l'on jugerait répréhensible[33]. Ainsi, on peut se demander s'il est juste sur le plan éthique de cacher à un candidat des renseignements susceptibles de le décourager de se joindre à l'organisation, d'offrir à quelqu'un un poste dont on sait pertinemment qu'il peut nuire à sa carrière ou encore d'être à ce point exigeant envers un employé qu'il doive continuellement choisir entre «avoir un emploi» et «avoir une vie». On pourrait évidemment remplir des pages et des pages de questions liées à l'éthique professionnelle, mais tenons-nous en ici à l'essentiel: de plus en plus, la société exige des organisations et de leurs membres une conduite irréprochable sur le plan éthique.

■ POINTS DE VUE SUR L'ÉTHIQUE

Un comportement conforme à l'éthique est dicté non seulement par des obligations légales mais aussi, plus largement, par un code moral reflétant des valeurs partagées par l'ensemble de la société. La nature exacte de ces valeurs peut évidemment donner lieu à d'interminables débats. En ce qui concerne les organisations, on peut dégager au moins quatre approches distinctes des questions éthiques.

Du point de vue utilitariste, un comportement est défendable sur le plan éthique tant qu'il en résulte «le plus grand bien pour le plus grand nombre». Les tenants de la logique utilitariste axée sur les résultats évaluent la moralité de leurs décisions en fonction de leurs conséquences; ils estiment que les besoins du plus grand nombre l'emportent sur ceux de la minorité. Ainsi, de ce point de vue, la décision de fermer une usine afin de préserver la rentabilité de la société mère et de continuer à exploiter les autres installations est juste sur le plan éthique.

Du point de vue individualiste, le comportement conforme à l'éthique est celui qui sert le mieux les intérêts à long terme de l'individu. En principe du moins, celui qui agit de manière répréhensible à court terme – en refusant une promotion à un employé qualifié parce qu'il est issu d'une minorité, par exemple – ne connaîtra pas la réussite à long terme, parce qu'on ne tolérera pas longtemps ses comportements fautifs. Autrement dit, si nous pensions à nos intérêts à long terme avant d'agir, nos agissements à court terme seraient conformes à l'éthique.

Du point de vue moraliste, le comportement juste sur le plan éthique est celui qui respecte les droits fondamentaux universels. Cette approche est étroitement liée à la notion de «droits fondamentaux de la personne»: droit à la vie, à la liberté, à un traitement juste devant la loi, etc. Dans une organisation, ces principes soulèvent des questions comme le droit au respect de la vie privée, à la liberté d'expression et à l'application de la loi selon les procédures prévues; une conduite conforme à l'éthique ne violera aucun de ces droits fondamentaux.

Du point de vue de la justice sociale, le comportement conforme à l'éthique est celui qui se fonde sur le traitement juste et impartial de toutes les parties intéressées. Deux notions importantes en CO sont intimement liées à cette approche éthique: les notions de justice procédurale et de justice distributive[34]. La **justice procédurale** assure que l'on respecte dans tous les cas où elles s'appliquent les règles et procédures inscrites dans la politique de l'organisation. Cela peut signifier, par exemple, qu'en matière de harcèlement sexuel chaque plainte soumise à l'administration sera entendue conformément aux procédures prévues dans ces cas. La **justice distributive** garantit qu'on traitera équitablement tout être humain. Pour reprendre notre exemple de harcèlement sexuel, cela pourrait signifier qu'une plainte déposée par un homme contre une femme serait traitée avec la même diligence et le même intérêt que celle d'une femme contre un homme. Si un traitement identique pour tout le monde peut paraître équitable, l'équité peut prendre d'autres formes. Ainsi, les contribuables à revenus élevés paient plus d'impôt que les contribuables à faibles revenus, et cela paraît tout de même équitable. L'équité réside donc dans un sentiment de justice, plutôt que dans la stricte égalité.

Selon le principe de la prudence, inspiré d'Aristote, une personne maximise les chances d'avoir un comportement juste sur le plan éthique si, avant de prendre une décision et de la mettre en œuvre, elle analyse la situation en mettant à profit son intuition, son expérience, ses connaissances rationnelles et l'avis de son entourage. Il s'agit donc là d'une sagesse pratique.

■ LES DILEMMES ÉTHIQUES EN MILIEU DE TRAVAIL

Dans un contexte de travail, un **dilemme éthique** est une situation où une personne doit décider de faire ou de ne pas faire quelque chose qui, bien qu'avantageux pour l'organisation ou pour elle-même, peut être considéré comme contraire à l'éthique. Il est impossible de prévoir précisément à quel genre de dilemmes éthiques vous risquez de faire face au cours de votre carrière. Toutefois, les recherches indiquent que, en milieu de travail, les gens se retrouvent souvent devant des dilemmes éthiques dans leurs relations avec leurs supérieurs, leurs subordonnés, des clients, des concurrents et des fournisseurs. Ces dilemmes sont souvent liés à l'honnêteté dans les communications et les contrats, aux cadeaux et invitations, et parfois aux pots-de-vin. Des enjeux comme la détermination des prix ou les mises à pied peuvent poser des dilemmes éthiques au gestionnaire[35]. De plus en plus d'organisations offrent aux cadres des programmes de formation en matière d'éthique afin de les aider à régler les situations délicates[36] (voir *Le gestionnaire efficace* 1.2). Ces programmes peuvent aussi prémunir les participants contre les rationalisations dont on se sert souvent pour justifier des inconduites ou des fautes professionnelles potentielles ou réelles[37]. En voici quelques exemples:

■ **Justice procédurale** Justice qui garantit le respect des règles et des procédures établies dans tous les cas où elles s'appliquent

■ **Justice distributive** Justice qui garantit un traitement équitable à tout être humain.

■ **Dilemme éthique** Situation où une personne doit choisir de poser ou non un acte qui présente des avantages potentiels tout en étant contraire à l'éthique

<table>
<tr><td>

Quelques façons de justifier un comportement contraire à l'éthique

</td><td>

- On prétend que le comportement en question n'est pas vraiment illégal ni contraire à l'éthique.
- On ferme les yeux sur un comportement sous prétexte qu'il sert ses intérêts ou ceux de l'organisation.
- On présume que le comportement ne pose pas véritablement de problème puisque personne n'en sera informé.
- On s'attend à être soutenu et protégé par les supérieurs si la situation s'envenime.

</td></tr>
</table>

LE GESTIONNAIRE EFFICACE 1.2

COMMENT AFFRONTER LES DILEMMES ÉTHIQUES

1. Reconnaissez l'existence du dilemme et faites le point.
2. Réunissez le plus de données possible sur la question.
3. Dressez la liste de toutes les options qui s'offrent à vous.
4. Évaluez ces options en vous demandant pour chacune : *Est-ce légal ? Est-ce juste ? Est-ce avantageux ?*
5. Prenez votre décision.
6. Réévaluez votre décision en vous posant les deux questions suivantes : *Si ma famille l'apprend, comment vais-je me sentir ? Si les médias exposent l'affaire sur la place publique, comment vais-je me sentir ?*
7. Alors, et alors seulement, faites ce que vous devez faire.

■ LA RESPONSABILITÉ SOCIALE DE L'ORGANISATION

Étroitement liée à l'éthique professionnelle, la notion de **responsabilité sociale** donne à toute organisation l'obligation d'adopter, en tant que personne morale, une conduite conforme à l'éthique ; autrement dit, ses membres doivent étendre à l'ensemble de l'organisation les règles qui régissent leur conduite individuelle. Les dirigeants et les gestionnaires doivent donc veiller à ce que les activités de leur organisation concilient les impératifs de la productivité et les objectifs de responsabilité sociale. Ce n'est malheureusement pas toujours le cas. Il y a quelques années, par exemple, deux cadres supérieurs de Beech-nut ont été condamnés à la prison pour leur implication dans les inconduites de leur entreprise. Le scandale concernait la vente de jus de pomme destiné aux nourrissons : les étiquettes clamaient « 100 % jus de fruits » alors qu'il s'agissait en fait d'un cocktail d'ingrédients artificiels. Comme souvent lorsque ce genre de cas fait les manchettes, le public fut averti de la supercherie par une fuite de l'intérieur : un dénonciateur a tiré la sonnette d'alarme pour mettre fin à cette pratique non conforme à l'éthique[38].

■ **Responsabilité sociale** Obligation, pour les organisations, d'adopter une conduite conforme à l'éthique et à la morale

■ LE TRAVAIL ET LA QUALITÉ DE VIE

Par bien des aspects, l'étude du comportement organisationnel est la recherche d'idées concrètes pour aider les organisations à atteindre leurs objectifs de productivité sans déroger à leurs devoirs en matière d'éthique et de responsabilité sociale. Dans ce contexte, il est donc essentiel de tenir compte du bien-être de l'ensemble du personnel, et pas seulement des intérêts des cadres et des dirigeants. En CO, la **qualité de vie professionnelle** (QVP) devient un indicateur de la qualité globale des activités humaines dans un milieu de travail donné, indicateur qui nous rappelle que la course à la productivité peut et doit aller de pair avec un degré élevé de satisfaction professionnelle chez tous et toutes.

■ **Qualité de vie professionnelle** (QVP) Qualité globale des expériences humaines dans le milieu de travail

On peut considérer l'importance de la qualité de vie professionnelle comme un principe central en CO. Cette préoccupation s'est manifestée dès les débuts de cette discipline sous la plume de théoriciens très axés sur l'aspect humain des

ENTREPRENEURIAT

Si vous allez travailler à Cary, en Caroline du Nord, pour le SAS Institute – la plus grande société fermée au monde dans le domaine des logiciels –, il y a peu de risques que vous le quittiez pour un concurrent. Sous le leadership de son fondateur et propriétaire James H. Goodnight, SAS offre à son personnel des avantages sociaux impressionnants. M. Goodnight assure qu'il aime «les gens heureux». Les employés du siège social disposent d'une clinique médicale gratuite et d'installations récréatives, jouissent de concerts quotidiens à l'heure du dîner, et bénéficient de bureaux individuels. SAS place les familles à l'avant-plan en offrant des horaires de travail flexibles, la semaine de travail de 35 heures et deux garderies dans les locaux de la société. Les employés, qui profitent d'une semaine de vacances supplémentaire payée à Noël, reçoivent aussi une prime de fin d'exercice et une participation aux bénéfices. Rien d'étonnant, donc, à ce que le roulement du personnel chez SAS ne soit que de 4 %[39].

www.sas.com

organisations. Douglas McGregor, notamment, a énoncé et mis en parallèle deux théories contraires sur le comportement de l'être humain au travail[40]. À la vision traditionnelle voulant que l'être humain ordinaire n'aime ni le travail ni les responsabilités, et qu'il doive être dirigé et contrôlé – ce qu'il a appelé les *hypothèses de la théorie X* –, McGregor opposait *la théorie Y* selon laquelle l'individu ordinaire aime le travail, est créatif et accepte les responsabilités. Pour ce penseur, les *hypothèses de la théorie Y* sont les plus appropriées, car elles créent un effet de «prophétie auto-accomplie». Autrement dit, s'il est convaincu que les salariés sont dignes de confiance, sérieux, créatifs et capables d'autocontrôle, le gestionnaire enrichira leurs tâches et créera un contexte professionnel leur permettant de se réaliser ; or, s'il agit ainsi, selon toutes probabilités, les salariés réagiront positivement et répondront à ses attentes.

De nos jours, les concepts et notions abordés dans l'étude du CO reflètent l'importance de la qualité de vie professionnelle et *les hypothèses de la théorie Y*. Les critères de l'excellence en matière de gestion organisationnelle comprennent maintenant :

- *l'autonomisation* (ou *responsabilisation*) – intégrer des gens de tous les échelons de la hiérarchie à la prise de décision ;
- *la confiance* – modifier les postes, les tâches, les régimes de travail et les structures pour laisser au personnel une plus grande marge de manœuvre ;
- *la reconnaissance* – établir des systèmes de récompense équitables, logiques, appropriés et fondés sur la qualité et le rendement ;
- *la sensibilité* – rendre le cadre de travail agréable et faire preuve d'ouverture à l'égard des besoins individuels et des responsabilités familiales ;
- *l'équilibre entre vie professionnelle et vie personnelle* – veiller à ce que les exigences d'un emploi soient conciliables avec les exigences de la vie privée et les responsabilités non professionnelles[41].

Ce souci constant de la qualité de vie professionnelle rejoint un autre principe que nous avons abordé dans ce chapitre : le respect du capital intellectuel.

■ *Équilibre entre vie professionnelle et vie personnelle* Situation qui permet à la personne de concilier les exigences de son travail et de ses activités personnelles

Ce principe implique que l'élément humain doit toujours passer en premier dans la liste de priorités d'une organisation.

Au prochain chapitre, nous verrons de plus près comment les gens peuvent contribuer à bâtir des organisations hautement performantes. En guise de conclusion, nous vous invitons à méditer ces propos de Jeffrey Pfeffer sur les enjeux du leadership:

La clé du succès dans une gestion des ressources humaines génératrice de profits, de productivité, d'innovation et d'un engagement authentique à l'égard de l'organisation réside, en fin de compte, dans la perception que vous avez de votre organisation et de son personnel [...]. Lorsque vous regardez les salariés, vous font-ils penser aux coûts de production que vous voudriez voir diminuer, [...] ou à un *actif* essentiel et des plus précieux constitué d'individus intelligents, motivés et dignes de confiance?[42]

Guide de révision

Qu'est-ce que le comportement organisationnel, et en quoi est-il si important?

■ Le *comportement organisationnel* – le CO – est l'étude des individus et des groupes au sein des organisations.

■ Des changements spectaculaires – concurrence planétaire toujours plus intense, technologies inédites, bouleversements démographiques, exigence accrue des consommateurs – ont entraîné l'émergence de nouveaux milieux de travail.

■ La main-d'œuvre d'aujourd'hui se diversifie de plus en plus. Valoriser la diversité de la main-d'œuvre et respecter les différences fondées sur le sexe, l'origine ethnoculturelle, l'âge ou l'aptitude physique et mentale au travail est l'un des principes fondamentaux du CO.

Comment peut-on faire l'apprentissage du comportement organisationnel?

■ L'apprentissage organisationnel est un processus d'acquisition de connaissances et d'utilisation de l'information qui permet aux organisations et à leurs membres de s'adapter aux circonstances.

■ L'apprentissage du comportement organisationnel ne peut se réduire à l'étude d'un manuel sur le sujet; c'est un processus de formation continue fondé sur l'expérience quotidienne.

■ Le CO est une science appliquée qui s'appuie sur des méthodes de recherche scientifiques et utilise une approche de la contingence, reconnaissant ainsi que les pratiques de gestion doivent s'adapter aux particularités du contexte.

À quoi ressemblent les organisations en tant que milieux de travail?

■ Une organisation est un regroupement d'individus œuvrant, après répartition du travail, à un objectif commun, à savoir la production de biens ou de services destinés à la société.

■ L'organisation est un système ouvert en interaction avec son environnement: elle en tire des ressources qu'elle transforme pour les y réexpédier sous forme de produits finis (biens ou services).

■ L'organisation dispose de ressources matérielles (techniques, capitaux, information) et humaines (les êtres humains) qui accomplissent tout ce qui contribue à la réalisation de sa mission.

Qu'est-ce qui caractérise le travail de gestion?

■ Les nouveaux milieux de travail exigent du gestionnaire qu'il soit un «entraîneur» et un «coordonnateur» plutôt qu'un «donneur d'ordres» et un «inspecteur».

- Le *gestionnaire efficace* est celui dont l'unité de travail, le groupe ou l'équipe atteint à répétition ses objectifs sans que l'engagement et l'enthousiasme de ses membres ne fléchissent.

- Les quatre fonctions du gestionnaire sont 1) la planification – donner l'orientation ; 2) l'organisation – réunir les ressources et les systèmes ; 3) la direction – entretenir l'enthousiasme et l'ardeur au travail du personnel ; 4) le contrôle – s'assurer de l'atteinte des résultats escomptés.

- Les gestionnaires remplissent divers rôles interpersonnels, informationnels et décisionnels ; ils travaillent avec des réseaux de contacts à l'intérieur et à extérieur de l'organisation.

- L'efficacité du gestionnaire repose sur une combinaison de compétences techniques, humaines et conceptuelles.

Comment l'éthique influe-t-elle sur le comportement humain au sein des organisations ?

- Un comportement conforme à l'éthique est un comportement qui, selon les valeurs dominantes dans la société, sera jugé moralement juste.

- La définition d'un comportement conforme à l'éthique varie selon qu'on se place du point de vue utilitariste, individualiste, moraliste ou du point de vue de la justice sociale.

- En milieu de travail, les gens se retrouvent souvent face à des dilemmes éthiques, c'est-à-dire des situations où ils doivent choisir de poser ou non un acte qui, tout en présentant des avantages potentiels pour eux-mêmes ou pour l'organisation, est contraire à l'éthique.

- La responsabilité sociale d'une organisation l'oblige à adopter, en tant que personne morale, une conduite conforme à l'éthique.

- L'apprentissage du CO peut contribuer à créer et à maintenir des organisations hautement performantes qui offrent à leurs membres une qualité de vie professionnelle supérieure.

Mots clés

Apprentissage organisationnel p. 6

Approche de la contingence p. 8

Capital intellectuel p. 11

Compétence conceptuelle p. 16

Compétence humaine p. 15

Compétence technique p. 15

Comportement conforme à l'éthique p. 16

Comportement organisationnel p. 3

Contrôler p. 13

Dilemme éthique p. 17

Diriger p. 13

Diversité de la main-d'œuvre p. 5

Équilibre entre vie professionnelle et vie personnelle p. 19

Gestionnaire p. 12

Justice distributive p. 17

Justice procédurale p. 17

Organisation p. 9

Organiser p. 13

Plafond de verre p. 5

Planifier p. 13

Qualité de vie professionnelle (QVP) p. 18

Responsabilité sociale p. 18

Ressources humaines p. 11

Système ouvert p. 11

■ QUESTIONS À CHOIX MULTIPLE

1. Lorsqu'on parle de «diversité de la main-d'œuvre», on parle de différences liées au sexe, à l'âge, à l'origine ethnoculturelle et _____ parmi la main-d'œuvre. **a)** au statut social **b)** à la fortune personnelle **c)** à l'aptitude physique et mentale au travail **d)** à l'orientation politique

2. Parmi les affirmations suivantes, laquelle décrit le mieux le cadre de travail où intervient le CO de nos jours? **a)** La tendance est à la direction centralisée. **b)** La main-d'œuvre de la nouvelle génération a des attentes relativement semblables à celles des générations précédentes. **c)** Le concept d'autonomisation est dépassé. **d)** L'équilibre entre vie professionnelle et vie personnelle est une préoccupation très actuelle.

3. Le fait que les chercheurs en CO se penchent sur des résultats ou des variables dépendantes telles que _____ indique que cette discipline s'intéresse à des questions pratiques et à des applications concrètes. **a)** l'absentéisme et le roulement du personnel **b)** la satisfaction professionnelle **c)** le rendement **d)** tous ces éléments.

4. On appelle «plafond de verre» _____ **a)** la barrière invisible qui freine la promotion des femmes et des minorités dans les organisations. **b)** la limitation non officielle du traitement des cadres supérieurs et de la haute direction. **c)** la limitation non officielle du traitement des salariés. **d)** des mesures visant à limiter l'embauche de travailleurs permanents à plein temps.

5. Laquelle de ces affirmations est exacte? **a)** Le CO cherche des solutions universelles aux problèmes de gestion. **b)** Le CO est une science tout à fait originale qui a peu de rapports avec les autres disciplines scientifiques. **c)** Le CO se voue en priorité à la recherche d'applications concrètes. **d)** Le CO est une discipline si nouvelle qu'elle n'a pratiquement aucune racine historique.

6. Dans la conception de l'organisation comme un *système ouvert*, les techniques, l'information et les capitaux sont _____ **a)** des biens. **b)** des services. **c)** des ressources. **d)** des produits finis.

7. Des quatre fonctions du gestionnaire, laquelle consiste à insuffler au personnel de l'enthousiasme et de l'ardeur au travail ? **a)** La planification **b)** L'organisation **c)** Le contrôle **d)** La direction

8. Des divers points de vue sur l'éthique, lequel se fonde sur le principe du *plus grand bien pour le plus grand nombre ?* **a)** Le point de vue utilitariste **b)** Le point de vue individualiste **c)** Le point de vue moraliste **d)** Le point de vue de la justice sociale

9. Justifier un comportement répréhensible sur le plan éthique en alléguant qu'il servait les intérêts supérieurs de l'organisation, c'est _____ **a)** agir au mieux de ses propres intérêts. **b)** agir pour le bien de l'ensemble de la société. **c)** justifier une inconduite par une rationalisation. **d)** appliquer la notion de *justice procédurale.*

10. Face à un dilemme éthique, on ne devrait agir qu'après _____ **a)** avoir bien cerné la nature du problème. **b)** avoir vérifié que l'acte qu'on s'apprête à poser est légal. **c)** s'être assuré que personne n'en sera jamais informé. **d)** s'être demandé plutôt deux fois qu'une si, le cas échéant, on pourrait assumer au grand jour l'acte qu'on s'apprête à poser.

■ VRAI OU FAUX ?

11. Le CO est l'étude du comportement des organisations dans divers environnements. **V F**

12. Affirmer que le CO adopte une approche de la contingence signifie que cette discipline cherche à répondre aux besoins de gestion en tenant compte des particularités du contexte. **V F**

13. L'apprentissage organisationnel est un processus d'acquisition de connaissances et d'utilisation de l'information qui permet aux individus et aux organisations de s'adapter au changement. **V F**

14. Dans ce système ouvert qu'est une organisation, l'environnement n'a aucune importance. **V F**

15. Lorsque la PDG d'une organisation rencontre régulièrement un groupe de travail pour s'informer de ses progrès, elle remplit, en tant que gestionnaire, sa fonction de planification. **V F**

16. Les compétences techniques sont sans doute les compétences les plus essentielles pour les cadres supérieurs. **V F**

17. Le travail de gestion implique le recours à des réseaux de contacts. **V F**

18. Un chef d'équipe qui fait une exception à la politique de congés de l'organisation pour faire plaisir à un ami enfreint le principe de la justice procédurale. **V F**

19. Un *dénonciateur* est une personne qui révèle – publiquement ou à un tiers – les irrégularités ou les comportements répréhensibles de l'organisation qui l'emploie. **V F**

20. Les recherches indiquent que les cadres supérieurs sont souvent à l'origine des dilemmes éthiques que rencontrent les gens en milieu de travail. **V F**

■ QUESTIONS À RÉPONSE BRÈVE

21. Que signifie «promouvoir la diversité en milieu de travail»?

22. Qu'est-ce qu'un gestionnaire efficace?

23. Comment Henry Mintzberg décrirait-il la journée ordinaire d'un cadre?

24. En quoi la QVP concerne-t-elle à la fois l'éthique et la responsabilité sociale des organisations?

■ QUESTION À DÉVELOPPEMENT

25. Juanita Perez, directrice des comptes d'un organisme communautaire, est placée devant un dilemme. Une employée lui a signalé qu'un membre de l'organisation inclut le coût de ses repas dans sa note de frais même lorsqu'il assiste à des conférences où la nourriture est gratuite. Que devrait faire Juanita afin que a) cela ne se reproduise plus et b) que les principes de justice procédurale et de justice distributive soient respectés?

Reportez-vous aux études de cas, aux exercices et aux autoévaluations de notre *Cahier d'apprentissage en CO* (voir p. 531).

■ **Consultez le site Web du manuel. Vous y trouverez un questionnaire interactif et des exercices en ligne sur le contenu de ce chapitre.**

www.erpi.com/schermerhorn

L'organisation hautement performante

SIX SIGMA VOLE AU SECOURS DE BOMBARDIER ET NORANDA

www.bombardier.com/
www.6-sigma.com/

À peine étaient-ils sortis de l'usine que les Regional Jets de Bombardier voyaient leur peinture toute fraîche s'écailler. Il fallait donc les rentrer à nouveau dans l'usine, enlever la nouvelle peinture et les repeindre.

Devant une telle perte de temps et d'argent, l'entreprise de Montréal se devait de trouver une solution. Mais ses experts n'arrivaient pas à déceler le problème.

Alors Bombardier a fait appel à une technique de gestion venant des États-Unis. «Nous avons confié le problème à une équipe Six Sigma, fait les analyses, découvert ce qui n'allait pas; depuis, nous n'avons pas rencontré un seul autre cas de peinture qui lève, affirme Jean Girard, vice-président pour Six Sigma à la division aérospatiale de la société. Et maintenant, ça nous sauve des millions de dollars par année.»

Le problème a finalement été résolu sur une période de cinq mois, l'année dernière, après cinq années de recherches frustrantes : la peinture d'apprêt n'était pas assez épaisse.

Avec Bombardier, on peut compter sur les doigts d'une main le nombre de compagnies au Canada qui ont adopté le programme Six Sigma. Le producteur de métaux Noranda fait partie du groupe.

Dans les années 80, la société Motorola avait été une pionnière en utilisant un tel programme, lequel avait été introduit par le fameux p.-d.g. de General Electric, Jack Welch, qui s'en était servi pour remettre la compagnie sur les rails pour en faire l'un des plus grands conglomérats industriels au monde.

Plutôt que de se concentrer sur le produit fini, comme le proposent d'autres programmes, la technique de gestion Six Sigma cherche à éliminer tous les défauts dans le processus, de la conception au produit fini. La méthode peut aussi bien s'appliquer aux manufactures qu'aux employés qui répondent au téléphone au siège social.

Le principe, c'est qu'en commençant du bon pied, on évite les délais de production, on réduit les pertes et les clients sont contents. «En n'ayant plus à éteindre les feux, vous avez plus de temps pour la planification», explique le directeur du programme Six Sigma de Bombardier, Ingeborg Rittweiler.

Les employés stagiaires choisis pour apprendre la technique sont envoyés à l'Académie Sigma, installée dans un ranch en Arizona. Mikel Harry et son partenaire Rich Schroeder, qui ont contribué à mettre au point la technique chez Motorola, s'occupent dès lors de leur formation.

Les stagiaires reviennent ensuite équipés d'un ordinateur portatif bourré de programmes de statistiques pouvant mesurer et suivre les processus étudiés. Six Sigma, le niveau le plus élevé, considère comme une performance stellaire tout processus qui comporte moins de 3,4 erreurs par million de probabilités.

À leur retour, les stagiaires sont gonflés à bloc et prêts à répandre la bonne nouvelle. Mais sur le plancher de l'usine, ils sont rapidement confrontés au scepticisme. «Au début, les gens n'y croient pas, reconnaît M. Rittweiler, un ingénieur d'origine allemande. Ce n'est pas facile à appliquer, cela nécessite un changement de culture d'entreprise.»

Allan Swift. *Le Devoir* (PC), 2 mars 2000, p. B3.

Nous vivons une ère nouvelle : concurrence planétaire toujours plus intense, technologies inédites, bouleversements démographiques, valeurs sociales en mutation… La conjugaison de ces forces motrices a stimulé l'émergence d'un nouveau type d'organisation, l'*organisation hautement performante (OHP)*, spécifiquement conçue pour inciter ses membres à donner le meilleur d'eux-mêmes et pour constituer une entité capable de produire des résultats supérieurs de façon soutenue[1]. L'OHP réagit rapidement : elle est flexible et s'adapte aux exigences des marchés. Résolument axée sur le respect de ses ressources humaines, elle favorise la participation active de tous ses membres – du cadre de direction au simple salarié – et privilégie systématiquement des équipes de travail autonomes. Vouée à l'amélioration continue et misant sur la qualité supérieure de ses produits et services, l'OHP recourt sans hésiter à la formation, aux technologies de pointe et aux méthodes les plus novatrices, comme en témoigne l'article qui ouvre ce chapitre. À l'heure actuelle, entre le cinquième et le tiers des 1 000 plus grandes sociétés répertoriées par le magazine *Fortune* réunissent les principales caractéristiques de l'OHP, et la croissance de ce type d'organisation semble bien destinée à se maintenir[2]. On peut donc affirmer que, dorénavant, de plus en plus de carrières se dérouleront dans des organisations hautement performantes.

Questions clés

Le chapitre 2 se penche sur les tendances et les orientations qui caractérisent les OHP, et sur leurs effets sur cette discipline qu'est le comportement organisationnel. Voici les questions clés que vous devriez garder à l'esprit au fil de votre lecture :

■ Comment le CO s'applique-t-il dans le contexte de la haute performance?

■ Qu'est-ce qui caractérise l'organisation hautement performante?

■ Quels défis doivent relever les gestionnaires des organisations hautement performantes?

■ Comment met-on sur pied une OHP?

Le comportement organisationnel et les organisations hautement performantes

L'évolution des attentes des consommateurs, la transformation de la main-d'œuvre et l'apparition de nouveaux types d'organisations sont autant de forces déterminantes à l'ère de la haute performance.

■ LE CO ET L'ÉVOLUTION DES ATTENTES DES CONSOMMATEURS

Seules les organisations qui répondent aux attentes des consommateurs en matière de qualité, de service et de coût peuvent prospérer dans les environnements extrêmement concurrentiels d'aujourd'hui. S'il est une tendance qui n'est pas près de disparaître, c'est bien celle de la **gestion intégrale de la qualité (GIQ)** : plus que jamais, les efforts de l'organisation et de tous ses membres doivent viser la qualité supérieure des biens et services produits, l'amélioration continue et la satisfaction des consommateurs. *Qualité* signifie ici que l'on répond aux besoins des consommateurs et que les opérations se font correctement dès le départ. L'un des fondements du concept de qualité totale est le principe de l'**amélioration continue,** selon lequel tout ce qui se fait dans l'organisation doit être continuellement réévalué à la lumière de deux questions : 1) Est-ce nécessaire ? 2) Si oui, peut-on l'améliorer[3] ?

Cette approche a engendré des entreprises résolument axées sur le consommateur, et bien déterminées à lui procurer qualité et service. La figure 2.1 représente ce type d'organisation sous la forme d'une *pyramide inversée* : ce schéma montre clairement la primauté donnée à un service optimal à la clientèle en plaçant celle-ci au sommet de l'organisation. Dans cette optique, la gestion s'appuie sur les salariés dont le travail a un effet direct sur les consommateurs et les clients ; cela exige des superviseurs et cadres intermédiaires qu'ils soutiennent les efforts de ces salariés, ainsi que des hauts dirigeants et des cadres supérieurs qu'ils déterminent clairement la mission, les objectifs et les stratégies de leur organisation, et qu'ils fournissent les ressources appropriées[4].

■ LE CO ET L'ÉVOLUTION DE LA MAIN-D'ŒUVRE

Avec des proportions sans cesse croissantes de femmes, de personnes issues de minorités visibles et de gens plus âgés, la main-d'œuvre américaine se diversifie toujours davantage – un phénomène également en progression au Canada et dans les pays de la Communauté économique européenne (CEE)[5]. De plus, la main-d'œuvre actuelle enregistre deux autres tendances aussi déterminantes que contradictoires : 1) la présence marquante des *cols dorés* au sein de la **main-d'œuvre de la génération X** – travailleurs nés entre 1965 et 1977 –, et 2) la médiocrité de la formation scolaire chez un nombre important de diplômés du secondaire qui arrivent sur le marché du travail (notons que les États-Unis font piètre figure à cet égard, leurs diplômés obtenant les résultats les plus faibles selon une étude comparative menée dans 16 pays industrialisés[6]). Chacune de ces caractéristiques de la main-d'œuvre actuelle représente un défi pour le CO.

■ *Gestion intégrale de la qualité (GIQ)* Type de gestion qui vise la qualité totale des biens et services produits, l'amélioration continue et la satisfaction des consommateurs

■ *Amélioration continue* Principe selon lequel tout ce qui se fait dans l'organisation doit être constamment amélioré

■ *Main-d'œuvre de la génération X* Main-d'œuvre constituée de travailleurs nés entre 1965 et 1977

**Figure 2.1
La pyramide inversée
de la gestion
des organisations**

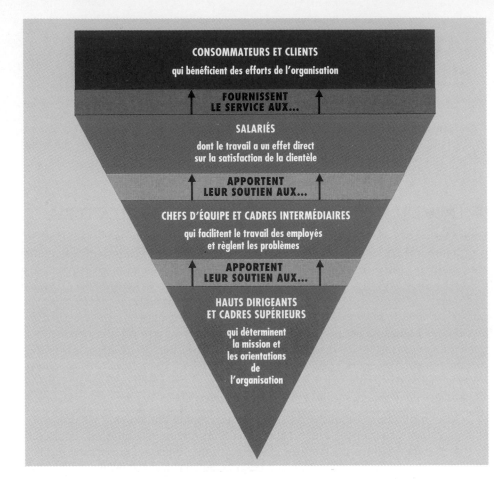

Comme le montre la figure 2.2, les travailleurs de la génération X exigent beaucoup de leur organisation. Ils veulent à la fois des emplois stimulants et des horaires de travail souples – et même, pour certains, des possibilités de télétravail. Par ailleurs, ils tiennent à travailler en équipe et ils croient fermement aux vertus de l'*autonomisation*; ils aiment qu'on leur laisse prendre, individuellement ou en équipe, les décisions qui concernent directement leurs tâches. Ces besoins, ces exigences même, se manifestent avec beaucoup plus de vigueur chez les *cols dorés*, c'est-à-dire chez les ***producteurs de savoir*** dont les activités génèrent de nouvelles connaissances – le plus souvent à l'aide d'outils informatiques – et chez les travailleurs des secteurs où une forte demande s'accompagne d'une pénurie de main-d'œuvre. Or cette dernière situation est très répandue aux États-Unis, l'économie américaine connaissant en ce début de millénaire ses taux de chômage les plus bas depuis des années[7]. Un grand nombre de ces travailleurs possèdent des compétences et des habiletés qui leur permettent d'être à la hauteur d'emplois et de cadres de travail très exigeants[8].

La position avantageuse des cols dorés contraste fortement avec celle d'un nombre important de diplômés du secondaire qui, après avoir obtenu de piètres résultats aux tests normalisés, arrivent sur le marché du travail avec d'importantes lacunes touchant des compétences fondamentales. Toujours aux États-Unis, un nombre alarmant d'entre eux requièrent une solide formation de base – mathé-

■ *Autonomisation* Pratique de
gestion consistant à permettre
aux travailleurs de prendre,
individuellement ou en équipe,
les décisions qui concernent
directement leurs tâches

■ *Producteur de savoir*
Travailleur dont la principale tâche
est de générer de nouvelles
connaissances, le plus souvent
à l'aide d'outils informatiques

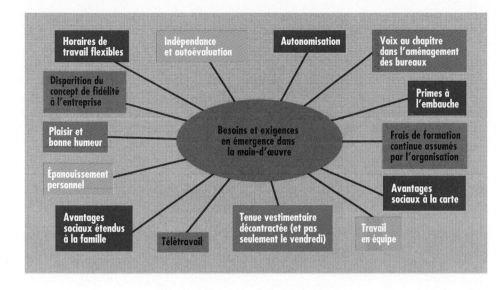

Figure 2.2
Valeurs et préférences
des cols dorés
de la génération X

matiques, lecture et écriture, logique – pour pouvoir s'adapter au rythme des organisations[9]. Inutile de le dire, de telles formations de rattrapage coûtent cher et, dans une économie fondée sur le savoir, ces carences risquent de compromettre sérieusement et pour longtemps bien des carrières.

■ LE CO ET L'ÉVOLUTION DES ORGANISATIONS

La dernière décennie du XXe siècle restera sans doute gravée dans la mémoire collective comme celle d'un changement radical dans notre façon de travailler[10]. Nous avons subi le stress des rationalisations et des restructurations, souvent synonymes de compression du personnel; nous sommes devenus plus sensibles aux sautes d'humeur d'une économie en évolution constante; nous avons été témoins de l'avènement d'Internet et nous avons ressenti ses effets sur les individus et les organisations.

Pourtant, les organisations qui émergent aujourd'hui vont beaucoup plus loin. Elles ne se contentent plus, pour améliorer leur productivité, de réduire leurs effectifs et de dégraisser leurs processus de production en y ajoutant un brin de technologie; elles modifient l'essence même des modes de production et intègrent de nouvelles dimensions aux traditionnelles relations supérieurs-subordonnés.

Pour survivre dans cet environnement qui évolue à un rythme effréné, les organisations doivent *changer constamment* et, plus particulièrement, renouveler leurs façons de procéder et améliorer continuellement tous les aspects de la production. De nombreuses organisations se sont donc engagées dans la ***réingénierie des processus d'affaires,*** démarche qui les amène à repenser et à restructurer de fond en comble leurs processus d'affaires afin d'améliorer leurs résultats par rapport à des mesures de performance critiques comme les coûts, la qualité, le service et la rapidité[11]. Dans la conjoncture économique actuelle, les organisations doivent en effet «repartir à zéro», c'est-à-dire tourner le dos aux anciennes façons de faire pour trouver de meilleures réponses aux nouvelles exigences de rendement. Ces réponses orienteront la réorganisation de leurs activités et de leurs circuits de production, l'objectif étant d'offrir une valeur ajoutée à leurs clientèles nationale et internationale.

■ *Réingénierie des processus d'affaires* Démarche qui amène une organisation à repenser et à restructurer de fond en comble ses processus d'affaires afin de favoriser l'innovation et d'améliorer ses résultats par rapport à des mesures de performance critiques comme les coûts, la qualité, le service et la rapidité; inclut l'analyse, la rationalisation et la reconfiguration des activités et des tâches nécessaires pour atteindre ces objectifs

■ **Commerce électronique**
Commerce où les transactions
se font par Internet

■ **Cyberentreprise** Entreprise
qui se sert du réseau Internet et,
plus généralement, des technologies
de l'information et des communications pour soutenir l'intégration
informatique de toutes ses
opérations

■ **Organisation en trèfle**
Société qui opère avec un noyau
de travailleurs permanents,
auxquels se greffent des
sous-traitants et des travailleurs
à temps partiel

■ **Organisation hautement
performante** (OHP)
Organisation délibérément conçue
pour inciter ses membres à donner
le meilleur d'eux-mêmes et pour
produire des résultats supérieurs
de façon soutenue

Les formidables avancées technologiques des dernières années ont déclenché une explosion d'activités dans ce qui pourrait bien devenir un avantage concurrentiel pour les organisations du XXIᵉ siècle : le **commerce électronique,** où les transactions se font par Internet. Avec son très populaire site de vente en ligne, la librairie Amazon.com est l'un des exemples les plus spectaculaires du potentiel des **cyberentreprises,** qui se servent du réseau Internet et, plus généralement, des technologies de l'information et des communications pour soutenir l'intégration informatique de toutes leurs opérations[12]. Dans un monde de plus en plus « interNETional », le *réseautage* d'entreprises opérant en alliances *virtuelles* – et pourtant bien réelles – permet à des fournisseurs, à des clients et même à des concurrents, tous interconnectés, de partager compétences, coûts et accès à des marchés mondiaux[13]. On ne peut plus flexibles, de telles alliances se font et se défont au gré des occasions commerciales.

Ces phénomènes récents et d'autres facteurs connexes ont entraîné l'avènement de ce que certains appellent, en référence au monde sportif, une *économie d'agents libres*, c'est-à-dire une économie où les gens monnayent leurs services à court terme et connaîtront donc, au fil de leur carrière, toute une série d'employeurs différents[14]. L'économiste, auteur et conférencier de renommée internationale Charles Handy s'est penché sur les répercussions de ce qu'il a appelé *l'organisation en trèfle* sur le cheminement professionnel des individus[15]. Comme l'emblème national irlandais, *l'organisation en trèfle* a trois composantes, chacune correspondant à un groupe de personnes. La première « feuille », le noyau de l'organisation, représente le groupe des dirigeants, techniciens et professionnels qui possèdent des compétences et des connaissances critiques ; ils constituent le personnel permanent. Leur nombre est généralement restreint et leur cheminement professionnel relativement traditionnel – ainsi, on trouve souvent parmi eux des gens qui ont survécu au processus de rationalisation de l'organisation. La seconde « feuille » représente les travailleurs autonomes et les entreprises de sous-traitance qui assument toute une série de tâches essentielles au fonctionnement normal de l'organisation, tâches qui, dans une organisation plus traditionnelle, seraient l'apanage du personnel à plein temps (le personnel du service des ressources humaines, par exemple). Enfin, la troisième « feuille » représente le groupe des travailleurs à temps partiel embauchés temporairement – pour combler des besoins liés à une période de croissance, par exemple – et qu'on peut remercier si les affaires stagnent ou baissent. Les diplômés d'aujourd'hui doivent se préparer à faire carrière dans chacun de ces trois groupes, et non plus seulement dans le premier.

Les caractéristiques de l'organisation hautement performante

Nous venons de voir, avec l'*économie d'agents libres* et l'organisation en trèfle, l'une des facettes du contexte en évolution rapide dans lequel intervient le CO. L'*organisation hautement performante* (OHP), délibérément conçue pour inciter ses membres à donner le meilleur d'eux-mêmes afin de créer une entité capable de produire des résultats supérieurs de façon soutenue, est une autre de ces facettes. Loin de traiter les gens comme des ressources jetables après usage au gré d'alliances et de besoins temporaires, l'OHP accorde la plus grande importance à ses ressources humaines, qu'elle perçoit comme essentielles au maintien de résultats supérieurs[16].

■ LA VALORISATION DU CAPITAL INTELLECTUEL

Le fondement même de l'organisation hautement performante est son *capital intellectuel,* c'est-à-dire, comme nous l'avons vu au chapitre 1, la somme de connaissances, d'expertise et d'énergie que ses membres mettent à la disposition de l'organisation[17]. Car, même à l'ère de la technologie, les êtres humains restent des *ressources* indispensables pour concrétiser la raison d'être, la mission et les stratégies de toute organisation. Pour mettre à profit leur capital intellectuel, les OHP organisent souvent les circuits de production autour des processus clés de l'entreprise et en y intégrant des équipes de travail ou de projet[18]. Leur politique de gestion des ressources humaines vise à maximiser la polyvalence, les compétences, le savoir et la motivation de leurs membres[19]. De plus, les OHP réduisent les niveaux hiérarchiques et modifient la façon d'intervenir des cadres : ces derniers y sont beaucoup moins des *donneurs d'ordres* que des *entraîneurs,* dont le rôle est d'intégrer le travail des diverses équipes et de leur faciliter la tâche afin qu'elles puissent travailler dans les meilleures conditions possibles, pour le plus grand bien de l'organisation et de sa clientèle[20].

TECHNOLOGIE

www.arimasoft.com/

Le Groupe Arima, de Québec, s'est donné comme mission de répondre aux besoins des entreprises en matière de logiciels de gestion de la planification et de l'ordonnancement des opérations manufacturières.

« Notre objectif est de fournir une solution d'optimisation pour les manufacturiers », souligne le cofondateur de l'entreprise, Jean-Pierre Fontaine.

Le Groupe Arima s'est surtout préoccupé de développer des outils qui permettent de réduire les coûts liés à l'utilisation des ressources : rationalisation des équipements, réduction des temps morts et des retards dans les livraisons, diminution des efforts et des ressources consacrés à la planification et au suivi de la production, etc.

Grâce à cela, nos clients réalisent des économies allant de 100 000 $ à 1 M$ par année tout en restant capables de produire avec les mêmes instruments », dit le dirigeant d'Arima.

Les logiciels élaborés par le Groupe permettent en plus aux gestionnaires de composer avec l'imprévu, car ils peuvent analyser en un clin d'œil les diverses options possibles. Ils facilitent par conséquent les prises de décision et assurent la pertinence du résultat.

André Salwyn. « Des solutions pour optimiser la production manufacturière.
Les logiciels d'Optima permettent de réduire les coûts liés à l'utilisation des ressources », *Les Affaires,* 12 février 2000, p. T12.

■ LES ÉLÉMENTS CLÉS DE L'ORGANISATION HAUTEMENT PERFORMANTE

La forme que prend une organisation hautement performante dépend de son secteur d'activité – une banque hautement performante n'aura pas la même que celle d'un fabricant d'automobiles[21]. Cependant, la plupart des OHP ont en commun, comme le montre la figure 2.3, cinq éléments clés: la responsabilisation du personnel, les équipes de travail autonomes, les techniques de production intégrée, l'apprentissage organisationnel et la gestion intégrale de la qualité.

■ *Responsabilisation du personnel* Degré de pouvoir décisionnel délégué par l'organisation à ses travailleurs de tous les niveaux hiérarchiques

La responsabilisation du personnel La *responsabilisation du personnel* se mesure au degré de pouvoir décisionnel que l'organisation délègue à ses travailleurs de tous les niveaux hiérarchiques. Imaginons la participation au processus décisionnel comme un continuum[22]. À une extrémité, on a l'absence totale de participation: le personnel se contente de faire son travail ou s'en tient à une participation de contingence – boîtes à idées, séances de remue-méninges et cercles de qualité (petits groupes qui se réunissent régulièrement pour chercher des moyens d'améliorer la qualité de la production, de la vie professionnelle, etc.). Au centre, on trouve une forme de participation modérée, une *gestion participative*: le personnel a des responsabilités accrues dans la prise de décisions concernant les tâches quotidiennes. Enfin, à l'autre extrémité, on a la responsabilisation, ou ce que nous avons appelé l'*autonomisation*: les travailleurs prennent eux-mêmes les décisions qui les concernent directement, ce qui signifie généralement qu'ils jouissent d'une grande latitude dans presque tous les aspects de leurs tâches. Les organisations ont accru *la participation du personnel* au processus décisionnel lorsqu'elles ont constaté qu'elles pouvaient avoir intérêt à laisser leurs membres intervenir activement dans la façon dont ils s'acquittent de leurs tâches; les études montrent en effet que le rendement et la satisfaction professionnelle des travailleurs tendent à augmenter avec l'autonomisation[23].

■ *Équipe de travail autonome* Équipe ou groupe de travail qui a la latitude nécessaire pour planifier, organiser et évaluer ses tâches

Des équipes de travail autonomes On appelle *équipes de travail autonomes* des équipes ou des groupes de travail qui ont la latitude nécessaire pour planifier, organiser et évaluer leurs tâches. Comme nous en traiterons en détail au chapitre 10, ne mentionnons ici que deux des raisons qui expliquent le rôle des

Figure 2.3
Les cinq éléments clés de l'OHP

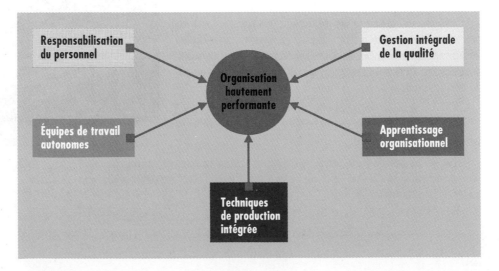

Yvon Lavigne est catégorique : la grande majorité des gens ne reviendraient pas à l'ancien mode de gestion hiérarchique. Depuis deux ans et demi, le service de conditionnement (emballage) des médicaments, dont il est responsable chez Aventis Pharma, fonctionne sur la base d'équipes de travail. Les 30 travailleurs sont divisés en deux équipes de 15 personnes. Dans chacune de ces équipes, six médiateurs sont responsables, pour une période de 18 à 24 mois, d'un aspect du travail (la vie d'équipe, la qualité, la productivité, les ressources humaines, la santé et la sécurité, et la planification).

Ce sont les employés qui, en équipe, planifient leur horaire de travail. Ils sont aussi présents aux entrevues d'embauche. « Dans les cas des étudiants que nous engagerons cet été, je ne rencontre même pas les candidats », dit Yvon Lavigne. Les équipes ont également eu leur mot à dire dans le projet de réorganisation des huit chaînes de production. Les gens ont beaucoup discuté. Ils ont concrétisé le nouveau design, puis ils ont redéfini les rôles de chacun et fait une grille de travail. Le projet pilote, qui s'est déroulé d'octobre 1999 à mai 2000, a déjà fait monter les indicateurs de performance. « Ça été un succès parce que c'est devenu leur projet à eux », dit Yvon Lavigne.

Le gestionnaire remarque que le travail en équipes autogérées augmente la maturité du groupe et des individus. Des gens effacés se sont mis peu à peu à exprimer leurs idées et se sont révélés des personnes fort intéressantes. Tout le monde apprend à critiquer sans démolir et à assumer la part de responsabilité qui lui revient. Fini le temps où l'on pouvait tout mettre sur le dos du superviseur. [...]

Marie Quinty. « Dix raisons d'aimer son patron », *Affaires PLUS,* juin 2000, p. 52.

équipes de travail autonomes dans les OHP : 1) le fait qu'il est important pour une organisation de mettre à profit l'expertise et les connaissances de tous ses membres est maintenant reconnu et accepté ; 2) les restructurations et les rationalisations visant une plus grande compétitivité par la réduction des effectifs ont indirectement engendré un besoin d'autogestion relative au sein du personnel[24]. L'autonomie dont disposent ces équipes a des retombées très positives sur l'engagement et la satisfaction professionnelle, de même qu'une incidence modérée sur le rendement[25].

Des techniques de production intégrée   Toutes les organisations recourent à la technologie pour coordonner l'utilisation des ressources, des connaissances et des techniques qui leur permettent de créer un bien ou un service. Le concept de *techniques de production intégrée* met l'accent sur l'utilisation de systèmes performants d'information et de conception des postes pour obtenir une plus grande flexibilité dans les processus de fabrication et dans les services. Ces techniques de production intégrée incluent généralement une approche du *juste-à-temps* pour la production et les services, ainsi qu'un usage extensif de l'informatique pour la conception des produits ou services, pour le contrôle de l'équipement nécessaire aux processus de production et pour l'intégration des opérations.

L'approche du *juste-à-temps* exige une étroite collaboration avec les fournisseurs afin que l'exacte quantité de matériaux nécessaire parvienne à chaque poste de travail au moment précis où ils sont requis. Par exemple, chez Honeywell, les fournisseurs viennent travailler sur place pour assurer un suivi précis du niveau des stocks de matières premières et, chez McDonald, on ne conserve qu'une petite quantité de hamburgers (stock zéro) prêts à servir à la clientèle[26].

■ *Techniques de production intégrée* Systèmes performants d'information et de conception des postes utilisés pour obtenir une plus grande flexibilité dans les processus de fabrication et dans les services

www.aventis.com

L'informatique entre en jeu pour intégrer des opérations comme l'enregistrement des commandes et la comptabilité à d'autres opérations comme la conception et la fabrication de produits assistées par ordinateur, le but étant de mieux maîtriser les circuits de production ainsi que d'autres aspects des opérations. Ainsi, la Textile/Clothing Technology Corporation a produit un logiciel qui va permettre aux fabricants de créer à l'écran des vêtements personnalisés (selon les spécifications particulières du client: initiales, couleurs, prise de mensurations en 3-D, détails de coupe, etc.), puis de transmettre les instructions, toujours par ordinateur, aux machines qui produiront l'article[27]. K2 Corporation, un important fabricant américain de skis, se sert de ces techniques dans sa production d'équipements personnalisés[28]. Grâce à l'informatique, ces étapes de la conception et de la production sont souvent intégrées aux systèmes de gestion *juste-à-temps* et à d'autres systèmes: en un clic de souris (ou presque…), on peut passer une commande, concevoir un produit et s'assurer que la bonne quantité de matériaux parvient au bon moment à la bonne machine!

L'apprentissage organisationnel   Au chapitre 1, nous avons vu que l'*apprentissage organisationnel* permet aux organisations de mieux s'adapter à leur secteur d'activité et d'obtenir les informations nécessaires pour prévoir les changements qui s'y produisent[29]. Les OHP que nous décrivons ici sont conçues pour faciliter l'apprentissage organisationnel; elles incorporent l'information à leur «mémoire» pour la rendre disponible et utilisable lorsque de nouvelles situations se présentent[30]. L'apprentissage organisationnel s'est imposé quand les organisations ont compris que, par leur lourdeur, des structures trop hiérarchisées les empêchaient de prévoir à temps les changements dans leur environnement et freinaient la circulation de l'information entre divers services comme l'ingénierie, le marketing et la production.

La gestion intégrale de la qualité   On l'a dit, la gestion intégrale de la qualité passe par la ferme détermination de l'organisation à offrir des produits et services de qualité supérieure, à viser l'amélioration continue et à satisfaire les besoins de la clientèle. À l'origine, c'est-à-dire vers le milieu des années 1980, le principe de la qualité totale n'était appliqué que de façon fragmentaire par des groupes restreints qui se penchaient sur des points spécifiques sans avoir de contacts réels avec les premiers intéressés, les travailleurs. Aujourd'hui, la gestion de la qualité fait partie intégrante de la vie des OHP, où la responsabilisation et l'autonomisation du personnel incitent les travailleurs à s'investir dans le processus de planification et de contrôle de la qualité.

Les défis de gestion dans une organisation hautement performante

De nombreux défis attendent les organisations prêtes à prendre le virage de la haute performance, et les relever exige une détermination inébranlable de la part de leurs dirigeants. Mais le jeu en vaut la chandelle. Des études menées auprès de 1 100 entreprises sur une période de 30 ans fournissent des résultats probants: les profits des OHP ont connu une augmentation de 30 % à 50 % en l'espace de trois à cinq ans et leur taux de croissance annuelle est de 3 % à 7 % supérieur à celui des organisations traditionnelles[31]. Cependant, de tels résultats sont conditionnels à la maîtrise de certains facteurs sur lesquels nous allons maintenant nous pencher.

■ LES LIENS AVEC L'ENVIRONNEMENT

Comme toutes les autres organisations, les OHP sont des systèmes ouverts influencés par un *environnement externe* qui change au rythme effréné de la mondialisation et de l'évolution constante des attentes des consommateurs. Et, comme toutes les autres, l'OHP compte parmi ses *variables initiales* (ou *ressources*) les plus importantes ses installations, ainsi que sa raison d'être, sa mission et ses stratégies, et la vision globale qui en découle. Cependant, les OHP ont ceci de particulier que leur mission et leur vision reflètent vraiment les valeurs fondamentales de l'organisation et servent à unifier toutes ses composantes[32]. En d'autres termes, dans une OHP authentique, mission et vision doivent se répercuter à tous les niveaux de la structure organisationnelle, et se traduire concrètement par la participation de tous les gestionnaires et de tous les salariés. Une telle intégration est cruciale pour que tous les membres de l'organisation s'identifient à sa mission et à sa vision, cette identification étant la principale différence entre les OHP et les organisations traditionnelles.

Les *cinq éléments clés des OHP* – responsabilisation du personnel, équipes de travail autonomes, techniques de production intégrée, apprentissage organisationnel et gestion intégrale de la qualité – contribuent grandement à la transformation des *facteurs de production* (des ressources) en *produits* (en résultats). Ces résultats s'évaluent essentiellement à l'efficacité des individus, des groupes et de l'organisation elle-même, ainsi qu'à leurs contributions à la société. L'efficacité de l'organisation se mesure selon des critères comme la réussite financière et la qualité de vie professionnelle. On s'en souvient, la QVP se traduit, entre autres, par la satisfaction professionnelle des membres de l'organisation et leur dévouement à celle-ci. Quant aux contributions sociales, elles prennent la forme de dons de charité, d'activités de bénévolat des salariés et des cadres, et autres interventions de ce type[33].

Dans cette optique de systèmes ouverts, les facteurs de production (les ressources), les processus de transformation et les produits (les résultats) sont tous influencés par l'environnement externe, et influent les uns sur les autres. Il y a donc un effet de rétroaction – influence des résultats sur les facteurs de production et sur les opérations de transformation – ainsi qu'une adaptation continuelle aux exigences et aux attentes de l'environnement externe.

■ L'INTÉGRATION INTERNE

L'intégration des cinq éléments clés des OHP ne se fait pas sans difficulté. Les équipes autonomes, par exemple, doivent incorporer à leurs plans et à leurs opérations le système de production intégrée auquel elles participent, et cela souvent dès l'étape de la conception. Elles doivent également tenir compte des paramètres de la gestion intégrale de la qualité, tout en favorisant le processus d'apprentissage organisationnel, sans oublier, lorsqu'elles déterminent les tâches et les fonctions, l'importance de la responsabilisation du personnel. Dans les OHP qui réussissent, il y a adéquation entre ces éléments clés comme il y a adéquation entre les facteurs de production et les résultats des systèmes ouverts.

Saturn ←

www.saturn.com

La filiale de GM, un projet de plusieurs milliards de dollars, a commencé à planifier la création d'un nouveau type d'entreprise en constituant un comité directeur composé de six représentants des syndicats et de la direction, et de sous-comités formés de porte-parole des 55 usines de GM et des 41 sections locales des Travailleurs unis. Ce « comité 99 » a travaillé durant plusieurs années pour élaborer la vision qui orienterait la nouvelle entreprise.

Contrairement aux organisations traditionnelles, où la conception et le mode de fonctionnement résultent de décisions prises au sommet de la hiérarchie et imposées aux niveaux inférieurs, ce qui se conçoit dans une OHP résulte d'un ensemble de décisions provenant de tous les niveaux de la hiérarchie. L'engagement ferme et soutenu des cadres supérieurs ainsi que la participation active d'équipes constituées de travailleurs de tous les échelons sont essentielles à la mise en œuvre d'une structure et de modes de fonctionnement adéquats – ces derniers devant permettre de garder le cap et d'affronter efficacement les inévitables problèmes qu'entraînent les changements. Les organisations qui y parviennent récoltent de nombreux bénéfices.

■ *Îlot de haute performance*
Unité qui fonctionne comme une OHP, bien qu'elle soit englobée dans une entité qui n'en présente pas les caractéristiques et qui peut même lui être réfractaire

On trouve parfois des ***îlots de haute performance*** dans des organisations plus traditionnelles, c'est-à-dire des unités qui fonctionnent comme une OHP, bien qu'elles soient englobées dans une entité qui n'en présente pas les caractéristiques et qui peut même leur être réfractaire. Ainsi, Saturn Corporation, une division de General Motors créée au départ pour servir de modèle au reste de la société, a dû mener d'âpres luttes pour maintenir ses caractéristiques d'OHP[34]. Son nouveau style de gestion risquant d'affaiblir leur emprise sur les secteurs plus traditionnels de l'entreprise, des cadres influents de GM et du Syndicat des travailleurs unis de l'automobile s'y sont opposés avec virulence[35].

En dépit de ces pressions internes, Saturn a relativement bien réussi en tant qu'organisation hautement performante. Cependant, les forces du marché lui ont mené la vie dure et ont considérablement entamé son succès potentiel. Les OHP bien organisées résistent généralement mieux aux pressions négatives de ce genre[36].

■ LES RÔLES DES CADRES INTERMÉDIAIRES

La mise sur pied d'une OHP représente un défi de taille pour les cadres intermédiaires. Nombre d'entre eux se verront confier l'implantation de l'un ou l'autre des éléments clés décrits précédemment afin d'aider l'organisation à devenir hautement performante. L'instauration d'équipes de travail autonomes, par exemple, peut se heurter à des résistances tant chez les salariés que chez les cadres[37]. Le fait est que les cadres intermédiaires peuvent avoir à implanter des changements qui entraîneront la disparition de certains de leurs postes, si ce n'est de la totalité[38]. Lorsqu'une bonne partie de leurs fonctions sont dévolues à des équipes de salariés, les cadres intermédiaires doivent se trouver de nouveaux rôles et adapter leurs rôles traditionnels à cette nouvelle dynamique qui fait d'eux des *inspirateurs*.

Si les gens de la génération X ont tendance à accueillir favorablement ces nouveaux environnements de travail où évoluent des équipes autonomes, d'autres fractions du personnel, en particulier les travailleurs dont la formation scolaire est déficiente, peuvent s'y montrer réfractaires. Certains considérant que le travail en équipe n'est pas équitable, d'autres redoutant ses exigences, de nombreux travailleurs affichent une préférence marquée pour le travail individuel, surtout aux États-Unis. Bref, vaincre les résistances du personnel sera souvent un défi majeur pour les cadres intermédiaires lors de l'implantation de n'importe quel élément clé des OHP (voir *Le gestionnaire efficace* 2.1)[39].

Autre défi pour les cadres intermédiaires : concilier l'implantation des divers éléments clés de l'OHP (voir la figure 2.3) et aplanir les tensions qui peuvent en résulter. Ainsi, dans une organisation traditionnelle qui cherche à prendre le virage de la haute performance, l'implantation de l'élément clé «gestion intégrale de la qualité» risque de refléter les vues assez étroites de groupes restreints et isolés centrés sur l'un ou l'autre des aspects de la qualité, petits groupes à qui l'on confie souvent des responsabilités de contrôle. Or, l'implantation de l'élément clé «responsabilisation du personnel» suppose, elle, que l'on donne aux travailleurs une autonomie considérable touchant non seulement la qualité, mais aussi de nombreux autres aspects de la production. Concilier les exigences de ces deux éléments clés peut s'avérer un défi de taille tant pour le groupe des cadres que pour celui des salariés, et tous deux auront besoin d'une solide formation préparatoire pour s'adapter à leurs nouveaux rôles dans l'organisation hautement performante. En plus d'acquérir leur propre formation, les cadres intermédiaires, en particulier, devront se préparer à concevoir et implanter des programmes de formation destinés aux salariés[40]. Inutile de se faire des illusions: en plus de la bonne volonté, toute cette formation – et plus encore – sera indispensable pour que les salariés soient en mesure d'accomplir leurs nouvelles tâches dans de nouvelles structures, et cela sans que l'organisation ne perde de son mordant dans la lutte à la concurrence.

■ LE LEADERSHIP DES CADRES SUPÉRIEURS

Aux échelons plus élevés, les gestionnaires – membres de la haute direction et cadres supérieurs – doivent d'abord et avant tout décider jusqu'où ils sont prêts à s'engager dans la voie de la haute performance. Bien des entreprises se contentent d'instaurer un ou deux des éléments clés d'une véritable OHP, conservant pour le reste leurs caractéristiques traditionnelles. L'ampleur des changements structuraux dépend souvent de l'environnement, de certains facteurs de production et, bien entendu, des valeurs et des convictions de la haute direction ainsi que de sa détermination à créer une authentique OHP. Les OHP, en effet, sont mieux adaptées aux secteurs d'activité gourmands en innovation. Des sociétés comme Procter & Gamble, par exemple, s'intéressent vivement au concept des OHP, et leurs dirigeants se sont résolument engagés dans cette voie[41]. Par contre, de nombreux dirigeants sont moins convaincus, et se contentent d'implanter quelques éléments clés d'OHP, ou même seulement certains aspects d'un élément clé.

L'importation des pratiques américaines en matière de gestion représente un autre défi pour les cadres supérieurs. Dans des pays où le statut professionnel, l'autorité et le prestige sont des valeurs intrinsèquement liées au travail (l'Italie, la Malaysia ou le Mexique, par

---

Le CO et les fonctions de l'organisation

GESTION DES RESSOURCES HUMAINES

Une bonne gestion du personnel transparaît en Bourse

Les entreprises qui gèrent bien leurs employés obtiennent un meilleur rendement pour leurs actionnaires. C'est du moins ce que conclut une étude de Watson Wyatt, une société-conseil en gestion des ressources humaines.

La firme a comparé les résultats financiers de 400 entreprises ouvertes nord-américaines ayant des revenus d'au moins 100 M$, dont une quinzaine au Québec. À l'aide d'un questionnaire, elle a établi pour chacun un Indice du capital humain (sur une échelle de 1 à 100). Il s'agit d'une mesure de l'importance accordée à la gestion des ressources humaines dans les stratégies de l'entreprise. Résultat?

«Les sociétés qui affichent un indice élevé offrent un rendement plus élevé pour les actionnaires et celles qui ont un faible indice ont un rendement correspondant», constate Teri Brown, conseillère au bureau torontois de Watson Wyatt.

«Certains aspects auparavant perçus comme secondaires, tels que la culture d'entreprise, la formation et le perfectionnement, les méthodes d'embauche et de recrutement, peuvent avoir une sérieuse influence sur les résultats d'une entreprise. Avant l'étude, il était difficile de prouver l'existence d'un lien direct entre la réussite en affaires et ces pratiques.»

Les secrets de ces championnes du bénéfice attendu par action se résument ainsi: elles recrutent les meilleurs candidats, elles offrent une rémunération adéquate selon les compétences exigées, elles assouplissent les conditions de travail et créent une ambiance collégiale. Enfin, elles favorisent les échanges et possèdent l'art de placer les bons acteurs au bon endroit.

Sur une période de cinq ans, les entreprises ayant un indice de capital humain élevé (autour de 100) ont obtenu un rendement total deux fois plus élevé que les entreprises avec un indice faible (autour de 50). Sur une période de six mois (de janvier à juin 1999), ces mêmes championnes ont connu une hausse du rendement aux actionnaires de 28 %, comparativement à une chute du rendement de 6 % du côté des sociétés à faible indice.

Kathy Noël, *Les Affaires,* 27 novembre 1999, p. 21.

lingerie, jeans (et vêtements de travail), vêtements de sport, tricots et, enfin, marketing et gestion internationale des opérations. Puis, elle a déplacé son siège social en Caroline du Nord et y a créé une nouvelle unité – VF services – qui, en plus de coordonner les technologies des cinq secteurs, supervise certaines activités touchant les ressources humaines, la comptabilité et l'approvisionnement, tout cela afin de mieux intégrer la haute technologie de la vitrine Internet de l'entreprise. Pour souligner l'importance de cette unité, on a placé à sa tête un directeur de division, qui de surcroît était un membre du personnel de longue date.

■ LES PROCESSUS D'IMPLANTATION

L'étape suivante, celle de l'implantation des processus de conception, de planification et de mise en marché des produits, fut précédée par l'élaboration des processus cruciaux qui devaient assurer la circulation de l'information dans toute l'entreprise – entre les travailleurs, entre les services, entre les secteurs et avec l'unité de coordination – afin qu'elle se rende partout où elle pouvait être mise à profit. Pour soutenir ses efforts de coordination, VF a alors eu recours à plusieurs entreprises spécialisées dans la conception de logiciels de planification des ressources ; celles-ci l'ont aidé à intégrer ses anciens systèmes, mais aussi à les modifier en fonction de la nouvelle vision de l'entreprise, de ses objectifs et de ses besoins particuliers.

La figure 2.4 présente une version simplifiée des systèmes de gestion intégrée de l'information de VF Corp. Au cœur du processus, le «Système de gestion intégrée» (ou «ERP» pour *Enterprise Ressource Planning*) prend en charge les modules «Gestion des commandes», «Planification de la production», «Gestion des matières premières» et «Planification financière», tout cela à l'aide de logiciels de haute technicité. Les autres fonctions – conception de produits, micromarketing, suivi et contrôle de la fabrication, contrôle des entrepôts, planification des capacités et des matières premières, prévision – sont reliées au système central et entre elles, chacune disposant de son propre logiciel. Ces systèmes intégrés de gestion de l'information sont conçus pour coordonner tous les aspects des opérations depuis la commande des matières premières jusqu'à l'approvisionnement des magasins en articles finis, et cela avec la plus grande efficience possible sur le plan des délais, de la conception et de la fabrication des vêtements.

Les techniques de production intégrée étaient au cœur de la vision et de l'orientation élaborées par McDonald et les 50 cadres de l'organisation en réponse à l'évolution de l'environnement. En plus de la part active qu'ont pris les 50 gestionnaires au processus de restructuration, VF a mis à profit les connaissances et les compétences du personnel du service de l'informatique. Nous ignorons toutefois jusqu'à quel point l'entreprise a responsabilisé son personnel de production et si elle a instauré des équipes de travail autonomes.

En matière d'apprentissage organisationnel, on peut présumer qu'un système de planification qui enregistre et redistribue les informations de façon systématique dans toute l'entreprise apportera une nette amélioration. Par ailleurs, cadres et salariés ont bénéficié de programmes de formation intensifs. Ainsi, tout membre de l'organisation responsable du bon fonctionnement ne serait-ce que d'un seul des progiciels a reçu une formation d'au moins 14 semaines, qui se déroule à la fois chez VF et chez le fournisseur. De plus, le personnel des détaillants bénéficient d'un long stage de formation chez VF.

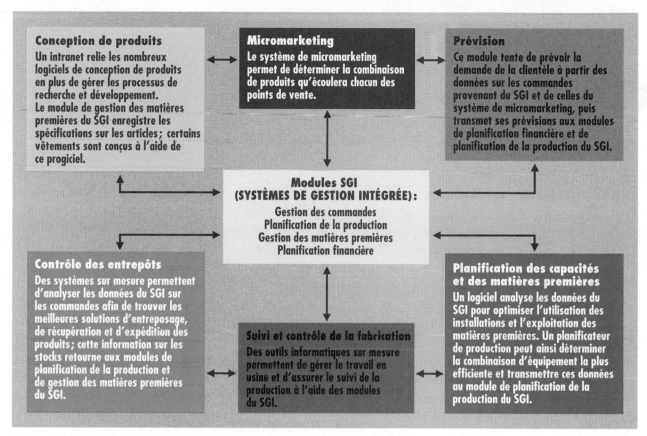

Conception de produits

Un intranet relie les nombreux logiciels de conception de produits en plus de gérer les processus de recherche et développement.
Le module de gestion des matières premières du SGI enregistre les spécifications sur les articles; certains vêtements sont conçus à l'aide de ce progiciel.

Micromarketing

Le système de micromarketing permet de déterminer la combinaison de produits qu'écoulera chacun des points de vente.

Prévision

Ce module tente de prévoir la demande de la clientèle à partir des données sur les commandes provenant du SGI et de celles du système de micromarketing, puis transmet ses prévisions aux modules de planification financière et de planification de la production du SGI.

Modules SGI (SYSTÈMES DE GESTION INTÉGRÉE):

Gestion des commandes
Planification de la production
Gestion des matières premières
Planification financière

Contrôle des entrepôts

Des systèmes sur mesure permettent d'analyser les données du SGI sur les commandes afin de trouver les meilleures solutions d'entreposage, de récupération et d'expédition des produits; cette information sur les stocks retourne aux modules de planification de la production et de gestion des matières premières du SGI.

Suivi et contrôle de la fabrication

Des outils informatiques sur mesure permettent de gérer le travail en usine et d'assurer le suivi de la production à l'aide des modules du SGI.

Planification des capacités et des matières premières

Un logiciel analyse les données du SGI pour optimiser l'utilisation des installations et l'exploitation des matières premières. Un planificateur de production peut ainsi déterminer la combinaison d'équipement la plus efficiente et transmettre ces données au module de planification de la production du SGI.

Figure 2.4
Schéma simplifié de la répartition des systèmes intégrés de gestion de l'information chez VF Corp.

Vous pouvez constater, en regardant la figure 2.4, l'ampleur de la rétroaction entre modules sur le plan de la production. Cela s'accompagne d'autant de rétroaction sur le plan financier, de la part de la composante «production», ainsi que pour toutes les données considérées comme importantes par l'entreprise. Nos informations sur VF confirment qu'il y a rétroaction entre les éléments clés «techniques de production intégrée», «apprentissage organisationnel» et «qualité totale», et on peut raisonnablement penser que les échanges d'information s'étendent aux autres éléments clés. De même, on peut présumer que les nouveaux systèmes informatiques favoriseront grandement la gestion intégrale de la qualité.

En résumé, autrefois des plus traditionnelles, cette société s'est d'abord convertie en cyberentreprise avant de prendre le virage qui pourrait faire d'elle une organisation hautement performante. VF présente maintenant certaines caractéristiques des OHP, mais seul le temps nous permettra de savoir si elle atteindra ou non ses objectifs.

Guide de révision

Comment le CO s'applique-t-il dans le contexte de la haute performance?

■ La gestion intégrale de la qualité vise à satisfaire les attentes des consommateurs, à faire en sorte que toutes les opérations soient faites correctement dès le départ et à améliorer continuellement tout ce qui se fait dans l'organisation.

■ On peut visualiser la structure des entreprises axées sur le consommateur comme une pyramide inversée, avec au sommet les salariés dont le travail a un effet direct sur la clientèle – la tâche des gestionnaires étant de soutenir leurs efforts.

■ La main-d'œuvre évolue et se diversifie, notamment sous la pression des cols dorés de la génération X ; ceux-ci cherchent des emplois plus stimulants, qui offrent des horaires de travail plus flexibles et davantage d'autonomie.

■ Un nombre croissant d'organisations se tournent vers la réingénierie des processus, le commerce électronique et la structure en trèfle (noyau de travailleurs permanents auxquels se greffent des sous-traitants et des travailleurs temporaires).

Qu'est-ce qui caractérise l'organisation hautement performante?

■ L'OHP est conçue pour inciter les gens à donner le meilleur d'eux-mêmes et pour produire des résultats supérieurs de façon soutenue.

■ Les OHP tendent à organiser le circuit de production autour de processus clés et gèrent leurs ressources humaines de manière à augmenter la polyvalence, les compétences, les connaissances et la motivation du personnel.

■ Les cinq éléments clés d'une OHP sont la responsabilisation du personnel, les équipes de travail autonomes, les techniques de production intégrée, l'apprentissage organisationnel et la gestion intégrale de la qualité.

Quels défis doivent relever les gestionnaires des organisations hautement performantes?

■ L'influence d'un environnement externe de plus en plus dynamique et complexe pousse les OHP à devenir des systèmes ouverts efficaces, où les ressources, les processus et les produits sont intégrés selon une vision claire et adéquate.

■ L'intégration interne exige que toutes les composantes d'une OHP travaillent en collaboration de manière efficace et dynamique, en s'améliorant constamment.

■ Les cadres intermédiaires d'une organisation qui vise la haute performance doivent relever de nombreux défis, notamment: l'implantation des éléments clés d'une OHP, l'adaptation à de nouveaux rôles ainsi que la conception et l'encadrement de la formation des salariés.

■ Les cadres supérieurs et les hauts dirigeants d'une organisation qui vise la haute performance ont également des défis à relever, notamment: déterminer l'ampleur des transformations axées vers la haute performance, assurer la formation des cadres intermédiaires et maintenir un climat général positif dans les périodes de bouleversements.

Comment met-on sur pied une OHP?

- VF Corp. est l'exemple parfait d'une entreprise traditionnelle décidée à devenir une authentique OHP. Sa restructuration passait par l'introduction de technologies de pointe permettant de gérer l'ensemble des activités de l'entreprise. Parmi d'autres mesures, VF a eu recours à un système de gestion intégrée (SGI) de progiciels avancés qui relient les modules de gestion des commandes, de planification de la production, de gestion des matières premières et de planification financière.

- Chez VF, le concept de production intégrée sert une vision organisationnelle axée sur la consommarisation, VF souhaitant adapter sur mesure ses systèmes de production et de distribution aux besoins des consommateurs.

Évaluation des connaissances

■ QUESTIONS À CHOIX MULTIPLE

1. Une organisation hautement performante _____ **a)** ressemble à une organisation traditionnelle. **b)** s'appelle ainsi dès qu'elle instaure des équipes autonomes. **c)** a une capacité organisationnelle qui produit des résultats supérieurs de façon soutenue. **d)** doit avoir une structure organisationnelle très particulière.

2. Lequel des éléments suivants n'est pas une caractéristique de l'évolution actuelle de la main-d'œuvre? **a)** L'amélioration de la formation au secondaire **b)** La détérioration de la formation scolaire au secondaire **c)** Une plus grande diversité **d)** L'arrivée de la main-d'œuvre de la génération X

3. Lequel des éléments suivants ne fait pas partie des variables initiales ou ressources de l'OHP envisagée comme un système ouvert? **a)** Les installations de l'organisation **b)** L'environnement économique externe/mondial **c)** Les stratégies **d)** La mission et la vision qui en découle

4. Les cinq éléments clés qui caractérisent les systèmes ouverts de type OHP _____ **a)** sont indépendants les uns des autres. **b)** doivent s'adapter les uns aux autres. **c)** n'exigent qu'un personnel réduit. **d)** ne nécessitent que peu de modifications, une fois implantés.

5. Comparativement à l'organisation traditionnelle, l'OHP _____ **a)** a une orientation plus fonctionnelle. **b)** est plus simple à concevoir. **c)** est plus productive. **d)** exige davantage de personnel.

6. Le fait que les OHP investissent énormément dans la formation de leur personnel nous indique l'importance que prend aujourd'hui _____ **a)** l'apprentissage organisationnel **b)** la structure en trèfle **c)** la structure verticale **d)** le commerce électronique

7. Les OHP _____ **a)** sont conçues essentiellement par les salariés. **b)** sont conçues essentiellement par les cadres intermédiaires. **c)** n'exigent que peu d'efforts de la part des cadres supérieurs. **d)** exigent des efforts considérables de la part des salariés, des cadres intermédiaires et des cadres supérieurs.

8. On dit qu'une entreprise comme Saturn est un «îlot de haute performance» parce qu'elle _____ **a)** ne s'est dotée d'aucun objectif. **b)** fonctionne comme une OHP, mais est englobée dans une entité qui n'en présente pas les caractéristiques. **c)** est seulement en voie de devenir une OHP. **d)** tend à opérer beaucoup mieux que si elle faisait partie d'une OHP.

9. La performance des OHP _____ **a)** est relativement la même que celle des organisations traditionnelles. **b)** tend à être légèrement inférieure à celle des organisations traditionnelles. **c)** tend à être nettement supérieure à celle des organisations traditionnelles. **d)** assure des revenus inférieurs aux coûts de production.

10. Une fois qu'une OHP est bien établie, elle _____ **a)** n'évolue pratiquement plus. **b)** est en constante évolution. **c)** revient aux structures traditionnelles. **d)** réduit ses effectifs.

■ VRAI OU FAUX ?

11. Une authentique OHP doit nécessairement être une cyberentreprise.   **V F**

12. L'OHP met l'accent sur la responsabilisation et l'autonomisation du personnel.   **V F**

13. L'OHP produit des résultats intéressants en matière d'efficacité, d'apprentissage organisationnel et de contribution sociétale.   **V F**

14. L'OHP tend à avoir une structure moins hiérarchisée que celle de l'organisation traditionnelle.   **V F**

15. Toute organisation qui a recours au travail en équipe est une OHP.   **V F**

16. Une OHP créée de toutes pièces est une organisation traditionnelle qui se restructure pour devenir une OHP.   **V F**

17. Les changements qui transforment une organisation en OHP sont institués de bas en haut.   **V F**

18. Une fois prise la décision de devenir une OHP, le reste ne présente guère de difficulté.   **V F**

19. L'OHP exige un leadership fort, soutenu et vertical de haut en bas.   **V F**

20. Les OHP ne sont que l'expression d'une mode passagère en gestion.   **V F**

■ QUESTIONS À RÉPONSE BRÈVE

21. Résumez les conséquences de l'évolution de la main-d'œuvre sur l'OHP.

22. Comparez brièvement, sur au moins trois points, l'organisation traditionnelle et l'OHP et faites-en ressortir les différences.

23. Résumez les difficultés rencontrées par les «îlots de haute performance» au sein des organisations traditionnelles.

24. Résumez les défis majeurs attendant les cadres intermédiaires lors de la mise sur pied d'une OHP.

■ QUESTION À DÉVELOPPEMENT

25. La haute direction de l'organisation traditionnelle pour laquelle vous travaillez vous demande de lui faire un exposé sur les OHP afin de voir s'il y a lieu pour elle d'envisager le virage de la haute performance. À vous de jouer!

Reportez-vous aux études de cas, aux exercices et aux autoévaluations de notre *Cahier d'apprentissage en CO* (voir p. 531).

■ Consultez le site Web du manuel. Vous y trouverez un questionnaire interactif et des exercices en ligne sur le contenu de ce chapitre.

www.erpi.com/schermerhorn

Mondialisation et comportement organisationnel

CONTEXTE CULTUREL ET AVANTAGE CONCURRENTIEL

www.canadiantire.ca

Lorsque Wal-Mart, Home Depot, Sports Authority et autres concurrents redoutables sont venus s'implanter au Canada, Canadian Tire aurait pu trembler sur ses bases; de nombreux observateurs étaient même persuadés que l'entreprise ne survivrait pas à une concurrence aussi intense. C'était compter sans Stephen Bachand, le nouveau et très habile chef de la direction de Canadian Tire. Fort de ses 20 ans d'expérience dans la vente au détail d'articles de quincaillerie aux États-Unis, Bachand a amorcé de profonds changements dans la logistique de la société, la combinaison de produits, l'aménagement des magasins, l'administration et le service à la clientèle. Il a envoyé les cadres supérieurs et le personnel de soutien du siège social travailler dans les succursales pour qu'ils y acquièrent une meilleure compréhension de leur entreprise. «Pourquoi agir ainsi? Parce que nous sommes des détaillants!», dit Bachand. Lui-même est allé rencontrer les «marchands associés» pour les inciter à transmettre leurs points de vue à la haute direction. «Quand nous disons quelque chose aux gens du siège social, ils sont attentifs et ils en tiennent compte», confirme l'un d'eux. Stephen Bachand croit fermement qu'il faut toujours rester à l'écoute des gens de terrain. «Si vous avez une bonne idée, les clients s'en rendent compte, mais les concurrents aussi. Je ne suis jamais satisfait. Il ne faut jamais s'asseoir sur ses lauriers.» Mais il y a plus: il faut comprendre les particularités culturelles de la clientèle, ce qui donne du fil à retordre aux entrepreneurs des États-Unis qui s'attaquent aux marchés canadiens. Lorsque Wal-Mart a importé ici la stratégie du «plus bas prix tous les jours!», qui lui a si bien réussi aux États-Unis, Canadian Tire et son chef de la direction n'ont pas essayé de le suivre sur ce terrain: «Il va de soi que les Canadiens aiment magasiner là où ils savent que les prix sont honnêtes», dit Bachand. La mission de Canadian Tire reflète ses principes. «Être le détaillant de premier choix des Canadiens pour les articles automobiles, les articles de sports et de loisirs et les articles pour la maison, en offrant à ses clients l'avantage *valeur totale*, par l'entremise d'un service attentif à la clientèle, d'un choix judicieux d'articles et d'une gestion compétitive.» Wal-Mart, méfiez-vous! Canadian Tire pourrait bientôt venir vous narguer dans votre Bensonville natal, en Arkansas[1]!

En cette ère de mondialisation, le succès des entreprises repose de plus en plus sur des activités planétaires et sur un personnel multinational[2]. À cet égard, Stephen Bachand a appris par expérience une règle fondamentale: pour faire des affaires sur les marchés internationaux, il faut comprendre les cultures « locales ». Partout dans le monde, que ce soit dans des petites, moyennes ou grandes entreprises, des gens comme lui sont placés devant la multitude de défis et d'occasions d'affaires qu'engendre la concurrence dans un monde de plus en plus complexe et sans frontières[3]. Dans cette conjoncture, la capacité de respecter les différences et de valoriser la diversité dans les organisations devient un talent essentiel pour une gestion efficace du personnel.

Les organisations d'aujourd'hui cherchent des gestionnaires conscients des enjeux de la mondialisation et sensibles à leurs dimensions culturelles. Tous n'iront pas travailler à l'étranger, mais tous doivent 1) être conscients de l'interdépendance des économies et des répercussions éventuelles sur leur organisation d'événements se déroulant à l'autre bout du monde; 2) savoir communiquer avec des interlocuteurs d'autres pays et d'autres cultures; 3) pouvoir apprendre rapidement des pratiques de gestion étrangères. Les divers sujets traités dans ce chapitre vous sensibiliseront aux dimensions internationales et interculturelles du comportement organisationnel.

Questions clés

Ce chapitre devrait vous permettre d'approfondir votre compréhension des gens et des organisations qui œuvrent dans un contexte interculturel et dans une économie mondiale de plus en plus complexe. Voici les questions clés que vous devriez garder à l'esprit en le lisant:

■ Pourquoi la mondialisation est-elle un thème majeur en CO?

■ Qu'est-ce qu'une culture?

■ Quels sont les effets de la mondialisation sur les travailleurs?

■ Qu'est-ce qu'une perspective mondiale en matière d'apprentissage organisationnel?

Le CO dans le contexte de la mondialisation

À l'heure actuelle, la plupart des organisations doivent relever le défi de la performance dans un environnement hautement concurrentiel caractérisé par l'internationalisation des échanges[4]. Avec le XXIe siècle, nous sommes entrés dans l'ère de la *mondialisation de l'économie* : concurrence, sources d'approvisionnement et marchés sont maintenant déterminés par des réseaux économiques complexes, qui débordent les frontières nationales et s'étendent aux quatre coins du globe[5]. Personne ne peut plus ignorer les répercussions de la mondialisation sur les organisations et les gens qui y travaillent. Réfléchissez un moment à ses effets sur votre carrière et sur votre vie : vous consommez déjà une foule de produits fabriqués par des entreprises étrangères ; vous pourriez un jour vous expatrier pour le compte d'une organisation d'ici ou d'une organisation étrangère, ou encore faire partie du personnel local d'une organisation étrangère installée ici. Le champ d'étude du CO tient compte de ces réalités pour vous aider à comprendre les répercussions d'une mondialisation galopante sur le rendement des gens et sur la performance des organisations.

■ *Mondialisation de l'économie*   Phénomène caractérisé par une interdépendance accrue de la concurrence, des sources d'approvisionnement et des marchés à l'échelle planétaire

■ LA MONDIALISATION DE L'ÉCONOMIE

L'essor fulgurant des technologies de l'information et des communications électroniques nous a fait prendre conscience de la mondialisation de l'économie. Tous les jours, par le truchement des médias, une foule d'informations provenant du monde entier s'introduisent dans nos vies et dans nos pensées. Le réseau Internet nous permet de partager à peu de frais et quasi instantanément des informations avec des gens de tous les continents – et cela non seulement à l'école, au bureau ou chez nous, mais aussi, grâce à une technologie de plus en plus performante, au milieu d'un embouteillage, sur un terrain de golf ou en camping. Parallèlement, la circulation transnationale des produits, des tendances de consommation, des modes de pensée et des innovations transforme rapidement nos façons de vivre. Compétences et capitaux s'échangent d'un pays à l'autre, introduisant la diversité culturelle au sein des populations. L'immigration a déjà des effets très visibles sur un grand nombre de nations et les employeurs de demain doivent se préparer à gérer une *main-d'œuvre multiculturelle* constituée de travailleurs d'origines diverses et provenant de toutes les régions du monde[6].

Pour les nations comme pour les entreprises, l'autosuffisance n'est plus une option viable[7]. Les investissements prennent les mêmes routes que le commerce. Les entreprises canadiennes, par exemple, ont les yeux tournés vers le reste du continent américain, où elles ont déjà investi quelque 65 milliards de dollars. Quant aux Allemands, ils ont investi des sommes considérables aux États-Unis, surtout depuis les récentes fusions qui ont créé des multinationales géantes comme la Daimler Chrysler ou la Deutsche Bank-Bankers Trust. Autres investisseurs internationaux très actifs, les Japonais sont devenus les actionnaires majoritaires de plus de 1 500 entreprises des États-Unis et, par le fait même, les employeurs de plus de 350 000 Américains[8]. Plusieurs entreprises de haute technologie comme IBM ont traversé l'Atlantique pour s'installer en Écosse, où elles profitent de régimes fiscaux avantageux, d'excellentes infrastructures et d'une main-d'œuvre qualifiée ;

Yahoo!   ←

www.yahoo.com

Yahoo!, qui opère dans 16 pays et en 13 langues, est l'un des sites Web les plus populaires au Japon.

elles ont investi plus de 4,5 milliards de dollars dans la « Silicon Glen » (au nord de Glasgow), qui emploie aujourd'hui quelque 50 000 personnes et produit près de 40 % des micro-ordinateurs en Europe[9]. Des réseaux mondiaux de fournisseurs jouent maintenant un rôle majeur dans de nombreuses industries. L'industrie automobile nord-américaine importe des moteurs du Japon, du Mexique et du Brésil, utilise de l'outillage allemand et de l'équipement électronique britannique, et fait appel à l'esthétique industrielle italienne. Les progrès de la technologie permettent maintenant à des concepteurs de logiciels installés à Bangalore (en Inde) de travailler pour des sociétés étrangères sans quitter leur pays natal.

■ LES ALLIANCES ÉCONOMIQUES RÉGIONALES

Les alliances économiques régionales jouent un rôle indiscutable dans l'économie mondiale[10]. Pensons à la Communauté économique européenne (CEE), qui travaille depuis plus de 40 ans à l'instauration d'une union monétaire, économique et politique entre ses membres[11]. Sa concrétisation récente la plus spectaculaire est la création d'une nouvelle devise : l'euro, qui a cours dans 11 pays depuis le 1er janvier 1999, remplacera à plus ou moins brève échéance les monnaies nationales de nombreux pays. Les accords conclus dans le cadre de la CEE ouvrent un marché de 400 millions de consommateurs aux entreprises des pays membres. Qu'ils concernent l'élimination des barrières commerciales et douanières, la standardisation des normes techniques, l'accès aux contrats des administrations publiques nationales ou l'uniformisation des règlements financiers, ces accords visent tous à améliorer la position concurrentielle de ce « marché commun » et à unifier l'Europe, une région du monde dont le poids économique (6,5 billions de dollars américains) est bien près d'égaler celui des États-Unis (8 billions)[12].

De l'autre côté de l'Atlantique, l'Accord de libre-échange nord-américain (ALENA) intègre les économies et les marchés du Canada, des États-Unis et du Mexique, et vise la libéralisation des échanges commerciaux entre ces trois pays. Pour ses tenants, l'ALENA présente l'avantage de créer une zone commerciale avec un bassin de consommateurs potentiels plus important que celui de la CEE. Et selon toutes probabilités, cette alliance économique s'étendra bientôt à d'autres pays ; certains gouvernements et dirigeants d'entreprises parlent même d'instaurer d'ici 2005 la Zone de libre-échange des Amériques (ZLEA). En ce moment, la Communauté du bassin des Caraïbes (CARICOM) négocie des accords de libre-échange avec des pays d'Amérique latine ; des ententes ont déjà été conclues avec le Venezuela et la Colombie. Comme le souligne le Groupe de recherche sur l'intégration continentale (GRIC) de l'UQAM :

> Une des caractéristiques de ce regroupement est qu'il est à la fois parmi les plus grands en ce qui concerne le nombre de membres et parmi les plus petits sur les plans économique et géographique. Et, contrairement à bien d'autres projets d'intégration, le CARICOM jouit d'une longue tradition de coopération en matière de politique étrangère, de santé, d'éducation et de développement[13].

Par ailleurs, le Groupe andin – ou Communauté andine (Venezuela, Colombie, Équateur, Pérou et Bolivie) – et le Mercosur – Marché commun du cône sud (Brésil, Paraguay, Uruguay et Argentine) sont déjà très actifs en Amérique du Sud[14].

On trouve de tels partenariats économiques dans d'autres régions du monde. Ainsi, le Forum de coopération économique Asie-Pacifique (APEC), qui regroupe

18 économies du bassin du Pacifique, œuvre à la promotion du commerce, de l'investissement et de la coopération économique et technique. Même si elle a traversé récemment une tourmente financière aux implications internationales, l'Asie demeure une puissance économique mondiale et compte de nombreuses entreprises transnationales[15]. L'influence économique du Japon est plus manifeste que jamais, comme celle de la Chine, un pays qui pourrait bien dominer le XXIᵉ siècle. Des événements récents confirment qu'il nous faut aussi composer avec d'autres pays d'Asie, plus particulièrement Taiwan, Singapour, la République de Corée, la Malaysia, la Thaïlande et l'Indonésie. L'Inde, avec son immense population, est une économie en croissance, qui a fait la preuve de ses compétences de niveau international dans le secteur des logiciels.

L'Afrique devient aussi un joueur important de l'économie mondiale, entre autres grâce au développement de l'Afrique du Sud post-apartheid; de plus en plus, on constate le potentiel commercial certain d'autres pays africains comme l'Ouganda, la Côte-d'Ivoire, le Botswana ou le Ghana[16]. Selon un rapport récent sur l'Afrique subsaharienne, les problèmes contextuels de la région peuvent se résoudre, et cette partie du continent offre donc elle aussi des occasions d'investissement[17]. Coca-Cola, une société américaine particulièrement avide de tels débouchés, prévoit d'ailleurs un taux de croissance de 15 % dans son plan d'exploitation africain : «Nous voyons naître une Afrique plus responsable de son destin qu'elle ne l'a été depuis des siècles», a déclaré le PDG du groupe, Douglas Ivester[18].

■ LES NORMES MONDIALES DE QUALITÉ

La désignation de qualité ISO, qui garantit la conformité aux exigences de qualité établies par l'Organisation internationale de normalisation (située à Genève), témoigne de l'importance actuelle du commerce mondial. La normalisation rationnelle dans les domaines scientifique, technique, économique et administratif est devenue une assurance de qualité à l'échelle planétaire. La CEE et plus de 50 pays, dont les États-Unis, le Canada et le Mexique, adhèrent aux normes de qualité ISO. Obtenir la certification ISO devient un objectif pour un nombre croissant d'entreprises du monde entier qui désirent opérer en Europe et s'imposer comme des fabricants «qualité totale» de classe internationale.

■ LES GESTIONNAIRES SANS FRONTIÈRES

Avec les premières manifestations de ce qu'on appellera plus tard la mondialisation est apparue une demande pour un nouveau type de gestionnaire : le **gestionnaire sans frontières,** capable de mener des affaires hors des frontières nationales[19]. Souvent polyglotte, le gestionnaire sans frontières a une conscience mondiale, apprécie la diversité des comportements, des croyances, des valeurs et des usages, et sait concevoir des stratégies qui en tiennent compte. Si vous avez ce profil – ou si vous êtes sur le point de l'avoir –, préparez-vous : les recruteurs des entreprises sont à l'affût de gens comme vous (voir *Le gestionnaire efficace* 3.1).

Bien qu'incontournable, la dimension mondiale du commerce et de la gestion pose de nombreux problèmes. Même les personnes qui excellent dans leur travail et dont les compétences techniques font l'unanimité chez elles découvrent souvent que leur style, leurs attitudes et leurs approches sont inefficaces à l'étranger. Tout

■ *Gestionnaire sans frontières*
Gestionnaire qui a une conscience mondiale, qui apprécie la diversité culturelle et qui sait concevoir des stratégies en conséquence

gestionnaire qui a une solide expérience internationale vous le dira, travailler à l'étranger exige une grande faculté d'adaptation et une bonne dose de patience, de souplesse et de tolérance[20] – bref, une sorte de «conscience mondiale» de la réalité du nouvel ordre économique. À cet égard, certains ont beaucoup à apprendre. Ainsi, une étude révèle que le taux d'échec des Américains dans des postes à l'étranger s'élève à près de 25 %[21]; une autre met en lumière le manque de préparation du personnel que les organisations britanniques et allemandes envoient à l'étranger[22].

LE GESTIONNAIRE EFFICACE 3.1

LES CARACTÉRISTIQUES DU GESTIONNAIRE SANS FRONTIÈRES

Le ou la gestionnaire sans frontières…
- s'adapte facilement à des milieux d'affaires différents ;
- respecte la diversité des comportements des convictions, des valeurs et des usages ;
- peut résoudre des problèmes rapidement dans des situations nouvelles ;
- est polyglotte ;
- communique aisément avec des personnes de diverses cultures ;
- a une bonne connaissance de la situation géopolitique mondiale, ainsi que des divers systèmes politiques ;
- sait instaurer le respect et l'enthousiasme dans ses relations avec les autres ;
- possède une expertise technique poussée dans son domaine.

La diversité culturelle

Le mot *culture* revient souvent en CO, en relation avec la notion de culture d'entreprise, mais aussi à cause de l'intérêt croissant qu'on porte à la diversité de la main-d'œuvre et, plus généralement, aux différences entre les gens à travers le monde. Les spécialistes s'entendent généralement pour définir la ***culture*** comme le bagage commun de valeurs et de façons de faire d'un groupe, d'une collectivité ou d'une société. Ce bagage commun inclut la façon dont ses membres mangent, s'habillent, se saluent et agissent les uns envers les autres ; leur manière d'éduquer les enfants ; leur façon d'aborder et de résoudre les problèmes ainsi qu'une foule d'autres aspects de la vie[23]. Geert Hofstede, universitaire et consultant hollandais, parle de la culture comme du «logiciel de l'esprit» (*software of the mind*), métaphore suggérant que l'esprit lui-même est le matériel (*hardware*) commun à tous les êtres humains[24]. Les composantes du «logiciel culturel» peuvent varier[25]. Nous ne naissons pas avec une culture ; nous naissons au sein d'une société qui nous enseigne *sa* culture. Parce que nous la partageons avec notre groupe, notre culture détermine en partie ce qui nous distingue d'un autre groupe, et influe ainsi sur nos interactions.

■ *Culture* Bagage commun de valeurs et de façons de faire d'un groupe, d'une collectivité ou d'une société

■ LES DIMENSIONS POPULAIRES DE LA CULTURE

Les dimensions populaires de la culture sont celles qui frappent le voyageur : la langue, le rapport au temps et à l'espace, et les pratiques religieuses[26].

Depuis qu'elle a démarré, il y a deux ans, l'opération d'internationalisation des études, l'Université [Laval] a déjà parcouru un bon bout de chemin. C'est le constat qu'est venu livrer Gilles Breton, directeur du Bureau international, aux membres du Conseil universitaire lors de la séance du 13 juin [2000]. À cette occasion, le directeur du Bureau a fait le point sur les gestes qui ont été posés et les actions qui ont été entreprises à la suite de l'adoption par le CU [Conseil universitaire], en juin 1998, du rapport du Groupe de travail sur l'internationalisation de l'Université Laval, intitulé *Pour une plus grande ouverture sur le monde*. «Nous tentons de donner un coup de barre. Nous sommes dans une logique d'action. La priorité, pour le moment, c'est la mobilité académique étudiante», a fait savoir Gilles Breton. [...]

Le Groupe de travail recommandait que, sur un horizon de cinq ans, la formation internationale de base touche tous les diplômés. «Les programmes de baccalauréat reconfigurés doivent satisfaire aux objectifs reformulés de ces programmes qui indiquent explicitement la nécessité de prévoir la connaissance d'une deuxième langue et la sensibilisation aux questions interculturelles et internationales», écrit le directeur du Bureau international à ce sujet.

www.ulaval.ca/BI/inds.html

Autre orientation majeure que s'est donnée l'Université [Laval]: le profil international doit avoir touché 10 % des diplômés d'ici à la fin de sa période quinquennale initiale. Il appert notamment à ce chapitre que 16 programmes ont participé à ladite opération en 1999-2000 (neuf autres ont créé leur profil pour 2000-2001), que le calendrier d'implantation du Profil a été ramené à trois ans (au lieu de quatre), que près de 75 étudiants partiront pour l'étranger au cours de la prochaine année universitaire.

Gabriel Côté. «Internationalisation des études : priorité à la mobilité», *Au fil des événements*, 22 juin 2000, p. 1.

⊕

La langue C'est sans doute la manifestation culturelle la plus évidente, la première que le voyageur remarque en arrivant quelque part. Les langues vivantes se comptent par milliers ; certaines, comme le maltais ou l'inuktitut, ne servent qu'à une petite collectivité, d'autres, comme l'anglais, l'espagnol ou le chinois, sont parlées par des millions de gens. Des pays comme la France ou la Malaysia ont une seule langue officielle ; d'autres, comme le Canada, la Suisse ou l'Inde, en ont plusieurs ; d'autres encore, comme les États-Unis, n'en ont aucune.

L'hypothèse de Sapir-Whorf – du nom des deux anthropologues qui l'ont énoncée – exprime l'étroite relation entre langue, culture et pensée. Selon ces auteurs, les locuteurs de diverses langues perçoivent et organisent la réalité de manière différente[27]. La structure et le vocabulaire d'une langue reflètent l'histoire de la société où elle est en usage et les rapports qu'entretiennent ses membres avec leur environnement. Ainsi l'arabe comporte de nombreux mots associés au chameau, à son élevage et aux objets qui l'entourent, alors que le français se montre peu expressif sur ce sujet... Tous les locuteurs d'une langue apparemment commune ne partagent pas nécessairement la même culture. Certains mots d'une langue n'ont pas le même sens d'une culture à l'autre ou d'une région à l'autre. Les Londoniens parlent d'un *lorry* pour décrire le même *camion* que les gens de Chicago appellent un *truck*. Les Québécois chaussent des *espadrilles* pour aller courir ; les Français enfilent plutôt des *baskets*, car leurs espadrilles ont une semelle de corde tressée. En France, une *vadrouille* n'évoque plus qu'une promenade, il est donc très difficile d'en trouver en magasin ! Les exemples pullulent. Pour les

Belges, un *auditoire* est une *salle de cours*; les Suisses appellent *lavette* la *débarbouillette* des Québécois; au Québec on dit «Le bébé prend sa bouteille dans le carrosse, puis fait son rapport», ce qui, traduit en français de France, donnera «Le bébé boit son biberon dans le landau, puis fait son rot.»

L'anthropologue Edward T. Hall a constaté d'importantes différences dans la manière dont les cultures utilisent le langage[28]. Dans les **cultures à contexte pauvre,** les locuteurs sont très explicites dans leur utilisation du discours ou de l'écrit. En Australie, au Canada ou aux États-Unis, par exemple, le message est *en grande partie* transmis par les mots utilisés plutôt que par le contexte. Les **cultures à contexte riche,** par contre, ne transmettent par les mots qu'*une partie* du message, le reste devant souvent être déduit ou interprété selon la situation, le langage corporel, le lieu, les liens qu'on entretient avec l'interlocuteur et d'autres facteurs proprement culturels qui complètent le sens de la communication. En Asie, au Moyen-Orient, en Afrique, on trouve de nombreuses cultures *à contexte riche*, alors que la plupart de nos cultures occidentales sont *à contexte pauvre*.

La perception du temps Hall se sert également de la perception du temps pour distinguer les cultures[29]. Selon lui, traditionnellement, les **cultures polychroniques** ont une perception «circulaire» du temps, ce qui implique une notion de répétition continuelle: le temps étant «cyclique», les choses reviennent et reviennent… Rien ne vous oblige donc à agir dans l'immédiat ou à obtenir d'excellents résultats; après tout, si vous laissez passer une occasion aujourd'hui, elle reviendra demain et vous pourrez vous reprendre. Dans les cultures polychroniques, les gens sont enclins à privilégier le moment présent et à faire plusieurs choses à la fois[30]. Dans le pourtour méditerranéen, on trouve souvent près du bureau de l'homme d'affaires important ou du haut fonctionnaire une grande salle d'attente où ses visiteurs patientent, négocient et rencontrent éventuellement non seulement leur hôte, mais aussi tous ceux qui vont et viennent en traitant leurs affaires.

Il en va tout autrement dans les **cultures monochroniques,** où on a l'impression que le temps avance en ligne droite. Selon cette conception linéaire, le passé est derrière nous, le présent file et le futur est pratiquement sur nous. Dans les cultures monochroniques, la mesure du temps se fait très précise et crée des contraintes axées sur l'action et le rendement. Les gens y sont habitués aux horaires structurés et aux rendez-vous planifiés à l'avance. Pour eux, le temps est une ressource qu'on peut «perdre», «gagner» ou «épargner»; les objectifs à long terme, les échéances et les délais importent, et planifier devient un moyen de gérer l'avenir. Contrairement au dirigeant méditerranéen, le gestionnaire britannique alloue généralement un temps précis à chacun de ses visiteurs, durant lequel il lui consacrera toute son attention; ce n'est qu'une fois ce visiteur parti qu'il recevra le suivant, la plupart du temps selon un horaire planifié.

Le rapport à l'espace La *proxémique* (un mot inventé par Edward T. Hall), qui étudie la façon dont l'homme utilise l'espace dans ses rapports de communication, met en lumière d'importantes différences culturelles[31]. On peut envisager le micro-espace personnel comme une bulle protectrice dont les dimensions varient selon les cultures et les milieux; si quelqu'un envahit notre bulle ou même en franchit les limites, nous nous sentirons mal à l'aise. Par contre, un trop grand éloignement rend la communication difficile – pensons à la distance – environ neuf mètres, selon Hall – que nous imposent certains personnages importants… Les Sud-

Culture à contexte pauvre Culture où les locuteurs ont tendance à être très explicites dans leur utilisation du discours ou de l'écrit, le message étant en grande partie transmis par les mots utilisés plutôt que par le contexte

Culture à contexte riche Culture où les locuteurs ont tendance à ne transmettre par les mots qu'une partie du message, le reste devant être interprété selon la situation, le langage corporel et d'autres indices contextuels

Culture polychronique Culture où domine une perception circulaire du temps et où les gens ont tendance à faire plus d'une chose à la fois

Culture monochronique Culture où domine une perception linéaire du temps et où les gens ont tendance à ne faire qu'une chose à la fois

Américains et les Arabes aiment parler dans une plus grande proximité que les Nord-Américains ; pour les Asiatiques, au contraire, la distance requise est encore plus grande. Si un Saoudien s'approche un peu trop d'un Canadien, ce dernier réagira peut-être par un léger mouvement de recul pour rétablir une certaine distance ; cependant, ce même Canadien en voyage d'affaires en Malaysia pourrait bien voir son homologue de Kuala Lumpur reculer pour la même raison. Les malentendus interculturels provoqués par nos rapports à l'espace sont très courants.

Dans certaines cultures, surtout polychroniques, on organise souvent l'espace de façon à permettre plusieurs activités simultanées ; ainsi, les villes espagnoles ou italiennes sont souvent bâties autour de places centrales (*plazas* ou *piazzas*) – contrairement à la plupart des villes nord-américaines alignées sur une rue principale bien droite. Les influences culturelles transparaissent également dans l'organisation du lieu de travail ; les Américains, qui préfèrent généralement les bureaux individuels, ont souvent du mal à s'habituer aux espaces ouverts que privilégient les employeurs japonais.

La religion   Élément déterminant du contexte culturel, la religion en est souvent l'une des manifestations les plus visibles au quotidien, notamment à cause des rites, des fêtes et des interdits alimentaires qu'elle prescrit. Les règles d'éthique et les codes de conduite prennent souvent racine dans les convictions religieuses, et la religion peut aussi exercer une forte influence sur la vie publique et économique[32]. Dans certains pays du Moyen-Orient, on trouve des banques « sans intérêt » opérant dans le respect des principes du Coran. En Malaysia, les soupers d'affaires commencent après 20 heures pour permettre aux musulmans de faire d'abord leur prière du soir. En Israël, mieux vaut se renseigner avant de fixer une séance de travail le samedi, car les Juifs religieux respectent scrupuleusement le jour du shabbat.

■ LES VALEURS ET LES CULTURES NATIONALES

D'une culture à l'autre, les valeurs et les comportements diffèrent parfois considérablement. La perception qu'ont les gens de la réussite, de la richesse, des gains matériels, du risque ou de l'innovation peut influer sur leur façon d'aborder le travail et sur leurs relations avec une organisation. Le chercheur néerlandais Geert Hofstede a élaboré une « grille culturelle » qui permet de mieux appréhender l'influence potentielle sur le comportement au

---

Le CO et les fonctions de l'organisation
SYSTÈMES D'INFORMATION ORGANISATIONNELS

Prendre le virage de la mondialisation au volant de la haute technologie

Les PME qui décident de s'internationaliser ne manquent pas de ressources. On peut maintenant trouver dans Internet la quasi-totalité des informations nécessaires pour se lancer dans l'exportation et s'intégrer aux marchés mondiaux. Voici quelques bonnes adresses :

- pour ceux et celles qui songent à l'exportation et cherchent des informations sur le commerce international et les sources de financement :
  www.exportsource.gc.ca

- pour des informations complètes sur l'ALENA et l'APEC :
  www.nafta-sec-alena.org/
  www.defait-maeci.gc.ca/nafta-alena/menu-f/asp
  www.apecsec.org.sg/
  www.dfait-maeci.gc.ca/canada-apec/menu-f.asp

- pour prendre connaissance des programmes d'aide à l'exportation du ministère de l'Industrie et du Commerce du Québec :
  www.mic.gouv.qc.ca/commerce-exterieur/ programmes.html

- pour des guides de voyage et pour s'orienter sur place :
  www.go-global.com/

Commercer dans le monde, c'est aller à la rencontre de divers peuples et de diverses cultures. La crème des gestionnaires sans frontières apprécient les découvertes et savent comment travailler dans les contextes culturels les plus variés.

- Vous trouverez des témoignages sur cette dimension transculturelle de la gestion à l'adresse suivante :
  www.bena.com/ewinters/xculture.html

Ce ne sont là que quelques exemples des ressources offertes aux entrepreneurs internationaux, mais il faut être prêt à explorer tout ce que propose Internet dans ce domaine pour en tirer profit. Les nouvelles technologies de l'information et des communications permettent d'acquérir, par une intensification du commerce international, un avantage concurrentiel qu'il serait dommage de négliger.

travail des différences de valeurs liées à l'identité culturelle. Le cadre conceptuel de Hofstede s'articule autour de cinq «dimensions» permettant de cerner les grandes caractéristiques des cultures nationales. Voyons brièvement en quoi elles consistent[33].

1. La **distance hiérarchique** traduit le degré d'acceptation culturelle des inégalités de statut et de pouvoir entre les individus. Cette dimension est révélatrice du degré de respect qu'ont les gens pour la hiérarchie et l'autorité au sein des organisations. Ainsi, on considère que la *distance hiérarchique* est considérable dans la culture indonésienne, et très faible dans la culture suédoise.

2. La **maîtrise de l'incertitude** est la propension culturelle à éviter le risque et l'ambiguïté. Cette dimension indique si les gens préfèrent les situations organisationnelles très structurées ou, au contraire, peu structurées. Ainsi, on considère que la culture française accorde énormément d'importance à la maîtrise de l'incertitude, tandis que la culture de Hongkong s'en soucie fort peu.

3. L'**individualisme** et le **collectivisme** sont des tendances culturelles opposées, l'une privilégiant l'intérêt individuel et l'autre, l'intérêt collectif. Elles indiquent si les gens préfèrent le travail individuel ou le travail en groupe. Ainsi, la culture des États-Unis est hautement individualiste, tandis que la culture mexicaine est nettement plus collectiviste.

4. L'**orientation masculine** et l'**orientation féminine** sont des tendances culturelles divergentes: l'une valorise des traits associés au stéréotype masculin; l'autre, des traits associés au stéréotype féminin. Elles indiquent la propension des organisations à privilégier la *compétitivité* et la *combativité* ou, au contraire, l'*empathie* et l'*harmonie* dans les relations interpersonnelles. Ainsi, on considère la culture japonaise comme très «masculine» et la culture thaïe comme plus «féminine».

5. L'**orientation à long terme** et l'**orientation à court terme** sont des tendances culturelles opposées: l'une privilégie des valeurs associées à l'avenir comme l'*esprit d'économie* et la *persévérance*; l'autre, des valeurs centrées sur le présent, voire l'immédiat. Elles se traduisent dans les organisations par des objectifs de rendement à long terme ou, au contraire, à court terme. Ainsi, typiquement, les organisations sud-coréennes ont une orientation à long terme, et les organisations américaines une orientation à court terme.

Les quatre premières dimensions du cadre conceptuel établi par Hofstede découlent d'une recherche très approfondie menée auprès de milliers de travailleurs d'une multinationale qui opère dans plus de 40 pays[34]. La cinquième dimension concernant l'orientation temporelle s'appuie sur une étude des valeurs chinoises menée par le psychologue transculturel Michael Bond et ses collègues[35]. Cette recherche a mis en lumière l'importance culturelle du confucianisme – du nom de Confucius, philosophe chinois du Vᵉ siècle av. J.-C. –, qui valorise la persévérance, la hiérarchie des relations, l'esprit d'économie, la loyauté, la fermeté, l'engagement mutuel à des services réciproques, le sens de l'honneur et l'amour-propre («sauver la face») ainsi que le respect des traditions.

Lorsqu'on utilise la grille culturelle de Hofstede, il ne faut jamais oublier que ses cinq dimensions ne sont pas indépendantes les unes des autres, au contraire[36]. Pour mieux comprendre les cultures nationales, il faut les imaginer comme des grappes ou des collages intégrant plusieurs dimensions. À titre d'exemple, la

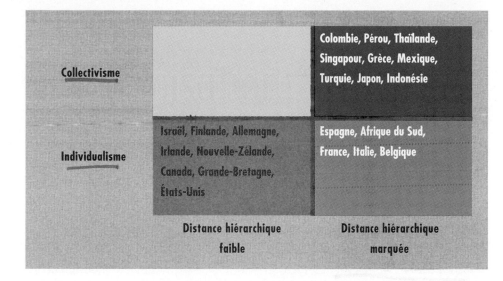

Figure 3.1
Échantillon de pays
regroupés selon
les dimensions
«distance hiérarchique»
et «collectivisme/
individualisme»
de Hofstede

figure 3.1 montre un regroupement de pays selon leurs tendances culturelles quant aux dimensions «distance hiérarchique» et «collectivisme ou individualisme». Vous remarquerez que la tendance «collectiviste» va souvent de pair avec une distance hiérarchique marquée, et la tendance «individualiste», avec une faible distance hiérarchique. On pourrait s'attendre à ce qu'une équipe de travail indonésienne (collectivisme marqué) fonctionne par consensus; pourtant, à cause de la distance hiérarchique marquée qui caractérise cette culture, les opinions du chef d'équipe risquent de peser lourdement sur les décisions prises. En comparaison, dans une équipe de travail partageant une culture plus individualiste et où la distance hiérarchique est plus faible – une équipe britannique ou américaine, par exemple –, les décisions découleraient d'une discussion plus ouverte, autorisant même l'expression d'opinions contraires à celles du chef d'équipe.

■ COMPRENDRE LA DIVERSITÉ CULTURELLE

Pour bien collaborer avec des gens d'autres cultures, il faut d'abord comprendre la sienne. Or, nous ignorons souvent les caractéristiques de notre propre culture jusqu'au jour où nous entrons en contact avec une culture très différente. Connaître votre environnement culturel peut vous aider à éviter deux attitudes aussi courantes que problématiques lors de négociations internationales: l'esprit de clocher – tendance à présumer que les façons de faire de sa propre culture sont universelles – et l'ethnocentrisme – tendance à penser que les façons de faire de sa propre culture sont les seules valables[37]. Ainsi, l'esprit de clocher pourrait amener une femme d'affaires américaine à insister pour que tous ses interlocuteurs parlent anglais, et son ethnocentrisme pourrait lui faire estimer que quiconque mange autrement qu'avec une fourchette et un couteau ne sait pas se conduire à table.

Su et Lessard ont utilisé le modèle de Hofstede pour saisir les traits culturels des gestionnaires québécois, et pour classer les quatre dimensions analysées selon l'importance qu'ils y accordent[38]. Reconnaissant que les caractéristiques culturelles des Québécois résultent de l'interaction de deux cultures – la culture anglo-saxonne (Canada anglais, États-Unis, Angleterre) et la culture latine (France) –, ces chercheurs ont comparé les résultats des gestionnaires québécois à ceux des gestionnaires des autres provinces canadiennes ainsi que des gestionnaires de France. Voyons un peu ce qu'ils ont trouvé.

Les traits culturels des gestionnaires québécois

- *Distance hiérarchique marquée* Tout comme leurs homologues français, les gestionnaires québécois font preuve d'une grande tolérance face à la répartition inégale du pouvoir; ils se distinguent en cela des gestionnaires du Canada anglais, qui eux ne la tolèrent que modérément.

- *Forte maîtrise de l'incertitude* Comme leurs homologues français, les gestionnaires québécois tolèrent mal l'incertitude et cherchent à la maîtriser, ce qui est loin d'être le cas des gestionnaires des autres provinces canadiennes – qui, selon d'autres études, montrent une tolérance à l'incertitude bien au-dessus de la moyenne internationale.

- *Individualisme* À l'instar de leurs collègues du reste du Canada, les gestionnaires québécois affichent un très fort individualisme, nettement supérieur à celui des dirigeants français.

- *Orientation féminine* Les dirigeants québécois privilégient nettement les valeurs féminines, se distinguant en cela à la fois de leurs homologues de France et des autres provinces canadiennes.

Selon Su et Lessard, le très haut niveau d'individualisme des gestionnaires québécois devrait avoir une influence importante sur les pratiques de gestion, qu'il convient d'adapter en conséquence. Par ailleurs, même si les dimensions «distance hiérarchique marquée», «forte maîtrise de l'incertitude» et «orientation féminine» décrivent bien la culture de gestion québécoise, elles ne semblent pas avoir un effet significatif.

Une autre grille d'analyse, élaborée celle-là par l'anthropologue Fons Trompenaars, nous fournit aussi des points de référence utiles pour mieux comprendre les différences culturelles, et peut-être même y faire face adéquatement[39]. Ses recherches auprès de répondants appartenant à 47 cultures nationales ont amené cet anthropologue néerlandais à la conclusion suivante : les cultures diffèrent par leurs façons de résoudre trois ordres de problèmes touchant respectivement : 1) les relations interpersonnelles; 2) l'attitude à l'égard du temps; 3) l'attitude à l'égard de la nature et de l'environnement.

Comme l'illustre la figure 3.2, Trompenaars a dégagé cinq grands axes où se manifestent des différences culturelles dans la façon d'aborder les relations interpersonnelles :

Quelques différences culturelles dans la façon d'aborder les relations interpersonnelles

1. *Universalisme* (règles et cohérence) ou *particularisme* (relations humaines et souplesse)
2. *Individualisme* (liberté individuelle et responsabilité : l'individu se réalise librement) ou *collectivisme* (consensus et intérêt collectif : l'individu se réalise à travers le groupe)
3. *Neutralité* (rationalité et détachement) ou *affectivité* (expression des sentiments et des émotions)
4. *Vision focalisée* (engagement limité à certains aspects précis de la relation) ou *vision globale* (engagement avec la personne dans sa globalité).
5. *Réussite* (statut lié au rendement et au mérite) ou *prédétermination* (statut lié à une position assignée)

Pour ce qui est de l'attitude à l'égard du temps, Trompenaars distingue les cultures à *orientation séquentielle,* pour qui les événements se suivent de manière linéaire,

Canada, États-Unis, Irlande	Universalisme / Particularisme	Indonésie, Chine, Venezuela
États-Unis, Hongrie, Russie	Individualisme / Collectivisme	Thaïlande, Japon, Mexique
Indonésie, Allemagne, Japon	Neutralité / Affectivité	Italie, France, États-Unis
Espagne, Pologne, États-Unis	Vision focalisée / globale	Inde, Grande-Bretagne, Égypte
Australie, Canada, Norvège	Réussite / Prédétermination	Philippines, Pakistan, Brésil
Grande-Bretagne, Belgique États-Unis	Orientation séquentielle / synchronique	Malaysia, Venezuela, France

**Figure 3.2
Échantillon de pays
regroupés selon la
grille de Trompenaars**

et les cultures à *orientation synchronique,* où plusieurs événements peuvent se dérouler simultanément, et pour qui le passé, le présent et l'avenir sont interdépendants. Les cultures à orientation séquentielle envisageront un problème comme un enchaînement de causes et de conséquences, alors que les cultures à orientation synchronique y verront un réseau complexe d'éléments possiblement contradictoires.

En ce qui concerne l'attitude à l'égard de l'environnement, le chercheur distingue les cultures *introverties,* où les gens se perçoivent comme séparés de la nature et cherchent à la maîtriser, des cultures *extraverties,* où les gens ont l'impression de faire partie de la nature et cherchent autant que possible à vivre *avec* elle.

Le travail dans le contexte de la mondialisation

La nécessité d'approfondir notre compréhension des différences interculturelles en matière de gestion et de structures organisationnelles mobilise de plus en plus les spécialistes en CO. Tous les acteurs concernés doivent prendre conscience de l'importance des employeurs multinationaux, de la diversité culturelle de la main-d'œuvre et des exigences associées à l'expatriation des travailleurs.

■ LES EMPLOYEURS MULTINATIONAUX

Une authentique *multinationale* est une entreprise commerciale qui investit des capitaux et opère à grande échelle dans plus d'un pays étranger. Loin de n'être que des sociétés *qui font des affaires à l'étranger,* les multinationales sont elles-mêmes des entités mondialisées; leur mission et leurs stratégies ont une portée planétaire – c'est le cas, par exemple, de Ford, Royal-Dutch Shell ou Sony. Dans le secteur public, les organisations multinationales sont généralement des ONG à vocation humanitaire œuvrant sur toute la planète – comme Amnistie Internationale ou le Fonds mondial pour la nature – ou de grandes organisations mises sur pied par plusieurs pays – comme les Nations Unies ou le Comité international de la Croix-Rouge.

Les organisations vraiment mondiales opèrent avec une vision planétaire et n'ont pas d'allégeance nationale. Le futurologue Alvin Toffler les qualifie d'*organisations transnationales* : «[elles peuvent] effectuer leurs recherches de produits

■ *Multinationale* Organisation qui opère à grande échelle dans plus d'un pays étranger

www.starbucks.com

⚖ ÉTHIQUE ET RESPONSABILITÉ SOCIALE

Lorsqu'on a rendu public le fait que les cueilleurs guatémaltèques, en plus de travailler dans des conditions quasi inhumaines, ne recevaient que 2 ¢ sur la livre de café que Starbucks revendait 8 $, l'image de l'entreprise en a pris un dur coup. Le chef de la direction, Howard Schultz, y a réagi en instaurant de nouvelles normes organisationnelles en matière de responsabilité sociale. Ces directives obligent les fournisseurs étrangers à payer des salaires qui «répondent aux besoins fondamentaux des travailleurs et de leur famille», à s'assurer que le travail «n'entrave en rien l'accès à l'éducation des enfants» et à aider les travailleurs «à se loger dignement, à disposer d'eau potable et à accéder aux services de santé.» Les organismes de défense des droits de la personne ont reconnu que la politique de Starbucks doit être un modèle pour tous ceux qui importent des produits agricoles[40].

dans un pays, en fabriquer les composants dans un autre, les assembler dans un troisième, vendre les produits finis dans un quatrième et déposer leurs profits dans un cinquième pays[41].» Bien qu'il n'existe pas encore d'entreprises véritablement *transnationales*, des organisations comme Nestlé, Gillette et Ford déploient d'énormes efforts en ce sens. Les nouvelles technologies de l'information et des communications leur facilitent grandement la tâche, leur permettant d'établir et de maintenir des liens virtuels avec leurs filiales et leurs fournisseurs des cinq continents.

L'immense pouvoir des multinationales a des répercussions considérables. Toffler, en particulier, nous avertit que : «la taille, l'importance et le pouvoir politique de ces nouveaux acteurs du jeu économique mondial se sont accrus de façon phénoménale[42]». Leurs activités et les changements qu'elles provoquent présentent autant d'avantages que d'inconvénients pour leurs pays hôtes. Le Mexique en est un exemple, avec ses nombreuses *maquiladoras* (usines possédées par des intérêts étrangers) où l'on assemble des pièces importées pour expédier ensuite les produits finis aux États-Unis. La main-d'œuvre mexicaine est relativement bon marché pour les entrepreneurs de l'étranger; en contrepartie, le pays profite de ce développement industriel qui fait baisser le taux de chômage et augmente les recettes en devises fortes. Cependant, des voix s'élèvent pour dénoncer les effets néfastes des *maquiladoras* : sérieux problèmes de logement et de services publics dans les villes mexicaines frontalières, traitement inégal des travailleurs nationaux par rapport à leurs homologues étrangers (salaires, conditions de travail, quotas de production) et dégradation catastrophique de l'environnement causée par la pollution industrielle[43].

■ LES MAINS-D'ŒUVRE MULTICULTURELLES

Il n'existe aucun mode d'emploi universel pour gérer des mains-d'œuvre multiculturelles. Les styles de leadership, de motivation, de prise de décision, de planification, d'organisation, de direction et de contrôle varient d'un pays à l'autre[44]. Gérer un projet de construction avec un personnel provenant d'Asie, du Moyen-Orient, d'Europe et d'Amérique du Nord ne représente pas le même défi selon qu'on le fait chez soi ou en Arabie Saoudite… Dans le même ordre d'idées, mettre sur pied et exploiter avec succès une coentreprise au Kazakhstan, au Nigeria ou au Vietnam exige une bonne dose d'apprentissage et beaucoup de patience. Dans de tels contextes, les risques politiques et les problèmes de bureaucratie s'ajoutent à la complexité inhérente à la gestion d'un projet qui suppose la collaboration d'une multitude de gens d'origines culturelles diverses.

Cela dit, la gestion *transculturelle* ne se limite pas aux activités à l'étranger. La diversité culturelle se reflète dans la main-d'œuvre et dans la population d'un pays[45]. Ainsi, pour près de 20 % des écoliers de Los Angeles, foyer de nombreux groupes d'immigrants, l'anglais n'est qu'une langue seconde. De même, la langue maternelle d'un Vancouvérois sur cinq est… le chinois.

■ LES POSTES À L'ÉTRANGER ET L'EXPATRIATION

ComPsych, une entreprise spécialisée en gestion des ressources humaines, a évalué à près de 350 000 le nombre d'Américains travaillant à l'étranger pour des organisations de leur pays[46]. Pour les employeurs, le coût des **travailleurs expatriés,** qui passent ainsi de longues périodes dans un autre pays, peut être très élevé. Un cadre québécois qui gagne 100 000 $ par année à Montréal peut coûter 300 000 $ l'année de son installation à Manchester (Grande-Bretagne); en tenant compte des indemnités d'expatriation, des avantages sociaux, des frais de déménagement et autres dépenses d'installation, on estime qu'un mandat de trois ans à l'étranger coûte en moyenne 1 million de dollars américains à l'entreprise[47]. Pour rentabiliser un tel investissement, les organisations à l'avant-garde cherchent évidemment à maximiser le rendement de leurs cadres expatriés[48]. Elles recrutent des gens conscients des réalités interculturelles et qui réunissent toutes les compétences requises; elles leur fournissent une solide formation ainsi que les moyens de s'adapter à la nouvelle culture; elles les soutiennent tout au long de leur mandat, notamment en voyant aux besoins et au bien-être de leur famille; enfin, elles suivent de près leur retour au pays et leur réinstallation.

Pour le personnel expatrié, les moments les plus difficiles sont souvent l'arrivée et les premiers contacts avec l'autre culture, et le retour au pays. La figure 3.3 résume les étapes typiques que traversent les personnes expatriées, en commençant par le choc initial de l'affectation – moment où la personne apprend sa mutation probable. À cette étape, la façon de faire le recrutement, la sélection et la formation peut influer de façon déterminante sur le succès de l'opération. Idéalement, le candidat ou la candidate devrait avoir la possibilité d'accepter ou de refuser la proposition après avoir consulté ses proches. Toujours idéalement, cette personne devrait aussi recevoir du soutien et des conseils avant son départ; on s'assurera ainsi qu'elle entretient des «attentes réalistes» face à ce qu'elle s'apprête à vivre.

La personne expatriée traverse trois étapes d'adaptation à son nouvel environnement[49]. La première est l'*étape du tourisme*, où elle découvre avec plaisir une nouvelle culture. Vient ensuite l'étape de la *déception*: son optimisme se refroidit à mesure qu'apparaissent les difficultés – le plus souvent, des problèmes de communication et des problèmes d'approvisionnement en produits et aliments familiers. La troisième étape est celle où elle subit les contrecoups du *choc culturel*: désarroi, frustration à l'égard des coutumes locales et sentiment de déracinement. Si elle parvient à surmonter cette difficile étape, la personne expatriée commence enfin à se sentir bien dans son nouvel environnement, à travailler plus efficacement et à mener une existence relativement normale. Sinon, son rendement risque de s'en ressentir, au point parfois d'entraîner un rapatriement.

■ *Travailleur expatrié*
Personne qui vit dans un pays étranger durant une période relativement longue et y travaille

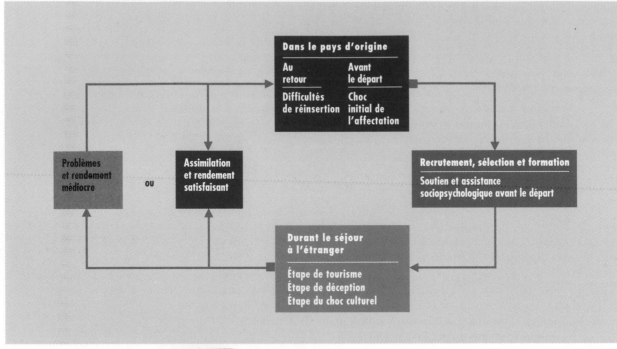

Figure 3.3

Cycle des réactions d'un expatrié en poste à l'étranger : problèmes potentiels d'adaptation et de réinsertion

www.exfo.com

✦ ORGANISATION HAUTEMENT PERFORMANTE

Les employés d'Exfo ont le monde à leurs pieds. Cette entreprise de haute technologie de Québec vend partout dans le monde ses instruments de mesure dans le domaine de la fibre optique. C'est ainsi qu'Éric Prince, engagé comme technicien en recherche en 1990, s'est occupé d'un contrat pour l'armée américaine à Dallas, de 1993 à 1996. De retour à Québec, il a repris la route en 1999 pour installer un produit d'analyse de la géométrie de la fibre et former les clients d'Allemagne, de France, de Suède, du Japon, de Corée et de Taiwan. Au retour, il a eu une promotion et il travaille maintenant comme responsable d'une équipe qui veille à l'amélioration des produits existants.

Avec des bureaux en Europe, en Asie, aux États-Unis et en Amérique latine, Exfo offre des possibilités formidables aux aventuriers qui veulent voir du pays. Mais nul besoin de prendre l'avion pour entrer en contact avec d'autres cultures : ses 700 employés proviennent de plus d'une vingtaine de pays. Le recrutement se fait beaucoup par Internet, car la réputation d'Exfo est internationale, dans le domaine pointu de la fibre optique.

Et Exfo embauche énormément, puisqu'elle connaît une croissance moyenne de 50 % depuis sa création, il y a 15 ans. Le choc des cultures représente une grande richesse pour l'entreprise : il agit comme un stimulant qui garde les esprits ouverts à la différence et à la nouveauté. La recherche profite aussi des différences culturelles dans la façon de penser. Exfo a développé une mentalité bien à elle, et elle favorise les promotions à l'interne pour profiter de l'expérience de candidats déjà familiarisés avec les coutumes de la maison. [...]

Marie Quinty. « Dix raisons d'aimer son patron », *Affaires PLUS,* juin 2000, p. 48-49.

Paradoxalement, le retour au pays après un séjour de trois ou quatre ans peut s'avérer tout aussi difficile[50]. Le temps a passé. L'expatrié et ses proches ont changé, le pays d'origine aussi. Le simple fait de renouer avec «ses bonnes vieilles habitudes» peut exiger une période de réadaptation plus ou moins longue. Par ailleurs, la réinsertion dans le milieu de travail ne se passe pas toujours aussi bien qu'elle le devrait. On aura peut-être négligé, comme cela arrive trop souvent, de confier à la personne qui revient au pays un poste qui tienne compte des compétences et du savoir-faire acquis à l'étranger; de plus, elle risque de ne pas retrouver le degré d'autonomie dont elle jouissait là-bas. Pourtant, la majorité de ces problèmes de réinsertion peuvent être évités par une planification adéquate, incluant notamment des relations suivies avec la compagnie pendant le mandat à l'étranger et le meilleur soutien possible au retour. De plus, on l'a dit, les employeurs devraient reconnaître les compétences que les expatriés acquièrent à l'étranger et leur offrir des postes en conséquence. Les mandats à l'étranger étant devenus monnaie courante dans un nombre croissant d'organisations, celles-ci devront revoir leurs programmes de formation et de planification de carrière dans une perspective mondiale.

■ L'ÉTHIQUE D'UNE CULTURE À L'AUTRE

Nous avons déjà abordé les questions d'éthique au premier chapitre; cependant, à cause des différences culturelles et de la diversité des systèmes politiques et juridiques, elles prennent une autre tournure sur la scène internationale. Dans certains pays, les problèmes les plus courants ont trait à la corruption, aux conditions de travail, à l'exploitation des enfants, au travail des détenus et au rôle des entreprises internationales dans le soutien de régimes répressifs qui ne garantissent ni ne respectent les droits fondamentaux de leurs citoyens[51].

Au Canada, la *Loi sur la corruption d'agents publics étrangers* est entrée en vigueur le 14 février 1999. Parallèlement, le Canada ratifiait la *Convention sur la lutte contre la corruption d'agents publics étrangers dans les transactions commerciales internationales* de l'OCDE. La *Loi* vise trois types d'infractions: la corruption d'un agent public étranger, le recyclage des biens et produits de la criminalité, et la possession de ces biens et produits. Les États-Unis, qui comptent parmi les pays partisans d'une répression de la corruption dans les pratiques commerciales, ont une loi semblable depuis 1997. La Banque mondiale pourrait éventuellement prendre en considération la corruption dans ses critères d'attribution de prêts[52].

Les médias parlent de plus en plus souvent des *ateliers de misère* (les «sweatshops») qui imposent à leurs ouvriers de longues heures de travail dans des lieux insalubres et dans des conditions pénibles, nocives ou même dangereuses, et qui pratiquent même l'exploitation des enfants. Les nombreux groupes de pression qui font campagne contre les ateliers de misère montrent du doigt des sociétés bien établies et certaines multinationales. En Asie, on a dénoncé le fait que Disney commerce avec des fournisseurs chinois qui imposent aux travailleurs et travailleuses des semaines de 112 heures sans congés ni indemnités de temps supplémentaire. De même, on a accusé Mattel de faire assembler ses poupées Barbie dans des ateliers de misère qui imposent des journées de travail interminables et de lourdes pénalités financières à la moindre erreur. De plus en plus d'entreprises internationales réagissent à ces critiques. Elles engagent des consultants pour effectuer des «audits sociaux de conformité» sur leurs activités à l'étranger, adoptent des règles

**Council on
Economic Priorities
Accreditation Agency ←**

www.cepaa.org

Certification éthique et sociale SA 8000. Créé en octobre 1997 aux États-Unis, le référentiel SA 8000 est le premier instrument de contrôle des conditions de travail jugées acceptables sur le plan éthique. Il précise les dispositions minimales qu'une entreprise doit respecter dans ce domaine concernant le travail des enfants, le travail forcé, la sécurité des travailleurs, la liberté d'expression syndicale, la discrimination, les pratiques disciplinaires, les horaires de travail et les compensations salariales.

■ **Relativisme culturel**

Opinion selon laquelle il n'existe pas de comportement universellement juste dans la mesure où les règles éthiques dépendent entièrement du contexte culturel

■ **Impérialisme éthique**

Opinion selon laquelle il existe un code de la morale unique qui s'applique en toute situation, peu importe le lieu et le contexte culturel

d'éthique s'appliquant à leurs sous-traitants et soutiennent l'implantation de codes de conduite universels tels que le *Social Accountability 8000* – une accréditation de la Council on Economic Priorities Accreditation Agency (CEPAA) sur les normes en matière de conditions de travail. Nike, Disney et Mattel ont adopté des mesures qui s'inspirent de ces lignes de conduite pour s'assurer que les produits qui portent leurs noms sont fabriqués dans des conditions acceptables[53]. Voici ce que Jack Sheinkman, président honoraire du syndicat des Amalgamated Clothing and Textile Workers et membre du Conseil de surveillance du Council on Economic Priorities (CEP) américain avait à dire sur cette question :

> Tandis que le commerce poursuit sa mondialisation, les acteurs de la chaîne de production sont de plus en plus nombreux, et l'évaluation de la responsabilité sociale des entreprises devient plus complexe. Cela s'applique aussi à la protection des droits des travailleurs [...] surtout depuis que cette responsabilité est partagée par les fabricants, les entrepreneurs, les sous-traitants, les agents commerciaux [...] et autres parties dans les accords commerciaux qui transcendent les fuseaux horaires, les barrières des langues et les frontières des pays industrialisés comme des pays en développement[54].

L'influence de la culture sur l'éthique en matière de pratiques commerciales et de gestion sur la scène internationale fait l'objet de débats inépuisables. La figure 3.4 montre un schéma linéaire qui compare le *relativisme culturel* et l'*impérialisme éthique*. L'éthicien des affaires Thomas Donaldson décrit le *relativisme culturel* comme l'opinion voulant qu'il n'existe pas de comportement universellement juste, dans la mesure où les règles éthiques dépendent entièrement du contexte culturel[55]. Autrement dit, en matière de transactions internationales, on serait justifié d'appliquer le dicton «À Rome, fais comme les Romains». Si on va au bout de ce raisonnement, les *ateliers de misère* sont acceptables pourvu qu'ils respectent les lois et coutumes locales. À l'autre extrême du schéma 3.4, on trouve l'*impérialisme éthique*, position universaliste et absolutiste selon laquelle il existe un code de la morale unique qui s'applique en toute situation, peu importe le lieu et le contexte culturel. Autrement dit, si le travail des enfants est interdit dans son propre pays, une telle pratique est condamnable partout ailleurs. Les détracteurs de cette approche affirment qu'on tente ainsi d'imposer des normes sans prendre en considération les cultures locales ni leurs besoins ou contextes particuliers.

Donaldson dénonce les travers de ces deux positions extrémistes et penche pour une approche *intelligente* de cette question controversée. Il donne des arguments convaincants quant à l'importance pour les multinationales d'adopter, en toutes situations, des principes généraux visant au respect des droits fondamentaux des

Relativisme culturel	Impérialisme éthique
En matière d'éthique, toutes les cultures se valent. Les valeurs et les usages qui ont cours dans un contexte donné déterminent ce qui est juste et ce qui ne l'est pas. À Rome, fais comme les Romains.	Certaines vérités absolues s'appliquent partout. Il existe des principes universels qui transcendent les cultures et déterminent ce qui est juste et ce qui ne l'est pas. Ne fais rien ailleurs que tu ne ferais chez toi.

Figure 3.4
Les concepts antagonistes en matière d'éthique commerciale internationale

êtres humains. Mais il suggère également aux gestionnaires de faire preuve d'ouverture et de tolérance pour s'adapter aux traditions, aux besoins et aux réalités qui diffèrent d'une culture à l'autre.

Voici ce que stipule, à ce sujet, le code de déontologie de la Société pour l'expansion des exportations :

> La SEE conduira ses affaires conformément à la lettre et à l'esprit de toutes les lois applicables dans les pays où elle est présente. Si un employé ou un représentant de la SEE s'interroge sur l'interprétation ou l'application d'une loi particulière, il doit, avant d'agir, demander conseil au Contentieux. Il se peut, cependant, que l'observation de la loi ne corresponde pas au comportement éthique auquel la Société s'attend.
>
> Par conséquent, la SEE a pour politique d'exiger de ses administrateurs, employés et représentants qu'ils adoptent une conduite professionnelle caractérisée par l'honnêteté, l'intégrité et l'impartialité. Elle entend aussi que les communications et les relations avec les parties concernées soient empreintes d'une sincérité et d'une transparence qui leur permettent de soutenir un examen public approfondi. Les relations de travail reposeront sur la franchise et l'ouverture, chacun traitant autrui avec équité et respect, tout en se montrant intègre dans la détermination des responsabilités envers toutes les parties concernées[56].

L'apprentissage organisationnel dans le contexte de la mondialisation

Au chapitre 1, nous décrivions l'apprentissage organisationnel comme le processus d'acquisition de connaissances et d'utilisation de l'information qui permet aux organisations et à leurs membres de s'adapter à un environnement en continuelle évolution. Dans le contexte de la mondialisation de l'économie, les organisations devront élargir leur conception de l'apprentissage organisationnel. L'**apprentissage organisationnel global** est le processus qui permet aux organisations et à leurs membres de recueillir partout sur la planète les connaissances et les informations susceptibles de favoriser leur adaptation à long terme à l'environnement. Autrement dit, toutes les cultures et régions du monde ont beaucoup à apprendre les unes des autres en matière de comportement organisationnel et de gestion des entreprises.

■ *Apprentissage organisationnel global* Processus qui permet aux organisations et à leurs membres de recueillir partout sur la planète les connaissances et les informations susceptibles de favoriser leur adaptation à long terme à l'environnement

■ LES THÉORIES DE LA GESTION SONT-ELLES UNIVERSELLES ?

L'une des questions cruciales auxquelles nous devons répondre de nos jours est la suivante : Les théories de la gestion sont-elles universelles ? Autrement dit, une théorie établie dans un contexte culturel donné peut-elle être importée et implantée dans un autre ? Selon Gert Hofstede, la réponse à cette question est non, du moins pas sans avoir soigneusement pesé les influences culturelles, car la culture peut être aussi déterminante dans l'élaboration d'une théorie ou d'un concept que dans son application. Prenant l'exemple de la motivation, Hofstede fait remarquer que les Américains ont toujours abordé cette question sous l'angle du rendement individuel et de la rétribution – ce qui est assez conforme à l'orientation fortement «individualiste» de leur culture. Cependant, des concepts comme la rémunération au mérite ou l'enrichissement des tâches peuvent tomber à plat dans des cultures plus collectivistes qui mettent l'accent sur le travail d'équipe et l'intérêt collectif. L'opinion de Hofstede mérite qu'on s'y arrête, car s'il est essentiel d'apprendre ce qui se fait dans d'autres cultures, il faut aussi mettre ces connaissances à profit dans nos propres structures organisationnelles et nos propres modes de fonctionnement. On ne devrait jamais négliger les considérations culturelles lorsqu'on envisage d'importer des théories ou des pratiques d'un endroit à un autre[57].

Ainsi, il y a quelques années, les réussites impressionnantes des entreprises du Japon ont suscité un véritable engouement pour les approches de gestion japonaises[58]. Traditionnellement, les organisations de ce pays valorisent l'*emploi à vie*, une grande loyauté des salariés à l'égard de leur employeur, la rémunération à l'ancienneté et les syndicats d'entreprises. Les activités des entreprises japonaises se caractérisent par la recherche de la *qualité*, le *travail d'équipe* et la *prise de décision par consensus*, ainsi que par la progression professionnelle fondée sur un système de *promotions lentes* et d'*affectations multidisciplinaires*[59].

Même si l'économie japonaise et nombre de ses entreprises ont connu leur lot de problèmes récemment, spécialistes de la gestion et consultants admettent que nous avons encore des leçons à tirer de leur expérience. Cela doit se faire, bien entendu, en tenant compte des différences culturelles, car ce qui fonctionne bien au Japon ne s'importe pas forcément, du moins pas tel quel[60]. Ainsi, l'orientation très collectiviste de la culture japonaise contraste avec l'orientation extrêmement individualiste de la culture des États-Unis et d'autres nations occidentales. Il faut donc s'attendre à des différences dans les pratiques de gestion autant que dans les structures et les modes de fonctionnement organisationnels.

■ LES MEILLEURES MÉTHODES AU MONDE

Le repérage et l'analyse des «meilleures méthodes» en usage dans le monde entier serait un objectif fort approprié en matière d'apprentissage organisationnel global. Ce qui réussit ailleurs peut s'appliquer chez soi, que ce «chez soi» se situe en Afrique, en Asie, ou en Amérique du Nord. Si jusqu'à récemment la planète entière se tournait vers l'Amérique du Nord et l'Europe pour ce qui est des innovations en matière de gestion, on reconnaît aujourd'hui qu'en ce qui concerne les organisations hautement performantes, il existe des modèles d'excellence sur tous les continents. Ainsi, comme vous pourrez le constater dans cet ouvrage, l'influence des approches japonaises sur l'apprentissage organisationnel *global* est manifeste : des notions comme la valorisation du travail en équipe, la prise de décision par consensus, la responsabilisation du personnel, les structures aplanies et l'importance de la culture d'entreprise prennent de plus en plus de place dans les OHP d'aujourd'hui.

Comme le champ d'étude du CO continue de s'élargir pour englober les recherches et les analyses menées dans une perspective globale, de plus en plus nous pourrons tirer profit d'un bagage enrichi par la diversité culturelle. Comme nous l'avons vu au chapitre 1, en adoptant une approche de la contingence, le CO tente de répondre aux besoins de gestion en tenant compte des particularités du contexte ; or, la culture est une particularité de taille. Aucune culture nationale ne possède toutes les «bonnes» réponses aux questions que se posent les organisations et les gestionnaires, ni aux problèmes qu'ils rencontrent. Un engagement concret en matière d'apprentissage organisationnel global peut nous donner de nouvelles idées et nous aider à trouver des solutions locales qui respectent la diversité culturelle. Comme en témoignent les chapitres qui suivent, cet effort de compréhension globale est maintenant au cœur de ce vaste champ d'étude qu'est le CO.

Guide de révision

Pourquoi la mondialisation est-elle un thème majeur en CO ?

- La mondialisation de l'économie se caractérise par une interdépendance accrue de la concurrence, des sources d'approvisionnement et des marchés à l'échelle planétaire. Ce phénomène a aujourd'hui un effet considérable sur les entreprises, les employeurs et les travailleurs de tous les pays.

- En Europe, en Asie et en Amérique, on assiste à la conclusion d'accords commerciaux au sein d'alliances régionales comme la CEE, l'ALENA et l'APEC ; ces alliances et ces accords visent à renforcer la capacité concurrentielle des pays sur l'échiquier économique mondial.

- Quelle que soit leur taille, de plus en plus d'organisations font des affaires dans d'autres pays. De plus, un nombre croissant d'entreprises locales passent aux mains d'intérêts étrangers. Enfin, les mains-d'œuvre nationales se diversifient et deviennent de plus en plus multiculturelles.

- Les organisations ont maintenant besoin de gestionnaires sans frontières qui peuvent exceller dans un environnement mondial et interculturel.

Qu'est-ce qu'une culture ?

- La culture est le bagage commun de valeurs et de façons de faire d'un groupe, d'une collectivité ou d'une société. Elle reflète les influences profondes de la société sur les façons de penser, de se comporter et de résoudre les problèmes.

- La culture est multidimensionnelle ; ses manifestations les plus évidentes ont trait à la langue, à la perception du temps, au rapport à l'espace, et à la religion.

- Selon Hofstede, les cinq dimensions des cultures nationales sont : 1) la distance hiérarchique ; 2) la maîtrise de l'incertitude ; 3) l'individualisme ou le collectivisme ; 4) l'orientation masculine ou féminine ; 5) l'orientation à court terme ou à long terme.

- Selon Trompenaars, les cultures nationales diffèrent par leurs façons de résoudre trois ordres de problèmes touchant respectivement 1) les relations interpersonnelles ; 2) l'attitude à l'égard du temps ; 3) l'attitude à l'égard de l'environnement.

- Acquérir une sensibilité interculturelle suppose une bonne compréhension de sa propre culture et suffisamment d'ouverture à autrui pour mettre de côté l'esprit de clocher et l'ethnocentrisme.

Quels sont les effets de la mondialisation sur les travailleurs ?

- Les entreprises multinationales investissent des capitaux et opèrent à grande échelle dans de nombreux pays étrangers. Leur mission et leurs stratégies ont une portée planétaire et ce sont des forces puissantes sur l'échiquier mondial.

- Le multiculturalisme croissant de la main-d'œuvre locale exige que tous les travailleurs apprennent à travailler ensemble dans un contexte de diversité culturelle.

- Les travailleurs expatriés – personnes qui vont vivre à l'étranger pour d'assez longues période et y travailler – font face à des problèmes d'adaptation et, au retour, de réinsertion.

- Entre les positions éthiques extrémistes du relativisme culturel – selon lequel les règles éthiques dépendent entièrement du contexte culturel – et de l'impérialisme éthique – qui tente d'imposer des normes soi-disant universelles –, il y a place pour une «approche intelligente», fondée à la fois sur le respect, en toutes situations, des droits fondamentaux de la personne et sur l'ouverture et la tolérance indispensables pour s'adapter aux traditions, aux réalités et aux besoins des autres cultures.

Qu'est-ce qu'une perspective mondiale en matière d'apprentissage organisationnel ?

- L'apprentissage organisationnel global cherche, notamment, à repérer et à analyser les meilleures pratiques de gestion au monde en tenant compte des différences culturelles.

- On ne doit jamais oublier que les théories et les concepts de la gestion ne sont pas universels : la culture peut être aussi déterminante dans l'élaboration d'une théorie ou d'un concept que dans son application.

- Les gestionnaires ont encore beaucoup à apprendre des méthodes et des pratiques de gestion japonaises qui valorisent la recherche de la qualité, le travail d'équipe et la prise de décision par consensus, ainsi que la progression professionnelle fondée sur un système de promotions lentes et d'affectations multidisciplinaires.

- Traditionnellement, les modèles de gestion venaient de l'Europe, de l'Amérique du Nord et du Japon, mais de plus en plus, l'apprentissage organisationnel global englobe des modèles venant de tous les continents.

Mots clés

Apprentissage organisa-
tionnel global p. 65

Culture p. 52

Culture à contexte pauvre
p. 54

Culture à contexte riche
p. 54

Culture monochronique
p. 54

Culture polychronique
p. 54

Distance hiérarchique
p. 56

Gestionnaire sans frontières
p. 51

Impérialisme éthique p. 64

Individualisme et
collectivisme p. 56

Maîtrise de l'incertitude
p. 56

Mondialisation de
l'économie p. 49

Multinationale p. 59

Orientation masculine
et orientation
féminine p. 56

Orientation à court terme
et orientation à long
terme p. 56

Relativisme culturel
p. 64

Travailleur expatrié
p. 61

Évaluation des connaissances

■ QUESTIONS À CHOIX MULTIPLE

1. L'ALENA, l'APEC et la CEE sont des exemples _____ **a)** de sociétés multinationales. **b)** d'agences des Nations Unies. **c)** d'alliances économiques régionales. **d)** d'agences gouvernementales contrôlant le commerce international.

2. Les membres d'une culture _____ ont tendance à faire les choses l'une après l'autre. **a)** à l'esprit de clocher **b)** monochronique **c)** polychronique **d)** ethnocentrique.

3. La valorisation des traditions, de la hiérarchie des relations, du sens de l'honneur et de l'importance de «sauver la face» sont des valeurs caractéristiques d'une culture_____ **a)** qui privilégie la maîtrise de l'incertitude. **b)** à orientation masculine. **c)** à orientation féminine. **d)** confucianiste.

4. On trouve un fort degré d'acceptation des différences de statut et de pouvoir entre les gens dans les cultures où prédomine _____ **a)** la distance hiérarchique. **b)** l'individualisme. **c)** la maîtrise de l'incertitude. **d)** l'agressivité.

5. Selon la grille de Hofstede sur les dimensions des cultures nationales, des pays d'Asie comme le Japon et la Chine ont une forte tendance à _____ **a)** la maîtrise de l'incertitude. **b)** l'orientation à court terme. **c)** l'orientation à long terme. **d)** l'individualisme.

6. Les _____ sont des usines établies au Mexique, le long de la frontière avec les États-Unis, et contrôlées par des intérêts étrangers. **a)** *estrellas* **b)** *escuelas* **c)** *maquiladoras* **d)** *cabezas*

7. En ce qui concerne l'attitude à l'égard de la nature et de l'environnement, la grille d'étude de Trompenaars sur la diversité culturelle distingue les cultures _____ **a)** «introverties» et «extraverties». **b)** à orientation séquentielle et à orientation synchronique. **c)** enclines à l'universalisme ou au particularisme. **d)** enclines à la neutralité ou à l'affectivité.

8. Les organisations appartenant à une culture _____ ont tendance à privilégier des pratiques comme la gestion participative et le travail d'équipe. **a)** monochronique **b)** collectiviste **c)** paternaliste **d)** incertaine

9. Le Mercosur est un exemple de collaboration entre divers pays pour créer, dans l'intérêt de chacun, _____ **a)** des franchises. **b)** une alliance stratégique. **c)** une alliance économique régionale. **d)** un chaebols.

10. Parmi les facteurs suivants, quel est le plus caractéristique des méthodes de gestion japonaises? **a)** Les décisions prises par consensus **b)** Un système de promotions rapides **c)** Des parcours professionnels très spécialisés **d)** Tous ces facteurs

■ VRAI OU FAUX ?

11. Les effets de la mondialisation ne touchent que les travailleurs expatriés ou ceux qui sont au service d'une multinationale. **V F**

12. On peut illustrer l'impérialisme éthique par le célèbre dicton «À Rome, fais comme les Romains». **V F**

13. La langue est une dimension culturelle qui n'a d'importance que si l'on doit entrer en relation avec un interlocuteur qui ne parle pas la nôtre. **V F**

14. L'homme d'affaires des États-Unis qui s'attend à ce que ses visiteurs étrangers négocient en anglais fait preuve d'esprit de clocher. **V F**

15. Le fait que le rendement d'une personne puisse en soi lui valoir du respect est associé à une culture axée sur la réussite. **V F**

16. Un Américain qui fait des affaires à Hongkong doit être attentif à certaines expressions subtiles de la culture, notamment le rapport à l'espace. **V F**

17. La réinsertion des expatriés après une affectation à l'étranger peut être source de problèmes pour eux et leur employeur. **V F**

18. On peut dire que la culture est le «logiciel de l'esprit».   **V F**

19. La promotion est généralement plus rapide dans les entreprises japonaises que dans les entreprises nord-américaines.   **V F**

20. Le gestionnaire sans frontières a une conscience mondiale et apprécie la diversité culturelle.   **V F**

■ QUESTIONS À RÉPONSE BRÈVE

21. Pourquoi la dimension «individualisme ou collectivisme» des cultures nationales est-elle un facteur important en CO?

22. Quel est l'effet de la distance *hiérarchique* sur les pratiques de gestion interculturelle?

23. Qu'évoque, pour vous, le concept d'*ethnocentrisme*?

24. Quel genre de mesures devrait appliquer une organisation qui voudrait opérer selon l'approche japonaise de la gestion?

■ QUESTION À DÉVELOPPEMENT

25. Stephen Bachand, le chef de la direction de Canadian Tire dont nous avons parlé au début de ce chapitre, tient à ce que sa société maintienne son avance sur ses concurrents étrangers qui tentent de pénétrer le marché canadien. Jusqu'ici, la concurrence venait d'entreprises comme Wal-Mart ou Home Depot. Mais – supposons-le – M. Bachand vient d'apprendre que le géant japonais Yaohan et la société britannique Sainsbury caressent des projets d'expansion au Canada. Il a entendu parler de votre expertise en apprentissage organisationnel global… Bref, il est au bout du fil en ce moment même et insiste pour que vous lui expliquiez comment ce concept pourrait aider Canadian Tire à rester dans le peloton de tête. Sachant que vous pourriez décrocher un contrat intéressant de consultant, qu'allez-vous lui dire en quelques mots?

Reportez-vous aux études de cas, aux exercices et aux autoévaluations de notre *Cahier d'apprentissage en CO* (voir p. 531).

■ Consultez le site Web du manuel. Vous y trouverez un questionnaire interactif et des exercices en ligne sur le contenu de ce chapitre.

www.erpi.com/schermerhorn

Diversité et différences individuelles

ÂGES TENDRES ET VIEUX BOIS

www.renault.com

Comment gérer le débarquement de plus de 1000 jeunes dans une entreprise où la moyenne d'âge frise les 40 ans ? Renault VI (véhicules industriels), filiale de Renault récemment cédée à Volvo, est confronté, cette année, à cette problématique très nouvelle. La reprise, d'une part, les départs anticipés de salariés âgés, d'autre part, poussent le constructeur de camions à embaucher. Pas uniquement des cadres et des jeunes très diplômés. L'entreprise manque d'ouvriers et d'agents de maîtrise. D'ici à cinq ans, 30 % de la population ouvrière devrait être renouvelée.

Seulement, voilà, on ne renverse pas une pyramide des âges sans prendre quelques précautions. « Il ne faudra pas tomber dans l'excès inverse, explique Jean-Marc Lange, directeur des politiques emploi de Renault VI. On ne va pas aller vers une moyenne d'âge trop faible, après avoir frôlé la quarantaine. » Le risque est trop important de voir les ateliers de montage des camions se scinder en deux. D'un côté, les ouvriers âgés, qui ont fait toute leur carrière dans la maison. Et, de l'autre, les jeunes, entrés là par la porte de l'intérim ou des stages, aux méthodes de travail très différentes de celles de leurs aînés. D'autant que l'incompréhension entre jeunes et vieux est parfois grande. « Pour les gens qui ont trente ans de maison, c'est bizarre de voir arriver des jeunes d'un coup, alors que pendant des années les recrutements étaient limités, dit un responsable de Renault. Les gamins qui arrivent ont l'âge de leurs enfants et ont parfois une boucle d'oreille dans le nez ou un tatouage. Ce sont des Indiens, et ils ne savent pas toujours comment se comporter avec eux. » À la surprise peut vite succéder l'incompréhension. Ce qui n'est jamais bon pour la productivité d'une chaîne de montage d'où sortent 200 camions par jour...

Pour éviter de nuire à sa production, la direction du personnel de Renault VI a décidé d'agir dans deux directions : soigner l'intégration des jeunes dans les équipes, tout en impliquant le plus possible les anciens dans leur recrutement et leur accueil. « Avant, il suffisait de se présenter à la porte de l'usine, explique un DRH. Le chef d'atelier faisait office de recruteur et était chargé d'intégrer très simplement le nouveau. Il le présentait à la chaîne de production, lui indiquait son casier, et c'est tout. Aujourd'hui, on ne peut plus se permettre de faire ça. » Jusque-là, chaque usine faisait selon ses habitudes. Aujourd'hui, la DRH a mis en place un parcours d'intégration applicable dans les cinq sites du groupe.

Premier changement perceptible, les nouveaux ouvriers et agents de maîtrise sont traités comme les futurs cadres. «Pour les cadres, il est habituel de faire la visite des usines, de présenter toute la gamme de produits, les futurs collègues, explique un membre de la direction du personnel. On ne le faisait pas au bas de l'échelle, mais c'est nécessaire si on veut que les jeunes comprennent l'esprit maison et se sentent bien au travail.»

Un espace recrutement, qui regroupe les DRH et permet de faire passer les tests et les entretiens, a été ouvert dans la zone industrielle de Lyon, où se trouve le siège historique de Renault VI. Un jeune recruteur, Ludovic Bacot, diplômé en psychologie du travail, a rejoint la DRH. Avec des idées simples, il espère aplanir les différences culturelles entre nouveaux embauchés et anciens ouvriers. Depuis quelques mois, il a mis en place des formations au recrutement pour les chefs d'atelier. Une minirévolution pour les intéressés, pas habitués jusque-là à gérer ce genre de tâches. En binôme avec le responsable des ressources humaines, ils reçoivent en entretien les candidats après les tests de sélection. L'occasion d'un premier contact qui permet à ces anciens de comprendre la «mentalité des jeunes», «qui ne veulent plus souffrir au travail, qui ont envie de se faire plaisir», même sur une chaîne de montage, explique un DRH. Un discours qui en déroute plus d'un.

Pour faire prendre la greffe des jeunes recrutés dans les ateliers, Ludovic Bacot a également mis au point d'autres petits trucs qui doivent lisser les différences entre générations. Sur certains sites de Renault, le parrainage était déjà utilisé. Dans les semaines à venir, il va être généralisé à tous les nouveaux embauchés. Des ouvriers ou des agents de maîtrise, «reconnus pour leurs qualités humaines et leur sérieux dans leur métier», prendront sous leur aile un petit nouveau et le suivront dans l'usine. Le parrain sera là pour transmettre son savoir-faire industriel, et aussi pour rassurer le nouveau venu. Et le soutenir en cas de baisse de moral. Car, dans un contexte de pénurie de candidats, pas question d'en laisser s'échapper un au bout de quelques semaines.

D'autres rites ont été mis en place, notamment pour soigner l'accueil. Des journées de formation sont prévues pour présenter la société, faire des visites d'autres usines, se former à la sécurité et à la qualité. Grande nouveauté, acceptée par le comité de direction de Renault, les jeunes auront l'occasion de rencontrer leur direction pendant un déjeuner, «si possible ailleurs qu'à la cantine de l'usine», dit Ludovic Bacot. […]

Muriel Gremillet. *Libération*, 9 mai 2000, p. II-III.

La diversité de la main-d'œuvre est — et doit être — au cœur des préoccupations de toutes les organisations ; valoriser et intégrer cette diversité sur tous les plans et à tous les échelons devrait même être une de leurs priorités. Évidemment, qui dit diversité de la main-d'œuvre dit différences entre les gens, et ces différences peuvent engendrer des problèmes relationnels. Mais, ne l'oublions jamais, la diversité est aussi source de créativité ; elle ouvre de nouvelles perspectives et peut fournir des solutions inédites aux problèmes qui se posent dans un environnement de travail de plus en plus dynamique et complexe. Comme en témoigne l'article qui ouvre ce chapitre, l'âge est une dimension importante de la diversité de la main-d'œuvre. Or, pour Renault comme pour toute organisation qui vise la haute performance, la diversification du personnel devient une priorité, et les mesures touchant le recrutement et la formation du personnel figurent au nombre des stratégies de gestion de la diversité qui permettent d'y parvenir.

Modes de vie et activités professionnelles devraient être compatibles. Les organisations dépendent de leur personnel, et le capital intellectuel est la ressource clé de la société du savoir. Par conséquent, les organisations qui sauront le mieux gérer la diversité et les différences individuelles jouiront d'un avantage concurrentiel appréciable ; par le fait même, elles serviront de modèles à d'autres institutions sociales. Dans ce chapitre, nous allons nous pencher sur la diversité et les différences individuelles afin d'analyser, dans l'optique du CO, leurs effets en milieu de travail.

Questions clés

De nos jours, une bonne compréhension des similitudes et des différences entre les êtres humains devient cruciale pour les organisations et leurs gestionnaires. Voici les questions clés que vous devriez garder à l'esprit en lisant ce chapitre :

- Qu'est-ce que la diversité de la main-d'œuvre, et en quoi est-elle si importante pour les organisations ?
- Quelles sont les différences sociodémographiques entre les gens, et comment touchent-elles les organisations ?
- Qu'est-ce qui distingue les gens sur le plan des aptitudes et des capacités, et comment ces différences touchent-elles les organisations ?
- Qu'est-ce qui détermine les traits de personnalité d'un être humain, et comment les différences de personnalité entre les gens touchent-elles les organisations ?
- Qu'est-ce qui distingue les gens sur le plan des valeurs et des attitudes, et comment ces différences touchent-elles les organisations ?
- Qu'implique la gestion de la diversité et des différences individuelles, et en quoi est-elle importante pour les organisations ?

La diversité de la main-d'œuvre

La plupart des 500 plus grandes entreprises répertoriées par le magazine *Fortune* – notamment Colgate Palmolive, Corning et Quaker Oats – ont instauré des mesures incitatives pour amener leurs cadres à mieux gérer la diversité de la main-d'œuvre[1]. Parler de *diversité de la main-d'œuvre*, c'est faire référence aux caractéristiques qui distinguent les gens les uns des autres[2]. Pour être plus précis, disons que la diversité d'une main-d'œuvre donnée résulte des différences que présentent les individus qui la composent au regard de caractéristiques sociodémographiques comme le sexe, la race, l'origine ethnoculturelle, l'âge, l'état physique et mental, et même, dans certains cas, la situation matrimoniale et familiale, ou la religion[3]. De nos jours, le défi consiste à gérer cette diversité de façon à mobiliser l'ensemble des membres de l'organisation autour d'une vision commune, de sa mission et de ses objectifs, et cela *tout en respectant le rôle et l'apport de chaque individu*.

Aux États-Unis et au Canada, comme dans la plupart des pays industrialisés, la main-d'œuvre se diversifie de plus en plus. Aux États-Unis, on prévoit que près de la moitié de la main-d'œuvre qui intégrera le marché du travail entre 1990 et 2005 sera constituée de femmes – on observe une même tendance à la féminisation de la main-d'œuvre au Canada et en Grande-Bretagne[4] – ainsi que de représentants de minorités dites « visibles ». De plus, près de 15 % de la main-d'œuvre sera alors âgé de 55 ans ou plus. Voilà qui change considérablement le visage d'une main-d'œuvre autrefois composée d'une majorité d'hommes blancs nettement plus jeunes.

Le CO et les fonctions de l'organisation

GESTION DES RESSOURCES HUMAINES

Fonction publique : un visage qui n'a guère changé

Pour accroître la présence des Québécois de toutes origines, des anglophones et des autochtones dans l'appareil gouvernemental, le président du Conseil du trésor, Jacques Léonard, et son collègue des Relations avec les citoyens et de l'Immigration, Robert Perreault, ont annoncé, en mai 1999, que, dorénavant, 25 % des embauches dans la fonction publique devront se faire parmi les représentants de ces groupes. [...]

Pour atteindre l'objectif de 25 % d'embauche, l'Assemblée nationale a adopté la loi 51 qui modifie la Loi sur la fonction publique. Dorénavant, les personnes déclarées aptes à la suite d'un concours ne seront plus rangées par niveau sur les listes de déclaration d'aptitudes. Les gestionnaires pourront donc opter pour le candidat de leur choix sur la liste des personnes déclarées aptes à occuper l'emploi. [...]

La loi 51 oblige également les sous-ministres et dirigeants d'organismes à rendre compte devant l'Assemblée nationale de leur performance à l'égard de l'atteinte des objectifs en matière d'embauche des représentants de la diversité culturelle québécoise.

Par ailleurs, le Conseil du trésor tient actuellement une vaste consultation en prévision de l'élaboration d'une nouvelle version des programmes d'accès à l'égalité en emploi dans la fonction publique et du plan d'embauche pour les personnes handicapées. On veut en faire un programme unifié qui couvrira l'ensemble des groupes sous-représentés, mais dans lequel des taux d'embauche spécifiques seront déterminés pour chacun des groupes.

Dans son bilan des programmes d'accès, le Conseil du trésor relate qu'il reste encore de la sensibilisation à faire au sein même de la fonction publique à l'égard des mesures visant à accroître la présence de tous les groupes de la société québécoise.

Gilbert Leduc, *Le Soleil*, 10 juin 2000, p. A19.

Gérer efficacement cette main-d'œuvre de plus en plus hétérogène devient un objectif incontournable, car la diversification augmente les risques de discrimination fondée sur des stéréotypes. Les *stéréotypes* naissent lorsqu'on assimile une personne à une catégorie ou à un groupe de la population – les personnes âgées, par exemple – et qu'on lui attribue d'emblée des caractéristiques couramment associées à ce groupe – le conformisme ou le manque de créativité, par exemple. Souvent fondés sur des caractéristiques sociodémographiques, les stéréotypes font abstraction des particularités individuelles de chaque membre d'un groupe donné. Ils obscurcissent le jugement en empêchant les gens de se connaître en tant que personnes et d'évaluer objectivement leur potentiel individuel. Par exemple, si vous êtes persuadé que «les vieux ne sont pas créatifs», vous risquez d'écarter d'un groupe de travail une personne particulièrement inventive, mais qui à vos yeux «n'a plus l'âge» d'en faire partie.

La discrimination en milieu de travail n'est pas seulement interdite par la loi (au Canada, aux États-Unis et dans les pays de la CEE), elle est également improductive, car elle empêche l'organisation de bénéficier pleinement de l'apport des gens qui en sont victimes. De plus en plus d'entreprises comprennent maintenant qu'une main-d'œuvre diversifiée et qui reflète la réalité sociale les rapproche de leur clientèle.

■ L'ÉQUITÉ EN MATIÈRE D'EMPLOI

L'équité en matière d'emploi suppose non seulement l'élimination de la discrimination en milieu de travail, mais aussi la mise en place de mesures de rattrapage. Supprimer la discrimination en matière d'emploi signifie, pour l'employeur, de ne pas prendre de décisions qui porteraient atteinte aux droits de certains groupes protégés par la loi. Les *mesures de rattrapage* (ou de discrimination positive) visent à corriger les conséquences de la discrimination passée et à rectifier les déséquilibres statistiques existant au sein de la main-d'œuvre. Par exemple, les anglophones constituent 0,68 % de l'effectif régulier de la fonction publique québécoise alors que cette communauté linguistique représente environ 9 % de la population québécoise. Quant aux autochtones, leur taux de présence dans l'effectif régulier de la fonction publique québécoise est de 0,39 % alors que ce groupe représente environ 1 % de la population québécoise[5]. Pour que l'administration publique québécoise reflète mieux la diversité de la société, on a donc instauré des programmes d'accès à l'emploi pour les femmes et les membres des communautés culturelles, ainsi qu'un plan d'embauche pour les personnes handicapées[6] (voir l'encadré *Le CO et les fonctions de l'organisation,* p. 76). Toujours au Canada, le gouvernement fédéral a adopté la *Loi sur l'équité en matière d'emploi* :

> [La Loi] a pour objet de réaliser l'égalité en milieu de travail pour les femmes, les autochtones, les personnes handicapées et les membres des minorités visibles. À cette fin, les employeurs sont tenus de corriger les désavantages subis par les groupes désignés, dans le domaine de l'emploi, conformément au principe selon lequel l'équité en matière d'emploi requiert, outre un traitement identique des personnes, des mesures spéciales et des aménagements adaptés aux différences[7].

Cette loi interdit aux employeurs toute discrimination fondée sur la race, l'origine ethnoculturelle, le sexe, la religion, l'âge, la situation familiale ou les handicaps physiques, tant lors de l'embauche que dans les conditions de travail. De plus, elle prévoit l'application de mesures de discrimination positive : fixation d'objectifs précis en matière d'embauche de membres de certains groupes ou de certaines catégories de la population et évaluation systématique des résultats.

■ LA GESTION DE LA DIVERSITÉ

La *gestion de la diversité* au sein des organisations vise la valorisation des différences par la création d'un milieu de travail où chaque individu se sent accepté et apprécié. Les sondages sur les attitudes et les perceptions, entre autres moyens, permettent à l'organisation de mesurer ses progrès en la matière. La gestion de la diversité implique à la fois la conservation de leurs caractéristiques propres par les divers groupes – ceux-ci devant influer sur l'organisation comme elle influe sur eux – et la création d'un ensemble de valeurs communes qui, entre autres, renforceront les liens avec la clientèle et faciliteront le recrutement. Cela va rarement sans résistance, beaucoup à cause de la peur du changement et du malaise qu'éprouvent souvent les gens devant la différence. Pour vaincre cette résistance, au Canada, on a accompagné la *Loi sur l'équité en matière d'emploi* de plusieurs lois et programmes provinciaux[8].

Les caractéristiques sociodémographiques

Les *caractéristiques sociodémographiques* englobent toutes les variables liées à la situation sociale d'une personne et qui influent sur son devenir ; certaines concernent sa situation *actuelle* – l'état de santé, par exemple –, d'autres, comme son parcours professionnel, sont *historiques.* En ce qui concerne la diversité de la main-d'œuvre et les politiques d'équité en matière d'emploi, les caractéristiques qui nous intéressent particulièrement sont le sexe, l'âge, la race, l'état physique et mental ainsi que l'origine ethnoculturelle.

■ *Caractéristique sociodémographique* Variable qui reflète la situation sociale d'un individu (âge, sexe, scolarité, etc.) et qui influe sur son devenir

■ LE SEXE

Les recherches sur les femmes au travail révèlent que, d'une manière générale, très peu des différences entre les sexes influent sur le rendement (voir *Le gestionnaire efficace* 4.1). Ainsi, le sexe n'a pratiquement aucun effet sur la capacité d'analyser une situation et de résoudre un problème, ni sur l'esprit de compétition, la motivation, les habiletés d'apprentissage ou la sociabilité. Il semble toutefois que les femmes se montrent plus conformistes que leurs collègues masculins et qu'elles aspirent moins qu'eux à la réussite. Leur taux d'absentéisme tend à être plus élevé; cependant cette tendance pourrait se résorber avec la participation accrue des hommes à l'éducation et aux soins des enfants, mais aussi avec l'implantation du télétravail, des horaires de travail plus souples et d'autres mesures similaires[9]. En ce qui concerne les revenus d'emploi, la situation des femmes s'améliore lentement: au Canada, en moyenne, leurs revenus représentaient 59 % de ceux des hommes en 1989 et 64,4 % en 1998[10]. Depuis mars 1997, les femmes sont majoritaires dans la fonction publique québécoise; en mars 1999, elles constituaient 49 % de son effectif régulier et 65 % de son effectif occasionnel. Leur accession à des postes de gestion y demeure difficile, mais on note certains progrès. Ainsi, entre 1992 et 2000, le pourcentage de femmes occupant des postes de cadre supérieur dans la fonction publique québécoise est passé de 12 % à 20 % et elles constituent aujourd'hui 23 % de l'effectif des cadres intermédiaires, comparativement à 16 % en 1992[11].

■ L'ÂGE

Compte tenu du vieillissement de la main-d'œuvre, les recherches touchant l'âge prennent une importance particulière. Aux États-Unis, on prévoit qu'entre 1990 et 2005, les personnes de 50 ans ou plus compteront pour 85 % de l'augmentation de la main-d'œuvre[12]. Or ces personnes risquent de souffrir des stéréotypes sur les gens plus âgés, à qui l'on attribue souvent à tort des défauts comme le manque de souplesse et de créativité. Dans le même ordre d'idées, les quadragénaires, souvent considérés comme des «vieux» en milieu de travail, se plaignent qu'on ne valorise plus leur expérience et leurs compétences. Aux États-Unis, les procès pour discrimination fondée sur l'âge sont de plus en plus fréquents[13]; en Grande-Bretagne, 44 % des cadres plus âgés disent avoir été victimes de discrimination[14]. Par contre, les PME semblent apprécier l'expérience, la stabilité et le faible taux de roulement des travailleuses et travailleurs plus âgés. Les études leur donnent raison; elles montrent aussi que les absences évitables sont moins nombreuses chez les plus âgés[15]. L'âge étant associé à l'expérience et à la période d'occupation d'un emploi, il existe une relation évidente entre l'ancienneté et le rendement; les travailleurs les plus expérimentés tendent à être moins souvent absents et à ne pas changer d'emploi[16].

■ L'ÉTAT PHYSIQUE ET MENTAL

Des études récentes montrent que les travailleuses et travailleurs handicapés effectuent leurs tâches aussi bien, sinon mieux, que leurs collègues. Pourtant, on constate que près des trois quarts des personnes atteintes de handicaps graves sont sans emploi, alors que près de 80 % d'entre elles affirment vouloir travailler[17]. Encore une fois, on prévoit que la pénurie annoncée de *travailleurs traditionnels* amènera les organisations à revoir leur politique d'embauche; on s'attend à ce qu'un nombre croissant d'entreprises envisagent plus sérieusement l'embauche de personnes handicapées, d'autant plus que les coûts d'aménagement liés à leur intégration ne sont pas si élevés[18].

■ LES GROUPES ETHNOCULTURELS

Nous employons le terme de plus en plus répandu de *groupes ethnoculturels* pour désigner le large éventail de groupes ethniques qui constituent un segment de plus en plus important de la main-d'œuvre[19]. Au Canada, on note une forte augmentation de la proportion d'immigrants asiatiques : alors qu'ils comptaient pour 46,9 % de la population immigrante entre 1981 et 1990, cette proportion est passée à 57,1 % entre 1991 et 1996[20]. Il devient donc urgent de prendre conscience des répercussions de tels phénomènes, et en particulier des stéréotypes et de la discrimination qui risquent de freiner la carrière et l'avancement des membres des groupes ethnoculturels.

Aux États-Unis, en matière d'emploi, la loi permet, *si la situation le justifie*, qu'on prenne en considération certaines caractéristiques sociodémographiques*, mais cela ne s'applique jamais à l'origine ethnoculturelle*. En outre, la jurisprudence américaine montre qu'il est extrêmement difficile de justifier une discrimination fondée sur les caractéristiques sociodémographiques en évoquant les exigences particulières associées à un poste[21]. La question des agents de bord l'a prouvé : lorsque les sociétés aériennes n'ont pu démontrer qu'un homme ne pouvait occuper ce type d'emploi aussi bien qu'une femme, les restrictions à l'embauche dans ce milieu de travail ont disparu.

LE GESTIONNAIRE EFFICACE 4.1

CONSEILS SUR LA FAÇON D'AGIR AVEC LES CADRES DES DEUX SEXES

- Ne présumez pas que les qualités personnelles des cadres sont fonction du sexe.
- Veillez à ce que les politiques, les pratiques et les programmes en matière de formation et d'avancement professionnel des cadres réduisent les différences fondées sur le sexe.
- Ne croyez pas que la réussite en gestion soit liée au sexe.
- Admettez qu'il y a de bons et de mauvais cadres des deux sexes.
- Comprenez que la réussite repose sur l'utilisation judicieuse du talent humain, sans distinction du sexe.

Les aptitudes et les capacités

Lorsqu'on réduit des caractéristiques sociodémographiques à des stéréotypes, on prive des gens du droit d'être évalués selon leurs aptitudes et leurs capacités. Les **aptitudes** sont les prédispositions d'un individu à apprendre certaines choses. Ses **capacités** concernent sa faculté d'accomplir les tâches inhérentes à un poste donné[22]. En d'autres mots, les aptitudes d'une personne sont ses capacités *potentielles*, et ses capacités englobent le savoir-faire et les compétences qu'elle possède déjà.

Les gestionnaires accordent évidemment beaucoup d'importance aux aptitudes et aux capacités lorsqu'ils sélectionnent leur personnel. Tout le monde sait qu'il existe des tests pour évaluer les aptitudes et capacités intellectuelles. Certains, comme le Stanford-Binet, fournissent des indications sur le quotient intellectuel (QI) ; d'autres, sur des compétences plus spécifiques. Vous avez peut-être dû vous prêter à ce genre de tests lorsque vous avez voulu vous inscrire à un programme de formation ou que vous avez posé votre candidature à un poste ; ils servent à évaluer des aptitudes et capacités intellectuelles, afin de faciliter la sélection des candidats à un programme de formation ou à un emploi. Certains emplois, comme

■ *Aptitude* Prédisposition à apprendre ; capacité potentielle

■ *Capacité* Faculté d'accomplir les tâches inhérentes à un poste donné ceux de pompier ou de policier, requièrent en outre des tests d'évaluation des capacités physiques ; ces tests permettant d'évaluer de nombreux paramètres, notamment la force musculaire et l'endurance cardiovasculaire[23].

Toutefois, la loi oblige les employeurs à faire la preuve que des résultats supérieurs à ces tests sont vraiment liés à un rendement supérieur dans le programme de formation ou le poste en cause ; en d'autres mots, que les aptitudes et capacités recherchées correspondent vraiment aux exigences du poste. Par exemple, si vous voulez devenir chirurgien et que votre coordination oculomanuelle est médiocre, vos capacités ne correspondent pas aux exigences du poste. Cette correspondance est absolument essentielle ; c'est d'ailleurs le concept central du chapitre 7 consacré à la gestion des ressources humaines.

La personnalité

■ **Personnalité** Profil global d'un individu ; combinaison de traits qui font de lui un être unique dans sa manière de se comporter et d'entrer en relation avec autrui

Les individus se distinguent par leurs caractéristiques sociodémographiques, leurs aptitudes et capacités, mais aussi par leur ***personnalité***. La personnalité est le profil global d'un individu, une combinaison de traits qui font de lui un être unique dans sa manière de se comporter et d'entrer en relation avec autrui. Imaginez un jeune garçon qui, durant son secondaire, aurait vendu assez de journaux pour s'acheter une BMW, puis qui serait devenu milliardaire avant la trentaine en fondant une société spécialisée dans l'informatique. Écoutez-le annonçant à son équipe de direction que les premiers mots de sa fille ont été : «Papa, il faut battre IBM, Gateway et Compaq ! » Observez-le à la tête de son entreprise, tirant la leçon de ses erreurs en matière de production et s'adjoignant des cadres d'expérience pour assurer sa croissance, mais demeurant si discret sur sa vie privée que presque rien ne filtre sur lui-même. Ces détails vous révèlent-ils quelque chose sur la *personnalité* de Michael Dell[24], fondateur de Dell Computer ?

La personnalité est un ensemble de caractéristiques mentales et physiques qui orientent les perceptions d'un individu, sa façon de penser, ses actes et ce qu'il ressent. On tente parfois de cerner la personnalité à l'aide de questionnaires et de tests spéciaux, mais on peut souvent en saisir les grands traits simplement en observant le comportement d'un individu, comme dans le cas de Michael Dell. Peu importe comment ils y parviennent, les gestionnaires doivent être capables de cerner cette importante caractéristique individuelle qu'est la personnalité des gens car, dans la mesure où elle influe sur les penchants comportementaux, elle permet de mieux comprendre le comportement humain dans les organisations.

■ LES DÉTERMINANTS DE LA PERSONNALITÉ ET SON DÉVELOPPEMENT

Qu'est-ce qui détermine la personnalité ? Est-elle héréditaire et d'origine génétique ou est-elle façonnée par l'environnement ? Tantôt on entend dire qu'un tel «agit comme sa mère», tantôt que «le comportement d'un tel s'explique par son éducation», deux commentaires qui reflètent l'éternelle polémique sur la part de *l'inné* et de *l'acquis* dans le développement de la personnalité. La personnalité d'un indi-

vidu est-elle déterminée par ses gènes ou est-elle le produit de son environnement? En fait, comme le montre la figure 4.1, ces deux influences agissent de concert. L'hérédité – les gènes et les chromosomes – est responsable de la transmission des caractères ou des potentialités relatives aux caractéristiques physiques, au sexe et à certains éléments de la personnalité. Quant à l'environnement, il est lié à des facteurs sociaux, culturels et conjoncturels.

L'influence de l'hérédité sur la personnalité continue à susciter de nombreuses polémiques. Dans l'état actuel des connaissances, on peut probablement dire que l'hérédité établit les limites dans lesquelles certains traits de personnalité peuvent se développer, et que l'environnement détermine leur développement à l'intérieur de ces limites. Ainsi, un cadre de travail de type autoritaire pourrait accentuer une

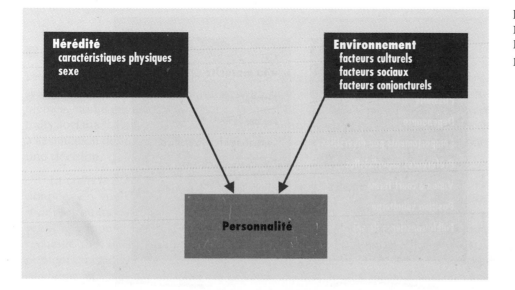

Figure 4.1
Les liens entre l'hérédité, l'environnement et la personnalité

avoir de nouveaux problèmes à résoudre ; il préfère chercher de nouvelles possibilités plutôt que de travailler à partir de faits établis.

La deuxième dimension de la résolution de problèmes, l'*évaluation* des données, concerne la façon de traiter l'information recueillie. Selon les individus, le mode d'évaluation sera plus ou moins axé soit sur le *sentiment*, soit sur la *pensée*. L'individu de type *sentiment* est enclin au conformisme et s'efforce de bien s'entendre avec les autres ; il tentera d'éviter les situations potentiellement conflictuelles. L'individu de type *pensée* fait appel à la raison et à l'intellect pour résoudre les problèmes ; il est porté à en minimiser les aspects émotionnels.

En combinant les façons de procéder à la collecte et à l'évaluation des données, on peut dégager quatre grands modes de résolution de problèmes : *sensation-sentiment, intuition-sentiment, sensation-pensée et intuition-pensée*. Vous trouverez une brève description de ces divers modes à la figure 4.3.

Les recherches montrent une correspondance entre le mode de résolution de problèmes d'un individu et le type de décision qu'il privilégie. Ainsi, l'individu du type *sensation-pensée* s'oriente vers des stratégies analytiques axées sur les détails et une approche méthodique, tandis que l'individu de type *intuition-sentiment* préfère des stratégies intuitives axées sur une vue d'ensemble de la situation et de ses ramifications. On ne s'en étonnera pas, les individus de type mixte (*sensation-sentiment* ou *intuition-pensée*) combinent les stratégies intuitives et analytiques.

Figure 4.3
Les quatre modes de résolution de problèmes en résumé

S

Sensation-sentiment	**Sensation-pensée**
Sociabilité	Attention aux détails d'ordre technique
Attention aux détails d'ordre humain	Capacité d'analyser des données brutes
Approche amicale, sympathique	Ordre, minutie
Communication ouverte	Respect des règles et procédures
Rétroaction rapide	Fiabilité, sens des responsabilités
Doué pour :	*Doué pour :*
– l'empathie	– l'observation
– la coopération	– l'organisation
	– le classement
	– ce qui exige de la mémoire
But : aider autrui.	*But :* faire les choses comme il se doit
Exemple : Anita Rudick, chef de la direction chez Body Shop Int. (cosmétiques)	*Exemple :* Enita Nordeck, présidente de Unity Forest Products (PME, matériaux de construction)

Intuition-sentiment	**Intuition-pensée**
Introspection, discernement, spiritualité	Capacité d'abstraction, de spéculation
Idéalisme, altruisme	Volonté de comprendre
Créativité, originalité	Esprit de synthèse
Vision globale, orientée sur les gens	Pensée logique, analyse
Intérêt pour le potentiel humain	Objectivité, détachement, idéalisme
Doué pour :	*Doué pour :*
– l'invention, la conception	– la découverte
– les nouveaux concepts	– la recherche, l'enquête
	– la résolution de problèmes
But : embellir le monde.	*But :* aller au fond des choses
Exemple : Herb Kelleher, chef de la direction de Southwest Airlines (société aérienne régionale en croissance)	*Exemple :* Paul Allaire, ancien chef de direction de Zerox Corp. (multinationale réorganisée de façon innovatrice)

S — P

I

Par ailleurs, les études indiquent que les individus de type *pensée* sont plus motivés au travail que ceux de type *sentiment*, et que ceux de type *sensation* éprouvent plus de satisfaction professionnelle que ceux de type *intuition*. Ces constats, ainsi que d'autres résultats de recherche, donnent à penser qu'il existe des différences fondamentales entre les divers modes de résolution de problèmes. Il est donc important de trouver, pour pourvoir à un poste donné, la personne dont le mode de résolution de problèmes correspond aux exigences du poste en matière de traitement et d'évaluation de l'information[31].

On se sert fréquemment de l'indicateur typologique de Myers-Briggs (MBTI) pour évaluer les modes de résolution de problèmes; ce test comporte près d'une centaine de questions sur les réactions et les sentiments générés par des situations spécifiques. Un grand nombre d'organisations – notamment Apple, AT&T et Exxon, les établissements hospitaliers, les institutions d'enseignement et les forces armées – ont recours à cet outil pour la formation et le perfectionnement de leurs cadres[32].

■ LES TRAITS RELATIFS À LA CONCEPTION PERSONNELLE DU MONDE

On appelle **traits relatifs à la conception personnelle du monde** les traits de personnalité qui se rapportent à la façon dont l'individu conçoit son environnement social et physique, à ses croyances et à ses convictions intimes sur diverses questions.

Le lieu de contrôle   Un chercheur en apprentissage social du nom de J. B. Rotter a élaboré un instrument de mesure permettant d'évaluer le degré d'emprise que les gens ont l'impression d'avoir sur leur propre vie[33]. Certains ont l'impression qu'ils peuvent orienter le cours des événements; ils attribuent ce qui leur arrive à des facteurs inhérents à leur personne – leur intelligence, leurs compétences, leurs choix, etc. – et croient donc être maîtres de leur destinée. On dit d'eux qu'ils ont un **lieu de contrôle interne**. D'autres, au contraire, ont un **lieu de contrôle externe**: ils ont l'impression que ce qui arrive résulte de forces ou de facteurs extérieurs sur lesquels ils n'ont pas d'emprise – leur environnement physique et social, la chance, la difficulté d'une tâche, etc. Généralement les *externes* sont plus extravertis et plus axés sur le monde extérieur. Les *internes*, plus introvertis, ont tendance à se fier à leurs propres impressions et idées. Le tableau de la figure 4.4 présente les principales caractéristiques des *internes*. Bien que sommaire, cette description suggère qu'un *interne* réussira mieux dans un poste exigeant un apprentissage poussé, la capacité de traiter des données complexes ainsi que de l'initiative, exigences qui caractérisent de nombreux postes de gestion et de direction.

Le dogmatisme et l'autoritarisme   L'autoritarisme et le dogmatisme concernent la rigidité des convictions d'un individu. La personne très encline à l'**autoritarisme** est portée à adhérer scrupuleusement aux valeurs traditionnelles, à obéir à l'autorité, à privilégier la fermeté et le pouvoir, et à rejeter les impressions subjectives. La personne très encline au **dogmatisme**, elle, perçoit le monde comme une source de menaces, tient l'autorité légitime pour absolue et juge les autres en fonction de leur degré de soumission à cette autorité. Les cadres enclins au dogmatisme auront tendance à se montrer inflexibles et bornés; les subalternes dogmatiques, à chercher un encadrement rigide et des certitudes qui viennent d'en haut[34].

■ ***Traits relatifs à la conception personnelle du monde***
Traits de personnalité qui se rapportent à la façon dont un individu conçoit son environnement social et physique, à ses croyances et à ses convictions intimes sur diverses questions

■ ***Lieu de contrôle interne***
Tendance de l'individu à attribuer ce qui lui arrive à des facteurs inhérents à sa personne et à se croire maître de sa destinée

■ ***Lieu de contrôle externe***
Tendance de l'individu à attribuer ce qui lui arrive à des facteurs externes sur lesquels il n'a pas d'emprise

■ ***Autoritarisme***   Tendance à adhérer scrupuleusement à des valeurs traditionnelles, à obéir à l'autorité établie, et à privilégier la fermeté et le pouvoir

■ ***Dogmatisme***   Tendance à percevoir le monde comme une source de menaces et à tenir l'autorité légitime pour absolue

Figure 4.4
Figure 4.4
Ce qui distingue les
internes des *externes*

Traitement de l'information	Rarement satisfait de la quantité d'informations qu'il détient, l'*interne* cherche toujours à en obtenir davantage, et l'utilise adéquatement.
Satisfaction professionnelle	L'*interne* est généralement plus satisfait, moins isolé, mieux ancré dans son milieu de travail. Chez lui, le lien entre satisfaction professionnelle et rendement est particulièrement étroit.
Rendement	L'*interne* réussit mieux sur le plan de l'apprentissage et de la résolution de problèmes si son rendement lui procure le type de récompenses qu'il valorise.
Maîtrise de soi, gestion du risque, anxiété	L'*interne* a une plus grande maîtrise de soi; il est plus prudent, moins enclin aux comportements à risques et moins anxieux.
Motivation, attentes et résultats	L'*interne* a une plus grande motivation au travail; il associe plus étroitement ce qu'il fait et ce qui lui arrive, s'attend à ce qu'un travail intense se traduise par un bon rendement et gère mieux son temps.
Réaction aux autres	L'*interne* est plus indépendant, se fie davantage à son propre jugement, est moins influençable et plus susceptible d'évaluer l'information selon son intérêt objectif.

On peut s'attendre à ce que les gens très autoritaires soient une source de problèmes d'ordre éthique, car leur attachement à l'autorité et leur empressement à s'y plier risquent de les amener à des actes répréhensibles[35]. L'exemple est extrême, mais les militaires nazis qui se sont livrés aux crimes les plus abjects durant la Deuxième Guerre mondiale obéissaient aveuglément aux ordres qu'ils recevaient…

■ *Machiavélisme* Tendance à manœuvrer pour parvenir à ses fins par tous les moyens

Le machiavélisme Le troisième trait de personnalité lié à la conception personnelle du monde est le *machiavélisme,* du nom de Nicolas Machiavel (1469-1527). Administrateur de la République de Florence impliqué dans un complot visant à abattre les Médicis et à restaurer la République, il fut arrêté, torturé et banni. Durant son exil, il écrit *Le Prince*[36], ouvrage qui a pour but d'instruire princes et tyrans sans envergure sur l'art de rester au pouvoir par tous les moyens – le mensonge, le vol et même l'assassinat. C'est entre autres à Shakespeare, qui le décrit comme «le sanguinaire Machiavel», que le Florentin doit sa triste réputation. La lecture au premier degré qu'on a fait de son *Prince* n'était peut-être pas justifiée, mais on dit encore d'une personne sans scrupules et qui manipule les autres à son profit qu'elle est machiavélique.

Les psychologues ont mis au point une série de mesures – l'échelle de Mach – afin d'évaluer le degré de machiavélisme des gens[37]. L'indice est élevé chez celui qui tend à se comporter comme le prince fourbe de Machiavel – «la fin justifie n'importe quel moyen». Ainsi, le machiavélique juge les situations avec sang-froid et logique, et n'hésite pas à mentir pour atteindre ses objectifs. Peu soucieux de loyauté, d'amitié et des opinions d'autrui, il se sent rarement lié par ses promesses et excelle dans l'art de manipuler les gens.

Les recherches effectuées à l'aide de l'échelle de Mach donnent un aperçu des comportements prévisibles d'un individu donné dans certaines situations, selon que l'individu se situe à un niveau plus ou moins élevé sur cette échelle. Ainsi, la personne qui a une forte tendance au machiavélisme, flegmatique et en apparence détachée, tentera de manipuler et d'exploiter les situations floues et ambiguës, alors que dans les contextes bien structurés, elle fera preuve d'une légèreté frôlant la désinvolture. Au contraire, la personne très peu machiavélique se pliera à la volonté des autres dans les situations peu structurées, mais ne ménagera pas sa peine pour être efficace dans des environnements bien structurés. Si la situation le permet, on peut s'attendre à ce que la personne machiavélique manœuvre pour parvenir à ses fins par tous les moyens. La personne peu machiavélique, elle, sera portée à respecter les règles de l'éthique et à refuser de mentir ou de tricher ; d'ailleurs, si elle le fait, elle sera rarement assez habile pour tirer son épingle du jeu.

La souplesse   Le dernier trait de personnalité associé à la conception personnelle du monde – trait auquel les gestionnaires devraient s'intéresser de près – est la *souplesse,* c'est-à-dire la capacité qu'a un individu d'adapter son comportement aux facteurs environnementaux (situation, cadre de travail, etc.)[38].

Les personnes les plus souples sont sensibles aux signaux de l'environnement et tendent à agir différemment dans des situations différentes. Comme les machiavéliques, elles semblent souvent très différentes de ce qu'elles sont réellement. Par contre, comme les moins machiavéliques, les moins souples n'arrivent pas à déguiser leurs comportements – elles sont ce qu'elles paraissent être. Plus positivement, les gens très souples s'adaptent plus rapidement aux comportements des autres et se plient plus facilement à leurs exigences[39]. Ils peuvent montrer une grande flexibilité et se révéler particulièrement aptes à faire face aux contingences dont nous traitons dans cet ouvrage. Par exemple, ils parviendront facilement à modifier leur style de leadership en fonction de l'expérience de leurs subordonnés, de la nature du travail et de la structure organisationnelle.

■ LES TRAITS RELATIFS À L'ADAPTATION AFFECTIVE

Les *traits relatifs à l'adaptation affective* déterminent dans quelle mesure un individu est émotionnellement instable ou enclin aux comportements inadmissibles. Souvent, ces traits sont de nature à affecter l'état de santé. Dans le champ d'étude du CO, les personnalités de type A et de type B présentent un intérêt plus particulier.

Les personnalités de type A et de type B   Avant de poursuivre votre lecture, prenez quelques instants pour passer ce petit test de personnalité.

La *personnalité de type A* se caractérise par l'impatience, le désir de réussite et le perfectionnisme, tandis que la *personnalité de type B* se caractérise plutôt par un caractère calme et un faible esprit de compétition[40].

La personne de type A est portée à travailler vite et à se montrer brusque, rigide, mal à l'aise, irascible et agressive. De telles tendances dénotent un comportement *obsessionnel,* assez répandu – et ce n'est pas toujours une bonne chose – chez les gestionnaires. Travailleurs acharnés et méticuleux, les gens de type A se fixent des objectifs de rendement très élevés et s'épanouissent dans la routine. Poussée à l'extrême, l'obsession du travail bien fait peut les amener à s'intéresser davantage

■ *Souplesse*   Faculté d'un individu d'adapter son comportement aux facteurs environnementaux (situation, cadre de travail, etc.)

■ *Traits relatifs à l'adaptation affective*   Traits de personnalité qui déterminent dans quelle mesure un individu est émotionnellement instable ou enclin aux comportements inadmissibles

■ *Personnalité de type A*   Personnalité caractérisée par l'impatience, le désir de la réussite et le perfectionnisme

■ *Personnalité de type B*   Personnalité caractérisée par un caractère calme et un faible esprit de compétition

aux détails qu'aux résultats, à résister au changement et à encadrer leurs subordonnés de façon tatillonne ; elle peut aussi engendrer des problèmes interpersonnels, qui peuvent aller jusqu'aux menaces ou même à la violence physique. Les gestionnaires de type B sont généralement beaucoup plus sereins et patients dans leurs relations avec leurs collègues et leurs subordonnés.

Encerclez le chiffre qui vous décrit le mieux[41] :

Je suis souvent en retard.	1 2 3 4 5 6 7 8	Je ne suis jamais en retard.
Je n'ai pas l'esprit de compétition.	1 2 3 4 5 6 7 8	J'ai l'esprit de compétition très poussé.
Je ne me sens jamais pressé(e) ni bousculé(e).	1 2 3 4 5 6 7 8	Je me sens souvent pressé(e) et bousculé(e).
Je fais une chose à la fois.	1 2 3 4 5 6 7 8	J'essaie de faire plusieurs choses à la fois.
J'agis en prenant mon temps.	1 2 3 4 5 6 7 8	J'agis rapidement.
J'exprime mes sentiments.	1 2 3 4 5 6 7 8	Je ne manifeste pas mes sentiments.
Beaucoup de choses m'intéressent en dehors du travail.	1 2 3 4 5 6 7 8	Peu de choses m'intéressent en dehors du travail.

Faites le total de vos points, multipliez-le par 3 et servez-vous du barème ci-dessous pour déterminer l'orientation de votre personnalité.

RÉSULTAT (total des points)	PERSONNALITÉ DE TYPE…
moins de 90	B
de 90 à 99	B+
de 100 à 105	A−
de 106 à 119	A
120 ou plus	A+

■ LA PERSONNALITÉ ET L'IMAGE DE SOI

■ **Dynamique de la personnalité** Façon dont l'individu intègre et organise toutes les composantes et tous les traits de sa personnalité (traits sociaux, traits relatifs à la conception personnelle du monde, traits d'adaptation affective)

La *dynamique de la personnalité* est la façon dont un individu intègre et organise tous les traits de caractère dont nous venons de traiter ; c'est ce qui fait que la personnalité d'un être humain ne se réduit pas à la somme des traits qui la composent. Dans le champ d'étude du CO, l'image de soi est un aspect clé de la dynamique de la personnalité.

En peu de mots, l'*image de soi* est la conception que chacun se fait de son identité sociale, physique, spirituelle et morale ; c'est une façon de se reconnaître en tant qu'être unique[42]. La culture influe fortement sur l'image de soi ; ainsi, les Américains sont enclins à en révéler beaucoup plus sur eux-mêmes que les Anglais ; culturellement, leur image de soi est plus affirmée et s'exprime plus aisément[43].

■ **Image de soi** Conception que chacun se fait de son identité sociale, physique, spirituelle et morale

L'image de soi comporte deux dimensions importantes : l'*estime de soi* et le *sentiment de compétence*. L'estime de soi est l'opinion que chacun a de lui-même à partir d'une autoévaluation générale[44]. Les personnes qui ont une grande estime de soi se jugent capables, méritantes et respectables, et doutent rarement de leur potentiel ; l'inverse se constate chez celles qui se tiennent en faible estime. Des recherches en CO semblent indiquer que, si une haute estime de soi peut souvent stimuler le rendement et favoriser la fidélité à l'organisation, elle peut également, en situation de stress, se traduire par de l'arrogance et de l'égocentrisme. Trop sûres d'elles-mêmes, certaines personnes négligeront parfois des informations importantes[45].

Le *sentiment de compétence*, cette autre facette de l'image de soi, est la conviction intime d'un individu quant à sa capacité d'accomplir avec succès une tâche spécifique. On peut très bien avoir une haute estime de soi et un faible sentiment de compétence par rapport à une situation précise : prendre la parole en public, par exemple.

Les valeurs et les attitudes

Les individus se distinguent par leurs caractéristiques sociodémographiques et leurs traits de personnalité, mais aussi par leurs valeurs et leurs attitudes.

◼ LES VALEURS

On peut définir les *valeurs* comme les principes généraux qui orientent les actions et les jugements des gens, tant dans leur vie privée que professionnelle. Les valeurs sont intimement liées à la notion qu'a l'individu du bien, du mal et, jusqu'à un certain point, de «ce qui doit être[46]». Ainsi, l'égalité entre tous les êtres humains, ou le respect et la dignité de la personne humaine sont des exemples de valeurs. Les valeurs influent sur le comportement et les attitudes. Si vous êtes très attaché à la valeur d'égalité entre toutes les personnes et que vous travaillez pour une organisation qui traite beaucoup mieux ses cadres que ses salariés, vous y verrez une injustice déplorable. Cette attitude négative à l'égard de votre employeur risque d'influer sur votre comportement : il se pourrait que votre rendement diminue ou que vous démissionniez. Si l'organisation avait une politique plus «égalitaire», votre attitude et vos comportements seraient plus positifs.

Les valeurs : origines et catégories   Nos parents, nos amis, nos enseignants et, de manière générale, nos groupes de référence peuvent influer sur nos valeurs personnelles. Les valeurs d'un individu sont le fruit de son apprentissage et de ses expériences dans le contexte culturel où il grandit. Comme ces deux facteurs varient considérablement d'une personne à l'autre, il en résulte inévitablement des différences de valeurs qui, parce qu'elles sont profondément enracinées, peuvent être difficiles à concilier, bien que ce soit possible[47].

La célèbre typologie élaborée par l'éminent psychologue Milton Rokeach divise les valeurs en deux grandes catégories : les valeurs finales et les valeurs instrumentales. Les *valeurs finales* indiquent les choix de l'individu quant aux buts et aux objectifs qu'il se fixe dans la vie. Les *valeurs instrumentales*, elles, concernent les moyens qu'il prend pour atteindre ces buts ; elles indiquent comment il pourra se comporter pour parvenir à ses fins selon l'importance qu'il accorde aux *moyens*[48]. La figure 4.5 énumère les 18 valeurs finales et les 18 valeurs instrumentales cernées par Rokeach.

Les recherches ont montré, et ce n'est guère étonnant, que les valeurs tant finales qu'instrumentales diffèrent d'un groupe social à l'autre – les cadres supérieurs,

◼ *Valeurs* Principes généraux qui orientent les jugements et les actions d'un individu

◼ *Valeurs finales* Valeurs relatives aux choix de l'individu quant aux buts et aux objectifs qu'il se fixe dans la vie

◼ *Valeurs instrumentales* Valeurs relatives aux moyens que prend l'individu pour atteindre ses buts et ses objectifs

Figure 4.5
Le classement des valeurs selon Rokeach

Valeurs finales	Valeurs instrumentales
L'amitié authentique (la camaraderie)	L'affection (la tendresse, l'attachement)
L'amour accompli (la sexualité et l'intimité)	L'ambition (le travail acharné)
L'égalité (la fraternité, l'égalité des chances)	L'entrain (l'humour, la gaieté)
La beauté dans le monde (la nature, les arts)	L'honnêteté (la sincérité, la franchise)
La liberté (l'indépendance, le libre choix)	L'imagination (la créativité, l'audace)
La paix dans le monde (ni guerres ni conflits)	L'indépendance (l'autosuffisance)
La paix intérieure (la sérénité)	L'intelligence (la pensée, la réflexion)
La reconnaissance sociale (l'admiration, le respect)	La bienveillance (l'altruisme)
La sagesse (la maturité, le discernement)	La docilité (le dévouement, le respect)
La sécurité familiale (le soin des proches)	La largeur d'esprit (l'ouverture, la tolérance)
La sécurité nationale (la défense du pays, de la nation)	La logique (la rationalité, la cohérence)
La volonté d'accomplissement (les réalisations durables)	La maîtrise de soi (l'autodiscipline)
Le bonheur (le bien-être)	La mansuétude (l'indulgence)
Le confort (l'aisance)	La netteté (l'ordre, la méthode)
Le plaisir (une vie douce et agréable)	La politesse (la courtoisie, la civilité)
Le respect de soi (l'estime de soi)	Le courage (la force de défendre ses convictions)
Le salut (la rédemption, la vie éternelle)	Le sens des responsabilités (le sérieux, la fiabilité)
Une vie passionnante et stimulante	Les capacités (les compétences, l'efficacité)

par exemple, n'ont pas les mêmes valeurs que les activistes ou que les travailleurs syndiqués[49]. Lorsque ces divers groupes entrent en interaction, ces différences de valeurs quant aux fins et aux moyens peuvent provoquer des conflits.

L'équipe du psychologue Gordon Allport a conçu une autre classification des valeurs humaines, elle aussi couramment utilisée, où la catégorisation repose sur six champs d'intérêt[50].

La classification des valeurs de Allport selon six champs d'intérêt

- *Le champ théorique :* intérêt pour une quête de la vérité fondée sur la raison et la pensée rationnelle
- *Le champ économique :* intérêt pour tout ce qui est utile et pratique, y compris l'accumulation des biens
- *Le champ esthétique :* intérêt pour l'harmonie, la beauté et l'art
- *Le champ social :* intérêt pour autrui et pour l'amour comme dimension des relations humaines
- *Le champ politique :* intérêt pour le pouvoir et la persuasion
- *Le champ religieux :* aspiration à l'harmonie et à la compréhension de l'univers

Bien entendu, selon les groupes, l'ordre de priorité accordé à ces valeurs varie considérablement. Voici, à titre d'exemple, les échelles de valeurs de trois groupes professionnels[51].

	ministres du culte	directeurs des achats	chercheurs industriels
champs	religieux social esthétique politique théorique économique	économique théorique politique religieux esthétique social	théorique politique économique esthétique religieux social

Ces diverses typologies ont été largement diffusées et reprises par de nombreux auteurs, mais elles ne portaient pas spécifiquement sur les valeurs des gens en milieu de travail. Plus récemment, Bruce Maglino et ses collaborateurs ont établi une grille de valeurs reliées au monde du travail, où l'on trouve les valeurs suivantes[52] :

- *L'accomplissement*: faire ce qu'il y a à faire ; travailler dur pour relever des défis et accomplir de grandes choses dans la vie
- *L'entraide et le souci des autres*: se préoccuper des autres ; leur venir en aide
- *L'honnêteté*: s'en tenir à la vérité et agir selon ses convictions
- *L'équité*: agir en toute justice et en toute impartialité

Comme ces quatre valeurs se révèlent particulièrement importantes en milieu de travail, la grille de Magliano est tout à fait appropriée à l'étude des valeurs dans le cadre du CO.

L'influence des valeurs en milieu de travail devient particulièrement évidente lorsqu'il y a **congruence des valeurs,** c'est-à-dire lorsque les gens disent avoir la satisfaction de travailler avec d'autres personnes dont les valeurs sont similaires aux leurs. Quand cette concordance fait défaut, on peut s'attendre à des conflits, notamment sur les objectifs et les moyens à prendre pour les atteindre. Maglino et son équipe ont utilisé leur grille pour se pencher sur la congruence des valeurs entre leaders et subordonnés ; ils ont constaté que les subordonnés étaient plus satisfaits de leurs leaders lorsqu'ils partageaient leurs vues en matière d'accomplissement, d'entraide, d'honnêteté et d'équité[53].

Les tendances de l'évolution des valeurs   Les valeurs changent au fil du temps. Il est donc crucial de se tenir au fait des recherches qui suivent cette évolution. À cet égard, les sondages de Daniel Yankelovitch, notamment, sont des plus instructifs[54]. Yankelovitch a observé qu'en Amérique du Nord, les travailleurs sont moins attachés qu'autrefois aux mesures incitatives d'ordre pécuniaire, à la fidélité à l'organisation et à l'identification au travail ; ils privilégient maintenant davantage le travail qui a un sens pour eux, le temps libre et l'épanouissement personnel. Selon ce chercheur, le gestionnaire contemporain doit être à l'affût des différences de valeurs et des tendances qui se manifestent en milieu de travail. Ainsi, il a constaté que la productivité des plus jeunes augmente lorsqu'ils occupent des postes qui correspondent à leurs valeurs, ou que les cadres qui les dirigent partagent leurs valeurs – ce qui confirme l'importance de la congruence des valeurs.

Une étude récente du Groupe-conseil Aon sur l'engagement de la main-d'œuvre canadienne envers leur organisation révèle que de moins en moins de travailleurs ont l'intention d'y rester longtemps. Pendant deux années consécutives, Aon a sondé plus de 2 000 Canadiens et Canadiennes dans des organisations de toutes tailles et de tous les secteurs. Les résultats révèlent qu'au Québec, en 2000, 79 % des répondants, soit 5 % de moins que l'année précédente, avaient l'intention de demeurer plusieurs années au service de leur employeur. Le pourcentage de répondants qui résisteraient à une offre alléchante d'un concurrent est aussi légèrement en baisse (51 % en 2000 comparativement à 53 % en 1999). De plus, s'ils se disaient prêts à fournir des efforts pour améliorer leurs propres compétences, les répondants semblaient moins disposés que l'année précédente à faire des sacrifices personnels pour assurer le succès de leur équipe de travail (67 % en 2000 comparativement à 72 % en 1999). Les auteurs de cette étude concluent que les travailleurs québécois sont de plus en plus indépendants et opportunistes[55].

La grille des valeurs reliées au travail d'après Maglino et son équipe

■ *Congruence des valeurs*

Situation où des gens disent avoir la satisfaction d'être en contact avec d'autres personnes dont les valeurs sont similaires aux leurs

Dans une autre étude, celle-là à l'échelle des États-Unis, on a demandé à des gestionnaires et à des spécialistes en ressources humaines quelles seraient, selon eux, les valeurs les plus importantes pour la main-d'œuvre, aujourd'hui comme dans un proche avenir[56]. Les valeurs les plus citées ont été, en ordre d'importance, la reconnaissance des compétences et des accomplissements, le respect et la dignité, la liberté individuelle, l'engagement au travail, la fierté du travail accompli, la qualité de vie, la sécurité financière, la croissance personnelle, la santé et le bien-être. L'attachement à ces valeurs revêt un intérêt particulier pour les gestionnaires, car il est révélateur des préoccupations de la «nouvelle» main-d'œuvre. Même si l'ordre d'importance peut varier selon les individus, et bien que nous connaissions une diversité de la main-d'œuvre unique dans l'histoire, cette liste est un bon point de départ pour les gestionnaires qui traitent avec les travailleurs et les travailleuses d'aujourd'hui. N'oublions pas que, si elles témoignent de choix personnels, les valeurs sont souvent partagées au sein d'une même culture et d'une même organisation.

■ LES ATTITUDES

Nos valeurs influent sur nos attitudes, qui sont, elles aussi, façonnées par notre environnement socioculturel – amis, parents, enseignants et modèles de rôles. Contrairement aux valeurs, qui ont une portée générale et qui sont relativement stables, les attitudes sont dirigées vers des personnes ou des situations spécifiques. La conviction que les salariés devraient avoir voix au chapitre est une valeur ; votre sentiment, positif ou négatif, par rapport à la participation que vous permet votre emploi est une attitude. Théoriquement, on définit une *attitude* comme une prédisposition à réagir de façon positive ou négative à une situation ou à une personne donnée. Quand on dit aimer ou ne pas aimer quelqu'un ou quelque chose, on exprime une attitude. Il faut garder à l'esprit qu'une attitude, comme une valeur, est une *construction hypothétique* que nul ne peut toucher ou isoler en elle-même, mais dont on peut déduire l'existence en observant ses manifestations : ce que les gens disent dans la vie ou en réponse à des sondages, et ce que révèlent leurs comportements.

La figure 4.6 montre que les attitudes d'un individu ont des antécédents et engendrent des manifestations comportementales[57]. Les antécédents constituent la

■ **Attitude** Prédisposition à réagir de façon positive ou négative à une situation ou à une personne donnée

Figure 4.6
Les trois composantes d'une attitude : un exemple en milieu de travail

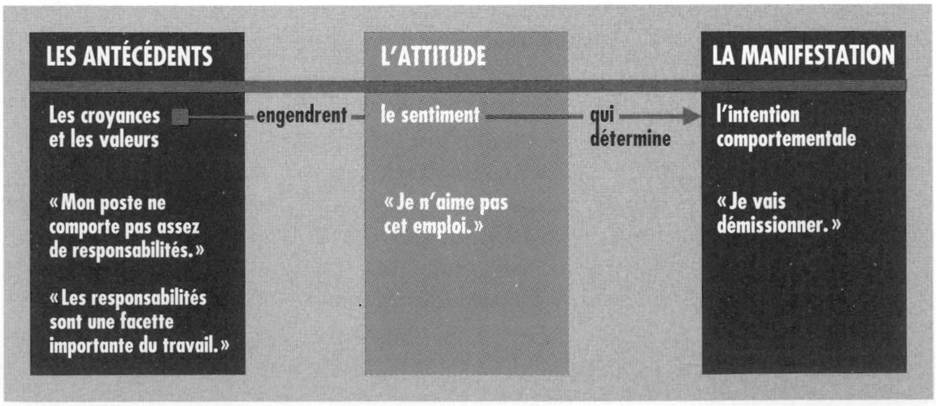

LES ANTÉCÉDENTS	L'ATTITUDE	LA MANIFESTATION
Les croyances et les valeurs — engendrent →	le sentiment — qui détermine →	l'intention comportementale
«Mon poste ne comporte pas assez de responsabilités.» «Les responsabilités sont une facette importante du travail.»	«Je n'aime pas cet emploi.»	«Je vais démissionner.»

composante cognitive de l'attitude, c'est-à-dire les croyances, les opinions, les connaissances et les informations que possède un individu. Les croyances sont les idées qu'on entretient sur une personne ou sur une situation, ainsi que les conclusions qu'elles génèrent; elles correspondent à la représentation que l'individu se fait d'une réalité donnée. Fondées ou non, les croyances reposent sur des *valeurs*. Ainsi, pour reprendre l'exemple de la figure 4.6, la croyance «Mon poste ne comporte pas assez de responsabilités» relève de la composante cognitive de l'attitude, et repose sur la valeur sous-jacente que résume la phrase «Les responsabilités au travail sont importantes».

La **composante affective de l'attitude** correspond au sentiment particulier qu'éprouve l'individu à l'égard de quelqu'un ou de quelque chose. C'est l'attitude en soi – «Je n'aime pas cet emploi». Ce sentiment détermine à son tour une intention de comportement – «Je vais démissionner!» –, une prédisposition à agir d'une façon donnée; c'est la **composante comportementale de l'attitude.**

Les attitudes et le comportement   Il faut bien comprendre que la relation entre une attitude et un comportement n'est pas ferme. L'attitude débouche sur une *intention comportementale* qui peut ou non se concrétiser, selon les circonstances.

Généralement, plus les attitudes et les comportements sont spécifiques, plus la relation entre les deux sera étroite. Imaginez que vous êtes un webmestre d'origine haïtienne, et qu'on vous interroge sur votre degré de satisfaction quant au traitement que votre superviseur réserve aux webmestres d'origine haïtienne. Loin d'être satisfait de la façon dont vous êtes traité, vous décrivez les préjugés dont vous êtes victime et vous exprimez votre intention de chercher un poste équivalent dans une autre entreprise d'ici six mois. Ici, à la fois l'attitude et le comportement sont très spécifiques: ils concernent les webmestres d'origine haïtienne, font référence à une organisation bien identifiée et s'inscrivent dans un laps de temps précis. On peut donc s'attendre à trouver un lien très étroit entre votre attitude face au traitement que vous subissez et votre détermination à trouver un nouvel emploi le plus rapidement possible.

La concrétisation d'une intention de comportement dépend d'un autre facteur non négligeable: la liberté d'action. Dans notre exemple, votre liberté d'action dépendra en bonne partie des offres d'emploi de webmestre.

De plus, le lien entre l'attitude et la concrétisation de l'intention comportementale augmente avec l'expérience qu'a l'individu de l'attitude en question. Si vous étudiez en administration des affaires, la relation entre votre attitude à l'égard de ce cours de CO, votre intention de l'abandonner et le passage à l'acte sera plus étroite que s'il s'agissait d'un cours sur la fission nucléaire que vous suivez depuis peu[58].

Même si les attitudes ne permettent pas toujours de prédire le comportement, les gestionnaires doivent bien saisir la relation entre attitude et comportement. Pensez à vos propres expériences professionnelles ou aux conversations que vous avez pu avoir avec des amis à propos de leur emploi: vous avez sans doute le souvenir de commentaires inquiets sur «l'attitude négative» d'un ou d'une collègue, inquiétude qui s'explique par les désagréments que causent les comportements associés à de telles attitudes. On doit reconnaître que ces attitudes préjudiciables peuvent avoir des conséquences coûteuses pour les organisations: insatisfaction professionnelle, taux élevé de roulement du personnel, retards, absentéisme, problèmes de santé physique ou mentale. Il incombe donc aux gestionnaires de prêter attention à ces attitudes et de les analyser au regard de leurs antécédents et de leurs effets possibles.

■ *Composante cognitive d'une attitude*   Ensemble des croyances, opinions, connaissances et informations que possède un individu, et qui engendre l'attitude; antécédents de l'attitude

■ *Croyance*   Idée qu'entretient l'individu sur une personne ou sur une situation; conclusion qu'elle génère

■ *Composante affective d'une attitude*   Sentiment particulier qu'éprouve l'individu à l'égard de quelqu'un ou de quelque chose; attitude elle-même

■ *Composante comportementale d'une attitude*   Intention de comportement ou prédisposition à agir d'une façon donnée résultant d'une attitude

■ **Dissonance cognitive**

Malaise que ressent l'individu
lorsqu'il y a contradiction entre ses
attitudes et ses comportements

R & D ←

ajr.newslink.org

Une visite aux deux usines ultra-modernes de R & D (une maquiladora qui se consacre au traitement de données et à la fabrication d'équipement médical) met en lumière les effets de la diversité et montre combien il est important d'en prendre conscience. Si on compare les usines américaine et mexicaine, on s'aperçoit que les valeurs diffèrent considérablement d'un pays à l'autre : par exemple, les travailleuses et travailleurs mexicains accordent une plus grande place aux relations familiales.

Les attitudes et la dissonance cognitive On doit au prestigieux psychosociologue Léon Festinger l'expression *dissonance cognitive*, qui décrit le malaise que ressentent les êtres humains lorsqu'il y a contradiction entre leurs attitudes et leur comportement[59]. Imaginons la situation suivante : vous estimez que la récupération est une bonne chose pour l'économie, mais carton, verre et papiers continuent à prendre le chemin de votre poubelle. Selon Festinger, cette contradiction vous causera un désagrément, que vous serez tenté d'éliminer ou de diminuer 1) en modifiant les valeurs sous-jacentes à votre attitude face au recyclage, 2) en changeant de comportement (en récupérant les matières recyclables) ou 3) en rationalisant votre comportement, c'est-à-dire en trouvant une façon de justifier la contradiction entre votre attitude et votre comportement.

Dans ce genre de situations, deux facteurs influent sur nos décisions : le degré de maîtrise que nous croyons avoir de la situation et les retombées positives qui en découleront. Dans l'exemple précédent, si le problème se pose au travail parce que votre patron a refusé d'implanter un programme de récupération, il y a moins de chances de vous voir changer d'attitude que si vous aviez décidé vous-même de ne pas récupérer les matières recyclables. Il se peut que vous optiez alors pour la rationalisation et que vous reconsidériez ses arguments. Par ailleurs, les récompenses – les retombées positives – tendent à réduire le sentiment de dissonance et de malaise : «Je touche des primes même si je ne fais pas de recyclage ; après tout, ce n'est peut-être pas si important.»

La gestion de la diversité et des différences

La gestion de la diversité compte maintenant parmi les défis qu'ont à relever les gestionnaires qui visent la haute performance et la compétitivité de leur organisation. Cela s'applique à l'Amérique du Nord comme aux pays de la CEE et à plusieurs pays d'Asie[60], seuls quelques détails contextuels diffèrent.

Comment ces gestionnaires s'en tirent-ils ? Pour vous donner une idée de ce que font certains des employeurs les plus avancés en matière de gestion de la diversité, nous allons nous pencher sur le cas de l'organisme de gestion intégrée des soins de santé Harvard Pilgrim (HPHC) de Boston[61]. Barbara Stern, vice-présidente responsable de ce dossier, affirme que la diversité du personnel, qui avait toujours été une question «secondaire» pour le HPHC, est en train de devenir une nécessité organisationnelle, car elle permet de mieux servir la clientèle, de mieux comprendre les marchés et de tirer le maximum des aptitudes du personnel. D'année en année, le HPHC s'efforce d'accroître de 0,5 % le pourcentage de femmes et de membres des minorités visibles au sein son personnel. Les progrès sont remarquables : en quatre ans, le pourcentage d'embauche dans ces groupes est passé de 14 % à 28 %, et leur représentation totale dans l'entreprise, de 16 % à 21 %.

Il ne s'agit pas là d'une vogue ; pour s'en assurer, on a implanté un conseil d'organisme à la diversité, qui a élaboré et mis en branle un train de mesures visant à encadrer le processus général d'ouverture à la diversité. À sa demande même et pour garantir sa crédibilité auprès de tous les membres de l'organisation, ce conseil est supervisé par un membre de la haute direction ; Barbara Stern

DIVERSITÉ EN MILIEU DE TRAVAIL

Pour convaincre femmes, autochtones et membres des minorités visibles de se joindre à elle, l'armée canadienne lancera sous peu une vaste campagne de publicité qui culminera le 29 mars en la tenue d'un «salon militaire» au Stade olympique.

L'armée canadienne, qui est déjà en plein exercice de recrutement, espère ainsi aller chercher le personnel qui lui manque pour atteindre les objectifs de diversité qu'elle s'est elle-même fixés. On veut aller chercher 3 % d'autochtones, 9 % de membres de minorités visibles et 20 % de femmes. Malgré 11 ans d'efforts, l'armée a en effet toujours besoin d'un sérieux coup de pouce pour améliorer la représentativité de ses troupes.

En fait, les besoins en nouvelles recrues se font sentir sur tous les fronts. Ces jours-ci, ce sont les réservistes qui sont à l'avant-plan, avec leur campagne de recrutement dans le métro. Depuis hier et jusqu'à jeudi, ils profitent du va-et-vient qu'offre le transport en commun pour tenter de convaincre des jeunes de relever le défi.

Marie-Claude Lortie. «Un salon de l'armée au Stade olympique», *La Presse*, 12 janvier 2000, p. A4.

---

est «vice-présidente à la diversité». Les objectifs du conseil sont tout aussi éloquents quant au sérieux de la démarche puisqu'ils comprennent : 1) l'imputabilité des gestionnaires : les salaires des 85 cadres supérieurs sont liés au succès des objectifs en matière de diversité ; 2) l'implantation de programmes de formation sur mesure ; 3) l'instauration d'un code de conduite : tolérance zéro pour les comportements inadmissibles comme les blagues racistes ; 4) la création d'une réserve «diversifiée» de candidats et de candidates à tous les postes de gestion : les réseaux très fermés auxquels on recourait autrefois ne sont plus adéquats ; 5) le suivi systématique de la politique de diversité : vérifications, sondages, groupes de réflexion et réseautage.

Les sondages auprès du personnel comportent aussi sept questions destinées à évaluer le degré de satisfaction sur divers sujets : valorisation de leur travail, plans de carrière, harmonisation entre le travail et la vie personnelle, etc. L'organisme peut ainsi mesurer les améliorations réalisées dans ces domaines.

Pour rester en prise avec les préoccupations de divers groupes de travailleurs, le HPHC a également mis sur pied le *Health Triangle,* un réseau qui met en contact plus de 200 homosexuels et lesbiennes à son emploi, ainsi que le *Disability Council*. Notons que ces initiatives avant-gardistes ont permis d'attirer de nouveaux clients.

Pour la vice-présidente Barbara Stern, la communication en matière de diversité doit être claire et simple : cela signifie qu'on doit pouvoir transmettre l'information de façon compréhensible en 10 minutes, recourir à plusieurs façons de présenter les données, évaluer les progrès réalisés et en informer tous les niveaux de la hiérarchie. Vous trouverez dans l'encadré *Le gestionnaire efficace 4.2* une liste des variables que le HPHC surveille tout particulièrement dans le suivi et l'évaluation de sa politique de diversité.

LE GESTIONNAIRE EFFICACE 4.2

BILAN DES ACTIVITÉS EN MATIÈRE DE DIVERSITÉ

Le bilan des activités du Harvard Pilgrim Health Care en matière de diversité repose sur des entrevues, des données internes et externes ainsi que les résultats d'études sur les variables suivantes :

- le recrutement au sein des minorités visibles ;
- les variations démographiques dans la collectivité ;
- les femmes à des postes de direction ;
- les gais et lesbiennes en milieu de travail ;
- l'intégration des personnes handicapées au milieu de travail ;
- l'aménagement des horaires de travail ;
- la clientèle non anglophone ;
- le personnel masculin blanc ;
- le service à la clientèle.

Plus généralement, des entrevues en profondeur et des groupes de réflexion ont permis aux spécialistes d'établir que le suivi de tout programme sur la diversité devrait tenir compte des facteurs suivants : les caractéristiques sociodémographiques, la culture organisationnelle, l'imputabilité des gestionnaires, la productivité, la croissance et la rentabilité, la comparaison entre le programme de diversité en place et d'autres programmes similaires qui ont fait leurs preuves et, bien sûr, l'évaluation du programme[62].

Des entreprises comme Microsoft ont accompli des prouesses en matière d'évaluation et d'informatisation des principales mesures touchant la diversité. Il existe maintenant un indice – l'indice SMG, du nom de ses créateurs, trois employés de Microsoft – permettant de visualiser les progrès au chapitre de la diversité par rapport aux objectifs fixés, de suivre l'intégration des groupes cibles (femmes, minorités, etc.) et de surveiller l'implantation des mesures d'équité. L'idéal est un indice zéro ; un indice peu élevé indique que quelques mesures correctives dans l'embauche, la promotion ou le maintien du personnel suffiraient pour corriger les disparités, et ainsi de suite. On peut surveiller l'évolution de l'indice en fonction de paramètres temporels ou de groupes cibles[63].

Guide de révision

Qu'est-ce que la diversité de la main-d'œuvre, et en quoi est-elle si importante pour les organisations ?

■ La diversité d'une main-d'œuvre donnée résulte des différences que présentent les individus qui la composent au regard de caractéristiques sociodémographiques comme le sexe, la race, l'origine ethnoculturelle, l'âge, l'état physique et mental, et même, dans certains cas, la situation matrimoniale et familiale, ou la religion.

■ Les mains-d'œuvre du Canada, des États-Unis et de l'Europe sont de plus en plus diversifiées. Apprendre à valoriser et à bien gérer cette diversité devient de plus en plus essentiel pour assurer la compétitivité des organisations et le développement des individus.

Quelles sont les différences sociodémographiques entre les gens, et comment touchent-elles les organisations ?

■ Les différences sociodémographiques sont des variables qui reflètent la situation sociale d'un individu et qui influent sur son devenir.

■ Le sexe, l'âge, la race, l'origine ethnoculturelle ainsi que l'état physique et mental sont des caractéristiques sociodémographiques particulièrement importantes en CO.

■ En matière d'emploi, diverses lois en vigueur dans nombre de pays interdisent la discrimination fondée sur les caractéristiques sociodémographiques.

■ Les différences sociodémographiques peuvent engendrer des stéréotypes qui auront une influence néfaste sur les comportements et les décisions au sein d'une organisation, et qui risquent de nuire à sa productivité.

Qu'est-ce qui distingue les gens sur le plan des aptitudes et des capacités, et comment ces différences touchent-elles les organisations ?

■ Les aptitudes sont les prédispositions d'un individu à apprendre certaines choses.

■ Les capacités d'un individu indiquent sa faculté d'accomplir les tâches inhérentes à un poste donné ; elles englobent le savoir-faire et les compétences qu'il possède déjà.

■ Les aptitudes sont des capacités potentielles.

■ Pour s'assurer que les caractéristiques d'un candidat correspondent bien aux exigences d'un poste et d'une organisation, on doit prendre en considération ses aptitudes ainsi que ses capacités intellectuelles et physiques.

Qu'est-ce qui détermine les traits de personnalité d'un être humain, et comment les différences de personnalité entre les gens touchent-elles les organisations ?

■ La personnalité est le profil global d'une personne, c'est-à-dire la combinaison de traits qui font d'elle un être unique dans sa manière de se comporter et d'entrer en relation avec autrui.

- La personnalité est déterminée à la fois par l'hérédité et par l'environnement, dans une proportion à peu près équivalente.

- Selon le modèle à cinq facteurs, les cinq grandes dimensions de la personnalité sont l'extraversion, l'amabilité, l'application, la stabilité émotionnelle et l'ouverture à l'expérience.

- Une autre typologie très utile en CO distingue trois catégories de traits – les traits sociaux, les traits relatifs à la conception personnelle du monde et les traits relatifs à l'adaptation affective –, et évalue leur dynamique dans la personnalité d'un individu.

- L'importance des traits de la personnalité tient à leurs effets prévisibles sur le comportement des gens. Pour s'assurer que les caractéristiques d'un candidat correspondent bien aux exigences d'un poste et d'une organisation donnés, on doit en tenir compte – comme de ses particularités sociodémographiques ainsi que de ses aptitudes et de ses capacités.

Qu'est-ce qui distingue les gens sur le plan des valeurs et des attitudes, et comment ces différences touchent-elles les organisations ?

- Les valeurs sont des principes généraux qui orientent les jugements et les actions d'un individu.

- Le classement des valeurs de Rokeach comporte 18 valeurs finales (choix des objectifs) et 18 valeurs instrumentales (choix des moyens).

- Allport et son équipe classent les valeurs en six grandes catégories correspondant à six champs d'intérêt, soit les champs théorique, économique, esthétique, social, politique et religieux.

- Maglino et son équipe ont élaboré une grille des valeurs reliées au travail en fonction de l'accomplissement, de l'entraide et du souci des autres, de l'honnêteté et de l'équité.

- Les valeurs évoluent : Yankelovitch a constaté que, en Amérique du Nord, les travailleurs sont moins attachés qu'autrefois aux mesures incitatives d'ordre pécuniaire, à la fidélité à l'organisation et à l'identification au travail ; ils privilégient maintenant davantage le travail qui a un sens pour eux, le temps libre et l'épanouissement personnel.

- L'attitude est une prédisposition à réagir de façon positive ou négative à une situation donnée ou à une personne en particulier. Les attitudes sont influencées par les valeurs, dont la portée est plus générale.

- L'individu tend à éliminer la dissonance cognitive en établissant une certaine cohérence entre ses attitudes et ses comportements.

- Les valeurs et les attitudes sont importantes car, dans une certaine mesure, elles permettent de prévoir les comportements.

- Pour s'assurer que les caractéristiques d'un candidat correspondent bien aux exigences d'un poste et d'une organisation donnés, on doit tenir compte de ses valeurs et de ses attitudes – comme de ses particularités sociodémographiques, de ses aptitudes et de ses capacités ainsi que des traits de sa personnalité.

Qu'implique la gestion de la diversité et des différences individuelles, et en quoi est-elle importante pour les organisations?

■ La gestion de la diversité et des différences individuelles exige qu'il y ait adéquation entre l'organisation, le poste et la personne recrutée, engagée et formée, et qu'on tienne compte des réalités d'une main-d'œuvre de plus en plus diversifiée.

■ Les mesures de discrimination positive, les considérations d'ordre éthique, la concurrence mondiale, nationale et régionale ainsi que l'évolution de la main-d'œuvre sont autant de facteurs qui concourent à sa diversification.

■ Une fois qu'il y a une certaine adéquation entre les caractéristiques des travailleurs et les exigences de l'organisation et des postes qu'ils occupent, il est impératif de gérer adéquatement la diversité de cette main-d'œuvre.

■ Les stratégies organisationnelles de gestion de la diversité comprennent notamment des mesures touchant la dotation en personnel, la formation, la promotion, les salaires et l'évaluation, ainsi que la création de réseaux fondés sur des intérêts communs.

Mots clés

Évaluation des connaissances

■ QUESTIONS À CHOIX MULTIPLE

1. Aux États-Unis, au Canada, au sein de la CEE et dans bien d'autres pays, la main-d'œuvre _____ **a)** devient de plus en plus homogène. **b)** est beaucoup plus motivée qu'auparavant. **c)** se diversifie. **d)** est moins motivée qu'avant.

2. Les stéréotypes naissent lorsqu'on _____ **a)** considère que quelqu'un se distingue des autres membres d'un groupe donné. **b)** attribue d'emblée à une personne des caractéristiques du groupe auquel on l'assimile. **c)** attribue à un individu des similitudes avec certains membres d'un groupe donné, et des différences avec d'autres. **d)** juge qu'un individu n'est pas très compétent.

3. La gestion de la diversité et la discrimination positive _____ **a)** sont des expressions interchangeables. **b)** sont imposées par la loi. **c)** sont deux notions différentes, mais complémentaires. **d)** ont perdu de leur importance.

4. Les caractéristiques sociodémographiques sont _____ **a)** des aptitudes et des capacités. **b)** des traits de la personnalité. **c)** des variables qui reflètent la situation sociale d'un individu et influent sur son devenir. **d)** des valeurs et des attitudes.

5. Les aptitudes et les capacités _____ **a)** se transforment parfois en stéréotypes. **b)** sont d'ordre physique et intellectuel. **c)** concernent l'intellect et la personnalité. **d)** peuvent être de type agressif ou de type passif.

6. _____ détermine(nt) les traits de la personnalité. **a)** L'environnement **b)** L'hérédité **c)** L'environnement et l'hérédité **d)** Les aptitudes et les capacités

7. Selon le modèle à cinq facteurs, les cinq grandes dimensions de la personnalité sont _____ **a)** cinq aptitudes et capacités. **b)** cinq caractéristiques sociodémographiques. **c)** l'extraversion, l'amabilité, la force, la stabilité émotionnelle et l'ouverture à l'expérience. **d)** l'extraversion, l'amabilité, l'application, la stabilité émotionnelle et l'ouverture à l'expérience.

8. On parle de la dynamique de la personnalité en relation avec _____ **a)** l'estime de soi et le sentiment de compétence. **b)** les personnalités de type A ou de type B. **c)** la souplesse. **d)** le machiavélisme.

9. Les valeurs et les attitudes _____ **a)** sont des aptitudes et des capacités. **b)** sont des phénomènes identiques. **c)** sont liées. **d)** sont des caractéristiques sociodémographiques.

10. La gestion de la diversité exige _____ **a)** qu'il y ait adéquation entre l'organisation, le poste et la personne recrutée, engagée et formée, en tenant compte des réalités d'une main-d'œuvre de plus en plus diversifiée. **b)** que l'on recrute des travailleurs d'origine américaine et blancs. **c)** que l'on recrute des travailleurs non traditionnels et non blancs. **d)** que l'on instaure des quotas de travailleurs de diverses catégories.

■ VRAI OU FAUX ?

11. Au Canada, la main-d'œuvre est de moins en moins diversifiée. **V F**

12. Diversité de la main-d'œuvre est synonyme de discrimination positive. **V F**

13. Le sexe d'une personne est une de ses caractéristiques sociodémographiques. **V F**

14. Les termes «aptitude» et «capacité» sont interchangeables. **V F**

15. La personnalité est déterminée par l'environnement et l'hérédité. **V F**

16. La personnalité évolue avec le temps. **V F**

17. Le modèle à cinq facteurs résume de longues listes de traits de personnalité. **V F**

18. Les attitudes engendrent souvent des valeurs. **V F**

19. Les valeurs et les attitudes sont des prédispositions à adopter certains comportements. **V F**

20. La diversification de la main-d'œuvre est un phénomène exclusivement américain. **V F**

■ QUESTIONS À RÉPONSE BRÈVE

21. Qu'exige la gestion de la diversité et des différences individuelles au sein de la main-d'œuvre ?

22. Pourquoi la diversité et les différences individuelles sont-elles des facteurs si importants en milieu de travail ?

23. En quoi les caractéristiques sociodémographiques sont-elles importantes en milieu de travail ?

24. Pourquoi est-il important de tenir compte des traits de la personnalité en milieu de travail ?

■ QUESTION À DÉVELOPPEMENT

25. La PDG de votre organisation se demande comment faire à la fois pour avoir à chaque poste la personne la plus adéquate et la plus susceptible d'améliorer la performance de l'entreprise et pour gérer efficacement un personnel qui compte de plus en plus de membres de minorités visibles. Elle vous demande de rédiger à son intention un bref rapport sur la question, avec des recommandations précises quant aux mesures à prendre.

Reportez-vous aux études de cas, aux exercices et aux autoévaluations de notre *Cahier d'apprentissage en CO* (voir p. 531).

■ Consultez le site Web du manuel. Vous y trouverez un questionnaire interactif et des exercices en ligne sur le contenu de ce chapitre.

www.erpi.com/schermerhorn

Perception et attribution

UNE FEMME À LA BARRE

Beatrice Vormawah a grandi sur la côte du Ghana sans avoir le droit de s'approcher de l'océan: elle ne savait pas nager, et sa mère craignait qu'elle ne se noie. Laissant derrière elle la petite fille obéissante d'autrefois, Beatrice est devenue la seule femme en Afrique et l'une des rares au monde à exercer la profession de capitaine de navire. Un parcours d'autant plus remarquable qu'en Afrique de l'Ouest à peine la moitié des femmes savent lire et écrire, et que moins du tiers vont au-delà du primaire. En moyenne, les Ghanéennes mettent au monde six enfants et leur espérance de vie est d'environ 55 ans.

Il y a une vingtaine d'années, madame Vormawah a répondu à une annonce visant à recruter des candidats pour la marine marchande de son pays; elle a été acceptée, ainsi que deux autres femmes qui, comme elle, ont reçu leur diplôme depuis. Par la suite, seules quatre autres jeunes filles ont suivi la voie de ces pionnières.

Il y a quelque temps, Beatrice a été promue au rang de capitaine, privilège qu'elle partage avec 24 collègues masculins. Étonnamment, elle n'a jamais été victime de discrimination, et les hommes ne lui ont jamais manifesté d'animosité. Surtout, pense-t-elle, parce qu'ils s'attendaient à la voir renoncer très vite au métier: «Ils croyaient que nous laisserions tout tomber pour nous marier, faire des enfants et rester à la maison.»

Non seulement Beatrice Vormawah a-t-elle eu trois enfants – maintenant âgés de 8 à 14 ans – sans négliger sa carrière, mais, situation exceptionnelle en Afrique, c'est son mari qui s'occupe d'eux la plupart du temps. Les sorties en mer de la jeune femme durent en moyenne près de trois semaines; à bord, elle commande un équipage de 42 hommes.

Beatrice Vormawah a de quoi être fière de sa réussite professionnelle, d'autant plus que celle-ci va à l'encontre de la *perception* qu'a la société ghanéenne du rôle des femmes et des caractéristiques que cette culture *attribue* aux gens qui se distinguent dans la marine. Les questions de perception et d'attribution faussées par les préjugés fondés sur le sexe sont inhérentes aux processus globaux de perception et d'attribution qui constituent le sujet principal de ce chapitre et un sujet fondamental en CO.

Questions clés

Ce chapitre traite de la façon dont les processus de perception et d'attribution influent sur l'interprétation que chacun fait de l'information provenant de son environnement. Voici les questions clés que vous devriez garder à l'esprit en le lisant :

- Qu'est-ce que le processus de perception?
- Quelles sont les erreurs de perception les plus courantes?
- Comment peut-on gérer le processus de perception?
- Qu'est-ce que la théorie de l'attribution?

Le processus de perception

Une passe spectaculaire et parfaitement réussie durant la finale du *Superbowl* de 1982 a valu à Joe Montana, ancien quart-arrière des 49ers de San Francisco, le statut de légende vivante dont il jouit aujourd'hui auprès des amateurs de football. Danny White, quart-arrière des Cow-boys de Dallas, l'équipe adverse, a vécu le match tout autrement, puisque sa maladresse dans la dernière minute de la rencontre a fait oublier qu'il avait permis à son équipe d'accéder à la finale trois années de suite[1].

Cet exemple illustre bien ce qu'est la **perception**, ce processus par lequel nous sélectionnons, organisons, interprétons et récupérons l'information qui nous parvient, pour ensuite y réagir[2]. Cette information, nous la recueillons à l'aide de nos cinq sens – la vue, l'ouïe, le toucher, le goût et l'odorat. Joe Montana et Danny White pourraient en témoigner : perception et réalité ne correspondent pas nécessairement. Deux personnes qui vivent un même événement peuvent en avoir une perception très différente et y réagir tout à fait autrement. Comme l'explique Barth Britt-Mary :

> Le processus de la perception est le même pour [tous…], mais l'individu ne perçoit pas nécessairement la même chose à partir de la même source. […] Si nos cinq sens sont actifs dans tout acte de perception, c'est notre cerveau qui décide de ce que nous pouvons percevoir à travers eux. Il est aujourd'hui établi que nos connaissances antérieures, nos valeurs, notre affectivité, nos styles cognitifs, notre âge et peut-être notre sexe jouent sur notre manière d'appréhender et d'interpréter notre environnement[3].

Au cours du processus de perception, nous traitons l'information reçue et nous y réagissons par des impressions et des actions. Ce phénomène nous permet de nous faire une opinion sur nous-mêmes, sur autrui et sur les événements de la vie quotidienne ; il sert également de filtre, tamisant l'information avant qu'elle ne nous parvienne et influe sur nous. La qualité ou la justesse des perceptions d'un individu a donc des conséquences majeures sur les décisions qu'il prend dans telle ou telle situation.

La perception et les réactions des cadres d'une organisation peuvent être nettement différentes de celles de leurs subordonnés. Examinez la figure 5.1 qui fait état des divergences de perception entre cadres et subordonnés en matière d'évaluation du rendement ; vous constaterez que l'écart entre la perception des uns et des autres est éloquent. Dans ce cas précis, les cadres ont l'impression de s'être suffisamment penchés sur des points comme le rendement antérieur de leurs subordonnés, leur cheminement professionnel et l'appui dont ils ont besoin ; par conséquent, ils ne reviendront probablement plus sur ces sujets lors des prochaines entrevues d'évaluation du rendement. Leurs subordonnés risquent d'en éprouver une frustration croissante, puisqu'ils estiment de leur côté qu'on a accordé trop peu d'attention à ces questions.

■ LES FACTEURS QUI INFLUENT SUR LE PROCESSUS DE PERCEPTION

Comme le montre la figure 5.2, les caractéristiques de l'*agent perceptif* (celui qui perçoit), celles du *cadre de perception* (le contexte, l'environnement) et celles de

■ **Perception** Processus par lequel nous sélectionnons, organisons, interprétons et récupérons l'information que nous transmet notre environnement

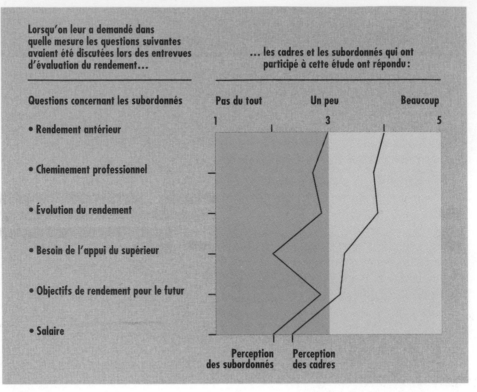

Figure 5.1
Divergences de perception entre des cadres et leurs subordonnés :
le cas des entrevues d'évaluation du rendement

son *objet* (la personne, la chose, l'événement) sont autant de facteurs qui influent sur le processus de perception et qui contribuent aux différences de perception en milieu de travail.

L'agent perceptif Les expériences passées d'une personne, ses attentes, ses besoins, ses motivations, sa personnalité, ses valeurs et ses attitudes influent sur le processus de perception. La personne qui éprouve un fort besoin d'accomplissement sera encline à percevoir une situation donnée en fonction de ce besoin. Par exemple, si elle voit dans la réussite scolaire un bon moyen de le satisfaire, elle privilégiera cet aspect dans son choix de cours. Dans le même ordre d'idées, la personne qui a une attitude négative à l'égard des syndicats verra poindre des conflits dès que des délégués syndicaux mettront le pied dans l'entreprise, ne serait-ce que pour une visite de routine. Ces caractéristiques, et bien d'autres, de l'agent perceptif sont autant de facteurs qui influent sur les diverses étapes du processus de perception décrites à la section suivante.

Le cadre de perception Le contexte physique, social ou organisationnel peut également influer sur le processus de perception. Un confrère au tempérament bouillant à qui il arrive de s'emporter peut être perçu comme très menaçant dès lors qu'il devient chef de la direction. Le contexte ayant changé, ses accès de colère, qui ne portaient pas trop à conséquence jusque-là, peuvent se mettre à intimider

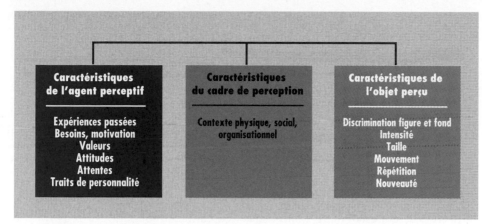

Figure 5.2
Les facteurs qui influent sur le processus de perception

ses subalternes au point qu'ils craignent d'exprimer leurs opinions ou leurs recommandations. C'est précisément ce qui s'est passé avec Kim Jeffrey de Nestlé-Perrier qui, une fois informé de la situation, est parvenu à changer la perception négative que ses subordonnés avaient de lui[4].

L'objet perçu   L'objet – la personne, la chose ou la situation – sera différemment perçu selon plusieurs paramètres, qui jouent tous un rôle déterminant sur la perception :

- *Le contraste*   On remarque plus vite un homme au milieu d'un groupe de femmes qu'au milieu d'autres hommes, et on le perçoit différemment ; il en va de même d'un ordinateur Macintosh au milieu d'une demi-douzaine de IBM.

- *L'intensité*   L'intensité varie selon la brillance, la couleur, le son, etc. Une voiture rouge se détache d'autres véhicules de couleur sombre ; un murmure ou un cri détonne dans une conversation courante.

- *La discrimination figure et fond*   L'objet de la perception ressort toujours d'un environnement donné ; ce à quoi on porte attention, la *figure*, se détache de ce qui l'entoure, le *fond*. Distinguer ce qui appartient à la figure et ce qui relève du fond permet d'observer plus facilement des gens et des choses lorsque l'environnement est très chargé. Jetez un coup d'œil à la figure 5.3. Voyez-vous deux profils ou un vase ? Cela dépend de ce sur quoi vous focalisez votre attention, de ce qui représente pour vous la *figure* : la partie blanche ou la partie noire.

- *La taille*   Plus un objet est grand, plus il a de chances d'être perçu. On remarque plus vite une personne de grande taille qu'une personne de taille moyenne, et on la perçoit différemment.

- *Le mouvement*   De manière générale, l'objet en mouvement attire davantage l'attention que l'objet immobile.

- *La répétition*   Plus le stimulus est répété, plus il a de chances d'être perçu. Les publicitaires en savent quelque chose…

- *La nouveauté*   Enfin, la nouveauté d'une situation – son caractère inédit, son originalité – influe sur notre perception. On remarque plus vite une adolescente aux cheveux mauves qu'une blonde ou une brune, et on la perçoit autrement.

Figure 5.3
La discrimination figure et fond

Si l'objet de la perception est un être humain, des facteurs particuliers influeront sur le processus de perception :

- *Les caractéristiques sociodémographiques* L'âge, le sexe, l'origine ethnoculturelle ou la profession d'une personne influent sur la perception qu'on a d'elle. Ainsi, la personne qui fait preuve d'autorité et d'audace sera perçue différemment selon qu'il s'agit d'un homme ou d'une femme, selon qu'elle est jeune ou âgée, etc.

- *L'apparence générale et le comportement* La tenue vestimentaire, les gestes, la posture, les expressions faciales, le timbre de la voix, etc., sont autant de facteurs qui influent sur la perception qu'on a d'une personne. Lors d'une entrevue de sélection, le candidat qui porte un *jean* sera perçu différemment de celui qui a revêtu un élégant costume ; on pourra penser du premier qu'il est irrespectueux, impertinent et contestataire. Le candidat souriant qui regarde son interlocuteur bien en face avec des yeux pétillants et suppliants sera probablement perçu comme dynamique et déterminé, ce qui ne sera probablement pas le cas de celui qui arrive en traînant les pieds, qui s'affale sur le fauteuil et qui répond avec un regard fuyant et un visage crispé.

■ LES ÉTAPES DU PROCESSUS DE PERCEPTION

Maintenant que nous avons passé en revue les facteurs clés qui influent sur le processus de perception, penchons-nous sur les étapes du traitement de l'information qui déterminent la perception d'une personne ainsi que sa réaction à cette perception. Comme on le voit à la figure 5.4, ce processus comporte quatre étapes : l'attention et la sélection, l'organisation, l'interprétation et la récupération de l'information.

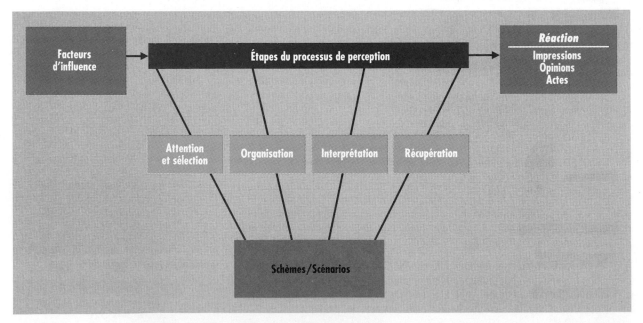

Figure 5.4
Le processus de perception

L'attention et la sélection   Pour éviter d'être submergé par la prodigieuse quantité d'informations que lui transmettent ses sens – et qu'il serait bien incapable de traiter dans leur totalité –, l'être humain doit les filtrer. Ce *filtrage sélectif* ne laisse passer qu'une infime portion des données fournies par l'environnement.

Cette sélection se fait en partie par un traitement volontaire et maîtrisé de l'information, durant lequel l'individu décide de prendre en considération certaines données et d'en écarter d'autres. Ce premier traitement de l'information est un processus conscient ; pensez, par exemple, à la façon dont vous filtrez les bruits qui vous assaillent dans un restaurant achalandé afin d'accorder toute votre attention à votre interlocuteur.

Mais cette opération de filtrage peut aussi survenir sans que nous nous en rendions compte. Lorsque nous sommes au volant d'une voiture, nous n'avons pas conscience de toutes les opérations mentales qu'implique la conduite automobile. Nous pouvons très bien réfléchir à un problème, à un projet ou à une conversation tout en recevant par ailleurs d'innombrables informations sur la circulation : les feux de signalisation, le mouvement des autres véhicules, des cyclistes et des piétons, etc. Notre cerveau traite toutes ces données sans que nous y prêtions attention ; s'il survient un événement qui sort de l'ordinaire – un animal s'élance brusquement sur la route, par exemple –, le filtrage de l'information change de mode, passant du traitement automatique au traitement contrôlé qui évitera l'accident. Cette réaction qu'on observe dans de nombreuses situations s'expliquerait, selon les psychologues, par le fait que le cerveau accorde alors davantage d'attention aux *changements* de stimuli qu'aux stimuli stables.

L'organisation   Après l'étape de l'attention, où l'information est filtrée, il faut trouver des façons d'organiser efficacement les données sélectionnées. C'est là qu'interviennent les **schèmes,** ces cadres cognitifs qui correspondent à la connaissance, structurée par le temps et l'expérience, qu'a l'individu d'un concept ou d'un stimulus donné. Ainsi, le *schème de soi* (image de soi) englobe l'information que chacun possède sur son apparence, son comportement et sa personnalité. La personne avec un schème de soi marqué par l'esprit de décision sera portée à se percevoir en fonction de cette caractéristique, surtout dans des situations qui exigent du leadership.

Bien entendu, les schèmes de perception ne s'appliquent pas qu'à soi. Les *schèmes de l'autre* concernent la catégorisation que chacun opère à l'égard des autres, les classant en types, groupes, styles, etc., selon des caractéristiques perçues comme analogues. On utilise souvent les termes «clichés» ou «stéréotypes» pour décrire ces concepts rudimentaires – ces «idées toutes faites» –, constitués de caractéristiques souvent associées à tous les membres d'une catégorie. Une fois ces stéréotypes formés, ils sont stockés dans la mémoire à long terme où, au besoin, l'individu pourra les retrouver afin de vérifier dans quelle mesure les caractéristiques de telle ou telle personne correspondent à celles de la catégorie à laquelle il l'associe. Ainsi, le cadre qui s'est composé un stéréotype du *salarié performant* – travailleur acharné, intelligent, ponctuel, s'exprimant bien et capable de prendre des décisions –, fera appel à cet archétype lorsqu'il voudra évaluer un membre de son personnel. Nous l'avons vu au chapitre 4, les stéréotypes sont des opinions préconçues sur une catégorie d'individus, opinions généralement fondées sur des caractéristiques sociodémographiques comme l'âge, le sexe, l'origine ethnoculturelle, l'état physique ou mental, etc. Le cas de Beatrice Vormawah, sur lequel

■ *Schème* Cadre cognitif qui correspond à la connaissance, structurée par le temps et l'expérience, qu'a l'individu d'un concept ou d'un stimulus donné

⊕ MONDIALISATION

Le personnel moscovite de *Aon Consulting*, une firme de consultants en gestion des ressources humaines, a dirigé un séminaire de formation destiné à des gestionnaires en ressources humaines d'origines diverses établis en Russie. Au cours d'un exercice de sensibilisation aux différences culturelles, les participants russes, tartares, géorgiens, britanniques, allemands, suédois et américains ont eu à nommer trois traits positifs et trois traits négatifs de chacune des nationalités présentes. La plupart, par exemple, ont jugé les Américains arrogants, inflexibles et peu enclins à l'écoute, mais… toujours souriants. Quel était le but de l'exercice ? Montrer qu'une fois que vous connaissez l'image que vous projetez, vous pouvez décider ce que vous pourriez ou devriez faire différemment.

nous ouvrions ce chapitre, donne à penser que la marine marchande du Ghana a suffisamment évolué pour rejeter les stéréotypes et la discrimination fondés sur le sexe et qu'elle a jugé la jeune fille en fonction de critères strictement professionnels.

Les schèmes s'appliquent également aux situations. L'individu se fait des *scénarios*, c'est-à-dire des cadres cognitifs concernant la *séquence* attendue des événements dans telle ou telle situation[9]. Le cadre chevronné utilise ce type de scénarios pour répéter mentalement les étapes d'une réunion importante, par exemple.

Enfin, on observe des schèmes sur les *personnes en situation*, plus globaux, ils combinent schèmes de soi, schèmes de l'autre et scénarios[7]. Ainsi, un gestionnaire qui se prépare à une réunion pourrait organiser l'information qu'il perçoit au cours d'une réunion en fonction de l'image qu'il a de lui et de l'image qu'il a d'un élément clé du groupe quant à l'esprit de décision. *Le scénario* lui fournira les étapes de la réunion et leur séquence : il procédera avec fermeté et fera accepter ses décisions à la hâte (schème de soi) et, de temps à autre, il ferait appel au participant reconnu pour son esprit de décision (schème de l'autre) afin qu'il réagisse de manière résolue. Notons-le, si cette approche peut faciliter l'organisation de l'information importante, elle risque également de fausser les perceptions des autres participants. Ainsi, dans notre exemple, le schème *personnes en situation* du gestionnaire ne laisse pas assez de temps et de latitude aux autres participants pour permettre une discussion franche et ouverte.

Si vous revenez à la figure 5.4 (p. 108), vous constaterez que ces schèmes et scénarios ont un effet important non seulement à l'étape de l'organisation, mais à toutes les autres étapes du processus de perception. Ajoutons qu'ils reposent largement sur un *traitement automatique* de l'information, de manière à permettre aux gens de se concentrer sur son *traitement contrôlé* lorsqu'il le faut. Retenons enfin que les divers facteurs qui influent sur le processus de perception influent également sur ces schèmes et scénarios, de même que les erreurs de perception auxquelles nous consacrerons la prochaine section.

L'interprétation Une fois que certains stimuli ont retenu notre attention, et que notre cerveau a organisé et classé les données reçues, l'étape suivante consiste à découvrir les raisons qui sous-tendent un comportement ou une réaction. En effet, même si notre attention retient la même information qu'une autre personne et même si nous l'organisons exactement comme elle, il se peut que nous l'interprétions tout autrement ou que nous lui *attribuions* des causes tout à fait différentes. L'attribution, ce processus cognitif qui relève de la perception autant que du jugement, nous sert à expliquer notre comportement et celui d'autrui à partir des caractéristiques que nous associons à une personne ou à une situation. Prenons l'exemple du salarié qui fait un compliment à un supérieur hiérarchique; ce dernier pourra *attribuer* cette attitude amicale à l'enthousiasme sincère de son subordonné, tandis qu'un collègue témoin de la scène pourra l'interpréter comme une flatterie hypocrite.

La récupération   Parler des étapes du processus de perception comme si elles se succédaient de façon ininterrompue – ce que nous avons fait jusqu'ici – serait ignorer le rôle crucial de la mémoire dans ce processus. En effet, chacune des trois étapes que nous venons de décrire alimente notre mémoire en y stockant des stimuli et des données. Mais pour pouvoir utiliser l'information en mémoire, il nous faut d'abord la récupérer; c'est la dernière étape du processus de perception (voir la figure 5.4).

Nous avons parfois des trous de mémoire durant lesquels nous sommes complètement incapables de récupérer des informations pourtant stockées dans notre mémoire. Il arrive fréquemment que notre mémoire flanche: nous retrouvons une partie de l'information, mais le reste nous échappe. Les schèmes et les scénarios contribuent à ce phénomène en rendant plus difficiles à retenir les données qui n'en font pas partie. Par exemple, le cadre qui s'est composé un stéréotype du *salarié performant* risque, lorsqu'il évalue un subalterne qu'il considère généralement comme un *bon travailleur*, de surestimer chez lui la présence des caractéristiques clés qu'il associe à son stéréotype – travailleur acharné, intelligent, ponctuel, s'exprimant bien et capable de prendre des décisions – et d'en sous-estimer d'autres.

De fait, les gens peuvent se «souvenir» tout aussi bien de traits qui n'existent pas que de traits bel et bien réels. Qui plus est, une fois établis, clichés et stéréotypes sont particulièrement tenaces[8]. De toute évidence, ces erreurs de perception qui faussent le jugement peuvent avoir de lourdes conséquences en matière d'évaluation du rendement et de promotion, comme dans tout le reste d'ailleurs. Il ne faut donc jamais oublier que les schèmes qui nous aident à synthétiser et à gérer la surabondance d'informations sont une arme à double tranchant.

■ LES RÉACTIONS AU PROCESSUS DE PERCEPTION

Depuis le début de ce chapitre, nous avons montré comment le processus de perception influe sur d'innombrables réactions humaines en milieu organisationnel, réactions qui se manifestent par des *impressions*, des *opinions* et des *actes* (voir figure 5.4). Par exemple, dans certains pays, comme au Mexique, on trouve tout à fait normal qu'un patron salue tous les jours sa secrétaire en l'embrassant sur la joue. Ailleurs, le même geste pourrait susciter des *impressions* et des *opinions* fort différentes; ainsi, on pourrait facilement le percevoir comme une forme de harcèlement sexuel. Nous vous invitons, en lisant les chapitres qui suivent, à ne jamais perdre de vue l'importance des réactions au processus de perception.

Les erreurs de perception les plus répandues

Les types les plus courants d'erreurs de perception qui peuvent affecter les réactions humaines en faussant le processus sont, comme le montre la figure 5.5, le stéréotype (ou cliché), l'effet de halo, la perception sélective, la projection, l'effet de contraste et la prophétie qui se réalise – aussi appelée l'*effet Pygmalion* ou l'*effet Rosenthal.*

■ LE STÉRÉOTYPE OU LE CLICHÉ

Nous avons mentionné, à propos des schèmes de l'autre, que les stéréotypes peuvent nous aider à synthétiser et à gérer la surabondance d'informations. Par contre, ils risquent aussi d'altérer le processus de récupération de l'information, d'obscurcir le jugement et d'empêcher les gestionnaires d'évaluer avec justesse les caractéristiques – besoins, préférences et capacités – propres à chaque individu d'un groupe donné. Les études montrent que les préjugés sur les femmes, les handicapés ou sur n'importe quel groupe humain sont néfastes aux organisations dans la mesure où ils interviennent dans le processus décisionnel. Et pourtant, il suffit d'observer la situation dans la plupart des conseils d'administration pour constater à quel point les stéréotypes sont tenaces. Un sondage récent auprès de 133 des 500 plus grandes entreprises recensées par *Fortune* révélait que, dans ces organisations, les membres féminins de conseils d'administration n'étaient invités à se joindre qu'au comité des relations publiques ; on les écartait des comités les plus importants – conseils de direction, comités des finances et comités de la rémunération – auxquels accèdent leurs collègues masculins même moins qualifiés[9].

Nous ne le répéterons jamais assez : les gestionnaires comme les salariés doivent non seulement se sensibiliser au problème des stéréotypes, mais contribuer à leur élimination. Tous doivent comprendre que la diversification de la main-d'œuvre peut conférer un net avantage concurrentiel à l'organisation.

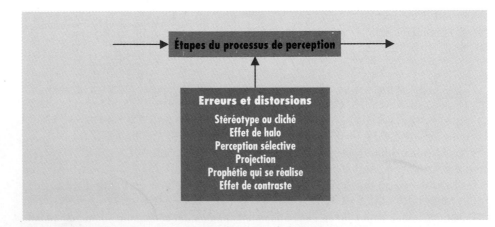

Figure 5.5
Erreurs de perception aux diverses étapes du processus

■ L'EFFET DE HALO

L'*effet de halo* apparaît lorsqu'on se fait une impression générale d'une personne ou d'une situation à partir d'une seule de ses caractéristiques. Comme le stéréotype, cette erreur de perception, très courante dans la vie quotidienne, survient la plupart du temps à l'étape de l'organisation. Par exemple, le sourire agréable de quelqu'un que nous rencontrons pour la première fois pourra nous laisser l'impression qu'il s'agit d'une personne chaleureuse et franche. Les conséquences de l'effet de halo sont identiques à celles du stéréotype : en généralisant, on omet de prendre en considération les caractéristiques individuelles d'une personne.

L'effet de halo a des conséquences particulièrement importantes au moment des entrevues d'évaluation du rendement, car il peut empêcher le gestionnaire de juger objectivement le travail de ses subordonnés. Ainsi, on a tendance à croire que les travailleurs assidus sont intelligents et ont le sens des responsabilités, et que ceux qui s'absentent fréquemment donnent un piètre rendement. Or, de telles généralisations peuvent aussi bien être erronées qu'exactes. Le gestionnaire doit se méfier de l'effet de halo et fonder son jugement sur des faits objectifs.

■ *Effet de halo* Erreur de perception qui consiste à se faire une impression générale d'une personne ou d'une situation à partir d'une seule de ses caractéristiques

■ LA PERCEPTION SÉLECTIVE

La ***perception sélective*** est la tendance à privilégier une lecture de la réalité qui correspond à nos propres besoins, attentes, valeurs et attitudes, et qui nous amène à ne voir que certains aspects d'une situation, certaines caractéristiques d'une personne ou certains côtés d'un point de vue. Particulièrement marqués à l'étape de l'attention et de la sélection du processus de perception, les effets de cette erreur de perception ont été mis en lumière par une étude désormais classique menée à la fin des années 1950 auprès des cadres supérieurs d'une entreprise manufacturière. Lorsqu'on leur soumit un cas assez complexe traitant de stratégie d'entreprise en leur demandant de mettre le doigt sur le problème clé, la plupart évoquèrent des problèmes relevant de leur propre domaine d'intervention : ainsi, ceux qui travaillaient à la commercialisation diagnostiquèrent des faiblesses aux ventes ; ceux de la production, des problèmes dans l'organisation et la production[10]. En situation réelle, ces divergences de points de vue auraient influé sur l'approche du chef de la direction ; elles auraient aussi pu créer des difficultés si ces gens avaient dû travailler en collaboration pour redresser la situation.

À la fin des années 1980, une étude similaire fut réalisée auprès de 121 cadres intermédiaires et supérieurs qui suivaient un programme de perfectionnement : ils exprimèrent des opinions qui, bien que privilégiant leur propre domaine d'intervention, témoignait d'une vision plus globale. Ainsi, sans mettre de côté les problèmes associés à leur fonction, un directeur financier montra qu'il était conscient de l'importance de la fabrication et un directeur adjoint à la commercialisation évoqua celle des finances et de la comptabilité[11]. Même s'ils ne pouvaient établir précisément les raisons de ce changement, les chercheurs constatèrent donc une diminution de la perception sélective chez ces gestionnaires.

Ces résultats donnent à penser que l'ampleur de la perception sélective varie selon les situations. Le gestionnaire doit en être conscient et vérifier dans quelle mesure la perception sélective modifie l'idée qu'il se fait des situations, des événements et des gens. La meilleure façon d'y arriver est de recueillir d'autres opinions et, si elles contredisent la sienne, de réexaminer son impression première.

■ *Perception sélective* Tendance à privilégier une lecture de la réalité qui correspond à ses propres besoins, attentes, valeurs et attitudes, et qui amène à ne voir que certains aspects d'une situation, d'une personne ou d'un point de vue

■ LA PROJECTION

■ **Projection** Fait d'attribuer à autrui ses propres caractéristiques – idées, convictions, attentes ou besoins

La *projection* est le fait d'attribuer à autrui ses propres caractéristiques – idées, convictions, attentes ou besoins; elle survient surtout à l'étape de l'interprétation. Une projection répandue chez les cadres consiste à attribuer à leurs subordonnés des besoins semblables aux leurs. Supposons que vous appréciez les responsabilités et la réussite attachées à votre travail, et qu'on vous confie de nouvelles fonctions auprès d'un groupe de salariés dont les tâches vous semblent routinières et fastidieuses. Vous pourriez alors vous empresser d'élargir leur champ d'activités en y incluant des tâches qui, *selon vous*, seront plus motivantes et leur procureront une plus grande satisfaction professionnelle. Or, ce ne serait pas nécessairement une bonne décision. Lorsque vous projetez vos propres besoins sur vos subordonnés, vous perdez de vue leurs caractéristiques individuelles : au lieu de concevoir des tâches qui répondent autant que possible à leurs besoins, vous le faites en fonction des vôtres. Peut-être ces salariés étaient-ils relativement satisfaits et productifs lorsqu'ils exécutaient ces tâches qui vous paraissaient si routinières et monotones. Pour ne pas se laisser aller à la projection, le gestionnaire doit à la fois bien se connaître et faire preuve d'empathie – cette capacité de se mettre à la place de son prochain, de ressentir ce qu'il ressent, de s'identifier à lui. Notons que, malgré ses répercussions négatives, la projection peut parfois avoir des effets positifs du point de vue éthique.

www.macrocosmetics.com

⚖ ÉTHIQUE ET RESPONSABILITÉ SOCIALE

Les fondateurs de MAC Cosmetics, une entreprise canadienne du domaine des cosmétiques, ont projeté avec succès leurs conceptions éthiques sur leur marché. Leur engagement très ferme à l'égard des causes sociales et humanitaires les ont amenés à bannir toute publicité dans les médias à moins qu'elle ne soit associée aux causes qui leur tiennent à cœur. Par l'entremise de son *MAC AIDS Fund,* l'entreprise soutient les efforts de la collectivité dans la lutte contre le sida : grâce à son programme de collecte de fonds, elle vient en aide aux organismes qui contribuent à l'éducation du public, à la prévention de la maladie ainsi qu'aux services de soutien et d'aide d'urgence pour les sidéens. Deux de ses gammes de rouges à lèvres ont été lancées expressément pour soutenir son fonds de lutte au sida. De plus, MAC propose des solutions de remplacement à l'expérimentation sur les animaux dans l'industrie cosmétique, et offre des produits gratuits aux clients qui rapportent leurs emballages afin qu'ils soient recyclés. Le soutien des causes sociales et humanitaires est inhérent à la vision et à l'image de l'entreprise.

⚖

■ L'EFFET DE CONTRASTE

Lorsque nous traitions de l'objet perçu, nous avons dit qu'une auto rouge se remarquait davantage au milieu d'autos sombres à cause du contraste. Le même phénomène se produit, par exemple, lorsqu'une personne prend la parole à la suite d'un orateur particulièrement brillant ou qu'une autre passe une entrevue d'emploi après une série de candidats très médiocres. Dans ce genre de situations où les caractéristiques d'un individu tranchent avec celles d'autres individus rencontrés quelque peu avant et évalués nettement plus favorablement ou défavorablement, on peut s'attendre à ce qu'il y ait un *effet de contraste.* Vous comprendrez sans doute que cet effet fausse la perception et ne permet pas un jugement objectif. Gestionnaires et salariés doivent être conscients de l'effet de contraste et se méfier de ses conséquences potentielles en milieu professionnel.

■ LA PROPHÉTIE QUI SE RÉALISE

La dernière erreur de perception dont nous allons traiter est la *prophétie qui se réalise,* c'est-à-dire la propension à susciter ou à découvrir ce à quoi on s'attend chez quelqu'un ou dans une situation donnée. En psychologie, on utilise souvent le terme *effet Pygmalion,* du nom d'un roi légendaire de Chypre qui sculpta une statue de la compagne idéale, si belle qu'il en tomba amoureux et qu'il obtint de Vénus qu'elle lui donne vie[12]. Son désir se réalisa! On parle aussi parfois de l'*effet Rosenthal,* du nom d'un des deux auteurs (Rosenthal et Jacobson) qui l'ont décrit ainsi : « La prédiction faite par un individu A sur un individu B finit par se réaliser, que ce soit seulement dans l'esprit de A ou, résultant d'un processus subtil et parfois inattendu, par une modification du comportement réel de B sous la pression des attentes de A[13]. »

Cet effet se remarque souvent en milieu de travail, où il peut avoir des répercussions tantôt positives, tantôt négatives pour les gestionnaires. Supposons que, estimant que vos subordonnés n'attendent pas grand-chose de leur emploi et cherchent plutôt à se réaliser à l'extérieur de leur travail, vous conceviez des tâches simples et bien structurées n'exigeant d'eux qu'un minimum d'engagement. Selon vous, comment réagiront vos subordonnés? Probablement en montrant le peu d'intérêt et d'engagement auquel vous vous attendiez. Voilà votre «prophétie» réalisée…

L'*effet Pygmalion* peut cependant avoir des retombées positives. Ainsi, des élèves présentés à leurs professeurs comme des personnes particulièrement douées obtiendront de meilleurs résultats aux tests que leurs camarades qui n'auront pas été présentés aussi positivement. Un exemple très révélateur des effets de la prophétie qui se réalise est celui des équipages de chars d'assaut israéliens. On avait informé un groupe de commandants de bataillons de chars d'assaut que, selon les résultats de tests, certains de leurs soldats possédaient des aptitudes exceptionnelles, les autres étant dans la moyenne. En réalité, tous les soldats avaient été choisis au hasard et les deux groupes témoins étaient donc d'égale qualité. Par la suite, les commandants signalèrent que les soldats présentés comme *exceptionnels* avaient fait meilleure figure que ceux présentés comme *moyens.* En réalité, révéla l'étude, les commandants avaient accordé beaucoup plus d'attention et d'éloges aux hommes envers qui ils nourrissaient de plus grandes *attentes*[14]. Voilà qui montre que les gestionnaires doivent prendre cet effet en considération, et adopter des approches positives et optimistes à l'égard des travailleurs (voir *Le gestionnaire efficace 5.1*).

■ *Effet de contraste* Erreur de perception qui peut se manifester dans une situation où les caractéristiques d'un individu tranchent avec celles d'autres individus rencontrés quelque peu avant et évalués nettement plus favorablement ou défavorablement

■ *Prophétie qui se réalise* Propension à susciter ou à découvrir ce à quoi on s'attend chez quelqu'un ou dans une situation donnée

LE GESTIONNAIRE EFFICACE 5.1

CRÉER DES PROPHÉTIES QUI SE RÉALISENT FAVORABLES À SES SUBORDONNÉS

- Établissez un climat de confiance entre vos subordonnés et vous.
- Parlez davantage à vos subordonnés de leur rendement, et dans les termes les plus positifs possible.
- Prenez plus de temps pour aider vos subordonnés à acquérir des compétences professionnelles.
- Donnez à vos subordonnés davantage d'occasions de vous poser des questions.

La gestion → des impressions

www.impressionmanagement.com

La gestion des impressions et des erreurs de perception est devenue si cruciale en milieu professionnel que des spécialistes de la communication offrent maintenant leurs services aux organisations, aux cadres et aux salariés. Leurs programmes de formation ont des noms assez éloquents: «Comment obtenir des résultats sans confrontation», «Je sais ce que j'ai dit, mais je ne suis pas certain de ce que j'ai entendu», «Le succès d'une négociation: moins de stress, plus d'entente».

La gestion du processus de perception

Pour exceller dans ses fonctions, le gestionnaire doit comprendre le processus de perception: les étapes qui le composent ainsi que la façon dont il agit sur les réactions de la personne qui dirige et sur celles d'autrui. Il doit également être conscient du rôle que jouent dans ce processus celui qui perçoit, le contexte de la perception et, surtout, la personne qui en fait l'objet. Qu'elle soit ou non gestionnaire, pour cette dernière, le plus important est le concept de la gestion des impressions.

■ LA GESTION DES IMPRESSIONS

On appelle *gestion des impressions* les efforts systématiques d'une personne pour se comporter de manière à produire sur les autres l'impression désirée. Les premières impressions sont d'autant plus importantes qu'elles influent sur la façon dont les gens interagissent. La gestion des impressions passe par divers comportements, notamment: s'associer aux «bonnes personnes», s'attirer les bonnes grâces d'autrui, flatter les autres pour rehausser sa propre image, s'attribuer le mérite d'une réussite, s'excuser d'un événement déplorable, acquiescer aux opinions d'autrui, minimiser la gravité de certains événements et accorder des faveurs[15]. Le gestionnaire efficace apprend à agir ainsi à bon escient pour améliorer son image, mais aussi à reconnaître ces comportements chez autrui. Notons qu'en matière de gestion des impressions, les attitudes différeront selon le statut de la personne concernée.

■ LA GESTION DES ERREURS DE PERCEPTION

À l'étape de l'attention et de la sélection, les gestionnaires doivent veiller à équilibrer le traitement contrôlé de l'information et son traitement automatique. Dans la plupart de ses activités, notamment l'évaluation du rendement, et dans ses communications, c'est le traitement contrôlé qui intervient, ce qui peut l'absorber tellement qu'il aura de la difficulté à accomplir d'autres fonctions. Parallèlement à ce traitement contrôlé plus soutenu, le gestionnaire efficace doit veiller à augmenter la fréquence de ses observations et à obtenir des informations représentatives de la réalité pour éviter de fonder ses décisions uniquement sur les données les plus récentes à propos d'un subordonné ou d'une commande de fabrication, par exemple. Certaines organisations, notamment de très grandes fermes, ont recours à la technologie pour combler leur besoin d'obtenir des informations appropriées. De plus, le gestionnaire devrait toujours chercher à obtenir d'autres points de vue pour confirmer ou infirmer ses propres perceptions.

À l'étape de l'organisation de l'information, les schèmes de perception et les stéréotypes jouent un rôle particulièrement marqué. Le gestionnaire devrait donc s'efforcer d'élargir ses schèmes de perception ou même de les remplacer par des schèmes plus conformes à la réalité.

À l'étape de l'interprétation, le gestionnaire doit être particulièrement sensible aux effets de l'*attribution* sur l'information, dont nous traiterons à la section suivante.

Plutôt que de se fier uniquement à leur perception du besoin d'engrais de leur champ, de nombreux agriculteurs utilisent maintenant des informations fournies par satellite pour gérer leur programme d'épandage de fertilisants. Dans la cabine du tracteur, un plan du champ apparaît sur un écran d'ordinateur, et un curseur permet de suivre les déplacements du tracteur et du distributeur d'engrais. À l'aide des données qui lui parviennent d'un satellite situé à 25 000 km au-dessus de lui, l'ordinateur indique à l'opérateur la quantité d'engrais nécessaire dans telle ou telle partie du champ. L'informatique vient ainsi résoudre des problèmes de perception subjective qui peuvent avoir des effets parfois désastreux ou entraîner des coûts inutiles.

À l'étape de la récupération, la mémoire est faillible et nous joue souvent des tours. Le gestionnaire doit en être conscient; il doit aussi éviter de se fier exclusivement à ses schèmes de perception – surtout les stéréotypes et les clichés – qui peuvent fausser l'information stockée et récupérée.

Enfin, tout au long du processus de perception, le gestionnaire doit se méfier des erreurs de perception qui peuvent dénaturer l'information: stéréotype, effet de halo, perception sélective, projection, effet de contraste et prophétie qui se réalise.

La théorie de l'attribution

Lorsque nous avons expliqué l'étape de l'interprétation dans le processus de perception, nous avons mentionné le rôle de l'attribution. La ***théorie de l'attribution*** facilite la compréhension de ce phénomène en s'intéressant à la façon dont les individus tentent: 1) de comprendre les causes d'un événement; 2) de déterminer les responsabilités dans le déroulement et les suites de l'événement; 3) d'évaluer les qualités personnelles des gens qui ont joué un rôle dans l'événement[16]. L'application de la théorie de l'attribution nous concerne plus particulièrement lorsqu'il s'agit de savoir si on doit attribuer le comportement de quelqu'un à des facteurs *internes* ou à des facteurs *externes*. Les facteurs *internes* sont du ressort de l'individu: le rendement de Pierre est médiocre parce qu'il est paresseux. Les facteurs *externes*, par contre, ne peuvent être maîtrisés par l'individu: le rendement de Pierre n'est pas fameux parce que sa machine commence à se faire vieille. Selon la théorie de l'attribution, trois facteurs influent sur la détermination de l'origine externe ou interne d'un comportement: la spécificité, le consensus et l'uniformité.

La *spécificité* concerne le fait qu'un comportement donné chez un individu se manifeste uniquement dans une situation bien particulière ou, au contraire, se

■ ***Théorie de l'attribution***
Théorie qui s'intéresse à la façon dont un individu tente de comprendre les causes d'un événement, de départager les responsabilités et d'évaluer les qualités personnelles des gens qui y ont joué un rôle

reproduise dans d'autres situations. Si Paul donne un piètre rendement quelle que soit la machine qu'il utilise, on parlera d'un comportement non spécifique, et on l'attribuera à un facteur interne: manque d'aptitudes, efforts insuffisants, problème de santé, etc. Par contre, si le faible rendement de Pierre est inhabituel et ne se manifeste que lorsqu'il utilise une machine particulière, on parlera d'un comportement spécifique, et on l'attribuera plutôt à un facteur externe, le mauvais état de la machine, par exemple.

Le consensus concerne la probabilité que tous ceux qui se retrouveraient dans une situation identique réagissent de la même façon. Si tous les ouvriers qui utilisent une machine comme celle de Paul donnent un piètre rendement, il y a consensus, et on attribuera la situation à un facteur externe. Par contre, si les collègues de Paul donnent un bon rendement, il n'y a pas consensus, et on envisagera une cause interne.

L'uniformité a trait à la constance d'un comportement donné chez un individu. Ce comportement se reproduira-t-il quand cette personne se retrouvera dans la même situation? Si on constate que la baisse de rendement de Paul est momentanée, c'est-à-dire que le niveau d'uniformité est faible, on aura tendance à y voir un incident isolé et on ne pourra pas tirer de conclusion sur la raison de ce comportement. En effet, l'élément de fidélité, qui se traduit par un niveau d'uniformité élevé, est essentiel pour affirmer qu'un comportement est attribuable à des facteurs personnels ou conjoncturels. Notons toutefois que le fait que le rendement de Pierre soit faible sur une période prolongée n'indique pas si le problème est attribuable à l'insuffisance des efforts ou des compétences de cet ouvrier, ou au mauvais état de la machine. L'analyse des facteurs *spécificité* et *consensus* permettra d'en déterminer les causes.

■ LES ERREURS D'ATTRIBUTION

En plus des trois facteurs que nous venons de voir, deux erreurs risquent d'influer sur la détermination de l'origine externe ou interne d'un comportement: l'*erreur fondamentale d'attribution* et l'*effet de complaisance*[17]. La figure 5.6 présente quelques données d'une étude américaine menée dans le secteur de la santé[18]. Lorsqu'on a demandé à des cadres de déterminer les causes du faible rendement de leurs subordonnés, ils les ont pour la plupart attribuées à des facteurs *internes* – manque de compétences et efforts insuffisants – plutôt qu'à des facteurs externes comme le manque d'appui. C'est un exemple classique d'*erreur fondamentale d'attribution,* cette tendance à sous-estimer l'influence des facteurs conjoncturels et à surestimer celle des facteurs personnels lorsqu'on évalue le comportement d'autrui.

■ *Erreur fondamentale d'attribution* Tendance à sous-estimer l'influence des facteurs externes et à surestimer celle des facteurs internes lorsqu'on évalue le comportement d'autrui

Raisons du mauvais rendement de leurs subordonnés	Attribution la plus fréquente	Raisons de leur propre mauvais rendement
7	Manque d'*aptitudes*	1
12	Manque d'*efforts*	1
5	Manque de *soutien*	23

Figure 5.6
Les causes du mauvais rendement selon des cadres du secteur de la santé

Par contre, lorsqu'on a invité ces mêmes cadres à déterminer les causes de la faiblesse de leur propre rendement, ils l'ont attribuée dans une écrasante majorité au manque de soutien organisationnel, c'est-à-dire à un facteur conjoncturel et donc *externe*. Cette attitude relève de ce qu'on appelle l'**effet de complaisance,** la tendance à nier sa responsabilité personnelle lors d'un échec, mais à s'attribuer le mérite d'un succès.

Autrement dit, lorsque nous cherchons à comprendre les comportements d'autrui, nous sommes portés à surestimer les facteurs internes (personnels) et à sous-estimer les facteurs externes (conjoncturels). Par contre, nous attribuons généralement nos propres réussites à des facteurs internes et nos propres échecs à des facteurs externes.

Pour saisir toute la portée de la théorie de l'attribution en gestion, il faut se rappeler que les perceptions d'un individu influent sur ses réactions. Supposons qu'un cadre attribue d'emblée le rendement médiocre de ses subordonnés à l'insuffisance de leurs efforts, soit à un facteur interne. Que fera-t-il? Il cherchera alors à les motiver à améliorer leur rendement, sans songer à agir sur des facteurs externes: par exemple, à alléger les contraintes inhérentes à leur travail et à leur offrir davantage d'appui. Pour les organisations, de telles omissions se traduisent souvent par une perte substantielle de productivité. Fait intéressant, les cadres interrogés (figure 5.6), manifestant l'effet de complaisance, ont mentionné que leur propre rendement pourrait être amélioré s'ils recevaient un meilleur soutien organisationnel; ils n'ont mis en cause ni leurs compétences ni leurs efforts.

■ **Effet de complaisance**

Tendance à nier sa responsabilité personnelle en cas d'échec, et à s'attribuer le mérite d'un succès

■ DIFFÉRENCES INTERCULTURELLES EN MATIÈRE D'ATTRIBUTION

Des recherches consacrées à l'erreur fondamentale d'attribution et à l'effet de complaisance dans d'autres cultures ont donné des résultats inattendus[19]. Ainsi, en Corée, on a découvert un phénomène qui est l'envers de l'effet de complaisance. Plutôt que d'attribuer à des facteurs externes les échecs des groupes dont ils sont responsables, les gestionnaires coréens en prennent l'entière responsabilité: «Je n'ai pas été un leader efficace». En Inde, l'erreur fondamentale d'attribution, contrairement à celle qu'on observe en Amérique du Nord, consiste à surestimer les facteurs externes plutôt qu'internes lorsqu'on cherche à expliquer les échecs d'autrui. Même si nous ne pouvons pas encore expliquer exactement pourquoi, il est certain que les valeurs culturelles jouent un rôle actif dans ces différences de perception. Notons enfin qu'une étude menée aux États-Unis indique que les femmes sont moins enclines que les hommes à l'effet de complaisance[20]!

LE GESTIONNAIRE EFFICACE 5.2

LES RÈGLES D'OR DE LA GESTION DE LA PERCEPTION ET DE L'ATTRIBUTION

- Apprenez à bien vous connaître.
- Veillez à obtenir des informations de sources variées et diverses.
- Essayez d'adopter le point de vue des autres dans une situation donnée.
- Prenez conscience des erreurs de perception.
- Surveillez votre gestion des impressions et celle d'autrui.
- Soyez à l'affût des erreurs d'attribution.

Certaines cultures – c'est le cas aux États-Unis, notamment – sont enclines à accorder trop d'importance aux facteurs internes au détriment des facteurs externes. Il peut en résulter des attributions défavorables aux travailleurs, et ces attributions peuvent entraîner à leur tour des sanctions, des évaluations du rendement négatives et des mutations. Plutôt que de chercher à combler les lacunes de l'organisation, comme le manque de soutien organisationnel, on s'en remet à la formation[21]. Les subordonnés, quant à eux, subissent l'influence de leurs supérieurs et, à cause du phénomène de la *prophétie qui se réalise*, finissent par confirmer leurs erreurs d'attribution. Heureusement, il est possible d'enseigner aux gestionnaires comme aux salariés à mieux gérer les erreurs de perception et d'attribution (voir *Le gestionnaire efficace 5.2*). À cet égard, l'apprentissage du CO peut aider les uns comme les autres[22].

Ch. personnage rencontré a une perception différente de la situation. Cela s'explique par, non seulement le poste qu'ils occupent mais aussi par leur personnalité et leur façon d'interpréter la problématique.

Guide de révision

Qu'est-ce que le processus de perception ?

- Chacun d'entre nous perçoit ce qui l'entoure à partir de l'information qu'il reçoit, sélectionne, organise, interprète et récupère.

- Trois facteurs influent sur le processus de perception : l'agent perceptif (celui qui perçoit), le cadre de perception (le contexte) et son objet (la personne, la chose, l'événement).

- Les réactions au processus de perception sont de trois ordres : des impressions, des opinions et des actes.

Quelles sont les erreurs de perception les plus courantes ?

Les erreurs de perception les plus courantes sont :

- le stéréotype ou le cliché ;
- l'effet de halo ;
- la perception sélective ;
- la projection ;
- l'effet de contraste ;
- la prophétie qui se réalise (les attentes).

Comment peut-on gérer le processus de perception ?

On peut gérer le processus de perception par :

- la gestion des impressions (la nôtre et celle d'autrui) ;
- la maîtrise de l'étape de l'attention et de la sélection de l'information ;
- la maîtrise de l'étape de l'organisation de l'information ;
- la maîtrise de l'étape de la récupération et du stockage de l'information ;
- la connaissance des effets des erreurs de perception les plus courantes.

Qu'est-ce que la théorie de l'attribution ?

- La théorie de l'attribution, qui s'applique à l'étape de l'interprétation de l'information, s'intéresse à la façon dont une personne tente de comprendre le rôle des facteurs internes et externes dans le comportement des individus.

- Trois facteurs permettent d'attribuer l'origine d'un comportement ou d'une situation à des causes externes ou internes : la spécificité, le consensus et l'uniformité.

- Deux erreurs peuvent fausser l'attribution des origines d'un comportement à des facteurs internes ou externes : l'erreur fondamentale d'attribution et l'effet de complaisance.

- Pour mieux gérer l'attribution, on doit être conscient de notre tendance à surestimer des facteurs internes et à sous-estimer des facteurs externes.

■ En cas d'échec de la part d'autrui, notre tendance à surestimer les facteurs internes peut mener à des mesures injustifiées, telles que sanction, évaluation du rendement négative, mutation, etc.

■ La sous-estimation des facteurs externes (conjoncturels) entraîne souvent des lacunes en matière de soutien au personnel dans les organisations.

Mots clés

Effet de complaisance p. 119

Effet de contraste p. 115

Effet de halo p. 113

Erreur fondamentale d'attribution p. 118

Perception p. 105

Perception sélective p. 113

Projection p. 114

Prophétie qui se réalise p. 115

Schème p. 109

Théorie de l'attribution p. 117

Évaluation des connaissances

■ QUESTIONS À CHOIX MULTIPLE

1. La perception est le processus par lequel, entre autres, nous _____ l'information. **a)** générons **b)** récupérons **c)** transmuons **d)** transformons

2. Lequel des éléments suivants n'est pas une étape du processus de perception? **a)** L'attention et la sélection **b)** L'interprétation **c)** Le suivi **d)** La récupération

3. Lequel des éléments suivants n'est pas une erreur de perception? **a)** Le stéréotype **b)** L'effet barnum **c)** L'effet de halo **d)** L'effet de contraste

4. Les erreurs de perception _____ **a)** ne sont pas très fréquentes. **b)** sont très répandues. **c)** ne se produisent qu'à l'étape de l'interprétation. **d)** rendent le processus de perception plus précis.

5. La gestion des impressions _____ **a)** ne concerne que les cadres. **b)** ne concerne que les salariés. **c)** peut exiger qu'on acquiesce aux opinions d'autrui et qu'on accorde des faveurs. **d)** peut se manifester par le refus d'obéir à un supérieur pour lui montrer qu'on est capable de fermeté.

6. Pour bien gérer le processus de perception, il faut veiller _____ **a)** à l'organisation et à l'interprétation de l'information. **b)** au traitement de l'information. **c)** au rétrécissement des schèmes. **d)** à l'obtention d'informations qui confirment nos points de vue.

7. Lequel des éléments suivants n'intervient pas dans l'attribution à des facteurs externes ou internes des causes d'un comportement? **a)** La spécificité **b)** Le consensus **c)** Le contraste **d)** L'uniformité

8. Il y a effet de complaisance lorsqu'on _____ **a)** surestime systématiquement l'influence des facteurs conjoncturels. **b)** surestime systématiquement l'influence des facteurs personnels. **c)** surestime l'influence des facteurs internes dans l'analyse de son succès. **d)** surestime l'influence des facteurs conjoncturels dans l'analyse de son succès.

9. Accorder trop d'importance à des facteurs internes pour expliquer un rendement médiocre peut entraîner _____ **a)** un soutien organisationnel accru. **b)** la mise sur pied de programmes de formation pour remédier à la situation. **c)** la promotion des gestionnaires. **d)** des prophéties qui se réalisent aux effets positifs.

10. L'attribution _____ **a)** est un trait qui peut être inné ou non chez les gestionnaires. **b)** est un phénomène qui se manifeste différemment d'une culture à l'autre. **c)** est très difficile à gérer. **d)** est étroitement liée à la gestion participative.

■ VRAI OU FAUX ?

11. Le processus de perception ne s'applique qu'à la perception des personnes.
V F

12. Le processus de perception comporte quatre étapes, sans compter celle de la réaction.   **V F**

13. Les stéréotypes et les clichés sont très similaires.   **V F**

14. Les attentes jouent un rôle dans le phénomène de la prophétie qui se réalise.
V F

15. À l'étape de l'attention et de la sélection, le gestionnaire devrait se concentrer sur le traitement automatique des données.   **V F**

16. À l'étape de la récupération, on a tendance à accorder trop peu d'importance aux schèmes.   **V F**

17. L'erreur fondamentale d'attribution est un phénomène qui se manifeste de la même manière dans toutes les cultures.   **V F**

18. Pour déterminer l'origine externe ou interne d'un comportement, on doit prendre en considération sa spécificité.   **V F**

19. Aux États-Unis, on constate une propension à surestimer les causes internes du comportement des salariés.   **V F**

20. Les erreurs d'attribution commises par les gestionnaires peuvent être corrigées par la formation.   **V F**

■ QUESTIONS À RÉPONSE BRÈVE

21. Dessinez un schéma présentant les étapes du processus de perception et commentez-le brièvement.

22. Choisissez deux erreurs de perception, définissez-les et expliquez pourquoi elles influent sur le processus de perception.

23. En quoi la théorie de l'attribution concerne-t-elle le processus de perception?

24. Présentez brièvement les types de réactions que déterminent nos perceptions et expliquez en quoi ils sont liés à un sujet d'intérêt en CO.

■ QUESTION À DÉVELOPPEMENT

25. Votre patron a vaguement entendu parler de la théorie de l'attribution. Intrigué, il vous demande de la lui expliquer, et de lui préciser en quoi elle pourrait être utile dans la gestion de son service. Que lui répondez-vous?

Reportez-vous aux études de cas, aux exercices et aux autoévaluations de notre *Cahier d'apprentissage en CO* (voir p. 531).

■ **Consultez le site Web du manuel. Vous y trouverez un questionnaire interactif et des exercices en ligne sur le contenu de ce chapitre.**

www.erpi.com/schermerhorn

Motivation et renforcement

LA PHILOSOPHIE CHINOISE AU SERVICE DU TRAVAIL

www.hyperchip.com

Hyperchip, une entreprise montréalaise spécialisée dans le développement de commutateurs à très grande vitesse, prévoit accroître son effectif de 40 à 90 employés d'ici juin. Pour attirer des candidats de premier choix, elle va beaucoup plus loin que ses concurrentes en matière de conditions de travail en misant sur le Feng Shui, une philosophie chinoise de l'aménagement de l'espace vieille de 3 000 ans inspirée du Tao. «L'environnement de travail dans nos locaux de Montréal dépasse de loin ce que j'ai pu voir à Boston ou à Silicon Valley. Tout est une question d'énergie et d'harmonisation des intérêts de chacun», révèle Richard Norman, cofondateur et président d'Hyperchip.

Selon le Feng Shui, l'aménagement aussi bien interne qu'externe d'un milieu de travail peut être optimisé pour faciliter la circulation de cette énergie vitale que les Chinois appellent le Chi.

Pour tout adepte du Feng Shui, un lieu de travail se divise en plusieurs centres d'énergie qui influent sur les secteurs suivants : la profession, l'éducation, la famille, la prospérité, la notoriété, l'amour, la créativité et les voyages. La position dans l'espace de ces centres est immuable et suit un plan précis.

En plus, chaque centre d'énergie peut être renforcé en utilisant des éléments naturels comme des plantes, une fontaine, etc. Et il faut que la lumière naturelle inonde l'espace de travail et que l'air qui y circule soit d'une fraîcheur constante.

«Notre environnement de travail est donc basé sur des principes holistiques; l'élément participe à un tout. Nous voulons qu'il soit le plus naturel possible. C'est pourquoi nous avons converti tout l'étage en aire ouverte avec une bonne luminosité et un système d'aération très moderne ce qui, à notre avis, facilite les rapports et la synergie dans le but d'obtenir un meilleur travail en équipe», explique Conrad Duroseau, directeur des ressources stratégiques de l'entreprise.

«Mais chaque chose est à la place qui lui convient selon l'énergie dont elle a besoin ou l'énergie qu'elle dispense. Le bureau du président est à tel endroit. La fontaine entourée de plantes dans lesquelles se cache un lézard en plastique est à tel endroit et la salle du conseil à un autre.»

Il n'est donc pas étonnant de trouver aussi sur la même aire de travail un bar, où les employés peuvent se faire un espresso ou un cappuccino quand ils en ont envie, et une table de billard.

«Jouer une partie de billard facilite la synergie car, tout en se détendant, nos employés parlent des difficultés qu'ils ont à résoudre et les suggestions affluent», ajoute M. Duroseau.

À ce milieu de travail holistique, Hyperclip ajoute les conditions matérielles offertes par la plupart des autres entreprises, à savoir un salaire concurrentiel, un plan d'assurance santé et un plan d'achat d'actions de l'entreprise.

André Salwyn. *Les Affaires*, 29 janvier 2000, p. 14.

L'exemple de Hyperchip témoigne de la vitalité des organisations qui privilégient les gens et savent les motiver à atteindre l'excellence, tout en réussissant à faire des profits en dépit d'une concurrence mondiale féroce. Malgré les nouvelles technologies dont les organisations disposent aujourd'hui, leur performance à long terme repose toujours sur les êtres humains qui les composent. De nos jours, les gestionnaires efficaces savent non seulement qu'ils *peuvent* créer une organisation hautement performante en s'appuyant sur des travailleurs dévoués et désireux d'y demeurer, mais qu'ils *doivent* le faire pour réussir dans un environnement de plus en plus concurrentiel.

Questions clés

La motivation et le renforcement sont des sujets qui concernent toute entreprise. Voici les questions clés que vous devriez garder à l'esprit en lisant le chapitre 6 qui leur est consacré :

■ Qu'est-ce que la motivation au travail ?

■ Quel est le fondement des théories du renforcement, et comment s'appliquent-elles à la motivation ?

■ Que nous apprennent les théories de contenu sur les besoins et la motivation ?

■ Que nous enseignent les théories de processus sur la motivation ?

■ Comment peut-on intégrer les diverses théories sur la motivation dans un modèle global fondé sur la relation entre le rendement et la satisfaction professionnelle ?

Qu'est-ce que la motivation ?

Le gestionnaire à qui l'on demande de nommer une préoccupation commune à la plupart des organisations mentionnera probablement la nécessité de motiver les individus et de créer les conditions qui les inciteront à travailler davantage pour atteindre les objectifs fixés. En CO, on définit la ***motivation au travail*** comme l'ensemble des énergies qui sous-tendent l'orientation, l'intensité et la persistance des efforts qu'un individu consacre à son travail. Ici, l'*orientation* concerne le choix qu'opère une personne placée devant plusieurs possibilités (par exemple viser la qualité ou la quantité), l'*intensité* concerne la quantité d'énergie déployée et la *persistance* concerne la durée des efforts (essayer d'atteindre un certain quota de production, mais abandonner si cela devient difficile à atteindre). On peut dire que l'intensité et la persistance des efforts d'une personne dénotent la valeur qu'elle attribue aux buts poursuivis et aux conséquences de son comportement.

■ *Motivation au travail*
Ensemble des énergies qui sous-tendent l'orientation, l'intensité et la persistance des efforts qu'un individu consacre à son travail

■ LES THÉORIES DU RENFORCEMENT, LES THÉORIES DE CONTENU ET LES THÉORIES DE PROCESSUS

Les théories de la motivation peuvent se répartir en trois grandes catégories : les théories du renforcement, les théories de contenu et les théories de processus[1]. Voyons en quoi elles consistent.

Les ***théories du renforcement*** se penchent sur la relation entre le comportement d'un individu et ses conséquences particulières pour montrer comment le gestionnaire peut influer sur l'orientation, l'intensité et la persistance des efforts de ses subordonnés. Axées sur les réactions objectivement observables d'un individu plutôt que sur les phénomènes psychiques, elles cherchent donc à déterminer, par l'observation, les conséquences associées au travail auxquelles les travailleurs accordent le plus d'importance. Une fois qu'il sait quand, où, comment et pourquoi l'attribution de récompenses agit sur la motivation des travailleurs, le gestionnaire peut modeler leur comportement en instaurant un ensemble de conséquences systématiques.

■ *Théories du renforcement*
Théories de la motivation qui portent sur les moyens de mettre en œuvre le conditionnement opérant

Les ***théories de contenu*** s'attachent surtout à comprendre les *besoins* des individus, les lacunes matérielles ou psychologiques que nous nous sentons poussés à combler ou à faire disparaître. Pour les tenants de ces théories, il incombe aux gestionnaires d'établir un milieu de travail qui répond aux besoins individuels. Ces chercheurs tentent d'expliquer comment des besoins non comblés dans l'environnement professionnel peuvent entraîner un rendement médiocre, des comportements indésirables, l'insatisfaction professionnelle, etc.

■ *Théories de contenu*
Théories de la motivation qui portent sur la compréhension des besoins susceptibles de motiver le comportement de l'individu

Les ***théories de processus*** s'intéressent aux processus cognitifs ou mentaux qui influencent le comportement. Tandis qu'une approche centrée sur le *contenu* jugera que la sécurité d'emploi est un besoin important à combler pour un individu, une approche centrée sur les *processus* ira plus loin et tentera de comprendre pourquoi il adoptera tel comportement plutôt que tel autre en quête de la satisfaction de ce besoin.

■ *Théories de processus*
Théories de la motivation qui portent sur la compréhension des processus cognitifs déterminant le comportement

En conclusion de ce chapitre, nous nous appuierons sur les concepts proposés par ces trois catégories de théories pour proposer une vision globale du problème

Publix ◄

www.publix.com

Publix est la plus grande chaîne de supermarchés américains sous le contrôle des travailleurs. La plupart des gérants de succursale ont commencé leur carrière au bas de l'échelle. L'entreprise se montre très généreuse avec son personnel en matière d'avantages sociaux et de salaires, et les gérants obtiennent des primes en fonction des bénéfices de leur magasin.

et une dynamique de la motivation que nous croyons possible d'appliquer à tout environnement de travail[2].

■ LA MOTIVATION ET LES DIFFÉRENCES CULTURELLES

Avant d'étudier plus en détail les diverses théories de la motivation, une importante mise en garde s'impose. La motivation de la main-d'œuvre est une question clé dans les organisations du monde entier. Cependant, les théories nord-américaines sur le sujet – les seules dont traite ce chapitre – sont limitées par leur dimension culturelle[3]. Les sources de motivation et les meilleures approches dans ce domaine peuvent différer considérablement selon qu'on se trouve en Asie, en Amérique du Sud, en Europe de l'Est ou en Afrique. Nous avons insisté sur ce point au chapitre 3, les valeurs et les attitudes – deux facteurs prépondérants dans la motivation – ont de profondes racines culturelles. Une récompense *motivante* dans un contexte culturel donné pourrait fort bien ne pas donner les mêmes résultats ; elle pourrait même avoir l'effet inverse dans un autre. Le gestionnaire contemporain doit être conscient de ces dimensions et éviter de faire preuve d'*esprit de clocher* ou d'*ethnocentrisme* en s'imaginant que les gens de toutes les cultures agissent et réagissent de la même façon sur le plan de la motivation[4].

Le renforcement

■ **Renforcement** Attribution d'une conséquence à un comportement afin d'influer sur ce comportement

En CO, le terme **renforcement** a le sens particulier que lui ont donné les psychologues[5], c'est-à-dire l'attribution d'une conséquence à un comportement afin d'influer sur ce comportement. En intervenant par le renforcement, il est possible de modifier l'orientation, l'intensité et la persistance du comportement des gens. Pour mieux comprendre ce concept, rappelons brièvement ce que sont le conditionnement et le renforcement ; nous verrons ensuite comment ils s'appliquent concrètement au champ du CO.

■ CONDITIONNEMENT *OPÉRANT* ET CONDITIONNEMENT *RÉPONDANT*

■ **Conditionnement répondant** (ou *conditionnement pavlovien*) Forme d'apprentissage par association qui fait appel à la manipulation de stimuli pour influencer le comportement

Vous avez probablement déjà entendu parler des études du psychologue russe Ivan Pavlov sur le conditionnement. Le **conditionnement répondant,** ou *conditionnement pavlovien,* implique une forme d'apprentissage par association qui fait appel à la manipulation de stimuli pour influencer le comportement. Ainsi, Pavlov *enseigna* à des chiens à saliver au son d'une cloche : la vue de leur pâtée déclenchait naturellement le mécanisme de la salivation, mais en faisant sonner une cloche chaque fois qu'il les nourrissait, le chercheur amenait les chiens à saliver à la simple audition de l'instrument. Cette forme d'apprentissage par association est si répandue dans les organisations qu'on l'oublie souvent jusqu'à ce qu'on découvre les problèmes considérables qui en découlent. Pour bien comprendre ce mécanisme, il importe de saisir la différence entre un stimulus et un stimulus *conditionné* (voir la figure 6.1). Un ***stimulus*** est un agent déclencheur (la viande offerte aux chiens) qui provoque une réaction (salivation) et incite à une action. En associant un stimulus *neutre* (le son de la cloche) à un stimulus *naturel* (la nourriture) qui agit déjà sur le comportement, on peut transformer le stimulus neutre en un stimulus *conditionné* qui déclenchera la même réaction que le stimulus naturel. Dans l'exemple de la figure 6.1, le sourire du contremaître (un stimulus neutre au départ) devient un stimulus conditionné une fois que le travailleur l'a associé à ses critiques.

À la fois plus complexe et plus concret que le simple conditionnement pavlovien, le ***conditionnement opérant*** (ou *conditionnement instrumental,* comme disent certains auteurs) proposé par le psychologue B. F. Skinner (1938) va bien au-delà du stimulus conditionné qui déclenche une réaction comportementale[6]. En effet, il vise à influer sur le comportement en modifiant ses conséquences, c'est-à-dire en le faisant suivre de retombées positives ou négatives. Le conditionnement opérant se distingue du conditionnement pavlovien de deux façons : 1) l'emprise sur le comportement s'exerce par les conséquences qu'on y associe, et 2) il exige une vision plus globale, tenant compte des antécédents, du comportement et des conséquences. Ici, on entend par *antécédent* toute condition qui entraîne ou déclenche un comportement. Ainsi, dans l'exemple de la figure 6.1, la demande du patron à son subordonné de faire des heures supplémentaires est l'*antécédent,* le fait pour le subordonné de travailler plus longtemps est le *comportement,* et les éloges du patron en sont la *conséquence.*

Si ce patron tient à ce que ce comportement se répète – s'il veut que son subordonné fasse encore des heures supplémentaires –, il doit agir sur les conséquences (continuer à lui faire des éloges). Cette manipulation des conséquences s'appuie sur ce que E. L. Thorndike a appelé la ***loi de l'effet***[7]. Cette loi est fort simple, mais sa portée est considérable : un comportement suivi d'une conséquence agréable a de fortes chances de se répéter, tandis qu'un comportement suivi d'une conséquence désagréable ne se reproduira probablement pas. Les effets de cette loi pour le gestionnaire vont de soi : s'il veut obtenir la répétition d'un comportement, il doit faire en sorte que ses conséquences soient positives pour l'individu.

Notez qu'on s'intéresse ici aux conséquences sur lesquelles le gestionnaire peut intervenir plutôt qu'à celles inhérentes au comportement. Les recherches en

■ ***Stimulus*** Agent déclencheur qui provoque une réaction comportementale

■ ***Conditionnement opérant*** (ou *conditionnement instrumental*) Processus qui vise à influer sur le comportement en modifiant ses conséquences

■ ***Loi de l'effet*** Loi selon laquelle un comportement suivi d'une conséquence agréable a de fortes chances de se répéter, tandis qu'un comportement suivi d'une conséquence désagréable ne se reproduira probablement pas

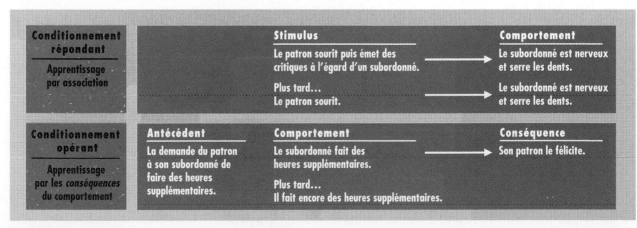

Figure 6.1
Différences entre le conditionnement répondant et le conditionnement opérant

CO ont permis de mettre en lumière certains types de récompenses qui, dans la perspective du renforcement, peuvent influer sur le comportement des individus. Les *récompenses extrinsèques* d'un travail jugé satisfaisant sont des conséquences que l'individu juge positives et qui proviennent de quelqu'un d'autre ; selon la loi de l'effet, ces puissants renforcements externes venant de l'environnement peuvent avoir une influence considérable sur le comportement au travail. La figure 6.2 donne quelques exemples de *récompenses extrinsèques* que les gestionnaires peuvent accorder à leurs subordonnés[8]. Certaines sont des récompenses étudiées et planifiées, qui ont des incidences budgétaires : augmentation de la rémunération et primes, par exemple. D'autres, les récompenses naturelles, ne coûtent que le temps et l'énergie du gestionnaire : félicitations, compliments ou expression de reconnaissance pour le travail accompli dans l'entreprise, par exemple.

■ LES STRATÉGIES DE MODIFICATION DU COMPORTEMENT ORGANISATIONNEL

Une fois bien comprises les notions de conditionnement *opérant* et *répondant*, de renforcement et de récompense extrinsèque, il s'agit maintenant de les combiner de façon à modifier l'orientation, l'intensité et la persistance du comportement des gens. La **modification du comportement organisationnel** se caractérise par le renforcement systématique des comportements recherchés en milieu de travail, et par le *non-renforcement* ou la punition des comportements indésirables en milieu de travail. Elle englobe quatre grandes stratégies : le renforcement positif, le renforcement négatif (ou l'*évitement*), la punition et l'extinction[9].

Le renforcement positif   B. F. Skinner et ses partisans défendent l'efficacité du **renforcement positif**, qui consiste à faire suivre le comportement souhaité de conséquences positives afin d'augmenter la probabilité de le voir se reproduire dans un contexte similaire. Supposons que, au cours d'une réunion chez Texas Instruments, un cadre hoche la tête en signe d'approbation lorsqu'une de ses jeunes subordonnées soulève un point intéressant ; celle-ci en déduira qu'il apprécie ses suggestions constructives et continuera probablement à intervenir dans ce sens, comme il l'espérait.

Pour mettre en œuvre une stratégie fondée sur le renforcement positif, il faut d'abord savoir que le *renforçateur positif* et la *récompense* sont deux choses

■ *Modification du comportement organisationnel*
En milieu de travail, renforcement systématique des comportements recherchés, et non-renforcement ou punition des comportements indésirables

■ *Renforcement positif*
Stratégie de renforcement qui consiste à faire suivre le comportement souhaité de conséquences positives afin d'augmenter la probabilité de le voir se reproduire dans un contexte similaire.

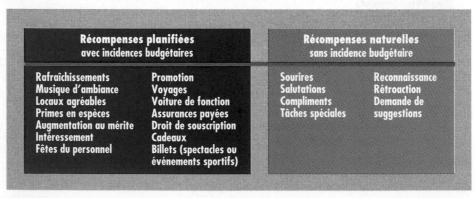

Récompenses planifiées avec incidences budgétaires		Récompenses naturelles sans incidence budgétaire	
Rafraîchissements	Promotion	Sourires	Reconnaissance
Musique d'ambiance	Voyages	Salutations	Rétroaction
Locaux agréables	Voiture de fonction	Compliments	Demande de suggestions
Primes en espèces	Assurances payées	Tâches spéciales	
Augmentation au mérite	Droit de souscription		
Intéressement	Cadeaux		
Fêtes du personnel	Billets (spectacles ou événements sportifs)		

Figure 6.2
Exemples de récompenses extrinsèques dont peuvent se servir les cadres

distinctes. Les félicitations pour le travail accompli, par exemple, tiennent autant de la récompense que du renforçateur positif *potentiel*; la récompense ne devient un renforçateur positif que dans la mesure où son attribution est suivie d'une amélioration du rendement de l'individu, ce qui n'est pas toujours le cas. Selon la définition de Skinner, le renforçateur est un stimulus qui produit une modification observable du comportement. Certaines études donnent même à penser que les récompenses n'ont pas toujours l'effet renforçateur qu'on leur attribue. Un contremaître de la société Boeing aura beau féliciter un subordonné qui a décelé une erreur, s'il le fait en présence des autres membres de l'équipe et que ceux-ci frappent leur collègue d'ostracisme, le pauvre évitera probablement de faire du zèle à l'avenir. La récompense accordée par le contremaître aura alors l'effet contraire d'un renforçateur positif.

Selon la **loi du renforcement contingent,** pour qu'elle devienne un renforçateur vraiment efficace, la récompense ne doit venir que si le comportement désiré se manifeste; autrement dit, elle doit être tributaire du comportement recherché. Ainsi, dans l'exemple de Texas Instruments, l'approbation du cadre découlait des suggestions constructives de sa jeune subordonnée. De plus, selon la **loi du renforcement immédiat,** la récompense doit venir le plus rapidement possible après la manifestation du comportement souhaité[10]. Si le même cadre avait attendu l'entrevue annuelle d'évaluation du rendement pour féliciter sa jeune subordonnée de ses interventions lors de la fameuse réunion, ses encouragements auraient perdu leurs effets.

Maintenant que nous avons passé en revue les concepts généraux, il est temps de s'intéresser à deux questions importantes que pose le recours à ce type de stratégie en gestion: 1) Que faire si le comportement manifesté se rapproche du comportement désiré sans vous satisfaire pleinement? 2) Doit-on utiliser le renforcement positif à chaque manifestation du comportement recherché[11]? Ces deux questions concernent respectivement le *façonnement* et les *programmes de renforcement positif.*

Le façonnement   Si le comportement désiré est très spécifique et difficile à obtenir, on aura recours à une série de renforcements positifs. Plus précisément, le **façonnement** consiste à modeler un nouveau comportement par le renforcement positif d'une suite d'essais conduisant peu à peu au comportement désiré. Prenons un exemple pour illustrer le façonnement. Une équipe d'opérateurs de Ford Motor aura à travailler sur de nouvelles machines à couler du métal; ils doivent apprendre à maîtriser une série de tâches complexes afin que le métal coulé dans les moules ne comporte ni bulles, ni fissures, ni bavures[12]. Le remplissage des moules se fait en trois phases, chacune un peu plus complexe que la précédente. Des ouvriers instructeurs enseignent d'abord la première étape du moulage aux néophytes, puis les regardent travailler en les félicitant systématiquement chaque fois qu'ils font quelque chose correctement. Par la suite, à mesure que les apprentis gagnent en expérience, les instructeurs ne les félicitent plus que s'ils exécutent correctement *toutes* les tâches de la première étape. Celle-ci maîtrisée, on passe à l'étape suivante, les instructeurs ne dispensant leurs encouragements renforçateurs qu'à ceux qui maîtrisent, en plus de la première étape, une des tâches de la deuxième. Peu à peu, la nouvelle équipe apprend ainsi à maîtriser les trois étapes, et chaque membre doit alors réussir une série complète de moulages impeccables pour recevoir des félicitations (renforcement positif contingent et immédiat). En agissant ainsi, les instructeurs façonnent progressivement le comportement désiré.

■ *Loi du renforcement contingent*   Loi voulant que, pour maximiser son effet renforçateur, la récompense doive n'être accordée que s'il y a manifestation du comportement souhaité

■ *Loi du renforcement immédiat*   Loi voulant que, pour maximiser son effet renforçateur, la récompense doive venir le plus rapidement possible après la manifestation du comportement souhaité

■ *Façonnement*   Stratégie de renforcement qui consiste à modeler un nouveau comportement par le renforcement positif d'une suite d'essais conduisant peu à peu au comportement désiré

Les programmes de renforcement positif Les programmes de renforcement positif peuvent miser sur le **renforcement continu** – chaque manifestation du comportement souhaité est suivie d'une récompense – ou sur le **renforcement intermittent** (ou *partiel*) – les récompenses viennent à l'occasion. Ces deux types de renforcement agissent différemment. Le renforcement continu amène plus rapidement le comportement souhaité; c'était l'approche la plus appropriée *au début* de la formation des apprentis de l'exemple précédent. Par contre, le renforcement continu est très coûteux sur le plan des récompenses et le comportement encouragé disparaît plus rapidement lorsqu'elles cessent. Avec le renforcement intermittent, le comportement a tendance à durer plus longtemps même en l'absence de récompenses; on dit qu'il résiste mieux à l'*extinction*. C'est pourquoi, après les premiers succès des apprentis, les instructeurs sont passés du renforcement continu au renforcement intermittent.

Dans le cadre d'un programme de renforcement intermittent, l'attribution de la récompense peut être fonction du temps écoulé ou du nombre de fois que le comportement a été répété; de plus, la période ou le nombre de comportements sur lequel il est basé peut être fixe ou variable. Comme l'illustre la figure 6.3, on peut ainsi différencier quatre types de programmes de renforcement. Dans un *programme à intervalles fixes*, après une période donnée, on donne la récompense à la première apparition du comportement désiré, puis on la redonne de nouveau après le même délai; dans un *programme à ratio fixe*, on accorde la récompense toutes les *n* fois qu'on observe le comportement désiré. Dans un programme à *intervalles variables*, on récompense le comportement désiré à intervalles aléatoires, tandis que dans un *programme à ratio variable*, la récompense vient selon une fréquence aléatoire d'apparition du comportement désiré. Ces deux derniers programmes, de type variable, donnent généralement des résultats plus constants en ce qui concerne le comportement désiré. Une fois que les apprentis de Ford Motor ont maîtrisé une étape du moulage, les instructeurs poursuivent le renforcement avec un programme à ratio variable.

Prenons le cas de la société Drankenfeld Colors. Malgré un taux d'absentéisme relativement faible – l'année précédente, 44 % des 250 travailleurs présentaient des feuilles de présence parfaites –, cette société américaine a décidé d'adopter une stratégie de renforcement positif pour améliorer encore l'assiduité de son personnel. Elle instaure donc une prime d'assiduité semestrielle de 50 $, avec un supplément de 25 $ pour ceux qui ont une feuille de présence annuelle parfaite. De plus, ces derniers deviennent éligibles à une loterie : le tirage au sort donne lieu à un grand banquet, et les gagnants ont droit à un séjour pour deux, toutes dépenses payées, dans une station de villégiature.

Le CO et les fonctions de l'organisation

GESTION DES RESSOURCES HUMAINES

Payant, payant de travailler à la SAQ : les employés reçoivent 3,9 M$ en bonis

Payant, payant de travailler à la Société des alcools du Québec (SAQ) en ces années de vaches grasses. Au terme d'une année record au cours de laquelle ses ventes ont atteint 1,7 milliard $, la société d'État vient de distribuer 3,9 millions $ en bonis liés à la performance à ses employés syndiqués et non syndiqués.

À l'occasion des dernières négociations pour le renouvellement des conventions collectives, la société d'État et les trois syndicats de salariés – le Syndicat du personnel technique et professionnel, le Syndicat des employés de magasins et de bureaux et le Syndicat des travailleurs et travailleuses de la SAQ – ont réussi à s'entendre pour introduire un concept de rémunération variable lié à l'atteinte des objectifs d'affaires de l'organisation.

L'entente stipule que si la SAQ parvient à améliorer ses ventes par rapport à l'année précédente, les employés – permanents et occasionnels -, les cadres et les hauts dirigeants se partageront alors en espèces sonnantes et trébuchantes une partie de ce succès. Ainsi, plus on réussira à augmenter les ventes, plus les bonis seront généreux.

Or, pour la SAQ, 1999 fut une année faste : les ventes ont grimpé de 10,7 % – 164 millions $ – par rapport à 1998.

En guise de gratification, les syndiqués ont reçu le maximum de bonification prévu à leurs conventions collectives, soit 4 % du salaire annuel de base. Pour les cadres et les vice-présidents, les bonis varient entre 4 % et 16 % [...].

Gilbert Leduc., *Le Soleil*, 2 juin 2000, p. A12.

Intervalles	Ratio
intervalles fixes	**ratio fixe**
Recours au renforçateur à intervalles réguliers et prédéterminés	Recours au renforçateur après un nombre fixe de répétitions du comportement souhaité
Exemples Chèque de paie hebdomadaire ou mensuel Examens trimestriels planifiés	*Exemples* Salaire à la pièce Commission sur les ventes (montant fixe sur chaque dollar de vente)
intervalles variables	**ratio variable**
Recours au renforçateur à intervalles irréguliers et aléatoires	Recours au renforçateur après un nombre aléatoire de répétitions du comportement souhaité
Exemples Compliments à l'occasion de visites imprévues du patron Nombre indéterminé d'interrogations-surprises au cours du trimestre	*Exemples* Contrôles de la qualité d'un échantillon d'une gamme de produits pris au hasard, suivi de compliments pour une qualité totale Commission sur les ventes (le nombre d'appels nécessaire pour obtenir une vente varie)
Renforcement fondé sur le temps	**Renforcement fondé sur le nombre de répétitions du comportement**

(Colonne de gauche : **fixe(s)** / **variable(s)**)

Figure 6.3
Quatre types de programmes de renforcement intermittent

L'année où ce programme de renforcement positif entre en vigueur, l'entreprise constate que le pourcentage de feuilles d'assiduité parfaites bondit de 44 % à 62 %[13].

Si on examine la nature de ce programme de renforcement positif, on constate qu'il s'agit d'un programme à ratio fixe combiné à un programme à ratio variable. Le programme à ratio fixe récompense le comportement désiré (l'assiduité parfaite) selon sa fréquence – nombre de jours de présence au travail sur une période de six mois et de 12 mois. Pour chaque période au cours de laquelle un travailleur affiche une assiduité parfaite, il reçoit une prime ; il s'agit donc bien d'un programme à ratio fixe. S'ajoute à cela un programme à ratio variable qui donne le droit de participer à la loterie. Pourquoi dire qu'il s'agit d'un programme à ratio variable ? Parce que le travailleur devra reproduire le comportement désiré – aucune absence durant un an – un nombre indéterminé de fois avant de gagner un voyage. Adopter ce comportement – ne jamais s'absenter – afin de se qualifier pour le tirage, c'est un peu comme jouer avec une machine à sous : le joueur doit continuer à nourrir la machine – à maintenir une assiduité parfaite – parce qu'il n'a aucune idée du moment où il touchera le gros lot, le fameux voyage[14]. Toutes sortes d'entreprises, du concessionnaire d'automobiles à la grande compagnie d'assurance, utilisent de telles loteries[15]. Les dirigeants de certains hôpitaux du Québec ont d'ailleurs adopté une stratégie similaire pour réduire un taux d'absentéisme très élevé chez les infirmières.

Le renforcement négatif (l'évitement) La deuxième stratégie de modification du comportement organisationnel est le *renforcement négatif* (ou *évitement*) : le retrait de conséquences négatives ou désagréables à la suite du comportement souhaité, ce qui tend à favoriser la répétition de ce comportement dans des conditions similaires. Ce serait le cas, par exemple, si un gérant d'un McDonald qui a

Omni Royal Orleans Hotel

www.omnihotels.com

La chaîne hôtelière Omni Hotels souligne la bonne conduite de ses travailleurs avec son Omni Service Champion Program. L'accueil chaleureux de la clientèle fait partie des comportements désirés, et les compliments du patron encouragent cette attitude.

■ *Renforcement négatif* (ou *évitement*) Stratégie de renforcement qui consiste à faire suivre le comportement souhaité du retrait de conséquences négatives ou désagréables, ce qui tend à favoriser la répétition de ce comportement dans des conditions similaires

l'habitude de reprocher à l'un de ses subordonnés son rendement médiocre s'abstenait de toute critique le jour où il constate une amélioration. Notons que cette approche repose sur deux conditions : 1) l'existence préalable de conséquences négatives (les critiques) et 2) leur retrait dès que le comportement désiré se manifeste. On donne à cette stratégie le nom de *renforcement négatif* à cause de sa principale caractéristique : le retrait de conséquences négatives. Plus rarement, on l'appelle *évitement* parce qu'elle vise à obtenir de l'individu qu'il ait le comportement désiré pour *éviter* une conséquence négative. Nous réagissons de cette façon en ne nous garant pas n'importe où et en respectant les feux de circulation pour *éviter* les contraventions. Dans le même ordre d'idées, un travailleur qui préfère un poste de jour retrouve ce type de poste parce que son patron est satisfait de son rendement dans un poste de nuit.

La punition   La troisième stratégie de modification du comportement organisationnel fait appel à la punition qui, contrairement aux renforcements positif et négatif, n'est pas destinée à affermir un comportement positif, mais *à décourager un comportement négatif ou indésirable*. La **punition** peut se décrire comme l'attribution de conséquences négatives à un comportement *indésirable* ou le retrait de conséquences positives à la suite d'un tel comportement, cela afin de diminuer la probabilité que ce comportement se répète dans des conditions similaires. Par exemple, si le gérant d'un Burger King assigne un travailleur en retard à une tâche désagréable, comme l'entretien des toilettes, il le punit en attribuant une conséquence négative au retard ; s'il fait une retenue sur le salaire du retardataire, il le punit en faisant disparaître une conséquence positive.

Des études confirment que la punition a de réels effets en gestion. Si elle est vraiment justifiée et infligée pour un rendement médiocre, elle entraîne une amélioration marquée du rendement sans incidence notable sur la satisfaction ; en revanche, si les travailleurs la jugent arbitraire, elle a un effet déplorable sur la satisfaction comme sur le rendement[16]. La punition peut donc être infligée à bon ou à mauvais escient, et il incombe au gestionnaire de savoir quand et comment l'utiliser adéquatement.

D'autre part, un renforcement positif provenant d'une autre source peut neutraliser l'effet de la punition. Ainsi, le même comportement qui vaut à un travailleur une sanction de son supérieur peut recevoir un renforcement positif de la part de ses collègues. Parfois, le travailleur accorde une telle valeur au soutien de ses pairs qu'il encaisse la punition sans changer quoi que ce soit à sa conduite. Par exemple, si les ricanements de ses collègues l'encouragent dans ce sens, un travailleur pourra continuer à s'amuser aux dépens de nouveaux membres du personnel malgré les remontrances répétées de son supérieur.

Le gestionnaire doit-il pour autant renoncer aux punitions ? Certainement pas, mais il doit y recourir en temps opportun et de façon judicieuse.

L'extinction   La quatrième stratégie de modification du comportement organisationnel est l'*extinction,* c'est-à-dire le retrait du renforçateur afin d'atténuer ou d'éliminer le comportement encouragé jusque-là. En voici un exemple : Jacques est souvent en retard, mais ses collègues le protègent en assumant ses tâches à sa place (renforcement positif). Un jour, leur supérieur les enjoint de cesser d'agir de la sorte (retrait des conséquences positives) ; ce faisant, il recourt délibérément à l'extinction pour se débarrasser du comportement indésirable, ou du moins diminuer sa fréquence. Notons cependant que, même si cette stratégie peut effectivement

■ *Punition*   Stratégie de renforcement qui consiste à attribuer des conséquences négatives à un comportement indésirable ou à éliminer des conséquences positives à la suite d'un tel comportement, afin de diminuer la probabilité que ce comportement se répète dans des conditions similaires

■ *Extinction*   Stratégie de renforcement qui consiste à éliminer le renforçateur afin de faire disparaître le comportement qui était encouragé jusque-là

l'atténuer ou en diminuer la fréquence, le comportement indésirable n'est pas *désappris* pour autant ; si on le renforce de nouveau, il réapparaîtra. Retenons donc que si le renforcement positif cherche à établir et à maintenir un comportement professionnel souhaité, l'extinction vise à atténuer ou à éliminer un comportement indésirable.

Résumé des stratégies de modification du comportement organisationnel

La figure 6.4 schématise les diverses stratégies de modification du comportement organisationnel. Toutes visent à orienter les comportements en milieu de travail vers des pratiques recherchées par les gestionnaires. Qu'il soit positif ou négatif, le renforcement vise à encourager les comportements désirables qui améliorent la qualité du travail. La punition, soit par attribution de conséquences négatives soit par retrait de conséquences positives, vise à atténuer ou à éliminer un comportement franchement indésirable en milieu de travail. L'extinction agit de façon similaire, mais peut être inopportune si le comportement indésirable n'est pas très grave.

Le gestionnaire peut recourir à l'une ou l'autre de ces quatre stratégies, ou encore à une combinaison d'entre elles.

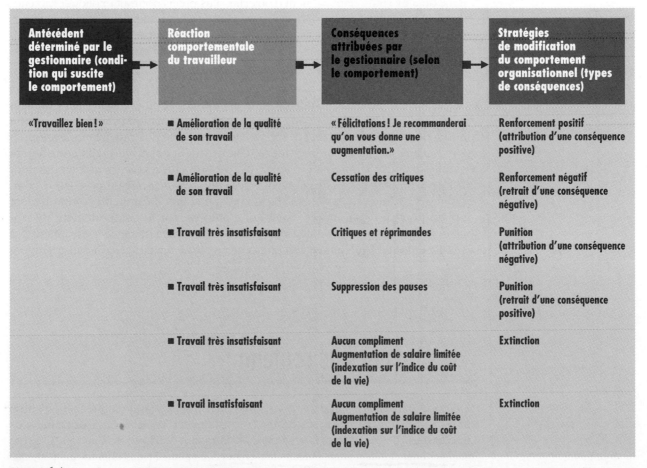

Antécédent déterminé par le gestionnaire (condition qui suscite le comportement)	Réaction comportementale du travailleur	Conséquences attribuées par le gestionnaire (selon le comportement)	Stratégies de modification du comportement organisationnel (types de conséquences)
« Travaillez bien ! »	■ Amélioration de la qualité de son travail	« Félicitations ! Je recommanderai qu'on vous donne une augmentation. »	Renforcement positif (attribution d'une conséquence positive)
	■ Amélioration de la qualité de son travail	Cessation des critiques	Renforcement négatif (retrait d'une conséquence négative)
	■ Travail très insatisfaisant	Critiques et réprimandes	Punition (attribution d'une conséquence négative)
	■ Travail très insatisfaisant	Suppression des pauses	Punition (retrait d'une conséquence positive)
	■ Travail très insatisfaisant	Aucun compliment Augmentation de salaire limitée (indexation sur l'indice du coût de la vie)	Extinction
	■ Travail insatisfaisant	Aucun compliment Augmentation de salaire limitée (indexation sur l'indice du coût de la vie)	Extinction

Figure 6.4
Exemples des stratégies de modification du comportement organisationnel

■ LES STRATÉGIES DE MODIFICATION DU COMPORTEMENT ORGANISATIONNEL : QUESTIONS D'ÉTHIQUE ET QUESTIONS D'UTILISATION

Le recours judicieux aux stratégies de modification du comportement peut faciliter la gestion des comportements humains en milieu de travail. C'est du moins ce qu'indiquent les expériences tentées par de grandes entreprises comme General Electric et BF Goodrich, ou par des PME comme Mid-America Building Maintenance. Ainsi, Mid-America Building Maintenance, qui offre des services de conciergerie au Kansas, a instauré des mesures incitatives récompensant les travailleurs qui ont une feuille de présence parfaite pour chaque période de 90 jours ouvrables[17]. Des stratégies de renforcement analogues sont implantées par un nombre croissant d'agences de consultants spécialisées dans le domaine du renforcement.

Cependant, la popularité croissante de ce type d'approche ne doit pas occulter les critiques émises à son égard. Ainsi, en y regardant de plus près, on constate que le présumé *succès* de certains programmes de renforcement ne repose en fait que sur des expériences isolées n'ayant fait l'objet d'aucune étude scientifique. Reste encore à prouver que les améliorations observées – si améliorations il y a – tenaient vraiment aux stratégies de modification du comportement. Un critique affirme même qu'à lui seul l'établissement d'objectifs plus précis pourrait expliquer l'amélioration du rendement qu'on semble y avoir constaté : autrement dit, ces programmes ayant amené les gestionnaires à leur fixer des objectifs de rendement beaucoup plus explicites, les travailleurs auraient ensuite pris sur eux la responsabilité de les atteindre[18].

D'autres critiques émettent des réserves d'ordre éthique sur le recours aux stratégies de renforcement à des fins de manipulation du comportement humain en milieu de travail. Pour certains, leur utilisation systématique véhicule une vision déshumanisante et humiliante des travailleurs, et risque de nuire à leur développement[19]. Dans le même ordre d'idées, d'autres dénoncent ce qu'ils considèrent comme un abus de pouvoir de la part des gestionnaires, ceux-ci profitant de leur position d'autorité et de leurs connaissances pour exercer une emprise sur le comportement de leurs subordonnés. Il est vrai que la modification du comportement implique que le gestionnaire exerce une emprise sur le comportement de son personnel, répliquent les défenseurs de ces approches, mais cela est inhérent à son rôle et tout à fait légitime tant que ce pouvoir s'exerce de façon constructive[20].

Les théories de contenu

On l'a vu en début de chapitre, les *théories de contenu* postulent que la motivation de l'être humain résulte de ses désirs de satisfaire ses besoins. Les quatre théories de contenu les plus connues sont celles d'Abraham Maslow, de Clayton Alderfer, de David McClelland et de Frederick Herzberg. Chacun de ces chercheurs propose une vision légèrement différente des besoins que les gens cherchent à satisfaire en milieu de travail.

■ LA THÉORIE DE LA HIÉRARCHIE DES BESOINS

Abraham Maslow, l'un des premiers psychologues à avoir tenté d'élucider les aspects de la motivation humaine, a énoncé la célèbre **théorie de la hiérarchie des besoins** (1943). Comme le montre la figure 6.5, selon cette théorie, les besoins humains sont organisés en fonction d'une hiérarchie à cinq paliers, les trois premiers niveaux correspondant aux besoins les plus primaires – besoins physiologiques, besoin de sécurité et besoins sociaux –, et les deux derniers, aux besoins d'ordre supérieur – besoin d'estime et besoin de réalisation de soi[21]. Maslow partait du principe que les besoins les plus primaires – les plus importants – devaient être satisfaits pour que les autres deviennent à leur tour des facteurs de motivation. En d'autres termes, l'être humain doit d'abord satisfaire ses besoins physiologiques ; cela fait, il cherchera à satisfaire son besoin de sécurité, puis ses besoins sociaux, et ainsi de suite.

La conception maslowienne de la motivation est assez répandue aux États-Unis, entre autres parce qu'elle semble facile à mettre en pratique. Cependant, les recherches ne confirment pas l'existence d'une hiérarchie des besoins aussi stricte, progressant selon ces cinq étapes. En fait, la hiérarchisation des besoins semble être beaucoup moins universelle que ne le pensait Maslow. Selon certaines recherches, au fur et à mesure que les individus progressent dans la hiérarchie d'une entreprise, les **besoins d'ordre supérieur** (estime et réalisation de soi) ont tendance à prendre *plus* d'importance que les **besoins d'ordre inférieur** (besoins

■ **Théorie de la hiérarchie des besoins**   Théorie de Maslow selon laquelle les besoins humains progressent en fonction de la hiérarchie suivante : besoins physiologiques, besoin de sécurité, besoins sociaux, besoin d'estime et besoin de réalisation de soi

■ **Besoins d'ordre supérieur**   Dans la théorie de la hiérarchie des besoins de Maslow, besoin d'estime et besoin de réalisation de soi

■ **Besoins d'ordre inférieur**   Dans la théorie de la hiérarchie des besoins de Maslow, besoins physiologiques, besoin de sécurité et besoins sociaux

BESOINS D'ORDRE SUPÉRIEUR

Besoin de réalisation de soi

Besoin de se réaliser, de s'épanouir, de développer ses talents et de les mettre à profit de la manière la plus créative possible

Besoin d'estime

Besoin d'être reconnu, respecté et estimé, d'avoir du prestige ; besoin d'être fier de soi, de se sentir compétent et maître de sa destinée (estime de soi)

BESOINS D'ORDRE INFÉRIEUR

Besoins sociaux

Besoin d'amour, d'affection ; besoin d'appartenance à un groupe et à une collectivité

Besoin de sécurité

Besoin de sécurité, de protection, de stabilité et d'équilibre sur le plan matériel, dans la vie quotidienne comme dans les relations interpersonnelles

Besoins physiologiques

Besoins vitaux de l'être humain : boire, manger, dormir, etc.

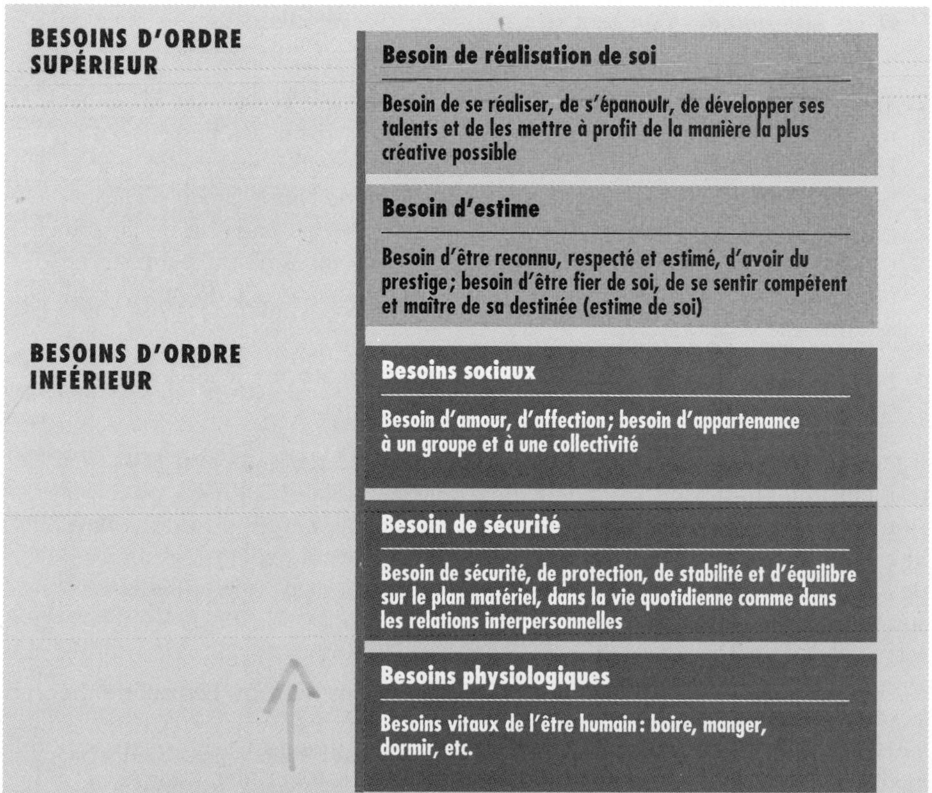

Figure 6.5
La hiérarchie des besoins selon Maslow

physiologiques, besoin de sécurité et besoins sociaux)[22]. Selon d'autres recherches, les besoins varieraient également en fonction des étapes de la carrière profes- sionnelle, de la taille de l'organisation et même de sa situation géographique[23]. De plus, les chercheurs n'ont trouvé aucun résultat probant indiquant que la satisfaction d'un besoin qui se situe à tel ou tel niveau de la hiérarchie de Maslow diminue son importance aux yeux de l'individu pour accroître celle d'un besoin situé au niveau suivant[24].

Enfin, lorsqu'on examine la hiérarchie des besoins d'une culture à l'autre, on constate que les valeurs dont nous avons parlé au chapitre 3 y jouent un rôle crucial[25]. Par exemple, on constate que dans des sociétés *collectivistes* comme celles du Mexique ou du Pakistan, les besoins sociaux tendent à surpasser les autres[26].

■ LA THÉORIE ERD

La *théorie ERD,* énoncée par le psychologue Clayton Alderfer (1969), se fonde également sur les besoins, mais diffère de celle de Maslow sur trois points fonda- mentaux[27].

1. La théorie ERD réduit à trois les catégories de besoins humains :

- ■ les *besoins existentiels* – désir de bien-être physique et matériel ;
- ■ les *besoins relationnels* – désir de relations interpersonnelles satisfai- santes ;
- ■ les *besoins de développement* – désir d'épanouissement et d'accomplis- sement.

2. La théorie de Maslow suppose que l'individu progresse vers les niveaux supé- rieurs de hiérarchie des besoins à mesure qu'il satisfait ses besoins. La théorie ERD, elle, propose plutôt un principe de *frustration/régression* selon lequel un besoin primaire, même comblé, peut reprendre de l'importance si l'individu ne parvient pas à satisfaire un besoin d'ordre supérieur. En vertu de ce principe, un individu continuellement frustré dans ses tentatives de satisfaire ses besoins de développement, par exemple, peut trouver une source de motivation dans ses besoins relationnels.

3. Enfin, selon la théorie ERD, l'être humain peut chercher à satisfaire plus d'un type de besoin à la fois.

Il faudra d'autres études pour confirmer la validité de la théorie ERD, mais les résultats obtenus jusqu'ici sont encourageants[28]. L'idée qu'il puisse y avoir régres- sion vers des besoins d'ordre inférieur, en particulier, apporte une contribution intéressante au CO. Si elle s'avérait exacte, elle pourrait expliquer pourquoi, dans de nombreux milieux de travail, le mécontentement des travailleurs concerne surtout les salaires, les avantages sociaux et les conditions de travail – toutes choses relevant des besoins existentiels. En plus de l'importance vitale de ces besoins, l'impossibilité pour les travailleurs de combler leurs besoins relationnels et leurs besoins de développement pourrait les amener à y trouver une source de moti- vation. La théorie ERD offre donc au gestionnaire une approche plus souple de la compréhension des besoins humains que la très stricte hiérarchie des besoins formulée par Maslow.

■ *Théorie ERD* Théorie d'Alderfer selon laquelle les besoins humains se divisent en besoins existentiels, en besoins relationnels et en besoins de développement

■ *Besoins existentiels* Dans la théorie ERD, besoins liés au désir de bien-être physique et matériel

■ *Besoins relationnels* Dans la théorie ERD, besoins liés au désir de relations interpersonnelles satisfaisantes

■ *Besoins de développement* Dans la théorie ERD, besoins liés au désir d'épanouissement et d'accomplissement

■ LA THÉORIE DES BESOINS ACQUIS

Vers la fin des années 1940, le psychologue David I. McClelland et son équipe entreprirent une série d'expériences à l'aide du Test d'aperception thématique (TAT) afin d'évaluer les besoins humains[29]. Le TAT est une technique projective qui consiste à présenter des images à un sujet, puis à lui demander d'écrire une histoire associée à ce qu'il vient de voir. Lors d'une de ses expériences, McClelland présenta à trois cadres supérieurs la photographie d'un homme assis à son bureau qui regardait des photos de famille. Le premier y vit un ingénieur rêvassant autour d'une sortie en famille prévue pour le lendemain. Le second évoqua un concepteur cogitant un nouveau gadget dont sa famille lui a donné l'idée. Le troisième parla d'un ingénieur concentré sur un problème de charge de rupture du tablier d'un pont, et certain de le résoudre d'après son air confiant[30]. À partir de ces trois récits, McClelland put dégager trois grands thèmes, correspondant chacun à un besoin sous-jacent, dont l'analyse permettrait selon lui de mieux comprendre le comportement des individus. Ces trois besoins sont :

- le ***besoin d'affiliation*** – désir d'établir et d'entretenir des relations chaleureuses avec autrui ;
- le ***besoin d'accomplissement*** – désir de faire mieux et plus efficacement, de résoudre des problèmes ou de maîtriser des tâches complexes ;
- le ***besoin de pouvoir*** – désir d'exercer son emprise sur les autres, d'influencer leur comportement ou d'en être responsable.

Selon McClelland, ces trois besoins s'acquièrent avec le temps et l'accumulation des expériences. Il incite les gestionnaires à apprendre à les déceler chez eux-mêmes et chez les autres pour être en mesure de créer des milieux de travail qui y répondent adéquatement.

La théorie des besoins acquis s'avère très utile, car elle permet d'associer chaque besoin à un ensemble de préférences en matière de travail. Ainsi, les gens qui ont un fort *besoin d'accomplissement* apprécieront les responsabilités, les objectifs stimulants et une rétroaction importante ; ceux qui ont un grand *besoin d'affiliation* seront attirés par les relations interpersonnelles et la communication ; enfin, ceux chez qui le *besoin de pouvoir* est prépondérant voudront exercer de l'influence et chercheront l'attention et la reconnaissance sociale. Si ces besoins sont véritablement acquis, il devient possible de connaître les besoins à cultiver pour réussir dans tel ou tel type d'emploi. Par exemple, McClelland a découvert un lien entre le succès des cadres supérieurs et un profil combinant un besoin modéré ou élevé de pouvoir et un faible besoin d'affiliation. Leur besoin de pouvoir leur donne la volonté d'exercer une influence et d'avoir un ascendant sur les autres, tandis que leur faible besoin d'affiliation leur permet de prendre des décisions difficiles sans trop s'inquiéter de se rendre impopulaires[31].

Particulièrement instructives, les recherches sur le besoin d'accomplissement ont, notamment, trouvé des applications intéressantes dans les pays en voie de développement. En effet, McClelland a entraîné des gens d'affaires de Kakinda (Inde) à penser, à s'exprimer et à agir comme des gens qui réussissent, cela par la rédaction d'histoires d'accomplissement et la participation à des jeux de rôles qui les incitaient à relever des défis. Les participants ont également rencontré des chefs d'entreprise prospères et ont appris à fixer des objectifs stimulants à leurs propres organisations. Dans les deux ans qui ont suivi ce programme, ceux qui y avaient pris part ont créé deux fois plus d'emplois que les autres[32].

■ ***Besoin d'affiliation***   Dans la théorie des besoins acquis, désir d'établir et d'entretenir des relations chaleureuses avec autrui

■ ***Besoin d'accomplissement***   Dans la théorie des besoins acquis, désir de faire mieux et plus efficacement, de résoudre des problèmes ou de maîtriser des tâches complexes

■ ***Besoin de pouvoir***   Dans la théorie des besoins acquis, désir d'exercer son emprise sur les autres, d'influencer leur comportement ou d'en être responsable

www.cascades.com

⊕ **MONDIALISATION**

Arnsberg, Allemagne - La recette de Cascades, sauce allemande, donne de bons résultats à l'usine d'Arnsberg, dans le nord-ouest du pays.

« La culture d'entreprise des frères Lemaire a rapidement pris racine chez nous », confirme son directeur général Manfred Stemmer.

En fait, la philosophie de la participation aux profits et des portes ouvertes, basée sur la transparence et le respect, a touché la corde sensible des 350 employés de son usine allemande.

La raison est simple : dans cette petite ville qui ceinture l'usine, le fabricant de papiers et de cartons a tissé des liens très étroits avec la population depuis 1901. [...]

Les travailleurs œuvrent dans l'usine depuis 19 ans en moyenne. « Si on considère la stabilité de la main-d'œuvre et son expérience, il s'agit d'un très grand atout », soutient-il. [...]

L'attitude du nouvel employeur est aussi une source de motivation. Les frères Lemaire vont faire leur tour plusieurs fois par année. Ils sont même présents lors des célébrations. Le printemps dernier, Laurent, président et chef de la direction de Cascades, a assisté à une grande fête qui regroupait plus de 500 personnes.

En prime, trois couples ont gagné un voyage au Québec, une visite du siège social de Kingsey Falls incluse ! [...]

Réjean Bourdeau. « La culture de Cascades prend racine en Allemagne », *Les Affaires*, 6 novembre 1999, p. 11.

⊕

■ LA THÉORIE BIFACTORIELLE

Frederick Herzberg a choisi une tout autre approche pour étudier les ressorts de la motivation : il a simplement demandé à des travailleurs à quels moments ils s'étaient sentis particulièrement heureux de leur emploi, et à quels moments ils s'en étaient sentis particulièrement mécontents[33]. Or, leurs réponses différaient considérablement. Cette étude permit à Herzberg et à ses collaborateurs d'élaborer la **théorie bifactorielle** – ou *théorie des deux facteurs* (1959) –, qui distingue les facteurs à l'origine de la satisfaction professionnelle de ceux qui peuvent prévenir l'insatisfaction professionnelle : les facteurs moteurs et les facteurs d'hygiène (voir la figure 6.6).

Les **facteurs d'hygiène** (ou *facteurs d'ambiance*) sont des facteurs *extrinsèques* qui relèvent non pas de la nature des tâches, mais de l'environnement de travail, du contexte professionnel. Vous vous étonnerez peut-être de trouver la rémunération au nombre des facteurs d'hygiène énumérés à la figure 6.6 (colonne de gauche). C'est que, découvrit Herzberg, si un salaire insuffisant entraîne l'insatisfaction des travailleurs, le fait de mieux les rétribuer n'aura pas nécessairement pour effet de les satisfaire ou de les motiver. Selon la théorie bifactorielle, la satisfaction et l'insatisfaction étant deux concepts distincts, l'amélioration d'un facteur d'hygiène tel que les conditions de travail n'amènera pas à la satisfaction professionnelle, il ne fera que pallier l'insatisfaction.

Selon la théorie d'Herzberg, pour augmenter la satisfaction des travailleurs, il faut intervenir sur un tout autre ensemble de facteurs – les **facteurs moteurs** (colonne de droite de la figure 6.6). Ces facteurs relèvent de la nature même du

■ *Théorie bifactorielle*
(ou *théorie des deux facteurs*)
Théorie de Herzberg, qui distingue les facteurs à l'origine de la satisfaction professionnelle de ceux qui peuvent prévenir l'insatisfaction professionnelle : les facteurs moteurs et les facteurs d'hygiène

■ *Facteurs d'hygiène*
(ou *facteurs d'ambiance*) Dans la théorie bifactorielle, facteurs associés au cadre de travail et qui déterminent le niveau d'insatisfaction professionnelle

■ *Facteurs moteurs* Dans la théorie bifactorielle, facteurs associés à la nature même du travail et qui déterminent le niveau de satisfaction professionnelle

Facteurs d'hygiène déterminant le niveau d'insatisfaction en milieu de travail	Facteurs moteurs déterminant le niveau de satisfaction en milieu de travail
Politique d'entreprise	Réalisation de soi
Qualité de l'encadrement	Reconnaissance
Conditions de travail	Travail proprement dit
Salaire de base	Responsabilités
Relations avec les pairs	Avancement
Relations avec les subordonnés	Épanouissement
Statut professionnel	
Sécurité d'emploi	

← Élevée Insatisfaction au travail   0   Satisfaction au travail Élevée →

Figure 6.6
Facteurs déterminant les niveaux de satisfaction et d'insatisfaction professionnelles selon la théorie bifactorielle de Herzberg

travail, ils concernent ce que les gens *font* dans leur emploi. Aussi, dit Herzberg, pour améliorer le rendement des gens, il faut agir sur les facteurs qui contribuent à leur satisfaction professionnelle, comme la réalisation de soi, la reconnaissance sociale et la responsabilisation.

Toujours selon cette théorie, si ces sources de satisfaction sont insuffisantes ou inexistantes, les travailleurs peu ou pas satisfaits seront peu motivés, et leur rendement en souffrira. Comme antidote à la non-satisfaction, Herzberg propose l'*enrichissement des tâches*, une notion que nous approfondirons au chapitre 8, mais que résument bien ces mots de Herzberg : « Si vous voulez que les gens fassent du bon travail, donnez-leur un bon travail à faire[34]. »

La théorie bifactorielle et ses applications sont loin de faire l'unanimité chez les spécialistes du CO[35]. Plusieurs chercheurs ont tenté en vain de confirmer ses conclusions, ce qui fait dire à certains qu'elle est captive de sa méthodologie. Il s'agit là d'une critique sérieuse, la démarche scientifique exigeant que les théories puissent se vérifier par diverses méthodes de recherche. Notons que, comme les autres *théories de contenu*, la théorie bifactorielle ne tient pas compte des différences individuelles, culturelles et professionnelles. De plus, ses défenseurs n'ont jamais réussi à établir de façon probante que les besoins et la motivation sont bel et bien reliés à la satisfaction et au rendement professionnels[36].

Malgré tout, l'intérêt des gestionnaires pour les théories de contenu ne se dément pas, probablement à cause de leur simplicité et du lien qui semble exister entre les besoins et le comportement. Cependant, aucune d'entre elles n'établit un lien direct entre les besoins et le comportement *motivé* que recherche l'organisation. Trop de gestionnaires interprètent mal les théories de contenu et croient à tort bien connaître les besoins de leurs subordonnés ; nous vous mettons donc en garde contre leur application simpliste. Nous y reviendrons lorsque nous intégrerons les diverses théories sur la motivation dans un modèle global fondé sur la relation entre le rendement et la satisfaction professionnelle.

Les théories de processus

Les diverses théories de contenu cherchent *quoi* offrir aux gens pour les motiver ; elles s'intéressent aux moyens d'agir sur la motivation des gens en comblant les besoins qu'ils cherchent à satisfaire. Les *théories de processus*, elles, sont axées sur le *comment* ; elles portent sur les processus cognitifs qui amènent les gens à poser tel ou tel choix dans leur milieu de travail. Bien qu'il en existe plusieurs autres, nous nous concentrerons ici sur deux d'entre elles : la *théorie de l'équité* et la *théorie des attentes*.

■ LA THÉORIE DE L'ÉQUITÉ

■ *Théorie de l'équité* Théorie d'Adams selon laquelle, lorsque l'individu compare ce qu'il reçoit pour son travail à ce que d'autres en retirent, toute iniquité perçue devient une source de motivation ; l'individu tentera de redresser la situation afin d'éliminer la tension qui résulte de l'iniquité perçue

La ***théorie de l'équité*** se fonde sur le phénomène de la comparaison dans les rapports sociaux, et c'est à J. Stacy Adams que nous devons les travaux les plus intéressants sur son application au monde du travail (1963)[37]. Selon Adams, lorsqu'une personne compare ce qu'elle reçoit pour son travail à ce que d'autres en retirent, toute iniquité perçue devient une source de motivation. Autrement dit, quiconque se sent lésé ou favorisé lorsqu'il compare les récompenses qu'il reçoit pour son travail à celles reçues par d'autres pour leur propre travail tentera de redresser la situation afin d'éliminer la tension qui résulte de l'iniquité perçue.

La *perception d'une iniquité défavorable* apparaît lorsqu'un individu a l'impression d'avoir reçu moins que les autres compte tenu de leur contribution respective. La *perception d'une iniquité favorable* est provoquée par l'impression d'avoir reçu plus que les autres pour leur travail respectif. Dans les deux cas, l'individu sera tenté de retrouver un sentiment d'équité et adoptera probablement un ou plusieurs des comportements suivants :

- modifier sa contribution (diminuer ou améliorer son rendement, par exemple) ;
- tenter de modifier sa rétribution (demander une augmentation, par exemple) ;
- mettre fin à la situation (démissionner, par exemple) ;
- modifier les éléments de la comparaison (se comparer à d'autres collègues de travail, par exemple) ;
- trouver une interprétation acceptable de la situation (se convaincre que l'iniquité n'est que temporaire, par exemple) ;
- prendre des mesures afin de modifier la contribution ou la rétribution du sujet avec lequel il se compare (selon le cas, obtenir que le collègue en question ait une charge de travail plus importante ; ou, au contraire, soit qu'on allège sa tâche ou qu'on augmente sa rétribution, par exemple).

Le phénomène de la comparaison intervient après l'attribution des récompenses et détermine ensuite leur effet ultime sur ceux qui les reçoivent. Ce qui peut sembler juste et équitable à un chef d'équipe peut être

LE GESTIONNAIRE EFFICACE 6.1

COMMENT GÉRER LA DYNAMIQUE DE L'ÉQUITÉ

- Admettez-le, les comparaisons et la recherche d'équité sont inévitables en milieu de travail.
- Lorsque vous accordez des récompenses, attendez-vous à ce qu'elles suscitent un sentiment d'iniquité.
- Expliquez clairement les raisons qui justifient l'attribution de toute récompense.
- Communiquez les éléments de l'évaluation de rendement qui justifient l'attribution d'une récompense.
- Communiquez les critères de comparaison sur lesquels se fonde votre décision.

Au fur et à mesure qu'elles se frottent à la concurrence américaine, les entreprises d'ici prennent conscience que la course au rendement ne doit pas seulement se refléter dans les résultats inscrits au bilan.

Dans cette course, l'entreprise doit aussi récompenser les coureurs, ces employés qui, sur le terrain des ventes et du service à la clientèle, ont surpassé les objectifs de performance.

Le voyage en groupe, combiné à une forme de reconnaissance du mérite des employés face à leurs pairs, a le meilleur effet sur le moral des troupes et la performance au travail. [...]

Aux États-Unis, selon une étude de l'Incentive Federation, les entreprises ont dépensé en 1996 près de 23 milliards de dollars (G$) US dans des programmes de motivation pour leurs employés. Ces programmes comprennent tout à la fois des voyages de groupe, des voyages individuels, des récompenses en argent, des articles de consommation (certificats-cadeaux, vêtements, articles de sport, etc.). [...]

Au Canada, cette pratique se répand dans les secteurs des finances et des assurances, des produits manufacturés, de la pharmacie et de la santé, de l'équipement et des produits, et de la distribution.

Selon un sondage de Meetings & Incentive Travel (Canada) publié en 1998, près des deux tiers des entreprises canadiennes qui ont mis en œuvre un programme de motivation avaient instauré un programme de reconnaissance officielle des employés méritants, et plus de la moitié des entreprises (53 %) les invitaient à des voyages de groupe. Elles sont un peu moins nombreuses à offrir une prime à la fin de l'année (52 %) et beaucoup moins nombreuses (43 %) à les récompenser en espèces sonnantes.

Alain Duhamel. « Les voyages de groupe, une récompense de plus en plus populaire », *Les Affaires,* 5 février 2000, p. C16.

perçu comme injuste et inéquitable par un subordonné, une fois qu'il aura comparé sa situation à celle de ses coéquipiers. De plus, un tel *sentiment* d'iniquité est entièrement déterminé par l'interprétation que ce travailleur fait de la situation. Par conséquent, les effets de la récompense sur la motivation sont déterminés, non pas par l'intention du gestionnaire qui l'accorde, mais par la perception qu'a de cette récompense la personne qui la reçoit.

Les recherches montrent que les gens qui s'estiment trop payés (perception d'une iniquité favorable) augmentent la quantité ou la qualité de leur travail, tandis que ceux qui s'estiment insuffisamment payés ont la réaction inverse[38]. Évidemment, les études les plus concluantes à cet égard concernent la perception d'iniquités défavorables, ce qui laisse entendre que les gens s'en accommodent moins bien que des iniquités en leur faveur. Cependant, de tels résultats sont, il importe de le noter, le fait de cultures individualistes, où les comparaisons dans les rapports sociaux se font surtout sur la base des intérêts *individuels*. Dans les cultures plus collectivistes, comme celles de nombreux pays d'Asie, on se préoccupe davantage d'égalité que d'équité, une attitude qui favorise la solidarité des groupes et l'harmonie des rapports sociaux[39].

■ LA THÉORIE DES ATTENTES

Élaborée par Victor Vroom (1964), la ***théorie des attentes*** postule que le comportement individuel s'explique par la valeur perçue de ses conséquences. En d'autres

■ *Théorie des attentes* Théorie de Vroom selon laquelle la motivation au travail résulte d'un calcul rationnel fondé sur la relation perçue entre les efforts déployés, le niveau de rendement atteint et la valeur de la récompense qui y est associée

termes, avant d'adopter un comportement, l'individu soupèserait les conséquences potentielles des diverses options qui s'offrent à lui, et choisirait celle dont il attend les récompenses qui ont le plus de valeur à ses yeux. Selon cette théorie, la motivation au travail résulterait donc d'un calcul rationnel[40]. Plus précisément, elle dépendrait de:

1. la conviction que les efforts déployés permettront d'atteindre le niveau de rendement visé;
2. la conviction que la récompense sera proportionnelle au rendement donné;
3. la valeur accordée à la récompense.

La combinaison dynamique de ces trois facteurs influe sur la motivation. Comme le montre la figure 6.7, cette théorie repose donc sur trois concepts clés:

- les ***attentes,*** c'est-à-dire la probabilité aux yeux de l'individu que les efforts investis dans l'exécution d'une tâche se traduiront en un niveau donné de rendement. Sur une échelle de 0 à 1, les attentes seront nulles (0) si l'individu croit qu'il lui sera impossible d'atteindre un niveau de rendement envisagé, et elles seront égales à 1 s'il est absolument certain d'y parvenir;
- l'***instrumentalité,*** c'est-à-dire la probabilité aux yeux de l'individu que le niveau de rendement atteint se traduira par une juste récompense, probabilité qui s'évalue également sur une échelle de 0 à 1;
- la ***valence,*** c'est-à-dire la valeur accordée par l'individu à chaque récompense possible, valeur qui se mesure sur une échelle de −1 (valeur très négative) à +1 (valeur très positive).

Vroom exprime la relation entre la motivation (M), les attentes (A), l'instrumentalité (I) et la valence (V) par l'équation: $M = A \times I \times V$. Ce qui signifie, à cause de l'effet multiplicateur, que dès qu'une ou l'autre de ces trois variables tendra vers 0, la motivation sera considérablement réduite. Pour que l'effet motivant d'une récompense se fasse vraiment sentir, elles doivent être positives et avoir une valeur élevée.

■ ***Attentes*** Dans la théorie des attentes, probabilité aux yeux de l'individu que les efforts investis dans l'exécution d'une tâche se traduiront en un niveau donné de rendement

■ ***Instrumentalité*** Dans la théorie des attentes, probabilité aux yeux de l'individu que le niveau de rendement atteint se traduira par une juste récompense

■ ***Valence*** Dans la théorie des attentes, valeur accordée par l'individu à chaque récompense possible

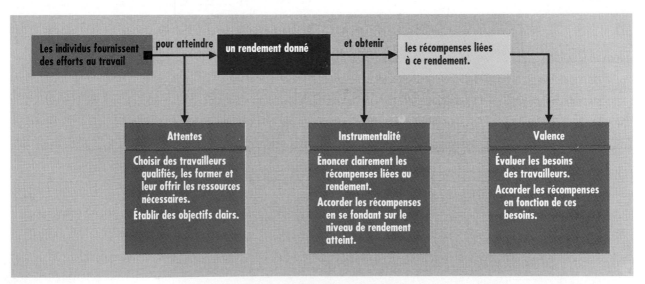

Figure 6.7
Les termes clés de la théorie des attentes et ses applications pour le gestionnaire

Supposons qu'un gestionnaire se demande si la perspective d'une augmentation au mérite pourrait ou non motiver un subordonné. Selon la théorie des attentes, on peut prédire que la motivation à faire des efforts pour obtenir l'augmentation ne sera pas très forte si :

- les *attentes* sont faibles : le travailleur pense qu'il ne pourra pas donner le rendement souhaité ;

- l'*instrumentalité* est faible : le travailleur n'est pas convaincu qu'une amélioration de son rendement se traduira par une juste récompense ;

- la *valence* est faible : le travailleur n'accorde guère de valeur à l'augmentation au mérite.

Évidemment, si deux ou trois de ces conditions coexistent, la motivation sera encore plus faible. Comme la motivation est le produit d'une multiplication, pour la maximiser, le gestionnaire doit maximiser chacune des trois variables liées à l'augmentation au mérite ; si l'une ou l'autre de ces variables est nulle (valeur de 0 dans l'équation de Vroom), il peut s'attendre à ce que la perspective d'une augmentation au mérite ait un effet nul sur la motivation de son subordonné.

Cette relation entre les diverses variables et le résultat visé exige donc du gestionnaire qu'il intervienne activement dans le milieu de travail afin de maximiser les attentes, l'instrumentalité et la valence, et cela en conformité avec les objectifs de son organisation[41]. Pour agir sur les attentes, il doit choisir des travailleurs qualifiés, leur donner une formation adéquate, leur fournir ce dont ils ont besoin et leur fixer des objectifs de rendement précis. Pour agir sur l'instrumentalité, il doit établir clairement la relation entre rendement et récompense, et faire preuve de cohérence lorsqu'il récompense les réussites en matière de rendement. Enfin, pour agir sur la valence, le gestionnaire doit chercher à évaluer les besoins de chacun et adapter les récompenses à ces besoins.

La théorie des attentes a fait l'objet de nombreuses recherches, et un grand nombre d'articles ont été publiés sur le sujet[42]. Même si elle a été très bien accueillie, certains points de détail, comme l'effet multiplicateur, soulèvent encore des questions. L'une des modifications les plus connues apportées à la théorie originale de Vroom concerne le calcul de la valence, où l'on prend maintenant en considération deux types de récompenses[43]. En effet, les chercheurs ont établi une distinction entre les **récompenses extrinsèques** – récompenses attribuées par quelqu'un d'autre pour un travail jugé satisfaisant (primes, promotion ou félicitations, par exemple) –, et les **récompenses intrinsèques** – récompenses qui découlent directement du travail accompli et du rendement obtenu, sans qu'il ait eu renforcement extérieur (fierté et sentiment d'accomplissement lié à la réalisation d'une tâche particulièrement difficile, par exemple). Vous trouverez dans *Le gestionnaire efficace 6.2* quelques conseils sur l'attribution des récompenses extrinsèques.

■ ***Récompense extrinsèque***
Récompense attribuée à un individu par quelqu'un d'autre pour un travail jugé satisfaisant

■ ***Récompense intrinsèque***
Récompense qui découle directement de l'accomplissement du travail et du rendement obtenu, sans qu'il y ait eu renforcement extérieur

LE GESTIONNAIRE EFFICACE 6.2

LIGNES DE CONDUITE DANS L'ATTRIBUTION DE RÉCOMPENSES EXTRINSÈQUES

- Déterminez clairement les comportements souhaités.
- Veillez à disposer d'un éventail de récompenses qui pourront servir de renforcement positif.
- Tenez compte des différences individuelles et reconnaissez que la valeur d'une récompense varie d'une personne à l'autre.
- Assurez-vous que chacun comprend précisément ce qu'il doit faire pour obtenir une récompense intéressante. Établissez des antécédents clairs et donnez de la rétroaction sur le rendement.
- Accordez les récompenses de façon cohérente, et aussitôt que possible après la manifestation du comportement souhaité.
- Accordez les récompenses judicieusement : choisissez avec soin le type de programme de renforcement positif que vous appliquerez.

La théorie des attentes ne précise pas quelles sont les récompenses les plus susceptibles de motiver tel ou tel groupe de travailleurs. En ce sens, elle reconnaît que les récompenses ainsi que leur lien avec le rendement peuvent être perçus différemment selon les cultures. Ces différences de perception pourraient d'ailleurs expliquer certaines observations qui, à première vue, semblent infirmer la théorie des attentes. Par exemple, un groupe de travailleurs mexicains à qui on avait accordé une augmentation de salaire diminuèrent ensuite leur temps de travail : le surplus d'argent n'avait d'intérêt à leur yeux que dans la mesure où il leur permettait de s'accorder quelques loisirs. Autre exemple : dans une entreprise américaine, la promotion d'un agent commercial japonais à un poste de direction entraîna une baisse de son rendement : ses supérieurs n'avaient pas prévu que cette récompense le plaçait dans une situation embarrassante vis-à-vis de ses collègues, et l'éloignait d'eux.

Un modèle intégré des théories de la motivation

Comme vous l'avez constaté, les notions de récompense, de processus mentaux, de satisfaction professionnelle et de rendement sont inhérentes à toute réflexion sur la motivation. Nous allons maintenant approfondir la relation entre la satisfaction professionnelle et le rendement, pour vous proposer ensuite un modèle intégré des diverses théories de la motivation dont nous avons traité dans ce chapitre.

■ LA SATISFACTION PROFESSIONNELLE

■ **Satisfaction professionnelle** Sentiment positif que le travailleur éprouve, à divers degrés, à l'égard de son emploi et de son milieu de travail

■ **Insatisfaction professionnelle** Sentiment négatif que le travailleur éprouve, à divers degrés, à l'égard de son emploi et de son milieu de travail

La **satisfaction professionnelle** se définit comme le sentiment positif que le travailleur éprouve, à divers degrés, à l'égard de son emploi et de son milieu de travail ; si ce sentiment est négatif, on parlera d'**insatisfaction professionnelle**. Dans les deux cas, il s'agit d'une attitude, d'une réaction affective de l'individu, au travail lui-même (les tâches qu'il doit accomplir), ainsi qu'aux conditions matérielles et sociales dans lesquelles il travaille. À première vue, et si l'on s'inspire de la théorie bifactorielle de Herzberg, il suffirait d'intervenir sur les facteurs moteurs pour obtenir des niveaux élevés de satisfaction professionnelle et de rendement individuel. Mais comme nous allons le voir, la question est plus complexe qu'il n'y paraît.

Au jour le jour, les gestionnaires doivent évaluer la satisfaction de tous et chacun en observant et en interprétant avec soin tant le déroulement des activités que les commentaires de leurs subordonnés sur leur travail. Il peut parfois s'avérer judicieux d'évaluer plus précisément le degré de satisfaction de groupes particuliers de travailleurs. Pour cela, on pourra recourir à des questionnaires et à des entrevues structurées ou, comme le font de plus en plus d'organisations, à de nouvelles méthodes comme les groupes de réflexion et les sondages informatisés[44].

Parmi les questionnaires qui ont fait leurs preuves, mentionnons le *Minnesota Satisfaction Questionnaire* (MSQ) et le *Job Descriptive Index* (JDI)[45]. Ainsi, le MSQ

ORGANISATION HAUTEMENT PERFORMANTE

Patagonia n'est pas seulement un fabricant d'équipement et de vêtements sport et plein air haut de gamme ; c'est aussi, selon *Fortune,* l'une des 100 meilleures entreprises américaines pour lesquelles travailler. Pourquoi ? Parce que la direction de Patagonia considère que son personnel lui confère un avantage concurrentiel. Les travailleurs peuvent planifier leur horaire comme ils l'entendent en dehors d'une plage fixe (de 9 h à 15 h) et ils ont droit à des congés sans solde (deux à trois mois). Comme l'entreprise exige un grand engagement de leur part, ils prennent part aux décisions et jouissent d'une grande autonomie. Les Patagoniacs, comme ils aiment se faire appeler, travaillent fort et s'amusent beaucoup ; ceux qui prennent congé l'après-midi sont souvent de retour à leur poste dans la soirée. Dans cette entreprise, les dirigeants alimentent la motivation par une combinaison judicieuse de tâches stimulantes, de rétroactions constantes (un élément clé de la culture de l'entreprise) et de récompenses (les gestionnaires soulignent systématiquement tout rendement exceptionnel).

www.patagonia.com

---

mesure la satisfaction vis-à-vis des conditions de travail, des possibilités d'avancement, du degré de latitude dont jouissent les travailleurs, de la reconnaissance des efforts accomplis et de la réalisation de soi. Quant au JDI, il évalue la satisfaction en fonction de cinq critères :

> **Cinq critères de satisfaction professionnelle**

- le *travail proprement dit* : responsabilités, intérêt et épanouissement personnel ;
- la *qualité de l'encadrement* : soutien technique et social ;
- les *relations avec les collègues* : environnement de travail harmonieux et respectueux ;
- les *possibilités de promotion* : avancement professionnel ;
- le *salaire* : salaire adéquat et perception d'un traitement équitable.

■ SATISFACTION PROFESSIONNELLE, ROTATION DU PERSONNEL ET RENDEMENT

Deux décisions que prennent les gens par rapport à leur travail sont intimement liées à leur niveau de satisfaction professionnelle. La première a trait à l'appartenance : c'est la décision de se joindre à une organisation et d'y demeurer en tant que membre à part entière. La deuxième concerne le rendement : c'est la décision de fournir un travail de qualité et un rendement élevé. Ce sont deux décisions distinctes, car le sentiment d'appartenance ne garantit pas un rendement à la hauteur des attentes de l'organisation[46].

La décision d'appartenance concerne l'assiduité et la présence à long terme dans l'organisation ; autrement dit, le *temps* que les travailleurs décident de passer dans l'organisation. En ce sens, la satisfaction professionnelle a un effet à la fois sur l'*absentéisme* et sur la rotation du personnel : en général, vous ne serez pas étonné de l'apprendre, les travailleurs satisfaits sont plus assidus au travail et restent plus longtemps au service de l'organisation.

Mais quel est le lien entre le rendement et la satisfaction professionnelle ? Cette question est loin d'être réglée ; en fait, elle suscite une énorme controverse qui oppose trois points de vue bien distincts : 1) «La satisfaction entraîne le rendement» ; 2) «Le rendement entraîne la satisfaction» ; 3) «Les récompenses améliorent à la fois le rendement et la satisfaction[47]». Voyons ce qui s'en dégage.

1. **La satisfaction entraîne le rendement.** Si la satisfaction professionnelle se traduit par un rendement élevé, le message aux gestionnaires est clair : si vous voulez augmenter le rendement des travailleurs, rendez-les heureux. Cependant, les recherches indiquent qu'il n'existe pas de lien direct entre la satisfaction professionnelle d'un individu à un moment donné et le rendement fourni par la suite. Telle est la conclusion à laquelle sont parvenus de nombreux chercheurs en CO, bien que certaines études relèvent un lien plus marqué entre satisfaction et rendement chez les professionnels et les catégories supérieures de salariés par rapport aux non-professionnels et aux salariés des niveaux inférieurs. À elle seule, la satisfaction professionnelle n'est pas une variable prédictive du rendement.

2. **Le rendement entraîne la satisfaction.** Si un rendement élevé entraîne la satisfaction des travailleurs, le message aux gestionnaires est tout à fait différent du précédent : au lieu d'insister sur la satisfaction des travailleurs, aidez-les à atteindre un rendement élevé en leur donnant tous les moyens et toutes les ressources nécessaires, et la satisfaction devrait suivre d'elle-même. Les recherches indiquent un lien empirique entre le rendement fourni par un individu au cours d'une période donnée et la satisfaction qu'il éprouve par la suite. Selon un modèle fondé sur les travaux des chercheurs Edward E. Lawler et Lyman Porter, l'atteinte d'un rendement élevé entraîne des récompenses qui, à leur tour, entraînent un sentiment de satisfaction[48]. Dans ce modèle, les récompenses agissent comme des variables intermédiaires en «liant» le rendement à une satisfaction future. De plus, une variable modératrice, la perception de l'équité de la rétribution, intervient également dans cette relation. En effet, le rendement entraîne la satisfaction seulement si la rétribution est perçue comme équitable ; sinon, le lien rendement-récompenses-satisfaction ne tient plus.

3. **Les récompenses améliorent à la fois le rendement et la satisfaction.** Ce dernier point de vue sur le lien entre la satisfaction professionnelle et le rendement au travail est le plus convaincant des trois. Il allègue qu'une attribution adéquate des récompenses peut avoir une incidence positive à la fois sur le rendement et sur la satisfaction. Ici, le mot clé est *adéquate*. Si les études indiquent que les travailleurs qui reçoivent d'importantes récompenses ressentent une plus grande satisfaction, elles montrent aussi que les récompenses liées au rendement ont bel et bien un effet sur les résultats. Dans ce cas, la taille et la valeur des récompenses varieront selon le rendement : elles seront importantes pour un rendement élevé, et faibles ou inexistantes pour un rendement médiocre. Même si le fait de ne donner que de minces récompenses à un travailleur au rendement médiocre peut faire naître un sentiment d'insatisfaction dans un premier temps, le but recherché est de lui donner l'envie de faire des efforts pour améliorer son rendement et obtenir des récompenses plus importantes à l'avenir.

Le gestionnaire doit considérer la satisfaction et le rendement comme des résultantes du travail distinctes, mais reliées, puisqu'elles dépendent l'une et l'autre de l'obtention des récompenses. Bref, si la satisfaction professionnelle à elle seule n'est pas une variable prédictive du rendement, des récompenses bien gérées peuvent améliorer à la fois la satisfaction et le rendement.

■ UN MODÈLE INTÉGRÉ DE LA MOTIVATION AU TRAVAIL

La figure 6.8 schématise les grandes lignes d'un modèle intégré de la motivation au travail. Vous remarquerez que ce modèle a plusieurs points communs avec la théorie des attentes de Vroom ainsi qu'avec le cadre conceptuel proposé par Porter et Lawler[49]. Dans ce diagramme, le rendement et la satisfaction sont des résultantes du travail distinctes, mais potentiellement interdépendantes. Les facteurs qui influent le plus directement sur le rendement sont les caractéristiques individuelles (compétences, expérience, etc.), le soutien organisationnel (ressources, technologie, etc.) et les efforts déployés au travail – la variable sur laquelle la motivation agit directement.

La motivation d'un travailleur détermine l'ampleur de ses efforts. La clé de la motivation réside dans l'aptitude du gestionnaire à créer un cadre de travail qui répond aux besoins et aux objectifs de chacun. Un cadre de travail sera ou non motivant pour un individu donné selon la disponibilité des récompenses et la valeur qu'il leur attribuera. Notez l'importance d'offrir des récompenses proportionnelles au rendement atteint (*loi du renforcement contingent*). Souvenez-vous aussi que la récompense doit suivre le plus rapidement possible le comportement à renforcer (*loi du rendement immédiat*).

Dans ce modèle intégré, les théories de contenu aident le gestionnaire à saisir les caractéristiques de chacun de ses subordonnés et à discerner chez lui les besoins susceptibles de conférer un effet motivant à certaines récompenses plutôt qu'à d'autres. Le fait que le rendement d'un individu lui procure des récompenses intrinsèques aura une incidence directe et positive sur sa motivation. De plus, si cet individu perçoit comme équitable la répartition des récompenses extrinsèques et intrinsèques, sa motivation en sera accrue; sinon, sa satisfaction et sa motivation en seront diminuées.

Si vous avez bien suivi notre exposé sur les théories du renforcement, les théories de contenu et les théories de processus, vous avez maintenant une bonne compréhension de la dynamique de la motivation. Motiver les travailleurs restera toujours un défi pour le gestionnaire, mais les connaissances acquises dans ce chapitre devraient vous aider à améliorer à la fois le rendement et la satisfaction de vos subordonnés.

En terminant, rappelons les limites du modèle intégré: comme il repose sur des hypothèses associées à notre contexte culturel, il n'est pas nécessairement exportable. Dans d'autres cultures, la valeur attribuée à diverses récompenses intrinsèques et extrinsèques peut varier considérablement, de même que l'importance qu'on y accorde à certains aspects du rendement.

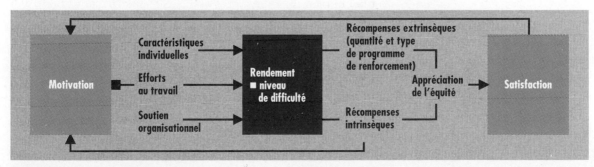

Figure 6.8
Modèle intégré de la motivation au travail

Guide de révision

Qu'est-ce que la motivation au travail?

■ La motivation au travail est l'ensemble des énergies qui sous-tendent l'orientation, l'intensité et la persistance des efforts qu'un individu consacre à son travail.

■ Les théories du renforcement se penchent sur la relation entre le comportement d'un individu et ses conséquences particulières; axées sur les réactions objectivement observables plutôt que sur les phénomènes psychiques, elles montrent comment le gestionnaire peut influer sur l'orientation, l'intensité et la persistance des efforts de ses subordonnés.

■ Les théories de contenu, comme celles de Maslow, Alderfer, McClelland et Herzberg, cherchent à déterminer les besoins qui influent sur le comportement des individus dans un milieu de travail donné.

■ Les théories de processus, comme la théorie de l'équité et la théorie des attentes, s'intéressent aux processus cognitifs qui influent sur les décisions comportementales en milieu de travail.

Quel est le fondement des théories du renforcement, et comment s'appliquent-elles à la motivation?

■ Le renforcement est la mise en œuvre du conditionnement opérant, c'est-à-dire l'attribution d'une conséquence à un comportement afin d'influer sur ce comportement.

■ Le renforcement se fonde sur la loi de l'effet, selon laquelle un comportement suivi d'une conséquence agréable a de fortes chances de se répéter, tandis qu'un comportement suivi d'une conséquence désagréable ne se reproduira probablement pas.

■ Le renforcement positif est une stratégie de renforcement qui consiste à faire suivre le comportement souhaité de conséquences positives, cela afin d'augmenter la probabilité de le voir se reproduire dans un contexte similaire.

■ Dans un programme de renforcement positif, la récompense ne doit être attribuée que si le comportement désiré se manifeste (loi du renforcement contingent) et elle doit venir le plus rapidement possible après la manifestation de ce comportement (loi du renforcement immédiat); elle peut être accordée de façon continue ou intermittente selon les objectifs visés et les ressources disponibles.

■ Le renforcement négatif (ou évitement) est une stratégie de renforcement qui consiste à faire suivre le comportement souhaité du retrait de conséquences négatives ou désagréables, cela afin de favoriser la répétition de ce comportement dans des conditions similaires.

■ La punition est une stratégie de renforcement qui consiste à attribuer des conséquences négatives à un comportement indésirable ou à éliminer des conséquences positives à la suite d'un tel comportement, cela afin de diminuer la probabilité que ce comportement se répète dans des conditions similaires.

- L'extinction est une stratégie de renforcement qui consiste à éliminer le renforçateur, cela afin de faire disparaître le comportement qui était encouragé jusque-là.

Que nous apprennent les théories de contenu sur les besoins et la motivation?

- Selon la théorie de la hiérarchie des besoins (Maslow), les besoins humains progressent selon la hiérarchie suivante: les besoins d'ordre inférieur – besoins physiologiques, besoin de sécurité, besoins sociaux – et les besoins d'ordre supérieur – besoin d'estime et besoin de réalisation de soi.

- La théorie ERD (Alderfer) ramène les besoins humains à trois catégories: besoins existentiels, besoins relationnels et besoins de développement; elle soutient également que l'individu peut chercher à satisfaire plus d'une catégorie de besoins à la fois.

- La théorie des besoins acquis (McClelland) met l'accent sur le besoin d'accomplissement, le besoin d'affiliation et le besoin de pouvoir; elle postule que ces trois besoins s'acquièrent avec le temps et les expériences vécues.

- La théorie bifactorielle ou théorie des deux facteurs (Herzberg) distingue les facteurs à l'origine de la satisfaction professionnelle – les facteurs moteurs, liés à la nature même du travail – de ceux qui peuvent prévenir l'insatisfaction professionnelle – les facteurs d'hygiène, comme le salaire et, plus généralement, le cadre de travail.

Que nous enseignent les théories de processus sur la motivation?

- Selon la théorie de l'équité (Adams), lorsque l'individu compare ce qu'il reçoit pour son travail à ce que d'autres en retirent, toute iniquité perçue devient pour lui une source de motivation; il tentera de redresser la situation afin d'éliminer la tension qui résulte de l'iniquité perçue.

- La perception d'une iniquité défavorable apparaît lorsqu'un individu a l'impression d'avoir reçu moins que les autres pour son travail; il pourrait alors décider de diminuer ses efforts ou de démissionner.

- Selon la théorie des attentes (Vroom), la motivation au travail résulte d'un calcul rationnel fondé sur la relation perçue entre les efforts déployés, le niveau de rendement atteint et la valeur qu'il attribue à la récompense.

- Selon la théorie des attentes:

   la motivation (M) = les attentes (A) $\times$ l'instrumentalité (I) $\times$ la valence (V).

   Les gestionnaires doivent intervenir pour maximiser chacun de ces facteurs s'ils veulent atteindre des degrés de motivation conformes aux objectifs de leur organisation.

Comment peut-on intégrer les diverses théories sur la motivation dans un modèle global fondé sur la relation entre le rendement et la satisfaction professionnelle?

- La satisfaction professionnelle est le sentiment positif que le travailleur éprouve, à divers degrés, à l'égard de son emploi et de son milieu de travail; si ce sentiment est négatif, on parlera d'insatisfaction professionnelle.

- Les aspects le plus souvent associés à la satisfaction ou à l'insatisfaction professionnelle sont la rémunération, les conditions de travail, la qualité de l'encadrement, les collègues et les tâches proprement dites.

- De façon empirique, on considère généralement qu'il existe un lien entre la satisfaction professionnelle d'une part, et d'autre part l'absentéisme et la rotation du personnel.

- La relation entre la satisfaction professionnelle et le rendement est plus controversée. Actuellement, on s'intéresse plutôt à la façon dont les récompenses peuvent avoir une incidence tant sur la satisfaction professionnelle que sur le rendement.

- Les théories du renforcement mettent en évidence le fait qu'il est important d'offrir des récompenses proportionnelles au rendement atteint (loi du renforcement contingent), de les attribuer le plus rapidement possible après la manifestation du comportement à renforcer (loi du rendement immédiat).

- Les théories de contenu permettent de mieux comprendre quels besoins l'individu cherche à satisfaire et quelle valeur il accorde à telle ou telle récompense.

- La théorie de l'équité met en évidence le fait que les récompenses accordées en milieu de travail doivent être perçues comme équitables.

- Bien que la motivation permette de prédire l'ampleur des efforts déployés, le rendement d'un individu est également déterminé par ses compétences et par le soutien qu'il reçoit de son organisation.

Mots clés

■ QUESTIONS À CHOIX MULTIPLE

1. Le renforcement met l'accent sur _____ **a)** les récompenses intrinsèques. **b)** les récompenses extrinsèques. **c)** la loi du rendement décroissant. **d)** l'apprentissage social.

2. Les stratégies de modification du comportement organisationnel _____ **a)** ont fait l'objet de nombreuses études scientifiques. **b)** ont été critiquées parce que les résultats observés n'ont pas confirmé les principes sur lesquels elles se fondent. **c)** ne sont pas très utilisées par les grandes entreprises. **d)** ne sont utilisées que par les grandes entreprises.

3. Le renforcement négatif _____ **a)** s'apparente à la punition. **b)** vise à décourager les comportements indésirables. **c)** vise à encourager les comportements souhaités. **d)** s'appelle également l'évasion.

4. La modification du comportement organisationnel repose sur _____ **a)** le renforcement systématique des comportements souhaités. **b)** les récompenses non contingentes. **c)** les punitions non contingentes. **d)** l'extinction plutôt que sur le renforcement positif.

5. Les stratégies de modification du comportement organisationnel _____ **a)** sont contraires à l'éthique. **b)** impliquent que le gestionnaire exerce une emprise sur le comportement des travailleurs. **c)** sont plus efficaces lorsqu'elles restreignent la liberté de choix. **d)** ont été en grande partie remplacées par l'informatique.

6. Une théorie de contenu porte sur _____ **a)** le renforcement contingent. **b)** l'instrumentalité. **c)** l'équité. **d)** les besoins humains.

7. Une personne qui a un fort besoin d'accomplissement préférera sans doute _____ **a)** le travail d'équipe. **b)** des objectifs stimulants. **c)** exercer son emprise sur les autres. **d)** ne pas avoir trop de rétroaction à propos de son travail.

8. Selon la théorie de l'équité, _____ est une question essentielle. **a)** la comparaison sociale des contributions et des récompenses **b)** l'égalité des récompenses **c)** l'égalité des efforts **d)** la valeur absolue des récompenses

9. Dans la théorie des attentes, _____ correspond(ent) à la probabilité qu'un niveau donné de rendement procure telle ou telle récompense. **a)** les attentes **b)** l'instrumentalité **c)** la motivation **d)** la valence

10. Laquelle des affirmations suivantes est la plus exacte? **a)** La satisfaction professionnelle entraîne le rendement. **b)** La satisfaction professionnelle peut avoir une incidence sur la rotation du personnel. **c)** La satisfaction professionnelle ne peut être mesurée. **d)** La satisfaction professionnelle n'a aucun effet sur l'absentéisme.

■ VRAI OU FAUX ?

11. Conditionnement pavlovien est un autre nom pour conditionnement opérant. **V F**

12. La motivation étant une notion universelle, les théories qui s'y rattachent s'appliquent à toutes les cultures.   **V F**

13. Le renforcement est fondé sur les récompenses intrinsèques. **V F**

14. Le renforcement est l'attribution d'une conséquence à un comportement. **V F**

15. La modification du comportement organisationnel repose essentiellement sur les concepts de punition et d'extinction. **V F**

16. Dans la théorie d'Alderfer, on ne trouve pas d'équivalent aux besoins d'ordre social dont parlait Maslow. **V F**

17. Dans la théorie des besoins acquis de McClelland, un besoin important de pouvoir se traduit par le désir d'exercer son emprise sur les autres afin d'atteindre les objectifs d'un groupe ou d'une organisation. **V F**

18. Dans la théorie de l'équité, la perception d'une iniquité défavorable est motivante, mais celle d'une iniquité favorable ne l'est pas. **V F**

19. Une récompense extrinsèque découle directement du travail accompli et du rendement obtenu ; elle ne nécessite pas de renforcement extérieur. **V F**

20. Une récompense est proportionnelle au rendement lorsque sa valeur et son importance varient en fonction du niveau de rendement atteint. **V F**

■ QUESTIONS À RÉPONSE BRÈVE

21. Comparez le conditionnement répondant et le conditionnement opérant en soulignant ce qui distingue l'un de l'autre.

22. Expliquez le lien entre les récompenses extrinsèques et le renforcement.

23. À quoi correspond le principe de frustration/régression dans la théorie ERD d'Alderfer ?

24. Décrivez l'effet multiplicateur dont parle la théorie des attentes.

■ QUESTION À DÉVELOPPEMENT

25. Alors que vous êtes au restaurant, vous surprenez le dialogue suivant à une table voisine :

    – Je t'assure que si tu rends tes travailleurs heureux, ils seront productifs.

    – Je n'en suis pas si certain. Si je les rends heureux, ils seront peut-être plus assidus au travail, mais rien ne garantit qu'ils travailleront dur.

    Avec laquelle de ces deux opinions êtes-vous d'accord ? Pourquoi ?

Reportez-vous aux études de cas, aux exercices et aux autoévaluations de notre *Cahier d'apprentissage en CO* (voir p. 531).

■ Consultez le site Web du manuel. Vous y trouverez un questionnaire interactif et des exercices en ligne sur le contenu de ce chapitre.

www.erpi.com/schermerhorn

Les systèmes de gestion des ressources humaines

INFORMATIQUE : PROFESSEURS ET ÉTUDIANTS DÉSERTENT LES UNIVERSITÉS
La concurrence du secteur privé est devenue insoutenable

Reflet de l'explosion du marché, les universités québécoises n'arrivent plus à combler tous leurs postes d'enseignants dans le domaine informatique. Pour plusieurs, la situation est sinon alarmante, du moins préoccupante.

«Il y a peu de candidats au doctorat et ceux qui en décrochent un se font offrir des postes très bien rémunérés dans le domaine privé ou par des universités de l'extérieur de la province qui ont de meilleures échelles salariales», résume Edwin Bourget, vice-doyen à la recherche de la faculté des sciences et de génie de l'Université Laval. De fait, Laval cherche à embaucher six professeurs en informatique au cours de l'automne et le vice-doyen avoue que la tâche ne sera pas facile.

Et non seulement les universités peinent à recruter, mais elles ont également beaucoup de difficulté à garder leurs candidats une fois la lettre d'embauche signée, souligne Sang Nguyen, directeur du département d'informatique à l'Université de Montréal. Selon lui, il y aurait plus de 200 postes d'enseignants en informatique à combler à travers le Canada. «Le domaine est très dynamique car l'industrie est en pleine croissance. Il y a une grosse demande pour nos diplômés non seulement au Canada, mais aux États-Unis et ailleurs dans le monde.»

Ce qui inquiète encore plus les établissements universitaires, c'est que le nombre d'étudiants qui poursuivent leurs études après le baccalauréat est vraiment limité. «Bien des fois, les jeunes se font offrir un emploi avant même de finir leur premier cycle universitaire», souligne Sang Nguyen.

«On a de la misère à convaincre nos propres étudiants de poursuivre leurs études aux deuxième et troisième cycles, reprend John Gruzleski, doyen de la faculté de génie de l'Université McGill. Ils ont des offres de partout et on leur demande de mettre de côté quatre ou cinq ans de salaire pour enseigner.»

Pour donner un exemple de la folie du marché, John Gruzleski cite une nouvelle parue récemment dans le quotidien *The Ottawa Citizen*. «Nortel offre présentement des croisières dans les Caraïbes gratuites à ses employés s'ils réussissent à recruter avec succès une personne! Cela vous donne une idée de la compétition que nous rencontrons.» […]

Ainsi, les compagnies n'hésitent pas à allonger beaucoup de dollars pour attirer les jeunes diplômés. «Les salaires que nous offrons ne sont plus compétitifs, indique Edwin Bourget. Il est difficile de comparer les échelles d'un bloc entre les universités et le secteur privé, mais on peut certainement parler d'un écart de 50 %. C'est énorme!» […]

Plus tôt cette semaine, le *New York Times* relevait un problème semblable aux États-Unis. Là-bas aussi, les industries de haute technologie se déchirent pour séduire les finissants, laissant les universités en arrière-plan. La pelouse n'est donc pas plus verte dans les universités américaines, qui étendent leurs campagnes de recrutement au-delà des frontières canadiennes. […]

Alors, comment faire pour attirer les enseignants au Québec? «Il faut quelqu'un de dédié à l'enseignement et à la recherche, admet Edwin Bourget. En entreprise, le chercheur n'a pas la même liberté dans le choix de ses thèmes de recherche et l'université est un milieu attrayant pour une personne qui recherche ce type de liberté intellectuelle.»

Valérie Dufour. *Le Devoir*, 12 août 2000, p. A1.

Dans le domaine de l'informatique nord-américaine, les universités et les entreprises privées rivalisent d'imagination pour recruter les meilleurs candidats. La sélection des travailleurs fait partie intégrante de la gestion des ressources humaines, mais ce n'est que l'une des nombreuses facettes de cette importante fonction, qui englobe aussi la formation, l'élaboration des plans de carrière, l'évaluation du rendement ainsi que la conception et la mise en place de systèmes de récompense. Ce chapitre est donc consacré à la planification stratégique des ressources humaines sous tous ses aspects.

Questions clés

De nos jours, la gestion des ressources humaines et la rétribution des travailleurs prennent de plus en plus d'importance dans le monde du travail. Voici les questions clés que vous devriez garder à l'esprit en lisant ce chapitre :

- Quels sont les éléments clés de la planification et de la mise en œuvre d'une politique de gestion des ressources humaines ?
- Que représentent la formation, le perfectionnement et l'élaboration des plans de carrière pour une organisation ?
- Qu'est-ce que l'évaluation du rendement ?
- En quoi consistent les récompenses et de quoi sont faits les systèmes de récompense ?
- Comment gérer cette récompense extrinsèque qu'est la rémunération ?
- Comment gérer les récompenses intrinsèques ?

La gestion des ressources humaines : planification stratégique et mise en œuvre

La ***planification stratégique des ressources humaines*** est le processus qui vise à doter l'organisation de travailleurs qui ont la motivation et les compétences nécessaires pour concrétiser sa mission et sa vision.

Ce processus repose en bonne partie sur *la fonction de dotation en personnel*, qui englobe le *recrutement* – recherche des candidatures –, la *sélection* – prise de décision pour chaque candidat – et la *socialisation* – intégration des personnes nouvellement embauchées[1]. La fonction de dotation en personnel revêt une importance critique pour obtenir la nécessaire adéquation entre les exigences de l'organisation et du poste d'une part, et d'autre part les caractéristiques de l'individu – adéquation dont nous avons souligné la nécessité au chapitre 4.

Une fois qu'ils ont mis en place le plan stratégique des ressources humaines (RH), les gestionnaires doivent poursuivre l'évaluation des besoins du personnel pour assurer à l'organisation la stabilité de main-d'œuvre, essentielle à l'atteinte de ses objectifs[2].

■ ***Planification stratégique des ressources humaines***
Processus visant à doter l'organisation de travailleurs qui ont la motivation et les compétences nécessaires pour concrétiser sa mission et sa vision

■ L'ANALYSE DE POSTE

La dotation en personnel commence par la compréhension approfondie des postes auxquels l'organisation doit pourvoir, et passe par l'***analyse de poste*** – processus de collecte, de traitement et de classification de l'information relative aux tâches à accomplir[3]. L'analyse de poste permet de cerner les diverses activités associées à un travail donné ; elle contribue à déterminer la nature précise des postes, leurs interrelations, de même que les caractéristiques requises chez les individus qu'on y affectera (données sociodémographiques, aptitudes et compétences, traits de personnalité, etc.). Les résultats de cette analyse serviront aux *descriptions de postes*

■ ***Analyse de poste*** Processus de collecte, de traitement et de classification de l'information relative aux tâches que l'organisation doit accomplir

ÉTHIQUE ET RESPONSABILITÉ SOCIALE ⚖

Le nouveau code de conduite de la multinationale Mattel interdit l'embauche de toute personne mineure ou de moins de 16 ans dans les 36 installations qu'elle possède à travers le monde. Le fabricant de jouets s'est en effet imposé un ensemble de principes de fonctionnement mondiaux afin de garantir à son personnel un traitement juste et respectueux des différences, et d'éliminer le travail des enfants de toutes ses opérations. «Matell crée des produits pour les enfants du monde entier, pas des emplois», affirme Jill E. Barad, présidente et chef de direction de l'entreprise. Le processus de vérification en cours a déjà amené Mattel à mettre un terme aux contrats de fabrication de 15 entreprises sous-traitantes qui ne se conformaient pas à ses critères en matière d'âge et de conditions de sécurité.

www.mattel.com

⚖

ainsi qu'à leur évaluation et à leur classification, mais aussi à l'élaboration des programmes de formation et des plans de carrière, à l'évaluation du rendement et à d'autres aspects de la gestion des RH.

L'information relative à l'emploi lui-même se retrouve dans la *description de poste,* qui présente généralement des données concernant la nature des tâches liées au poste, les responsabilités de son titulaire, l'équipement et les matières premières nécessaires, les conditions de travail, les risques éventuels, l'encadrement, les horaires de travail, les normes de rendement, de même que les liens entre ce poste et d'autres postes[4].

L'information relative aux caractéristiques que doit posséder le titulaire du poste se retrouve, quant à elle, dans le profil de candidature, qui précise les compétences minimales requises pour répondre aux exigences de l'emploi telles que spécifiées dans la description de poste ; par exemple, un directeur de la sécurité doit connaître les règlements de sécurité en vigueur dans l'entreprise.

En plus de son utilité dans la gestion des RH, l'analyse de poste aide les organisations à faire face aux exigences de la loi dans la mesure où elle décrit la nature de l'emploi ainsi que les tâches, les devoirs et les responsabilités qui y sont liés – données qui prennent une importance cruciale en cas d'allégations de discrimination ou de traitement inique. En effet, les entreprises accusées de discrimination défendent généralement leurs décisions (embauche, augmentation salariale, mise à pied, etc.) en invoquant des raisons liées à l'emploi tel que décrit dans l'analyse de poste. Par exemple, si l'analyse de poste d'un emploi de pompier précise que son détenteur doit avoir la capacité physique d'évacuer d'un immeuble en flammes une personne de n kilos, une municipalité accusée de discrimination fondée sur le sexe pourra invoquer cette spécification à sa défense[5].

■ LE RECRUTEMENT

Une fois que l'analyse de poste a fourni l'information nécessaire sur les exigences de l'emploi et le profil de candidature, on doit amener les personnes les plus qualifiées à postuler[6]. C'est l'étape du **recrutement,** qui comprend généralement l'annonce qu'un poste est vacant, la première sélection – sur dossier – des postulants et les contacts préliminaires avec les candidats retenus. Le *recrutement externe,* par lequel l'organisation cherche à attirer des candidats de l'extérieur, peut se faire par divers moyens : annonces – habituellement dans les grands quotidiens, dans les revues professionnelles et sur Internet –, suggestions des membres du personnel, agences de placement et, enfin, candidatures spontanées. Pour le *recrutement interne,* où l'organisation recrute des candidats parmi son propre personnel, les postes vacants sont généralement annoncés sur ses tableaux d'affichage, par notes de service et, le cas échéant, par son intranet.

La plupart des organisations combinent ces deux formes de recrutement. Certains grands organismes, comme les forces armées, recrutent largement à l'extérieur pour les postes de premier niveau, puis recourent aux promotions pour les postes des échelons supérieurs. Les deux approches ont leurs avantages : le recrutement interne a une incidence favorable sur la motivation des travailleurs, tandis que le recrutement externe apporte du sang neuf et de nouvelles idées.

Traditionnellement, la stratégie de recrutement consistait à « vendre » tant l'organisation que le ou les postes vacants, ceci afin d'augmenter le nombre des candi-

■ **Recrutement** Dans le processus de dotation en personnel, ensemble des démarches visant à amener les personnes les plus qualifiées à se porter candidates aux postes à pourvoir dans l'organisation

datures. Aujourd'hui, on privilégie l'approche de la ***description réaliste de poste,*** qui donne aux postulants un portrait objectif de l'organisation et des emplois offerts. Les chercheurs ont en effet constaté que cette façon de faire réduit la rotation du personnel et prépare mieux les personnes embauchées à leur nouvel emploi[7].

■ *Description réaliste de poste* Approche de recrutement qui donne aux postulants un portrait objectif de l'organisation ainsi que du poste à pourvoir

■ LA SÉLECTION

Lorsqu'on a recruté de nombreux postulants, on passe à l'étape de la ***sélection,*** qui englobe toutes les démarches allant de la présélection des candidats à l'embauche proprement dite : préparation du matériel de demande d'emploi, réalisation

■ *Sélection* Dans le processus de dotation en personnel, étape qui englobe toutes les démarches qui vont de la présélection des postulants jusqu'à l'embauche proprement dite

---

ENTREPRENEURIAT

www.srtelecom.com

Pour un grand nombre d'entreprises œuvrant dans le secteur des télécommunications, le défi de la croissance passe par la capacité de recruter du personnel qualifié. D'autant plus que la demande de personnel en recherche et développement (R&D) est très forte, tant au pays qu'à l'étranger.

« La compétition est très grande et il importe de se démarquer et de faire preuve d'initiative pour pouvoir attirer, mais aussi retenir cette main-d'œuvre spécialisée compétente qui, au cours des dernières années, s'est montrée particulièrement volatile », affirme Marie-France Desnoyers, directrice des ressources humaines chez SR Telecom. [...]

L'entreprise de Saint-Laurent conçoit, fabrique, met en marché et installe des produits d'accès sans fil numériques à l'intention de réseaux de télécommunications installés dans 85 pays. [...]

L'entreprise, qui embauche principalement des gens avec expérience, entend au cours des prochaines semaines mettre sur pied un programme intensif de formation, échelonné vraisemblablement sur une période d'au moins un an. Cela lui permettra d'embaucher des recrues fraîchement diplômées du milieu universitaire avec lequel SR Telecom collabore déjà, notamment lors des traditionnelles journées Carrières et emploi. [...]

L'entreprise mise également sur le réseau Internet pour afficher des postes à combler. « Nous recevons plusieurs curriculum vitæ par l'entremise de notre site, et ce, de tous les coins de la planète. Nous utilisons également les sites comme Monster Board pour recruter du personnel », dit Mme Lavallée.

Elle signale que le réseau Internet a l'avantage de permettre une plus longue période d'affichage que les journaux, par exemple.

SR Telecom est également présente lors des foires d'emploi qui, estime-t-on, représentent toujours une bonne occasion de se faire connaître et de renflouer les banques de candidats. À cet égard, la société organisera en mars une journée portes ouvertes durant laquelle les chercheurs d'emploi pourront notamment rencontrer les ingénieurs et techniciens de l'entreprise.

Enfin, « l'entreprise essaie de maintenir un niveau de rémunération compétitif et varié, pas seulement avec le salaire de base mais aussi par l'entremise de programmes de primes au rendement, de participation aux profits et d'achats d'actions », affirme Mme Desnoyers.

Elle ajoute qu'un programme de référence permet de récompenser les employés qui ont recommandé des personnes ultérieurement embauchées.

Pierre Théroux. « Trouver et garder la perle rare : Technologies de l'information et des télécommunications », *Les Affaires,* 29 janvier 2000, p. 12.

LES ÉTAPES D'UNE ENTREVUE DE SÉLECTION

- Préparez soigneusement l'entrevue : prenez connaissance du dossier du candidat et établissez le déroulement de la rencontre.
- Commencez par mettre le candidat à l'aise en parlant de choses et d'autres.
- Méfiez-vous des stéréotypes : concentrez-vous sur les caractéristiques individuelles de chaque candidat.
- Privilégiez les questions portant sur les réalisations du candidat, non seulement sur ce qu'il a fait, mais sur les résultats qu'il a obtenus.
- Faites des pauses et profitez-en pour rassembler vos idées.
- Sachez amener l'entrevue à son dénouement de façon naturelle.

d'entrevues et parfois de tests, examen des antécédents professionnels et décision d'engager ou non tel ou tel candidat.

Le matériel de demande d'emploi   Le matériel de demande d'emploi comprend souvent le traditionnel formulaire de demande d'emploi, où l'on pose au candidat des questions sur divers aspects de ses antécédents (scolarité, emplois antérieurs, etc.) et qui, dans certains cas, peut se remplir sur le site Internet de l'organisation. Le curriculum vitæ, qui résume notamment les renseignements relatifs à la formation et à l'expérience professionnelle, peut remplacer le formulaire de demande d'emploi ou s'y ajouter. Enfin, le matériel de demande d'emploi peut inclure certains tests.

L'entrevue de sélection   Vous avez probablement déjà passé une entrevue de sélection. Même si elle pâtit souvent des erreurs de perception décrites au chapitre 5 et engendre parfois d'autres problèmes, l'entrevue de sélection reste l'un des piliers du processus de sélection, peut-être parce que les organisations y voient un outil de relations publiques. En mettant les choses au mieux (voir *Le gestionnaire efficace 7.1*), l'entrevue de sélection permet une évaluation sommaire de l'adéquation entre les caractéristiques du postulant et les exigences du poste et de l'organisation[8].

Les tests   Les tests peuvent précéder ou suivre l'entrevue de sélection. Généralement, il s'agit de tests d'efficience (intellectuelle et sensorimotrice), de tests de personnalité ou de tests de dépistage de drogues, ces derniers étant de plus en plus courants. Les tests d'efficience les plus communs sont les tests d'intelligence, mais il existe aussi des tests qui évaluent des aptitudes et des compétences liées à tel ou tel type d'emploi – bureautique, mécanique, etc. Les tests de personnalité portent sur les traits de personnalité décrits au chapitre 4 ; ainsi, le *California Personality Inventory* évalue des traits comme la domination, la sociabilité et la souplesse. Ici encore, pour ne pas être taxées de discrimination, les organisations doivent s'assurer que le ou les tests choisis correspondent vraiment aux exigences du poste. Les tests de performance (ou d'exécution) peuvent prendre diverses formes ; la plupart du temps, on demande aux candidats d'exécuter des tâches identiques ou très similaires à celles inhérentes au poste. Les tests de performance évaluant la maîtrise de certains outils informatiques deviennent de plus en plus courants. Souvent, les organisations ont recours à une batterie de tests conçue pour évaluer tout un éventail de compétences et de comportements associés à un poste.

Pour l'embauche ou la promotion des cadres, et de plus en plus souvent pour pourvoir à d'autres postes, les organisations font aussi souvent appel à la méthode d'*appréciation par simulation* (APS). La *méthode d'APS* leur fournit un profil complet du candidat en évaluant la façon dont il s'acquitte de ses tâches dans diverses situations. Généralement constituée d'exercices, de simulations, de jeux de rôles et d'entrevues répartis sur une période de un à quatre jours, cette évaluation vise à déterminer si le candidat possède bien les qualités requises pour remplir les exigences de la fonction. AT&T utilise la méthode APS depuis de nombreuses années avec une remarquable efficacité, qui semble justifier son coût – jusqu'à 1500 $US par candidat[9]. La société IBM, le FBI et plus de 2000 organisations y ont également recours pour le recrutement et la promotion de leurs cadres[10].

L'examen des antécédents   Cette étape, qui elle aussi peut prendre place au début ou à la fin du processus de sélection, implique habituellement la vérification des références. Il faut cependant savoir qu'à cause du parti pris de leurs auteurs les lettres de recommandation manquent généralement d'objectivité et rendent rarement compte du rendement réel des postulants[11]. De plus, sauf si elles sont formulées avec le plus grand soin, les références écrites ou recueillies au téléphone peuvent mener à des procès. On ne doit donc y révéler que des informations concernant les tâches accomplies par la personne dans l'exercice de ses fonctions, ou des renseignements personnels objectivement vérifiables.

La décision d'embauche   En se fondant sur les données recueillies aux étapes précédentes, l'organisation peut décider d'engager le postulant. L'offre formelle d'emploi pourra alors lui être présentée par son futur patron ou par les responsables de la dotation en personnel. À cette étape, l'organisation peut exiger un examen médical si elle peut prouver que la nature du poste le justifie. Dans certains cas, il peut également y avoir, à cette étape, des négociations sur le salaire ou sur d'autres avantages.

■ LA SOCIALISATION

Une fois la personne embauchée, on passe à l'étape finale du processus de dotation en personnel : la **socialisation,** qui consiste à faciliter l'intégration de la nouvelle recrue à l'organisation, et plus particulièrement à son unité de travail. À cette étape, la personne nouvellement embauchée se familiarise avec les pratiques et les procédures de l'entreprise, et commence à se faire une idée de la culture organisationnelle. L'intégration peut se faire de façon structurée, sur le tas, ou les deux à la fois. En outre, pour des postes complexes, elle peut s'étendre sur une longue période. Dans la mesure où elle permet de combler certaines lacunes, l'étape de la socialisation peut contribuer à l'adéquation entre les exigences du poste et les caractéristiques de la personne qui l'occupe.

■ ***Socialisation***   Dans le processus de dotation en personnel, étape finale visant à faciliter l'intégration de la nouvelle recrue à l'organisation et, plus particulièrement, à son unité de travail

La formation et l'élaboration du plan de carrière

Une fois la personne embauchée, il est important de discuter avec elle de sa formation et de son plan de carrière.

■ LA FORMATION

La ***formation*** est un ensemble d'activités destinées à l'acquisition et à l'amélioration des connaissances, tant théoriques que pratiques, nécessaires à l'exercice

■ ***Formation***   Ensemble d'activités destinées à l'acquisition et à l'amélioration des connaissances théoriques et pratiques nécessaires à l'exercice d'une fonction, d'un emploi ou d'une technique

Le CO et les fonctions de l'organisation

GESTION DES RESSOURCES HUMAINES

L'autoformation, une formule des plus flexibles

Chez QuébecTel, à Rimouski, l'auto-apprentissage est une approche bien implantée depuis une dizaine d'années. On y a résolument choisi une démarche très structurée. Les travailleurs adhèrent librement à une formule appelée stage d'autodéveloppement. Une fiche formation est établie pour chacun d'eux. Elle décrit le bagage académique du candidat, le mode d'acquisition de ses connaissances (formation créditée ou apprentissage en mode autodidacte), mais aussi ses aptitudes comportementales. « Cette fiche nous permet de mesurer l'écart entre les compétences de l'employé et celles qu'il devrait acquérir pour se perfectionner et mieux remplir ses fonctions », dit Étienne Turbide, directeur des ressources humaines de QuébecTel. « Le document sert aussi à établir un diagnostic des connaissances dont il devrait disposer pour accéder à un poste supérieur. » La fiche formation s'avère d'une grande aide pour les employés soucieux de se doter d'un plan de carrière. Pour l'employeur, selon M. Turbide, cette formule, parce qu'elle responsabilise davantage le personnel face à la formation, devient un puissant outil de mobilisation des travailleurs. Il explique que l'option de l'autoformation correspond à la nature des activités de QuébecTel. « Nous œuvrons dans un domaine qui connaît des développements technologiques rapides, ce qui nous a amenés à rechercher des approches de formation moins conventionnelles qui, nous l'espérons, nous permettront d'atteindre plus vite nos objectifs. » L'autoformation se conçoit difficilement sans le recours aux technologies de l'information et des communications. [...]

Michel De Smet. *Les Affaires,* 5 août 2000, p. B3.

d'une fonction, d'un emploi ou d'une technique[12]. En plus de la formation initiale, celle qui vise le perfectionnement est essentielle ; elle peut couvrir des matières aussi variées que la maîtrise d'outils informatiques, la diversité de la main-d'œuvre, le harcèlement sexuel et l'implantation de nouveaux procédés ou de nouvelles techniques. La formation peut se faire en milieu de travail, à l'extérieur ou les deux à la fois.

La *formation dans l'entreprise* peut être organisée par les dirigeants. Selon les cas, elle prendra la forme de séances de formation planifiées ou de *formation sur le tas.* Dans la *formation sur le tas,* l'enseignement et les instructions se dispensent au fur et à mesure de l'accomplissement des tâches ; ses formes les plus courantes sont le stage en milieu de travail, l'apprentissage et la rotation des postes. Les *stages en milieu de travail* donnent l'occasion à des étudiants de se frotter aux réalités du monde du travail et d'acquérir de l'expérience ; cette période de formation a souvent lieu durant l'été, et il arrive qu'elle soit rémunérée. L'*apprentissage,* ensemble des activités de l'apprenti, est un type de formation sur le tas qui permet au néophyte d'apprendre un métier auprès d'un travailleur expérimenté. Cette pratique assez courante en Europe est moins répandue en Amérique de Nord. On y trouve par contre, pour les gestionnaires et les professionnels, des programmes d'assistance professionnelle qui s'y apparentent, puisqu'ils reposent essentiellement sur l'appui d'un mentor. Enfin, la *rotation des postes* au sein d'une entreprise permet aux travailleurs d'acquérir de l'expérience dans des fonctions très diverses ; elle s'intègre souvent aux programmes de formation destinés aux futurs gestionnaires, leur permettant de s'initier, par exemple, au traitement de l'information, à de nouveaux logiciels ou au commerce électronique. La familiarisation avec chacune de ces activités peut se réduire à quelques semaines ou s'étendre sur plusieurs mois, la durée totale d'un tel programme – qui repose souvent sur le mentorat – étant d'une année ou deux.

La *formation à l'extérieur* de l'entreprise s'appuie généralement sur des cours, des vidéos et des exercices de simulation. Les cours, qui véhiculent des données plus précises, sont particulièrement utiles pour l'acquisition des compétences techniques et de compétences liées à la résolution de problèmes. Les vidéos illustrent efficacement les habiletés à acquérir. Quant aux exercices de simulation – mises en situation, *jeux du commerce* et autres exercices sur ordinateur –, on y recourt surtout pour enseigner des habiletés liées aux relations interpersonnelles, au leadership, à la gestion stratégique ou à d'autres compétences complexes qu'ils doivent maîtriser.

En 1993, la compagnie aérienne Canadien International, qui souhaitait amortir les répercussions de la fusion de cinq sociétés de ce secteur extrêmement dynamique, a mis au point un programme de formation très élaboré qui combinait la formation *dans l'entreprise* et *à l'extérieur* de l'entreprise. Conçu en partenariat avec American Airlines, ce programme s'est déroulé dans le monde entier et a permis d'aborder de front les nombreuses différences socioculturelles entre les Canadiens et les Américains[13].

■ L'ÉLABORATION DU PLAN DE CARRIÈRE

En plus de la formation liée à l'emploi immédiat, les travailleurs comme l'organisation doivent penser à l'***élaboration du plan de carrière,*** processus au cours duquel le travailleur se penche avec son supérieur immédiat ou un spécialiste en RH sur ses perspectives de carrière à plus long terme[14].

La figure 7.1 vous montre le cadre conceptuel de l'élaboration d'un plan de carrière, qui comporte cinq étapes : 1) le bilan personnel ; 2) l'analyse des débouchés ; 3) la fixation des objectifs de carrière ; 4) le choix et la mise en œuvre d'un plan ; 5) l'évaluation des résultats. Au besoin, on reprendra tout le processus afin de réviser le plan de carrière. Pour que chacune de ces étapes soit constructive, le travailleur doit faire preuve d'une grande connaissance de soi et d'une bonne dose de franchise. Le premier ingrédient d'une carrière réussie est donc cette perspicacité qui amène une personne à prendre les bonnes décisions, de sorte que ses besoins et ses compétences coïncident avec les possibilités d'emploi qui s'offrent au fil du temps. En matière de planification de carrière, le gestionnaire a une double responsabilité, puisqu'il lui incombe à la fois de gérer et de planifier sa propre carrière, et de soutenir activement ses subordonnés dans leur cheminement de carrière.

Réfléchir sur sa carrière est vital dans les nouveaux milieux de travail. La pression qu'engendrent les changements constants du monde où nous vivons et travaillons force les gens à réévaluer et à réorienter régulièrement leur cheminement professionnel. Les organisations doivent réduire leur effectif et transformer leur structure pour s'adapter aux nouvelles réalités, de sorte qu'on y privilégie de plus

■ ***Élaboration du plan de carrière*** Processus au cours duquel le travailleur se penche avec son supérieur ou un spécialiste en RH sur ses perspectives de carrière à plus long terme

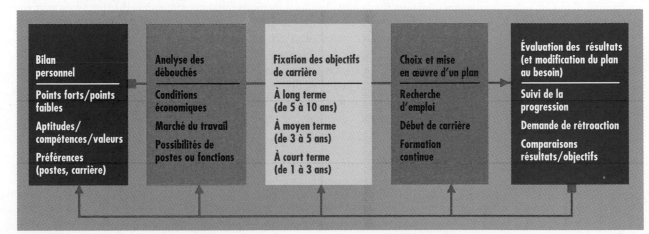

Figure 7.1
Les cinq étapes de l'élaboration d'un plan de carrière

en plus souvent des relations horizontales et interfonctionnelles. Les techniciens ont acquis un tel statut qu'on les traite pratiquement comme des cadres supérieurs pour ce qui est des récompenses et des à-côtés. La nature même du travail change, et le traditionnel *emploi de 9 à 5* se fait de plus en plus rare. On peut facilement prédire que l'apprentissage continu s'imposera, et que les marchés de la formation professionnelle et de l'enseignement à distance prendront de plus en plus d'importance.

Dans ce nouvel environnement, l'idée d'une carrière entière au sein d'une seule et même organisation prenant en charge le cheminement professionnel de son personnel est dépassée. Dans un ouvrage intitulé *L'âge de déraison*, Charles Handy, universitaire britannique et conférencier de renommée internationale, affirme avec conviction que chacun de nous doit prendre en charge son cheminement professionnel. Selon Handy, nous devrions nous préparer à faire face aux incertitudes et aux changements inévitables en nous constituant un *portefeuille* de compétences et en le gardant soigneusement à jour[15]. De plus, nous devrions choisir avec soin toute nouvelle affectation, en l'envisageant comme une occasion d'apprentissage.

L'entrée dans une carrière   Lorsqu'il fait ses débuts dans une nouvelle carrière, l'individu prend conscience de toutes les répercussions qu'aura sur lui son nouveau milieu de travail. Le choix d'un type d'emploi et d'une organisation est une décision difficile parce qu'elle a une influence considérable sur le cours d'une vie. Le meilleur conseil qu'on puisse donner à quiconque envisage une décision de cet ordre est de prendre le temps de bien réfléchir sur lui-même, et de bien jauger l'organisation à laquelle il pense se joindre ainsi que le poste auquel il sera affecté. Cette réflexion contribue en effet à assurer la meilleure adéquation possible entre les caractéristiques de l'individu, et les exigences de l'organisation et du poste. Inventorier avec soin ses besoins, ses intérêts, ses objectifs et ses compétences, réunir toute l'information nécessaire, en discuter à fond et, de façon générale, faire en sorte que le processus de sélection soit aussi réaliste que possible est la meilleure manière de partir du bon pied dans un nouvel emploi.

Lorsqu'on envisage un changement de poste ou d'emploi, il importe de faire un inventaire réaliste des *avantages* et des *inconvénients* potentiels de ce changement. On doit d'abord se demander ce qu'on y gagnerait et ce qu'on y perdrait. Pour répondre à ces questions, il faut prendre en considération le salaire et les avantages sociaux, les horaires de travail, les déplacements, les aptitudes et les compétences requises, la formation à acquérir, et la perspective de nouvelles affectations stimulantes. On doit également s'interroger sur les répercussions positives et négatives de ce changement sur ses proches. Il faut tenir compte, entre autres, 1) du revenu dont on disposera pour faire face à ses obligations familiales; 2) du temps qu'on pourra consacrer à la famille et aux amis; 3) le cas échéant, des conséquences d'un déménagement; 4) et, facteur non négligeable, des effets du stress professionnel sur sa vie privée.

Le cycle de la vie adulte et les étapes de carrière   Comme nous l'avons vu au chapitre 4, lorsqu'ils atteignent la maturité, les êtres humains entrent dans le cycle de la vie adulte, riche en problèmes comme en possibilités. Nous avions alors évoqué rapidement le modèle des étapes de la vie adulte élaboré par Gail Sheehy: passage à l'âge adulte (de 18 à 30 ans), première période adulte (de 30 à 45 ans), et deuxième période adulte (de 45 ans à la fin de la vie)[16]. Bien entendu, il s'agit là d'âges approximatifs, et des périodes de transition chevauchent ces étapes. En tant que gestionnaire, vous devez connaître les effets de ces diverses étapes de la vie adulte sur les gens avec qui vous travaillerez.

Soulignons d'abord que, dans notre monde de changements constants, les étapes de vie et les *crises* qui y sont associées sont moins prévisibles qu'autrefois. À une époque pas si lointaine, l'adulte avait généralement dans sa vie une ou deux carrières, et un conjoint ; aujourd'hui, il peut faire plusieurs carrières, vivre avec plusieurs conjoints successifs ou rester célibataire. De plus, à l'étape du passage à l'âge adulte, certains retournent vivre avec leurs parents tandis que d'autres prolongent leurs études ou essaient plusieurs emplois. Enfin, s'il fut une époque où les gens prenaient leur retraite à 65 ans, on voit maintenant de plus en plus de gens se lancer dans une nouvelle carrière à cet âge.

Cela dit, il est utile de connaître le lien qu'ont fait les chercheurs entre le cycle de la vie adulte et les ***étapes de carrière.*** Pour ceux qui suivent encore un cheminement de carrière traditionnel, on a établi que :

1. l'étape du début de carrière et de l'installation correspond plus ou moins à la période du passage à l'âge adulte ;
2. l'étape de l'avancement correspond à la première période de l'âge adulte ;
3. l'étape de la stabilisation, du ralentissement des activités et de la retraite correspond à la deuxième période adulte.

L'étape du début de carrière et de l'installation se caractérise par le perfectionnement des compétences et des habiletés en milieu de travail. On y vit aussi cette période de socialisation professionnelle et organisationnelle dont nous venons de parler. Durant cette période, les organisations les plus avancées soutiennent activement leurs recrues, notamment en leur offrant des programmes d'assistance professionnelle.

Durant la phase de l'avancement, les gens cherchent à progresser et à assumer des responsabilités plus importantes, soit en cheminant à l'intérieur d'une même organisation, soit en passant d'une organisation à une autre.

Sur le plan professionnel, la deuxième période de l'âge adulte est celle de la stabilisation, du ralentissement des activités, puis de la retraite. Durant la phase de la stabilisation, certains continuent à progresser ; d'autres voient leur carrière se stabiliser et nombre d'entre eux doivent alors faire face au ***plafonnement professionnel*** : ils constatent qu'ils ont cessé de grimper des échelons, et qu'ils ne pourront probablement plus assumer de responsabilités professionnelles plus importantes.

Durant cette période de stabilisation, à un moment donné, les travailleurs commencent à envisager de ralentir leurs activités professionnelles, ou même de se retirer complètement. De nos jours, certains retardent cette décision jusqu'à un âge avancé ; d'autres se préparent à prendre une retraite bien organisée vers l'âge de 65 ans.

On l'a dit, le parcours traditionnel que nous venons de décrire est de moins en moins courant. Bien des gens occupent un grand nombre d'emplois, font plus d'une carrière et ne prennent leur retraite que lorsqu'ils ne sont plus capables de travailler. Avec tous ces changements, il devient nettement plus difficile pour les gestionnaires de faire en sorte que les membres de leur personnel s'engagent à fond dans leur travail et leur restent fidèles. Cet enjeu crucial pour les organisations pose de nombreux défis aux spécialistes en CO.

■ ***Étapes de carrière*** Étapes que traverse un individu au cours de sa vie professionnelle et auxquelles correspondent divers niveaux de responsabilités et de réalisations

■ ***Plafonnement professionnel*** Situation où une personne constate qu'elle a cessé de grimper des échelons de la hiérarchie organisationnelle et qu'elle ne pourra probablement plus assumer de responsabilités professionnelles plus importantes

L'évaluation du rendement

Autre élément clé de la gestion des RH, l'évaluation du rendement permet au cadre comme au subordonné d'assurer l'adéquation entre les exigences de l'organisation et du poste, et les caractéristiques de l'individu. L'***évaluation du rendement*** est un processus qui permet d'évaluer systématiquement le rendement quantitatif et qualitatif des membres du personnel, et de fournir une rétroaction à partir de laquelle on pourra apporter les améliorations voulues[17]. Si le niveau de rendement souhaité dépasse celui qui est constaté, il y a un *écart de rendement* qui exige une intervention. Par exemple, si on vous a assigné un quota mensuel de ventes de 20 lecteurs de cédérom – le rendement souhaité – et que vous n'en vendiez que deux – rendement constaté –, cet *écart de rendement* de 18 articles exigera une intervention de votre directeur des ventes. Le processus d'évaluation du rendement doit se fonder sur l'analyse de poste, la *description* du poste (ses exigences telles qu'elles sont établies par l'organisation) et le *profil de candidature* (les caractéristiques que doit présenter son titulaire) étant au cœur de ce processus d'évaluation.

■ LES OBJECTIFS DE L'ÉVALUATION DU RENDEMENT

Tout système d'évaluation du rendement se trouve au cœur des activités de gestion des RH au sein d'une organisation. L'évaluation du rendement vise à :

- déterminer les critères propres au poste qui serviront de barème pour l'évaluation ;
- évaluer de façon précise le rendement donné par le titulaire de ce poste ;
- justifier les récompenses attribuées aux individus ou aux groupes, c'est-à-dire à établir la différence entre rendement élevé et rendement faible ;
- déterminer les besoins de formation du travailleur évalué pour l'aider à améliorer son rendement dans son poste actuel et à se préparer à assumer des responsabilités plus importantes dans l'avenir.

Ces quatre fonctions correspondent aux deux grands objectifs que devrait permettre d'atteindre tout bon système d'évaluation du rendement :

1. *L'évaluation proprement dite* En elle-même, l'évaluation du rendement permet aux travailleurs de savoir où ils se situent par rapport à certains objectifs et à certaines normes ; en ce sens, elle sert de fondement aux décisions sur l'attribution des récompenses ainsi qu'à l'administration générale des fonctions du personnel de l'organisation.

2. *La rétroaction et le perfectionnement des compétences* L'évaluation du rendement facilite aussi l'application des décisions sur la formation continue, qui vise le perfectionnement des subordonnés ; elle permet de bien la planifier et contribue à convaincre les travailleurs de son importance.

Les décisions administratives découlant de l'évaluation L'évaluation du rendement détermine des décisions administratives telles que les promotions, les mutations, les mises à pied et les augmentations de salaire. Lorsque ces décisions se fondent sur des critères de rendement – plutôt que sur des critères comme l'ancienneté, par exemple –, on doit mettre en place un système d'évaluation du rendement.

L'information recueillie au cours du processus d'évaluation sert également à la prise de décisions sur la sélection et l'affectation des membres du personnel. Dans ce cas, on examine les résultats des évaluations du rendement au regard de diverses caractéristiques individuelles – formation scolaire, aptitudes en mathématiques, capacité à bien s'exprimer, compétences manuelles ou motivation, par exemple – afin de déterminer lesquelles de ces caractéristiques ont le plus d'influence sur le rendement. On envisage ensuite l'affectation au poste vacant de ceux des candidats qui présentent les caractéristiques associées à un rendement élevé dans ce poste. Si le processus d'évaluation révèle certaines lacunes chez un candidat par ailleurs intéressant, on pourra envisager de lui fournir une formation de soutien.

Enfin, l'évaluation du rendement sert de base à tout système de récompense lié au rendement.

La rétroaction et les décisions touchant le perfectionnement   L'évaluation du rendement sert également à faire savoir à la personne évaluée où elle en est par rapport aux attentes et aux objectifs de l'organisation. La rétroaction qui suit une évaluation du rendement devrait comporter une discussion approfondie sur les points forts et les points faibles du travailleur au regard de son poste ; ces données pourront ensuite servir à fixer ses objectifs de perfectionnement. Selon la théorie des attentes (voir le chapitre précédent), cette rétroaction stimule la motivation du travailleur dans la mesure où elle lui donne une idée plus précise à la fois de l'*instrumentalité* – le type de récompenses qu'il recevra s'il fournit un bon rendement – et des *attentes* – les mesures à prendre ou les efforts à fournir pour atteindre le rendement voulu. D'autre part, la rétroaction peut permettre au gestionnaire de déterminer les besoins d'assistance professionnelle ou de formation du travailleur afin de l'aider à pallier les lacunes qui l'empêchent de donner un meilleur rendement. Diverses enquêtes révèlent qu'environ les deux tiers des organisations sondées ont recours aux évaluations du rendement à des fins de perfectionnement.

■ QUI PROCÈDE À L'ÉVALUATION DU RENDEMENT ?

Traditionnellement, l'évaluation du rendement incombait au supérieur immédiat de la personne évaluée[18] ; on estimait en effet que, ce gestionnaire étant responsable du rendement des subordonnés, il lui appartenait d'en faire l'évaluation. Bien souvent, cependant, d'autres personnes sont mieux placées pour évaluer certaines facettes du rendement d'un travailleur. Ainsi, ses collègues travaillent avec lui sur le terrain, et leur appréciation, surtout s'ils la font à plusieurs, peut être des plus valables. Les subordonnés immédiats peuvent également être une source d'informations utiles, à condition que leurs commentaires demeurent anonymes.

Afin d'être le mieux informées possible sur le rendement de leur personnel, de plus en plus d'organisations – environ 25 % aux États-Unis – utilisent maintenant, outre les évaluations menées par les patrons, les collègues et les subordonnés, l'autoévaluation ainsi que l'évaluation par les clients ou par d'autres personnes avec qui le travailleur est en contact à l'extérieur de son unité de travail. Des entreprises comme Alcoa et UPS recourent à ce type d'évaluation élargie qu'on appelle la **rétroaction à 360 degrés.** Selon la personne évaluée, le nombre d'évaluateurs varie, généralement de 5 à 10. La rétroaction à 360 degrés convient particulièrement bien aux nouvelles organisations à la structure aplanie, orientées sur le travail d'équipe, et qui visent la gestion intégrale de la qualité ou la haute performance.

■ ***Rétroaction à 360 degrés***
   Approche de l'évaluation du rendement qui ajoute aux sources internes d'information (supérieur immédiat, collègues, subordonnés) l'évaluation par la clientèle et par d'autres personnes avec qui le travailleur est en contact à l'extérieur de son unité de travail, ainsi que l'autoévaluation

TECHNOLOGIE

Le logiciel *Compstar Appraiser Plus* est conçu pour aider tous ceux qui intervien-nent dans le processus d'évaluation du rendement : employés, administrateurs, directeurs de service et superviseurs. Le programme fait appel à une base de données sur le personnel contenant des informations individuelles sur le salaire, la catégorie d'emploi, le calendrier des évaluations passées, actuelles et futures, etc. L'évaluateur choisit un nom dans la base des données et, d'un clic de souris, obtient de l'information sur le comportement au travail, les objectifs, les plans de formation, le résumé des évaluations précédentes et d'autres éléments perti-nents. Ce programme offre des échelles d'évaluation, de l'espace pour intégrer des commentaires, ainsi qu'un registre de rendement qu'on peut consulter à tout moment. Des mesures de sécurité permettent de garantir la confidentialité des données et de prévenir leur manipulation.

Dans de tels contextes, la diversification des sources est essentielle au processus d'évaluation du rendement.

L'informatique facilite grandement la collecte et l'analyse des données fournies par diverses formes de rétroaction à 360 degrés[19]. Voici un exemple d'évaluation très novatrice, fondée à la fois sur l'autoévaluation d'un subordonné et l'évalua-tion de son supérieur. Le subordonné évalue l'importance d'une fonction de son poste sur son rendement d'ensemble, puis évalue son rendement dans cette fonc-tion ; son supérieur se livre à une évaluation semblable. Un logiciel dégage les aspects sur lesquels les deux évaluations sont les plus divergentes. Seule la personne évaluée reçoit ce rapport, et c'est à elle de décider si elle veut en discuter avec son supérieur, à quel moment elle le fera et quelles questions elle abordera[20].

■ L'ÉVALUATION DU RENDEMENT : DIMENSIONS ET NORMES

Les évaluations du rendement s'intéressent évidemment aux résultats obtenus, mais pas exclusivement ; les comportements et les activités dont ils découlent y prennent souvent une importance considérable.

L'évaluation des résultats   De nombreux emplois liés à la vente ou à la produc-tion permettent de mesurer de manière immédiate les *résultats* du travail. Par exemple, on peut fixer à un assembleur de fin de ligne un objectif horaire de 15 moniteurs ; comme il est facile de contrôler le nombre de moniteurs assemblés dans un temps donné, l'entreprise peut fixer une norme de *quantité*. Dans ce cas, on évalue le rendement sous son aspect *quantitatif* – le nombre d'articles assemblés à l'heure. Mais l'entreprise pourrait y ajouter une norme de *qualité*; l'ouvrier serait alors évalué non plus seulement sur le nombre de moniteurs à l'heure, mais aussi sur le nombre d'articles qui passent avec succès *l'inspection de contrôle de la qualité*. Quantité et qualité deviennent alors deux critères essentiels, et l'ouvrier ne peut privilégier l'un au détriment de l'autre. Par exemple, si notre assembleur réussit à monter 20 moniteurs à l'heure, mais que seulement 10 d'entre eux répondent aux normes qualitatives, son rendement sera jugé insatisfaisant. Il en sera de même si tous les moniteurs qu'il assemble répondent aux normes quali-tatives, mais qu'il n'en monte que 10 à l'heure.

La direction peut également se préoccuper d'autres aspects du rendement, comme la durée d'immobilisation de l'équipement utilisé pour l'assemblage des moniteurs. Pour reprendre notre exemple, notre assembleur pourrait alors être évalué non seulement sur la *quantité* et la *qualité* de sa production, mais aussi sur le temps d'arrêt de l'équipement; la direction s'assurerait ainsi que l'ouvrier assemble au rythme souhaité un produit qui satisfait aux normes, et qu'il prend également soin de l'équipement.

L'évaluation des activités   Dans l'exemple précédent, l'évaluation des résultats – quantité, qualité et temps d'immobilisation de l'équipement – était relativement facile à faire. Toutefois, tel n'est pas toujours le cas quand les résultats procèdent des efforts d'une équipe, qu'ils sont difficilement mesurables ou que le travail est d'une durée telle qu'il est quasi impossible d'en rattacher les résultats à telle ou telle personne pour une période donnée. Par exemple, évaluer le résultat du travail du scientifique voué à la recherche peut se révéler extrêmement difficile. Dans de tels cas, de préférence à l'évaluation des résultats, on privilégie l'observation du comportement et l'évaluation des activités. Ainsi, on évaluera notre chercheur sur sa façon d'aborder les problèmes, sur ses interactions avec ses collègues, etc.

L'*évaluation des activités* repose généralement sur les observations et l'appréciation de l'évaluateur, tandis que celle des résultats découle des rapports de production ainsi que d'autres documents et registres. Les gestionnaires se tournent souvent vers l'évaluation des activités d'abord et avant tout à cause de la difficulté de mesurer les résultats. Pourtant, l'évaluation des activités produit des données généralement plus utiles à la rétroaction et aux décisions sur le perfectionnement que celles obtenues par la mesure des résultats. Par exemple, si un représentant ne vend que 20 polices d'assurances par mois alors que son quota est de 25, s'intéresser à ses activités – le nombre d'appels de prospection qu'il fait, le nombre de fois où il assiste à des événements où il peut rencontrer des acheteurs potentiels, etc. – sera beaucoup plus révélateur que le simple constat qu'il n'atteint pas le quota fixé. Notons que, lorsque des postes se prêtent à une analyse systématique, l'analyse de poste permet de déterminer les activités essentielles.

■ LES MÉTHODES D'ÉVALUATION DU RENDEMENT

Les méthodes d'évaluation du rendement se divisent en deux grandes catégories: les *méthodes comparatives* comme le *classement*, la *comparaison par paires* et la *répartition forcée*, et les *méthodes de mesure absolue* comme l'*échelle d'évaluation graphique, la méthode d'évaluation par incidents critiques, l'échelle de comportement* et *la gestion par objectifs* [21].

Les méthodes comparatives d'évaluation du rendement cherchent à déterminer le classement relatif de chaque individu par rapport à l'ensemble de l'effectif évalué. Autrement dit, ces méthodes fondées sur la comparaison peuvent établir que le rendement de Claire est supérieur au rendement de Charles, qui est supérieur à celui de Jacqueline et de Thomas. Les méthodes comparatives peuvent indiquer qu'un travailleur réussit mieux sur tel ou tel aspect du; rendement, mais *elles ne fournissent pas l'ordre de grandeur de cette réussite*, pas plus qu'elles ne permettent de savoir si le meilleur est *suffisamment efficace dans l'absolu*; il se pourrait, après tout, que Claire ne surpasse les autres que parce qu'ils sont vraiment inefficaces. Les méthodes de mesure absolue du rendement, en revanche, mettent de l'avant des normes d'évaluation précises. Par exemple, la ponctualité peut s'évaluer sur une échelle allant de *très ponctuel* à *jamais à l'heure*. Les cultures à orientation *collectiviste* seront davantage portées à utiliser les méthodes comparatives, qui mettent justement l'accent sur la collectivité.

Le classement   Le *classement* est la plus élémentaire des méthodes comparatives : il consiste simplement à classer les personnes évaluées de la *meilleure* à la *moins bonne* pour chacun des aspects du rendement visé par l'évaluation. Ainsi, pour évaluer la *qualité* du travail de trois salariés, le gestionnaire compare leur résultat sur ce plan, puis classe X en première place, Y en deuxième et Z en troisième. Bien que des plus simples, la méthode du classement peut devenir très difficile à gérer s'il y a beaucoup de travailleurs à évaluer.

La comparaison par paires   La *comparaison par paires* consiste à comparer chaque travailleur à chacun de ses collègues évalués. Le nombre de fois où un individu obtient la meilleure note dans toutes les paires utilisées pour la comparaison détermine sa notation finale. Toutes les combinaisons possibles au sein du groupe de personnes évaluées sont prises en considération, comme l'illustre l'exemple qui suit (le nom du *meilleur* de chaque paire est en italique) :

Claire et Charles	*Charles* et Jacqueline	*Jacqueline* et Thomas
Claire et Jacqueline	*Charles* et Thomas	
Claire et Thomas		

Nombre de fois où Claire se classe le mieux   3
Nombre de fois où Charles se classe le mieux   2
Nombre de fois où Jacqueline se classe le mieux   1
Nombre de fois où Thomas se classe le mieux   0

Dans cet exemple, c'est Claire qui donne le meilleur rendement, suivie de Charles, puis de Jacqueline et, enfin, de Thomas, qui se classe le dernier. Avec un grand nombre de personnes à évaluer, la méthode de comparaison par paires peut se révéler encore plus fastidieuse à gérer que la méthode du classement.

La répartition forcée   La *répartition forcée* est une méthode comparative d'évaluation du rendement fondée sur un nombre restreint de catégories – *excellent*, *bon*, *acceptable*, *médiocre*, *insatisfaisant* – et où l'on précise à l'évaluateur la proportion de personnes évaluées qui devra obligatoirement figurer dans chacune ; par exemple, 10 % dans la catégorie *excellent*, 20 % dans la catégorie *bon,* et ainsi de suite. Avec cette méthode, l'évaluateur est donc *forcé* d'utiliser toutes les catégories ; on évite ainsi de retrouver tous les travailleurs dans une ou deux catégories. Évidemment, la méthode de la répartition forcée devient problématique si la plupart des personnes évaluées sont vraiment efficaces ou ont un rendement à peu près équivalent.

L'échelle d'évaluation graphique   La méthode de l'*échelle d'évaluation graphique* est une méthode de mesure absolue qui permet d'évaluer le niveau de rendement selon divers critères que l'on estime liés à un rendement satisfaisant dans un poste donné – quantité et qualité du travail, coopération, esprit d'initiative, assiduité, etc. –, critères auxquels l'individu est censé satisfaire. Le gestionnaire indique sur l'échelle son appréciation pour chacun de ces critères ; par exemple, de *très supérieur à la moyenne* à *très inférieur à la moyenne,* comme dans l'exemple de la figure 7.2. On associe parfois une note (de 1 à 5 dans notre exemple) à chacun des niveaux, ce qui permet d'obtenir une indication numérique du rendement.

Méthodes comparatives

■ *Classement*   Méthode comparative d'évaluation du rendement où l'on classe les personnes évaluées de la *meilleure* à la *moins bonne* pour chaque aspect du rendement visé par l'évaluation

■ *Comparaison par paires*   Méthode comparative d'évaluation du rendement où l'on compare chaque travailleur à chacun de ses collègues évalués

■ *Répartition forcée*   Méthode comparative d'évaluation du rendement fondée sur un nombre restreint de catégories – *excellent, bon, acceptable, médiocre, insatisfaisant* – et où l'on précise à l'évaluateur la proportion de personnes devant figurer dans chacune

Méthodes de mesure absolue

■ *Échelle d'évaluation graphique*   Méthode d'évaluation du rendement où l'on mesure le niveau de rendement sur une échelle graphique réunissant divers aspects que l'on estime liés à un rendement satisfaisant dans un poste donné

Nom de l'employé(e): _Juliette Beauchemin_   **Superviseur(e):** _Dr Tremblay_

service: _pathologie_   **Date:** _22/05/00_

Quantité de travail		Qualité du travail		Coopération	
1. très inférieure à la moyenne	___	1. très inférieure à la moyenne	___	1. très inférieure à la moyenne	___
2. inférieure à la moyenne	✓	2. inférieure à la moyenne	___	2. inférieure à la moyenne	✓
3. moyenne	___	3. moyenne	✓	3. moyenne	___
4. supérieure à la moyenne	___	4. supérieure à la moyenne	___	4. supérieure à la moyenne	___
5. très supérieure à la moyenne	___	5. très supérieure à la moyenne	___	5. très supérieure à la moyenne	___

Nom de l'employé(e): _Camille Claudel_   **Superviseur(e):** _Dr Rodin_

service: _pathologie_   **Date:** _18/07/00_

Quantité de travail		Qualité du travail		Coopération	
1. très inférieure à la moyenne	___	1. très inférieure à la moyenne	___	1. très inférieure à la moyenne	___
2. inférieure à la moyenne	___	2. inférieure à la moyenne	___	2. inférieure à la moyenne	___
3. moyenne	✓	3. moyenne	___	3. moyenne	___
4. supérieure à la moyenne	___	4. supérieure à la moyenne	✓	4. supérieure à la moyenne	___
5. très supérieure à la moyenne	___	5. très supérieure à la moyenne	___	5. très supérieure à la moyenne	✓

Figure 7.2
**Échelle d'évaluation graphique: exemple d'évaluation semestrielle
du rendement de deux employés**

Outre sa simplicité d'utilisation, qui est son avantage premier, l'échelle d'évaluation graphique exige peu de temps et de ressources, et s'applique à une multitude de types d'emplois. Par contre, justement à cause de sa simplicité et de son caractère très général, il est difficile d'associer étroitement ce genre d'échelle à l'analyse de poste ou à des aspects particuliers d'un poste donné. On peut remédier à cela en s'assurant, par une analyse rigoureuse du poste, que seules les dimensions qui s'appliquent au poste soient évaluées. Il y a donc un choix à faire: plus l'échelle est générale, plus elle s'applique à une multitude d'emplois; plus elle est étroitement associée à l'analyse d'un poste donné, moins elle peut servir de critère de comparaison entre des titulaires de postes différents.

L'évaluation par incidents critiques   Dans la méthode de l'***évaluation par incidents critiques,*** des superviseurs consignent dans un registre des incidents critiques liés au comportement du travailleur: succès ou échecs sortant de l'ordinaire et touchant diverses dimensions du rendement. Ces faits sont généralement inscrits au registre de manière quotidienne ou hebdomadaire, dans les rubriques prévues à cet effet. Ainsi, dans le cas d'un poste de vente, le suivi des appels et la transmission des informations sur les clients pourraient faire l'objet de deux de ces rubriques. On peut ajouter pour chacune des rubriques des commentaires sur le rendement de chaque vendeur.

■ ***Évaluation par incidents critiques***   Méthode d'évaluation du rendement où l'on consigne dans un registre des incidents critiques liés au comportement du travailleur: succès ou échecs sortant de l'ordinaire et touchant diverses dimensions du rendement

Cette approche donne d'excellents résultats pour ce qui est de la rétroaction et du perfectionnement du personnel. Cependant, comme elle fournit des informations qualitatives plutôt que quantitatives, il est parfois difficile de s'en servir pour prendre des décisions d'ordre administratif. Pour pallier cet inconvénient, on associe parfois la méthode des incidents critiques à une ou à plusieurs autres méthodes.

L'échelle d'évaluation comportementale   Cette méthode suscite un intérêt croissant. Pour établir une ***échelle d'évaluation comportementale,*** il faut d'abord dresser un inventaire descriptif des comportements de travail observables, tâche qui revient habituellement aux cadres et aux spécialistes en RH. Cela fait, on évalue chacun de ces comportements pour déterminer s'il correspond à rendement faible ou élevé, et jusqu'à quel point. Puis, on établit une échelle où des comportements typiques précis servent de références, chacun correspondant à un niveau de rendement. La figure 7.3 en montre un exemple, conçu pour évaluer le rendement d'un directeur des ventes sur la dimension *encadrement des représentants*; comme vous le voyez, chacun des comportements est décrit de manière très précise et classé dans l'échelle selon la «note» qu'on lui a attribuée. Des échelles d'évaluation comportementale similaires permettront d'évaluer toutes les autres dimensions importantes du poste.

Comme vous le constatez, la préparation de cette méthode détaillée et complexe exige du temps et des efforts. Elle permet néanmoins de cerner des comportements précis, qui peuvent alimenter la rétroaction et contribuer à l'orientation professionnelle. De plus, elle fournit des échelles quantitatives utiles si l'on veut effectuer des évaluations comparatives. Les premières observations sur cette méthode donnaient à penser qu'elle comportait moins de risques d'erreurs d'évaluation courantes que les méthodes traditionnelles. Des études récentes indiquent toutefois qu'elle ne les surpasse pas autant qu'on a pu le croire, surtout si on investit dans les autres méthodes des efforts équivalents en matière de perfectionnement du personnel[22]. Notons qu'il existe une version simplifiée de cette méthode, *l'échelle d'observation comportementale,* qui fait appel à une échelle de fréquence en cinq points (de *presque toujours* à *presque jamais*) pour chaque description de comportement.

La gestion par objectifs   De toutes les méthodes d'évaluation, celle de la ***gestion par objectifs*** (GPO) est la plus directement liée à la chaîne buts-moyens que nous allons étudier au prochain chapitre[23]. Lorsqu'on implante un système de GPO, les subordonnés fixent conjointement avec leur supérieur hiérarchique des objectifs liés à leurs tâches, et qui contribueront à la réalisation des objectifs plus larges du supérieur; autrement dit, les résultats que visent ses subordonnés sont pour le supérieur autant de moyens d'atteindre ses propres objectifs. Le superviseur et son subordonné travaillent durant un certain temps à la détermination de ces objectifs, pour arriver à un résultat qui ressemble passablement à une analyse de poste, à la différence qu'il est axé sur l'individu plutôt que sur le poste. L'extrême souplesse de la méthode de la GPO permet à chaque travailleur de poursuivre un ensemble d'objectifs taillés sur mesure, mais qui s'intégreront au contexte plus large de la chaîne buts-moyens de l'organisation.

La GPO est la plus individualisée des méthodes d'évaluation. De plus, si l'évaluation ne se limite pas aux résultats, mais porte aussi sur les activités importantes, la GPO se révèle des plus efficaces pour ce qui est de l'orientation professionnelle. Si l'on compare deux travailleurs, il faut tenir compte du niveau de difficulté des objectifs à atteindre; si l'un des deux a une série d'objectifs plus faciles à réaliser,

■ ***Échelle d'évaluation comportementale***   Méthode d'évaluation du rendement où, après avoir recensé une série de comportements professionnels observables dans un emploi donné, on établit une échelle constituée de comportements typiques précis qui servent de références, chacun correspondant à un niveau de rendement

■ ***Gestion par objectifs*** (*GPO*)   Processus conjoint de détermination d'objectifs où les subordonnés fixent avec leur supérieur hiérarchique des objectifs liés à leurs tâches et qui contribueront à la réalisation des objectifs plus larges du supérieur

Figure 7.3
Échelle d'évaluation
comportementale :
exemple d'évaluation
du rendement d'un
directeur des ventes

Encadrement des représentants

- Donne aux représentants une description précise de leurs tâches et de leurs responsabilités.
- Fait preuve de tact et de considération dans ses rapports avec ses subordonnés.
- Gère la répartition du travail de façon efficace et équitable.
- Complète le programme de formation des représentants en agissant comme leur entraîneur.
- Se tient au courant des activités professionnelles des vendeurs.
- Respecte la politique de l'entreprise dans toutes ses ententes avec ses subordonnés.

Efficace	9	Capable d'organiser une formation d'une journée sur la vente avec deux nouveaux représentants, leur permettant ainsi de se perfectionner et d'atteindre des résultats hors pair.
	8	Capable d'insuffler à ses subordonnés confiance en soi et sens des responsabilités en leur déléguant de nombreuses tâches importantes.
	7	Capable de tenir les séances de formation hebdomadaires à l'heure fixée, et d'expliquer clairement à ses vendeurs ce qu'il attend d'eux.
	6	Capable de faire preuve de courtoisie et de respect à l'égard de ses subordonnés.
	5	Capable de rappeler aux représentants que le service aux clients passe avant les conversations privées.
	4	Susceptible d'exprimer ouvertement des critiques à l'égard des normes de l'entreprise, risquant ainsi de susciter chez ses subordonnés des attitudes peu souhaitables.
	3	Susceptible de demander à l'un de ses subordonnés qui téléphone pour prévenir qu'il est malade de venir travailler quand même.
	2	Susceptible de ne pas tenir la promesse faite à un de ses subordonnés de pouvoir retourner dans son ancien service s'il n'aime pas sa nouvelle affectation.
Inefficace	1	Susceptible de promettre à quelqu'un que son salaire serait fonction du volume de ventes du service, tout en sachant qu'un tel engagement est contraire à la politique de l'entreprise.

la comparaison serait injuste. Comme la méthode de la GPO ne se fonde pas autant que les autres sur des estimations, il y a moins de risques qu'elle ne soit contaminée par le type d'erreurs dont nous allons maintenant parler.

■ LES ERREURS COURANTES DANS L'ÉVALUATION DU RENDEMENT

Pour être vraiment significatif, un système d'évaluation doit à la fois être *fiable* – il doit donner des résultats cohérents à chaque utilisation – et *valide* – il doit vraiment évaluer le rendement des gens en fonction des caractéristiques de leur poste. Or, un certain nombre d'erreurs peuvent saper la fiabilité ou la validité de cette évaluation[24]. Vous remarquerez la relation étroite entre les erreurs que nous allons maintenant décrire et les erreurs de perception et d'attribution étudiées au chapitre 5.

L'effet de halo   Une erreur attribuable à l'*effet de halo* (dont nous avons déjà traité au chapitre 5) se produit si, en évaluant le rendement d'un subordonné, un gestionnaire lui attribue la même note pour divers aspects de son travail parce qu'il est obnubilé par la prépondérance de l'un d'eux. C'est ce qui arrive si un représentant connu pour sa pugnacité, et donc très bien noté pour le *dynamisme*, obtient des notes aussi élevées – mais imméritées – pour son sérieux, son tact et d'autres dimensions du rendement. Dans ce cas, l'évaluateur n'est pas parvenu à faire la distinction entre les points forts et les points faibles de la personne évaluée, l'effet de halo ayant contaminé l'évaluation des autres dimensions. Cette erreur peut avoir des répercussions considérables si les dimensions évaluées sont importantes, et relativement indépendantes les unes des autres. On aura des conséquences du même ordre avec l'*erreur du critère unique,* qui survient lorsqu'on ne considère qu'une seule des dimensions importantes du rendement.

■ ***Effet d'indulgence*** Erreur dans l'évaluation du rendement où l'évaluateur tend à accorder des notes exagérément élevées à la quasi-totalité des personnes évaluées

■ ***Effet de sévérité*** Erreur dans l'évaluation du rendement où l'évaluateur tend à accorder des notes exagérément faibles à la quasi-totalité des personnes évaluées

■ ***Effet de tendance centrale*** Erreur dans l'évaluation du rendement où l'évaluateur tend à accorder à toutes les personnes qu'il évalue des notes tournant autour de la moyenne

■ ***Erreur de faible différenciation*** Erreur dans l'évaluation du rendement où l'évaluateur, victime de l'effet d'indulgence, de l'effet de sévérité ou de l'effet de tendance centrale, n'utilise qu'une petite partie de l'échelle d'évaluation

■ ***Effet de récence*** Erreur dans l'évaluation du rendement où l'évaluateur, obnubilé par des événements récents, occulte des faits antérieurs qu'il devrait prendre en considération

■ ***Effet des stéréotypes*** Erreur dans l'évaluation du rendement où l'évaluateur laisse ses préjugés personnels touchant certaines caractéristiques sociodémographiques – origine ethnoculturelle, âge, sexe ou handicaps, etc. – influer sur son évaluation

L'effet d'indulgence et l'effet de sévérité   À l'image de certains enseignants qui accordent facilement d'excellentes notes, certains cadres sont portés à évaluer favorablement tous leurs subordonnés ; c'est l'***effet d'indulgence.*** L'attitude opposée se manifeste chez les évaluateurs qui ont tendance à donner des notes faibles à tous les individus évalués ; on parle alors de l'***effet de sévérité.*** Dans les deux cas, le problème tient à l'absence de distinction entre les travailleurs efficaces et ceux dont le rendement est insatisfaisant. L'effet d'indulgence peut se manifester lorsque des collègues s'évaluent les uns les autres, surtout lorsqu'on leur demande de faire connaître leurs évaluations mutuelles : il est plus facile de justifier une note élevée qu'une note faible... L'évaluation par répartition forcée est conçue pour remédier à cette tendance.

L'effet de tendance centrale   L'***effet de tendance centrale*** se manifeste lorsque quelqu'un – un gestionnaire, par exemple – est porté à accorder à tous une note autour de la moyenne, donnant ainsi l'impression erronée qu'aucun de ses subordonnés ne se distingue dans un sens ou dans l'autre. Ici encore, on n'établit aucune distinction réelle en matière de rendement. Ce type d'erreur, de même que l'effet d'indulgence ou l'effet de sévérité, est le fait des évaluateurs victimes de l'***erreur de faible différenciation,*** qui consiste à n'utiliser qu'une petite partie de l'échelle d'évaluation.

L'effet de récence   On parle d'***effet de récence*** pour décrire l'erreur de l'évaluateur qui, obnubilé par des événements récents, occulte des faits antérieurs qu'il devrait prendre en considération. Ainsi, l'évaluateur qui note mal un subordonné au chapitre de la ponctualité simplement parce que ce dernier, bien que généralement à l'heure, est arrivé une heure en retard la veille est victime de l'effet de récence.

L'effet des stéréotypes   L'***effet des stéréotypes*** se fait sentir lorsque des évaluateurs laissent leurs préjugés personnels influencer leurs évaluations. Ce serait le cas, par exemple, d'un évaluateur qui, à cause de ses préjugés raciaux, surévaluerait des travailleurs blancs et sous-évaluerait les travailleurs de couleur. Les préjugés touchant certaines caractéristiques sociodémographiques comme l'âge, le sexe, l'origine ethnoculturelle ou les handicaps peuvent contaminer le jugement de l'évaluateur. C'est exactement ce qui s'est produit à la société *Monarch Paper Company*, où l'on a affecté à un poste d'entretien des hangars un ancien vice-président qui refusait une offre de préretraite; un tribunal fédéral a condamné l'entreprise pour discrimination fondée sur l'âge[25]. Cet exemple montre à quel point il est primordial que les évaluateurs ne laissent pas leurs préjugés influer sur l'évaluation du rendement de leurs subordonnés.

■ L'AMÉLIORATION DES ÉVALUATIONS DU RENDEMENT

Comme la plupart des questions relatives à la gestion du comportement humain dans les organisations, l'implantation d'un système d'évaluation du rendement exige du gestionnaire qu'il fasse des choix et des compromis. En plus de garder à l'esprit les avantages et les désavantages de chaque méthode, il doit prendre certaines mesures pour diminuer le risque d'erreur et améliorer la qualité des évaluations[26]. En particulier, il doit:

1. former les évaluateurs afin qu'ils comprennent bien le processus d'évaluation et qu'ils puissent déceler les éventuelles sources d'erreurs;

2. s'assurer que les évaluateurs observent les travailleurs évalués de manière continuelle, et non pas une fois ou deux fois par année durant la ou les périodes officielles d'évaluation du rendement;

3. éviter d'évaluer un trop grand nombre de travailleurs sur une courte période; si l'évaluation est trop vaste, la fatigue s'installe, et l'aptitude à déceler les différences de rendement diminue d'autant;

4. s'assurer que les critères d'évaluation ainsi que les normes de rendement sont clairement énoncés et, dans la mesure du possible, qu'ils ne présentent pas de lacunes ni de risque d'erreurs;

5. éviter les termes vagues tels que *bon* ou *moyen,* dont le sens varie selon les évaluateurs.

Mesures permettant d'améliorer l'évaluation du rendement

Souvenez-vous qu'un système d'évaluation ne doit jamais servir à écarter des travailleurs pour des raisons d'âge, de sexe ou d'origine ethnoculturelle. Voici quelques recommandations utiles pour s'assurer que le système implanté est défendable sur le plan légal[27]:

- L'évaluation du rendement doit s'appuyer sur l'analyse des exigences du poste et sur les normes de rendement qui y sont associées;

- L'évaluation ne se justifie que si le personnel comprend bien les normes de rendement établies par l'entreprise;

- Les critères d'évaluation doivent se fonder sur des dimensions spécifiquement liées au poste plutôt que sur des exigences globales et générales;

- Les dimensions évaluées doivent se traduire en termes comportementaux et s'appuyer sur des éléments observables;

- Si on a recours aux échelles d'évaluation, il faut éviter d'y associer des termes abstraits comme *loyauté,* à moins de les associer à des comportements observables;

- Les termes utilisés dans les échelles d'évaluation doivent être brefs et cohérents;

- Le système d'évaluation choisi doit être validé, et sa dimension psychométrique ainsi que la notation des évaluateurs doivent être fondées;

- La personne évaluée doit pouvoir en appeler de l'évaluation si elle n'endosse pas ses résultats.

Fondements légaux des évaluations du rendement

SUGGESTIONS POUR UN SYSTÈME D'ÉVALUATION BASÉ SUR LE RENDEMENT D'ÉQUIPE

- Associez les résultats de l'équipe avec les objectifs de l'organisation.
- Commencez par déterminer les besoins des clients de l'équipe ainsi que le mode de fonctionnement qui permettra à l'équipe de répondre à ces besoins :
  - exigences des clients ;
  - livraison et qualité ;
  - temps improductif et temps de cycle.
- Évaluez le rendement de toute l'équipe et celui de chacun de ses membres.
- Formez l'équipe à élaborer ses propres mesures de contrôle.

Grâce aux progrès technologiques, le gestionnaire dispose maintenant de plusieurs logiciels conçus pour faciliter le processus d'évaluation. Ces logiciels permettent notamment d'établir des échelles plus complètes et plus faciles à utiliser, fournissent une rétroaction plus rapide et peuvent s'adapter à une foule de situations, ce qui est capital dans les milieux de travail d'aujourd'hui[28].

■ L'ÉVALUATION DES GROUPES DE TRAVAIL

On l'a dit, avec la montée des OHP et des équipes de travail autonomes, la tendance est à l'évaluation du rendement des groupes ou des équipes. Ce type d'évaluation va souvent de pair avec un système de rémunération fondé sur le rendement des groupes, système que nous allons expliquer à la section suivante. Notons-le, les systèmes d'évaluation traditionnels axés sur l'individu sont de moins en moins adéquats, et il faut leur substituer des systèmes d'évaluation de groupe (voir *Le gestionnaire efficace 7.2*).

Les récompenses et les systèmes de récompense

Après avoir étudié la dotation en personnel, la formation, l'élaboration de plans de carrière, le perfectionnement et l'évaluation du rendement, il nous reste à voir un dernier élément clé de la gestion des RH : la conception et la mise en place des systèmes de récompense, systèmes caractérisés par une combinaison de récompenses extrinsèques et intrinsèques. On l'a vu au chapitre 6, les *récompenses extrinsèques* sont des récompenses attribuées par une autre personne à un individu ou à un groupe dont le travail est jugé satisfaisant. Les *récompenses intrinsèques,* elles, ne reposent pas sur un renforcement extérieur ; ce sont des récompenses qui découlent directement du travail et des résultats obtenus – le sentiment d'accomplissement que donne la réalisation d'une tâche particulièrement exigeante en est un exemple. La gestion des récompenses intrinsèques pose un défi particulier au gestionnaire, car il lui incombe de créer un environnement de travail où les travailleurs peuvent éprouver la satisfaction du travail bien fait ; cet enjeu fera l'objet de notre prochain chapitre. Terminons donc ce chapitre en nous penchant sur la gestion de cette récompense extrinsèque qu'est la rémunération.

■ LA RÉMUNÉRATION, UNE RÉCOMPENSE EXTRINSÈQUE

La rémunération est une récompense extrinsèque particulièrement complexe. Elle peut contribuer à attirer et à retenir des travailleurs hautement compétents, combler ces travailleurs et les motiver à maintenir des niveaux de rendement élevés. Cependant, en cas d'insatisfaction des travailleurs, elle peut aussi entraîner une grève, des griefs, de l'absentéisme, un taux élevé de rotation du personnel et même des problèmes d'ordre psychologique ou physique.

L'expert en gestion Edward Lawler a grandement contribué à notre compréhension de la rémunération en tant que récompense extrinsèque. Ses recherches l'ont amené à la conclusion suivante : pour que la rémunération soit une source de motivation, les travailleurs doivent considérer qu'un rendement élevé est le moyen d'obtenir une rémunération importante[29]. La ***rémunération au mérite*** est un système de rémunération selon lequel le salaire et les augmentations sont directement liés à l'évaluation du rendement pour une période donnée. Au Québec, la plupart des dirigeants d'organismes ou de sociétés d'État peuvent prétendre à une prime liée à leur rendement ; celle du PDG de Loto-Québec, par exemple, peut atteindre jusqu'à 15 % de son salaire de base[30]. Dans le secteur privé, la valeur des primes liées au rendement accordées aux hauts dirigeants peut dépasser largement celle de leur rémunération totale : ainsi, en 1999, le PDG d'Ivaco, dont le salaire de base était de 615 900 $, a reçu une prime de rendement de 3 184 769 $; la même année, celle du PDG de Bombardier fut de 1 676 250 $, pour un salaire de 750 000 $[31].

La recherche confirme la logique et les avantages théoriques de la rémunération au mérite, mais elle indique également que son instauration n'est ni aussi facile ni aussi répandue qu'on pourrait le croire. En effet, 80 % des répondants aux sondages menés ces 30 dernières années estiment ne pas avoir été récompensés pour le travail bien fait[32]. Un système de rémunération au mérite adéquatement conçu pourrait redresser cette situation.

Pour bien fonctionner, un système de rémunération au mérite doit s'appuyer sur une évaluation réaliste et objective du rendement des travailleurs, et convaincre ces derniers qu'ils doivent donner un rendement élevé pour obtenir une rémunération importante. De plus, l'ampleur de la récompense doit distinguer clairement les travailleurs qui affichent de bons résultats des autres. Enfin, les gestionnaires ne doivent pas confondre les augmentations au mérite et les augmentations qui ne représentent qu'une indexation au coût de la vie.

■ ***Rémunération au mérite***
Système de rémunération où le salaire et les augmentations des travailleurs sont directement liés à l'évaluation de leur rendement pour une période donnée

■ DES SYSTÈMES DE RÉMUNÉRATION NOVATEURS

Les systèmes de rémunération au mérite sont une tentative, parmi d'autres, pour améliorer l'incidence positive de la rémunération en tant que récompense d'un travail. Cependant, certains affirment qu'ils ne sont plus adaptés aux exigences des organisations d'aujourd'hui, car ils ne tiennent pas compte de l'interdépendance des tâches et des fonctions des travailleurs, particulièrement au sein des OHP. De plus, on l'a dit, les stratégies de gestion des RH devraient être conformes aux stratégies d'ensemble de l'organisation ; conséquemment, le système de rémunération d'une organisation à la recherche de travailleurs hautement qualifiés et pour lesquels la demande est très forte devrait privilégier la stabilité de la main-d'œuvre plutôt que le seul rendement[33].

Gardons ces considérations à l'esprit tandis que nous nous penchons sur quelques systèmes de rémunération novateurs : le système de rémunération basé sur les compétences ; les programmes de partage des gains de productivité, de participation aux bénéfices et d'actionnariat des salariés ; les augmentations de salaire forfaitaires ; les avantages sociaux à la carte, de plus en plus répandus en raison de la diversité croissante de la main-d'œuvre et de l'importance que prennent des stratégies organisationnelles comme la gestion intégrale de la qualité[34].

■ **Rémunération fondée sur les compétences** Système de rémunération qui récompense les travailleurs pour l'acquisition ou le perfectionnement d'habiletés associées à leur travail

La rémunération fondée sur les compétences La *rémunération fondée sur les compétences* est fonction de l'acquisition ou du perfectionnement d'habiletés liées au travail : les travailleurs sont rémunérés selon la diversité et l'étendue de leurs compétences plutôt que selon leur affectation. Dans la plupart des cas, les habiletés recherchées sont liées aux nouvelles technologies et à l'outillage automatisé ; les travailleurs sont payés pour le fait de les posséder et d'accepter de les mettre au service de l'organisation.

Ce système de rémunération novateur, adopté notamment par Polaroïd, est l'un de ceux qui se répandent le plus rapidement aux États-Unis[35]. En plus de sa souplesse, il comporte plusieurs avantages, notamment : 1) la formation mutuelle des travailleurs : ceux-ci apprennent à accomplir les tâches de leurs collègues ; 2) un besoin moindre de superviseurs : les travailleurs remplissent eux-mêmes certaines de leurs fonctions ; 3) une attitude moins passive du personnel en matière de rémunération : les travailleurs savent ce qu'ils doivent accomplir pour recevoir une augmentation et peuvent ainsi prendre les mesures appropriées. Du côté des inconvénients pour l'entreprise, notons le risque que l'augmentation des coûts (formation et salaire) ne soit pas absorbée par une productivité accrue ainsi que la difficulté d'attribuer une valeur monétaire juste à chaque compétence[36].

Le partage des gains de productivité Il est courant d'accorder des primes en espèces ou des gratifications aux gestionnaires qui affichent une performance supérieure aux normes ou aux attentes de l'organisation ; dans certains secteurs, les cadres supérieurs reçoivent des primes annuelles s'élevant à 50 % ou plus de leur salaire de base. De plus en plus, on tente d'étendre à tout le personnel les *programmes de partage des gains de productivité,* où les travailleurs touchent un supplément de rémunération proportionnel aux gains de productivité.

■ **Programme de partage des gains de productivité** Système de rémunération qui accorde aux travailleurs un supplément de rémunération proportionnel aux gains de productivité de l'organisation

Instauré pour la première fois en 1937 dans une aciérie américaine par un délégué syndical qui lui a donné son nom, le plan Scanlon est sans doute le plus ancien et le plus connu de ces programmes d'intéressement. Mais vous avez peut-être aussi entendu parler du Lincoln Electric Plan, du Rucker Plan[MD] ou d'IMPROSHARE[MD]. Ces divers programmes d'intéressement exigent qu'on évalue la productivité de manière systématique et selon des critères bien précis, puis qu'on accorde aux travailleurs une prime dont la valeur varie selon les gains de productivité.

Les programmes d'intéressement ont plusieurs avantages. En plus d'augmenter la motivation du personnel, l'incitation pécuniaire que constitue cette forme de rémunération liée au rendement met en évidence le rôle des travailleurs dans la performance générale de l'organisation. D'autre part, grâce à leur dimension participative, les programmes de partage des gains de productivité peuvent favoriser l'esprit de coopération et le travail d'équipe. La recherche a encore beaucoup à nous apprendre sur cette approche, à laquelle les organisations s'intéressent de plus en plus[37].

La participation aux bénéfices   Bien qu'assez semblables, les ***programmes de participation aux bénéfices*** diffèrent des programmes de partage des gains de productivité sur certains points : 1) ils récompensent les travailleurs en liant leur rémunération à la *performance globale de l'entreprise* ; 2) ils reflètent certains aspects sur lesquels les travailleurs n'ont aucun contrôle, comme le contexte économique ; 3) ils s'appuient sur une évaluation de la productivité *brute*.

La dimension participative est absente de ces programmes de participation aux bénéfices, qui ont souvent recours à des formules mécanistes de répartition des bénéfices. La plupart du temps, ils servent à financer les fonds de retraite du personnel et sont donc assimilés à des avantages plutôt qu'à des primes incitatives[38].

L'actionnariat des travailleurs   Comme les programmes de participation aux bénéfices, les ***programmes d'actionnariat des travailleurs*** se basent sur la performance globale de l'entreprise, mais la récompense y prend la forme d'actions de la société données ou vendues à un prix inférieur à celui du marché. L'entreprise montréalaise de haute technologie Cognicase, par exemple, a adopté un programme d'actionnariat qui combine l'octroi d'actions et leur achat à des conditions avantageuses :

> Chaque année, un employé peut acheter des actions de l'entreprise à un prix moindre que celui du marché, jusqu'à un maximum correspondant à un certain pourcentage de son salaire. L'employeur y va de sa contribution en ajoutant le tiers de la valeur des achats d'actions effectués par l'employé dans l'année[39].

Pour les entreprises, ces programmes représentent souvent une façon peu coûteuse de contribuer au fonds de retraite du personnel, car les actions qu'elles distribuent ne deviendront imposables pour elles qu'au moment où les actionnaires convertiront leurs actions. Bien entendu, comme tout investissement boursier, l'actionnariat n'est pas sans risques pour les travailleurs[40].

Les augmentations salariales forfaitaires   Presque tous les systèmes de rémunération étalent les augmentations salariales au fil des chèques de salaire réguliers. Les ***programmes d'augmentations salariales forfaitaires,*** qui donnent aux travailleurs la possibilité de recevoir le montant global de l'augmentation en un ou deux versements (ou davantage), peuvent être intéressants. Ainsi, le travailleur pourra choisir de percevoir le montant global de l'augmentation au début de l'année, et s'en servir pour faire le premier versement sur l'achat d'un véhicule ou le déposer dans un compte d'épargne. Ou encore, il pourra n'en percevoir que la moitié et conserver le reste pour des vacances d'hiver. Dans un cas comme dans l'autre, à cause de l'importance même de la somme ou parce qu'il l'associe à quelque chose qui a de la valeur à ses yeux, ce système devrait avoir un effet positif sur sa motivation.

Plus controversé, le *montant* forfaitaire, différent de l'*augmentation* forfaitaire, permet à l'employeur de contenir ses coûts de main-d'œuvre tout en donnant plus d'argent aux travailleurs si les profits de l'entreprise le permettent. En vertu de ce programme, plutôt qu'une augmentation annuelle au pourcentage de leur salaire, les travailleurs reçoivent en un seul versement un montant global, souvent basé sur une formule de partage des gains. De cette façon, le salaire de base ne change pas, tandis que la rémunération globale varie selon la prime forfaitaire. Les syndicats

■ *Programme de participation aux bénéfices*   Système de rémunération qui récompense les travailleurs en liant leur rémunération à la performance globale de l'organisation

■ *Programme d'actionnariat des travailleurs*   Système de rémunération qui, comme les programmes de participation aux bénéfices, récompense les travailleurs selon la performance globale de l'organisation, mais par des actions de la société plutôt que par de l'argent

■ *Programme d'augmentations salariales forfaitaires*   Système de rémunération où les travailleurs peuvent choisir de recevoir le montant de leur augmentation salariale en un ou plusieurs versements forfaitaires

s'opposent généralement à cette approche, car le salaire de base n'augmente pas, et la direction est seule à décider du montant de la prime. Cependant, si on en croit les sondages, près des deux tiers des répondants sont assez favorables à ces programmes et estiment qu'ils ont une incidence positive sur le rendement[41].

Les avantages sociaux à la carte   En plus du salaire, la rémunération globale des travailleurs inclut une série d'avantages sociaux assumés par leur employeur, et dont la valeur représente généralement entre 10 % et 40 % du salaire. On recommande maintenant aux organisations de tenir compte des caractéristiques individuelles lorsqu'elles mettent sur pied de tels programmes, sinon cette forme indirecte de rémunération risque de perdre tout effet motivant. Il existe donc une approche qui permet au travailleur de personnaliser l'assortiment des avantages que l'organisation mettra à sa disposition. Ces ***programmes d'avantages sociaux à la carte*** permettent au travailleur de choisir des avantages vraiment adaptés à ses besoins. Par exemple, le célibataire pourra choisir un plan de retraite et d'assurance très différent de celui que choisirait un collègue marié[42].

■ *Programme d'avantages sociaux à la carte*   Système de rémunération où les travailleurs peuvent personnaliser l'assortiment d'avantages sociaux dont ils bénéficient selon leurs besoins individuels

Guide de révision

Quels sont les éléments clés de la planification et de la mise en œuvre d'une politique de gestion des ressources humaines ?

■ La planification stratégique des RH vise à doter l'organisation de travailleurs qui ont la motivation et les compétences nécessaires pour concrétiser sa mission et sa vision.

■ La planification stratégique des RH repose en bonne partie sur la fonction de dotation en personnel, qui englobe l'analyse de poste, le recrutement (recherche des candidatures), la sélection (prise de décision pour chaque candidat) et la socialisation (intégration des personnes nouvellement embauchées).

Que représentent la formation, le perfectionnement et l'élaboration des plans de carrière pour une organisation ?

■ La formation est un ensemble d'activités qui permettent aux travailleurs d'acquérir et de perfectionner leurs compétences professionnelles.

■ La formation dans l'entreprise peut prendre la forme de sessions de formation planifiées ou de formation sur le tas. Dans la formation sur le tas, l'enseignement et les instructions se dispensent au fur et à mesure de l'accomplissement des tâches ; ses formes les plus courantes sont le stage en milieu de travail, l'apprentissage et la rotation des postes.

■ La formation à l'extérieur de l'entreprise repose généralement sur des cours, des vidéos et des exercices de simulation.

■ L'élaboration du plan de carrière est un processus au cours duquel le travailleur se penche avec son supérieur ou un spécialiste en RH sur ses perspectives de carrière à plus long terme. Ce processus repose sur un cadre conceptuel en cinq étapes. Le travailleur doit prendre en charge son cheminement professionnel en se créant un portefeuille de compétences et en le tenant à jour pour conserver sa «valeur marchande», en pesant soigneusement le pour et le contre de tout changement professionnel, et en ne perdant jamais de vue les liens entre les étapes de sa vie adulte et celles de sa vie professionnelle.

Qu'est-ce que l'évaluation du rendement ?

■ L'évaluation du rendement est un processus qui permet d'évaluer systématiquement le rendement quantitatif et qualitatif des membres du personnel, et de fournir une rétroaction à partir de laquelle les améliorations voulues pourront être apportées.

■ L'évaluation du rendement remplit deux grands objectifs généraux : 1) l'évaluation proprement dite, et 2) la rétroaction et la planification du perfectionnement.

■ Traditionnellement, l'évaluation du rendement incombait au supérieur immédiat du travailleur. Cependant, de plus en plus d'organisations privilégient la rétroaction à 360 degrés, c'est-à-dire une évaluation à laquelle participent toutes les personnes avec lesquelles le travailleur est en contact dans son emploi (collègues, subordonnées, fournisseurs, clients, etc.) et qui comprend également une autoévaluation.

■ L'évaluation du rendement peut se fonder sur l'évaluation des résultats, sur l'évaluation des activités, ou sur ces deux critères.

■ Les méthodes d'évaluation du rendement se divisent en deux grandes catégories : les méthodes comparatives – comme le classement, la comparaison par paires et la répartition forcée – et les méthodes de mesure absolue – comme l'échelle d'évaluation graphique, l'évaluation par incidents critiques, l'échelle de comportement et la gestion par objectifs.

■ Au moins six types d'erreurs peuvent fausser l'évaluation du rendement : l'effet de halo, l'effet d'indulgence, l'effet de sévérité, l'effet de tendance centrale, l'effet de récence, l'effet des stéréotypes.

■ Le gestionnaire peut recourir à plusieurs mesures préventives qui permettent de réduire les effets des erreurs d'évaluation et d'améliorer son processus général.

■ On utilise de plus en plus fréquemment les systèmes d'évaluation du rendement de groupe.

En quoi consistent les récompenses des travailleurs et de quoi sont faits les systèmes de récompense ?

■ Les récompenses des travailleurs sont un autre élément clé de la gestion des RH : l'organisation doit concevoir et mettre sur pied un système de récompense qui satisfera les travailleurs.

■ Les systèmes de récompense combinent les récompenses extrinsèques et les récompenses intrinsèques.

Comment gérer cette récompense extrinsèque qu'est la rémunération ?

■ Pour que la rémunération soit une source de motivation, le gestionnaire aura recours à la rémunération au mérite ainsi qu'à d'autres systèmes de rémunération novateurs.

■ Parmi les systèmes de rémunération novateurs, on compte la rémunération fondée sur les compétences, le partage des gains de productivité, l'actionnariat des travailleurs, la participation aux bénéfices, les augmentations salariales forfaitaires et les avantages sociaux à la carte.

Comment gérer les récompenses intrinsèques ?

■ La gestion des récompenses intrinsèques représente un défi particulier, car le gestionnaire doit créer un environnement de travail où les travailleurs peuvent éprouver la satisfaction du travail bien fait.

Mots clés

Analyse de poste   p. 157

Classement   p. 170

Comparaison par paires
p. 170

Description réaliste
de poste   p. 159

Échelle d'évaluation com-
portementale   p. 172

Échelle d'évaluation
graphique   p. 170

Effet de halo   p. 174

Effet de récence   p. 174

Effet de sévérité   p. 174

Effet de tendance centrale
p. 174

Effet des stéréotypes
p. 174

Effet d'indulgence   p. 174

Évaluation des connaissances

■ QUESTIONS À CHOIX MULTIPLE

1. La fonction de dotation en personnel n'inclut pas _____ **a)** la sélection des postulants. **b)** la socialisation des nouvelles recrues. **c)** le recrutement des travailleurs. **d)** la formation des travailleurs.

2. L'analyse de poste _____ **a)** correspond à la description de poste. **b)** correspond au profil de candidature. **c)** concerne les tâches que l'organisation doit accomplir. **d)** correspond à l'évaluation du rendement.

3. La formation _____ **a)** est un autre terme pour désigner la socialisation. **b)** est un autre terme pour désigner l'élaboration du plan de carrière. **c)** est un ensemble d'activités visant l'amélioration des compétences. **d)** se fait avant le recrutement.

4. Le concept d'une carrière qui se déroule entièrement au sein d'une seule et même organisation _____ **a)** est plus actuel que jamais. **b)** est de plus en plus dépassé. **c)** n'a jamais vraiment correspondu à une réalité. **d)** ne correspond à la réalité que dans certaines industries.

5. Le terme «plafonnement professionnel» décrit _____ d'un travailleur. **a)** la rétrogradation **b)** un ralentissement des promotions **c)** une accélération des promotions **d)** la stabilisation de la progression hiérarchique

6. L'évaluation du rendement et l'analyse de poste _____ **a)** sont une seule et même chose. **b)** n'ont aucun lien. **c)** sont liées, l'analyse de poste devant se baser sur l'évaluation du rendement. **d)** sont liées, l'évaluation du rendement devant s'appuyer sur l'analyse de poste.

7. Les deux objectifs généraux de l'évaluation du rendement sont _____ **a)** les récompenses et les punitions. **b)** l'évaluation proprement dite d'une part, et la rétroaction et le perfectionnement d'autre part. **c)** l'évaluation et les récompenses. **d)** la rétroaction et l'analyse de poste.

8. Il existe deux sortes de récompenses: _____ **a)** les récompenses extrinsèques et les récompenses intrinsèques. **b)** les récompenses internes et les récompenses externes. **c)** les récompenses importantes et les récompenses minimes. **d)** celles de haut niveau et les récompenses de bas niveau.

9. La rémunération au mérite _____ **a)** récompense les employés pour l'acquisition de nouvelles compétences. **b)** est une forme de partage des gains de productivité. **c)** correspond à une augmentation forfaitaire. **d)** souligne la dimension positive du salaire en tant que rétribution du travail accompli.

10. Avec un programme d'avantages sociaux à la carte _____ **a)** les travailleurs personnalisent les avantages sociaux dont ils bénéficient selon leurs besoins individuels. **b)** les travailleurs bénéficient d'avantages importants en début de carrière, mais qui diminuent par la suite. **c)** les travailleurs bénéficient d'avantages négligeables en début de carrière, mais qui s'améliorent par la suite. **d)** les récompenses consistent en un salaire de base auquel s'ajoutent d'autres avantages et bénéfices.

■ VRAI OU FAUX ?

11. La dotation en personnel est une activité moins large que le recrutement. **V F**

12. Dans le processus de dotation en personnel, la sélection suit la socialisation. **V F**

13. La formation peut se faire dans l'organisation ou à l'extérieur. **V F**

14. Le cadre conceptuel de l'élaboration du plan de carrière comprend cinq étapes. **V F**

15. Les étapes du cycle de la vie adulte sont liées aux étapes de carrière. **V F**

16. La meilleure évaluation du rendement d'un travailleur est celle à laquelle procède son supérieur immédiat. **V F**

17. L'évaluation du rendement peut se faire par l'évaluation des résultats ou par l'évaluation des activités. **V F**

18. La répartition forcée est une méthode de mesure absolue du rendement. **V F**

19. La rémunération est une récompense intrinsèque. **V F**

20. Les termes «programmes de partage des gains de productivité» et «programmes de participation aux bénéfices» décrivent exactement la même réalité. **V F**

■ QUESTIONS À RÉPONSE BRÈVE

21. Décrivez la relation entre la mission d'une organisation et ses stratégies de gestion des RH.

22. Expliquez l'incidence de la formation et de l'élaboration du plan de carrière sur l'adéquation nécessaire entre les exigences de l'organisation et du poste d'une part, et les caractéristiques de l'individu d'autre part.

23. Expliquez les liens entre les étapes de la vie adulte et les étapes de carrière.

24. Décrivez, en dégageant ce qui les distingue, les deux objectifs généraux de tout bon système d'évaluation du rendement: 1) l'évaluation proprement dite, et 2) la rétroaction et le perfectionnement.

■ QUESTION À DÉVELOPPEMENT

25. Imaginez que vous appartenez à une association étudiante. À partir des hypothèses appropriées, expliquez de manière relativement détaillée comment les notions de gestion des ressources humaines étudiées dans ce chapitre pourraient s'appliquer à votre organisme sur le plan local ou national.

Reportez-vous aux études de cas, aux exercices et aux autoévaluations de notre *Cahier d'apprentissage en CO* (voir p. 531).

■ **Consultez le site Web du manuel. Vous y trouverez un questionnaire interactif et des exercices en ligne sur le contenu de ce chapitre.**

www.erpi.com/schermerhorn

Conception de poste et haute performance

CYBERDAMNÉS

www.amazon.com

[...] Amazon, créée en 1995, vaut déjà davantage que toutes les grandes chaînes de librairies américaines réunies. Son fondateur, M. Jeff Bezos, possède plus de 4 milliards de dollars. Le travail des employés d'Amazon est moins lucratif. Et infiniment moins créatif. Souvent jeunes, non mariés, instruits, plusieurs centaines d'entre eux opèrent ainsi dans des bâtiments de Seattle sur de gigantesques espaces paysagers divisés en box individuels minuscules et partagés. Casque de téléphone vissé sur le crâne et visage collé sur un écran, ils traitent, chaque année, les millions de courriers électroniques qui commandent un livre.

Certains responsables «amazoniens» les nomment des «peones électroniques». Car, lorsqu'ils ont un client en ligne, on ne leur demande pas de trop faire usage de leurs éventuelles compétences littéraires. Les temps modernes restent ceux du rendement : douze messages électroniques par heure, et le licenciement pour ceux dont la productivité serait inférieure à sept messages et demi. Au téléphone, une conversation de plus de quatre minutes – menée d'une voix «qui doit être assez audible pour le client et pas trop bruyante pour les collègues de box», vaut un avertissement au coupable.

«C'est comme la Chine de Mao, explique l'un de ces travailleurs à la chaîne de la «nouvelle économie», on ne cesse de nous demander d'aider le collectif. Sinon, c'est que vous nuisez à la famille. Mais cette famille-là, elle appartient à Jerry Springer.» Le propos est extrêmement malveillant s'agissant d'une entreprise qui se soucie en permanence d'organiser des animations pour ses employés – ou ses fidèles. En septembre 1999, ce fut par exemple un «clavierthon de minuit en folie», drôlement annoncé par un message électronique titré «Vous dormirez quand vous serez mort». Le jeu, irrésistible, consistait à venir travailler la nuit pour répondre à un maximum de cyber-requêtes en souffrance. Le gagnant a décroché un prix de 100 dollars.

Ancien employé, M. Richard Howard doute du caractère inédit des relations sociales dans la «nouvelle économie» : «On ne cesse de parler du rôle révolutionnaire d'Internet dans les affaires. Mais pour l'essentiel, on fait un travail répétitif avec en permanence des gens sur le dos. Qu'y a-t-il de révolutionnaire là-dedans ? La seule différence, c'est que nos superviseurs ont souvent des piercings à l'oreille et s'habillent en cuir.»

Serge Halimi. *Le Monde diplomatique,* février 2000, p. 18.

La situation des employés d'Amazon est malheureusement très répandue, non seulement chez les travailleurs du secteur manufacturier, mais également chez ceux de la nouvelle économie. Il suffit de parler à quelques-uns de nos proches pour le constater : trop de gens travaillent encore aujourd'hui à des postes qui ne leur offrent pas assez de débouchés ni d'occasions d'apprendre, qui n'exigent pas assez d'initiative, et qui ne procurent pas assez de satisfaction professionnelle. Dans ces conditions, comment s'étonner que, pour trop de gens, « La meilleure journée de travail ne vaudra jamais la pire journée de golf ! », comme le résumait si bien un étudiant en CO.

Ce chapitre, consacré à la conception des postes dans des milieux axés sur la haute performance, présente une vision du travail nettement plus positive. Nous allons y montrer qu'on peut et qu'on doit concevoir les postes de manière à ce qu'ils génèrent à la fois un *rendement élevé* et la *satisfaction des travailleurs*. En effet, si on se donne la peine de réunir certaines conditions – un poste bien conçu, des tâches clairement déterminées, des objectifs ambitieux mais atteignables, des horaires de travail qui tiennent compte des besoins des individus –, la conjonction du rendement élevé et de la satisfaction professionnelle peut être la norme plutôt que l'exception. Bref, nous allons voir dans ce chapitre qu'une conception adéquate des postes de travail favorise non seulement le rendement élevé, la qualité de la production et l'amélioration continue, mais aussi la satisfaction professionnelle.

Questions clés

Ce chapitre traite du rôle stratégique de la conception des postes, de la fixation des objectifs et de la planification des horaires de travail dans la création de cadres de travail axés sur la haute performance. Voici les questions clés que vous devriez garder à l'esprit en le lisant :

- Quelles sont les diverses approches en matière de conception de poste ?
- Comment peut-on concevoir des emplois stimulants pour les travailleurs ?
- Quel rôle jouent les nouvelles technologies dans la conception de poste ?
- Comment la fixation d'objectifs peut-elle améliorer le rendement ?
- Quelles sont les nouvelles approches en matière d'aménagement du temps de travail ?

Les diverses approches de la conception de poste

La **conception de poste** englobe la planification et la spécification des tâches inhérentes à chaque poste, ainsi que la détermination des conditions dans lesquelles s'accompliront ces tâches. La figure 8.1 montre que les diverses approches de la conception de poste se distinguent par le degré de spécialisation des tâches et l'importance des récompenses intrinsèques associées au poste. Le poste le mieux conçu est évidemment celui qui répond le mieux aux exigences de rendement de l'organisation tout en offrant la meilleure adéquation possible avec les besoins et compétences de son titulaire, et en procurant à ce dernier la plus grande satisfaction professionnelle possible.

■ *Conception de poste*
Planification et spécification des tâches inhérentes à un poste, et détermination des conditions dans lesquelles s'accompliront ces tâches

■ L'ORGANISATION SCIENTIFIQUE DU TRAVAIL

On s'entend généralement pour dire que la recherche scientifique sur la conception des tâches commence au début du XXe siècle, avec la publication de *Scientific Management* par Frederick Taylor[1]. Cet ingénieur américain et ses contemporains voulaient concevoir une organisation pratique du travail qui optimise l'efficience des travailleurs et des équipements. Leur approche consistait à étudier dans le détail un travail donné, à le décomposer en ses éléments les plus simples, à déterminer la durée exacte et les gestes précis qu'impliquait son exécution la plus efficace, puis à former les travailleurs à répéter ces gestes inlassablement. Ces premières recherches préfiguraient des approches contemporaines du génie industriel axées sur l'efficience, et qui tentent de déterminer les procédés, les méthodes, les circuits de production, les normes de productivité et l'interface travailleur-équipement les plus efficaces pour chaque poste.

De nos jours, le terme **simplification des tâches** décrit une approche de la conception de poste où les procédés sont standardisés, et où les travailleurs sont confinés à des tâches normalisées, clairement définies et hautement spécialisées.

■ *Simplification des tâches*
Approche de la conception de poste où les procédés sont standardisés, et où les travailleurs sont confinés à des tâches normalisées, clairement définies et hautement spécialisées

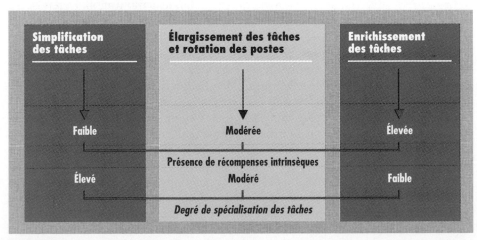

Figure 8.1
Échelle des stratégies relatives à la conception de poste

www.volvo.com

En achetant Volvo, la société Ford a fait l'acquisition d'une culture de la qualité. Dans l'usine Volvo de Torslanda, en Suède, la production du nouveau modèle S80 se fait grâce à un heureux mélange de haute technologie et d'apport humain. La chaîne de montage fonctionne selon le concept de la plate-forme, où les pièces de grande taille parviennent en modules aux ouvriers. Les avantages ergonomiques sont incontestables pour les travailleurs : les mouvements et la posture sont beaucoup moins exigeants. Les postes individuels monotones ont disparu au profit d'équipes de travail dotées de responsabilités étendues en matière de planification et d'exécution, et qui assemblent d'importantes parties du véhicule. Les travailleurs contrôlent eux-mêmes la qualité de leur travail et prennent les mesures qui s'imposent pour l'améliorer. « La responsabilité, l'expertise et le travail d'équipe sont les éléments clés de notre conception de la fabrication de véhicules automobiles », déclare un porte-parole de la société[2].

La chaîne de montage qui progresse au rythme des machines en est l'exemple classique. À quelles fins recourt-on à la simplification des tâches ? La réponse habituelle est qu'on cherche à accroître l'efficience de la production en réduisant l'éventail des compétences requises pour effectuer un travail, en engageant une main-d'œuvre peu coûteuse, en limitant les besoins de formation et en privilégiant la répétitivité des tâches. Pourtant, la nature même des postes ainsi conçus engendre des problèmes : on constate notamment une perte d'efficience attribuable à une baisse de qualité, à des taux élevés d'absentéisme et de rotation du personnel, ainsi qu'à de fortes exigences salariales visant à compenser le peu d'attraits que présentent ces emplois.

■ L'ÉLARGISSEMENT DES TÂCHES ET LA ROTATION DES POSTES

■ *Élargissement des tâches*
Approche de la conception de poste où l'on augmente la diversité des tâches en confiant au titulaire du poste un plus grand nombre de tâches différentes, sans pour autant augmenter le degré de difficulté des tâches ni le niveau de responsabilité du poste

■ *Rotation des postes*
Approche de la conception de poste où l'on augmente la diversité des tâches des travailleurs en les affectant périodiquement à des postes différents, sans pour autant augmenter le degré de difficulté des tâches ni le niveau de responsabilité du poste

Nous venons de le voir, la stratégie de la *simplification des tâches* limite considérablement la variété des tâches des travailleurs. Or, si elle facilite la maîtrise des tâches, la répétitivité engendre la monotonie et diminue la motivation. La remise en cause de la simplification des tâches a donné lieu à un deuxième type d'approches qui, elles, visent à élargir l'éventail de tâches des travailleurs. Lorsque l'on procède à l'*élargissement des tâches,* on augmente la diversité de celles-ci en combinant des tâches (deux ou plus) auparavant attribuées à des travailleurs différents. Appelée parfois *expansion horizontale* des tâches, cette approche donne de l'*étendue* au poste dans la mesure où on confie à son titulaire un plus grand nombre de tâches différentes, sans pour autant augmenter le degré de difficulté des tâches ni le niveau de responsabilité du poste. Dans la *rotation des postes,* une autre approche d'expansion horizontale, on accroît la diversité des tâches en changeant périodiquement les travailleurs de postes ; ici encore, le degré de difficulté et le niveau de responsabilité restent les mêmes. Le système de rotation des postes peut être organisé selon une grille variée d'affectations (à l'heure, à la journée ou à la semaine). Cette approche présente un avantage notable sur le plan de la formation, puisqu'elle permet aux travailleurs de se familiariser avec diverses activités et d'augmenter ainsi tant leur expérience professionnelle que leur mobilité au sein de l'organisation.

■ L'ENRICHISSEMENT DES TÂCHES

Selon la théorie bifactorielle de Herzberg (voir le chapitre 6), il ne faut pas s'attendre à ce que des postes axés sur la simplification des tâches engendrent une forte motivation, pas plus que ceux axés sur l'élargissement des tâches ou sur la rotation des postes[3]. «Pourquoi, s'interroge Herzberg, un travailleur serait-il motivé par l'ajout d'une ou deux tâches fastidieuses à celles qu'il effectuait déjà, ou par l'alternance de postes tous aussi insignifiants les uns que les autres?» De préférence à ces approches, il propose donc une autre stratégie de conception de poste : l'enrichissement des tâches.

Selon le modèle de Herzberg, l'**enrichissement des tâches** (voir *Le gestionnaire efficace 8.1*) consiste à rehausser la nature du travail en y ajoutant des facteurs de motivation comme la responsabilité, le sentiment d'accomplissement, la reconnaissance professionnelle et l'épanouissement personnel. Cette stratégie diffère sensiblement de celles dont nous venons de parler, car elle ajoute aux fonctions d'exécution des fonctions de planification et de contrôle traditionnellement attribuées à des cadres. Herzberg appelle *expansion verticale des postes* ces changements qui modifient la nature d'un poste afin de lui donner de la *profondeur*. Les postes *enrichis*, affirme-t-il, aident l'individu à satisfaire ses besoins d'ordre supérieur et augmentent donc sa motivation à atteindre des niveaux élevés de rendement.

Malgré l'intérêt certain des idées de Herzberg, deux questions se posent au gestionnaire :

- *L'enrichissement des tâches entraîne-t-il des coûts importants ?* Il est certain que l'enrichissement des tâches peut être coûteux pour une organisation, surtout s'il exige des changements majeurs aux installations et aux circuits de production, ou l'implantation de nouvelles technologies.
- *Les travailleurs réclameront-ils des augmentations de salaire si on les affecte à des postes enrichis ?* Selon Herzberg, si la rémunération des travailleurs est vraiment concurrentielle, les récompenses intrinsèques découlant d'un travail plus gratifiant seront amplement satisfaisantes. D'autres chercheurs se montrent sceptiques et conseillent aux gestionnaires d'étudier l'aspect salarial de la question avec la plus grande attention[4].

LE GESTIONNAIRE EFFICACE 8.1

LES CONSEILS DE F. HERZBERG SUR L'ENRICHISSEMENT DES TÂCHES

- Faites participer les travailleurs au processus de planification.
- Permettez aux travailleurs d'évaluer leurs résultats.
- Accordez plus d'autonomie aux travailleurs.
- Augmentez la complexité des tâches.
- Aidez les travailleurs à devenir des experts dans leurs tâches respectives.
- Donnez aux travailleurs de la rétroaction sur leur rendement.
- Responsabilisez les travailleurs par rapport à leur rendement.
- Organisez le travail en unités intégrales.

■ ***Enrichissement des tâches***

Approche de la conception de poste où l'on rehausse la nature du travail en ajoutant aux fonctions d'exécution des fonctions de planification et de contrôle traditionnellement attribuées à des cadres

La conception de postes qui augmentent la motivation

Les spécialistes du CO hésitent à voir dans l'enrichissement des tâches la panacée à tous les problèmes de satisfaction professionnelle et de rendement au sein des organisations. En effet, outre les coûts et les exigences salariales, il importe de

■ **Théorie des caractéristiques de l'emploi** Théorie qui met en lumière cinq caractéristiques fondamentales de l'emploi particulièrement importantes dans la conception de poste : la polyvalence, l'intégralité de la tâche, la valeur de la tâche, l'autonomie et la rétroaction

Les caractéristiques fondamentales d'un poste

prendre en considération les différences individuelles, de se demander si l'enrichissement des tâches convient à tout le monde. L'approche diagnostique, élaborée par Richard Hackman et Greg Oldham, propose un modèle plus étendu et axé sur la contingence pour la conception de postes qui augmentent la motivation[5]. Ce modèle offre d'énormes possibilités en matière de conception de poste personnalisée.

■ LA THÉORIE DES CARACTÉRISTIQUES DE L'EMPLOI

La figure 8.2 illustre le modèle de la **théorie des caractéristiques de l'emploi,** théorie fondée, comme son nom l'indique, sur cinq caractéristiques de l'emploi qui revêtent une importance particulière dans la conception de poste. Un poste sera considéré comme *enrichi* s'il possède à un degré élevé chacune de ces caractéristiques :

- la *polyvalence,* c'est-à-dire la variété des tâches inhérentes à un poste et la diversité des compétences et des talents qu'il requiert ;
- l'*intégralité de la tâche,* c'est-à-dire la possibilité d'exécuter la *totalité* d'une opération, de la première à la dernière étape, avec un résultat perceptible ;
- la *valeur de la tâche,* c'est-à-dire l'importance du poste, sa portée et son incidence sur l'organisation ou sur la société en général ;
- l'*autonomie,* c'est-à-dire l'indépendance et la latitude accordées au titulaire du poste pour ce qui est de l'organisation de son travail et du choix des procédures ;
- la *rétroaction,* c'est-à-dire la quantité d'information claire et directe que reçoit le travailleur sur la qualité du travail qu'il accomplit.

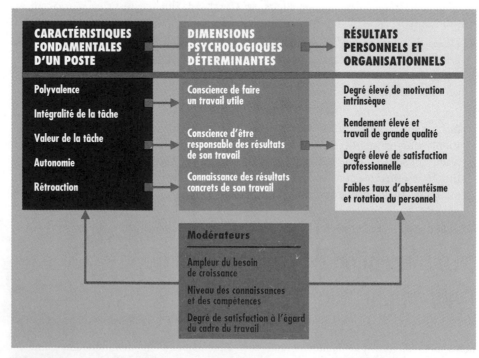

Figure 8.2
Théorie des caractéristiques de l'emploi appliquée à la conception de poste

Hackman et Oldham recommandent à quiconque désire implanter ce modèle de déterminer préalablement dans quelle mesure chaque poste possède ou non chacune de ces caractéristiques[6]. On pourra ensuite les modifier systématiquement, de manière à enrichir les postes et à augmenter leur potentiel de motivation. L'instrument de mesure mis au point par les deux chercheurs, le *Job Diagnostic Survey* (*Évaluation diagnostique des postes*), permet de procéder à l'évaluation de chacune des caractéristiques fondamentales d'un poste, puis d'établir l'**indice du potentiel de motivation (IPM)**, qui indique dans quelle mesure un poste peut être stimulant pour son titulaire. L'IPM est le résultat d'une équation simple :

$$IPM = \frac{(\text{Polyvalence} + \text{Intégralité de la tâche} + \text{Valeur de la tâche})}{3} \times \text{Autonomie} \times \text{Rétroaction}$$

On peut améliorer l'IPM d'un poste par une combinaison de tâches qui en augmentera l'étendue, par l'instauration de *circuits de rétroaction* qui informeront mieux le travailleur sur la qualité de son travail (dans certains cas, ces circuits peuvent inclure une forme de rétroaction provenant directement de la clientèle) et par l'*expansion verticale du poste* (ajout de responsabilités de planification et de contrôle). Une fois qu'on a *enrichi* les cinq caractéristiques fondamentales d'un poste et augmenté autant que possible son IPM, on peut s'attendre à des retombées positives sur l'état d'esprit de son titulaire, retombées qui touchent trois dimensions psychologiques déterminantes : 1) la conscience de faire un travail utile, 2) la conscience d'être responsable des résultats de son travail et 3) la connaissance des résultats concrets de son travail. À leur tour, ces retombées positives devraient se répercuter sur le travail de l'individu, et se traduire par une nette amélioration de la motivation intrinsèque, de la satisfaction professionnelle et du rendement.

Les modérateurs tenant aux différences individuelles   La théorie des caractéristiques de l'emploi postule que les individus ne réagissent pas tous de la même manière aux cinq caractéristiques fondamentales d'un poste. Contrairement à la théorie de Herzberg voulant que des emplois *enrichis* satisfassent tout le monde, l'approche de Hackman et Oldham admet qu'on devrait concevoir les postes en visant la meilleure adéquation possible entre leurs caractéristiques fondamentales et les caractéristiques individuelles de leurs titulaires : besoins, compétences, aptitudes, etc. Plus précisément, cette théorie suggère que l'enrichissement des tâches donne de bons résultats dans la mesure où cette adéquation existe ; si un poste enrichi ne convient pas à son titulaire, ses résultats ont moins de chances d'être positifs et cela risque même d'engendrer des problèmes.

La figure 8.2 met en lumière trois modérateurs liés aux différences individuelles et pouvant influer sur les préférences des gens quant à la conception de leur poste :

1. L'*ampleur du besoin de croissance* correspond au désir d'autonomie, d'apprentissage et d'accomplissement en milieu de travail. Il est semblable aux besoins d'estime et de réalisation de soi dans la théorie de la hiérarchie des besoins de Maslow, et aux besoins de développement dans la théorie ERD d'Alderfer (voir le chapitre 6). Ici, ce modérateur signifie que les gens qui présentent un fort besoin de croissance en milieu professionnel réagiront positivement s'ils sont affectés à un poste enrichi, alors que ceux qui ont un faible besoin de croissance seront déstabilisés par une telle affectation.

2. L'*ampleur des connaissances et des compétences* agit également comme modérateur. En effet, selon ce modèle, on peut s'attendre à ce que ceux dont les compétences

■ *Indice du potentiel de motivation* (IPM)   Indice qui permet de déterminer dans quelle mesure les caractéristiques fondamentales d'un poste le rendent stimulant pour son titulaire

UPS ◄

www.ups.com

La société United Parcel Service est réputée pour son efficience opérationnelle et pour le raffinement de son système de conception de poste, lequel va jusqu'à fournir des directives claires sur les itinéraires et les délais de livraison. Toutefois, une nouvelle approche accordant une plus grande latitude aux chauffeurs quant aux itinéraires semble avoir un effet positif sur leur productivité ainsi que sur la satisfaction de la clientèle.

correspondent aux exigences d'un poste enrichi réagissent positivement et affichent de bons résultats sur le plan du rendement ; par contre, ceux qui n'ont pas les compétences requises, ou qui ont l'impression de ne pas les avoir, risquent de connaître des difficultés d'adaptation.

3. La *satisfaction du travailleur à l'égard du cadre de travail* (salaire, qualité de l'encadrement, relations avec ses collègues, conditions de travail) est également un modérateur. Toujours selon ce modèle, les travailleurs satisfaits de leur cadre de travail tendent à favoriser davantage les projets d'enrichissement de poste et à y réussir mieux que ceux qui sont insatisfaits.

Les résultats de la recherche   L'approche des caractéristiques de l'emploi a fait l'objet de multiples recherches dans les milieux de travail les plus divers : banques, cabinets dentaires, services correctionnels, compagnies téléphoniques, entreprises industrielles et organismes gouvernementaux. Les spécialistes considèrent généralement que, bien qu'encore imparfaites, la théorie des caractéristiques de l'emploi et son approche diagnostique sont effectivement des outils utiles dans la conception de poste[7]. Ils ont constaté que les cinq caractéristiques fondamentales d'un poste influent réellement sur le rendement, mais que cette influence est sans commune mesure avec leur influence sur la satisfaction. De plus, les chercheurs insistent sur le rôle de *l'ampleur du besoin de croissance* en tant que modérateur dans les relations entre la conception de poste et le rendement, et entre la conception de poste et la satisfaction professionnelle. Les caractéristiques fondamentales d'un poste influent plus fortement sur le rendement des gens dont le besoin de croissance est important que sur le rendement de ceux dont le besoin de croissance est faible. Le même effet se constate en ce qui concerne la satisfaction professionnelle. De plus, les études montrent clairement que l'enrichissement des tâches sera un échec si les exigences du poste enrichi dépassent les capacités de son titulaire ou ne concordent pas avec ses intérêts. Enfin, la perception qu'ont les travailleurs des caractéristiques d'un poste diffère souvent de l'évaluation qu'en fait un consultant ou un cadre. Le gestionnaire aurait tort de négliger cet aspect car, en définitive, l'évaluation que fait le travailleur des caractéristiques fondamentales d'un poste repose sur la perception qu'il en a. C'est donc cette perception qui détermine en grande partie les effets de l'enrichissement des tâches sur les résultats de son travail.

■ LE TRAITEMENT DES DONNÉES SOCIALES

Gerald Salancik et Jeffrey Pfeffer remettent en question la notion selon laquelle les emplois possèdent des caractéristiques stables et objectives auxquelles les individus répondent de manière prévisible et répétée[8]. Ils abordent plutôt la question de la conception des postes et des tâches en s'appuyant sur la **théorie du traitement des données sociales,** selon laquelle les besoins individuels, la perception des tâches et les réactions qui en découlent se fondent sur des réalités d'origine sociale. Dans les organisations, les données sociales influent sur la perception qu'ont les gens de leur emploi ainsi que sur leur attitude à son égard. Cette influence se constate tout aussi bien dans une salle de cours. Si plusieurs de vos amis critiquent un cours en affirmant qu'il est ennuyeux, qu'il exige trop de travail, et que le professeur est incompétent, il se pourrait bien que vous jugiez que les caractéristiques fondamentales de ce cours sont le professeur, le contenu et la charge

■ *Théorie du traitement des données sociales*   Théorie selon laquelle les besoins individuels, la perception des tâches et les réactions qui en découlent se fondent sur des réalités d'origine sociale

de travail, et qu'elles n'ont rien d'attirant. Cela influerait considérablement sur votre perception de l'enseignant et de son cours, et sur votre attitude à leur égard, et ce, quelles que soient leurs caractéristiques *objectives*.

Les recherches sur le *traitement des données sociales* semblent indiquer que, en ce qui concerne la perception des tâches et l'attitude des travailleurs à leur égard, les données sociales ont autant d'importance que les caractéristiques fondamentales du poste. En effet, la perception des caractéristiques d'un poste peut être influencée par ce qu'elles sont objectivement, mais aussi par les données sociales : les informations et les commentaires provenant du milieu de travail.

■ L'ENRICHISSEMENT DES TÂCHES, EN BREF

Une fois de plus, nous recourons à la démarche question-réponse pour résumer les points à retenir en ce qui concerne l'enrichissement des tâches.

- *Doit-on enrichir les postes de travail de tous les individus ?* La réponse est non. Les différences individuelles étant ce qu'elles sont, les travailleurs ne désirent pas tous assumer davantage de responsabilités. Les plus susceptibles de réagir favorablement à l'enrichissement des tâches sont ceux qui cherchent l'accomplissement, qui partagent les valeurs de la classe moyenne et qui veulent que leur travail réponde à leur besoin de croissance – un besoin d'ordre supérieur. L'enrichissement des tâches semble également avoir plus de chances de réussir si les travailleurs sont satisfaits de leur cadre de travail, et s'ils ont les compétences requises pour s'acquitter de leurs tâches enrichies. Ajoutons que les coûts, les contraintes techniques et l'opposition des groupes de travailleurs ou des syndicats peuvent compliquer son implantation[9].

- *L'enrichissement des tâches peut-il s'appliquer aux équipes de travail ?* Tout à fait. D'ailleurs, dans les milieux de travail les plus divers, on recourt de plus en plus à des stratégies de conception des tâches pour le travail en équipe. La troisième partie de cet ouvrage traite de certaines approches novatrices dans l'organisation du travail d'équipe, notamment des équipes interfonctionnelles et autonomes.

- *Quelle est l'influence de la culture sur l'enrichissement des tâches ?* Elle est considérable, dirions-nous, et il est essentiel d'en tenir compte à l'ère de la mondialisation. Des études menées en Belgique, en Israël, au Japon, aux Pays-Bas, aux États-Unis et en Allemagne montrent que chacun de ces pays présente des caractéristiques uniques quant à la perception du travail[10]. C'est en Belgique et au Japon que le travail est le plus fortement perçu comme un déterminant social, et en Allemagne qu'il l'est le moins. Dans tous ces pays, à l'exception de la Belgique, le travail est considéré comme un moyen de gagner de l'argent. Dans la plupart, toutefois, on estime que le travail comporte à la fois une dimension économique et une dimension sociale. Ces observations, ainsi que certaines dimensions culturelles nationales, comme la *distance hiérarchique* et la tendance à l'*individualisme* ou au *collectivisme*, montrent bien l'importance d'adopter une approche fondée sur la contingence et d'accorder une attention particulière aux différences culturelles lorsqu'on envisage l'enrichissement des tâches dans une organisation.

Les nouvelles technologies et la conception de poste

Le concept de *systèmes sociotechniques* est apparu dans le champ d'étude du CO avec les théories modernes des organisations, et plus particulièrement avec l'*approche sociotechnique des organisations*. Les tenants de cette approche soulignent la nécessité d'agir sur le système technique de l'organisation autant que sur son système social pour optimiser ses résultats. Dans cette perspective, des données psychosociales servent à la résolution de problèmes d'ordre organisationnel ; les **systèmes sociotechniques** cherchent donc à intégrer les ressources humaines et les technologies dans la création de cadres de travail axés sur la haute performance[11]. Compte tenu du rôle croissant des technologies de l'information et des communications dans les nouveaux milieux de travail, ce concept reste une base de référence fondamentale pour les gestionnaires qui envisagent des changements profonds dans la conception des postes de leur organisation.

■ *Système sociotechnique*
Système qui vise à intégrer les ressources humaines et les technologies dans des cadres de travail axés sur la haute performance

■ L'AUTOMATISATION ET LA ROBOTIQUE

Nous l'avons dit, les tâches simplifiées à l'excès sont une source de problèmes parce qu'elles procurent très peu de récompenses intrinsèques aux travailleurs. Trop étroites, elles ne représentent aucun défi, et finissent par générer l'ennui chez ceux et celles qui doivent les répéter continuellement. Les technologies dont nous disposons aujourd'hui permettrent de résoudre ce problème par l'**automatisation,** autrement dit, en substituant des machines à la main-d'œuvre pour l'exécution de certaines tâches. Ce procédé s'appuie sur un recours croissant aux systèmes robotisés, qui se révèlent de plus en plus fiables et polyvalents, et dont le prix ne cesse de diminuer, tandis que les coûts de main-d'œuvre continuent d'augmenter. Avec une proportion d'un robot pour trente-six travailleurs dans l'industrie de la fabrication, le Japon vient bon premier dans le domaine de la robotisation. Les États-Unis sont encore loin derrière, même si l'utilisation des systèmes robotisés y est en augmentation constante[12]. C'est à Wolfsburg, en Allemagne, qu'on trouve l'une des usines les plus grandes et les plus automatisées au monde, celle de Volkswagen. Des robots programmés pour toute une série de tâches y effectuent 80 % du travail de soudure ; les chaînes de montage sont commandées par des ordinateurs, qui adaptent la production aux différents modèles et options[13].

■ *Automatisation* Procédé qui substitue des machines aux travailleurs pour l'exécution de certaines tâches

■ LES SYSTÈMES FLEXIBLES DE FABRICATION

Les **systèmes flexibles de fabrication** recourent à la technologie informatique et à la conception intégrée des postes pour passer aisément et rapidement de la fabrication d'un produit à l'autre. Cette approche est de plus en plus répandue, entre autres dans les entreprises qui fournissent l'industrie automobile en pièces de métal usiné, comme les culasses et les boîtes de vitesses[14]. Les circuits de production y sont organisés en *cellules* regroupant plusieurs machines automatisées, lesquelles découpent, profilent, percent et soudent diverses composantes métalliques.

■ *Système flexible de fabrication* Système qui, grâce à la technologie informatique et à la conception intégrée des postes, permet de passer aisément et rapidement de la fabrication d'un produit à l'autre

La polyvalence de l'équipement permet de passer rapidement d'une famille de produits à une autre[15]. Les travailleurs affectés à ces cellules de production autonomes effectuent très peu des tâches routinières qu'exigent les chaînes de montage traditionnelles; ils sont plutôt là à titre d'opérateurs, pour s'assurer que tout se passe bien et pour configurer les changements de produits. L'étendue de leurs fonctions leur permet d'acquérir une expertise diversifiée, et leur poste présente très certainement les caractéristiques fondamentales d'un poste très enrichi.

■ LES BUREAUX AUTOMATISÉS

Lorsque US Healthcare, un grand organisme privé de gestion intégrée des soins de santé (OGISS) aux États-Unis, a décidé d'améliorer la qualité de ses services, ses dirigeants se sont tournés vers les technologies de la bureautique. Ils ont installé un système très complet de babillards électroniques pour suivre la réalisation de ses objectifs de rendement. En plus du système de courrier électronique, des robots distribuent lettres, circulaires et imprimés, et le service de réponse téléphonique est entièrement informatisé. Essentiellement, l'entreprise a tenté d'automatiser le plus grand nombre de tâches possible afin d'en décharger son personnel, qui peut ainsi s'affairer à des activités plus stimulantes. Mutual Benefit Life a suivi une voie identique en réorganisant complètement son traitement des formulaires de souscription d'assurance, qui occupait autrefois 19 employés répartis dans 5 services. L'entreprise a institué une nouvelle fonction de gestionnaire de cas chargé de traiter les demandes, depuis leur réception jusqu'à l'émission des polices. Parallèlement à ces profonds changements dans la conception des tâches, un réseau de postes de travail et de sous-systèmes à la fine pointe de l'informatique facilite la prise de décisions[16].

Ces progrès dans le domaine de la bureautique offrent bien des possibilités d'enrichissement des tâches pour les travailleurs qui ont les compétences requises. Pour les autres, en revanche, ce type de poste peut être source de stress et d'inconvénients. Un sondage indique que, même dans des pays industrialisés comme certains pays européens, 54 % des travailleurs ne possèdent pas les compétences requises pour faire fonctionner un ordinateur; ce pourcentage est d'environ 33 % aux États-Unis[17]. Par ailleurs, il faut admettre que les gens qui travaillent continuellement sur des ordinateurs commencent à présenter des problèmes de santé liés à l'utilisation du clavier et de la souris. Il est clair que l'intégration des technologies nouvelles au milieu de travail moderne doit se faire en tenant compte du facteur humain.

■ LA RÉINGÉNIERIE DES PROCESSUS D'AFFAIRES

L'une des approches les plus récentes pour améliorer la conception de poste et le rendement s'appuie sur le concept de *réingénierie des processus d'affaires*: l'analyse, la rationalisation et la restructuration des modes de fonctionnement ainsi que des tâches requises pour atteindre les objectifs de production[18]. Cette nouvelle approche de la conception des processus passe par la décomposition systématique de ces processus en procédés et en sous-tâches, puis par l'analyse de leur utilité et de leur degré de difficulté. L'étape suivante consiste à les reconfigurer afin d'éliminer autant que possible les pertes de temps, d'efforts et de ressources. Prenons l'exemple classique des tâches liées à l'achat d'un nouvel ordinateur dans une organisation. La réingénierie des processus exige qu'on étudie chacune d'entre elles (recherche de l'article et du fournisseur les plus avantageux, traitement des documents nécessaires, obtention des autorisations requises, passation de la commande, réception de l'ordinateur, vérification de l'article, inscription au registre d'inventaire et installation au poste de travail), en se demandant *si elle est nécessaire ou si on peut s'en passer*.

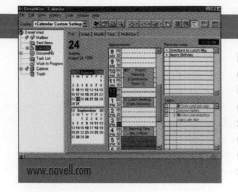

www.novell.com

TECHNOLOGIE

La société Novell Corporation, une entreprise de premier plan dans la conception et la distribution de logiciels de réseautique, s'est intéressée avec succès à la réingénierie des processus d'affaires des entreprises. Elle offre à ses clients un outil graphique, le GroupWise Workflow, destiné à la gestion du processus décisionnel lié à une telle réingénierie. Ce logiciel analyse d'abord les rôles — qui fait quoi dans un processus ? — puis les processus eux-mêmes — quelles tâches impliquent-ils et à quel moment ? Chez Novell, on est persuadé que ce logiciel favorise la collaboration des travailleurs au processus de réingénierie, et on adhère au principe de l'autonomisation des travailleurs pour une amélioration continue des activités et des structures organisationnelles[19].

La fixation des objectifs et la conception de poste

La fixation des objectifs est évidemment un aspect important de la conception des tâches : sans objectifs adéquats, le travailleur ne saura pas exactement ce qu'on attend de lui. Il y a quelques années, un défenseur de l'équipe des Vikings du Minnesota intercepta une passe ratée de l'équipe adverse pour aller porter le ballon avec un plaisir et une détermination manifestes… du mauvais côté du terrain ! Ce joueur ne manquait pas de motivation, cela sautait aux yeux, mais il s'est montré incapable de canaliser son énergie vers l'objectif approprié, comme cela se produit trop souvent en milieu de travail. On peut atténuer, sinon résoudre, ce genre de problèmes en établissant clairement les objectifs qu'on désire atteindre.

■ LA THÉORIE DE LA FIXATION DES OBJECTIFS

Les objectifs sont au cœur des activités des milieux de travail qui visent la haute performance. En CO, la ***fixation des objectifs*** est le processus d'élaboration, de négociation et de mise en forme des objectifs ou des cibles que le travailleur doit atteindre[20]. Edwin Locke et son équipe ont consacré de nombreuses années à la mise au point d'un modèle exhaustif établissant les liens entre les objectifs et le rendement. Ce modèle, illustré à la figure 8.3, intègre certains éléments de la *théorie des attentes* (voir le chapitre 6) pour mettre en lumière les répercussions

■ ***Fixation des objectifs***
Processus d'élaboration, de négociation et de mise en forme des objectifs ou des cibles que le travailleur doit atteindre

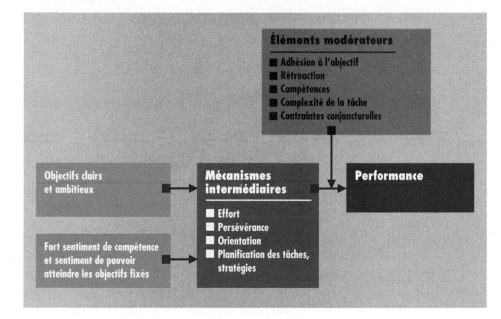

Figure 8.3
Modèle de la fixation des objectifs de Locke et Latham

potentielles de la fixation des objectifs sur le rendement, tout en tenant compte de certains modérateurs – compétences, complexité des tâches, etc.

■ LES GRANDES LIGNES DE LA FIXATION DES OBJECTIFS

Un nombre considérable de chercheurs ont suivi la voie tracée par des précurseurs comme Locke en s'intéressant à la fixation des objectifs ; le sujet a fait l'objet de plus de 400 études menées dans nombre de pays, dont l'Australie, la Grande-Bretagne, l'Allemagne, le Japon et les États-Unis[21]. De fait, on poursuit davantage de recherches sur la fixation des objectifs que sur toute autre théorie de la motivation au travail[22]. Pour le gestionnaire, les préceptes fondamentaux de la théorie de la fixation des objectifs représentent donc une source considérable d'information et de conseils sur la gestion des ressources humaines en milieu organisationnel.

Sur le plan de la gestion, on peut résumer comme suit les implications du modèle de Locke et Latham, et les résultats d'autres recherches sur le sujet[23] :

1. *Des objectifs ambitieux sont plus susceptibles d'entraîner un rendement accru que des objectifs modestes* ; cependant, cette observation ne tient plus si les objectifs sont perçus comme *trop* complexes ou impossibles à atteindre. Ainsi, un préposé aux services financiers affichera une meilleure performance avec un objectif de vente de six placements de retraite par semaine que de trois ; par contre, si l'institution bancaire lui fixe un objectif de 15 placements hebdomadaires, il pourra le juger impossible à atteindre, et son rendement risque d'être plus faible que si on lui avait donné un objectif réaliste.

2. *Des objectifs clairs sont plus susceptibles d'entraîner un rendement accru que des objectifs inexistants, vagues ou très généraux.* Trop souvent, on ne fixe aux travailleurs que des objectifs généraux en les encourageant à *donner le meilleur d'eux-mêmes.* Les recherches prouvent que des objectifs plus précis – «Nous

nous attendons à ce que vous vendiez six ordinateurs par jour » – sont plus stimulants et donnent de meilleurs résultats.

3. *La rétroaction sur le travail accompli ou la connaissance de ses résultats incite les travailleurs à donner un rendement accru en les incitant à se fixer des objectifs toujours plus élevés.* La rétroaction permet à l'individu de savoir où il se situe par rapport aux attentes de l'organisation. Vous-mêmes, n'avez-vous pas hâte de savoir si vous avez réussi votre dernier examen…

4. *Les objectifs conduisent plus sûrement à un rendement accru si les travailleurs se croient capables de les atteindre, et s'ils ont les compétences requises.* Un travailleur doit être non seulement capable d'atteindre les objectifs fixés, mais convaincu de l'être. Le préposé aux services financiers de l'exemple précédent peut être capable de vendre six placements de retraite par semaine, et confiant d'y parvenir. Par contre, si on lui fixe un objectif de 15 placements, il pourra avoir l'impression qu'il ne sera pas à la hauteur de la tâche, et se décourager avant même d'avoir essayé.

5. *Les objectifs sont plus motivants si les travailleurs y adhèrent et s'engagent à les atteindre.* Cette adhésion et cet engagement s'obtiendront plus facilement si les travailleurs participent à l'élaboration des objectifs, et s'ils sentent qu'ils en sont parties prenantes, que ce sont « leurs » objectifs. Cependant, Locke et Latham affirment que les objectifs assignés par autrui, généralement une personne en position d'autorité, peuvent être tout aussi efficaces, sauf si on ne s'est pas assuré que le travailleur a la capacité de les atteindre, ou *s'ils sont trop peu ou trop mal expliqués.* Le rôle du gestionnaire qui fixe les objectifs n'est donc pas négligeable. Les objectifs fixés par autrui prennent souvent l'allure de défis à relever ; en ce sens, ils peuvent aider les gens à déterminer ce qu'est un rendement satisfaisant à leurs propres yeux.

■ LA FIXATION D'OBJECTIFS ET LA GESTION PAR OBJECTIFS

On peut difficilement traiter de la fixation d'objectifs et de son effet éventuel sur le rendement des travailleurs sans évoquer le concept de *gestion par objectifs*

www.redhat.com

∿ ENTREPRENEURIAT

Des objectifs et de la motivation, l'équipe de Red Hat Software en a à revendre. La tenue vestimentaire ne lui pose guère de problèmes. Les programmeurs peuvent être en short, en habit ou en jean et t-shirt sans que quiconque s'en offusque. De concert avec les autres travailleurs, ils poursuivent un objectif ambitieux : faire du logiciel Linux le premier concurrent des produits Microsoft, qui dominent le marché. Red Hat travaille à sa version de ce logiciel libre depuis cinq ans, ne cessant de l'améliorer et d'en étendre les applications. Dans cette entreprise, la journée de travail commence souvent en fin de matinée pour se prolonger jusqu'à une heure avancée de la nuit. « Tu viens travailler quand tu te réveilles et tu rentres chez toi quand tu es fatigué ! », affirme un des Red Haters. Entre-temps, le travail est stimulant, et l'objectif visé est une source de motivation pour tout le monde[24] !

(GPO), mode de gestion qui repose essentiellement sur un processus de fixation conjointe d'objectifs entre supérieurs et subordonnés[25]. Gestionnaires et subordonnés élaborent en collaboration des programmes et des objectifs de rendement conformes aux objectifs supérieurs des unités de travail et de l'organisation dans son ensemble. Lorsqu'un tel processus est étendu à toute l'organisation, la GPO permet d'établir très clairement la hiérarchie des objectifs à intégrer dans une chaîne buts-moyens bien précise.

La figure 8.4 illustre *toutes* les étapes de ce mode de gestion, et montre bien sa cohérence avec la notion de fixation des objectifs et ses principes connexes. Vous remarquerez que les discussions entre cadre et subordonné ont lieu tant à l'étape initiale de la fixation des objectifs de rendement qu'à celle de l'évaluation des résultats, ce qui permet au subordonné de participer activement à toutes les étapes du processus. Outre ces étapes, l'implantation réussie d'une stratégie de GPO exige énormément de rigueur. En effet, en plus de laisser à ses subordonnés la latitude nécessaire à l'atteinte de leurs objectifs, le gestionnaire doit appuyer activement les efforts qu'ils déploient pour y parvenir.

Nous disposons de nombreuses études de cas sur des programmes de *gestion par objectifs* qui ont réussi. Cependant, les recherches rigoureuses et complètes sur le sujet sont rares, et leurs conclusions, mitigées[26]. De manière générale, la GPO offre des possibilités intéressantes d'application de la théorie de la fixation des objectifs, mais son instauration et son maintien sont loin d'être aisés. Bien des organisations renoncent à cette approche devant les nombreuses difficultés qui surgissent aux premiers stades de son implantation. Les principaux inconvénients de la GPO se résument ainsi : 1) l'importance des tâches administratives et de la paperasse ; 2) un système de récompenses et de punitions trop axé sur l'atteinte des objectifs ; 3) des objectifs qui viennent du haut de la pyramide hiérarchique ; 4) des objectifs simplistes, restreints à ce qui est observable et mesurable ; et 5) la fixation d'objectifs individuels au détriment d'objectifs collectifs. Ajoutons que, pour que la GPO fonctionne bien, il est souvent nécessaire de l'étendre à toute l'organisation.

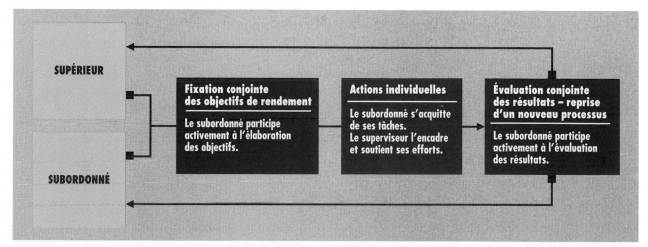

Figure 8.4
Schéma du processus de gestion par objectifs

L'aménagement du temps de travail : des approches novatrices

En matière d'aménagement des horaires de travail, le recours à des formules novatrices est de plus en plus fréquent. Ces nouvelles approches visent surtout à réorganiser le modèle traditionnel de la semaine de 40 heures où le travail se fait de 9 h à 17 h dans les locaux de l'organisation. Le but avoué de la plupart d'entre elles est d'influer positivement sur la satisfaction des travailleurs en leur permettant de concilier les exigences de leur emploi et celles de leur vie familiale et personnelle[27]. De plus en plus de gens réclament cet équilibre entre vie professionnelle et vie personnelle, et cherchent des employeurs plus compréhensifs par rapport aux réalités familiales[28]. Les couples à double revenu avec enfants, les étudiants à temps partiel, les travailleurs âgés (sur le point de prendre leur retraite) et les chefs de famille monoparentale comptent parmi ceux qui recherchent des horaires de travail plus souples.

■ LA SEMAINE DE TRAVAIL COMPRIMÉE

■ **Semaine de travail comprimée** Horaire de travail qui permet de répartir les tâches hebdomadaires d'un emploi à temps plein sur moins de cinq jours complets

Le terme **semaine de travail comprimée** décrit tout aménagement de l'horaire de travail qui permet de répartir les tâches hebdomadaires d'un emploi à temps plein sur moins de cinq jours complets, l'aménagement le plus répandu étant la semaine de quatre journées de 10 heures.

Cette formule comporte plusieurs avantages. Pour le travailleur, les plus importants sont sans doute les moments libres plus nombreux, les week-ends de trois jours, une journée par semaine pour s'occuper de ses affaires personnelles, et les économies de temps et d'argent attribuables aux déplacements en moins pour se rendre au travail. Pour l'organisation, les avantages sont également nombreux : amélioration du recrutement, diminution du taux d'absentéisme, etc. La formule peut aussi présenter certains inconvénients pour les travailleurs – fatigue accrue à cause de la longueur des journées de travail et difficultés d'adaptation familiales à la nouvelle formule – et pour l'organisation – complexité accrue de l'établissement des horaires, plaintes de la clientèle à cause d'une baisse de la qualité du service ou d'un manque de constance, etc. Enfin, notons que certaines législations imposent la rémunération d'heures supplémentaires dès que la journée de travail excède huit heures, et que certains syndicats s'opposent à la semaine de travail comprimée. En règle générale, les travailleurs qui sont les plus favorables à la semaine de travail comprimée sont ceux qui ont participé à la décision de l'implanter, ceux dont les postes sont *enrichis* par le nouvel aménagement du temps de travail et ceux qui ont d'importants *besoins d'ordre supérieur,* pour reprendre le terme de Maslow[29].

■ L'HORAIRE DE TRAVAIL VARIABLE

■ **Horaire de travail variable** Aménagement du temps qui laisse aux travailleurs une certaine latitude quant à leur horaire de travail quotidien, leur permettant entre autres de choisir à leur convenance l'heure d'arrivée et l'heure de départ

L'horaire variable est une autre de ces formules innovatrices d'aménagement du temps de travail. Appelé aussi *horaire à la carte, libre, flexible ou personnalisé,* l'**horaire de travail variable** donne aux gens une certaine latitude quant à leur horaire de travail quotidien, leur permettant entre autres de choisir à leur convenance l'heure d'arrivée et l'heure de départ. La formule la plus courante exige qu'ils travaillent durant les quatre heures d'une *plage commune* et répartissent à leur gré les quatre heures restantes dans les *plages libres*. Ainsi, un travailleur pourrait décider de commencer très tôt pour partir de bonne heure, tandis qu'un collègue ferait le contraire. Cette approche connaît un vif succès, car elle permet de structurer les activités d'une organisation en tenant compte des besoins et des intérêts de chacun.

L'horaire variable présente une foule d'avantages (voir *Le gestionnaire efficace 8.2*). Il permet aux travailleurs d'adapter leur horaire à celui de leurs enfants, de s'occuper de parents âgés ou d'un proche malade, ou tout simplement d'aller plus commodément à la banque, chez le médecin ou chez le dentiste. De plus, ses partisans affirment qu'accorder de la latitude aux travailleurs quant à leur horaire de travail favorise des attitudes positives et un plus grand engagement à l'égard de l'organisation. Aux États-Unis, la majorité des entreprises ont adopté cette formule, qui ne cesse de gagner en popularité[30]. Au Canada, on prévoit que d'ici la prochaine décennie, le tiers de la main-d'œuvre, voire la moitié, bénéficiera de l'horaire de travail variable. Un dirigeant de la société AETNA déclarait à ce propos : «Nous n'avons pas adopté l'horaire variable pour faire plaisir aux travailleurs, mais parce que c'est bon pour les affaires[31].»

LE GESTIONNAIRE EFFICACE 8.2

LES AVANTAGES DE L'HORAIRE VARIABLE

Pour l'organisation :
- Moins d'absentéisme et de retards, diminution de la rotation du personnel
- Plus grand engagement du personnel
- Rendement accru

Pour les travailleurs :
- Moins de temps perdu dans les embouteillages
- Plus de temps libre
- Satisfaction professionnelle accrue
- Responsabilités accrues

■ LE PARTAGE DE POSTE

Le **partage de poste** est une formule qui consiste à répartir la totalité des tâches d'un poste à temps plein entre deux travailleurs ou plus, selon des horaires convenus entre eux ainsi qu'avec l'employeur. La plupart du temps, chaque personne travaille une demi-journée, mais le partage de poste peut aussi se faire sur une base hebdomadaire ou mensuelle. Bien qu'il ne concerne encore qu'une petite proportion de travailleurs, les spécialistes en ressources humaines estiment que le partage de poste est une formule d'aménagement du temps de travail des plus utiles[32].

Pour les organisations, l'intérêt de cette formule réside dans le fait qu'elle leur permet de s'attacher des personnes talentueuses qu'elles ne pourraient conserver autrement. Ainsi, deux institutrices qualifiées qui ne peuvent travailler qu'à la demi-journée – l'une parce qu'elle veut s'occuper de ses enfants, l'autre parce qu'elle étudie – pourraient, avec un poste partagé, prendre conjointement la charge d'une même classe. Certains titulaires d'un tel poste disent qu'ils sont moins fatigués et qu'ils arrivent toujours en forme au travail. Évidemment, il n'est pas toujours facile de trouver deux personnes qui s'entendent assez bien pour se répartir les tâches. Néanmoins, c'est possible. Ainsi, deux cadres intermédiaires de Bell Atlantic, Sue Mannix et Charlotte Schutzman, ont partagé le même poste en respectant scrupuleusement l'arrangement suivant : Schutzman travaillait le lundi, le mardi et le mercredi matin, et Mannix était au poste le reste de la semaine[33].

Il ne faut pas confondre *partage de poste* et ce procédé plus controversé qu'on appelle le *partage du travail* (ou *travail partagé*), où un employeur et son personnel

■ **Partage de poste** Formule qui consiste à répartir la totalité des tâches d'un poste à temps plein entre deux travailleurs ou plus, selon des horaires convenus entre eux ainsi qu'avec l'employeur s'entendent pour réduire le nombre d'heures de travail afin d'éviter des mises à pied ou des licenciements. Si l'organisation traverse une période difficile, les travailleurs acceptent, par exemple, de réduire de 20 % leur semaine de travail et leur salaire pour éviter la mise à pied de 20 % du personnel. Certaines législations interdisent ce genre de politique.

■ LE TÉLÉTRAVAIL ET LE CYBERBUREAU

■ **Télétravail** Aménagement du travail qui permet aux gens d'exercer leurs activités professionnelles à distance, chez eux ou ailleurs, tout en restant reliés à l'organisation grâce aux technologies de l'information et des communications

Les technologies de l'information et des communications ont donné naissance à une autre forme d'organisation du travail, le **télétravail :** les gens travaillent chez eux, chez des clients ou dans un centre de télétravail, tout en demeurant en contact avec l'organisation grâce, notamment, aux technologies avancées de l'information et des communications (Internet, modem, télécopieur, etc.). Parfois appelée le *travail à distance*, cette pratique est de plus en plus répandue dans de nombreux secteurs, des universités aux services publics, de l'industrie de la transformation à la distribution de biens et services. Selon Statistique Canada, le nombre de télétravailleurs au pays est passé de 600 000 en 1993 à 1 000 000 en 1998[34]. Chez IBM Canada, certaines personnes travaillent la plupart du temps chez eux ; ils ne se rendent aux bureaux de la société que pour assister à des réunions. La société les installe parfois dans des bureaux temporaires, pour la durée de leur séjour au siège social ; c'est que l'on appelle l'*hoteling* ou *bureau à la carte*.

En moins de 10 ans, le télétravail a rejoint un quart des employés ontariens d'IBM Canada, et un tiers des employés au Québec. La différence entre le Québec et l'Ontario, où réside le gros des employés de la société, s'explique par le fait que les emplois autour du siège social requièrent une plus forte présence au bureau[35].

À l'échelle mondiale, près de 20 % des 270 000 travailleurs d'IBM travaillent au moins deux jours par semaine chez eux ou chez des clients[36].

On associe souvent la notion de télétravail à celle de *cyberbureau*, aussi appelé *bureau électronique* ou *bureau virtuel :* l'individu, qui n'a pas de lieu de travail fixe, accomplit ses tâches en se déplaçant d'un endroit ou d'un client à l'autre, en auto ou en avion, tout en restant en contact électronique avec le bureau principal[37].

www.cisco.com

✦ ORGANISATION HAUTEMENT PERFORMANTE

Chez Cisco Systems, à San Jose en Californie, la productivité a augmenté de 25 % depuis l'instauration du télétravail. L'entreprise estime avoir épargné plus de 1 million de dollars, tout en fidélisant des travailleurs qui occupent des postes clés grâce au télétravail. Les télétravailleurs l'apprécient parce qu'il leur permet de fixer eux-mêmes leur horaire de travail, d'éviter les embouteillages et de passer plus de temps en famille. L'entreprise, quant à elle, tire profit de leur fidélité et de leur dévouement. John Hotchkiss, directeur des ressources humaines le constate : « Même à 23 h un samedi soir, un nombre étonnant d'ingénieurs sont prêts à répondre à une question ; cela nous permet de régler des problèmes qui, auparavant, auraient traîné jusqu'au lundi matin[38]. »

Le CO et les fonctions de l'organisation

GESTION DES RESSOURCES HUMAINES

Une expérience réussie

Depuis environ trois ans, un nombre grandissant de compagnies examinent avec sérieux les différents types de postes à l'intérieur de leur entreprise et établissent pour chacun d'eux le profil de compétences qu'elles recherchent.

Le but ? Faire de meilleurs choix lorsque viendra le temps de combler ces postes et inciter les employés à acquérir les compétences qui leur manquent. ABB Canada a commencé il y a deux ans à implanter un tel système et celui-ci aura éventuellement un grand impact sur la culture même de l'entreprise, croit Raymond Beaulieu, vice-président des ressources humaines de cette firme qui offre des produits et des services d'entretien et de soutien dans les secteurs de la production, du transport et de la distribution d'énergie, de l'automatisation industrielle et des services financiers.

En 1997, l'équipe des ressources humaines a examiné tous les postes existant chez ABB Canada et a défini les compétences recherchées pour chacune des familles, selon chacun des niveaux. « Nous avons choisi quatre compétences clés universelles, que doivent posséder tous nos employés, souligne M. Beaulieu. Celles-ci sont reliées à notre stratégie d'affaires, à nos valeurs et aux besoins de nos clients. Ce sont l'orientation vers le client, le travail d'équipe et la coopération, l'initiative et l'innovation. Une compétence comme l'orientation vers le client, par exemple, comporte huit niveaux de manifestation. Nous n'exigeons pas le niveau 8 pour tous les postes. »

Trois compétences reliées aux postes de supervision et de gestion ont aussi été identifiées : la direction d'équipe, la responsabilisation et le développement des autres. Ici encore, les compétences diffèrent selon les niveaux. « Un superviseur de premier niveau n'a pas le même bagage d'expérience ni les mêmes acquis qu'un directeur général, précise M. Beaulieu. Nous ne pouvons exiger le même niveau de compétence. » Aux compétences de base se rajoutent d'autres compétences plus significatives, selon les postes.

Danielle Bonneau. *La Presse*, 13 octobre 1999, Cahier spécial p. 5.

AT&T indique qu'environ 55 % de ses cadres sont des télétravailleurs ; chez Cisco Systems, c'est 66 % du personnel[39].

Le télétravail offre au travailleur les avantages d'une structure souple, le confort de son domicile ou le choix d'un lieu qui convient à son mode de vie. Pour l'organisation, les avantages de cette formule se traduisent souvent par une baisse des coûts, une efficience accrue et un niveau élevé de satisfaction professionnelle chez le personnel. Du côté des inconvénients, les télétravailleurs se plaignent parfois d'être isolés de leurs collègues, s'identifient moins bien à leur équipe de travail et peuvent éprouver des difficultés techniques avec le réseau, un aspect pourtant des plus cruciaux pour cette formule. Malgré tout, le phénomène s'amplifie de jour en jour, à tel point qu'un grand nombre d'organisations instaurent des programmes de formation en *gestion virtuelle* des télétravailleurs à l'intention de leurs cadres. D'ailleurs, de plus en plus, les gestionnaires eux-mêmes bénéficient de la formule : près de 30 % des cadres de AT&T travaillent de leur domicile au moins une journée par semaine[40].

■ LE TRAVAIL À TEMPS PARTIEL

Le travail à temps partiel est un mode d'aménagement du temps de plus en plus fréquent, et de plus en plus controversé. Dans la formule du **travail temporaire à temps partiel,** l'individu travaille moins d'heures que dans une semaine de travail normale, et jouit d'un statut de *travailleur temporaire* ; dans celle du **travail permanent à temps partiel,** l'individu travaille également moins d'heures que dans une semaine normale de travail, mais jouit d'un statut de *travailleur permanent.*

En général, il est plus facile d'embaucher et de licencier des travailleurs temporaires à temps partiel en fonction des besoins de l'organisation. De nombreuses organisations font donc appel à ces travailleurs pour maintenir au plus bas les coûts de main-d'œuvre, et pour mieux répondre aux pointes et aux creux du cycle économique. Un employeur peut également y avoir recours pour conserver une main-d'œuvre compétente ; il s'agit alors de travailleurs hautement qualifiés qui veulent continuer à progresser sur le plan professionnel, sans pour autant occuper un emploi à temps plein. Certaines infirmières à temps partiel, entre autres, font partie de cette catégorie[41].

Travailler à temps partiel peut présenter des avantages pour ceux qui veulent avoir d'autres activités professionnelles ou qui, pour une raison ou une autre, ne tiennent pas à travailler 40 heures par semaine. Chez ceux qui occupent deux emplois, dont au moins un à temps partiel, le stress et la fatigue peuvent nuire au rendement dans l'un ou l'autre, ou dans les deux. De plus, les travailleurs à temps partiel n'ont souvent pas droit à des avantages sociaux comme l'assurance-maladie complémentaire, l'assurance-vie et la pension de retraite, et il arrive que leur salaire de base soit inférieur à celui de leurs collègues à temps plein. Néanmoins, les postes à temps partiel sont de plus en plus nombreux à cause de leurs nombreux avantages pour les organisations.

■ ***Travail temporaire à temps partiel*** Formule qui consiste, pour une personne ayant un statut de travailleur temporaire, à travailler moins d'heures que dans une semaine de travail normale

■ ***Travail permanent à temps partiel*** Formule qui consiste, pour une personne ayant un statut de travailleur permanent, à travailler moins d'heures que dans une semaine de travail normale

Guide de révision

Quelles sont les diverses approches en matière de conception de poste ?

■ La conception de poste englobe la planification et la spécification des tâches inhérentes à un poste, ainsi que la détermination des conditions dans lesquelles s'accompliront ces tâches.

■ La simplification des tâches, ou organisation scientifique du travail, est une approche de la conception de poste où les procédés sont standardisés, et où les travailleurs sont confinés à des tâches normalisées, clairement définies et hautement spécialisées.

■ L'élargissement des tâches est une approche de la conception de poste où l'on augmente la diversité des tâches en confiant au titulaire du poste un plus grand nombre de tâches différentes, sans pour autant augmenter le degré de difficulté des tâches ni le niveau de responsabilité du poste.

■ La rotation des postes est une approche de la conception de poste où l'on augmente la diversité des tâches des travailleurs en les affectant périodiquement à des postes différents, sans pour autant augmenter le degré de difficulté des tâches ni le niveau de responsabilité du poste.

■ L'enrichissement des tâches consiste à rehausser la nature du travail en ajoutant aux fonctions d'exécution des responsabilités de planification et de contrôle traditionnellement attribuées à des cadres.

Comment peut-on concevoir des emplois stimulants pour les travailleurs ?

■ La théorie des caractéristiques de l'emploi propose une approche diagnostique de l'enrichissement des tâches fondée sur les cinq caractéristiques fondamentales des postes à concevoir : polyvalence, intégralité de la tâche, valeur de la tâche, autonomie et rétroaction.

■ La théorie des caractéristiques de l'emploi ne présume pas que tout travailleur désire un poste enrichi ; elle affirme que l'enrichissement des tâches donnera de meilleurs résultats chez les travailleurs qui présentent un important besoin de croissance, qui possèdent les connaissances et les compétences requises par le poste et qui sont satisfaits de leur cadre de travail.

■ Selon la théorie du traitement des données sociales, la perception qu'a un travailleur de son poste et son attitude à l'égard de ce poste sont influencées par des données sociales comme les commentaires de ses collègues et d'autres personnes.

■ Enfin, il faut retenir que la formule de l'enrichissement des tâches ne devrait pas être généralisée à tous les travailleurs – on doit tenir compte de leurs caractéristiques individuelles –, qu'elle peut s'appliquer aux équipes de travail et que certains facteurs culturels peuvent influer sur son succès.

Quel rôle jouent les nouvelles technologies dans la conception de poste ?

■ Des systèmes sociotechniques bien planifiés intègrent les ressources humaines et les technologies dans des cadres de travail axés sur la haute performance.

- On recourt de plus en plus à la robotique et à l'automatisation pour l'accomplissement des tâches simples et routinières à la place des travailleurs.

- Avec les systèmes flexibles de fabrication, les travailleurs affectés aux cellules de production autonomes se servent des technologies avancées pour allier la qualité et des cycles de production très courts.

- L'avènement des technologies de l'information et des communications (ordinateurs, Internet, intranets, etc.) a modifié la nature du travail de bureau.

- La réingénierie des processus d'affaires décompose et analyse systématiquement tous les processus de travail, afin de rationaliser les opérations et les tâches, de diminuer les coûts et d'améliorer la performance de l'organisation.

Comment la fixation d'objectifs peut-elle améliorer le rendement?

- La fixation des objectifs est le processus d'élaboration, de négociation et de mise en forme des objectifs ou des cibles que le travailleur doit atteindre.

- Selon les études, les objectifs les plus motivants sont des objectifs ambitieux, clairs et précis, qui permettent une rétroaction sur les résultats, auxquels les travailleurs adhèrent et qu'ils s'engagent à atteindre.

- L'effet motivant des objectifs est en partie déterminé par des modérateurs inhérents à chaque individu. Ainsi, les objectifs conduisent plus sûrement à un rendement accru si les travailleurs se croient capables de les atteindre et s'ils ont les compétences requises pour le faire.

- La gestion par objectifs est un mode de gestion qui repose essentiellement sur un processus de fixation conjointe d'objectifs entre supérieurs et subordonnés.

- La GPO offre des possibilités intéressantes d'application de la théorie de fixation des objectifs à l'échelle de toute l'organisation.

Quelles sont les nouvelles approches en matière d'aménagement du temps de travail?

- Avec la complexité accrue de notre société, on voit apparaître de nouvelles formules d'aménagement du temps de travail conçues pour permettre aux travailleurs de concilier les exigences de la vie personnelle et familiale avec leurs responsabilités et leur cheminement professionnels.

- La semaine de travail comprimée permet aux travailleurs de répartir les tâches hebdomadaires d'un emploi à temps plein sur moins de cinq jours complets; l'aménagement le plus répandu étant la semaine de quatre journées de 10 heures.

- L'horaire de travail variable laisse aux gens une certaine latitude quant à leur horaire de travail quotidien, leur permettant entre autres de choisir à leur convenance l'heure d'arrivée et l'heure de départ.

- Le partage de poste est une formule qui consiste à répartir la totalité des tâches d'un poste à temps plein entre deux travailleurs ou plus, selon des conditions convenues entre eux ainsi qu'avec l'employeur.

■ Le télétravail est un aménagement du travail qui permet aux gens d'exercer leurs activités professionnelles à distance, chez eux ou ailleurs, tout en restant reliés à l'organisation grâce aux technologies de l'information et des communications.

■ Le travail à temps partiel est une formule qui consiste, pour un travailleur temporaire ou permanent, à travailler moins d'heures que dans une semaine de travail normale.

Automatisation   p. 196

Conception de poste
   p. 189

Élargissement des tâches
   p. 190

Enrichissement des tâches
   p. 191

Fixation des objectifs
   p. 198

Horaire de travail variable
   p. 202

Indice du potentiel
   de motivation (IPM)
   p. 193

Partage de poste   p. 203

Rotation des postes   p. 190

Semaine de travail
   comprimée   p. 202

Simplification des tâches
   p. 189

Système flexible
   de fabrication   p. 196

Système sociotechnique
   p. 196

Télétravail   p. 204

Théorie des caractéristiques
   de l'emploi   p. 192

Théorie du traitement
   des données sociales
   p. 194

Travail permanent
   à temps partiel   p. 205

Travail temporaire
   à temps partiel   p. 205

■ QUESTIONS À CHOIX MULTIPLE

1. La simplification des tâches est associée au concept _____ mis de l'avant par Frederick Taylor. **a)** d'expansion verticale **b)** d'expansion horizontale **c)** d'organisation scientifique du travail **d)** de sentiment de compétence

2. _____ des tâches augmente _____ d'un poste en combinant plusieurs tâches sans augmenter leur complexité. **a)** La rotation […] la profondeur **b)** L'élargissement […] la profondeur **c)** La simplification […] l'étendue **d)** L'élargissement […] l'étendue

3. Dans la théorie des caractéristiques de l'emploi, _____ correspond à l'indépendance et la latitude accordées au titulaire du poste pour ce qui est de l'organisation de son travail et du choix des procédures. **a)** la polyvalence **b)** l'intégralité de la tâche **c)** la valeur de la tâche **d)** l'autonomie

4. Selon la logique des systèmes sociotechniques, _____ **a)** il faut intégrer ressources humaines et technologies. **b)** les technologies doivent passer avant les ressources humaines. **c)** les ressources humaines doivent passer avant les technologies. **d)** les technologies aliènent les êtres humains.

5. Quels types d'objectifs sont les plus susceptibles d'être motivants pour les travailleurs? **a)** Les objectifs ambitieux **b)** Les objectifs faciles à atteindre **c)** Les objectifs très généraux **d)** Les objectifs qui exigent peu de rétroaction

6. La GPO privilégie _____ comme moyen d'obtenir l'adhésion et l'engagement des travailleurs à l'égard des objectifs fixés. **a)** l'autorité **b)** la fixation conjointe des objectifs **c)** la rétroaction aléatoire **d)** les objectifs à caractère général

7. L'implantation de la GPO à l'échelle de toute l'organisation soulève certaines inquiétudes, notamment parce _____ **a)** qu'elle exige trop de paperasse. **b)** qu'elle exige trop peu de paperasse. **c)** que l'approche utilisée par les dirigeants n'est pas suffisamment autoritaire. **d)** qu'on accorde trop d'importance aux objectifs de groupe au détriment des objectifs individuels.

8. La formule « 40 heures en 4 jours » illustre un aménagement du temps de travail appelé _____ **a)** la semaine de travail comprimée. **b)** l'horaire de travail variable. **c)** le partage de poste. **d)** le travail permanent à temps partiel.

9. L'horaire de travail variable permet aux travailleurs de choisir _____ **a)** les jours de la semaine où ils travailleront. **b)** le nombre total d'heures travaillées durant la semaine. **c)** leur lieu de travail. **d)** le moment où commence et finit leur journée de travail.

10. De nos jours, de plus en plus de travailleurs exigent des emplois conçus de telle manière _____ **a)** qu'ils sont faciles d'exécution. **b)** qu'ils n'exigent que des compétences minimes. **c)** qu'ils permettent à leur titulaire de concilier responsabilités professionnelles et responsabilités familiales. **d)** que les objectifs de rendement ne soient pas trop exigeants.

■ VRAI OU FAUX ?

11. Il arrive que l'enrichissement des tâches soit difficile à réaliser à cause des coûts qu'il entraîne ou de l'opposition des syndicats. **V F**

12. Dans la théorie des caractéristiques de l'emploi, la valeur de la tâche décrit l'importance du poste, sa portée et son incidence sur l'organisation ou la société en général. **V F**

13. Selon la théorie des caractéristiques de l'emploi, tous les types de postes devraient être enrichis. **V F**

14. L'approche fondée sur le traitement des données sociales insiste sur l'influence des caractéristiques objectives d'un poste sur la motivation et le rendement. **V F**

15. L'enrichissement des tâches est une approche de la conception de poste qui ne convient pas à tous les environnements culturels. **V F**

16. La meilleure façon de susciter la motivation par la fixation d'objectifs est de demander aux travailleurs de faire de leur mieux. **V F**

17. Les objectifs conduisent plus sûrement à un rendement accru si les travailleurs se croient capables de les atteindre. **V F**

18. L'horaire de travail variable a ceci d'unique qu'il présente des avantages pour les travailleurs sans entraîner d'inconvénients majeurs pour l'employeur. **V F**

19. Le télétravail est une tendance qui gagne du terrain dans les organisations. **V F**

20. L'augmentation du nombre d'emplois à temps partiel a un effet positif pour l'ensemble de la société. **V F**

■ QUESTIONS À RÉPONSE BRÈVE

21. Comment procéderiez-vous pour enrichir des postes, c'est-à-dire pour leur donner de la profondeur ?

22. Quel rôle joue le besoin de croissance du travailleur dans la théorie des caractéristiques de l'emploi ?

23. Comment un gestionnaire peut-il stimuler l'engagement d'un travailleur par rapport à des objectifs qu'il a fixés unilatéralement ?

24. Quelle est la différence entre travail à temps partiel temporaire et travail à temps partiel permanent ?

■ QUESTION À DÉVELOPPEMENT

25. Lorsqu'il a ouvert sa première boutique Outfitter's Plus à Québec, Jean-Paul Latrec caressait l'idée de créer un environnement motivant pour son équipe de représentants. Il a donc décidé de mettre la GPO au cœur de sa stratégie de gestion. Avec le temps, sa réussite lui a valu une renommée certaine. Si vous lui rendiez visite afin d'étudier de près son exemple de GPO, que vous attendriez-vous à trouver en matière de pratiques de gestion pour expliquer son succès ?

Reportez-vous aux études de cas, aux exercices et aux autoévaluations de notre *Cahier d'apprentissage en CO* (voir p. 531).

■ **Consultez le site Web du manuel. Vous y trouverez un questionnaire interactif et des exercices en ligne sur le contenu de ce chapitre.**

www.erpi.com/schermerhorn

La nature des groupes

EN ÉQUIPE, ON PEUT FAIRE DES MIRACLES

www.apple.com

Ce sont les *groupes* qui ont favorisé le lancement d'Apple et ses premiers succès ; leur rôle a également été déterminant dans la revivification de la société. Mise sur pied par Steve Jobs, cofondateur d'Apple, l'équipe du tonnerre qui a créé le premier ordinateur Macintosh avait les dents longues et beaucoup d'imagination. Ses membres talentueux, stimulés et ravis par l'ambition du projet, travaillaient jour et nuit, à un rythme effarant, dans un bâtiment isolé sur lequel ils avaient hissé le pavillon noir des corsaires, signe que l'équipe Macintosh alliait l'enthousiasme de sa jeunesse à une expertise poussée et à un engagement total dans la poursuite d'un objectif des plus motivants. On le sait, le résultat a été la fabrication en un temps record d'un ordinateur qui n'avait rien à redouter des produits de la concurrence. Apple était relancé.

C'est alors qu'a commencé la *guerre* de l'informatique, marquée par une concurrence féroce dans une industrie qui roulait à tombeau ouvert, sans se soucier des victimes. Apple dût affronter des sociétés comme Compaq, Dell, Gateway et même la vénérable IBM, qui venait de réapparaître plus puissante que jamais. Après avoir été mis à l'écart pendant un moment, Steve Jobs eut l'occasion de retrouver, à titre de directeur général, la société qu'il avait contribué à créer. Son premier geste fut alors de mettre sur pied l'équipe de direction chargée de donner un nouvel essor à l'entreprise. En constituant « une équipe de classe mondiale », selon ses propres termes, Steve Jobs trouva l'élément clé d'un virage organisationnel. Dans leurs domaines respectifs – commercialisation, matériel informatique, logiciels, services, gestion des stocks, droit –, ses membres étaient tous de vrais gourous ; avec Jobs, ils ont amené des changements profonds à la gestion des ressources humaines, à la production et à la mise en marché. Leur première réalisation a été le iMac, un produit décrit par la revue *Fortune* comme « le premier ordinateur de table qui emballe toute l'industrie depuis … eh bien, depuis l'apparition du premier Mac[1] ! »

Ce commentaire résume assez bien ce que la dynamique de groupe peut et doit offrir aux organisations : des résultats probants.

Les nouveaux milieux de travail accordent une importance considérable au changement et à l'adaptation. Dans leur poursuite incessante d'une productivité accrue alliée à la qualité totale et au service irréprochable, garants de la satisfaction de leur clientèle et d'une meilleure qualité de vie professionnelle pour leur effectif, les organisations n'ont plus le choix : elles doivent trouver de nouvelles façons d'opérer. De toutes les tendances émergentes, aucune n'est plus fondamentale que celle visant à tirer parti de manière plus imaginative du potentiel des groupes. En effet, pour les organisations à l'affût des avantages que procurent une diminution de leur taille, une structure organisationnelle aplanie, l'intégration interfonctionnelle et des circuits de production plus souples, les groupes sont un élément clé de plus en plus capital. Soucieuses de satisfaire aux impératifs de la concurrence dans des milieux ultracomplexes, les organisations les plus avancées cherchent et trouvent toutes sortes de façons de mobiliser leurs groupes et leurs équipes afin de profiter de leur plein potentiel en tant que systèmes hautement performants.

Questions clés

Les groupes peuvent se révéler une source incomparable de performance, de créativité et d'enthousiasme pour les organisations contemporaines. Ce chapitre vise à vous familiariser avec les caractéristiques fondamentales des groupes, et plus particulièrement des groupes qu'on trouve dans les organisations les plus avancées. Voici les questions clés que vous devriez garder à l'esprit en le lisant :

- Quelles sont les caractéristiques des groupes en milieu organisationnel ?
- Quelles sont les étapes de l'évolution d'un groupe ?
- Quels sont les fondements de l'efficacité du groupe ?
- Qu'est-ce que la dynamique de groupe et la dynamique intergroupes ?
- Comment les décisions se prennent-elles dans un groupe ?

Les groupes au sein de l'organisation

En CO, un **groupe** se définit comme un ensemble constitué d'au moins deux personnes qui collaborent de façon régulière à l'atteinte d'objectifs communs. Dans tout véritable groupe, les membres sont en interdépendance en ce qui concerne la poursuite de leurs objectifs communs – aspect structurel – et en interaction régulière sur une période assez longue – aspect relationnel[2]. Parce qu'ils contribuent à la réalisation de tâches importantes et permettent de retenir une main-d'œuvre de qualité, les groupes sont bénéfiques à leurs membres comme à l'organisation. Le consultant et spécialiste en gestion Harold J. Leavitt est un réputé défenseur de la force et de l'utilité des groupes en milieu organisationnel[3]. Il y a quelque temps, Leavitt publiait une étude sur les «équipes du tonnerre», composées de membres passionnés et acharnés, constamment préoccupés par l'accomplissement de leurs tâches, qui s'épanouissent dans des situations de crise et de concurrence féroce, et dont la créativité et l'esprit novateur génèrent des retombées exceptionnelles pour leurs organisations[4]. La première équipe MacIntosh était une équipe du tonnerre et, sous plusieurs aspects, l'actuelle équipe de direction de Apple en est une aussi.

■ *Groupe* Ensemble constitué d'au moins deux personnes qui collaborent de façon régulière à l'atteinte d'objectifs communs

■ QU'EST-CE QU'UN GROUPE EFFICACE?

Un **groupe efficace** est un groupe caractérisé par un rendement élevé, la satisfaction professionnelle de ses membres et la viabilité de l'équipe[5]. Sur le plan du *rendement*, le groupe efficace atteint ses objectifs de rendement quantitatifs et qualitatifs tout en respectant les échéances. Pour une équipe de travail permanente affectée à la fabrication d'un bien, cela se traduira par la réalisation des objectifs quotidiens de production; pour un groupe temporaire chargé d'élaborer une nouvelle politique organisationnelle, cela se traduira par le respect du calendrier prévu pour soumettre le projet au chef de la direction. Sur le plan de la *satisfaction professionnelle*, le groupe efficace se distingue par le fait que ses membres valorisent leur contribution et leurs expériences professionnelles; celles-ci répondant à des besoins personnels importants pour eux, ils sont satisfaits de leurs tâches, de leurs réalisations et des relations interpersonnelles au sein du groupe. Ce dernier point contribue à la viabilité du groupe efficace: ses membres veulent continuer à travailler ensemble ou, le cas échéant, envisagent avec plaisir la perspective de travailler de nouveau ensemble s'ils en ont l'occasion. Le groupe qui réunit ces caractéristiques présente un potentiel de rendement à long terme considérable.

■ *Groupe efficace* Groupe caractérisé par un rendement élevé, la satisfaction professionnelle de ses membres et la viabilité de l'équipe

■ LES APPORTS SPÉCIFIQUES DES GROUPES

Les groupes efficaces aident l'organisation à accomplir des tâches particulièrement importantes, notamment à cause de leur potentiel de **synergie** – un phénomène de coordination des énergies qui fait que le tout dépasse la somme des parties. Lorsqu'il y a *synergie*, le groupe obtient des résultats supérieurs à ceux qu'aurait donné la simple addition des forces et des ressources individuelles de ses membres. Dans le contexte de profonds bouleversements que nous connaissons actuellement, cette synergie est cruciale pour toute organisation qui veut rester concurrentielle

■ *Synergie* Phénomène de coordination des énergies qui fait que le tout dépasse la somme des parties

Le prestigieux constructeur de voitures DaimlerBenz n'aurait sans doute pas fait l'acquisition de Chrysler si cette société américaine n'avait été reconnue dans l'industrie pour sa capacité de lancer, année après année, un nombre impressionnant de modèles à succès. Lorsqu'on demande à son chef de la direction, Robert Eaton, le secret de Chrysler, sa réponse se résume en un mot : autonomisation. Chez Chrysler, en effet, l'élaboration des nouveaux modèles repose sur une approche de travail d'équipe. Des travailleurs provenant de diverses unités — conception, ingénierie, fabrication, finance, commercialisation — forment des équipes interfonctionnelles. Tous collaborent à la création d'un nouveau véhicule qui répondra aux objectifs de style, de performance et de coûts ébauchés par un groupe de cadres supérieurs. « Ils partent avec ces objectifs comme lignes directrices, ajoute Robert Eaton, et on ne les revoit que s'ils ont un problème majeur[7]. »

www3.daimlerchrysler.com

et atteindre des objectifs de haute performance à long terme[6]. Vous trouverez dans l'encadré *Le gestionnaire efficace 9.1* une liste succincte des effets bénéfiques potentiels des groupes sur l'organisation. Plus précisément, sur le plan du rendement, les groupes présentent trois avantages par rapport aux travailleurs qui agissent isolément :

1. En l'absence d'un *spécialiste*, les groupes qui font face à un problème ou à une tâche qui sort de l'ordinaire tendent à faire preuve d'un meilleur jugement que l'individu moyen.

2. Lorsque la résolution d'un problème repose sur la répartition des tâches et le partage de l'information, les groupes réussissent généralement mieux que des individus.

3. Comme les groupes ont tendance à prendre des décisions plus risquées, ils sont souvent plus inventifs et innovateurs que les individus[8].

Le groupe est également un milieu propice à l'apprentissage, ainsi qu'au partage des connaissances et des compétences[9]. Sa vaste réserve d'expériences et les apprentissages qu'on y fait peuvent être mis à profit pour résoudre les problèmes les plus exceptionnels ou les plus rares. Le groupe peut se révéler particulièrement utile pour aider et soutenir une nouvelle recrue, le temps qu'elle se familiarise avec ses tâches. Si ses membres s'entraident et s'épaulent dans l'acquisition et le perfectionnement des compétences requises au travail, le groupe peut même pallier les lacunes des programmes de formation de l'organisation.

Le groupe peut aussi répondre à divers besoins de ses membres. Il offre un cadre irremplaçable d'interactions sociales. Il sécurise ses membres en leur fournissant aide et conseils techniques pour l'accomplissement de leurs tâches. Dans les moments de tension et de

LE GESTIONNAIRE EFFICACE 9.1

COMMENT LES GROUPES PEUVENT-ILS AIDER LES ORGANISATIONS ?

- Les groupes ont un effet positif sur les individus.
- Les groupes peuvent favoriser la créativité.
- Les groupes peuvent prendre de meilleures décisions.
- Les groupes peuvent favoriser l'engagement des travailleurs à l'égard des décisions prises
- Les groupes facilitent l'encadrement de leurs membres.
- Les groupes peuvent pallier les inconvénients liés à la grande taille d'une organisation.

stress, il peut apporter un soutien sur le plan affectif. Enfin, le groupe permet aux travailleurs de se réaliser en s'investissant dans les objectifs et les activités de leur groupe.

En dépit de leur potentiel de rendement considérable, les groupes peuvent connaître certains problèmes. La **paresse sociale,** ou *effet Ringlemann,* se manifeste par une diminution du rendement des individus, ceux-ci étant portés à fournir moins d'efforts en situation de travail collectif qu'en situation de travail individuel[10]. Le psychologue allemand qui a donné son nom à ce phénomène l'a constaté en demandant à des sujets de tirer de toutes leurs forces sur une corde, d'abord seuls, puis en équipe[11]. Il a découvert que la *traction* (la productivité) *moyenne* diminuait sensiblement chaque fois que des personnes supplémentaires s'attelaient à la tâche. Selon Ringlemann, deux raisons pourraient expliquer cette tendance des gens à déployer moins d'efforts en groupe qu'individuellement : 1) leur propre contribution est moins évidente dans le contexte d'un travail de groupe et 2) ils préfèrent laisser aux autres la charge du travail. Le gestionnaire doit évidemment en tenir compte et prendre les mesures nécessaires pour prévenir ou atténuer les manifestations de la paresse sociale. Il prendra donc soin de :

- déterminer clairement les rôles et les tâches de chaque membre du groupe ;
- associer les récompenses de chacun à sa contribution au rendement du groupe ;
- renforcer la responsabilité individuelle en rendant apparente la contribution de chacun au travail collectif.

Le cadre qui gère un groupe doit également se préoccuper de cet effet qu'on appelle la **facilitation sociale :** dans un groupe, comme dans toute autre situation sociale, le comportement individuel a tendance à être modifié par le simple fait de la présence d'autres gens[12]. Selon la *théorie de la facilitation sociale,* travailler en présence d'autres gens a un effet dynamisant et stimulant qui agit comme un catalyseur sur le rendement d'une personne, *à condition toutefois que cette personne ait les compétences requises par la tâche.* S'il s'agit d'accomplir une tâche qui lui est familière, cette stimulation lui permettra de fournir un effort supplémentaire ; qu'on songe, par exemple, au surcroît d'énergie que déploie l'athlète accompli lorsqu'il se produit devant une foule de partisans dans sa ville natale. Par contre, si la personne maîtrise mal la tâche, l'effet de *facilitation sociale* peut avoir l'effet inverse ; ainsi, quelqu'un qui ne possède pas parfaitement son sujet pourra éprouver de grandes difficultés à s'exprimer en présence d'un auditoire.

■ LES GROUPES FORMELS

Les organisations contemporaines peuvent tirer avantage des groupes de plusieurs façons. Le **groupe formel** est un groupe officiellement désigné pour assumer un rôle précis au sein d'une organisation ; l'unité de travail composée d'un cadre et d'un ou de plusieurs subordonnés en est un bon exemple. L'organisation met sur pied ces unités pour accomplir une tâche précise, qui suppose généralement la transformation de ressources en *produit*s – rapports, décisions, biens ou services[13]. L'équipe tout entière contribue au travail, mais la personne qui dirige le groupe répond de ses réalisations et de ses résultats, et assure la liaison, verticalement et horizontalement, avec le reste de l'organisation[14].

Certains groupes formels sont permanents ; d'autres, temporaires. Les *groupes de travail permanents* (ou *unités administratives,* dans la structure hiérarchique)

■ *Paresse sociale* Phénomène qui se manifeste par une diminution du rendement des individus en situation de travail collectif

Mesures pour gérer la paresse sociale

■ *Facilitation sociale* Tendance du comportement individuel à être modifié par le simple fait de la présence d'autres gens

■ *Groupe formel* Groupe désigné officiellement pour assumer un rôle précis au sein d'une organisation

Le CO et les fonctions de l'organisation

ESTHÉTIQUE INDUSTRIELLE

La gestion tribale

La Silicon Valley n'est pas seulement en train d'inventer le nouveau monde: elle en réinvente la gestion. Ne pensez plus en termes d'entreprise, c'est dépassé. Il vous faut plutôt animer les membres de votre... tribu.

Réinventer le panier d'épicerie? En cinq jours? Pour le rendre moins ennuyeux et plus pratique dans ces allées de supermarché encombrées où les clients passent leur temps à attendre, et parfois se télescopent? Étonnant, au premier abord, mais intéressant comme défi, surtout quand il est lancé par les gens de la très sérieuse émission d'affaires publiques Nightline, du réseau américain ABC, aux designers de l'entreprise IDEO, de Palo Alto, au cœur de la Silicon Valley en Californie. L'épisode s'est déroulé l'an dernier. Il a été filmé, et a montré pourquoi IDEO est célébrée comme la plus extraordinaire société de design du monde. Après bien des dessins préliminaires, des esquisses et des interviews sur le vif avec des consommateurs, les concepteurs ont trouvé leur idée de génie. Ils ont tout simplement amélioré le chariot conventionnel en y ajoutant de la couleur, mais surtout, en le dotant d'un panier portatif que l'on peut décrocher pour circuler à son aise dans les allées encombrées avant de revenir déposer la marchandise dans son grand chariot. Au suivant! Les gens d'IDEO ne travaillent pas toujours aussi vite. Mais leur imagination, elle, est toujours à l'affût. [...]

Ce qui frappe en entrant dans les bureaux de l'entreprise, qu'on soit à Palo Alto ou à San Francisco, ce sont les bicyclettes: elles sont accrochées au plafond! «Les gens viennent travailler à vélo, et on s'y prenait les pieds. Un jour, quelqu'un a eu l'idée de suspendre le sien. Du coup, l'espace est devenu plus chaleureux. L'habitude s'est répandue. C'est devenu une marque de commerce d'IDEO», me dit Whitney Mortimer, vice-présidente marketing, qui ajoute un autre trait de caractère propre à l'entreprise. «Nous faisons tout pour que les gens se rencontrent et se parlent. Voilà pourquoi nous ne voulons pas être plus d'une trentaine par unité. Vous savez, on dit que sept personnes peuvent tenir une conversation, mais qu'il suffit d'une personne de plus pour scinder le groupe en deux. Et la dynamique se perd.»

«Nous nous employons à créer des occasions informelles pour que les gens se rencontrent, quitte à provoquer des collisions!», dit Aura Oslapas, qui dirige le studio de San Francisco. Le mandat de ce groupe est particulier: il est spécialisé en design des espaces. Et, pour faire mentir le proverbe, le cordonnier est ici très bien chaussé. C'est beau, chez IDEO San Francisco. [...]

René Vézina. *Les Affaires,* 1er décembre 1999, p. 20.

correspondent souvent aux divers services qu'on trouve dans l'organigramme de l'organisation (service des études de marché, service du personnel, etc.), à ses divisions (par exemple, les diverses divisions chargées de ses différents produits) ou à ses équipes (par exemple, l'équipe d'assemblage d'un produit). Quelle que soit leur taille – certains services ou équipes se réduisent à deux ou trois personnes, tandis que certaines divisions comptent une centaine de travailleurs ou davantage –, les groupes de travail permanents sont mis sur pied pour remplir une fonction spécifique de façon continue; leur existence ne sera interrompue ou modifiée que si l'organisation effectue des changements à sa structure organisationnelle.

Les *groupes de travail temporaires*, eux, sont créés pour résoudre un problème précis ou pour accomplir une tâche ponctuelle; une fois leur objectif atteint ou leur tâche accomplie, ils sont souvent démantelés[15]. Pensons aux innombrables comités *ad hoc*, spéciaux, provisoires ou intérimaires, aux groupes de réflexion, d'étude ou d'intervention, aux commissions, etc., qui, si temporaires soient-ils, n'en sont pas moins des composantes importantes de bien des organisations. De fait, on constate dans les organisations contemporaines une tendance marquée à recourir de plus en plus souvent à des *équipes interfonctionnelles* ou à des *groupes d'étude* pour la résolution des problèmes qui sortent de l'ordinaire. Ainsi, le président d'une société pourrait mettre sur pied un groupe dont les membres proviennent de diverses unités de travail pour étudier la possibilité d'implanter l'horaire de travail variable pour les salariés. La plupart du temps, ces groupes temporaires se choisissent un responsable qui répondra des résultats, comme le cadre répond de ceux de son unité de travail. Le groupe temporaire peut aussi prendre la forme d'une de ces *équipes de projet,* souvent interfonctionnelles, à qui l'on confie une tâche particulière axée sur un objectif bien précis: par exemple, l'installation d'un nouveau système de courriel ou la modification d'un nouveau produit[16].

Les technologies de l'information et des communications (TIC) ont donné naissance à un nouveau type de groupe dans les organisations. À l'ère d'Internet, des intranets et de la *réseautique*, les *équipes virtuelles* (ou *cybergroupes),* dont les membres se réunissent et travaillent ensemble au moyen d'ordinateurs en réseau, se multiplient. À l'aide de logiciels de plus en plus performants conçus pour faciliter le travail collectif (*collecticiels* et autres *synergiciels*), les membres des cybergroupes parviennent à accomplir le même travail

Chez Texas Instruments, les équipes virtuelles font maintenant partie du décor et la distance n'empêche plus la collaboration à une tâche commune. Tous les jours, des concepteurs de systèmes informatiques des quatre coins du globe reliés par Internet mettent en commun leurs idées et créent de nouveaux produits. Une équipe chargée de mettre au point une nouvelle puce peut se composer d'ingénieurs de Bangalore (Inde) et de coéquipiers situés au Japon et au Texas. Une fois la conception terminée, on envoie les plans au Texas, toujours par voie électronique, et la fabrication commence ; au besoin, la puce reviendra à Bangalore pour le « débogage ». Texas Instruments emploie maintenant quelque 400 travailleurs de cette ville indienne à la conception de puces informatiques complexes. Selon l'un de ses vice-présidents, « ce qu'on mettait trois ans à résoudre autrefois se règle maintenant en moins d'un an[17]. »

www.ti.com

que s'ils étaient installés dans des locaux communs : échanger de l'information, prendre des décisions et remplir les mandats qu'on leur confie. Nous verrons au prochain chapitre le rôle déterminant des équipes et des groupes virtuels au sein des OHP.

■ LES GROUPES INFORMELS

Les **groupes informels** se forment spontanément, au gré des relations personnelles ou pour répondre à certains intérêts communs de leurs membres, sans l'intervention ou sans l'appui officiel de l'organisation ; ils apparaissent souvent au sein des groupes formels. Par exemple, les *groupes d'amis* sont constitués d'individus ayant des affinités, et qui sont portés à travailler ensemble et à se retrouver au moment de la pause, voire même après le travail pour partager leurs moments de loisirs. Les *groupes d'intérêt* rapprochent des gens qui ont des champs d'intérêt communs, en relation avec le travail (désir d'améliorer des compétences en informatique, par exemple) ou d'ordre personnel (activités communautaires, récréatives, sportives, religieuses, etc.).

Les groupes informels interviennent souvent pour aider un de leurs membres dans ses activités professionnelles. Leur vaste réseau de relations leur permet d'accélérer les circuits de production par un soutien mutuel qu'on trouve rarement dans les structures hiérarchiques traditionnelles. De plus, les groupes informels permettent à certains travailleurs de satisfaire des besoins qui resteraient ignorés ou insatisfaits dans un groupe formel – besoins d'ordre social, besoin de sécurité, etc. –, tout en leur procurant un fort sentiment d'appartenance.

■ *Groupe informel*   Groupe qui se forme spontanément, au gré des relations personnelles ou pour répondre à certains intérêts communs de ses membres, sans l'intervention ou sans l'appui officiel de l'organisation

L'évolution d'un groupe

Formel ou informel, permanent ou temporaire, virtuel ou non, tout groupe traverse au cours de son existence une série d'étapes, dont chacune comporte des défis particuliers pour le leader et pour les membres du groupe[18]. La figure 9.1

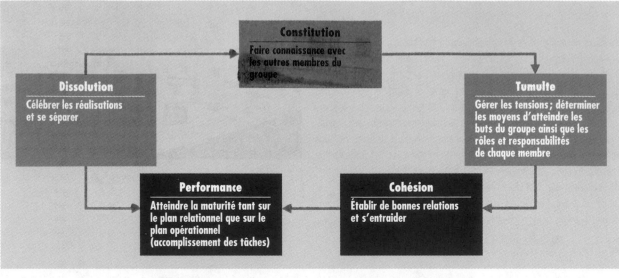

Figure 9.1
Les cinq étapes de l'évolution du groupe

illustre les cinq étapes de l'évolution d'un groupe : 1) la constitution, 2) le tumulte, 3) la cohésion, 4) la performance et 5) la dissolution[19].

■ L'ÉTAPE DE LA CONSTITUTION

À l'étape de la *constitution* d'un groupe, les préoccupations de ses membres à l'égard de leur participation sont déterminantes. C'est à ce moment qu'ils commencent à s'interroger mutuellement, à échanger, à s'identifier à d'autres membres du groupe et au groupe lui-même. Chacun se demande *ce que le groupe peut lui offrir, ce qu'on attend de lui*, et s'il pourra *satisfaire ses besoins tout en contribuant aux réalisations collectives*. Les membres cherchent alors à mieux se connaître, à déterminer plus clairement les comportements acceptés ou attendus, et à préciser la raison d'être du groupe de même que ses règles de fonctionnement.

■ L'ÉTAPE DU TUMULTE

L'étape du *tumulte* est une période riche d'émotions et de tensions pour les membres du groupe. On y vit souvent une certaine hostilité, qui déclenche des conflits internes et entraîne des modifications de tous ordres. Si les gens défendent leurs idées et leurs opinions, les opposent à celles des autres et entrent en compétition pour s'imposer au sein du groupe, des *clans* ou des *alliances* peuvent se former. Parfois irréalistes ou prématurées, les exigences venant de l'extérieur peuvent susciter des tensions intestines difficiles à supporter. Au cours de cette phase tumultueuse, les attentes individuelles tendent à se préciser, et l'attention des membres se tourne vers les obstacles qui gênent la réalisation des objectifs du groupe. On commence à mieux comprendre et à mieux accepter le style de chacun, on s'efforce de trouver les meilleurs moyens d'atteindre les buts du groupe tout en satisfaisant les besoins individuels.

■ L'ÉTAPE DE LA COHÉSION

L'étape de la *cohésion,* parfois appelée étape de l'*intégration initiale,* est celle où le groupe commence réellement à se cimenter et à se coordonner. Les conflits de la phase précédente disparaissent au profit d'un équilibre des forces, encore précaire mais bien réel. Comme ils apprécient ce début d'harmonie, les membres s'efforcent de maintenir un équilibre positif. Pour certains, la consolidation des bonnes relations peut même prendre le pas sur l'accomplissement des objectifs et des tâches du groupe. Pendant cette étape de rapprochement, les membres du groupe pourront être tentés de décourager les critiques, les opinions minoritaires ainsi que les positions ou les conduites qui s'écartent de l'orientation commune. Certains peuvent entretenir l'illusion que le groupe a déjà atteint sa pleine maturité. Impression prématurée : il est essentiel de le comprendre, l'étape de la cohésion n'est que le tremplin qui permettra au groupe de passer à l'étape suivante.

■ L'ÉTAPE DE LA PERFORMANCE

L'étape de la *performance*, aussi appelée étape de l'*intégration totale*, survient lorsque le groupe atteint la maturité. Bien organisée et opérationnelle, l'équipe peut maintenant s'acquitter de tâches complexes et gérer les désaccords de façon créative. Sa structure est stable et ses membres, généralement satisfaits, sont stimulés par les objectifs qu'ils poursuivent de concert. À cette étape, le défi du groupe consiste à s'améliorer continuellement, tant sur le plan des relations que sur celui des résultats. Au fil du temps, il doit continuer à saisir les occasions et à relever les défis ; pour cela, ses membres doivent s'adapter aux changements. Généralement, un groupe qui parvient à l'étape de la performance obtient une excellente note au regard des 10 critères par lesquels on distingue un groupe à maturité (voir la figure 9.2).

PeopleSoft ◄—

www.peoplesoft.com

En quatre ans à peine, l'effectif du fabricant de logiciels PeopleSoft est passé de 300 à 7000 travailleurs. Son directeur des télécommunications mondiales reconnaît que la technologie de la vidéoconférence mise au point par Sony a facilité la gestion d'une croissance de cette ampleur : « Une discussion en vidéoconférence est purement et simplement supérieure à une conversation téléphonique. Ça ressemble beaucoup plus à une rencontre en chair et en os. »

**Figure 9.2
Les dix critères d'évaluation de la maturité d'un groupe**

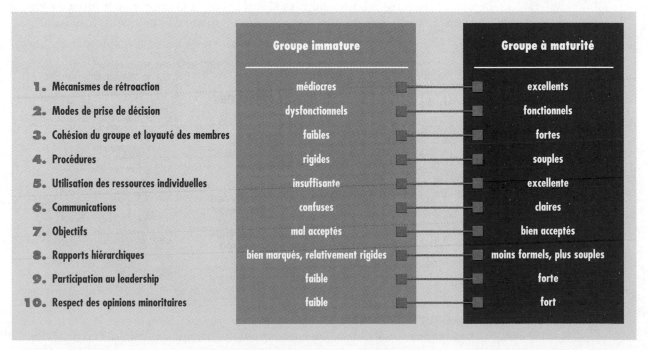

		Groupe immature	Groupe à maturité
1.	Mécanismes de rétroaction	médiocres	excellents
2.	Modes de prise de décision	dysfonctionnels	fonctionnels
3.	Cohésion du groupe et loyauté des membres	faibles	fortes
4.	Procédures	rigides	souples
5.	Utilisation des ressources individuelles	insuffisante	excellente
6.	Communications	confuses	claires
7.	Objectifs	mal acceptés	bien acceptés
8.	Rapports hiérarchiques	bien marqués, relativement rigides	moins formels, plus souples
9.	Participation au leadership	faible	forte
10.	Respect des opinions minoritaires	faible	fort

■ L'ÉTAPE DE LA DISSOLUTION

Un groupe totalement intégré est capable de se dissoudre le moment venu, c'est-à-dire lorsqu'il a rempli son rôle ou accompli ses tâches. L'étape de la *dissolution* est particulièrement importante pour ces groupes temporaires qui poussent comme des champignons dans les organisations d'aujourd'hui – groupes d'étude, comités *ad hoc,* groupes de projet, etc. Les membres de ces équipes doivent pouvoir se réunir rapidement, accomplir leur *mission* dans des délais serrés, puis se séparer, pour se regrouper de nouveau au besoin. Un excellent test de la viabilité à long terme d'un groupe consiste à juger de la promptitude de ses membres à se séparer une fois le travail fini et, le cas échéant, à collaborer à de nouveaux projets.

Les fondements de l'efficacité du groupe

La réussite d'une organisation dépend largement du rendement de ses réseaux internes de groupes formels ou informels. En ce sens, les groupes constituent un élément essentiel de ses *ressources humaines* et de son *capital intellectuel*[20]. Autant que celle des individus, la contribution des groupes est vitale pour l'organisation qui vise la haute performance à long terme.

Le schéma de la figure 9.3 illustre la façon dont les groupes, au même titre que les organisations, atteignent l'efficacité en interagissant avec leur environnement pour transformer les ressources (intrants) en produits (extrants)[21]. Les intrants (ou facteurs de production) sont les données initiales de toute situation de groupe, les bases de toute action future; en règle générale, on peut affirmer que plus ces bases sont solides, meilleures sont les chances que le groupe atteigne l'efficacité à long terme. Les intrants clés du groupe comprennent: 1) la nature des

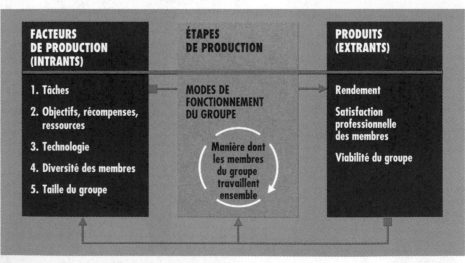

Figure 9.3
Le groupe en tant que système ouvert qui transforme des intrants en produits

tâches; 2) les objectifs, le système de récompense et les ressources; 3) la technologie; 4) la diversité des membres; 5) la taille.

■ LES TÂCHES

La nature des tâches se traduit par des exigences diverses pour le groupe, et a donc des répercussions diverses sur son efficacité. Les tâches d'un groupe peuvent présenter des *exigences d'ordre technique*; par exemple, elles peuvent avoir un caractère routinier, un degré de difficulté élevé ou exiger beaucoup d'informations. Elles peuvent aussi présenter des *exigences d'ordre social*, concernant les relations interpersonnelles, l'investissement de soi, les désaccords sur les buts visés et sur les moyens à prendre, et d'autres questions de cet ordre. Les tâches les plus exigeantes sur le plan technique nécessitent des solutions à la pièce et un important traitement de l'information; quant aux tâches les plus exigeantes sur le plan social, elles entraînent des difficultés à s'entendre sur les objectifs et sur les méthodes à prendre pour les atteindre. Évidemment, l'efficacité du groupe est plus difficile à atteindre si la tâche est très complexe[22]. Pour maîtriser cette complexité et atteindre les résultats visés, les membres du groupe devront s'appliquer, fournir tous les efforts dont ils sont capables, déployer toutes leurs compétences, et cela, en étroite collaboration. Mais, si leurs efforts en vue de réaliser ces tâches complexes sont couronnés de succès, ils tireront probablement une grande satisfaction de ce qu'ils ont accompli ensemble.

■ LES OBJECTIFS, LES RÉCOMPENSES ET LES RESSOURCES

Des objectifs réalistes, un système de récompense bien conçu et des ressources adéquates sont essentiels pour atteindre et maintenir un rendement satisfaisant à long terme. Le rendement d'un groupe a ceci en commun avec celui d'un individu qu'il peut pâtir d'objectifs confus, trop timides ou imposés arbitrairement. Le même effet se fera sentir si les objectifs et récompenses sont trop axés sur les résultats individuels au détriment des résultats du groupe. De plus, des ressources financières suffisantes, de bons locaux, de bonnes méthodes de travail et de bonnes procédures, ainsi que des techniques de pointe favoriseront l'atteinte d'un rendement élevé. Des objectifs adéquats, un système de récompense cohérent et l'accès aux ressources appropriées sont donc des éléments clés de la réussite d'un groupe.

■ LA TECHNOLOGIE

La technologie donne les moyens d'accomplir le travail, et il est primordial d'avoir recours à celle qui est la plus appropriée à la tâche à accomplir. La nature des techniques utilisées dans les circuits de production peut influer sur la façon dont les membres du groupe interagissent dans l'exécution de leurs tâches. Faire partie d'un groupe qui fabrique des produits sur mesure pour répondre aux demandes de clients particuliers est une chose; être membre d'une équipe chargée d'une section d'une ligne de montage automatisée en est une autre. Les techniques employées dans le premier cas entraîneront évidemment beaucoup plus d'interactions dans le groupe, et il s'ensuivra probablement une plus grande cohésion de l'équipe et un plus grand sentiment d'appartenance chez ses membres.

EDS ◄

www.eds.com

Une organisation des réunions qui met à profit ce que la technologie a de mieux à offrir n'a rien de surprenant chez EDS, un géant dans le secteur des services informatiques. Dans le laboratoire prévu à cet effet, les équipes de projet ont accès aux ressources de l'Internet et de l'intranet de la société, un réseau de traitement de l'information entièrement intégré. Les projections sur grand écran facilitent les séances de travail.

■ LA DIVERSITÉ DES MEMBRES

Pour obtenir des succès, un groupe doit posséder les talents et les compétences requises pour résoudre les problèmes auxquels il doit faire face. Les talents sont une condition nécessaire de l'atteinte d'un rendement élevé, bien qu'ils ne suffisent pas à eux seuls. Si les compétences initiales du groupe sont déficientes, cette carence sera difficile à surmonter et pourra compromettre l'obtention des résultats escomptés.

Dans les groupes *homogènes*, où tous les membres ont sensiblement le même profil – âge, sexe, antécédents ethnoculturels, formation, expérience professionnelle, etc. –, la collaboration pourra sembler plus facile. Mais l'efficacité d'un tel groupe risque d'en souffrir s'il doit accomplir certaines tâches complexes exigeant une grande diversité de talents, compétences, expériences et approches. Les groupes *hétérogènes* peuvent compter sur cet atout pour maîtriser des tâches complexes ; mais la diversité des profils de leurs membres peut aussi devenir une source de difficultés, entre autres, lorsqu'il s'agit de s'entendre sur la nature d'un problème et les moyens de le régler, de partager l'information et de gérer les désaccords. À court terme, les obstacles de cet ordre peuvent être assez importants, mais une fois que les gens apprennent à travailler ensemble, la diversité peut devenir un facteur de succès[23]. Les chercheurs ont observé un phénomène qu'on appelle la ***problématique diversité/consensus*** : dans un groupe, une diversité accrue tend à rendre la collaboration plus difficile, même si elle augmente la somme d'aptitudes et de compétences disponibles pour la résolution des problèmes[24]. Ainsi, le défi d'une équipe multinationale, par exemple, sera de réussir à tirer profit de sa diversité sans que son fonctionnement n'en souffre[25].

L'*amalgame des personnalités* est un aspect important du fonctionnement d'un groupe ou d'une équipe. La ***théorie des besoins relationnels*** (FIRO-B) de William Schultz met en lumière les différences dans la façon dont les gens entrent en rapport les uns avec les autres selon leurs besoins d'exprimer des sentiments liés à l'appartenance, au pouvoir et à l'affection, et de se voir témoigner de tels sentiments[26]. La théorie de Schultz prédit que les groupes dont les membres sont compatibles sur ces trois aspects ont plus de chances d'être efficaces que ceux dont ce n'est pas le cas. Les symptômes d'incompatibilité comprennent, notamment, le repli sur soi, les manifestations d'hostilité, les conflits de pouvoir et l'emprise qu'exercent quelques individus sur l'ensemble du groupe. Le chercheur résume ainsi les répercussions de la théorie des besoins relationnels sur la gestion :

> Si nous pouvons, dès le départ, constituer un groupe de personnes capables de travailler ensemble harmonieusement, nous aurons de fortes chances d'éviter les situations qui déclenchent un gaspillage d'énergie dans des conflits interpersonnels[27].

Le *statut*, c'est-à-dire le rang, le prestige ou la position relative d'un individu donné au sein d'un groupe, est une autre source de diversité au sein d'un groupe. Le statut dépend de plusieurs facteurs, notamment : l'âge, l'ancienneté, la fonction, le niveau de scolarité, le rendement ou la position acquise dans d'autres groupes. Si la position d'une personne dans un groupe correspond à celle qu'elle occupe à l'extérieur du groupe, on dit qu'il y a **concordance de statut.** Si ce n'est pas le cas, c'est-à-dire s'il y a *discordance* entre le statut d'un individu dans le groupe et celui qu'il a à l'extérieur, on peut s'attendre à des problèmes. Dans les cultures à *distance hiérarchique élevée* comme en Malaysia, par exemple, on nommera traditionnellement à la présidence d'un comité celui qui a la position hiérarchique la plus

---

■ **Problématique diversité/ consensus** Phénomène selon lequel une diversité accrue dans un groupe tend à rendre la collaboration plus difficile, même si elle augmente la somme d'aptitudes et de compétences disponibles pour la résolution des problèmes

■ **Théorie des besoins relationnels** (FIRO-B) Théorie qui met en lumière les différences dans la façon dont les gens entrent en rapport les uns avec les autres selon leurs besoins d'exprimer des sentiments liés à l'appartenance, au pouvoir et à l'affection, et de se voir témoigner de tels sentiments

■ **Concordance de statut** Situation où la position d'une personne dans un groupe correspond à celle qu'elle occupe à l'extérieur du groupe

élevée. Il y aura alors concordance de statut et les membres du groupe n'hésiteront pas à se mettre au travail. Si ce n'est pas le membre ayant le statut le plus élevé qui préside le comité, il s'ensuivra un malaise qui nuira au rendement du groupe. On peut avoir des problèmes de cet ordre si un tout jeune diplômé dirige un groupe de projet constitué de travailleurs plus âgés et plus expérimentés que lui.

■ LA TAILLE DU GROUPE

La taille d'un groupe, c'est-à-dire le nombre de membres qui le constituent, influe également sur son efficacité. Plus les membres d'un groupe sont nombreux, plus il y a de gens pour se répartir le travail et accomplir les tâches requises, ce qui peut accroître le rendement et la satisfaction des membres. Mais il y a des limites, car si le groupe prend trop d'ampleur, cela risque de générer des difficultés de communication et de coordination. Or, ces difficultés vont souvent de pair avec une baisse de la satisfaction professionnelle, une plus grande rotation du personnel ainsi qu'une augmentation de l'absentéisme et de la *paresse sociale*. De simples questions d'organisation, comme le choix du lieu et de l'heure d'une réunion, peuvent prendre des proportions démesurées et nuire au rendement des groupes de trop grande taille[28].

Pour la résolution de problèmes, la taille idéale du groupe est de cinq à sept personnes. Dans un groupe plus petit, les membres risquent d'avoir du mal à répartir adéquatement les responsabilités ; à plus de sept, ils peuvent trouver difficile d'apporter leur contribution ou de nouvelles idées. On constate aussi souvent dans les grands groupes une tendance à tomber sous l'emprise des quelques membres les plus dominateurs, ainsi qu'une tendance à se morceler en clans et en sous-groupes[29].

Les groupes qui comptent un nombre impair de membres pourront plus facilement recourir à la règle de la majorité pour résoudre les désaccords. S'il faut agir rapidement, cette forme de gestion des conflits est des plus utiles ; le gestionnaire peut donc avoir avantage à constituer un groupe impair. Par contre, si les décisions à prendre exigent mûre réflexion et qu'on vise le consensus – comme c'est le cas dans les groupes qui doivent résoudre des problèmes complexes (les jurys, par exemple) –, un groupe pair peut se révéler plus efficace, sauf s'il aboutit à une impasse à cause d'objectifs incompatibles[30].

Dynamique de groupe et dynamique intergroupes

Comme le montre la figure 9.3, l'efficacité d'un groupe ne dépend pas seulement de la qualité des facteurs de production, mais aussi de la *manière dont ses membres collaborent* à la transformation de ces intrants pour produire les résultats recherchés. Dès qu'on parle de gens qui « travaillent ensemble », on aborde des questions relatives à la **dynamique de groupe,** c'est-à-dire les phénomènes psychosociaux qui

■ **Dynamique de groupe**
Phénomènes psychosociaux qui influent sur les relations personnelles et professionnelles des membres du groupe

influent sur les relations personnelles et professionnelles des membres du groupe. Dans l'optique des systèmes ouverts, cette dynamique correspond aux *processus* qui transforment les intrants en produits ou en résultats.

▪ LA DYNAMIQUE INTRAGROUPE

Nous devons à George Homans un modèle classique de la dynamique de groupe qui repose sur deux types de comportements : les comportements prescrits et les comportements spontanés. Dans une équipe de travail, les *comportements prescrits* sont ceux que l'organisation a déterminés officiellement et auxquels elle s'attend[31] ; on pense, par exemple, à la ponctualité, au respect de la clientèle et au soutien offert aux collègues. Quant aux *comportements spontanés,* ce sont ceux que les membres d'un groupe manifestent naturellement, en plus de ce que l'organisation leur demande ; ils résultent non pas des attentes extérieures à l'individu, mais de l'initiative personnelle. Les comportements spontanés prennent souvent la forme d'actes qui vont au-delà des exigences d'une tâche et contribuent à ce qu'elle soit exécutée le mieux possible. Il est pratiquement impossible pour une organisation de décrire les comportements prescrits avec une précision telle qu'ils couvrent les exigences de toutes les situations qui peuvent se présenter en milieu de travail, et c'est ce qui rend les comportements spontanés si essentiels. Pensons, par exemple, à une employée qui prendrait l'initiative d'envoyer un courriel à un collègue absent d'une séance de travail pour le tenir au courant des décisions qu'on y a prises. Le concept d'*autonomisation,* un élément clé des milieux de travail

www.manaras.com

♦ DIVERSITÉ EN MILIEU DE TRAVAIL

« Chez nous, une attitude raciste serait une cause de congédiement. »

Le président de Manaras, un fabricant d'opérateurs de portes de garage de Pointe-Claire, en banlieue ouest de Montréal, ne peut être plus clair : « la philosophie de base de l'entreprise est fondée sur le respect mutuel », dit-il.

François Goyette a 80 employés. Mais dans les faits, il gère une vingtaine de nationalités différentes. Les travailleurs de Manaras sont d'origine cambodgienne, haïtienne, péruvienne, italienne, camerounaise, indienne, pakistanaise, chinoise... et québécoise.

Le président lui-même, entouré de sa ceinture fléchée, joue les maîtres de cérémonie en cette journée spéciale dédiée aux employés. Sur une grande table, dehors, sont alignés des plats cuisinés par chacun d'eux. Une musique indienne s'élève. À chaque année, le même rituel revient. Une façon pour l'entreprise d'intégrer toutes les cultures, qui ont souvent tendance à se regrouper entre elles.

« Le fait d'avoir une équipe multiculturelle est devenu une force pour l'entreprise », dit le vice-président du marketing, Marc Bertrand. [...]

Gérer des équipes multiculturelles exige beaucoup de doigté et de connaissances des conflits internationaux. Chez Manaras, par exemple, les Indiens et les Pakistanais se côtoient sans problèmes. Gérer la diversité, c'est aussi gérer la possible émergence de conflits. [...]

Kathy Noël. « Gérer des équipes multiculturelles demande beaucoup de doigté », *Les Affaires,* 29 juillet 2000, p. 21.

hautement performants, s'appuie largement sur l'idée de laisser libre cours aux aspects positifs des comportements spontanés.

Le modèle de Homans sur la dynamique de groupe décrit aussi les relations entre les membres sous trois aspects : 1) les activités (tout ce que *font* les membres du groupe, leurs actions lorsqu'ils collaborent à l'exécution des tâches), 2) les interactions (les relations et les communications interpersonnelles) et 3) les sentiments (les émotions éprouvées, ainsi que les attitudes, les croyances et les valeurs exprimées). Ces activités, ces interactions et ces sentiments peuvent prendre des formes tantôt prescrites, tantôt spontanées.

■ LES RELATIONS INTERGROUPES

On entend par **dynamique intergroupes** les phénomènes relationnels qui se produisent entre deux groupes ou plus. Idéalement, l'organisation fonctionne comme un système *coopératif* dont les divers éléments s'épaulent mutuellement. En réalité, la rivalité et les problèmes intergroupes sont monnaie courante dans la plupart des organisations, où elles ont des répercussions à la fois positives et négatives. Du côté négatif, un conflit entre l'équipe de production et l'équipe des ventes peut détourner l'attention et l'énergie des membres des deux groupes de leur objectif premier, qui est l'accomplissement de tâches importantes[32]. Par contre, une dynamique de rivalité peut se révéler bénéfique : l'esprit de compétition peut stimuler chaque groupe impliqué en l'amenant à fournir davantage d'efforts, à se concentrer sur des tâches clés et à resserrer les rangs, et il peut en découler une plus grande satisfaction ou davantage de créativité dans la résolution de problèmes. Les organisations japonaises recourent souvent à des stratégies misant sur la compétition pour accroître la motivation de l'ensemble de leur personnel. Ainsi, chez Sony, le sigle BMW signifie «Beat Matsushita Whatsoever[33].»

Les organisations et leurs gestionnaires déploient des efforts considérables pour éviter les aspects négatifs de la dynamique intergroupes, et pour permettre l'éclosion de ses aspects positifs. Ainsi, des groupes qui se vouent à une compétition néfaste peuvent être orientés vers un *adversaire* ou un *objectif* commun. On peut également les amener à des *négociations* directes, leur fournir de la formation et axer celle-ci sur la collaboration. Le gestionnaire doit éviter à tout prix le recours à un système de récompense «tout ou rien», où un groupe ne gagne que si un autre perd. Ils choisiront plutôt d'attribuer les récompenses selon l'apport de chacun des groupes à l'ensemble de l'organisation ou selon l'aide apportée aux autres groupes. Enfin, notons que l'augmentation des interactions entre les groupes tend à favoriser la coopération.

■ ***Dynamique intergroupes***
Phénomènes relationnels entre deux groupes ou plus qui entretiennent des relations de collaboration ou de compétition

Le processus décisionnel dans les groupes

L'une des activités les plus importantes dans un groupe est la *prise de décision*. Nous traiterons en détail au chapitre 17 ce processus qui conduit à choisir entre plusieurs lignes de conduite possibles. Cependant, dans la mesure où le bien-fondé et l'à-propos des décisions et des processus qui y mènent peuvent avoir un effet considérable sur l'efficacité d'un groupe, il convient d'aborder le sujet ici.

■ LA PRISE DE DÉCISION AU SEIN D'UN GROUPE

Edgar Schein, universitaire et conférencier de renommée internationale qui s'est beaucoup consacré à l'analyse et à l'amélioration des processus décisionnels dans les groupes[34], a observé que ces derniers parviennent à leurs décisions en utilisant l'un ou l'autre des six modes suivants :

Six modes de prise de décision

1. *La décision par absence de réaction* Les idées se succèdent sans susciter de véritable discussion. Lorsque le groupe finit par en accepter une, toutes les autres ont été abandonnées ou rejetées, non pas au terme d'une analyse critique, mais par simple manque de réaction.

2. *La décision selon la règle de l'autorité* Le président du comité, le cadre supérieur ou le leader du groupe prend la décision au nom de tous les membres, avec ou sans discussion. Ce mode décisionnel a le mérite d'être expéditif ; quant au bien-fondé de la décision, il dépendra de la qualité de l'information dont dispose la personne qui décide, et de la mesure dans laquelle le groupe accepte cette façon de faire.

3. *La décision selon la règle de la minorité* Une, deux ou trois personnes parviennent à dominer le groupe et à «l'amener» à la décision qu'ils favorisent. Souvent le scénario ressemble à ceci : on lance une suggestion, puis on force l'accord du groupe par des déclarations du genre : «Personne n'a d'objections ?... Alors, on passe au point suivant ! »

4. *La décision selon la règle de la majorité* La décision à la majorité est l'une des formes les plus courantes de processus décisionnels, surtout s'il y a des signes avant-coureurs de désaccords. On peut procéder par un vote en bonne et due forme, ou en sondant les membres pour connaître l'opinion majoritaire. Les groupes recourent souvent à ce mode de décision, inspiré du système démocratique, sans avoir conscience des problèmes qu'il peut engendrer. Le fait d'avoir recours à un vote peut faire naître des clans de perdants et de gagnants. La minorité des perdants, qui peut se sentir oubliée, négligée ou injustement traitée, risque de ne pas mettre un grand enthousiasme dans l'application la décision des *gagnants*. Cette frustration peut persister, et nuire à l'efficacité du groupe.

■ *Consensus* Accord général obtenu dans un groupe, la plupart des membres appuyant la solution choisie et les autres acceptant de s'y rallier

5. *La décision par consensus* Le **consensus** se définit comme un accord général obtenu à la suite de discussions ; la solution choisie reçoit l'appui de la plupart des membres, les autres acceptant de s'y rallier. Lorsqu'on parvient à un tel accord, même ceux qui s'opposaient à la position choisie savent qu'ils ont été écoutés et qu'ils ont eu l'occasion d'influer sur le cours des événements. Le consensus n'exige pas qu'on atteigne l'unanimité sur une question. En revanche, il exige que tout membre *dissident* ait la certitude raisonnable d'avoir pu s'exprimer et d'avoir été écouté[35] (voir *Le gestionnaire efficace 9.2*).

6. *La décision à l'unanimité* L'unanimité est probablement la conclusion idéale d'un processus décisionnel, puisque tous les membres du groupe sont alors entièrement d'accord avec la décision prise. C'est un mode de décision collective *parfaitement logique* et *logiquement parfait,* mais auquel il n'est pas toujours facile de recourir en milieu professionnel. La difficulté de gérer le fonctionnement du groupe jusqu'à ce qu'il parvienne au consensus ou à l'unanimité explique que les groupes prennent parfois leurs décisions selon les règles de l'autorité, du vote majoritaire ou même de la minorité[36].

■ LES AVANTAGES ET LES INCONVÉNIENTS DE LA PRISE DE DÉCISION COLLECTIVE

Les groupes les plus performants ne s'en tiennent pas à un seul et même mode de prise de décision en tout temps et en toutes circonstances; ils changent de mode de prise de décision selon le contexte et la nature du problème. En fait, il est important que le leader du groupe ait la capacité de l'aider à choisir le mode de prise de décision le plus approprié: celui qui mènera à une décision bien fondée et opportune, à laquelle les membres adhéreront vraiment. Le choix du mode de prise de décision doit tenir compte des avantages et des inconvénients de la prise de décision collective. Voici ses principaux **avantages** [37]:

1. *La quantité d'information*   Le groupe dispose d'une plus grande somme de connaissances et d'expertise pour résoudre le problème.

2. *La diversité des options*   Le groupe explore un plus grand nombre de voies, ce qui évite l'étroitesse de vues.

3. *La compréhension et le consentement*   Les membres du groupe comprennent et acceptent mieux la décision finale.

4. *L'engagement*   Les membres du groupe se sentent plus engagés face à la décision et sont donc plus motivés à contribuer à sa mise en œuvre.

Cela dit, la prise de décision collective comporte également des **inconvénients**, notamment[38]:

1. *La pression des pairs*   Les membres peuvent se sentir obligés d'acquiescer à ce que le groupe semble souhaiter.

2. *La prédominance d'une minorité*   Un individu ou un clan peut imposer ses vues au groupe, ou le manipuler pour l'amener à la décision qu'il favorise.

3. *Le temps requis*   La participation d'un plus grand nombre de personnes aux discussions ralentit le processus décisionnel; les décisions de groupe exigent généralement plus de temps que les décisions individuelles.

■ LA PENSÉE DE GROUPE

Le psychologue social Irving Janis a constaté un problème potentiel majeur à la prise de décision collective: la ***pensée de groupe,*** c'est-à-dire la tendance, chez les membres de groupes où la cohésion est très forte, à perdre tout sens critique[39]. Selon Janis, la cohésion du groupe exige un degré élevé de conformisme, de sorte que ses membres finissent par être peu disposés à critiquer les idées et les suggestions des autres. Le désir de préserver leur cohésion et d'éviter les différends les pousse à privilégier l'obtention d'accords au détriment de l'analyse critique, ce qui peut donner lieu à des décisions peu judicieuses. Janis estime que la pensée de groupe n'est pas étrangère au désastre qu'a entraîné le manque de préparation des forces

---

LE GESTIONNAIRE EFFICACE 9.2

LIGNES DIRECTRICES POUR PARVENIR AU CONSENSUS

- N'argumentez pas aveuglément; tenez compte des réactions de vos collègues à vos points de vue.
- Ne changez pas d'idée simplement pour parvenir plus vite à un accord.
- Ne cherchez pas à masquer ou à éviter les conflits en soumettant la décision au vote, en la marchandant ou en tirant à pile ou face.
- Essayer d'amener chacun à prendre part au processus décisionnel.
- Laissez les désaccords se manifester; faites en sorte que les nouvelles informations, les idées neuves et les opinions dissidentes fassent l'objet de discussions.
- N'envisagez pas la prise de décision comme une compétition qui fait forcément des gagnants et des perdants; cherchez des solutions qui conviennent à tous.
- Discutez toutes les hypothèses, écoutez avec attention et favorisez la participation de tous les membres du groupe au processus décisionnel.

■ ***Pensée de groupe***   Tendance, chez les membres de groupes où la cohésion est très forte, à perdre tout sens critique

LE GESTIONNAIRE EFFICACE 9.3

COMMENT ÉVITER LA PENSÉE DE GROUPE

- Confiez à chaque membre du groupe un rôle d'évaluateur critique.
- Demandez au leader de ne pas afficher de partialité en faveur d'une position.
- Créez des sous-groupes qui travaillent sur un même problème.
- Demandez aux membres de consulter des personnes extérieures et de faire part au groupe de leur avis.
- Invitez des experts à observer et à commenter le fonctionnement du groupe.
- À chaque séance de travail, demandez à un des membres du groupe de jouer l'avocat du diable.
- Rédigez divers scénarios sur les intentions possibles des groupes concurrents.
- Quand un consensus semble se dégager, tenez une « réunion de la dernière chance ».

armées américaines à Pearl Harbor en 1941. On a également ment relié ce phénomène à certaines décisions du gouvernement américain durant la guerre du Vietnam ainsi que dans le projet qui s'est soldé par l'explosion de la navette spatiale Challenger.

Les leaders et les membres des groupes doivent être à l'affût des signes précurseurs de la pensée de groupe et, surtout, prendre des mesures préventives pour s'en prémunir (voir *Le gestionnaire efficace 9.3*)[40]. Conscient de cette nécessité, le président Kennedy préférait s'absenter de certaines discussions stratégiques de son cabinet durant l'épisode des missiles cubains; selon certaines sources, cela aurait facilité les discussions et l'ensemble du processus décisionnel qui ont permis de résoudre cette crise.

■ LES TECHNIQUES D'AIDE À LA PRISE DE DÉCISION COLLECTIVE

Pour tirer le meilleur profit possible du groupe dans la prise de décision, le dirigeant doit en gérer la dynamique de façon à équilibrer les contributions individuelles et le fonctionnement de l'ensemble[41]. Il doit, tout particulièrement, se méfier des problèmes de fonctionnement qu'entraînent souvent les séances de discussions libres sur un problème donné lors des délibérations d'un comité ou des réunions d'équipe. Dans de tels contextes, la pression des pairs vers la conformité, la prédominance d'un membre ou d'un clan et même l'atmosphère tendue de ses débats peuvent détourner le groupe de son objectif premier. Dans certains cas, il pourra s'avérer judicieux d'avoir recours à certaines techniques d'aide à la prise de décision collective[42].

■ **Remue-méninges** Technique d'aide à la prise de décision collective fondée sur la libre expression du plus grand nombre d'idées possible sans critique immédiate

Les quatre règles du remue-méninges

Le remue-méninges   Au cours d'une séance de ***remue-méninges,*** on invite tous les membres du groupe à émettre le plus d'idées et de suggestions possible, de façon rapide et sans se censurer. Le remue-méninges repose sur quatre règles essentielles:

- *Aucune critique*   Les membres doivent s'abstenir de commenter ou de critiquer les idées émises tant que le processus n'est pas terminé.
- *Aucune censure*   Comme le remue-méninges privilégie l'imagination et la créativité, chaque membre du groupe doit se sentir libre d'émettre les idées les plus radicales ou les plus étranges.
- *Multiplicité des idées*   On cherche à obtenir le plus grand nombre d'idées possible en tablant sur le fait que l'une d'entre elles se démarquera.
- *Réflexion en escalade*   On encourage chacun à reprendre les idées des autres et à les améliorer en les poussant plus loin ou en les combinant.

Cette technique de mise en commun des facultés créatrices d'un groupe favorise l'enthousiasme, un engagement plus profond et une circulation des idées fort utiles à la résolution des problèmes.

La technique du groupe nominal   Tout groupe traverse des périodes durant lesquelles les opinions des membres divergent à tel point que les discussions *libres* débouchent sur des désaccords et des conflits. La taille du groupe peut également rendre difficile la gestion des séances de remue-méninges et de discussion libre. Dans de tels cas, le gestionnaire aura judicieusement recours à la **technique du groupe nominal**[43]. On divise le groupe en sous-groupes de six ou sept membres, et on demande à chacun de répondre individuellement par écrit à une question précise – par exemple : « Que devrait-on faire pour améliorer la productivité de notre groupe ? » –, en notant le plus grand nombre possible d'idées et de suggestions. Puis, on fait un tour de table où chaque membre du groupe fait connaître ses réponses, lesquelles sont consignées au fur et à mesure sur de grandes feuilles de papier. Aucune critique n'est permise, mais l'animateur autorise les questions de clarification. Un nouveau tour de table permet aux participants de préciser leurs idées s'il y a lieu ; encore là, les critiques ne sont pas permises, l'objectif n'étant que de s'assurer que tous comprennent les tenants et les aboutissants de ce qui est suggéré. Enfin, on dresse par vote une liste hiérarchisée des meilleures réponses à la question nominale. Cette technique permet d'évaluer des idées sans les problèmes d'inhibition, de conflits et de distorsion qui peuvent surgir au cours de discussions libres.

La technique Delphi   Cette troisième approche de la prise de décision collective a été conçue par Olaf Helmer (1966) et utilisée par la Rand Corporation lorsque les membres de ses équipes éprouvaient de la difficulté à se réunir. La **technique Delphi** repose sur une succession de questionnaires distribués à un groupe de décideurs. En résumé, on envoie aux participants un premier questionnaire énonçant le problème ; leurs réponses sont synthétisées par un coordonnateur, qui leur transmet son résumé analytique accompagné d'un questionnaire de suivi. Les membres du groupe y répondent, et le processus se répète jusqu'à ce qu'un consensus émerge et qu'on parvienne à une décision claire. La technique Delphi a le mérite de permettre la prise de décision collective dans des situations où les membres ne peuvent pas se rencontrer ; par contre, certains de ses détracteurs lui reprochent de ne pas permettre aux participants d'expliquer ou de justifier leurs positions.

La prise de décision assistée par ordinateur   Les TIC (les technologies de l'information et des communications) permettent au processus décisionnel de se dérouler à distance et fournissent même des logiciels d'aide à la prise de décision collective. L'utilisation de plus en plus courante du *remue-méninges virtuel* est un exemple de cette tendance aux *cyber-réunions :* de leur ordinateur, les participants peuvent faire parvenir leurs idées, en interaction simultanée ou asynchrone, à un logiciel d'analyse qui compile et distribue les résultats. Évidemment, la technique Delphi et celle du groupe nominal peuvent être plus faciles à gérer par ordinateurs. La prise de décision assistée par ordinateur offre plusieurs avantages, notamment l'anonymat, le grand nombre d'idées soumises, l'efficacité de la mise en mémoire pour utilisation future et la possibilité de prendre en charge des groupes importants et dispersés[44].

■ *Technique du groupe nominal*   Technique d'aide à la prise de décision collective qui fait appel à des règles structurées pour générer les idées et les hiérarchiser

■ *Technique Delphi*   Technique d'aide à la prise de décision collective qui fait appel à une succession de questionnaires distribués à de nombreux décideurs pour susciter un consensus

Guide de révision

Quelles sont les caractéristiques des groupes en milieu organisationnel?

- Un groupe est un ensemble constitué d'au moins deux personnes qui collaborent de façon régulière à l'atteinte d'objectifs communs.

- Les groupes peuvent être bénéfiques à l'organisation: ils aident leurs membres à améliorer leur rendement et favorisent leur satisfaction au travail.

- On peut considérer l'organisation comme un réseau de groupes interdépendants, dont les responsables ont souvent une fonction de leader dans un groupe et de subordonné dans un autre.

- Un groupe parvient à la synergie lorsque ses réalisations collectives dépassent la somme des réalisations qu'auraient pu accomplir individuellement ses membres.

- Les groupes formels sont des groupes désignés officiellement par l'organisation pour assumer un rôle précis; ils se présentent, entre autres, sous forme d'unités administratives, de groupes de travail, de groupes d'étude ou de comités.

- Le groupe informel se constitue spontanément, au gré des relations personnelles ou pour répondre à certains intérêts communs de ses membres, sans l'intervention ou sans l'appui officiel de l'organisation.

Quelles sont les étapes de l'évolution d'un groupe?

- Tout groupe traverse, au cours de son existence, une série d'étapes, dont chacune comporte des défis particuliers pour le leader et pour les membres du groupe.

- À l'étape de la constitution, les difficultés du groupe concernent l'intégration des nouveaux membres.

- À l'étape du tumulte, les difficultés du groupe concernent la gestion des attentes individuelles et les questions de statut.

- À l'étape de la cohésion (ou étape de l'intégration initiale), les difficultés du groupe concernent la gestion des relations entre ses membres et la coordination de leurs efforts.

- À l'étape de la performance (ou étape de l'intégration totale), les difficultés du groupe concernent la consolidation et l'amélioration des relations interpersonnelles et du rendement collectif.

- À l'étape de la dissolution, les difficultés de groupe concernent l'achèvement de ses tâches et la gestion du processus de démantèlement.

Quels sont les fondements de l'efficacité du groupe?

- Un groupe efficace est un groupe caractérisé par son rendement élevé, la satisfaction professionnelle de ses membres et sa viabilité, c'est-à-dire sa capacité à maintenir des résultats probants à long terme.

■ En tant que systèmes ouverts, les groupes doivent interagir avec succès avec leur environnement afin d'obtenir les ressources (intrants) qu'ils transformeront en produits (extrants).

■ Les divers facteurs de production dont dispose le groupe sont les fondements de son efficacité. Ils comprennent notamment : les objectifs, le système de récompense, les ressources, la technologie, la nature des tâches, la diversité des membres et la taille du groupe.

Qu'est-ce que la dynamique de groupe et la dynamique intergroupes ?

■ La dynamique de groupe, c'est-à-dire la façon dont les membres d'un groupe collaborent à l'utilisation de leurs ressources, est un autre fondement de l'efficacité du groupe.

■ La dynamique de groupe (ou dynamique intragroupe) englobe les interactions, les activités et les sentiments des membres, qui peuvent prendre des formes tantôt prescrites, tantôt spontanées.

■ La dynamique intergroupes englobe les phénomènes relationnels qui surviennent entre deux groupes ou plus.

■ Même si d'ordinaire les groupes constitués au sein d'une organisation coopèrent, il peut leur arriver de se livrer à une âpre compétition ou de connaître des conflits néfastes.

■ Les inconvénients de la compétition intergroupes peuvent être atténués par des stratégies de gestion visant à former les groupes à la coopération et à les orienter vers des objectifs de collaboration plutôt que vers des objectifs de rivalité.

Comment les décisions se prennent-elles dans un groupe ?

■ Un groupe peut arriver à une décision par l'absence de réaction, par la règle de l'autorité, par la règle de la majorité, par la règle de la minorité, par le consensus ou par l'unanimité.

■ Les principaux avantages de la prise de décision collective sont, entre autres, la quantité d'information réunie, une meilleure compréhension de la décision et un engagement plus marqué des membres à l'égard de cette décision.

■ Les principaux inconvénients de la prise de décision collective sont, entre autres, la pression des pairs pour que tous endossent l'opinion générale, la prédominance d'une minorité et le temps requis.

■ La pensée de groupe est la tendance, chez les membres de groupes où la cohésion est très forte, à perdre tout sens critique.

■ Il existe plusieurs techniques d'aide à la prise de décision collective, notamment le remue-méninges, la technique du groupe nominal, la technique Delphi et la prise de décision assistée par ordinateur.

Évaluation des connaissances

■ QUESTIONS À CHOIX MULTIPLE

1. La théorie des besoins relationnels (FIRO-B) se penche sur _____ au sein d'un groupe. **a)** la compatibilité des membres **b)** la paresse sociale **c)** la prédominance de certains membres **d)** le conformisme

2. Dans l'évolution d'un groupe, c'est à l'étape _____ que ses membres commencent véritablement à constituer une entité coordonnée. **a)** du tumulte **b)** de la cohésion **c)** de la performance **d)** de l'intégration totale

3. Un groupe efficace se caractérise par un rendement élevé, la satisfaction professionnelle de ses membres et _____ **a)** la coordination. **b)** l'harmonie. **c)** la créativité. **d)** la viabilité de l'équipe.

4. La nature des tâches, le système de récompense et la taille du groupe sont des _____ qui jouent un rôle majeur dans l'efficacité du groupe. **a)** processus **b)** éléments de la dynamique de groupe **c)** intrants clés **d)** des facteurs favorisant la loyauté du personnel

5. Pour la résolution de problèmes, la taille idéale du groupe est de _____ **a)** 3 ou 4 personnes, au maximum. **b)** 5 à 7 personnes. **c)** 8 à 10 personnes. **d)** 12 ou 13 personnes.

6. Lorsque deux groupes entrent en compétition, on peut s'attendre à _____ au sein de chacun des groupes rivaux. **a)** une plus grande loyauté **b)** une plus forte contestation des directives émises par le leader **c)** une diminution de l'attention et de l'énergie consacrées aux tâches **d)** une augmentation des conflits

7. La tendance des groupes à perdre tout sens critique au cours de la prise de décision est un phénomène appelé _____ **a)** la pensée de groupe. **b)** l'effet Ringlemann. **c)** la concordance décisionnelle. **d)** le consensus.

8. Lorsque l'application d'une décision requiert un engagement élevé de la part des membres, il vaut mieux que cette décision se prenne _____ **a)** par la règle de l'autorité. **b)** par vote majoritaire. **c)** par consensus. **d)** par la pensée de groupe.

9. Pour ce qui est du comportement humain au sein d'un groupe, à quoi correspond l'effet Ringlemann ? **a)** À la tendance des groupes à prendre des décisions risquées **b)** À la paresse sociale **c)** À la facilitation sociale **d)** À la satisfaction des besoins sociaux des membres

10. Les membres d'un groupe de projet multinational doivent être conscients que _____ pourrait ralentir l'avancement des objectifs du groupe. **a)** la synergie **b)** la pensée de groupe **c)** la problématique diversité/consensus **d)** la dynamique intergroupes

■ VRAI OU FAUX ?

11. La synergie est un phénomène de coordination des énergies qui fait que le tout dépasse la somme des parties.   **V F**

12. L'organisation ne devrait pas tolérer l'existence de groupes informels en son sein, car ils ont tendance à lui nuire.   **V F**

13. En général, les membres des groupes homogènes travaillent en collaboration facilement et efficacement.   **V F**

14. Des attitudes négatives à l'égard du travail illustrent un aspect de la dynamique intragroupe qu'on appelle les sentiments.   **V F**

15. La prise de décision par vote majoritaire est le seul mode de prise de décision collective qui ne comporte aucun inconvénient.   **V F**

16. Parmi les désavantages potentiels de la prise de décision de groupe, on trouve la pression des pairs pour que tous endossent l'opinion générale.   **V F**

17. La technique du remue-méninges est une approche intéressante pour améliorer la créativité dans le processus décisionnel lorsque les membres d'un groupe ne s'entendent pas très bien.   **V F**

18. Recourir à un «avocat du diable» et organiser une «réunion de la dernière chance» sont de bonnes façons de contrer les dangers de la pensée de groupe. **V F**

19. Un des moyens de faire face aux relations intergroupes dysfonctionnelles consiste à accroître les interactions entre les membres des groupes touchés. **V F**

20. La prise de décision collective est toujours supérieure à la prise de décision individuelle.   **V F**

■ QUESTIONS À RÉPONSE BRÈVE

21. Que peuvent apporter les groupes à l'organisation ?

22. Quels types de groupes formels rencontre-t-on dans une organisation ?

23. Quelle est la différence entre les comportements prescrits et les comportements spontanés dans la dynamique de groupe ?

24. En quoi la compétition entre deux ou plusieurs groupes peut-elle nuire à l'organisation ?

■ QUESTION À DÉVELOPPEMENT

25. Depuis quelque temps, Alejandro Puron, leader actuel du cercle de qualité de son entreprise, est placé devant un dilemme. L'un des membres du cercle soutient que leur équipe devrait toujours parvenir à des recommandations unanimes «sinon, dit-il, nous n'aurons pas un véritable consensus.» Alejandro, lui, estime que l'unanimité, bien que souhaitable, n'est pas toujours nécessaire pour obtenir un consensus. Pour trancher la question, Alejandro fait appel à vous, qui êtes consultant en gestion et spécialiste des groupes en milieu organisationnel. Qu'allez-vous lui dire? Justifiez votre réponse.

Reportez-vous aux études de cas, aux exercices et aux autoévaluations de notre *Cahier d'apprentissage en CO* (voir p. 531).

■ Consultez le site Web du manuel. Vous y trouverez un questionnaire interactif et des exercices en ligne sur le contenu de ce chapitre.

www.erpi.com/schermerhorn

Travail d'équipe et équipes hautement performantes

LES SECRETS DU TRAVAIL EN ÉQUIPE : UN POUR TOUS, TOUS POUR UN

www.alcan.ca

«Avant, c'était la guerre ici!» Les soudeurs acquiescent aux propos de leur superviseur: «C'est vrai. On formait des clans qui ne se parlaient pas. On se surveillait. On se méfiait. On se jalousait.» Ça allait tellement mal que Raynald Dionne, le superviseur de l'équipe d'entretien chez Alcan, à Shawinigan, en avait perdu le goût de travailler. Le matin, il entrait à l'usine à reculons. Passer huit heures par jour dans un milieu hostile, c'est ça, l'enfer.

Ça ne pouvait plus durer. En mars dernier, avec l'aide de Synthèse, un consultant en consolidation d'équipe, Raynald Dionne a pris le taureau par les cornes pour transformer le service d'entretien des machines en une vraie équipe de collaborateurs. Ça a marché; aujourd'hui, ils sont neuf soudeurs soudés.

Ils ont de la chance parce qu'Alcan met en pratique le travail en équipe depuis plusieurs années. La haute direction et le syndicat des employés de l'usine, affilié à la CSN, sont convertis à l'idée. Martin Guy, le surintendant aux ressources humaines, en est même un chaud partisan. «Sans la volonté de la haute direction et du syndicat, rien ne serait possible», dit-il. Quelle solution Raynald Dionne a-t-il appliquée à ses troupes? En fait, il n'a pas décidé grand-chose. Quand on parle de travail en équipe, on abandonne la gestion autoritaire traditionnelle pour passer en mode participatif. «Je ne fais plus rien», dit le superviseur en riant. Son rôle consiste maintenant à faire le lien entre son équipe et la direction, et à fournir les ressources dont ses gens ont besoin pour bien faire leur travail. Quant au fonctionnement du groupe, c'est tout le monde qui en a décidé.

Avant, nous l'avons dit, les soudeurs étaient divisés en clans. Les gars travaillaient toujours avec les mêmes confrères et faisaient toujours la même tâche. Les plus vieux profitaient des privilèges de l'ancienneté pour accaparer les tâches en atelier, plus faciles que celles aux cuves d'alumine où il fait jusqu'à 220 degrés Fahrenheit l'été. Le travail en équipe n'est pas apparu tout de suite comme la solution. Certains n'y croyaient tout simplement pas. Mais comme ils n'avaient rien à perdre…

Aujourd'hui, rien n'est plus pareil. L'équipe a voté pour la rotation hebdomadaire des partenaires et des tâches. Michel Chouinard et Normand Langlois cumulent respectivement 25 et 28 ans d'ancienneté; ils ont renoncé à leur privilège. «C'est mieux, dit Michel Chouinard. Avant, c'était la routine, toujours les mêmes gestes.» Les neuf hommes ont appris à faire toutes les tâches; maintenant, en cas d'urgence, n'importe quel collègue peut être appelé en renfort. Ça change du «C'est pas ma job, qu'ils s'arrangent!» d'autrefois. Ils tiennent une réunion toutes les deux semaines, qu'ils animent à tour de rôle. À les voir, on ne doute pas qu'ils sont contents de leur sort: «Participer à votre reportage est une preuve qu'on est fiers», dit l'un. Ils ont même placé une pancarte au-dessus de la porte de l'atelier, sur laquelle sont écrites leurs valeurs d'équipe. Ont-ils fait rire d'eux? «Oh non! Même que les autres nous prennent au sérieux. On est reconnus, comme équipe», dit un autre. [...]

Marie Quinty. *Affaires PLUS*, août 1998, p. 35.

«Qui a besoin d'un patron?» Ce titre d'un article du magazine Fortune[1], suivi d'un chapeau affirmant «Certainement pas les travailleurs des équipes autonomes!», pouvait paraître assez provoquant au moment de sa parution en 1990. Depuis, la prépondérance des tâches individuelles a considérablement diminué, au profit du travail d'équipe, l'une des manifestations les plus patentes des transformations profondes qui caractérisent l'organisation du travail contemporaine[2].

Dans de nombreux secteurs, on considère le travail d'équipe comme un facteur majeur — et même crucial — de l'amélioration de la productivité et de la qualité de vie professionnelle. Mais, pour ceux et celles qui sont habitués aux modes de fonctionnement traditionnels, appliquer au travail le concept d'équipe représente un défi de taille. En confiant à des équipes un nombre toujours accru de tâches, organisations et gestionnaires découvrent les problèmes des dynamiques intragroupe et intergroupes. Les gestionnaires comme Raynald Dionne ne peuvent pas se contenter de reconnaître la valeur du travail d'équipe et d'adopter des approches novatrices en la matière; pour que les groupes ainsi constitués deviennent des équipes solides, viables et hautement performantes, ils doivent soutenir et encourager les membres de ces équipes, et renforcer la qualité des liens qui les unissent.

Questions clés

Pouvoir compter sur des équipes motivées et florissantes est devenu le trait distinctif des organisations prospères. Ce chapitre traite de l'équipe et du travail d'équipe dans les organisations hautement performantes. Voici les questions clés que vous devriez garder à l'esprit en le lisant:

- Qu'est-ce qu'une équipe hautement performante... et qu'est-ce que le travail d'équipe?
- En quoi consiste l'harmonisation fonctionnelle d'une équipe?
- Que peut-on faire pour améliorer le fonctionnement des équipes?
- Qu'apportent les équipes aux milieux de travail hautement performants?

Les équipes hautement performantes

La première image qu'évoque le mot «équipe» est souvent celle d'une équipe sportive. L'équipe de voile néo-zélandaise qui a remporté neuf victoires consécutives en Coupe de l'America entre 1995 et 2000 en est un magnifique exemple. Son énoncé de mission, qui se résume en cinq points, permet de mieux comprendre les clés de son succès:

> «[L'équipe] devra travailler dans un environnement qui encourage chaque membre à donner le meilleur de lui-même et à communiquer; développer au plus haut niveau l'intégrité personnelle au sein du groupe; reconnaître la valeur des buts personnels s'ils apportent un plus à l'équipe; améliorer les performances; s'éclater joyeusement dans le challenge[3].

Un groupe de travail peut aussi être considéré comme une ***équipe*** s'il correspond à la définition suivante: un petit groupe de travailleurs aux compétences complémentaires collaborant activement à l'atteinte d'un objectif commun, dont ils se considèrent collectivement responsables[4].

■ ***Équipe***   Petit groupe de travailleurs aux compétences complémentaires collaborant activement à l'atteinte d'un objectif commun, dont ils se considèrent collectivement responsables

Les équipes sont l'une des forces les plus dynamiques dans les transformations majeures que connaissent aujourd'hui les organisations. Universitaire et spécialiste de la gestion, Jay Conger affirme que les organisations structurées en équipes préfigurent du mode de gestion de l'avenir, qu'elles sont la réponse du monde des affaires aux impératifs de vitesse imposés par un environnement toujours plus concurrentiel[5]. Il cite en exemple un fabricant aéronautique américain, qui a vu ses temps de conception et de production diminuer de 50 % après avoir remplacé ses unités de travail spécialisées et traditionnelles par des équipes interfonctionnelles. Jay Conger ajoute que «les équipes interfonctionnelles sont extrêmement rapides[6]!» Il est donc primordial pour les gestionnaires d'en apprendre autant que possible sur de telles équipes et, plus généralement, sur le travail d'équipe dans une organisation.

■ LES DIVERS TYPES D'ÉQUIPES

De nos jours, l'un des grands défis de toute organisation consiste à transformer les groupes formels décrits au chapitre 9 en de véritables équipes hautement performantes. Selon le contexte et les objectifs poursuivis, elles se présenteront sous l'une ou l'autre des formes suivantes[7]:

- *L'équipe qui fait des recommandations*   Constituée pour se pencher sur des problèmes précis et recommander des solutions, cette équipe doit généralement remettre son rapport à une date précise et se dissoudre une fois son mandat rempli. C'est donc une équipe provisoire – un groupe d'étude, un comité *ad hoc*, une équipe de projet, etc. – dont les membres doivent être capables 1) d'apprendre rapidement à travailler ensemble; 2) d'accomplir la tâche qu'on leur confie et 3) de formuler des recommandations que d'autres mettront en application.

- *L'équipe qui dirige*   Composée de personnes qui détiennent déjà des fonctions d'encadrement dans d'autres groupes, cette équipe de gestion peut se rencontrer à divers niveaux de la structure organisationnelle. L'équipe de direction, constituée d'un directeur général entouré de cadres supérieurs, en est un exemple.

ORGANISATION HAUTEMENT PERFORMANTE

L'équipe commerciale dirigée par Nancy Deibler au sein de la division des PME de Sprint (Kansas City, Missouri) ne manque pas d'énergie. Le travail est parfois fastidieux : des journées bien remplies à faire des appels de démarchage... On pourrait s'attendre à ce que le taux de rotation du personnel soit élevé, et l'épuisement professionnel fréquent. Pourtant, ce n'est pas le cas dans l'équipe de Nancy, à cause, selon elle, du plaisir de travailler ensemble : « Nous sommes nombreux à avoir hâte d'arriver au travail pour y retrouver nos collègues. L'entente est excellente, et nous nous considérons comme des amis. » Il n'est pas rare que cette équipe finisse sa journée à 15 h pour aller jouer aux quilles, se faire un barbecue ou passer la soirée dans un karaoké. « C'est tout cela qui stimule notre productivité », ajoute ce chef d'équipe nouveau genre[9].

www.sprint.com

Quel que soit son niveau d'intervention, ce type d'équipe peut améliorer les processus de l'organisation et apporter son expertise à la résolution de problèmes complexes ou de situations délicates. Par exemple, une équipe de direction peut se voir confier des mandats complexes touchant la définition de la mission, des objectifs et des buts de l'organisation, la planification stratégique et la mise en œuvre de moyens pour amener le personnel à y adhérer[8].

- *L'équipe qui exécute*   Il s'agit du groupe ou de l'unité de travail qui effectue sur une base régulière des tâches telles que la commercialisation ou la fabrication. Pour parvenir à une efficacité durable, ses membres doivent entretenir de bonnes relations à long terme, disposer de systèmes d'exploitation bien conçus et bénéficier d'un soutien logistique externe adéquat. Enfin, est-il besoin de l'ajouter, il leur faut de l'énergie pour garder le rythme et relever les défis quotidiens associés à la haute performance.

■ LA NATURE DU TRAVAIL D'ÉQUIPE

Il est vital pour toute équipe que ses membres croient à ses objectifs et aient la motivation nécessaire pour collaborer à la réalisation des tâches qui en découlent, qu'il s'agisse de tâches de recommandation, d'encadrement ou d'exécution. En fait, la caractéristique première d'une véritable équipe est le sentiment de responsabilité collective qu'éprouvent ses membres par rapport à ce qu'ils accomplissent[10].

Ce sentiment de responsabilité collective prépare le terrain à un authentique **travail d'équipe,** où les membres mettent leurs compétences respectives au service d'un objectif commun[11]. Un tel engagement envers le travail d'équipe suppose que chacun soit prêt à « écouter ce que disent les autres et à y réagir de façon constructive ; le cas échéant, à leur accorder le bénéfice du doute ; à leur apporter leur soutien et à reconnaître leurs intérêts et leurs réalisations[12]. »

Un travail d'équipe de cette qualité est la clé de voûte de toute équipe hautement performante, mais y parvenir exige un leadership exceptionnel, et cela, quel que soit le milieu de travail. Mettre sur pied une équipe bien rodée et efficace signifie

■ *Travail d'équipe* Travail de groupe où les membres mettent leurs compétences respectives au service d'un objectif commun

beaucoup plus que de regrouper quelques personnes puis d'attendre qu'elles fassent du bon travail[13]. Vous trouverez dans l'encadré *Le gestionnaire efficace 10.1* quelques pistes utiles à cet égard.

L'équipe hautement performante possède certaines caractéristiques qui lui permettent d'exceller dans le travail en équipe et d'atteindre des niveaux de rendement exceptionnels :

1. *Une équipe hautement performante entretient des valeurs fondamentales* qui orientent les attitudes et les comportements de ses membres dans des directions conformes à sa mission. Ces valeurs servent de système de contrôle interne et peuvent remplacer la plupart des directives qui, autrement, viendraient d'un supérieur.

2. *Une équipe hautement performante traduit sa mission en objectifs de rendement précis.* Si la mission collective donne son orientation générale à l'équipe, c'est par l'engagement à produire des résultats tangibles, comme réduire de moitié le temps de mise en marché d'un produit, qu'elle prend son sens véritable. Des objectifs précis deviennent des balises importantes dans la résolution des problèmes et des désaccords, et dictent les normes en matière de rétroaction et d'évaluation des résultats. Ils aident également les membres de l'équipe à prendre conscience de la valeur de la collaboration par rapport aux efforts individuels.

3. *Une équipe hautement performante possède la bonne combinaison de compétences :* compétences techniques, compétences intellectuelles (liées à la résolution de problèmes et à la prise de décision) et compétences interpersonnelles.

4. *Une équipe hautement performante fait preuve de créativité.* Dans le contexte actuel, les équipes doivent mettre leur inventivité au service de l'amélioration continue des diverses activités de l'organisation, y compris celles liées à la productivité et au service à la clientèle. Elles doivent également contribuer à créer de nouveaux produits et de nouveaux marchés.

> **Les caractéristiques de l'équipe hautement performante**

■ LA DIVERSITÉ ET LA PERFORMANCE DE L'ÉQUIPE

S'il veut créer des équipes hautement performantes et les conserver, le gestionnaire doit se préoccuper de tous les facteurs qui contribuent à l'efficacité des groupes (voir le chapitre 9), et les gérer à bon escient. Rappelons notamment que la diversité au sein des groupes est un intrant clé qui joue un rôle majeur dans la dynamique des groupes de l'organisation moderne[14]. Les groupes *homogènes*, où tous les membres ont sensiblement le même profil – âge, sexe, antécédents ethnoculturels, formation, expérience professionnelle, etc. –, ont certains avantages : il sera plus facile pour les membres de nouer rapidement des liens et d'établir les prémices d'une collaboration harmonieuse. Cependant, cette

LE GESTIONNAIRE EFFICACE 10.1

COMMENT METTRE SUR PIED UNE ÉQUIPE HAUTEMENT PERFORMANTE

- Formulez des objectifs de rendement ambitieux.
- Donnez le ton dès la première réunion de l'équipe.
- Créez un sentiment d'urgence.
- Assurez-vous que les membres de l'équipe possèdent les compétences requises.
- Fixez des règles claires sur les comportements au sein de l'équipe.
- En tant que leader, donnez l'exemple par vos propres comportements.
- Faites en sorte que l'équipe connaisse rapidement des succès.
- Fournissez constamment à l'équipe de nouvelles données.
- Faites en sorte que les membres de l'équipe passent beaucoup de temps ensemble.
- Donnez une rétroaction positive et récompensez le rendement élevé.

homogénéité aura tendance à limiter l'expression des idées neuves, des points de vue minoritaires et, plus généralement, de la créativité. Dans les groupes hétérogènes, la diversité des profils crée un vaste réservoir d'informations, de points de vue et de talents qui peut faciliter la résolution de problèmes et accroître la créativité ; avantage précieux, particulièrement si l'équipe se consacre à des tâches complexes et exigeantes.

Les recherches démontrent que la diversité des membres d'une équipe peut créer certaines difficultés sur le plan du rendement au moment de la création de l'équipe et dans les premières étapes de son évolution : les tensions et les conflits engendrés par l'hétérogénéité des coéquipiers peuvent ralentir le fonctionnement du groupe sous certains aspects, par exemple lorsqu'il s'agit de nouer des relations, de s'entendre sur la nature d'un problème et les moyens de le régler, de partager l'information ou de gérer des désaccords[15]. À court terme, les obstacles de cet ordre peuvent être assez importants ; cependant, une fois les problèmes d'adaptation résolus, la diversité devrait avoir un effet positif sur le rendement de l'équipe[16]. Par conséquent, même si la constitution d'une équipe diversifiée exige plus de temps et d'efforts, les retombées sur les plans de la créativité et du rendement en valent amplement la peine. Pour les organisations hautement performantes, le travail en équipe représente un avantage concurrentiel d'autant plus notable que les équipes sont enrichies par la diversité.

L'harmonisation fonctionnelle de l'équipe

Il ne suffit pas de regrouper des travailleurs pour constituer une équipe de travail ; parvenir à *faire équipe* exige beaucoup d'efforts, tant des membres du groupe que de leur leader. Dans le domaine sportif, par exemple, les entraîneurs et les instructeurs qui forment une nouvelle équipe pour la prochaine saison travaillent très fort à y instaurer une collaboration harmonieuse et efficace. Pourtant, cela n'empêche pas certaines équipes très expérimentées de connaître des problèmes durant la saison : certains joueurs relâchent leurs efforts, d'autres sont mécontents, connaissent un creux ou sont échangés à d'autres équipes. Même les équipes de classe mondiale traversent de mauvaises passes, et les athlètes les plus talentueux peuvent perdre leur motivation, se quereller avec leurs coéquipiers et ne plus guère contribuer au succès de leur équipe. Lorsque cela arrive, il est primordial que propriétaires, entraîneurs et joueurs fassent le point, cernent les problèmes et prennent les mesures qui s'imposent pour retrouver l'esprit d'équipe générateur de bons résultats.

Les groupes de travail connaissent des difficultés semblables. Nouvellement constitués, ils doivent relever les défis qui attendent tout groupe aux premières étapes de son évolution. Même lorsqu'ils sont parvenus à maturité, ils connaissent presque tous, à un moment ou à un autre, des problèmes liés au manque de collaboration. Lorsque cela se produit ou, mieux, pour éviter que cela se produise, il peut être judicieux d'entamer un processus systématique d'**harmonisation fonctionnelle de l'équipe** (*team building*, parfois traduit par *formation d'une équipe* ou *constitution d'une équipe*), c'est-à-dire une série d'actions planifiées visant à recueillir et à analyser des données sur le fonctionnement d'un groupe, puis à amorcer des changements pour faciliter la collaboration entre les membres et améliorer l'efficacité opérationnelle du groupe[17].

■ *Harmonisation fonctionnelle de l'équipe* Série d'actions planifiées visant à recueillir et à analyser des données sur le fonctionnement d'un groupe, puis à amorcer des changements pour faciliter la collaboration entre les membres et améliorer l'efficacité opérationnelle du groupe

■ COMMENT SE DÉROULE LE PROCESSUS D'HARMONISATION FONCTIONNELLE DE L'ÉQUIPE?

La plupart des approches d'harmonisation fonctionnelle de l'équipe ont en commun la démarche présentée à la figure 10.1 ainsi que le concept d'amélioration continue sur lequel elle s'appuie. Le processus commence lorsque quelqu'un note l'existence d'un problème – ou d'un problème potentiel – d'efficacité collective. Alertés, les membres travaillent alors ensemble à la collecte des données relatives au problème, à leur analyse et à la planification des améliorations possibles, pour ensuite passer à l'action. L'ensemble de ce processus fait appel à l'entière coopération des membres de l'équipe; chaque membre se doit de prendre une part active à l'évaluation des activités du groupe et aux décisions concernant les mesures à prendre pour améliorer le fonctionnement de l'équipe. Un tel processus d'amélioration continue devrait faire partie des activités courantes de toute équipe, car il peut avoir un effet très bénéfique sur son efficacité à long terme.

L'harmonisation fonctionnelle d'une équipe est un processus participatif qui s'appuie sur une collecte de données rigoureuse. Quelle que soit la méthode utilisée – sondage par questionnaire, entretiens, *groupe nominal* ou toute autre méthode appropriée –, l'objectif de la collecte des données est de répondre à des questions cruciales comme: «Quel est notre degré d'efficacité dans l'exécution de nos tâches?»; «Jusqu'à quel point sommes-nous individuellement satisfaits de notre équipe et de nos méthodes de travail?» Il existe plusieurs manières stimulantes de poser ces questions et d'y répondre en faisant appel à tous et à chacun.

■ LES DIVERSES APPROCHES DE L'HARMONISATION FONCTIONNELLE DE L'ÉQUIPE

Il existe plusieurs approches en matière d'harmonisation fonctionnelle de l'équipe:

- Avec l'approche de la *retraite*, le processus d'harmonisation fonctionnelle d'une équipe se déroule lors d'une ou de plusieurs journées de réflexion organisées

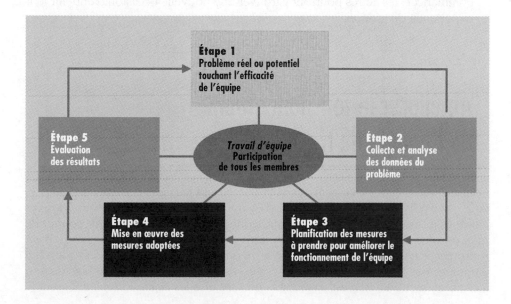

**Figure 10.1
Le processus
d'harmonisation
fonctionnelle
d'une équipe**

Étape 1
Problème réel ou potentiel touchant l'efficacité de l'équipe

Étape 5
Évaluation des résultats

Travail d'équipe
Participation de tous les membres

Étape 2
Collecte et analyse des données du problème

Étape 4
Mise en œuvre des mesures adoptées

Étape 3
Planification des mesures à prendre pour améliorer le fonctionnement de l'équipe

par la direction à l'extérieur des locaux de l'organisation. Durant la retraite, les coéquipiers se consacrent de façon intensive à des tâches d'évaluation et de planification de leurs activités, en commençant par une analyse du fonctionnement de l'équipe à partir des données recueillies par sondage ou autrement. Les retraites consacrées à l'harmonisation fonctionnelle d'une équipe se tiennent souvent avec l'aide d'un consultant recruté parmi le personnel de l'organisation ou à l'extérieur. Assez courantes, elles offrent des occasions uniques de réfléchir intensivement sur les activités et les réalisations du groupe.

• L'approche de l'*amélioration continue* exige qu'une personne (gestionnaire, chef d'équipe ou leader du groupe) ou plusieurs – l'ensemble du groupe, par exemple – prennent la responsabilité de voir régulièrement à la consolidation de l'esprit et du travail d'équipe. Cette démarche d'harmonisation fonctionnelle d'une équipe peut se faire lors de réunions périodiques ou, plus intensivement, au cours de retraites *autogérées* (sans consultant). Dans les deux cas, les membres s'engagent à suivre constamment et de près le cheminement et les réalisations du groupe, ainsi qu'à apporter les changements quotidiens qui garantiront son efficacité. Cette amélioration continue du travail d'équipe est essentielle dans le contexte de gestion intégrale de la qualité de la production qui caractérise les organisations d'aujourd'hui.

• L'approche des *activités de groupe en plein air* est une technique de plus en plus utilisée, seule ou combinée à d'autres, pour l'harmonisation fonctionnelle d'une équipe. Des activités en plein air, qui s'apparentent à des jeux, plongent les membres de l'équipe dans diverses situations physiquement exigeantes dont ils ne peuvent venir à bout que par le travail d'équipe. Le principe est le suivant : en coopérant pour surmonter les obstacles, les membres de l'équipe acquièrent de la confiance en soi, apprennent à apprécier les compétences de leurs coéquipiers et à s'engager davantage dans le travail d'équipe. Plusieurs entreprises de services, dont la Outward Bound Leadership School, se spécialisent dans l'harmonisation fonctionnelle des équipes par l'approche des activités de groupe en plein air. Pour un groupe qui n'a encore jamais entrepris de démarche d'harmonisation fonctionnelle, ce genre d'expérience peut être une façon amusante de commencer ; les autres pourront y trouver une nouvelle occasion d'enrichir leur expérience de groupe.

Améliorer le fonctionnement de l'équipe de travail

Comme bien d'autres changements qui caractérisent les milieux de travail, l'importance nouvelle qu'y prend le travail d'équipe représente un défi pour les gens habitués à un mode de travail plus traditionnel. Les équipes se voient confier de plus en plus de responsabilités, et de plus en plus de cadres inférieurs doivent renoncer à leur rôle traditionnel de supervision pour endosser celui de chef d'équipe ; ces phénomènes ne sont pas sans créer de difficultés sur le plan de leur fonctionnement. Et ce n'est pas tout : à mesure que les organisations intègrent le travail d'équipe, et que les équipes y prolifèrent, le passage de l'une à l'autre et les participations multiples peuvent aussi amener des complications. Chefs d'équipe et coéquipiers doivent donc apprendre à surmonter divers problèmes, notamment à aplanir les difficultés d'adaptation et d'intégration des nouvelles recrues, à régler les désaccords sur les objectifs et les responsabilités, à gérer les disputes et les retards liés au processus décisionnel et à résoudre les tensions et les conflits interpersonnels. La dynamique de groupe étant de nature complexe, on peut dire que l'harmonisation fonctionnelle d'une équipe est un travail sans fin. Il survient toujours quelque chose de nouveau, qui exige des efforts supplémentaires de leadership pour améliorer son fonctionnement.

ENTREPRENEURIAT

[...] Chez Graphème, la filiale de Cossette en design graphique, les créatifs inventent des logos, des images de marque, comme les nouveaux Hop & Go de Vachon. Ils travaillent constamment en équipe. C'est le climat de confiance qui nourrit leur fécondité et libère leur puissance créative. Pendant les *brainstorming*, personne n'a peur de laisser son esprit délirer et de dire des niaiseries. Pas de compétition malsaine entre les designers. « Ce climat nous rend capables d'apprécier les idées des autres », expliquent Sylvie Cloutier et Hélène Godin, deux chefs d'équipe.

Il devient souvent impossible d'attribuer l'idée finale à quelqu'un en particulier, car elle résulte du croisement de plusieurs idées. Ici, les artistes à gros ego, les prima donna, n'ont pas leur place. Pierre Léonard prend soin d'inscrire les noms de tous les gens de l'équipe quand une création est primée. « On ne peut pas admettre que quelqu'un ne soit pas solidaire de l'équipe », dit Nicole Côté. Si une personne nuit à quelqu'un, elle nuit à tout le groupe, et si elle nuit au groupe, elle se tire dans le pied. C'est vraiment tous pour un et un pour tous. [...]

www.cossette.com

Marie Quinty. « Les secrets du travail en équipe : Un pour tous, tous pour un ! », *Affaires PLUS*, août 1998, p. 37.

■   L'ARRIVÉE DES RECRUES

Qu'il s'agisse de créer une nouvelle équipe ou d'ajouter une ou plusieurs personnes à un groupe déjà constitué, l'adaptation des nouveaux membres va rarement sans problème. Les difficultés émergent souvent quand la recrue, en proie à la nervosité et à l'embarras inhérents à l'arrivée dans un nouveau milieu social et professionnel, tente de comprendre ce qu'on attend d'elle. Généralement, ses préoccupations concernent un ou plusieurs des aspects suivants :

- *La participation*   « Est-ce qu'on me laissera participer aux décisions et aux activités du groupe ? »
- *Les objectifs*   « Est-ce que j'adhère aux mêmes objectifs que mes coéquipiers ? »
- *L'influence*   « Est-ce j'arriverai à influer sur le cours des événements ? »
- *Les relations*   « Arriverons-nous à nous rapprocher ? Jusqu'à quel point ? »
- *Le fonctionnement*   « Serons-nous perturbés par des conflits ? »

Edgar Schein note que certaines recrues peuvent tenter de résoudre les problèmes liés à leur arrivée en adoptant des comportements égoïstes, ce qui risque d'entraver le fonctionnement de l'équipe[18]. Il dresse trois profils comportementaux typiques dans de telles situations :

- *Le batailleur*　Frustré par les problèmes d'adaptation à son nouveau groupe, le batailleur pourra se montrer agressif ou rejeter toute autorité. Ce type de personne veut qu'on réponde à la question « Qui suis-je dans ce groupe ? ».
- *Le gentil collaborateur*　Manquant d'assurance, redoutant les aléas des relations intimes et du pouvoir, le gentil collaborateur se montrera des plus attentionnés à l'égard de ses collègues, se comportera de façon très dépendante et cherchera à s'intégrer à des *clans*. Ce type de personne a besoin d'être rassurée et de se savoir appréciée.
- *Le rationnel*　Le rationnel s'inquiète de la satisfaction de ses besoins personnels au sein du groupe. Il pourra se montrer passif, réfléchi et même obstiné tant qu'il s'échinera à résoudre la dichotomie entre ses objectifs individuels et les orientations collectives.

■ LE LEADERSHIP LIÉ AUX TÂCHES ET LE LEADERSHIP LIÉ AUX RELATIONS

Les recherches en psychologie sociale indiquent que, pour parvenir à un rendement élevé et soutenu en groupe, il faut satisfaire deux types de besoins : 1) les besoins relatifs aux tâches à accomplir et 2) les besoins relatifs à l'entretien de bonnes relations[19]. Même si la personne assignée officiellement au poste de responsable du groupe se doit de contribuer à la satisfaction de ces deux types de besoins, cette tâche incombe tout de même à *l'ensemble des membres*. Cette responsabilité d'un **leadership partagé** dans la dynamique de groupe est une exigence fondamentale pour la viabilité de toute équipe hautement performante[20].

La figure 10.2 énumère les diverses activités par lesquelles s'exerce le leadership. Les **activités de leadership liées aux tâches** sont celles qui contribuent directement à l'accomplissement de tâches importantes qui incombent au groupe ; elles consistent, par exemple, à susciter discussions et réflexions, à fournir de l'information, à en recueillir auprès des autres membres, à clarifier ce qui est dit et à résumer le contenu des discussions[21]. Le groupe qui néglige ou bâcle ces activités aura du mal à atteindre ses objectifs. En revanche, le groupe efficace les considère comme la clé de voûte de son succès et veille à ce que ses membres y contribuent autant que cela est nécessaire.

■ *Leadership partagé*　Au sein d'un groupe, responsabilité collective dans la satisfaction des besoins en matière de tâches et de relations harmonieuses

■ *Activité de leadership liée aux tâches*　Activité qui contribue directement à l'accomplissement des tâches importantes incombant à un groupe

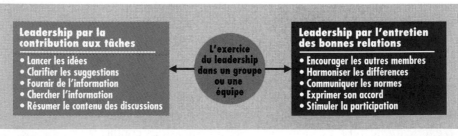

Figure 10.2
Le leadership dans la dynamique de groupe : les activités liées aux tâches et les activités liées aux relations

Les **activités de leadership liées aux relations,** quant à elles, servent à entretenir les relations collectives et interpersonnelles. Elles permettent au groupe de maintenir sa cohésion et sa vitalité en tant qu'entité sociale en évolution. Ainsi, un membre du groupe participe au leadership lié aux relations lorsqu'il stimule la participation des autres membres, souligne leur contribution, s'efforce d'harmoniser des différences individuelles ou donne son accord à la ligne de conduite privilégiée par le groupe. Si le groupe néglige ou bâcle ces activités, ses membres ne tarderont pas à se montrer insatisfaits les uns des autres et déçus de leur participation au groupe, situation annonciatrice de conflits qui risquent de drainer des énergies indispensables à l'exécution des tâches. Dans un groupe efficace, les membres participent aux activités liées aux relations, ce qui raffermit les liens qui facilitent la collaboration à long terme.

■ *Activité de leadership liée aux relations* Activité qui permet à un groupe de maintenir sa cohésion et sa vitalité en tant qu'entité sociale en évolution

En plus d'aider le groupe à satisfaire ses besoins liés à l'accomplissement des tâches et à l'entretien des rapports harmonieux, les membres ont une responsabilité collective : éviter les *comportements perturbateurs*, c'est-à-dire les comportements qui risquent de nuire au fonctionnement collectif. Le plein exercice du *leadership partagé* donne à chaque membre du groupe une responsabilité personnelle : éviter lui-même ces comportements néfastes et aider les autres membres à faire de même. Voici quelques exemples de comportements perturbateurs :

1. se montrer ouvertement agressif envers les autres membres ;
2. se mettre en retrait et refuser de coopérer ;
3. flâner, quand il y a du travail à faire ;
4. se servir du groupe comme d'une tribune, d'un confessionnal ou d'un cabinet de psychologue ;
5. trop parler sur des sujets sans importance ;
6. s'acharner à attirer l'attention ou la reconnaissance.

Quelques comportements perturbateurs au sein d'une équipe

■ LES RÔLES AU SEIN DU GROUPE ET LEUR DYNAMIQUE

Dans un groupe ou une équipe, les membres, nouveaux comme anciens, ont besoin de savoir ce qu'on attend d'eux et ce qu'ils peuvent attendre des autres. Un **rôle** est un ensemble d'attentes associées à un poste ou à une fonction au sein d'une équipe. Si les rôles respectifs ne sont pas clairement établis ou s'ils sont conflictuels, il peut en résulter des problèmes de rendement. Les groupes et les équipes de travail font parfois face à des difficultés liées à des carences dans la détermination ou la gestion des rôles de leurs membres.

■ *Rôle* Ensemble d'attentes associées à un poste ou à une fonction au sein d'un groupe

Si un travailleur n'est pas certain du rôle qui lui revient, il y a **ambiguïté de rôle.** Pour être efficaces, les gens ont besoin de savoir ce qu'on attend d'eux. Dans les équipes ou les groupes nouvellement constitués, les ambiguïtés de rôles peuvent donner à certains l'impression que leurs efforts au travail sont gaspillés ou que leurs coéquipiers ne les apprécient pas à leur juste valeur. Les équipes ou les groupes bien établis ne sont pas à l'abri de ce genre de malentendus, principalement à cause de l'incapacité de leurs membres à exprimer clairement leurs attentes et à s'écouter les uns les autres.

■ *Ambiguïté de rôle* Situation où une personne a des incertitudes quant à ce qu'on attend d'elle

Le fait de demander trop ou trop peu aux gens peut aussi créer des problèmes. Si les attentes à l'égard d'une personne sont trop élevées et qu'elle se sent submergée par la charge de travail, on dira qu'il y a une **surcharge de rôle.** Si, au contraire, les attentes sont trop faibles, et que la personne se sent sous-utilisée,

■ *Surcharge de rôle* Situation où les attentes à l'égard d'une personne sont trop élevées, et où celle-ci se sent submergée par la charge de travail

■ **Insuffisance de rôle**
Situation où les attentes à l'égard d'une personne sont trop faibles, et où celle-ci se sent sous-utilisée

■ **Conflit de rôle** Situation où une personne ne parvient pas à répondre aux attentes liées à son rôle parce qu'elles sont contradictoires ou incompatibles

Les diverses formes de conflit de rôle

on parlera d'une **insuffisance de rôle.** Dans tout groupe, il est primordial d'établir des attentes réalistes et explicites quant à la contribution de chacun.

Un **conflit de rôle** peut survenir lorsqu'un individu ne parvient pas à répondre aux attentes du reste du groupe ; il comprend ce qu'il doit faire, mais pour l'une ou l'autre des raisons que nous allons examiner, il ne le fait pas. Les tensions qui résultent de cette situation peuvent altérer sa satisfaction professionnelle, son rendement et ses relations avec les autres membres du groupe. Les quatre formes les plus courantes de conflit de rôle sont :

• *Le conflit de rôle créé par un émetteur* Une personne exprime des attentes contradictoires ;

• *Le conflit de rôle créé par plusieurs émetteurs* Plusieurs personnes expriment des attentes contradictoires et incompatibles ;

• *Le conflit entre la personne et le rôle qu'elle doit tenir* Les valeurs et les besoins d'une personne entrent en conflit avec les attentes liées à son rôle ;

• *Le conflit entre les divers rôles d'une même personne* Les attentes attachées aux divers rôles d'une même personne sont incompatibles (le conflit entre les exigences de la vie professionnelle et celles de la vie familiale en est un excellent exemple).

Quelle que soit la nature du groupe ou du milieu de travail, il est possible de gérer cette dynamique des rôles par la *négociation de rôle*, un processus qui permet aux individus de clarifier leurs attentes respectives et mutuelles. Vous en trouverez un exemple à la figure 10.3.

■ LES NORMES POSITIVES

■ **Norme** Règle de conduite ou critère de comportement que se donnent les membres d'un groupe

Les **normes** d'un groupe ou d'une équipe expriment ses idées ou ses opinions sur la façon dont ses membres devraient se conduire ; on peut les considérer comme des *règles de conduite* et des *critères de comportement*[22]. Les normes sont

**Figure 10.3
Exemple de négociation de rôle**

NÉGOCIATION DE RÔLE

FORMULAIRE DE DIAGNOSTIC DES POINTS LITIGIEUX

Message de : Jim

À l'intention de : Diane

Diane, vous pourriez m'aider à accroître mon rendement en prenant les mesures suivantes :

• **Vous montrer plus réceptive à mes suggestions d'améliorations.**

• **Me faire profiter de vos connaissances lorsque nous installons de nouveaux logiciels.**

• **Soutenir avec plus de fermeté mes demandes en dotation de personnel.**

• **Cesser d'exiger des rapports d'étape aussi nombreux et aussi détaillés.**

• **Continuer à partager toute l'information dont vous disposez lors de nos réunions hebdomadaires.**

• **Continuer à vous montrer disponible lorsque j'ai besoin de vous parler.**

utiles à plusieurs égards : elles contribuent à clarifier les attentes inhérentes à l'appartenance à un groupe donné, elles permettent à ses membres de structurer leur comportement et de prévoir celui des autres, elles aident les membres à acquérir une orientation commune et, enfin, elles renforcent la *culture* du groupe ou de l'équipe. Si un membre enfreint une des normes de son groupe, les autres membres auront généralement des réactions visant à le «ramener à l'ordre» : critiques ouvertes, réprimandes, ostracisme ou même expulsion.

Les gestionnaires — responsables de groupe de projet, directeurs de comité et chefs d'équipe – doivent s'efforcer d'aider leur groupe à adopter des normes *positives* conformes aux objectifs de l'organisation (voir *Le gestionnaire efficace 10.2*). Quel que soit le contexte, la norme fondamentale est évidemment la *norme de rendement*, qui décrit les attentes du groupe quant à l'intensité des efforts que ses membres doivent déployer. Cependant, d'autres normes ont aussi leur importance. Ainsi, pour assurer l'efficacité du travail d'un comité ou un groupe de projet, on adoptera, entre autres, des normes touchant la présence aux réunions, la ponctualité, la préparation, l'expression des critiques et la façon dont les membres doivent se comporter entre eux. Souvent, les groupes adoptent aussi des normes sur la façon de se comporter avec les supérieurs, les collègues et les clients, ainsi que des normes relatives à la probité et à éthique.

> **LE GESTIONNAIRE EFFICACE 10.2**
>
> ## SEPT ÉTAPES POUR FAVORISER L'ADOPTION DE NORMES POSITIVES
>
> 1. Agissez de manière à être un modèle de référence positif.
> 2. Tenez des réunions pour arriver à une entente sur les objectifs du groupe.
> 3. Choisissez des membres qui sont capables d'efficacité, et qui en feront la preuve.
> 4. Fournissez de l'encadrement et de la formation aux membres du groupe.
> 5. Renforcez et récompensez les comportements souhaitables.
> 6. Tenez des réunions de rétroaction et d'évaluation du rendement.
> 7. Tenez des réunions pour planifier les améliorations.

Pourquoi est-il si important pour le groupe d'adopter des normes *positives* ? Voici quelques exemples de commentaires tirés de conversations courantes, et qui montrent bien comment les normes collectives, selon qu'elles sont positives ou négatives, peuvent avoir des effets favorables ou néfastes sur le fonctionnement et le rendement d'un groupe ou d'une organisation[23] :

Quelques exemples de normes collectives

- *Normes en matière de fierté personnelle et organisationnelle* : «Ici, nous avons l'habitude de défendre l'organisation contre les accusations injustes.» (norme positive) ; «Ici, *ils* essaient toujours de profiter de nous.» (norme négative)

- *Normes en matière de réalisations* : «Dans notre équipe, personne ne ménage ses efforts.» (norme positive) ; «Dans notre équipe, inutile de se défoncer, personne ne le fait !» (norme négative)

- *Normes en matière de soutien et d'assistance mutuelle* : «Dans notre comité, les gens prêtent une oreille attentive aux idées et aux opinions des autres.» (norme positive) ; «Dans notre comité, c'est chacun pour soi et sauve qui peut !» (norme négative)

- *Normes en matière d'amélioration et de changement* : «Dans notre service, les gens cherchent continuellement des moyens d'améliorer nos façons de faire.» (norme positive) ; «Inutile de se casser la tête : dans notre service, les gens tiennent à leurs bonnes vieilles méthodes, même si elles sont dépassées depuis des lustres.» (norme négative)

■ LA COHÉSION DE L'ÉQUIPE

■ *Cobésion* Résultat du désir des membres d'un groupe d'appartenir à ce groupe et de leur motivation à y maintenir une participation active

La ***cobésion*** d'un groupe ou d'une équipe est le résultat du désir de ses membres d'appartenir à ce groupe et de leur motivation à y maintenir une participation active[24]. La cohésion tend à être plus forte lorsque les membres du groupe ont un âge, des attitudes, des besoins et des antécédents assez semblables. On observe également une forte cohésion dans les petits groupes dont les membres apprécient leurs compétences respectives, adhèrent à des objectifs communs et assument des tâches interdépendantes. Enfin, la cohésion tend à se renforcer lorsque les groupes sont physiquement isolés du reste de l'organisation, et lorsqu'ils connaissent des réussites sur le plan du rendement ou font face à des crises.

Lorsque la cohésion est très forte dans un groupe ou une équipe, ses membres valorisent le fait d'y participer et s'efforcent d'entretenir de bonnes relations avec leurs coéquipiers ; en ce sens, les groupes très unis sont bénéfiques pour leurs membres. Ces derniers, comparativement aux membres des groupes moins unis, tendent à travailler plus énergiquement aux tâches collectives, à s'absenter moins souvent, et à se montrer plus heureux de leurs succès et plus tristes de leurs échecs. On ne s'étonnera donc pas que le taux de rotation des membres soit généralement plus faible dans les groupes très soudés, puisque ceux-ci offrent aux gens la possibilité de satisfaire un vaste éventail de besoins individuels, et d'y trouver loyauté, sécurité et estime.

Le respect des normes   Si les groupes où la cohésion est très forte présentent de nombreux avantages pour leurs membres, ces avantages ne s'étendent pas nécessairement à l'ensemble de l'organisation. La figure 10.4 illustre l'incidence qu'a sur le rendement une règle fondamentale de la dynamique de groupe, *la règle de la conformité aux normes,* selon laquelle plus la cohésion du groupe est forte, plus ses membres en respectent les normes.

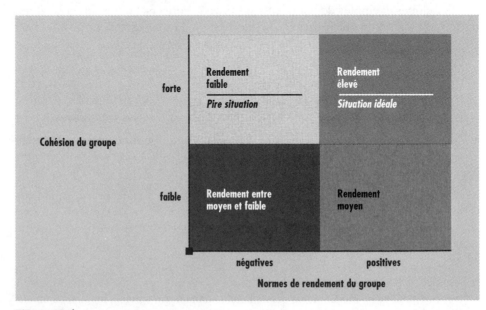

Figure 10.4
Incidence de la cohésion et du respect des normes sur le rendement d'un groupe

Selon la règle de la conformité aux normes, dans un groupe ou une équipe où la cohésion est forte :

- *si les normes de rendement sont positives,* le fait que les membres s'y conforment aura un effet positif sur leur rendement dans l'exécution de leurs tâches et sur leur satisfaction professionnelle – une situation idéale pour tous ;
- *si les normes de rendement sont négatives,* le fait que les membres s'y conforment aura un effet néfaste sur l'organisation. En effet, on peut s'attendre à un rendement faible d'une équipe très motivée à respecter des normes qui vont à l'encontre des objectifs et des intérêts de l'organisation. Comme le montre la figure 10.4, il s'agit de la pire des situations pour l'organisation.

Entre ces deux extrêmes, le gestionnaire pourra rencontrer des situations intermédiaires, où un manque de cohésion fera en sorte qu'il n'y aura pas une forte tendance des membres du groupe à se conformer aux normes collectives. Dans la mesure où la norme collective en matière de rendement perd alors une partie de son influence, il est difficile de prédire son effet, et on peut généralement s'attendre à ce que le rendement du groupe soit moyen ou faible.

L'affaiblissement ou le renforcement de la cohésion Les gestionnaires, chefs d'équipe et leaders doivent savoir qu'on peut renforcer la cohésion d'un groupe, ce qui leur sera particulièrement utile si ses normes de rendement sont positives. Ils doivent aussi apprendre à gérer les problèmes découlant d'une forte cohésion dans un groupe dont les normes de rendement négatives sont très respectées, et d'autant plus difficiles à changer. La figure 10.5 vous donne quelques éléments de stratégies qui permettent de renforcer ou d'affaiblir la cohésion d'un groupe en agissant sur diverses cibles : les objectifs, la composition, les interactions, la taille, la dimension compétitive des activités, le système de récompense, l'emplacement et la durée d'existence.

Pour affaiblir la cohésion	CIBLES	Pour renforcer la cohésion
Susciter des désaccords	Les objectifs du groupe	Renforcer l'adhésion
La rendre plus hétérogène	La composition du groupe	La rendre plus homogène
Les restreindre	Les interactions au sein du groupe	Les accroître
L'augmenter	La taille du groupe	La réduire
La stimuler au sein du groupe	La compétition	L'orienter vers d'autres groupes
La lier aux résultats individuels	L'attribution des récompenses	La lier aux résultats du groupe
Rapprocher le groupe des autres groupes de l'organisation	L'emplacement	Isoler le groupe des autres groupes de l'organisation
L'abréger : démanteler le groupe	La durée de vie du groupe	L'allonger : maintenir le groupe en fonction

Figure 10.5
Stratégies pour affaiblir ou renforcer la cohésion d'un groupe

Les types d'équipes et le milieu de travail hautement performant

Quand est venu le temps de procéder à la réingénierie du processus commande/livraison afin d'éliminer un cycle de 26 jours des moins concurrentiels, Hewlett-Packard a choisi de faire appel à une équipe de projet. En neuf mois, celle-ci a abaissé la durée du cycle d'opérations à huit jours, amélioré le service et réduit les coûts. Par quels moyens? Julie Anderson, chef d'équipe, explique: «On a surtout éliminé les barrières. Plus de superviseurs, aucune hiérarchie, finis les titres et plus de description de postes… l'idée était de permettre aux travailleurs de s'approprier l'ensemble du processus.» Un de ses coéquipiers renchérit: «[…] aucun individu n'a «la meilleure idée». Ça ne se passe pas comme ça. Les meilleures idées viennent de l'intelligence collective de l'équipe[25].»

À l'instar de Hewlett-Packard, les organisations les plus avancées découvrent des manières novatrices de tirer parti des équipes pour résoudre les problèmes et améliorer le rendement. Toutes ces nouvelles approches du travail d'équipe reposent sur les mots clés *autonomisation, participation* et *engagement*. Quant aux organisations où elles naissent, elles se caractérisent par des structures de plus en plus horizontales[26].

▓ L'ÉQUIPE DE RÉSOLUTION DE PROBLÈMES

■ ***Équipe favorisant la participation des travailleurs*** Groupe de travailleurs qui se rencontrent régulièrement pour se pencher sur des questions d'importance au sein de leur organisation

Utiliser la créativité des équipes pour s'attaquer à des problèmes internes peut s'avérer très profitable pour les organisations. L'expression ***équipe favorisant la participation des travailleurs*** englobe tout un éventail d'équipes dont les membres se rencontrent régulièrement pour se pencher sur des questions organisationnelles d'importance. Ils cherchent, par exemple, des façons d'améliorer la qualité des produits ou du service, d'accroître la satisfaction de la clientèle, d'augmenter la productivité et d'améliorer la qualité de vie professionnelle. Les équipes favorisant la participation des travailleurs permettent à ces derniers de mobiliser tout leur savoir-faire pour contribuer à la résolution des problèmes tout en assurant à l'organisation un engagement accru de leur part dans l'application des solutions adoptées.

■ ***Cercle de qualité*** Groupe de travailleurs qui se rencontrent régulièrement pour trouver des moyens d'améliorer continuellement la qualité des activités et des produits au sein de leur organisation

Le ***cercle de qualité*** est un de ces groupes favorisant la participation des travailleurs. Il est constitué d'un petit nombre de personnes qui se rencontrent régulièrement (une heure par semaine, par exemple) pour étudier et tenter de résoudre des problèmes relatifs à la qualité de la production, à la qualité de vie professionnelle, à la productivité et aux coûts[27]. Bien que les cercles de qualité aient acquis une grande popularité, et ce, à l'échelle mondiale, on ne saurait y voir une panacée à tous les maux organisationnels. Leur succès dépend de plusieurs facteurs, en commençant par une formation préalable des participants; cette formation sera axée sur la dynamique de groupe, la collecte de données et les méthodes d'analyse de problèmes. Le responsable du cercle de qualité doit connaître le processus d'harmonisation fonctionnelle d'une équipe et savoir comment stimuler la participation des coéquipiers. Toute solution émanant d'un cercle de qualité doit faire l'objet d'un suivi conjoint des membres du cercle et de l'organisation.

Les cercles de qualité fonctionnent mieux dans les sociétés dont la mission et les objectifs privilégient la qualité, dont la culture organisationnelle valorise la participation et l'autonomisation du personnel, qui misent sur la transparence et le partage de l'information importante, et qui entretiennent l'*esprit d'équipe*.

■ L'ÉQUIPE INTERFONCTIONNELLE

Les équipes sont essentielles aux organisations qui visent une plus grande intégration de leurs diverses activités et de meilleures relations entre leurs différentes unités de travail. À cet égard, l'***équipe interfonctionnelle,*** composée de travailleurs issus de divers services ou unités de travail, joue un rôle majeur. Le fait est connu : de nombreuses organisations souffrent de ce qu'on appelle le ***syndrome de la compartimentation,*** c'est-à-dire d'un ensemble de problèmes qui surviennent lorsque les travailleurs des divers services et unités d'une organisation se concentrent strictement sur *leurs* fonctions et limitent les interactions avec leurs collègues des autres unités. En ce sens, la division traditionnelle en services et en unités de travail, parce qu'elle crée des cloisons artificielles et isole les travailleurs dans des compartiments étanches, décourage plutôt qu'elle n'encourage une pensée plus intégrée et une coordination plus efficace entre les diverses composantes de l'organisation.

Au chapitre 11, nous traiterons de ces nouvelles formes d'organisations centrées sur le travail d'équipe, qui sont justement conçues pour décloisonner l'organisation du travail et améliorer la circulation horizontale de l'information[28]. Les membres des équipes interfonctionnelles peuvent résoudre les problèmes qu'on leur soumet en combinant expertises spécialisées et approche intégrée ou systémique. De plus, ils y parviennent en étant mieux informés, et cela, plus rapidement. La société Boeing a appliqué avec succès cette forme d'organisation du travail à la conception et à la commercialisation du modèle 777 de ses avions de ligne[29]. C'est un réseau complexe d'équipes interfonctionnelles constituées d'ingénieurs, de mécaniciens, de pilotes, de fournisseurs et de représentants de la clientèle qui a géré l'ensemble des processus depuis la conception jusqu'à la construction.

■ L'ÉQUIPE VIRTUELLE

Jusqu'à récemment, le travail d'équipe se limitait, dans son concept et ses applications, aux situations où les coéquipiers pouvaient se rencontrer en personne. Cette contrainte n'est plus qu'un souvenir. Grâce aux TIC et à des logiciels appelés *collecticiels* ou *synergiciels*, les membres de l'***équipe virtuelle*** (ou *cybergroupe*) peuvent se réunir et collaborer à un même projet malgré la distance[30]. En 1998, aux États-Unis seulement, quelque 13 millions de professionnels auraient participé à un *projet virtuel*. On constate également le phénomène au Canada, où de très nombreuses organisations, dont Bell Canada, Ericsson, DMR, Air Liquide et Alcan, etc., ont créé des équipes virtuelles[31]. Les organisations d'aujourd'hui, notamment dans les milieux de l'industrie et des affaires, disposent de toute une panoplie de systèmes et d'outils qui facilitent le travail à distance sur des projets communs. Les *collecticiels* les plus répandus, comme Lotus Domino, Microsoft Exchange et le SuiteSpot de Nescape, facilitent la tenue de réunions virtuelles et la prise de décision collective sous diverses formes et dans les situations les plus variées[32]. Les

■ ***Équipe interfonctionnelle***
Équipe dont les membres occupent diverses fonctions dans l'organisation et travaillent à une tâche commune

■ ***Syndrome de la compartimentation*** Ensemble de problèmes qui résultent d'un manque de communication et d'interactions entre les travailleurs des divers services et unités d'une organisation

■ ***Équipe virtuelle*** Équipe dont les membres se réunissent et travaillent ensemble à distance grâce aux technologies de l'information et des communications (TIC)

équipes virtuelles peuvent également bénéficier des techniques de la téléconférence, dont l'audioconférence et la vidéoconférence[33].

Les équipes virtuelles peuvent se révéler très profitables pour l'organisation. En plus de mettre à profit la puissance des outils informatiques pour maximiser l'efficacité de la collecte des données et du processus décisionnel, elles offrent un excellent rapport coût/efficacité, accélèrent le travail des équipes dont les membres ne peuvent pas facilement se réunir en personne[34]. Évidemment, avec la médiation de l'ordinateur, la dynamique de l'équipe virtuelle risque d'être un peu différente de celle de l'équipe qui travaille coude à coude[35]. Si la technologie permet de triompher des distances et rend possible la communication entre des coéquipiers virtuels, dans bien des cas, ces derniers risquent de n'avoir que très peu de contacts personnels – si toutefois ils en ont. Cela a le mérite de minimiser l'influence des considérations affectives dans les interactions et la prise de décision – lesquelles se fonderont davantage sur des faits et des données objectives –, mais les décisions prises dans un contexte social aussi pauvre ne seront pas nécessairement les plus judicieuses. Les équipes virtuelles peuvent pâtir du manque de rapports humains et d'échanges directs entre leurs membres.

Comme pour tous les autres types de travail collectif, l'efficacité des équipes virtuelles dépend des efforts et de la contribution de leurs membres autant que du soutien organisationnel. Quelle que soit sa forme, le travail d'équipe est avant tout du travail! Les équipes virtuelles traversent les mêmes étapes que les autres équipes, elles réagissent généralement de la même façon aux *intrants,* et leurs exigences de fonctionnement sont généralement semblables. Si possible, l'équipe virtuelle combinera les avantages du télétravail à ceux de la collaboration directe afin d'optimiser ses résultats. Enfin, il est essentiel que la technologie soit adéquate, et que les coéquipiers soient bien formés à son utilisation[36].

L'équipe autonome

De plus en plus répandue dans les organisations les plus avancées, l'*équipe autonome* – petit groupe de travailleurs auquel ont été déléguées la planification, l'organisation et l'évaluation des tâches et des activités quotidiennes dévolues au groupe – est un autre type de groupe de travail hautement participatif[37]. Il existe plusieurs variations de cette formule et de cette appellation (*groupe de travail autogéré, équipe semi-autonome, groupe autodirigé* ou *équipe responsable)* mais, et c'est là l'essentiel, dans une authentique équipe autonome, les coéquipiers ont toute latitude en matière d'horaires de travail, de répartition des tâches, de formation, d'évaluation du rendement, de sélection des recrues et de contrôle de la qualité. De plus, ils sont collectivement responsables de l'ensemble des résultats en matière de rendement.

Le fonctionnement d'une équipe autonome   L'équipe autonome est une composante permanente et officielle de la structure organisationnelle. Elle remplace le groupe de travail traditionnel dirigé par un superviseur. Elle s'en distingue en ceci que ses membres assument collectivement des tâches qui incombaient jusqu'alors à un cadre de premier niveau: la planification et l'organisation des horaires de travail, l'évaluation du rendement, le contrôle de la qualité, etc.

Le CO et les fonctions de l'organisation

GESTION DES RESSOURCES HUMAINES

Les équipes semi-autonomes sont de plus en plus populaires

L'implantation d'équipes de travail semi-autonomes constitue un créneau particulièrement porteur pour les maisons de formation. Il suffit de se référer au dernier rapport d'enquête de l'Association des entreprises privées de formation (AEPF), intitulé *Les employeurs et la formation,* pour s'en rendre compte. On y apprend que 44 % des organisations sondées au Québec mènent un programme visant à gérer leurs activités par la mise sur pied d'équipes responsables, sans mentionner toutefois s'il s'agit d'une démarche structurée. [...]

Le grand défi pour un formateur sera d'évaluer jusqu'à quel niveau la haute direction veut aller dans sa motivation de déléguer ses pouvoirs vers les équipes semi-autonomes.

« Généralement, lorsqu'ils font appel à nous, les chefs d'entreprise ont une connaissance théorique de l'approche. Toutefois, pratiquement, ils ont une idée très approximative du bouleversement qu'apportera l'implantation d'équipes semi-autonomes dans leur entreprise », affirme Raymond Chamberland, associé et président des Systèmes de Productivité Devcom.

Danyelle Beaudry, présidente d'Axion PBA, une firme de formation qui réalise plus de 70 % de son chiffre d'affaires dans la mise sur pied d'équipes semi-autonomes, abonde dans le même sens.

« Comme formateurs, notre priorité sera d'établir un diagnostic fiable sur l'existence d'une culture participative dans l'entreprise et de résistance possible de la part du personnel. Dans tous les cas, les chances de réussite de l'entreprise dépendent avant tout du niveau de support que la démarche reçoit de la haute direction. »

Mme Beaudry fait aussi remarquer que l'implantation suppose un processus de longue durée, jamais inférieur à un an, mais qui s'étendra plus généralement sur deux ou trois années.

« En somme, il y a là quelque chose de contre-nature par rapport à l'attitude traditionnelle de gestion des entreprises, résume M. Chamberland. Habituellement, la direction prend une décision en janvier, l'applique en mars et la mène à son terme en juin. Avec les équipes semi-autonomes, les gestionnaires doivent apprendre à composer avec des délais souvent longs et qui leur sont imposés par les initiatives qui viennent de la base. »

Ces délais s'expliquent par l'acquisition d'un changement de comportement des travailleurs de base qui auront à passer du rôle passif d'exécutants à celui de coresponsables de leur production, mais également par la formation à dispenser aux cadres de premier niveau.

« Nous aurons à intervenir auprès des superviseurs dont le rôle d'autorité sera totalement transformé par le passage de l'entreprise à un mode opérationnel par équipes semi-autonomes. Il faudra leur apprendre à agir en facilitateurs ou, si l'on préfère, en coachs pour leur équipe », poursuit Mme Beaudry.

Michel De Smet. *Les Affaires,* 8 janvier 2000, p. 33.

La taille de l'équipe autonome doit être assez importante pour permettre une combinaison intéressante de compétences et de ressources, mais assez réduite pour fonctionner de façon efficiente – idéalement, entre cinq et quinze membres.

On l'a dit, l'équipe décide elle-même de la cadence de travail et de la répartition des tâches ; cela est possible grâce à la **polyvalence** de ses membres, formés à remplir plusieurs fonctions au sein de leur équipe. Dans une équipe autonome, on s'attend à ce que chacun puisse accomplir plusieurs tâches et même, au besoin,

■ *Polyvalence* Capacité des travailleurs d'assumer toute une variété de fonctions et de tâches

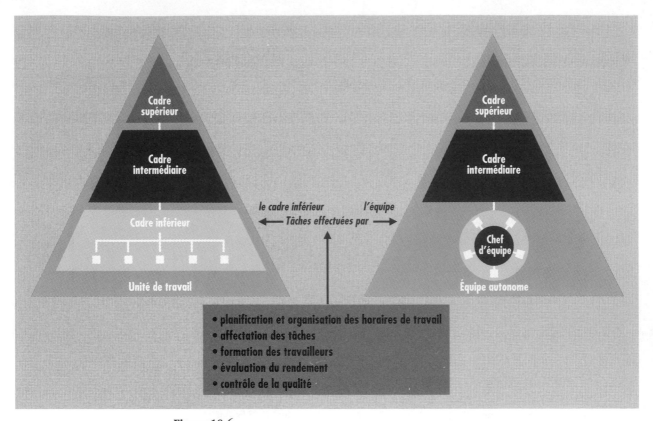

Figure 10.6
L'équipe autonome et ses répercussions sur l'organisation et le personnel d'encadrement

toutes les tâches dévolues à l'équipe. Plus les compétences sont étendues, plus le salaire de base est élevé. Les coéquipiers se chargent eux-mêmes de la formation et attestent de leur maîtrise respective des tâches requises.

Les retombées des équipes autonomes sur les activités d'exploitation Les avantages qu'on peut attendre des équipes autonomes sont nombreux : amélioration de la productivité et de la qualité, plus grande souplesse dans la production ; réponse plus rapide aux changements technologiques ; diminution de l'absentéisme et de la rotation du personnel ; satisfaction professionnelle accrue et amélioration de la qualité de vie professionnelle. Il est impossible, cependant, de garantir ces résultats. Comme tous les changements organisationnels, le virage vers l'autonomisation des équipes de travail peut présenter des difficultés. Les modifications structurelles touchant la classification des tâches et la hiérarchie des postes ont des répercussions importantes pour les cadres et pour d'autres membres du personnel habitués à un fonctionnement plus traditionnel. En termes simples, avec l'équipe autonome, le cadre de premier niveau devient inutile. Vous trouverez à la figure 10.6 un schéma illustrant les incidences potentielles de ces changements ; on y constate, entre autres, la disparition du cadre de premier niveau, dont la plupart des fonctions traditionnelles sont dorénavant assumées par l'équipe autonome.

Pour les personnes habituées à l'organisation du travail traditionnelle, ce nouvel aménagement ne va pas de soi. Le cadre intermédiaire qui doit apprendre à gérer

Si vous allez visiter les installations de Texas Instruments en Malaysia, vous y rencontrerez un grand nombre de travailleurs, mais aucun contremaître au sens traditionnel du terme. L'usine a recours à des équipes autonomes, lesquelles prennent collectivement les décisions relatives à la production et à sa qualité, établissent les horaires de travail et tiennent à jour les feuilles de présence selon le système de l'autosurveillance. Lorsqu'on a commencé à implanter ces équipes, les travailleurs étaient inquiets. La direction et le personnel d'encadrement devaient changer leur style de gestion, et il fallait éliminer les descriptions de tâches trop rigides. Mais ces changements ont amélioré la productivité et la qualité des produits, et ont entraîné une diminution du taux d'absentéisme. Un cadre supérieur de l'entreprise affirme : « Ces équipes permettent une meilleure circulation des idées et créent un contexte favorable à l'apprentissage. On prend de meilleures décisions et on les met en œuvre plus rapidement[38]. »

www.ti.com

---

ce type d'équipe plutôt que des individus peut se trouver en difficulté. Pour le cadre de premier niveau remplacé par une équipe autonome, le changement a des répercussions encore plus personnelles et menaçantes.

Compte tenu de ce qui précède, bien des gestionnaires s'interrogent : *Faut-il faire de tous les groupes de travail des équipes autonomes ?* La réponse est : *non*. Les équipes autonomes ne conviennent probablement pas à toutes les organisations, à tous les cadres de travail et à tous les individus. Elles ont un énorme potentiel, mais exigent des conditions particulières et un soutien organisationnel approprié. À tout le moins, les principes fondateurs de toute équipe autonome – *autonomisation, participation* et *engagement* des travailleurs – doivent correspondre aux valeurs et à la culture de l'organisation.

Guide de révision

Qu'est-ce qu'une équipe hautement performante... et qu'est-ce que le travail d'équipe ?

- Une équipe est un petit groupe de travailleurs aux compétences complémentaires collaborant activement à l'atteinte d'un objectif commun, dont ils se considèrent collectivement responsables.

- L'équipe hautement performante se caractérise par des valeurs fondamentales solides, des objectifs de rendement précis et une bonne combinaison de compétences ; de plus, elle fait preuve de créativité.

- Un véritable travail d'équipe exige que les coéquipiers mettent leurs compétences respectives au service de l'objectif commun.

En quoi consiste l'harmonisation fonctionnelle de l'équipe ?

- Le processus d'harmonisation fonctionnelle de l'équipe consiste en une série d'actions planifiées visant à recueillir et à analyser des données sur le fonctionnement d'un groupe, puis à amorcer des changements pour faciliter la collaboration entre les membres et améliorer l'efficacité opérationnelle du groupe.

- L'harmonisation fonctionnelle de l'équipe est un processus participatif, qui repose sur l'engagement de tous les coéquipiers à collaborer au processus de résolution de problèmes ainsi qu'à l'application des mesures adoptées.

Que peut-on faire pour améliorer le fonctionnement des équipes ?

- Qu'il s'agisse de créer une nouvelle équipe ou d'ajouter une ou plusieurs personnes à une équipe déjà constituée, l'adaptation des nouveaux membres pose souvent des problèmes.

- Les activités de leadership liées aux tâches consistent, entre autres, à susciter des discussions, à résumer leur contenu et à participer à l'élaboration du plan de travail de l'équipe. Les activités de leadership liées aux relations consistent à stimuler la participation, à souligner la contribution de tel ou tel coéquipier et à entretenir les liens sociaux qui forment le tissu de l'équipe.

- Un coéquipier peut connaître des problèmes de rôle s'il doit faire face à des attentes ambiguës, contradictoires, trop exigeantes ou trop peu exigeantes.

- Les normes d'un groupe, c'est-à-dire les règles de conduite ou les critères de comportement que se fixent ses membres, peuvent avoir un effet considérable sur son fonctionnement et sur ses résultats.

- Les membres d'un groupe dont la cohésion est très forte apprécient le fait d'appartenir à ce groupe et se montrent très loyaux à son égard ; ils ont tendance à se conformer à ses normes.

Qu'apportent les équipes aux milieux de travail hautement performants ?

■ Les membres d'une équipe favorisant la participation des travailleurs se rencontrent régulièrement pour se pencher sur des questions d'importance touchant le travail et l'organisation.

■ Les membres d'un cercle de qualité se rencontrent régulièrement pour trouver des moyens d'améliorer continuellement la qualité des activités et des produits au sein de leur organisation.

■ Une équipe autonome est un petit groupe de travailleurs auquel a été déléguée la gestion des tâches et des activités quotidiennes qui lui sont dévolues.

■ Généralement, les membres d'une équipe autonome planifient, exécutent et évaluent leur travail, encadrent et évaluent leur formation respective, et se partagent tâches et responsabilités.

■ Le recours aux équipes autonomes a des répercussions sur la structure et la gestion de l'organisation, entre autres, parce que ces équipes assument une grande partie des fonctions traditionnellement assumées par des cadres de premier niveau.

Évaluation des connaissances

■ QUESTIONS À CHOIX MULTIPLE

1. La difficulté d'un groupe à constituer une équipe hautement performante peut être attribuable à _____ **a)** des objectifs de rendement trop précis. **b)** une trop grande créativité. **c)** une mauvaise combinaison de compétences et de ressources chez ses membres. **d)** de solides valeurs fondamentales.

2. Fondamentalement, le processus d'harmonisation fonctionnelle d'une équipe peut se définir comme un processus _____ **a)** axé sur la participation. **b)** axé sur la collecte de données. **c)** axé sur les solutions à apporter aux problèmes identifiés. **d)** toutes ces réponses.

3. Lorsqu'un nouveau membre se demande s'il arrivera à avoir une emprise sur le cours des événements, ses préoccupations concernent _____ **a)** les relations au sein du groupe. **b)** les objectifs. **c)** les processus. **d)** l'influence.

4. Le coéquipier qui fait face à un dilemme éthique lié à l'écart entre ses propres valeurs et les attentes de son équipe vit ce qu'on appelle _____ **a)** le conflit entre la personne et le rôle qu'elle doit jouer. **b)** le conflit de rôle créé par un émetteur. **c)** le conflit de rôle créé par plusieurs émetteurs. **d)** le conflit entre les divers rôles d'une même personne.

5. Le commentaire «Dans notre équipe, personne ne ménage ses efforts» est un exemple de norme _____ **a)** de soutien et d'assistance mutuels. **b)** de réalisations. **c)** de fierté organisationnelle. **d)** d'amélioration organisationnelle.

6. Les équipes dont la cohésion est très élevée sont généralement portées à _____ **a)** être néfastes pour l'organisation. **b)** être bénéfiques pour leurs membres. **c)** accroître la paresse sociale. **d)** présenter un fort taux de rotation de leurs membres.

7. _____ est un bon moyen de renforcer la cohésion d'un groupe. **a)** Augmenter sa taille **b)** Accroître la diversité de ses membres **c)** L'isoler des autres groupes de l'organisation **d)** Diminuer les exigences en matière de rendement

8. L'équipe autonome _____ **a)** exige moins de polyvalence de la part de chacun de ses membres. **b)** assume en bonne partie les fonctions du cadre de premier niveau. **c)** dépend largement de la formation extérieure pour maintenir les compétences requises par ses tâches. **d)** fait augmenter les frais généraux en ajoutant un niveau d'encadrement.

9. Laquelle de ces affirmations sur l'équipe autonome est exacte? L'équipe autonome_____ **a)** peut améliorer le rendement, mais pas la satisfaction professionnelle. **b)** doit détenir un pouvoir décisionnel restreint. **c)** doit fonctionner sans responsable. **d)** doit laisser ses membres établir leurs horaires de travail.

10. Un coéquipier qui résume bien le contenu des discussions, suggère de nouvelles solutions et clarifie les propositions des autres membres de l'équipe assume ce que l'on appelle des activités _____ **a)** prescrites. **b)** perturbatrices. **c)** de leadership liées aux tâches. **d)** de leadership liées aux relations.

■ VRAI OU FAUX?

11. La responsabilité collective à l'égard des résultats est essentielle à toute équipe authentique. **V F**

12. L'harmonisation fonctionnelle d'une équipe ne doit se faire que lors d'une retraite et avec l'aide d'un consultant extérieur. **V F**

13. Les membres d'une équipe sont plus productifs s'ils ont des rôles ambigus et des attentes imprécises. **V F**

14. La surcharge de rôle est néfaste, mais l'insuffisance de rôle est bénéfique. **V F**

15. La seule norme véritablement importante pour le succès d'une équipe est la norme de rendement. **V F**

16. Le cercle de qualité est un exemple d'équipe favorisant la participation des travailleurs. **V F**

17. L'équipe virtuelle a ceci d'unique qu'elle convient très bien à l'accomplissement de n'importe quelle tâche, et ce, en toutes circonstances.   **V F**

18. Grâce à leur polyvalence, les membres d'une équipe autonome peuvent passer facilement d'une tâche à une autre.   **V F**

19. La diversité au sein d'une équipe peut être un important facteur de rendement.   **V F**

20. Quelle que soit la nature d'une équipe, seul son responsable doit assumer les activités de leadership liées aux tâches.   **V F**

■ QUESTIONS À RÉPONSE BRÈVE

21. En quoi consiste le processus d'harmonisation fonctionnelle d'une équipe?

22. Comment le responsable d'une équipe peut-il contribuer à l'adoption de normes positives au sein du groupe?

23. Comment la cohésion et le respect des normes de groupe influent-ils sur le rendement d'une équipe?

24. En général, qu'attend-on des membres d'une équipe autonome?

■ QUESTION À DÉVELOPPEMENT

25. En naviguant dans Internet, vous trouvez ce message posté dans votre forum de discussion favori :

J'ai besoin d'aide! Mon entreprise vient de m'affecter à la direction d'une équipe de conception de produits. La directrice de mon service attend beaucoup de cette équipe... et de moi. Mais depuis l'obtention de mon diplôme, il y a quatre ans, j'ai toujours travaillé à titre d'ingénieur concepteur. Je n'ai jamais encadré et géré qui que ce soit, encore moins toute une équipe. Et la pression est forte! La directrice me répète sans cesse qu'elle est convaincue que je vais mettre sur pied une «équipe hautement performante». Y a-t-il un internaute qui pourrait me donner des conseils et m'aider à relever ce défi? J'ai besoin de vous!
Signé : Galahad

En bon citoyen du cyberespace, vous décidez de répondre à cet internaute anonyme. Qu'allez-vous lui suggérer?

Reportez-vous aux études de cas, aux exercices et aux autoévaluations de notre *Cahier d'apprentissage en CO* (voir p. 531).

■ **Consultez le site Web du manuel. Vous y trouverez un questionnaire interactif et des exercices en ligne sur le contenu de ce chapitre.**

www.erpi.com/schermerhorn

Les caractéristiques fondamentales des organisations

CES BOÎTES OÙ IL FAIT BON VIVRE

www.doublet.fr

Chez Doublet, près de Lille, on ne parle ni de salariés, ni d'employés. Dans cette entreprise familiale, numéro un mondial dans son secteur (drapeaux, banderoles, gradins ou tribunes), la hiérarchie est un gros mot. Sur les cartes de visite, aucun titre n'est imprimé, il n'y a ni secrétaire, ni petite main pour distribuer les fax. Chacun tape, envoie ses courriers, la signature d'un supérieur hiérarchique n'est pas nécessaire. «Je vois l'entreprise comme une somme d'artisans dont les bureaux seraient des échoppes. Chacun maîtrise son temps et son information.» Celui qui parle est Luc Doublet, président de la société, maître des lieux, tête chercheuse aux idées foisonnantes, personnage fantasque et mondain, aimant discourir mais sachant écouter. Son entreprise (200 personnes avec les filiales à l'étranger) est à son image : complexe et contradictoire. La société est hébergée dans une pyramide de verre pointant haut dans le ciel son sommet. «Chez Doublet, la notion de hiérarchie n'a pas de sens, insiste Philippe Vandenbulke, anthropologue-consultant qui ausculte régulièrement l'entreprise, mais le pouvoir est fortement incarné et centralisé dans les personnes de Luc et de son épouse.»

Fondus dans l'univers de tuyauterie apparente et de plateaux ouverts, les deux dirigeants ont le même box-bureau que leurs voisins. Pas de cloisons ni de barrière, ils partagent l'un des attributs essentiels de leur position : «Le pouvoir, c'est d'avoir des informations que d'autres n'ont pas, explique Doublet. Ici, l'information est à la disposition de tous.» Dans l'ordinateur, chacun peut consulter prix, marges d'un produit, compte d'un client, état d'une commande. «Dans 90 % des cas, on se débrouille seul», souligne Pascale, chargée de l'export. Quand elle bute sur un problème, elle s'adresse à la personne qui détient la compétence, pas à un chef. Chacun vaque à ses occupations comme s'il était un peu le chef de sa propre entreprise – c'est moins vrai dans les ateliers où le travail reste posté. «Il n'y a pas vraiment de police. Je n'ai personne sur le dos», dit Nicolas, qui vient d'être embauché. Comme la plupart des salariés, il a passé un test avant de signer : un entretien d'une heure face à un psychiatre (un ami de la maison) jugeant s'il est apte à travailler sous la pyramide : être assez souple et autonome pour se couler dans le moule. « Ce n'est pas le paradis sur terre », reconnaît Luc Doublet. En raccourcissant le système de prise de décision, chacun assume davantage ses responsabilités, personne ne peut se cacher derrière un chef. « Nous ne sommes pas maternés », dit cette femme. « Ça peut déraper, et être le bordel. Le bon sens et l'esprit d'initiative de chacun pallient le manque de procédures », dit un autre. Avantages : les rapports sont plus simples et directs, le travail plus intéressant et complet, l'entreprise réagit vite à la moindre commande. Inconvénients : le stress, renforcé par l'esprit maison : « On ne dit jamais non au client. » Chargé des produits, Arnaud résume : « Tant que je m'amuse, je reste ici. Je suis plus libre mais, face à une difficulté, je prends davantage sur moi. C'est très éprouvant nerveusement. » L'absence de formalisme ne veut pas dire décontraction totale. Quand on demande à Doublet de définir l'ambiance de son entreprise, il dit : « Une université à la veille d'un examen. »

Cécile Daumas. *Libération*, 27 mars 2000, p. IV.

Dans un environnement de profonds bouleversements et de changements constants, les organisations contemporaines doivent pouvoir s'adapter rapidement. Pour cela, elles doivent trouver de nouvelles manières d'organiser leurs diverses composantes, et établir de nouvelles structures qui leur permettront d'accroître leur productivité et d'améliorer la qualité de leurs produits. Parmi les tendances émergentes en matière de structure organisationnelle, on constate une réduction des niveaux hiérarchiques, une plus grande marge de manœuvre accordée aux travailleurs, une division du travail moins marquée et des mécanismes formels de contrôle moins nombreux. Les structures décentralisées sont de plus en plus répandues. À l'instar de *Doublet*, de nombreuses organisations privilégient l'autonomisation et la participation des travailleurs, à la fois pour accroître leur performance et pour répondre aux exigences d'un environnement de plus en plus complexe. Il n'existe aucune structure organisationnelle idéale en toutes circonstances. Cependant, quelle que soit la structure qu'elles adoptent, les organisations tendent de plus en plus à éliminer la lourdeur administrative paralysante ainsi que les règles et directives stériles, pour privilégier la souplesse et la flexibilité.

Si elle omet de prendre en considération de façon adéquate les caractéristiques fondamentales de l'organisation, même la plus prospère des entreprises risque de connaître des revers de fortune. Comme nous le verrons dans ce chapitre, ce sont ces caractéristiques qui créent le cadre des activités individuelles et collectives de ses membres, cadre qui, selon les cas, peut être épanouissant ou contraignant pour les gens qui y travaillent.

Questions clés

Ce chapitre vous apportera des connaissances pratiques sur les caractéristiques fondamentales des organisations : leur contribution à la société, leurs objectifs et les diverses façons dont elles encadrent leur personnel et leurs services. Vous y trouverez notamment la description de quelques modèles organisationnels classiques, qui ont fait leurs preuves. Voici les questions clés que vous devriez garder à l'esprit en lisant ce chapitre :

- Quelle est la contribution des organisations à l'ensemble de la société ? Quels types d'objectifs se fixent-elles ?

- Qu'est-ce que la structure formelle d'une organisation? Qu'entend-on par *division du travail*?
- Comment la spécialisation verticale répartit-elle l'autorité formelle au sein de l'organisation?
- Comment l'organisation contrôle-t-elle les activités de son personnel?
- Quels sont les divers modèles de spécialisation horizontale?
- À quels modes formels ou interpersonnels de coordination l'organisation devrait-elle recourir?
- Qu'est-ce que la bureaucratie, et quels sont ses modèles les plus courants?

La contribution de l'organisation à la société et ses objectifs

Sans les organisations, nos sociétés modernes seraient paralysées: les économies s'effondreraient, les gouvernements disparaîtraient, les religions s'éteindraient et les systèmes d'éducation cesseraient de fonctionner. Il nous faudrait revenir aux anciennes formes d'organisation sociale, fondées sur le féodalisme, les clans et les tribus. De la naissance à la mort, nous appartenons à un monde dont les organisations sont la pierre angulaire[1]. Elles sont tellement omniprésentes dans nos vies qu'il est facile d'oublier qu'on peut les voir comme des entités ayant des objectifs précis – des objectifs qu'elles poursuivront même si leurs membres semblent se désintéresser de leur évolution.

Les objectifs d'une organisation ont de multiples facettes, et peuvent même être contradictoires. Par exemple, au sein d'une entreprise spécialisée dans les prêts aux PME et l'affacturage, des tensions peuvent facilement surgir entre le service du marketing et les autres services, parce que leurs objectifs diffèrent: le marketing vise un volume important de prêts et de contrats d'affacturage, tandis que les autres services se préoccupent surtout de la solvabilité des créanciers et de la qualité des contrats d'affacturage. De plus, les membres de l'organisation n'adhèrent à ses objectifs que dans la mesure où cette organisation répond à une partie de leurs besoins.

Dans cette section, nous allons nous pencher sur les multiples objectifs que poursuivent les organisations, en commençant par la façon dont elles entendent contribuer à la société; nous étudierons ensuite les divers types d'objectifs qu'elles se fixent pour assurer leur survie.

■ LA CONTRIBUTION DES ORGANISATIONS À LA SOCIÉTÉ

Les activités des organisations ne se déroulent pas en vase clos; elles reflètent les besoins et les attentes de la société où elles opèrent. Les ***objectifs sociétaux*** de l'organisation sont des objectifs relatifs à la contribution qu'une organisation entend

■ ***Objectif sociétal*** Objectif organisationnel relatif à la contribution que l'organisation entend faire à l'ensemble de la société

faire à l'ensemble de la société[2]. Généralement, une organisation remplit une fonction sociale particulière ou répond à un besoin profond de la société. Comme nous l'avons vu au chapitre 1, les hauts dirigeants avisés tablent sur la contribution sociétale à laquelle prétend leur organisation : ils prennent soin de relier ses activités et ses tâches particulières à ses objectifs d'ordre supérieur. L'***énoncé de mission*** de l'organisation, c'est-à-dire la déclaration écrite qui décrit sa raison d'être, peut d'ailleurs faire état de ces objectifs sociétaux. Pour les dirigeants de l'organisation, élaborer un énoncé de mission qui traduise ses objectifs en moyens de manière à orienter et à mobiliser le personnel est un mandat de toute première importance. Un bon énoncé de mission précise qui l'organisation entend servir et comment elle compte atteindre ses objectifs sociétaux[3].

■ ***Énoncé de mission***
Déclaration écrite qui fait état de la raison d'être d'une organisation

Un parti politique peut se donner pour mission une redistribution de la richesse plus équitable pour l'ensemble des citoyens. Les universités se vouent à la production et la transmission du savoir. Les Églises entendent inculquer des valeurs et veiller au bien-être spirituel de tous. Les tribunaux doivent faire respecter les droits individuels et collectifs. Finalement, on attend des entreprises d'affaires qu'elles voient à la subsistance économique et au bien-être matériel de la société.

C'est la contribution particulière que l'organisation dit vouloir apporter à la société qui légitime sa prétention à mobiliser des ressources et des individus, à accéder à des marchés et à fournir des produits. N'exigeriez-vous pas un salaire plus important d'une compagnie de tabac que d'une boutique d'aliments naturels ? De même, les États taxent lourdement l'industrie du tabac et l'encadrent par des législations toujours plus restrictives parce qu'ils jugent sa contribution sociétale hautement discutable.

Les organisations qui parviennent le mieux à mettre en valeur leur raison d'être et leur contribution sociétale ont une longueur d'avance sur leurs concurrents. Les dirigeants assez adroits pour associer leur organisation à une mission des plus honorables peuvent y trouver le levier d'une motivation d'autant plus forte qu'elle repose sur l'adhésion à de nobles objectifs.

■ LES PREMIERS BÉNÉFICIAIRES DES ORGANISATIONS

La plupart des organisations élaborent leurs objectifs sociétaux de manière à ce que leurs efforts ciblent le plus précisément possible un groupe particulier[4]. Ainsi, au Canada et aux États-Unis, on s'attend généralement à ce que les premiers bénéficiaires des entreprises d'affaires soient ceux qui détiennent une part de leur capital, c'est-à-dire leurs actionnaires. Fait intéressant à noter, au Japon, on accorde beaucoup plus d'importance aux travailleurs, les actionnaires étant placés sur un pied d'égalité avec les banques et autres institutions financières.

Bien que toute organisation puisse avoir un premier bénéficiaire, son énoncé de mission peut également reconnaître les intérêts de plusieurs autres parties. Ainsi, les organisations précisent souvent dans leur énoncé de mission leur intention de servir les consommateurs, de remplir leurs obligations envers les travailleurs et d'appuyer la collectivité.

■ LES OBJECTIFS DE PRODUCTION

Nombre de grandes organisations ont compris l'importance de délimiter avec soin leur champ d'activité particulier[5]. Cet énoncé pourra servir de base au processus de planification à long terme ; il pourra même éviter aux très grandes organisations de consacrer trop de ressources à des activités accessoires. Le fait de bien délimiter leur champ d'activité peut amener certaines organisations à préciser la nature des biens et services qu'elles veulent offrir. Ces objectifs relatifs aux produits de l'organisation constituent un critère important d'appréciation de l'organisation. Les ***objectifs de production*** de l'organisation délimitent son champ d'activité et précisent les aspects généraux de son énoncé de mission. Par exemple, les objectifs de production de *Doublet,* l'entreprise dont il est question en introduction de ce chapitre, sont probablement axés sur la fabrication et la gestion d'équipements événementiels.

■ ***Objectif de production***
Objectif organisationnel qui délimite le champ d'activité de l'organisation et précise les aspects généraux de son énoncé de mission

■ LES OBJECTIFS STRATÉGIQUES ET LA SURVIE DE L'ORGANISATION

Moins de 10 % des entreprises lancées chaque année atteindront leur vingtième année d'exploitation, et le taux de survie des organismes publics n'est guère plus reluisant[6]. Même si la survie de leur organisation ne semble pas menacée de manière immédiate, les gestionnaires cherchent constamment à réunir les conditions particulières qui pourraient diminuer ses risques de déclin et assurer sa pérennité. Leur vision de ces conditions se traduit par les *objectifs stratégiques* de l'organisation.

Les ***objectifs stratégiques*** concernent les conditions dont on croit qu'elles peuvent accroître les chances de survie de l'organisation. La liste des objectifs stratégiques possibles est pratiquement infinie, chaque gestionnaire et chaque chercheur établissant des liens différents entre les conditions vécues à un moment donné et la situation future. Cependant, un grand nombre d'organisations ont en commun des objectifs tels que la croissance, la productivité, la stabilité, l'harmonie, la flexibilité, le prestige et la fidélisation de leurs ressources humaines. Dans certains secteurs, les analystes estiment que la part du marché et la rentabilité à court terme sont des objectifs stratégiques. Des études récentes indiquent que deux autres facteurs, l'innovation et la qualité, sont également d'importants objectifs stratégiques[7]. D'un point de vue très pragmatique, les objectifs stratégiques reflètent les caractéristiques organisationnelles à court terme que les dirigeants de l'organisation cherchent à promouvoir. Souvent, on doit faire en sorte que les objectifs stratégiques de l'organisation s'équilibrent les uns les autres pour éviter, par exemple, qu'une volonté exagérée de productivité et d'efficience ne vienne diminuer sa flexibilité et sa capacité d'adaptation.

■ ***Objectif stratégique*** Objectif organisationnel qui énonce une condition dont on croit qu'elle peut accroître les chances de survie de l'organisation

On demande fréquemment aux diverses composantes de l'organisation de poursuivre des objectifs stratégiques différents. Ainsi, les dirigeants pourront demander aux unités de production de viser l'efficience, talonner le service de recherche et développement pour qu'il produise des innovations, et enjoindre le service des finances de veiller à l'équilibre budgétaire.

L'importance relative des divers objectifs stratégiques peut varier considérablement selon la nature de l'organisation. S'il est normal que l'Université Laval et l'Université de Montréal privilégient le prestige et l'innovation, il serait étonnant de voir Pepsi et AT&T subordonner leur croissance et leur rentabilité au prestige organisationnel.

www.mjra-jsi.com

ÉTHIQUE ET RESPONSABILITÉ SOCIALE

Un nouvel indice boursier canadien vit le jour, en février 2000, et sert à suivre la capitalisation d'un groupe de compagnies qu'on pourrait décrire comme «les bons citoyens corporatifs» de l'économie canadienne. L'analyste Michael Jantzi, qui dirige la compagnie de recherche Jantzi & Associates, de Toronto, et quelques experts en analyse quantitative ont monté un indice social d'une soixantaine de grandes compagnies canadiennes identifiées par Jantzi comme «socialement responsables».

Ce «Jantzi-60» sélectionne des compagnies déjà inscrites au TSE-300, essentiellement des compagnies à grande capitalisation.

«Cet indice s'adresse aux investisseurs institutionnels et aux particuliers qui se sentent concernés non seulement par le rendement, mais aussi par l'environnement, les relations avec les employés, l'implication dans la communauté ainsi que la diversité raciale et le ratio hommes-femmes de la direction et du personnel», a dit M. Jantzi au cours d'une entrevue. [...]

«Il est possible de faire des placements payants, financièrement, tout en générant aussi un dividende social. Pour avoir les deux, il faut investir son capital dans les compagnies qui font plus d'efforts que leurs concurrents pour améliorer la communauté et le monde.»

L'index des compagnies socialement responsables qu'il veut lancer dans quelques mois s'inspire largement du Domini-400, l'index américain des compagnies socialement responsables. Le Domini-400 a été lancé il y a neuf ans et il bat le S&P 500 sur un an, trois ans et cinq ans.

«Le cours du Domini-400 a fait beaucoup pour changer les mentalités aux États-Unis. On s'aperçoit qu'un gestionnaire incompétent dans la gestion de l'environnement, ou dans ses relations avec ses employés, a de fortes chances de n'être pas meilleur pour gérer le reste de la compagnie, y compris la rentabilité. Ce n'est pas une règle absolue, mais il y a une corrélation indéniable.»

Denis Arcand. «Un nouvel indice qui aidera les investisseurs soucieux d'éthique», *La Presse,* 26 novembre 1999, p. C1.

Les objectifs stratégiques sont essentiels à l'organisation, car – un peu comme une carte routière sur laquelle figurerait les divers itinéraires menant à une même destination – ils orientent ses diverses unités tout en leur indiquant le but commun qui les rallient et qui garantira sa survie. Des objectifs stratégiques établis avec rigueur sont pragmatiques et faciles à comprendre; ils attirent l'attention du gestionnaire sur ce qui doit être fait, tout en lui laissant une certaine latitude dans le choix des moyens pour atteindre des cibles d'importance. Ils peuvent aussi servir à équilibrer les exigences et contraintes auxquelles l'organisation doit faire face et les occasions qui s'offrent à elle. Enfin, ils peuvent fournir les assises de la division du travail au sein de l'organisation – les assises de sa *structure formelle*.

La structure formelle et la division du travail

Afin de favoriser l'atteinte de leurs objectifs, les gestionnaires élaborent une structure formelle qui indique la configuration générale et planifiée des postes, des tâches associées à ces postes ainsi que des lignes hiérarchiques qui unissent les diverses composantes de l'organisation. Traditionnellement, la structure formelle de l'organisation était aussi désignée par le vocable de *division du travail.* Certains utilisent ce terme pour faire la distinction entre ce qui touche directement la structure formelle de l'organisation et ce qui s'y rattache : par exemple, la répartition des marchés, le choix du secteur d'activité ou l'adoption d'une technologie. La structure formelle est essentielle à l'organisation, car elle constitue le fondement de l'action des gestionnaires. Elle indique ce qui doit être fait, désigne (par leur fonction) la ou les personnes qui réaliseront telle ou telle activité, et montre les manières par lesquelles l'organisation accomplira l'ensemble de sa tâche. Bref, la structure formelle est le squelette de l'organisation.

L'***organigramme*** est la représentation graphique de la structure formelle – du squelette – de l'organisation. Ordinairement, l'organigramme donne des indications sur les divers postes de l'organisation, sur les détenteurs de ces postes et sur les lignes hiérarchiques qui les unissent. Ainsi, comme on le voit à la figure 11.1, l'organigramme de l'Université Laval à Québec permet aux travailleurs de cette institution de savoir où ils se situent dans la structure formelle de l'organisation, et de connaître les lignes hiérarchiques qui les rattachent à d'autres membres du personnel. Par exemple, cet organigramme montre que le vice-recteur à l'administration et aux finances dépend du recteur, mais a autorité sur le directeur du Service de l'informatique et des télécommunications. Lorsque vous étudiez un organigramme comme celui-ci, ne perdez pas de vue qu'il s'agit de la représentation graphique de la structure formelle d'une organisation *à un moment précis de son existence,* c'est-à-dire d'une structure qui se modifie sans cesse. En effet, une structure organisationnelle évolue en fonction, notamment, des stratégies et objectifs de l'organisation, des changements dans son environnement, de sa taille et de sa maturité. L'organigramme et la structure qu'elle représente ne sont donc pas statiques et figées, mais dynamiques et changeantes.

■ ***Organigramme*** Représentation graphique de la structure formelle de l'organisation

La spécialisation verticale

Dans les grandes organisations, on observe une répartition très précise et très explicite de l'autorité et des tâches en fonction du niveau hiérarchique. Cette distinction correspond à la ***spécialisation verticale,*** une division hiérarchique du travail qui répartit l'autorité et détermine les échelons auxquels se prennent les décisions importantes. Cette forme de division du travail crée une *hiérarchie de l'autorité,* c'est-à-dire une ordonnance des postes de travail en fonction du pouvoir décisionnel qui y est associé.

Au Canada, la répartition hiérarchique de l'autorité se manifeste généralement de manière évidente par les responsabilités dévolues aux cadres. La haute direction ou les cadres supérieurs planifient la stratégie globale de l'organisation et préparent son avenir à long terme[8]. De plus, ils arbitrent les conflits internes et décident des promotions, des projets de restructuration et autres activités de même nature.

Les cadres intermédiaires supervisent les activités quotidiennes de l'organisation, participent à l'établissement de ses politiques et concrétisent les décisions des

■ ***Spécialisation verticale*** Division hiérarchique du travail qui répartit l'autorité et détermine les échelons auxquels se prennent les décisions importantes

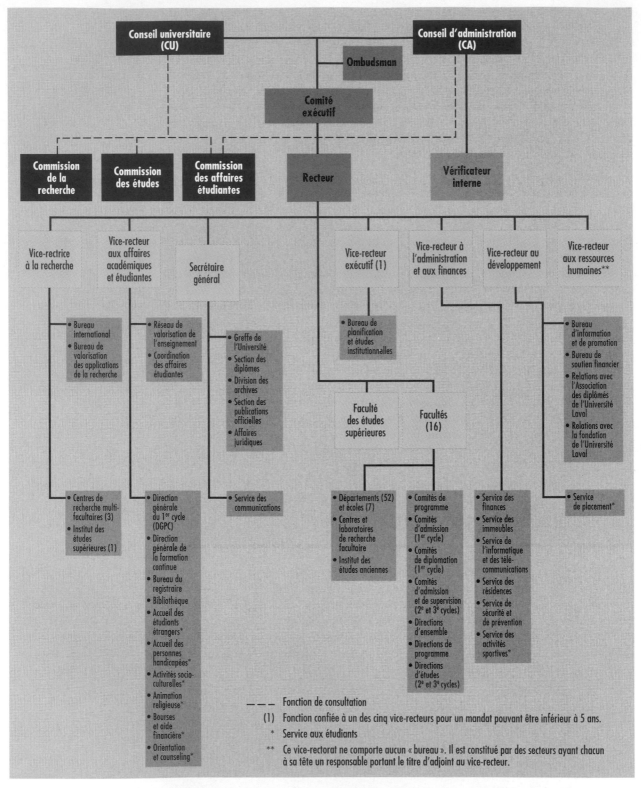

Figure 11.1
Organigramme de l'Université Laval

dirigeants en élaborant des directives plus précises. Les cadres inférieurs, quant à eux, encadrent les activités de leurs subordonnés et veillent à l'application des stratégies établies par la direction ainsi qu'au respect des directives élaborées par les cadres intermédiaires.

Au Japon, la répartition des responsabilités est assez différente de celle qu'on trouve au Canada. Plutôt que d'élaborer eux-mêmes la stratégie générale de l'organisation, les cadres supérieurs supervisent un processus auquel participent les cadres intermédiaires, processus qui nécessite des discussions approfondies sur ce que l'organisation doit faire. Les cadres inférieurs participent également à ce processus en défendant les idées et les suggestions de leurs subordonnés. La stratégie de l'organisation japonaise est donc le résultat de consultations et de discussions, et son application se fera selon les suggestions des cadres inférieurs et des salariés.

En Europe, un grand nombre de cadres supérieurs ont une formation très poussée dans le champ d'activité de leur organisation, il est fréquent que le dirigeant d'une entreprise manufacturière détienne un doctorat en ingénierie, par exemple. C'est ce qui explique que de nombreux cadres supérieurs européens participent directement à la planification des dimensions technologiques de l'avenir de leur organisation, alors que très peu de cadres supérieurs canadiens ou japonais possèdent la formation technique qu'exigent des responsabilités de cet ordre. Malgré ces différences – et bien d'autres – au Japon, en Europe et au Canada, toutes les organisations présentent une *spécialisation verticale*.

■ LA LIGNE HIÉRARCHIQUE ET L'ÉVENTAIL DE SUBORDINATION

La *ligne hiérarchique* relie les cadres supérieurs, les cadres intermédiaires, les cadres inférieurs et les salariés en spécifiant, à l'échelle de l'organisation, qui est sous la responsabilité de qui. Chaque travailleur de l'organisation est censé appliquer les décisions de l'échelon hiérarchique supérieur dans les champs de responsabilités que l'organigramme confère à ce dernier. Selon un vieux principe de gestion, chaque individu devrait dépendre d'un seul supérieur, et chaque unité de travail ne devrait avoir qu'un seul responsable. On considère alors qu'il y a une *unité de commandement,* laquelle serait nécessaire pour parer à toute éventualité sans qu'il y ait de confusion possible : toute responsabilité est clairement dévolue à un individu particulier et les canaux de communication au sein de l'organisation sont clairement établis.

À ce nombre d'individus dépendant d'un même supérieur hiérarchique correspond une notion appelée **éventail de subordination** (ou *effectif sous responsabilité directe).* Normalement, si les tâches sont complexes, si les subordonnés manquent d'expérience ou de formation, ou encore si les tâches exigent un travail d'équipe, l'éventail de subordination doit être restreint. Malheureusement, des éventails de subordination étroits amènent une multiplication des niveaux hiérarchiques, ce qui donne une structure non seulement coûteuse, mais trop rigide pour permettre à l'organisation de réagir rapidement aux changements. En outre, dans ce type d'organisation, la communication perd de son efficacité parce qu'elle est filtrée et déformée à plusieurs reprises, de sorte que des améliorations subtiles mais néanmoins nécessaires ne se font pas. Qui plus est, la multiplication des échelons hiérarchiques éloigne les cadres de l'action et les isole du reste des membres de l'organisation.

■ *Éventail de subordination*
Nombre d'individus qui dépendent d'un même supérieur hiérarchique

Les technologies de l'information et des communications (TIC) permettent maintenant aux organisations – nous verrons comment au prochain chapitre – d'élargir leur éventail de subordination et d'aplanir leur structure formelle, tout en conservant le contrôle de leurs activités d'exploitation les plus complexes[9]. Les cadres supérieurs de Nucor ont été les premiers à mettre en pratique le concept de *mini-ateliers* dans l'industrie métallurgique et à élaborer ce qu'ils ont appelé une *gestion allégée* (notamment par la réduction des niveaux hiérarchiques). Parallèlement, la direction élargissait l'éventail de subordination en s'appuyant sur une formation intensive des travailleurs, soutenue par des systèmes de gestion de l'information très avancés. Les résultats sont éloquents : la structure hiérarchique de Nucor ne comporte plus que quatre niveaux de gestion.

■ LES UNITÉS OPÉRATIONNELLES ET LES UNITÉS FONCTIONNELLES

■ *Unité opérationnelle*
Groupe de travail qui assume les activités premières de l'organisation

■ *Unité fonctionnelle* Groupe de travail qui seconde les unités opérationnelles de l'organisation en leur fournissant de l'expertise et des services spécialisés

Une bonne façon d'étudier la division verticale du travail consiste à distinguer deux types d'unités organisationnelles : les *unités fonctionnelles* et les *unités opérationnelles*. Les **unités opérationnelles** assument les activités premières de l'organisation, notamment la production et le marketing. Elles sont secondées par les **unités fonctionnelles,** qui leur fournissent de l'expertise et des services spécialisés, comme la comptabilité ou les relations publiques. Ainsi, les facultés, écoles et départements de l'Université Laval (voir l'organigramme de la figure 11.1) sont des unités *opérationnelles,* puisque qu'ils assument les activités premières de l'université, soit l'enseignement et la recherche. Par contre, le vice-recteur à l'administration et aux finances dirige une unité *fonctionnelle,* tout comme son collègue chargé des ressources humaines.

Lorsqu'on parle d'unités fonctionnelles et opérationnelles, deux précisions s'imposent. La première concerne la nature des liens hiérarchiques qui relient une unité à d'autres unités de l'organisation. Comme on le voit dans l'organigramme de l'Université Laval, un service *fonctionnel* – celui du vice-recteur à l'administration et aux finances, par exemple – peut être subdivisé en unités subordonnées : service de l'informatique et des télécommunications, service des immeubles, etc. D'un point de vue organisationnel, toute unité subordonnée à une unité fonctionnelle est elle-même considérée comme une unité *fonctionnelle*. Il n'en demeure pas moins que certaines de ces unités fonctionnelles assument les activités premières de l'unité à laquelle elles sont subordonnées ; leur lien avec les échelons supérieurs de la hiérarchie est donc un lien *opérationnel*. Dans la figure 11.1, le Service de l'informatique et des télécommunications ainsi que le Service des immeubles sont des unités *fonctionnelles,* mais elle ont un lien *opérationnel* avec l'unité qui les supervise, soit le Bureau du vice-recteur à l'administration et aux finances. Pourquoi cet imbroglio apparent ? Il est d'origine historique : les notions de *fonctionnel* et d'*opérationnel* nous viennent de l'organisation militaire, laquelle a toujours accordé la primauté au concept de *commandement*. Au sens que lui donne l'armée, le vice-recteur à l'administration et aux finances est d'abord et avant tout un *chef* ; il supervise les activités de nature *fonctionnelle* des unités qui lui sont subordonnées et il en est l'unique responsable.

La seconde précision concerne le type et l'ampleur des relations qu'entretiennent les unités opérationnelles et fonctionnelles avec des personnes et des entités extérieures à l'organisation. Certaines unités sont plutôt tournées vers l'organisation elle-même, tandis que d'autres sont davantage tournées vers l'extérieur.

Généralement, les unités opérationnelles *internes* (la production, par exemple) sont axées sur la transformation de matières premières ou de données en biens et services, tandis que les unités opérationnelles *externes* (le marketing, par exemple) sont axées sur les relations avec les fournisseurs, les distributeurs et la clientèle. Les unités fonctionnelles *internes* (la comptabilité, par exemple) secondent les unités opérationnelles dans leurs fonctions ; habituellement, elles se spécialisent dans des activités d'ordre technique ou financier. Les unités fonctionnelles *externes* (les relations publiques, par exemple) secondent également les unités opérationnelles mais, de par leurs activités, sont plutôt axées sur les relations de l'organisation avec son environnement.

Pour résumer par un exemple les deux précisions que nous venons de faire, dans l'organigramme de la figure 11.1, le Service de l'informatique et des télécommunications est une unité *fonctionnelle interne,* qui a un lien *opérationnel* avec le Bureau du vice-recteur à l'administration et aux finances.

■ QUE FAIRE DU PERSONNEL FONCTIONNEL ?

Le personnel des unités fonctionnelles, et particulièrement le personnel fonctionnel *interne*, contribue indirectement à la réalisation des objectifs de l'organisation en lui fournissant des connaissances et des compétences spécialisées ; traditionnellement, il se vouait aux tâches administratives, à l'embauche et à la formation des travailleurs, ainsi qu'à des activités de recherche et développement. L'organisation peut choisir de placer le personnel fonctionnel à des niveaux différents de la pyramide hiérarchique, en le rattachant plus particulièrement aux cadres supérieurs, aux cadres intermédiaires ou aux cadres inférieurs. La figure 11.2 illustre l'incidence de la place du personnel fonctionnel sur la configuration de l'organisation. Lorsque le personnel fonctionnel est rattaché principalement aux gestionnaires qui sont au sommet de la pyramide hiérarchique, la capacité des hauts dirigeants et des cadres supérieurs de résoudre des problèmes et de prendre des décisions s'en trouve considérablement accrue. La haute direction a alors la mainmise sur l'information, sur les orientations et sur l'application de ses décisions. Le degré de spécialisation verticale est alors très élevé, puisque ce sont les cadres supérieurs qui planifient, décident et contrôlent avec l'aide d'un personnel fonctionnel centralisé. Depuis l'avènement des technologies de l'information et des communications (TIC), de moins en moins d'organisations optent pour une structure organisationnelle qui concentre au sommet la majeure partie du personnel fonctionnel. Elles préfèrent remplacer le personnel fonctionnel *interne* par des systèmes de gestion de l'information et affecter les individus talentueux à des niveaux inférieurs de la structure hiérarchique. Par exemple, les dirigeants d'Owen-Illinois ont déplacé le personnel fonctionnel du sommet de la hiérarchie à un niveau intermédiaire de gestion. Cette façon de procéder permet de déléguer des responsabilités accrues aux cadres intermédiaires, tout en leur fournissant le soutien nécessaire (expertise et compétences du personnel fonctionnel) pour accroître leur rôle.

Et ce n'est pas tout : un grand nombre d'organisations ne sont plus du tout convaincues de l'utilité de conserver en permanence en leur sein certaines fractions du personnel fonctionnel, et même certaines unités fonctionnelles dans leur intégralité. Il en résulte un phénomène appelé l'*externalisation,* qui vise à confier les tâches d'ordre fonctionnel à des personnes extérieures à l'organisation. Ainsi, de nombreuses entreprises manufacturières allègent considérablement leurs unités fonctionnelles en confiant à de petites agences spécialisées une partie – souvent

**Figure 11.2
Incidence de la place
du personnel
fonctionnel sur la
configuration
de l'organisation**

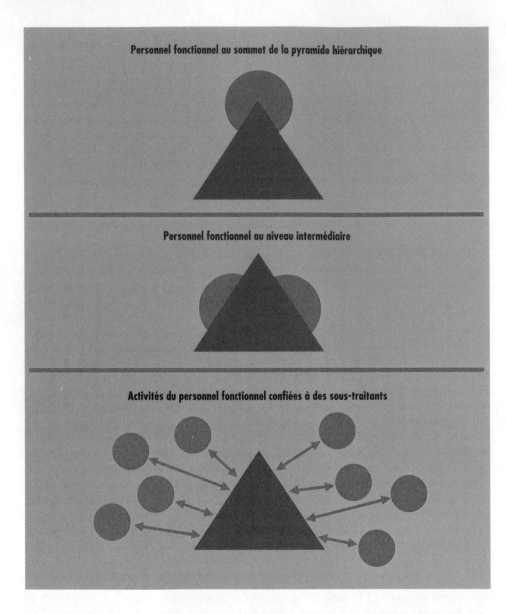

Personnel fonctionnel au sommet de la pyramide hiérarchique

Personnel fonctionnel au niveau intermédiaire

Activités du personnel fonctionnel confiées à des sous-traitants

la majeure partie – de secteurs comme la comptabilité, les ressources humaines et les relations publiques[10]. De plus en plus répandue dans les grandes entreprises, l'externalisation de certains services devient une véritable manne pour d'innombrables PME. La figure 11.2 illustre ce phénomène de sous-traitance des activités du personnel fonctionnel.

■ LES SYSTÈMES D'INFORMATION ET LES TECHNIQUES DE GESTION

Actuellement, une des tendances prédominantes en gestion est le recours aux technologies de l'information et des communications (TIC) pour rationaliser les activités et réduire le personnel; le but de l'opération étant évidemment de diminuer les coûts d'exploitation et d'accroître la productivité[11].

L'une des voies qui s'offrent au gestionnaire est de fournir au personnel opérationnel l'information et les outils nécessaires – des techniques de gestion conçues pour améliorer leurs capacités d'analyse et de décision – afin qu'il puisse remplacer le personnel fonctionnel interne. Ainsi, dans le domaine de la gestion financière, on reconnaît l'importance 1) des modèles de planification financière (pour déceler les problèmes); 2) des outils d'aide à la décision, comme les modèles de budgétisation des investissements ou d'analyse des flux monétaires actualisés (pour évaluer la rentabilité d'un investissement); et 3) des outils d'aide à la budgétisation (pour suivre l'évolution et s'assurer que les gestionnaires respectent les impératifs financiers). De nos jours, ces outils d'analyse et de projection sont à la portée des gestionnaires de tous les échelons, et non plus au seul personnel des services financiers[12].

En réalité, bon nombre de ces techniques de gestion étaient à la disposition des gestionnaires depuis fort longtemps, mais il a fallu attendre l'utilisation généralisée de l'informatique pour voir leurs coûts diminuer. La plupart des organisations ont maintenant recours à une combinaison d'unités opérationnelles et fonctionnelles, et font appel à des sous-traitants spécialisés ainsi qu'à des techniques de gestion pour diviser verticalement le travail; autrement dit, pour répartir l'autorité. On déterminera quel est le modèle de spécialisation verticale le plus adéquat selon l'environnement de l'organisation, sa taille, les technologies qu'elle utilise et, bien sûr, ses objectifs stratégiques. Notons que la spécialisation verticale va généralement de pair avec la croissance de l'organisation et l'augmentation du volume de travail.

Nous allons approfondir ce sujet au prochain chapitre, qui porte entièrement sur les TIC et leur rôle dans l'évolution actuelle des organisations. Mais comme il est essentiel de ne pas séparer les notions de contrôle et de division du travail, nous allons d'abord nous pencher sur les questions relatives au *contrôle* au sein de l'organisation.

Le CO et les fonctions de l'organisation
PRODUCTION

Walsh au cœur du boom de la sous-traitance

« L'impartition représente l'avenir du secteur de l'automatisation et de la gestion de la production », affirme Barry Boyle, président de Walsh Automation et de sa société mère, la firme d'ingénieurs Groupe Walsh, de Montréal. L'impartition (sous-traitance) de services est déjà bien implantée dans le domaine de l'informatique; elle a d'ailleurs fait la fortune de sociétés comme DMR, LGS et CGI. Mais dans le domaine de l'automatisation et de la gestion de la production, elle commence à peine sa percée. Et Walsh se prépare fébrilement.

Quatre raisons motivent cette tendance. D'abord, les technologies évoluant de plus en plus rapidement, il est difficile pour les entreprises de rester à la fine pointe. Ensuite, les spécialistes sont rares et les entreprises ont de la difficulté à les recruter. Aussi, elles veulent se concentrer sur leurs forces sans avoir à maintenir un important département d'ingénierie. Enfin, avec Internet, il est maintenant possible pour des firmes comme Walsh de résoudre une bonne partie des problèmes à distance, sans avoir à se déplacer.

« Nous avons déjà des demandes de clients pour prendre en charge cette activité mais avant de nous lancer à fond, il faut nous structurer en conséquence », explique Robert A. Walsh, président du conseil d'administration du Groupe Walsh. Néanmoins, 25 à 30 % du chiffre d'affaires de Walsh Automation (40 M$ en 1999) viendra de l'impartition d'ici trois à quatre ans et plus de 50 % d'ici 10 ans.

Walsh Automation (250 employés) se spécialise depuis 12 ans dans la modernisation ou l'amélioration de la performance (*retrofitting*) des usines existantes. Il est rare que la société soit associée à la construction d'une usine.

Dominique Froment. *Les Affaires,* 20 mai 2000, p. 13.

Le contrôle

Le **contrôle** est un ensemble de mécanismes qui servent à maintenir les activités et la production d'une organisation dans des limites prédéterminées. Les activités de contrôle comprennent donc la fixation des objectifs, l'évaluation des résultats

■ **Contrôle** Ensemble de mécanismes qui servent à maintenir les activités et la production d'une organisation dans des limites prédéterminées en fonction des objectifs et l'instauration de mesures correctives. Bien que l'organisation ait besoin de mécanismes de contrôle, quelques-uns suffisent généralement. Le gestionnaire doit se méfier des risques inhérents à un contrôle démesuré.

Toutefois, de nos jours, les outils informatiques permettent un contrôle très étendu et des plus discrets. Rien de plus facile pour les employeurs que de savoir si les membres de leur personnel travaillent, naviguent sur Internet ou envoient un courriel à un ami. Selon un sondage réalisé en 2000 par l'American Management Association (AMA) auprès de 2 133 directeurs des ressources humaines :

> Soixante-quatorze pour cent des grandes entreprises américaines enregistrent les appels téléphoniques, passent en revue les courriels, surveillent les connexions à Internet ou consultent les fichiers informatiques des employés. En 1997, ce pourcentage n'était que de 35 %. Les banques, les firmes de courtage, les sociétés immobilières et d'assurances utilisent ces méthodes plus que les autres[13].

■ LE CONTRÔLE DES RÉSULTATS

En début de chapitre, nous avons mentionné le fait que les objectifs stratégiques sont essentiels à l'organisation, car – un peu comme une carte routière sur laquelle figureraient les divers itinéraires menant à une même destination – ils orientent ses diverses unités tout en leur indiquant le but commun qui les rallient, et qui garantira sa survie.

La fixation de critères d'évaluation ou d'objectifs, l'évaluation des résultats par rapport à ces critères ou objectifs et l'instauration de mesures correctives sont les diverses étapes de l'établissement de mécanismes de contrôle des résultats[14]. Le **contrôle des résultats** cible des objectifs précis et permet aux gestionnaires d'utiliser leurs propres méthodes pour les atteindre. La plupart des organisations modernes ont recours à des mécanismes de contrôle des résultats dans le cadre plus général de la *gestion par exception*, un mode de gestion qui consiste à surveiller les écarts importants entre les résultats réels et les prévisions, et à analyser les motifs de ces écarts.

Les mécanismes de contrôle des résultats sont très populaires parce qu'ils favorisent la souplesse et la créativité tout en facilitant les discussions sur les mesures correctives à prendre. En effet, adopter le contrôle des résultats permet de séparer le *quoi* du *comment* : les discussions concernant la fixation des objectifs (ce qu'il y a à faire) sont bien distinctes de celles qui portent sur les méthodes à utiliser (le comment). Cette distinction peut aussi faciliter une décentralisation du pouvoir : les cadres supérieurs ont l'assurance que le personnel, à tous les niveaux hiérarchiques, travaillera à l'atteinte des objectifs que la direction juge importants, et cela, même si les cadres inférieurs innovent et implantent de nouvelles méthodes permettant d'atteindre ces objectifs.

■ LE CONTRÔLE DES PROCESSUS

Très peu d'organisations s'en tiennent aux mécanismes de contrôle des résultats. Lorsqu'ils ont trouvé et implanté avec succès la solution à un problème, les gestionnaires, pour éviter qu'il ne se reproduise, instaurent des mécanismes de contrôle des processus. Le **contrôle des processus** vise à spécifier la façon dont les tâches doivent être accomplies. Il existe plusieurs types de mécanismes de contrôle des

■ ***Contrôle des résultats***
Mécanismes de contrôle organisationnel qui consistent à fixer des critères d'évaluation ou des objectifs, à évaluer les résultats par rapport à ces critères ou objectifs et, au besoin, à instaurer des mesures correctives

■ ***Contrôle des processus***
Mécanismes de contrôle organisationnel qui spécifient la façon dont les tâches doivent être accomplies

processus, mais les trois principaux sont : 1) les politiques, les procédures et les directives de l'organisation, 2) la formalisation et la standardisation et 3) la gestion intégrale de la qualité.

Les politiques, les procédures et les directives   La plupart des organisations mettent en place tout un train de politiques, procédures, directives, règlements internes et consignes, afin de spécifier les façons d'atteindre les objectifs qu'elles se sont fixés.

Une *politique* est un ensemble de principes directeurs qui expriment les objectifs de l'organisation et indiquent la ligne de conduite qu'elle a adoptée dans un secteur déterminant pour son avenir, cela afin de guider l'action ou la réflexion de ses membres dans la gestion de ses activités. Une politique laisse donc une certaine latitude aux travailleurs et leur permet de faire de petits changements sans qu'il soit expressément nécessaire d'obtenir l'autorisation d'un cadre d'un échelon supérieur.

Les *procédures,* elles, indiquent les meilleures méthodes à suivre pour exécuter les tâches, soulignent les aspects les plus importants de ces méthodes et fournissent des détails sur l'obtention et l'attribution des récompenses.

Bien des organisations ne font pas de distinction entre les *procédures* et les *directives*. Cependant, il faut savoir qu'une *directive* est beaucoup plus précise, stricte et officielle qu'une procédure. Généralement, les directives décrivent en détail la façon d'accomplir une tâche ou une série de tâches, et précisent également ce qui doit être évité. Elles sont conçues pour s'appliquer à tous les travailleurs qui peuvent se retrouver dans une situation donnée. Ainsi, de nombreux concessionnaires d'automobiles reçoivent des instructions détaillées sur la marche à suivre pour faire réparer un véhicule neuf sous garantie et doivent respecter des directives très strictes pour obtenir un remboursement de la part du manufacturier.

Les politiques, procédures et directives servent souvent de substituts à une supervision directe. L'organisation peut diriger de façon très précise les activités d'un grand nombre de travailleurs à l'aide de procédures et de directives écrites. Celles-ci permettent d'assurer un traitement presque identique pour plusieurs installations, même éloignées les unes des autres. Si le hamburger et les frites de McDonald ont un goût sensiblement identique de Hong Kong à Chicoutimi et de Genève à Longueuil, c'est simplement parce que des directives et des procédures écrites spécifient les ingrédients et les méthodes de cuisson.

La formalisation et la standardisation   En plus d'être un processus de substitution à une supervision directe des dirigeants, la ***formalisation*** – c'est-à-dire la présentation écrite des politiques, procédures et directives – sert souvent à simplifier les tâches. De plus, elle permet au travailleur dont la formation est incomplète de s'acquitter quand même de tâches relativement complexes. Enfin, l'existence de procédures écrites garantit que, au besoin, les travailleurs pourront exécuter correctement une séquence donnée de tâches même si elle ne leur est pas familière.

La plupart des organisations se sont, par ailleurs, dotées de méthodes complémentaires pour gérer des situations ou des problèmes récurrents en *standardisant* les façons d'y faire face. On entend par ***standardisation*** le fait d'imposer une limite aux actions permises dans l'accomplissement d'une tâche ou d'une série de tâches. Toutes les méthodes de standardisation exigent la détermination de lignes de conduite très précises afin que des activités similaires soient toujours accomplies de la même manière. Par exemple, si vous ne réglez pas à

■ ***Formalisation***   Mécanisme de contrôle des processus qui consiste à présenter par écrit les politiques, procédures et directives de l'organisation

■ ***Standardisation***   Mécanisme de contrôle des processus qui consiste à imposer une limite aux actions permises dans l'accomplissement d'une tâche ou d'une série de tâches ; implique la détermination de lignes de conduite très précises afin que des activités similaires soient toujours accomplies de la même manière

temps le montant minimal exigé sur le solde de votre carte de crédit, l'institution financière appliquera la procédure *standardisée* correspondant à cette situation : elle vous fera parvenir un avis et entamera un processus interne de surveillance de votre compte. De telles méthodes peuvent avoir été mises au point dans l'organisation après de nombreuses expériences dans la gestion de situations récurrentes, ou encore acquises par une formation à l'extérieur de l'organisation.

La gestion intégrale de la qualité   Les trois mécanismes de contrôle des processus que nous venons de présenter – les politiques, procédures et directives ; la formalisation ; la standardisation – reposent sur l'expérience accumulée au sein d'une organisation. Les gestionnaires les mettent en place au fil du temps, un par un, habituellement sans philosophie globale sur le rôle des mécanismes de contrôle dans l'amélioration de l'ensemble des activités de l'organisation. Il existe cependant une autre approche de l'instauration de contrôles : la *gestion intégrale de la qualité*.

W. Edwards Deming, maintenant disparu, a été le fondateur du mouvement qui a prôné la gestion intégrale de la qualité. Accueillies plutôt froidement en Amérique du Nord, ses idées ont eu un immense écho au Japon, où leur application a donné naissance à ce que certains estiment être les meilleures approches japonaises en matière de gestion.

Essentiellement, l'approche de Deming consiste en un processus d'amélioration continue fondé sur l'analyse statistique de chacune des activités de l'organisation. Autour de cette idée, Deming a formulé 14 recommandations à l'intention des gestionnaires désireux de l'appliquer[15]. Vous remarquerez l'importance qu'il accorde à la collaboration entre les cadres et les salariés dans l'utilisation des contrôles statistiques visant l'amélioration. Les 14 recommandations de Deming sont les suivantes :

Les 14 recommandations de W. E. Deming

1. Établissez vos objectifs organisationnels en pensant à :
   a) innover ;
   b) investir dans la recherche et la formation ;
   c) investir dans l'équipement et les nouveaux outils d'aide à la production.
2. Familiarisez-vous avec la nouvelle philosophie de la qualité visant à améliorer chaque système.
3. Exigez des données statistiques fiables de contrôle des processus et éliminez les contrôles de la production strictement financiers.
4. Exigez des données statistiques fiables de contrôle des achats des matières premières, ce qui impliquera une réduction du nombre de vos fournisseurs.
5. Instaurez des méthodes statistiques qui permettent de cerner l'origine d'un problème.
6. Instaurez des programmes de formation sur le tas.
7. Améliorez l'encadrement afin que se manifestent des leaders inspirés.
8. Éliminez la crainte de l'autorité et stimulez l'envie d'apprendre.
9. Éliminez les barrières entre les services.
10. Éliminez les objectifs de nature quantitative et les slogans « creux » appelant à l'augmentation de la productivité.
11. Améliorez constamment vos méthodes de travail.
12. Instaurez de vastes programmes de formation sur les méthodes statistiques à l'intention du personnel.

ORGANISATION HAUTEMENT PERFORMANTE

Parmi les nombreux outils de la qualité disponibles, l'approche Six Sigma est, depuis cinq ans, utilisée par d'importants manufacturiers québécois pour réduire la variabilité dans la gestion de leur processus afin de produire des biens ou services plus uniformes et proches de la perfection. Il faut dire que la variabilité est un des grands ennemis du bon déroulement des processus.

La méthode Six Sigma, dont Motorola fut l'instigatrice en 1986 aux États-Unis, exploite les mesures statistiques faisant référence à un écart-type. Dans le cadre de sa démarche de qualité, Mitec, de Pointe-Claire, a décidé dans un premier temps d'utiliser Six Sigma pour contrôler les procédés de fabrication d'un nouveau produit. Elle envisage l'implantation de cet outil à l'ensemble de son usine québécoise d'ici trois ans.

www.mitectelcom.com

L'entreprise de 250 employés est spécialisée dans la conception et la production d'équipements et de systèmes de communication sans fil, de composantes micro-ondes terrestres, d'équipement de communication satellite et des produits de contrôle. L'approche Six Sigma s'ajoute à sa démarche axée sur la qualité entreprise depuis plusieurs années : certification ISO 9002 en 1987, ISO 9001 en 1994 et utilisation régulière du QUALImètre. Mitec vise prochainement la certification ISO 14001 et elle introduit, cette année, des processus formels d'amélioration continue, dont le Kaizen Blitz [...]

Isabelle Chassin. « Mitec choisit Six Sigma pour gérer son processus de qualité », *Les Affaires*, 9 septembre 2000, p. B6.

13. Formez vos ressources humaines ; faites en sorte qu'elles acquièrent de nouvelles compétences.

14. Mettez sur pied une structure interne qui favorise l'application des 13 points précédents.

Un programme de gestion intégrale de la qualité doit engager tous les niveaux de gestion. Les cadres doivent améliorer la supervision, former les travailleurs, leur faire acquérir de nouvelles compétences et créer une structure appropriée à ce programme de gestion intégrale de la qualité. Lorsque les éléments clés des objectifs de l'organisation sont clairement déterminés, comme c'est le cas pour la plupart des activités de transformation industrielle, et en conjonction avec une gestion participative axée sur l'autonomisation, l'approche de Deming consistant à accorder la primauté à la qualité semble très bien fonctionner[16].

L'Organisation internationale de normalisation (ISO), dont la mission consiste à promouvoir des normes de qualité dans un grand nombre de domaines (scientifique, technique, économique et administratif), s'est beaucoup inspirée des travaux de Deming. Cette fédération mondiale regroupe les organismes nationaux de normalisation de plus de 100 pays. Une organisation qui désire obtenir la certification ISO doit être évaluée par un spécialiste indépendant, puis subir des contrôles de qualité périodiques pour garantir qu'elle répond toujours aux normes établies dans les séries ISO 9000.

■ LE POUVOIR DÉCISIONNEL : CENTRALISATION ET DÉCENTRALISATION

Selon les organisations, les combinaisons de spécialisation verticale, de contrôle des résultats, de contrôle des processus et de techniques de gestion destinées à

■ **Centralisation** Concentration
du pouvoir décisionnel aux
échelons supérieurs de la hiérarchie
organisationnelle

■ **Décentralisation** Délégation
du pouvoir décisionnel aux
échelons inférieurs de la hiérarchie
organisationnelle

répartir l'autorité ou le pouvoir décisionnel peuvent varier grandement. Plus le pouvoir de dépenser des fonds, d'embaucher du personnel et de prendre des décisions de cet ordre est concentré au sommet de la pyramide hiérarchique, plus grande est la **centralisation.** À l'inverse, plus ce pouvoir est délégué à des échelons inférieurs, plus la **décentralisation** est importante. En période de crise, lorsque sa survie est en jeu, l'organisation a tendance à centraliser son fonctionnement ; on ne s'étonnera pas que la structure des forces armées soit très centralisée, ni que les entreprises au bord de la faillite soient enclines à la centralisation.

De manière générale, la décentralisation augmente la satisfaction professionnelle chez les subordonnés et permet un règlement plus rapide des problèmes ; elle facilite aussi la formation sur le tas, donnée aux subordonnés pour qu'ils puissent occuper des postes plus élevés. Comme *Doublet,* la société dont il est question en introduction de ce chapitre, un nombre croissant d'organisations optent pour une structure décentralisée. De grandes sociétés comme Union Carbide, General Motors, Ford ou DaimlerChrysler ont résolument pris cette voie et délèguent de plus en plus de responsabilités aux échelons inférieurs de leur hiérarchie[17]. Dans chacun de ces cas, les dirigeants espèrent ainsi améliorer la qualité de la production et la capacité d'adaptation de l'entreprise. La décentralisation des structures est étroitement associée à la notion de *participation des travailleurs*. Il y a participation dès qu'un gestionnaire délègue une partie de son pouvoir décisionnel à des subordonnés afin d'intégrer ces derniers au processus décisionnel. Nombreux sont les travailleurs qui veulent participer aux décisions relatives à leur travail, avoir voix au chapitre en ce qui concerne les objectifs de leur unité et les moyens de les atteindre[18].

Aujourd'hui, même les organisations les plus conservatrices expérimentent de nouvelles formes de décentralisation pour certaines de leurs activités et incitent les gestionnaires à accroître la participation de leurs subordonnés. Des sociétés comme Intel Corporation, Eli Lilly, Dow Chemical, Ford Motor Company et Hoffman-Laroche ont adopté ces nouvelles approches, et sont même allées plus loin. Constatant que diminuer le nombre de niveaux hiérarchiques ne suffisait pas, elles ont senti le besoin de modifier leurs mécanismes de contrôle afin qu'ils soient davantage orientés vers la qualité, d'insister sur une amélioration continue de la production et d'adapter d'autres aspects fondamentaux de leur structure organisationnelle. Tout en changeant leur degré de spécialisation verticale, ces entreprises ont modifié la division du travail entre les unités, autrement dit, leur spécialisation horizontale.

La spécialisation horizontale

■ **Spécialisation horizontale**
Division du travail qui mène à la
création d'unités ou de groupes
de travail au sein de l'organisation

Si elles sont deux dimensions importantes de la structure organisationnelle, la spécialisation verticale et le contrôle ne donnent que la moitié du tableau. Encore faut-il que les gestionnaires divisent l'ensemble du travail à accomplir en tâches précises, puis qu'ils regroupent les ressources et les travailleurs affectés à des activités similaires[19]. La **spécialisation horizontale,** appelée également *départementalisation,* est une division du travail qui mène à la création d'unités ou de groupes de travail au sein de l'organisation. Il en existe plusieurs formes que nous allons maintenant étudier.

■ LA STRUCTURE FONCTIONNELLE

Le regroupement d'individus par compétences, connaissances et activités crée une **structure fonctionnelle.** Dans l'organigramme présenté à la figure 11.1, on voit que chaque service de l'Université Laval a une spécialité ou une fonction administrative particulière. De même, le marketing, les finances, la production et la gestion des ressources humaines sont des fonctions importantes dans une entreprise. Cette forme de départementalisation est celle qui prédomine dans les PME. Toutefois, les grandes sociétés l'utilisent aussi, principalement dans leurs champs d'activité hautement techniques; ainsi, Boeing y a recours pour ses activités d'ingénierie. La figure 11.3 souligne les avantages et les inconvénients de la structure fonctionnelle. L'importance de ses avantages explique que cette structure soit si répandue; on la rencontre dans la plupart des organisations, particulièrement aux niveaux inférieurs de la pyramide hiérarchique. Elle comporte cependant des inconvénients, et l'organisation qui l'étend à tous les échelons de sa hiérarchie peut s'attendre à voir apparaître avec le temps les tendances suivantes: recherche de la qualité surtout axée sur l'aspect technique, résistance aux changements et difficultés à coordonner les activités de services fonctionnels distincts.

■ *Structure fonctionnelle*
Structure organisationnelle qui regroupe les individus par compétences, connaissances et activités

■ LA STRUCTURE DIVISIONNAIRE

La **structure divisionnaire** regroupe les individus et les ressources par produits, secteurs géographiques, types de services, clients ou entités juridiques[20]. La figure 11.4 illustre la départementalisation en divisions par produits, secteurs géographiques et clientèles d'un conglomérat. On adopte souvent cette structure organisationnelle pour réagir à des menaces ou à des occasions venant de l'environnement. Comme on le voit à la figure 11.4, les principaux avantages de la structure divisionnaire sont sa souplesse face aux exigences de l'environnement, sa rapidité de réaction aux changements, sa capacité d'intégration des travailleurs spécialisés aux sous-structures

■ *Structure divisionnaire*
Structure organisationnelle qui regroupe les individus et les ressources par produits, secteurs géographiques, types de services, clients ou entités juridiques

Principaux avantages et inconvénients de la structure fonctionnelle	
Avantages	**Inconvénients**
1. Elle conduit à une détermination des tâches très précise, correspondant à la formation du travailleur.	1. Elle peut entraîner une spécialisation excessive.
2. Les travailleurs d'un même service peuvent compter sur leurs compétences, formation et expérience respectives.	2. Elle peut créer des postes étroits, routiniers et monotones.
3. Elle fournit un lieu de formation privilégié pour les jeunes cadres.	3. Elle rend difficile la circulation de l'information d'un service à l'autre.
4. Elle est facile à expliquer.	4. La direction risque d'être débordée par des problèmes interfonctionnels.
	5. Les travailleurs peuvent être portés à attendre l'orientation et le renforcement de leurs supérieurs hiérarchiques plutôt que de se concentrer sur les produits, les services ou la clientèle.

Figure 11.3
La structure fonctionnelle

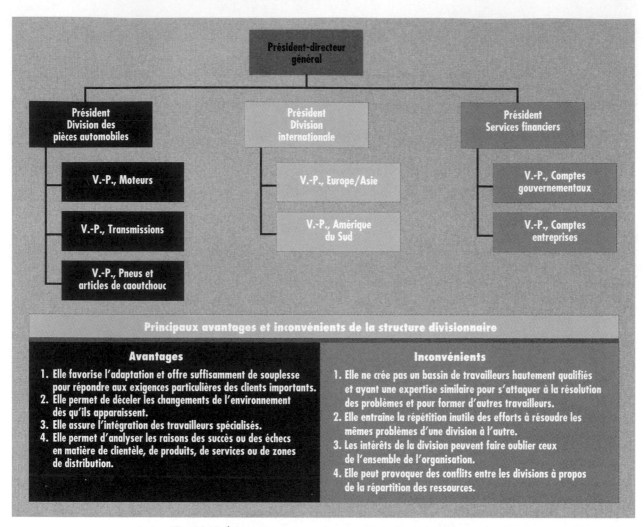

Figure 11.4
La structure divisionnaire

profondes de l'organisation et la primauté accordée à la spécificité des produits en fonction de clients particuliers. En revanche, elle peut entraîner la répétition superflue des mêmes efforts d'une division à l'autre, la tendance des divisions à privilégier leurs propres intérêts au détriment de ceux de l'organisation dans son ensemble ainsi que des querelles intestines parmi les divisions. En outre, cette structure n'étant pas la plus propice à la formation des travailleurs dans des domaines techniques, l'organisation qui l'adopte risque de se laisser devancer par ceux de ses concurrents qui ont opté pour une structure fonctionnelle.

Les très grandes sociétés qui ont des marchés à l'échelle nationale ou internationale choisissent souvent une départementalisation par secteurs géographiques ; cela permet de substantielles économies de temps, d'efforts et de déplacements, et chaque division territoriale peut s'adapter aux différences régionales.

L'organisation qui compte essentiellement quelques *gros* clients peut structurer l'affectation de ses ressources et de son personnel par clients, en se concentrant

www.ford.com

La réputation d'Alex Trotman, le précédent président-directeur général de la Ford Motor Company, repose en grande partie sur «Ford 2000» — un processus de restructuration des activités d'ingénierie à l'échelle mondiale, impliquant le passage d'une structure fonctionnelle à une structure matricielle globale pour l'exploitation de ses usines nord-américaines et européennes. Auparavant, tous les ingénieurs relevaient d'une seule direction fonctionnelle, comme le service des moteurs ou celui des transmissions. Maintenant, nombre d'entre eux dépendent de deux supérieurs hiérarchiques — leur ancien directeur fonctionnel et un nouveau supérieur responsable d'un «platform group». L'un de ces groupes, chargé des voitures compactes, est situé en Europe, tandis que ses ingénieurs, qui travaillent en Amérique du Nord et en Europe de l'Ouest, relèvent d'une direction installée en Allemagne. Même si Alex Trotman a été l'instigateur de ces changements structuraux, c'est Jacques A. Nasser qui s'est chargé de leur implantation. En acceptant de relever ce pari, Nasser a joué son avenir... et gagné son pari: il est maintenant président-directeur général. La nouvelle structure matricielle a permis à l'entreprise d'accélérer l'élaboration de nouveaux produits, mais aussi de s'adapter aux exigences de ses clients dans le monde entier. «En devenant une réalité, dit Alex Trotman, « Ford 2000 « nous a donné un aperçu de ce que nous étions capables d'accomplir pour nos clients et nos actionnaires. Nous avons des produits des plus prometteurs, nous améliorons constamment la qualité et nos coûts totaux ont baissé. »

🌐

sur la satisfaction de leurs besoins particuliers[21]. Dans la mesure où ces exigences sont distinctes d'un client à l'autre, la départementalisation par clients simplifie leur traitement et augmente la synergie.

Si l'organisation étend ses activités aux marchés internationaux, elle peut décider de mettre sur pied des divisions distinctes pour répondre aux exigences parfois complexes des pays d'accueil à l'égard de la propriété étrangère. Ainsi NEC, Sony, Nissan et un grand nombre d'entreprises japonaises ont créé des filiales nord-américaines pour servir leurs clients dans ce secteur géographique; des multinationales européennes comme Philips ou Nestlé ont adopté une structure semblable lors de leur implantation aux États-Unis. Les multinationales américaines comme IBM, GE et DuPont ont également intégré la structure divisionnaire à leurs activités internationales.

■ LA STRUCTURE MATRICIELLE

Il existe une autre forme de départementalisation, très particulière et de plus en plus répandue: la ***structure matricielle,*** née dans l'industrie aérospatiale[22]. Dans ce secteur industriel, les projets sont d'une extrême complexité technique et font intervenir des centaines de sous-traitants situés aux quatre coins du globe. Il est donc essentiel de mettre en place des mesures rigoureuses d'intégration et de contrôle s'appliquant à une grande variété de fonctions et d'organisations. Sur ce plan, les structures fonctionnelle ou divisionnaire sont rarement suffisantes, car de nombreuses sociétés se montrent très réticentes à l'idée de sacrifier la souplesse et le dynamisme de la structure divisionnaire aux avantages qu'offre la structure fonctionnelle sur le plan technique. Ainsi, la structure matricielle allie ces deux formes

■ ***Structure matricielle***
Structure organisationnelle qui combine des éléments des structures fonctionnelle et divisionnaire, et où le travailleur est assigné à plus d'un type d'unité

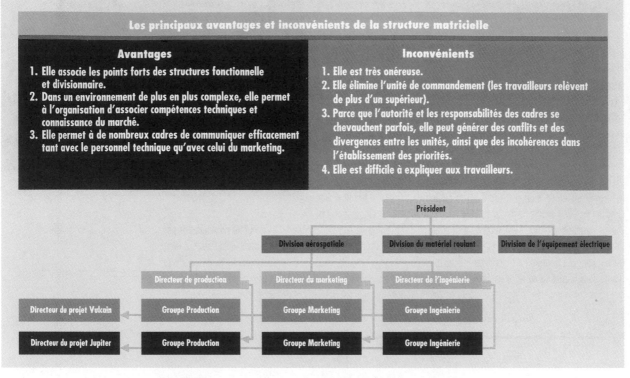

Les principaux avantages et inconvénients de la structure matricielle

Avantages

1. Elle associe les points forts des structures fonctionnelle et divisionnaire.
2. Dans un environnement de plus en plus complexe, elle permet à l'organisation d'associer compétences techniques et connaissance du marché.
3. Elle permet à de nombreux cadres de communiquer efficacement tant avec le personnel technique qu'avec celui du marketing.

Inconvénients

1. Elle est très onéreuse.
2. Elle élimine l'unité de commandement (les travailleurs relèvent de plus d'un supérieur).
3. Parce que l'autorité et les responsabilités des cadres se chevauchent parfois, elle peut générer des conflits et des divergences entre les unités, ainsi que des incohérences dans l'établissement des priorités.
4. Elle est difficile à expliquer aux travailleurs.

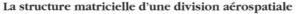

Figure 11.5
La structure matricielle d'une division aérospatiale

d'organisation. La figure 11.5 montre la structure matricielle d'une division aérospatiale. Notez que les services fonctionnels sont situés d'un côté de l'organigramme et les projets spéciaux, de l'autre. Les travailleurs et les cadres des services intermédiaires, au centre de la matrice, dépendent de deux autorités, l'une fonctionnelle et l'autre attachée à un projet.

La figure 11.5 énumère les principaux avantages et inconvénients d'une telle forme de départementalisation. Son inconvénient majeur est la disparition de *l'unité de commandement;* il peut en résulter une certaine incertitude des travailleurs à propos de leurs tâches, de la personne qui les supervise dans telle ou telle activité, et de la gestion d'un projet dont plusieurs cadres partagent la responsabilité. Cette structure peut également se révéler très onéreuse, dans la mesure où il revient à des cadres de coordonner les efforts de tous les intervenants jusqu'aux échelons les plus bas de l'organisation; vous remarquerez, d'ailleurs, que le nombre de gestionnaires est presque le double de celui qu'on trouve dans une structure fonctionnelle ou divisionnaire. En dépit de ses limites, la structure matricielle permet d'équilibrer les points faibles de chacune des deux autres formes de structures. En pratique, bien des problèmes se règlent sur le plan opérationnel, là où il est possible de concilier au mieux les aspects techniques, les coûts, les préoccupations du client et celles de l'organisation. Dans le cas de Ford, Jacques A. Nasser s'est montré des plus déterminés en proposant simultanément l'autonomisation, la participation, la réduction des coûts et une communication accrue afin d'inciter les cadres à adopter sa nouvelle structure matricielle.

Bien des organisations choisissent parfois de mettre en application des éléments de la structure matricielle sans utiliser expressément le terme. Ainsi, la création d'équipes de projet, de comités de coordination et de groupes d'étude peut préfigurer l'avènement d'une structure matricielle. Cela dit, ces entités provisoires peuvent aussi exister dans une structure à prédominance fonctionnelle ou divisionnaire, et cela, sans bouleverser l'unité de commandement ni nécessiter l'embauche de nouveaux cadres.

■ LES STRUCTURES MIXTES

Quelle structure choisir? Nous venons de le voir avec le modèle matriciel, il est possible de départementaliser par un recours simultané à deux méthodes. En fait, il est courant de voir les organisations utiliser une combinaison de structures, décision judicieuse puisqu'en divisant les activités des groupes et les ressources selon deux méthodes, on peut équilibrer leurs avantages et leurs inconvénients. Pour poursuivre avec le cas de Ford, cette entreprise n'a pas intégré ses usines de fabrication de pièces à sa matrice «Ford 2000». La société a plutôt choisi de regrouper ses activités de fabrication de pièces en une seule structure divisionnaire, créant ainsi une unité distincte appelée Visteon. Cette unité est une entreprise à part, distincte des usines de montage, et qui peut donc vendre aux autres constructeurs d'automobiles. Dans les usines de montage, la structure fonctionnelle a conservé sa prédominance.

La coordination

À toute démarche de différenciation ou de division horizontale du travail doivent correspondre des mécanismes d'intégration[23]. La **coordination** est cet ensemble de mécanismes qu'utilise l'organisation pour établir un lien cohérent entre les activités de ses diverses unités. La majeure partie des tâches de coordination d'une unité incombe à son gestionnaire. Les PME peuvent s'en remettre à la hiérarchie pour assurer la cohérence et l'intégration nécessaires mais, avec l'expansion de l'organisation, les cadres seront rapidement débordés, et il deviendra crucial de mettre en place des mécanismes de coordination plus efficaces et plus efficients.

■ *Coordination* Ensemble des mécanismes qu'utilise l'organisation pour établir un agencement cohérent des activités de ses diverses unités

■ LES MODES INTERPERSONNELS DE COORDINATION

Les modes interpersonnels de coordination créent la synergie indispensable à une organisation en favorisant le dialogue, la discussion, l'innovation, la créativité et l'apprentissage, à la fois à l'intérieur de ses diverses unités et entre elles. Ils permettent à l'organisation de s'occuper des besoins particuliers des différentes unités et des individus. Les modes interpersonnels de coordination sont multiples, le plus répandu étant sans doute le contact direct entre les membres du personnel[24]. L'utilisation des TIC permet maintenant d'instaurer et d'entretenir des réseaux de contacts encore plus efficaces. Ainsi, nombre de gestionnaires, en plus de communiquer de vive voix, le font aussi par l'entremise d'outils tels que le courrier électronique, Lotus Notes ou d'autres logiciels. On attribue souvent au *téléphone arabe,* qui caractérise la communication directe et personnelle, des effets néfastes.

LE GESTIONNAIRE EFFICACE 11.1

COMMENT PERSONNALISER SES EFFORTS DE COORDINATION

Le gestionnaire avisé sait tenir compte des particularités des individus ou des unités dans ses efforts de coordination. Il n'oublie jamais que :

- certains ont leurs propres idées sur la meilleure façon d'atteindre les objectifs de l'organisation ;
- certains voient des problèmes immédiats et des solutions rapides ; d'autres débusquent les problèmes sous-jacents et proposent des solutions à long terme ;
- certains ont leur propre jargon professionnel et leurs habitudes de communication ;
- certains ont une préférence marquée soit pour les modes interpersonnels de coordination, soit pour les modes formels de coordination.

Le fait est notoire, il n'est pas nécessairement fiable lorsqu'il colporte les potins et les rumeurs au sein de l'organisation. Néanmoins, c'est un moyen de communication qui peut se révéler assez juste et rapide pour que les gestionnaires ne puissent l'ignorer purement et simplement ; mieux vaudrait s'en servir pour alimenter la *machine à rumeurs* en informations exactes.

Les cadres participent souvent à un grand nombre de comités destinés à améliorer la coordination entre les services. Même si les comités ont mauvaise réputation et sont généralement onéreux, il est possible d'en faire un mécanisme interpersonnel fort efficace pour assurer la coordination entre les directeurs de service et leur permettre de prendre les mesures qui s'imposent. Les comités peuvent aussi servir à communiquer des données qualitatives et des informations complexes, et à aider les cadres dont les unités doivent régler ensemble les questions d'horaires, de tâches et d'affectation afin d'améliorer leur productivité. À une époque où elles tendent à aplanir leur structure et à favoriser une plus grande délégation d'autorité, les organisations découvrent l'utilité des équipes de projet. Contrairement aux comités, qui ont souvent une longue durée de vie, les équipes de projet ont généralement un mandat ponctuel et une plus courte durée de vie. Regroupant des individus provenant des diverses unités de l'organisation, l'équipe de projet sert, entre autres, à diagnostiquer et à résoudre des problèmes *interfonctionnels,* c'est-à-dire qui concernent simultanément plusieurs services, et qui souvent ne relèvent d'aucun en particulier.

Il n'existe aucune combinaison miracle des modes de coordination pouvant s'adapter universellement aux compétences, aux aptitudes et aux expériences individuelles des subordonnés. Le gestionnaire devra connaître ceux à qui il fait appel, leurs préférences ainsi que les approches que privilégient les diverses unités au sein de l'organisation. Il est tout à fait possible d'adapter les modes interpersonnels de coordination aux individus. Elles ne représentent d'ailleurs qu'un des outils de coordination dont dispose le gestionnaire, ce dernier pouvant aussi instaurer des mécanismes de coordination formels (voir *Le gestionnaire efficace 11.1*).

■ LES MODES FORMELS DE COORDINATION

De nature plus impersonnelle, les modes formels de coordination suscitent la synergie en privilégiant la cohérence et la standardisation pour assurer un agencement logique des activités des diverses unités. Bien souvent, elles prolongent et complètent les contrôles des processus en privilégiant la formalisation et la standardisation. La plupart des grandes organisations se servent de politiques et de procédures écrites – prévisions, budgets et programmes, etc. – pour faire en sorte que les activités de diverses unités aboutissent à un résultat d'ensemble cohérent et prévisible.

Le mode formel de coordination le plus élaboré est celui qui découle de l'adoption d'une structure matricielle. Comme nous l'avons vu, cette forme de départementalisation est expressément conçue pour coordonner les efforts de diverses unités fonctionnelles.

Bien que quelques organisations se limitent à la structure matricielle, beaucoup d'autres choisissent de faire appel à des groupes de projet interfonctionnels. Ces équipes de projet ont maintenant tendance à se substituer aux unités fonctionnelles spécialisées qui, traditionnellement, assuraient la coordination au sein des organisations.

Le dernier exemple de mode formel de coordination que nous allons vous présenter est en train de se transformer radicalement dans un grand nombre d'organisations. Il fut un temps où les systèmes de gestion de l'information étaient conçus pour que les gestionnaires puissent coordonner et contrôler les activités de diverses unités subalternes. Ces systèmes avaient pour objet d'être des versions informatisées des prévisions, budgets et autres données de même ordre. Dans certaines organisations, le système de gestion de l'information continue de fonctionner comme un mécanisme combiné de mode formel de coordination et de contrôle des processus. Toutefois, utilisé judicieusement, un système de gestion de l'information devient un réseau de liens électroniques entre tous les membres du personnel. Par l'utilisation de systèmes de communication décentralisés, appuyés par le bon vieux téléphone, le télécopieur et le courriel, un système auparavant centralisé peut devenir pour le gestionnaire un atout qui s'ajoute aux modes interpersonnels de coordination.

S'il y a un changement fondamental au sein de presque toutes les très grandes organisations, c'est bien la prise de conscience de l'énorme potentiel des TIC, dont l'effet est si radical et si profond qu'il est en train de révolutionner la façon dont les organisations intègrent la division du travail, les mécanismes de contrôle et les modes de coordination. Mais avant d'entrer dans le vif de ce sujet – qui fait l'objet de notre prochain chapitre –, il nous reste encore à voir comment, fondamentalement, les méthodes de division du travail, de coordination et de contrôle se combinent.

La bureaucratie

Dans les pays industrialisés, la plupart des organisations sont des *bureaucraties,* un terme qui, dans le domaine du comportement organisationnel, n'a pas la connotation négative qu'on lui donne habituellement. Selon le célèbre sociologue allemand Max Weber, c'est en devenant une **bureaucratie,** c'est-à-dire en s'appuyant sur l'autorité, la logique et l'ordre, que l'organisation peut prospérer[25]. La division du travail, le contrôle hiérarchique, l'avancement au mérite, les possibilités de carrière à long terme et une gestion fondée sur des directives constituent les fondements de cette forme d'organisation. Max Weber estimait que la nature rationnelle et logique de la bureaucratie était de loin supérieure aux structures fondées sur le charisme du dirigeant ou sur les traditions culturelles. L'organisation de type *charismatique,* avec une personnalité exceptionnelle à sa tête, dépend trop des talents

■ **Bureaucratie**   Forme d'organisation, idéale selon le sociologue allemand Max Weber, qui s'appuie sur l'autorité, la logique et l'ordre ; se caractérise par la division du travail, le contrôle hiérarchique, l'avancement au mérite, les possibilités de carrière à long terme et une gestion fondée sur des directives

d'un seul individu et risque de s'effondrer lorsque le leader disparaît. Quant à l'organisation qui s'appuie sur les traditions culturelles, elle fait obstacle à l'innovation, étouffe l'initiative, nuit à l'efficacité et est souvent loin d'être équitable. Weber souhaitait, au contraire, que la bureaucratie, parce qu'elle privilégiait l'efficacité, l'ordre et le rationnel, soit juste pour les travailleurs et accorde davantage de place à l'expression individuelle. Il prédisait que, malgré ses faiblesses, la bureaucratie – ou l'une des variantes de ce qu'il considérait comme la forme *idéale* d'organisation – dominerait le monde moderne. Il ne s'est guère trompé. Bien que les traditions culturelles et le leadership fondé sur le charisme jouent encore un rôle important aujourd'hui, ce sont l'efficacité, le rationalisme et l'autorité qui dominent au sein des organisations contemporaines.

■ LES TYPES DE BUREAUCRATIES

La notion de bureaucratie a évolué avec le temps. La figure 11.6 schématise les trois types de bureaucraties les plus répandus : le modèle mécaniste, le modèle organique et le modèle divisionnaire, qui est une configuration hybride. La figure montre également que certaines organisations de très grande taille appelées *conglomérats* sont constituées de plusieurs organisations très différentes. Chacune de ces formes d'organisation est une combinaison particulière des caractéristiques fondamentales décrites dans ce chapitre, et chaque combinaison donne naissance à des organisations possédant leur éventail particulier de capacités et leurs tendances propres.

Le modèle mécaniste La **bureaucratie mécaniste** (ou *modèle mécaniste*) privilégie la spécialisation verticale et le contrôle[26]. L'organisation qui adopte ce modèle s'appuie sur des directives, des politiques et des procédures ; elle détermine les méthodes de prise de décisions et utilise surtout des mécanismes de contrôle très documentés, renforcés par un important personnel d'encadrement intermédiaire et un personnel fonctionnel centralisé. Parallèlement, on constate souvent une utilisation poussée de la structure fonctionnelle à tous les échelons. Henry Mintzberg parlait de *bureaucratie mécaniste* pour décrire l'organisation entièrement structurée selon ce modèle[27].

■ **Bureaucratie mécaniste**
(ou *modèle mécaniste*)
Type de bureaucratie qui privilégie la spécialisation verticale et le contrôle, recourt à des modes formels de coordination et s'appuie fortement sur la standardisation, la formalisation, les directives, les politiques et les procédures

Le modèle mécaniste résulte d'une gestion privilégiant la routine pour atteindre l'efficacité. Jusqu'à l'apparition des TIC, la plupart des organisations d'importance dans les principaux secteurs économiques étaient des *bureaucraties mécanistes* – constructeurs d'automobiles, banques, société d'assurances, aciéries, grands magasins, fonction publique, etc. Ces organisations parvenaient à l'efficacité en combinant une très forte spécialisation verticale et une très forte spécialisation horizontale, liées par des mécanismes très poussés de contrôle et de coordination formelle. Toutefois, il y a des limites aux bienfaits de la spécialisation soutenue par des contrôles stricts. La plupart des travailleurs n'aimant pas les structures rigides, leur motivation faiblit dans un tel cadre de travail. De plus, pour protéger les salariés des contrôles hiérarchiques de plus en plus nombreux, les syndicats s'attachent à des descriptions de tâches toujours plus restreintes, et exigent des directives et des règlements. Des travailleurs clés peuvent même quitter l'organisation. En résumé, une bureaucratie mécaniste peut contrecarrer les efforts d'adaptation d'une organisation aux nouvelles technologies ou à l'évolution de son environnement. Vous avez probablement déjà fait face à l'immobilisme d'un tel système : votre école secondaire, sous la houlette d'un directeur, était probablement organisée selon le modèle mécaniste.

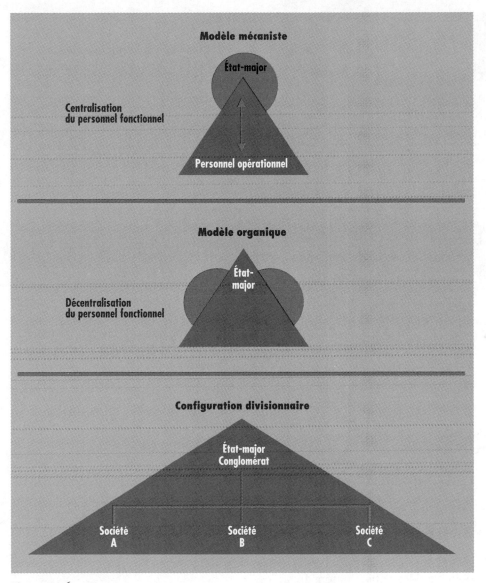

Figure 11.6
Les différents modèles de bureaucratie

Le modèle organique   Comparée à celle du modèle mécaniste, la structure verticale de la **bureaucratie professionnelle** (ou *modèle organique*) est beaucoup moins importante, celle-ci privilégiant la spécialisation horizontale. Les procédures se réduisent au minimum, et celles qui restent ne sont pas aussi strictes. L'organisation s'en remet au jugement des spécialistes et a recours à des modes interpersonnels de coordination. Si elle met en place des mécanismes de contrôle, ils se fondent généralement sur la socialisation, la formation et le renforcement individuel. La plupart du temps, le personnel fonctionnel est placé à un niveau intermédiaire de la pyramide hiérarchique. Comme c'est une configuration courante dans les organisations qui regroupent des professionnels, Mintzberg l'a appelée la *bureaucratie professionnelle*[28].

■ ***Bureaucratie professionnelle***
(ou *modèle organique*) Type de bureaucratie qui privilégie la spécialisation horizontale, recourt à des modes interpersonnels de coordination et réduit au minimum les directives, les politiques et les procédures

LE GESTIONNAIRE EFFICACE 11.2

LES TENDANCES AU DYSFONCTIONNEMENT D'UNE BUREAUCRATIE

1. Spécialisation à outrance favorisant une divergence d'intérêts et incapacité de gérer les problèmes qui en résultent

2. Recours exagéré à la hiérarchie; insistance sur le respect des voies officielles plutôt que sur la résolution des problèmes

3. Apparition d'une élite de cadres supérieurs considérés comme infaillibles en tout et assimilés à des dirigeants politiques plutôt qu'à des individus dont le rôle est d'aider l'ensemble de l'organisation à atteindre ses objectifs

4. Insistance démesurée sur l'obligation de la conformité, même dans les choses insignifiantes, au détriment de l'épanouissement personnel

5. Directives et règlements considérés comme des fins en soi plutôt que comme de piètres mécanismes de contrôle et de coordination

Votre université est sans doute une bureaucratie professionnelle: sa structure ressemble à une pyramide à large base, avec un renflement au niveau intermédiaire correspondant à l'ensemble des fonctions de soutien logistique exercées par le personnel fonctionnel. Dans cette configuration, le pouvoir repose sur le savoir. De plus, traditionnellement, on y trouvait un personnel fonctionnel nombreux qui appuyait les cadres opérationnels sans détenir de véritable pouvoir officiel, sinon la capacité de bloquer l'action. Le contrôle est assuré par la standardisation des compétences professionnelles et l'adoption de routines, de standards et de procédures. La plupart des hôpitaux, des bibliothèques et des organismes de services sociaux ont adopté une structure de type bureaucratie professionnelle.

Bien que moins efficiente que la bureaucratie mécaniste, la bureaucratie professionnelle donne de meilleurs résultats pour ce qui est de la résolution de problèmes et répond mieux aux besoins particuliers des clients. L'insistance sur les relations entre travailleurs de même niveau et sur la coordination de leurs activités diminue la nécessité d'un contrôle centralisé au niveau de la haute direction. Cette configuration permet donc à l'organisation de déceler les changements de l'environnement et de s'adapter aux nouvelles technologies, mais en renonçant aux avantages d'une direction centralisée[29].

Les configurations hybrides   De nombreuses très grandes organisations considèrent que ni le modèle mécaniste ni le modèle organique ne conviennent en bloc à l'ensemble de leurs activités. D'un côté, l'adoption d'une bureaucratie mécaniste surchargerait les cadres supérieurs et créerait un nombre trop élevé d'échelons hiérarchiques; de l'autre, la configuration organique entraînerait une perte de contrôle et une perte d'efficience. Les dirigeants de ces organisations optent donc souvent pour une des configurations hybrides.

Nous avons déjà introduit ce concept de configuration hybride en présentant la structure divisionnaire. Différentes divisions, qui peuvent être plus ou moins organiques ou mécanistes, sont alors traitées comme des entités séparées, même si elles ont en commun le même énoncé de mission et les mêmes objectifs stratégiques et de production[30].

■ *Conglomérat* Société formée par la concentration de plusieurs organisations exerçant des activités diversifiées sans rapport entre elles

La seconde configuration hybride est le ***conglomérat*** – société formée par la concentration de plusieurs organisations exerçant des activités diversifiées sans rapport entre elles. En apparence, ces organisations s'apparentent à des divisions, mais le terme *conglomérat* est utilisé lorsqu'il n'y a aucun lien réel entre elles[31]. C'est le cas de General Electric, un conglomérat qui regroupe des divisions œuvrant dans des domaines et des secteurs industriels très éloignés, allant de la fabrication d'ampoules électriques ou de moteurs d'avion à la conception et à l'entretien de réacteurs nucléaires, en passant par l'exploitation du réseau NBC. Semblablement, RJR-Nabisco est né, après diverses opérations financières, de la fusion de deux entreprises qui œuvraient respectivement dans l'industrie alimentaire et dans celle du tabac. Au Canada, les gouvernements fédéral et provinciaux sont en quelque sorte des conglomérats regroupant des *divisions* aux activités disparates ; le premier ministre serait un PDG à la tête d'unités chargées de dispenser des services aussi éloignés que l'éducation, la santé, la sécurité publique et les transports.

La configuration en conglomérat illustre également deux points essentiels qui seront au centre du chapitre suivant : 1) toute structure est une combinaison d'éléments fondamentaux ; 2) il n'existe pas de structure idéale : tout dépend de facteurs tels que la taille de l'organisation, son environnement, sa technologie et sa stratégie.

Guide de révision

Quelle est la contribution des organisations à l'ensemble de la société ? Quels types d'objectifs se fixent-elles ?

■ Les objectifs sociétaux de l'organisation décrivent la contribution qu'elle entend apporter à l'ensemble de la société.

■ L'organisation cherche souvent à satisfaire ses premiers bénéficiaires ; ce choix peut être explicitement mentionné dans son énoncé de mission.

■ Les objectifs de production de l'organisation délimitent son champ d'activité et précisent les produits et services qu'elle veut offrir.

■ Les objectifs stratégiques énoncent les conditions qui, selon la haute direction, peuvent accroître les chances de survie et de croissance de l'organisation.

Qu'est-ce que la structure formelle d'une organisation ? Qu'entend-on par division du travail ?

■ La structure formelle de l'organisation est la configuration générale planifiée des postes, des tâches associées à ces postes et des lignes hiérarchiques qui unissent les diverses composantes de l'organisation.

■ La structure formelle de l'organisation est aussi appelée division du travail.

Comment la spécialisation verticale répartit-elle l'autorité formelle au sein de l'organisation ?

■ La spécialisation verticale est une division hiérarchique du travail qui répartit l'autorité et fixe les échelons auxquels se prennent les décisions importantes.

■ Généralement, il existe une structure hiérarchique qui établit des liens d'autorité entre les cadres supérieurs et les travailleurs des échelons inférieurs.

■ Selon un vieux principe de gestion, au sein d'une organisation, chaque individu devrait dépendre d'un seul supérieur, et chaque unité de travail ne devrait avoir qu'un seul responsable ; on considère alors qu'il y a une unité de commandement.

■ La distinction entre unités opérationnelles et unités fonctionnelles indique également comment se répartit l'autorité au sein de l'organisation : les unités opérationnelles assument les activités premières de l'organisation, tandis que les unités fonctionnelles leur fournissent un soutien logistique.

■ En mettant à la disposition de ses cadres opérationnels des outils de gestion et des logiciels spécialisés conçus pour améliorer leurs capacités d'analyse et de prise de décision, l'organisation diminue ses besoins en personnel fonctionnel.

Comment l'organisation contrôle-t-elle les activités de son personnel?

- Le contrôle est un ensemble de mécanismes servant à maintenir les activités et la production d'une organisation dans des limites prédéterminées.

- Le contrôle des résultats consiste à fixer des critères d'évaluation ou des objectifs, à évaluer les résultats par rapport à ces critères ou objectifs et, au besoin, à instaurer des mesures correctives.

- Le contrôle des processus consiste à spécifier les détails de l'exécution des tâches par 1) les politiques, les directives et les procédures; 2) la formalisation et la standardisation; et 3) la gestion intégrale de la qualité.

- Les organisations contemporaines sont en train de découvrir que la décentralisation comporte des avantages substantiels.

Quels sont les divers modèles de spécialisation horizontale?

- La spécialisation horizontale – ou départementalisation – est une division du travail qui mène à la création d'unités ou de groupes de travail au sein de l'organisation.

- Il existe trois principaux types de départementalisation – la structure fonctionnelle, la structure divisionnaire et la structure matricielle –, comportant chacune des avantages et des inconvénients.

- L'organisation peut décider d'adopter l'une ou l'autre de ces structures, ou encore une structure hybride; quel que soit son choix, il sera judicieux si la structure adoptée correspond à ses besoins.

À quels modes formels ou interpersonnels de coordination l'organisation devrait-elle recourir?

- La coordination est l'ensemble des mécanismes qu'utilise l'organisation pour établir un agencement cohérent des activités de ses diverses unités.

- Les modes interpersonnels de coordination créent une synergie dans l'organisation en favorisant la communication, les discussions, l'innovation, la créativité et l'apprentissage, à la fois à l'intérieur de ses diverses unités et entre elles.

- Les modes formels de coordination créent la synergie en mettant l'accent sur la cohérence et la standardisation afin d'assurer un agencement logique des activités de diverses unités.

Qu'est-ce que la bureaucratie, et quels sont ses modèles les plus courants?

- La bureaucratie est une forme d'organisation fondée sur l'autorité, la logique et l'ordre.

- Les modèles de bureaucratie les plus répandus sont le modèle mécaniste, le modèle organique et les configurations hybrides.

- Parmi les diverses configurations hybrides, on trouve la structure divisionnaire et le conglomérat. En soi, aucune n'est supérieure aux autres.

Mots clés

Bureaucratie   p. 287

Bureaucratie mécaniste
p. 288

Bureaucratie
professionnelle   p. 289

Centralisation   p. 280

Conglomérat   p. 290

Contrôle   p. 275

Contrôle des processus
p. 276

Contrôle des résultats
p. 276

Coordination   p. 285

Décentralisation   p. 280

Énoncé de mission   p. 266

Éventail de subordination
p. 271

Formalisation   p. 277

Objectif de production
p. 267

Objectif sociétal   p. 265

Objectif stratégique
p. 267

Organigramme   p. 269

Spécialisation horizontale
p. 280

Spécialisation verticale
p. 269

Standardisation   p. 277

Structure divisionnaire
p. 281

Structure fonctionnelle
p. 281

Structure matricielle
p. 283

Unité fonctionnelle
p. 272

Unité opérationnelle
p. 272

Évaluation des connaissances

■ QUESTIONS À CHOIX MULTIPLE

1. La représentation graphique de la structure formelle d'une organisation est
_____ **a)** un diagramme environnemental. **b)** un organigramme.
c) un diagramme horizontal. **d)** une description matricielle. **e)** un diagramme
d'affectation de tâches.

2. Ce qui distingue l'unité opérationnelle de l'unité fonctionnelle a trait _____
a) à la quantité de ressources dont elles disposent. **b)** aux liens entre leurs
tâches et les objectifs de l'organisation. **c)** à la scolarité et à la formation de leurs
membres. **d)** à leur utilisation des systèmes informatisés de communication.
e) aux rapports qu'elles entretiennent avec le monde extérieur.

3. La division du travail qui consiste à regrouper les individus et les ressources
se nomme _____ **a)** la spécialisation. **b)** la coordination.
c) la départementalisation. **d)** la spécialisation verticale. **e)** la fixation d'objectifs.

4. Lequel des éléments suivants ne fait pas partie des activités de contrôle?
a) L'évaluation des résultats **b)** La fixation d'objectifs **c)** L'instauration de mesures
correctives **d)** La comparaison des résultats et des objectifs **e)** La sélection de la
main-d'œuvre

5. Le regroupement des individus et des ressources en fonction des produits,
des services, des clients, des secteurs géographiques ou des entités juridiques
correspond à la structure _____ **a)** divisionnaire. **b)** fonctionnelle.
c) matricielle. **d)** hybride. **e)** axée sur la sous-traitance.

6. Le regroupement des ressources en services, en fonction des compétences,
du savoir-faire et des activités correspond à la structure _____
a) fonctionnelle. **b)** divisionnaire. **c)** verticale. **d)** des fins et des moyens.
e) matricielle.

7. La structure matricielle _____ **a)** renforce l'unité de commandement.
b) n'est pas onéreuse. **c)** est facile à expliquer aux travailleurs. **d)** fait que
certains travailleurs ont deux patrons. **e)** suppose le recours à un petit nombre
de politiques organisationnelles.

8. La formalisation _____ **a)** regroupe les individus et les ressources par produits, types de services, clients, secteurs géographiques ou entités juridiques. **b)** regroupe les individus et les ressources par compétences, savoir-faire et activités. **c)** regroupe les individus et les ressources en fonction des objectifs de l'organisation. **d)** est un mécanisme de contrôle des processus qui consiste à présenter par écrit des directives, politiques et procédures de l'organisation. **e)** est la combinaison de savoir et de technologies qui produit un résultat (produit ou service) pour l'organisation.

9. _____ assure une communication adéquate entre les diverses unités organisationnelles afin qu'elles comprennent leurs activités respectives. **a)** Le contrôle **b)** La coordination **c)** La spécialisation **d)** La départementalisation **e)** La division du travail

10. Comparée à la bureaucratie mécaniste, la bureaucratie professionnelle (ou le modèle organique) _____ **a)** est plus efficace pour les activités de routine. **b)** privilégie la spécialisation verticale et les mécanismes de contrôle. **c)** est de plus grande taille. **d)** privilégie la spécialisation horizontale et les mécanismes de coordination. **e)** est de plus petite taille.

■ VRAI OU FAUX ?

11. L'énoncé de mission est une déclaration écrite décrivant la raison d'être de l'organisation. **V F**

12. Les actionnaires peuvent être un exemple de premier bénéficiaire de l'organisation. **V F**

13. La représentation graphique des fonctions, des postes, des tâches et des lignes hiérarchiques qui unissent les composantes de l'organisation s'appelle l'organigramme. **V F**

14. La spécialisation verticale est une division du travail qui mène à la création d'unités ou de groupes de travail au sein de l'organisation. **V F**

15. La spécialisation et la coordination sont deux aspects fondamentaux du concept de structure organisationnelle. **V F**

16. L'éventail de subordination répartit l'autorité formelle et établit les échelons auxquels se prennent les décisions importantes, ainsi que la façon dont elles sont prises. **V F**

17. Regrouper les individus par compétences, connaissances et activités correspond à la mise en place d'une structure divisionnaire. **V F**

18. Les unités opérationnelles et leur personnel fournissent des services spécialisés et leur expertise aux unités fonctionnelles et à leur personnel. **V F**

19. L'un des avantages de la structure matricielle est de permettre à l'organisation, qui opère dans un environnement de plus en plus complexe, d'associer compétences techniques et connaissances du marché. **V F**

20. Contrairement aux comités, les groupes de projet ont généralement une tâche ponctuelle et restreinte, leur objectif étant de diagnostiquer et de résoudre des problèmes qui touchent simultanément plusieurs services. **V F**

■ QUESTIONS À RÉPONSE BRÈVE

21. Comparez les objectifs de production et les objectifs stratégiques en dégageant ce en quoi ils diffèrent.

22. Décrivez les divers mécanismes de contrôle auxquels une organisation a généralement recours.

23. Quels sont les principaux avantages et inconvénients de la structure fonctionnelle ?

24. Quels sont les principaux avantages et inconvénients de la structure matricielle ?

■ QUESTION À DÉVELOPPEMENT

25. Selon vous, quelles peuvent être les conséquences néfastes des mécanismes de contrôle dans une grande organisation structurée selon le modèle mécaniste comme la Société canadienne des postes.

Reportez-vous aux études de cas, aux exercices et aux autoévaluations de notre *Cahier d'apprentissage en CO* (voir p. 531).

■ Consultez le site Web du manuel. Vous y trouverez un questionnaire interactif et des exercices en ligne sur le contenu de ce chapitre.

www.erpi.com/schermerhorn

Technologies et structure organisationnelle

TECHNOLOGIES ET INFORMATION CRÉENT UN NOUVEL ESPRIT D'ENTREPRISE

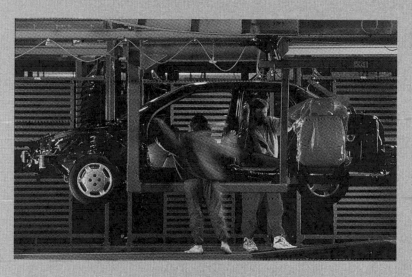

www.gm.com

Durant plusieurs générations, General Motors fut un modèle de référence pour les autres entreprises et dicta les normes à partir desquelles on les évaluait; la seule taille de la société témoignait de sa vigueur et de sa réussite. Puis, on se mit à parler de GM comme de «*Generous Motors*», à cause de tous les avantages qu'elle offrait à ses cadres supérieurs, même lorsque sa part du marché dégringola, passant de 50 % à moins de 33 % aux États-Unis. Aujourd'hui, sous l'influence de John («Jack») F. Smith, un nouvel esprit d'entreprise anime GM. On y met l'accent non plus sur la taille, mais sur la capacité d'évoluer et de s'adapter rapidement aux changements. Les technologies, et surtout les technologies de l'information et des communications, y sont perçues non plus comme simplement importantes, mais comme indispensables, au moment où GM réinvente les processus d'échange de personne à personne pour redevenir le chef de file qui dicte les normes de l'industrie. Son directeur général, Jack Smith, s'est donné des priorités très claires : 1) implanter, à l'échelle mondiale, l'uniformisation des processus, des pièces et des châssis afin d'éviter les erreurs ainsi que les pertes de temps et d'argent; 2) penser *léger* et accélérer la production par un processus de rationalisation qui stimule l'apprentissage organisationnel et réduise l'intervalle entre l'émission d'une idée et sa concrétisation; 3) soutenir la concurrence à l'échelle mondiale en augmentant les capacités de production internationale; et 4) redonner à GM son image de société en croissance[1].

ersonne ne le contestera, il y a un monde de différences entre une usine d'assemblage de General Motors et le groupe de la chanteuse Térez Montcalm. Les usines d'automobiles reposent sur une organisation axée sur la routine et l'efficience dans la production, tandis que les groupes de musiciens, beaucoup moins organisés, privilégient l'expérimentation et l'expression artistique. Pourtant, les uns comme les autres recourent aux technologies de l'information et des communications (TIC) les plus avancées et les plus concurrentielles. Les musiciens se servent de logiciels pour gérer l'organisation des tournées, le transport de l'équipement, la vente de billets, etc. GM, elle, s'est dotée d'un système global et très raffiné de gestion de l'information pour l'apprentissage organisationnel. Dans ce chapitre, nous allons étudier la façon dont les gestionnaires adaptent les caractéristiques fondamentales de la structure de l'organisation à l'ensemble de ses activités opérationnelles et aux stratégies concurrentielles de ses hauts dirigeants. Dans la dernière décennie, l'éventail des options en matière de configuration structurelle s'est élargi de façon spectaculaire. Même pour ce qui est des PME, les TIC ont commencé à révolutionner les approches de gestion.

Questions clés

Ce chapitre porte, entre autres, sur les liens entre la structure organisationnelle et les technologies auxquelles recourt l'organisation pour ses activités d'exploitation et pour le traitement de l'information. Il étudie également l'influence de facteurs comme la taille de l'organisation, son environnement global et immédiat, et sa stratégie sur la configuration structurelle. Voici les questions clés que vous devriez garder à l'esprit en lisant ce chapitre :

- Qu'est-ce que la conception organisationnelle? Qu'est-ce qui distingue la structure des PME de celle des grandes organisations?
- Comment les technologies liées aux activités d'exploitation influent-elles sur la structure de l'organisation?
- Comment les technologies de l'information et des communications influent-elles sur la structure de l'organisation?
- Quel est le lien entre l'environnement – les conditions externes – et la structure de l'organisation?
- Qu'est-ce que la stratégie organisationnelle, et comment est-elle liée à la structure organisationnelle?
- Qu'est-ce que l'apprentissage organisationnel? Quelles sont les principales méthodes d'acquisition du savoir? Quels sont les principaux éléments sur lesquels repose la conservation de l'information?
- En quoi les cycles d'apprentissage organisationnel peuvent-ils être stratégiques pour l'organisation?
- Qu'est-ce que la structure pluricellulaire, et en quoi est-elle liée à l'apprentissage organisationnel?

La conception organisationnelle et la taille de l'organisation

La **conception organisationnelle** est un processus qui consiste à déterminer la structure appropriée pour l'organisation et à la mettre en œuvre[2]. Le choix de la structure adéquate est tributaire de plusieurs facteurs, notamment 1) la taille de l'organisation, 2) la ou les technologies qu'elle utilise dans ses activités d'exploitation et dans le traitement de l'information, 3) son environnement et 4) la stratégie qu'elle privilégie pour assurer sa croissance et sa pérennité.

Pour une foule de raisons, les grandes organisations ne peuvent se contenter d'être des versions géantes des petites organisations. D'abord, si le nombre de travailleurs que compte une organisation suit une progression arithmétique, la quantité des relations potentielles entre ces travailleurs progresse, elle, de façon exponentielle ; autrement dit, les grandes organisations doivent gérer les relations interpersonnelles directes des membres. De plus, la configuration structurelle des PME dépend directement de la technologie sur laquelle repose sa principale activité d'exploitation, alors que les grandes entreprises, qui ont plusieurs activités d'exploitation, recourent à plusieurs technologies dans de nombreuses unités opérationnelles beaucoup plus spécialisées. Enfin, pour les entreprises de très grande taille, la clé de la réussite réside dans l'efficience que permettent les économies d'échelle, c'est-à-dire la réduction du coût de production unitaire des biens et services grâce à la quantité produite. La spécialisation de la main-d'œuvre, de l'équipement et des services est une façon de réaliser des économies d'échelle. Cependant, accroître la spécialisation exige un contrôle et une coordination accrus, car il faut s'assurer que les diverses activités de l'organisation visent des objectifs communs et se relient de manière rationnelle. En résumé, les grandes entreprises sont souvent des entités plus complexes que les PME, et cette complexité exige une structure organisationnelle plus élaborée. Néanmoins, même les plus grandes organisations s'appuient sur certains éléments fondamentaux d'une structure simple.

■ LA STRUCTURE SIMPLE : LE MODÈLE DES PETITES ORGANISATIONS ET DES PETITES UNITÉS

La **structure simple** est une configuration structurelle qui présente une ou deux formes de spécialisation des unités et des travailleurs. En pratique, la spécialisation verticale et le contrôle soulignent les échelons de supervision, sans qu'il n'y ait de mécanismes formels très élaborés – recueils de politiques, manuels de procédures, directives écrites, etc. De plus, la majeure partie du contrôle incombe au gestionnaire. La structure simple tend donc à limiter au minimum les dimensions bureaucratiques et repose surtout sur le leadership du dirigeant. Le modèle de la structure simple est bien adapté aux PME, et plus particulièrement à l'entreprise familiale, au magasin de vente au détail ou à la petite entreprise manufacturière[3]. Ses avantages résident dans sa simplicité, sa flexibilité et sa capacité de se plier aux volontés du principal gestionnaire – généralement, le propriétaire. Comme la structure simple repose largement sur le leadership d'un seul individu, son efficacité dépend du savoir-faire de ce dernier[4].

■ **Conception organisationnelle** Processus qui consiste à déterminer la structure appropriée pour l'organisation et à la mettre en œuvre

■ **Structure simple** Configuration structurelle d'une organisation qui présente une ou deux formes de spécialisation des unités et des travailleurs

La conception organisationnelle et les technologies liées aux activités d'exploitation

La structure d'une organisation doit refléter sa taille, mais elle doit aussi être adaptée aux occasions et aux exigences liées à son environnement technologique[5]. Dans les entreprises prospères, on constate que les structures internes sont organisées en fonction des principales technologies liées aux activités d'exploitation et, plus récemment, des possibilités qu'offrent les technologies de l'information et des communications (TIC)[6]. Par **technologies liées aux activités d'exploitation,** on entend la combinaison des ressources, du savoir et des techniques qui crée un extrant – bien ou service – pour l'organisation[7]. Quant au terme **technologies de l'information et des communications** (TIC), il désigne la combinaison de l'équipement, du matériel, des procédures et des systèmes qu'on utilise pour recueillir, emmagasiner, analyser et diffuser l'information, afin que celle-ci puisse se traduire en savoir[8].

Depuis une trentaine d'années, les chercheurs en CO ont mis en lumière les liens entre les technologies liées aux activités d'exploitation et la configuration structurelle. Deux classifications de ces technologies, celles de Thompson et de Woodward, ont soulevé un intérêt considérable.

■ LES TECHNOLOGIES SELON J. D. THOMPSON

James D. Thompson a classé les technologies selon leur degré de spécification et le degré d'interdépendance des diverses activités d'exploitation, pour en arriver à trois catégories de technologies : la technologie *intensive,* la technologie *médiatrice* et la *chaîne technologique*[9].

Avec la *technologie intensive* (ou *technologie interactive*), il y a toujours une part d'incertitude quant à la façon de procéder pour atteindre les résultats souhaités. L'organisation doit réunir un groupe de spécialistes qui, en *interaction,* appliqueront diverses techniques pour résoudre les problèmes complexes qui se posent, par exemple, dans une salle d'urgences ou un laboratoire de recherche. Lorsqu'on recourt à ce type de technologie, la coordination et l'échange des connaissances sont des facteurs cruciaux.

La *technologie médiatrice* (ou *technologie d'appariement*) associe des entités distinctes qui veulent établir des liens d'interdépendance. Ainsi, une banque met en contact des prêteurs et des emprunteurs, et gère les fonds et l'information afin de faciliter leurs transactions. Prêteurs et emprunteurs sont en interdépendance indirecte, la fiabilité de leurs échanges étant garantie par la banque, qui fait office de *médiateur*. La technologie médiatrice réduit substantiellement la nécessité de la coordination des tâches individuelles, et la gestion de l'information prend plus d'importance que l'application cordonnée des connaissances.

Avec la *chaîne technologique* (ou *production de masse*), la façon de procéder pour obtenir les résultats souhaités est connue. Les tâches sont décomposées en

■ **Technologies liées aux activités d'exploitation**
Combinaison des ressources, du savoir et des techniques qui crée un extrant (bien ou service) pour l'organisation

■ **Technologies de l'information et des communications** (TIC)
Combinaison de l'équipement, du matériel, des procédures et des systèmes qu'on utilise pour recueillir, emmagasiner, analyser et diffuser l'information, afin que celle-ci puisse se traduire en savoir

une succession d'étapes. Un exemple des plus évidents en serait la chaîne de montage d'automobiles. Ici, le contrôle est crucial, et la coordination se limite à l'harmonisation des liens entre les étapes.

■ LES TECHNOLOGIES SELON J. WOODWARD

Joan Woodward classe également les technologies en trois catégories : la *production en petite série,* la *production de masse* et la *production en continu*[10].

Dans les unités de *production en petite série,* l'éventail de produits est varié, car ceux-ci sont fabriqués pour répondre spécifiquement aux demandes de clients particuliers ; c'est le cas des complets faits sur mesure, par exemple. Généralement, l'équipement et les machines utilisés ne sont pas très complexes, mais ce type de production exige souvent une connaissance approfondie du métier.

La *production de masse* sert à la fabrication d'un éventail restreint de produits sur des chaînes de montage. Le travail d'un groupe donné dépend alors largement du travail du groupe précédent, l'équipement est généralement très complexe et les travailleurs reçoivent des consignes très détaillées. C'est ainsi qu'on fabrique les réfrigérateurs et les automobiles, par exemple.

Enfin, la *production en continu* est le fait de l'entité qui ne fabrique que quelques produits en recourant largement à l'automatisation, comme l'usine de produits chimiques et les raffineries de pétrole.

Les recherches de Joan Woodward l'ont amenée à la conclusion suivante : l'adéquation entre la structure organisationnelle et la technologie est un facteur critique dans la réussite des organisations. En effet, ses études lui ont permis de faire le constat suivant : lorsque les technologies et la configuration structurelle s'harmonisent, l'entreprise réussit mieux. Plus précisément, Woodward a observé que lorsque la production se fait en petite série et en continu, les entités qui réussissent bien ont une structure souple et s'appuient sur de petites équipes de travail, tandis que celles qui ont une structure plus rigide réussissent moins bien. Par contre, les entités caractérisées par des activités de *production de masse* couronnées de succès présentent une structure plus rigide et s'appuient sur des équipes de travail de grande taille. Depuis les recherches de Woodward, diverses études ont confirmé cet impératif technologique, dont nous savons aujourd'hui qu'il n'est que l'un des facteurs de réussite d'une organisation[11].

■ LA PRÉPONDÉRANCE DES TECHNOLOGIES LIÉES AUX ACTIVITÉS D'EXPLOITATION ET LE RECOURS À L'ADHOCRATIE

L'influence des technologies liées aux activités d'exploitation est plus évidente dans les PME et dans certains services des entreprises de grande taille. Dans certains cas, gestionnaires et autres salariés ignorent tout simplement la meilleure manière de fournir un service à un client ou de fabriquer un produit donné. On pourra trouver cet exemple extrême de la technologie intensive dont parlait Thompson dans les productions en petite série, où une équipe de travailleurs doit élaborer un produit précis pour un client particulier.

Selon Mintzberg, le recours à l'adhocratie peut être la solution structurelle à ces situations technologiques extrêmes[12]. L'*adhocratie* est une structure organisationnelle caractérisée par la rareté des politiques, procédures et directives ; une

■ *Adhocratie* Structure organisationnelle caractérisée par un processus décisionnel décentralisé et participatif ; une spécialisation horizontale poussée ; un petit nombre de niveaux hiérarchiques ; la rareté des politiques, procédures et directives ; et une absence quasi totale de mécanismes de contrôle formels

décentralisation marquée ; un processus décisionnel participatif ; une spécialisation horizontale poussée (chaque membre d'une unité pouvant avoir sa spécialité propre) ; un petit nombre de niveaux hiérarchiques ; et une absence quasi totale de mécanismes de contrôle formels.

L'adhocratie est particulièrement utile lorsque les technologies liées aux activités d'exploitation de l'organisation posent les problèmes suivants : 1) les tâches varient considérablement et comportent de nombreuses exceptions, comme dans un hôpital ; 2) les problèmes sont difficiles à cerner et à résoudre[13]. L'adhocratie place le professionnalisme et la coordination au premier plan afin de favoriser la résolution des problèmes[14]. Pour parvenir à cerner et à résoudre les problèmes de façon aussi créative, les grandes organisations peuvent mettre sur pied des groupes de projet temporaires, créer des comités spéciaux, et même engager des experts-conseils. C'est la démarche adoptée par Microsoft, qui crée des services autonomes pour encourager la création de nouveaux logiciels par ses travailleurs talentueux. De même, Allied Chemicals et 3M ont créé des équipes quasi autonomes pour travailler à de nouvelles idées de produits.

La conception organisationnelle et les technologies de l'information et des communications

Depuis un certain temps déjà, qui dit technologies de l'information dit ordinateur[15], à tel point que, pour certains, l'abréviation TIC désigne seulement l'ensemble des systèmes informatisés qui servent à la gestion de l'organisation[16]. Il est certain que l'ordinateur et tout le matériel informatique qui s'est greffé à l'ordinateur personnel jouent maintenant un rôle de premier plan dans la plupart des organisations. Toutefois, des progrès substantiels ont également été réalisés sur le plan des télécommunications. De plus, les améliorations que connaît l'ordinateur en tant que machine sont beaucoup moins profondes que les changements apportés à la gestion des organisations par l'ensemble des TIC.

Il est important de comprendre les effets exacts des TIC d'un point de vue organisationnel, et non du seul point de vue de l'utilisateur de l'ordinateur[17]. Ainsi, du point de vue organisationnel, les TIC peuvent jouer plusieurs rôles, notamment : 1) servir de substituts à certaines activités d'exploitation ainsi qu'à certains mécanismes de contrôle des processus et modes formels de coordination ; 2) constituer des outils d'apprentissage organisationnel transformant l'information en savoir ; et 3) conférer à l'organisation un avantage stratégique. Examinons ces rôles d'un peu plus près.

■ LES TIC, SUBSTITUTS D'ACTIVITÉS ET DE MÉCANISMES DIVERS

Si les bureaucraties traditionnelles ont prospéré et prédominé sur les autres formes de structure organisationnelle, c'est entre autres parce qu'elles permettaient une production plus efficiente grâce à leur haut degré de spécialisation et à leur façon de traiter l'information. Là où l'on recourait à la technologie médiatrice ou à la chaîne technologique, le modèle de la bureaucratie mécaniste s'imposait presque toujours, car il permettait à l'organisation d'appliquer rigoureusement ses politiques, procédures et directives ainsi que ses multiples mécanismes de contrôle des processus, et ceci, avec un traitement minimal de l'information[18]. À titre d'exemple, la Société canadienne des postes émettait même des directives sur la façon dont les postiers devaient tenir le courrier pendant le tri.

Dans un grand nombre d'organisations, l'apparition des TI, qui n'étaient pas encore intégrées aux technologies des communications (TC), a modifié les postes de travail les plus routiniers, les plus spécialisés et les plus répétitifs[19]. Pour ce qui est des tâches administratives, la comptabilité générale, la préparation des chèques de paie et le suivi des ventes ont été les premières activités touchées par l'arrivée de l'informatique. À l'époque, l'implantation des TI exigeait généralement de gros ordinateurs centraux (*mainframe*). On se souviendra que le commerce de ces ordinateurs est demeuré l'activité principale de IBM jusqu'au milieu des années 1990. L'implantation de ces mastodontes n'a d'ailleurs pas changé fondamentalement la structure des organisations. Pour revenir à notre exemple, la première application de l'informatisation à la Société canadienne des postes touchait essentiellement le tri du courrier, où des dispositifs de lecture automatisés ont remplacé le traitement manuel, une innovation qui a exigé l'implantation du code postal. Les TI se substituaient ainsi à certaines activités d'exploitation.

Dans un deuxième temps, les TIC ont commencé à se substituer à certains mécanismes de contrôle des processus et à certains modes informels de coordination. Des *systèmes d'aide à la décision* (SIAD) pouvaient remplacer certains manuels de politiques, procédures et directives. Des choix routiniers et répétitifs ont pu être programmés, liés à des banques de données et traités par des logiciels. Dès lors, si vous remplissiez un formulaire de demande de carte de crédit, un programme informatique pouvait vérifier votre solvabilité et vos caractéristiques financières. Si votre demande répondait à divers critères préétablis, vous obteniez votre carte ; sinon, votre demande était rejetée ou transmise à un être humain pour une analyse plus poussée.

Cette seconde vague d'implantation des TIC a entraîné quelques changements marginaux dans la configuration structurelle de l'organisation, soit une diminution du nombre de niveaux hiérarchiques et de la quantité du personnel fonctionnel. Dès cette époque, quelques organisations ont vu la possibilité et l'intérêt de l'externalisation de certaines activités du personnel fonctionnel interne : aujourd'hui, d'innombrables organisations confient leur comptabilité salariale à de petites sociétés indépendantes.

Cette forme de substitution directe est restée la norme dans la plupart des organisations jusqu'aux

---

Le CO et les fonctions de l'organisation

MARKETING

Vendeurs et distributeurs feront-ils les frais du commerce électronique ?

En quelques années à peine, le cours de la valeur d'Amazon.com a dépassé celui de Barnes & Noble, chef de file dans l'industrie du livre. Pourtant, Amazon.com vend moins de livres que son concurrent, et ne possède aucun magasin. Dans d'autres domaines aussi, les entreprises réévaluent leurs canaux de distribution et remettent en question leur dépendance vis-à-vis de leur division des ventes. La vente de produits par Internet permet de traiter directement avec les consommateurs et diminue le besoin de vendeurs traditionnels. Les relations des entreprises vendeuses avec leur clientèle n'en demeurent pas moins d'excellente qualité. Comme le démontre l'exemple d'Amazon.com, de nombreux consommateurs semblent apprécier le cybermagasinage. Ce phénomène a donné lieu à l'apparition d'une multitude de sites Internet servant de vitrines aux images institutionnelles plutôt que d'outils de marketing, un rôle qui change cependant de plus en plus rapidement.

années 1990, et l'est encore aujourd'hui dans les PME. Ces tendances correspondent assez à celles que l'on s'attendrait à voir accompagner l'implantation de technologies nouvelles. Il faut des décennies pour qu'une invention sorte des laboratoires et devienne réalité ; et encore, ses premières applications ne sont souvent que des substituts à des solutions existantes. Ainsi, l'automobile n'a été longtemps qu'un substitut du cheval et de la carriole. Il a fallu près de vingt ans à l'automobile, comme à l'ordinateur, pour intégrer le marché de masse, mais l'une comme l'autre ont fini par transformer notre société en lui apportant de nouvelles capacités fonctionnelles.

■ LES TIC, OUTILS D'APPRENTISSAGE ORGANISATIONNEL

Il est vite devenu évident que les TIC possédaient un fort potentiel de capacités diverses[20]. Pendant plus de vingt ans, les spécialistes ont suggéré le recours à ces technologies pour améliorer l'efficience, la rapidité d'adaptation et le rendement des activités d'exploitation. Associées aux machines, les TIC sont devenues des technologies avancées de production lorsque la conception assistée par ordinateur (CAO) a été combinée à la fabrication assistée par ordinateur (FAO) pour créer de nouveaux îlots de production automatisés. Des systèmes d'aide à la décision toujours plus performants ont fourni aux cadres intermédiaires et subalternes des logiciels d'analyse qui leur permettent d'étudier des problèmes complexes plutôt que de ratifier des choix routiniers. Les rapports informatisés donnent même la possibilité à des cadres supérieurs de suivre le rendement du plus modeste de leurs représentants.

🖵 TECHNOLOGIE

L'évolution très rapide de la technologie finit par brouiller les cartes de l'utile et du nécessaire pour les entreprises, de l'agréable et du confortable pour les travailleurs. La situation se vérifie dans plusieurs secteurs industriels. Autant dans la grande entreprise que dans la moyenne et peut-être même davantage dans la petite. Dans certaines, la technologie devient une obsession qui tourne à vide, une obsession qui fait perdre plus de temps à connecter des réseaux et à entretenir des équipements qu'à faciliter le travail de ceux qui produisent.

La technologie informatique ne peut avoir simplement comme but l'automatisation des processus existants. Au contraire, pour apporter une valeur ajoutée, elle doit permettre d'améliorer les pratiques d'affaires, les façons traditionnelles de travailler. Elle doit surtout venir appuyer les besoins de changement de l'entreprise pour que celle-ci puisse se mettre à l'heure de la concurrence, mieux la devancer. C'est ainsi que les technologies de l'information remplissent leur rôle essentiel et deviennent le catalyseur du changement, du progrès.

La grande majorité des entreprises ont investi massivement dans les technologies de l'information sans pour autant améliorer leur performance. Pourquoi ? Parce que, répond Michael Hammer, l'un des pères de la réingénierie, « les entreprises se servent des technologies de l'information pour mécaniser de vieilles façons de faire. Au contraire, il est autrement plus important d'utiliser la puissance de ces technologies pour revoir et concevoir de nouveaux processus d'affaires de manière à améliorer dramatiquement la performance manufacturière. » [...]

Michel Lefèvre. « Solutions informatiques : arrêtez les folies ! », *PME,* vol. 15, n° 9, 1er novembre 1999, p. 25.

Aujourd'hui, plutôt que de se substituer aux activités d'exploitation de l'organisation ou à ses mécanismes de contrôle des processus, les TIC donnent aux travailleurs de tous les niveaux l'information dont ils ont besoin pour dresser des plans, faire des choix, coordonner leurs actions à celles des autres et contrôler leurs propres activités.

Même si ce phénomène de substitution simple pouvait toucher une application après l'autre, l'apport fonctionnel réel des TIC ne pouvait se faire sentir tant qu'elles n'étaient pas à la disposition de pratiquement tout le monde[21]. Pour revenir à notre parallèle avec l'automobile, rappelons que son effet réel ne s'est vraiment fait sentir que lorsque Henry Ford a commencé à vendre son Modèle T par centaines de milliers, et qu'on s'est mis à construire une véritable infrastructure routière. Pour que l'effet des TIC sur la structure organisationnelle ait la même ampleur, il fallait que le traitement informatisé de l'information s'étende à toute l'organisation. Les gros ordinateurs centraux des années 1970 et 1980 n'étaient pas à la hauteur de cette exigence, parce qu'ils ne permettaient pas à tous les travailleurs de partager des informations, qu'ils étaient souvent seuls à détenir, avec ceux qui en auraient eu besoin pour travailler mieux et plus rapidement. Pour cela, il leur fallait une technologie commune possédant une capacité de spécialisation, une technologie à laquelle pratiquement tous auraient accès et que tous pourraient utiliser en collaboration.

Apparut alors le couple WINTEL, c'est-à-dire le logiciel Windows associé aux puces Intel. Cette association donna naissance à un micro-ordinateur à la technologie presque normalisée, mais qu'on pouvait adapter sur mesure, à des coûts relativement peu élevés. En informatique, WINTEL a été l'équivalent du fameux modèle T que Henry Ford avait conçu pour le grand public : pratique et abordable, avec une liste d'accessoires en options permettant de la personnaliser selon ses besoins. L'adoption de la technologie WINTEL a amené trois changements décisifs :

1. Tout d'abord, on a pu concevoir de multiples applications des TIC aux diverses tâches de l'organisation, applications accueillies très favorablement et qui se sont répandues très rapidement. Le règne du traitement de texte et des tableurs venait de commencer, sonnant le glas de la plupart des anciens ordinateurs centraux. Les gens pouvaient maintenant produire de l'information et la faire parvenir à d'autres sachant qu'elle serait *lisible* et *applicable*.

2. Puis WINTEL s'est étendu aux systèmes de télécommunication comme Internet, ouvrant l'ère de la connectivité[22]. Le domaine des télécommunications évoluant à la vitesse d'un modem de pointe, il en a bientôt émergé tout un monde de commerce électronique, de téléconférences – avec transfert de données, d'images et de sons – et de transmissions sans fil.

3. Enfin, de substituts qu'ils étaient, les TIC sont devenues des outils d'apprentissage à part entière[23], grâce auxquels nous pouvons, par exemple, vous suggérer à la fin de chaque chapitre d'aller compléter les connaissances acquises dans ces pages sur notre site Internet.

Les effets des TIC sur la structure organisationnelle ont été et demeurent immenses. Les changements se manifestent souvent à la base de l'organisation. Les nouveaux systèmes informatisés stimulent l'autonomisation des salariés et donnent plus de portée à leur poste, le rendant plus intéressant et plus motivant. Au lieu de mettre l'accent, comme autrefois, sur des postes étroitement décrits et encadrés par des mécanismes de contrôle imposés par les cadres intermédiaires, on peut maintenant privilégier la création de tâches intéressantes fondées sur des processus informatisés possédant leurs propres mécanismes de contrôle des résultats. Pour résoudre ses problèmes interservices, l'organisation dispose maintenant de multiples dispositifs de coordination reposant sur les TIC – par exemple la mise sur pied d'équipes ou de groupes de projet temporaires virtuels – qui rendent caducs aussi bien le service de coordination que les traditionnels mémos[24]. Depuis que les professionnels des bureaucraties se sont adaptés aux TIC, les unités *fonctionnelles* et leurs activités ont été radicalement transformées. De plus, les multitudes de cadres intermédiaires secondés d'un abondant personnel fonctionnel ont pratiquement disparu de l'organisation.

Pour ce qui est du volet production des entreprises qui utilisent la chaîne technologique (les usines de montage d'automobiles ou les conserveries, par exemple), les TIC peuvent être associées à la gestion intégrale de la qualité (GIQ) et s'intégrer à un équipement de plus en plus élaboré et raffiné. Dans ce domaine, les données sur les activités peuvent servir à améliorer le savoir-faire et, donc, la qualité et l'efficacité. Plus généralement, l'introduction des TIC a remis en question la vision de robots sans cervelle que les organisations avaient souvent de leurs travailleurs, car la gestion intégrale de la qualité, par l'entremise des TIC, confère à tous et chacun des rôles de planification, d'action et de contrôle. C'est d'ailleurs pourquoi nous avons pris soin de traiter de la conception de poste et de l'enrichissement des tâches au chapitre 8 : l'association des TIC et de la GIQ à l'autonomisation et la participation des travailleurs est devenue un facteur crucial de la réussite des organisations contemporaines. Au milieu des années 1990, deux fabricants d'ordinateurs se sont lancés dans des programmes d'amélioration fondés sur l'association des TIC et de la GIQ. L'un a imposé à tout son personnel son programme TIC/GIQ ; celui-ci a eu quelque succès au début, mais a fini par échouer. L'autre a associé son programme TIC/GIQ à une démarche de participation et d'autonomisation en profondeur : l'implantation a été plus lente, mais il en est résulté un environnement d'apprentissage qui s'améliore continuellement[25].

■ LES TIC, AVANTAGE STRATÉGIQUE

Depuis quelques années, on voit émerger une foule de nouvelles organisations qui ont les TIC pour champ d'activité, ou dont l'existence et les activités reposent sur des TIC de pointe ; le secteur de l'informatique et des semi-conducteurs en est l'exemple le plus évident[26]. Lorsque les TIC jouent un rôle prédominant, l'adhocratie est souvent la structure organisationnelle qui s'impose.

Mais c'est peut-être dans les organisations qui recourent à une technologie médiatrice que l'effet des TIC est le plus manifeste ; les banques, les sociétés financières, les agences de rendez-vous et les services de placement n'en sont que quelques exemples. Le rôle de ce type d'organisations consiste à faciliter des échanges en mettant divers types de gens en contact. Dans les banques, on assortit des emprunteurs à des prêteurs en les classant selon leurs intérêts ; ainsi, tous les détenteurs de comptes d'épargne sont classés en diverses catégories correspondant à divers types de comptes d'épargne. Les TIC, parce qu'elles permettent de créer des catégories toujours plus raffinées et d'établir entre elles de nouveaux types de liens, peuvent révolutionner la classification sur laquelle se fonde le processus d'assortiment. Ainsi, les TIC sont la pierre angulaire du marché secondaire des prêts hypothécaires, où des milliards de dollars sont en jeu. Jusqu'à récemment, une banque ou une institution d'épargne et de prêts investissait les fonds de ses déposants dans des prêts hypothécaires et détenait l'hypothèque jusqu'au règlement des sommes prêtées ; en d'autres termes, quand on demandait un prêt hypothécaire à une institution financière et qu'on l'obtenait, c'est à cette institution qu'on faisait ses remboursements. Et il en allait à peu près de même pour les prêts personnels. Depuis l'introduction des TIC, l'institution peut vendre le prêt hypothécaire à d'autres intéressés – et c'est généralement ce qu'elle fait –, afin de réunir les fonds pour vendre d'autres prêts. Elle peut même décider de vendre la gestion du prêt, de sorte que vous ne réglez plus vos mensualités à la *première institution prêteuse,* mais à une autre. Ces changements, directement attribuables aux TIC, permettent maintenant à tous les types d'institutions financières de participer au commerce des prêts hypothécaires. Les tâches du personnel des banques et des institutions d'épargne et de prêts ont donc connu de profonds changements : on peut maintenant obtenir un prêt hypothécaire ou une carte de crédit, payer ses factures, déposer ou retirer de l'argent sans jamais entrer en contact avec un être humain…

Certaines institutions financières n'existeraient pas sans les TIC, qui ont engendré des champs d'activité entièrement nouveaux. Ainsi, elles ont présidé à la naissance de marchés financiers internationaux totalisant des billions de dollars, avec une gamme de produits financiers inimaginables il y a à peine 15 ans. À titre d'exemple, quelques personnes au service d'une société du Connecticut appelée

www.recruitsoft.com

Des curriculum vitæ (CV) à la tonne. Mais, leur popularité prend de plus en plus un coup de vieux. Ce paradigme qui remonte à une trentaine d'années se transforme souvent en un véritable casse-tête pour les chefs d'entreprises. Une jeune entreprise de Québec, recruitsoft.com, se charge maintenant de « civiliser » cette procédure parfois hasardeuse.

Ainsi, Louis Têtu, chef de la direction, et Martin Ouellet, fondateur de l'entreprise et vice-président technologie, proposent aux dirigeants d'entreprise de considérer leur site web comme la clé de leur stratégie de recrutement sur Internet.

En six mois seulement, cette méthode a propulsé recruitsoft.com à l'avant-garde de cette nouvelle technologie en Amérique du Nord. Si bien qu'en moins d'un an, elle a réussi à amasser un financement total évalué à 15 millions $.

Ainsi, Telsoft, une filiale du Groupe Télésystème est devenue un partenaire financier de recruitsoft.com. Il en va de même de Communicade, la société d'investissement Internet appartenant au puissant groupe américain Omnicom a aussi investi dans recruitsoft.com. [...]

En peu de temps, recruitsoft.com navigue dans les hautes sphères. Aujourd'hui, près d'une trentaine d'entreprises, aux États-Unis et au Canada, font appel à ses services. Parmi ses clients, on retrouve Bombardier, Microcell, la Banque Nationale, etc. Plus d'une centaine de personnes sont à l'emploi de la jeune entreprise. [...]

« La raison d'être de recruitsoft.com, selon M. Ouellet, n'est pas l'automatisation du processus de recrutement mais sa simplification. Au lieu de perfectionner une vieille méthode inefficace, nous l'avons réinventée. » [...]

Réjean Lacombe. « L'imagination au travail : les CV sont démodés », *Le Soleil,* 28 mars 2000, p. B1.

Long Term Capital ont utilisé des logiciels très avancés pour miser des milliards de dollars sur des intérêts répartis entre plusieurs types d'obligations. Bien qu'ils aient récolté plusieurs centaines de millions de dollars au milieu des années 1990, leurs pertes en 1998 ont mis en péril tout le système financier américain, au point que la Federal Reserve Bank (agence américaine quasi gouvernementale) a dû mettre sur pied un plan de redressement. La Long Term Capital était un acteur trop important dans l'activité toute récente des marchés financiers mondiaux – ils existaient à peine dans les années 1980 – pour qu'on la laisse s'effondrer; il fallait intervenir pour défendre la nouvelle institution. À l'époque, très peu de gestionnaires ou d'organismes de réglementation (comme notre Commission des valeurs mobilières) maîtrisaient suffisamment les TIC pour élaborer des mécanismes efficaces pour contrôler l'activité des marchés mondiaux des produits financiers dérivés. Faut-il le rappeler, les TIC ne s'élaborent pas en vase clos, et leur implantation dans un secteur donné dépend souvent de l'adoption par tous ses acteurs de normes d'utilisation communes. Ce n'est donc pas parce que les TIC possèdent un formidable potentiel d'application qu'une organisation doit pour autant les adopter ou modifier sa structure pour en faciliter l'utilisation. La structure organisationnelle la plus appropriée doit tenir compte des facteurs externes et de la stratégie globale de l'organisation, aspects de la question sur lesquels nous allons maintenant nous pencher.

La conception organisationnelle et l'environnement

Pour être efficace, une configuration structurelle doit non seulement s'harmoniser à certains facteurs internes tels que la taille et les technologies de l'organisation, mais aussi s'adapter à de puissantes forces extérieures. En tant que *système ouvert,* l'organisation doit recevoir des intrants de son environnement afin de les transformer en extrants qu'elle vendra à ce même environnement. Comprendre cet environnement dans toute sa complexité est devenu primordial[27].

L'*environnement global* d'une organisation correspond à l'ensemble des conditions culturelles, économiques, politico-juridiques et éducationnelles qui existent dans les milieux où elle est implantée. Au chapitre 3, que nous consacrions aux questions internationales, nous mentionnions déjà l'influence potentielle de cet environnement global et, au fil de cet ouvrage, nous avons donné de nombreux exemples des conséquences de la mondialisation de l'économie.

Les actionnaires, les fournisseurs, les distributeurs, les organismes publics et les concurrents avec lesquels doit transiger l'organisation pour croître et survivre constituent son *environnement immédiat.* Généralement, l'organisation a beaucoup plus de choix quant à ce qui constituera son environnement immédiat qu'elle n'en a pour son environnement global, puisqu'elle peut adopter des politiques et des stratégies qui modifieront la combinaison de fournisseurs, de distributeurs, de concurrents, etc., avec laquelle elle entretient des relations. Pour des raisons de commodité, on distingue souvent les influences de l'environnement global sur l'organisation de celles de son environnement immédiat, mais les responsables de la conception organisationnelle doivent tenir compte de leurs effets conjugués. Pour l'organisation, décider de pénétrer un champ d'activité donné peut en effet signifier qu'elle aura à affronter une concurrence mondiale dotée des TIC des plus avancées.

■ LA COMPLEXITÉ DE L'ENVIRONNEMENT

La question fondamentale lorsqu'on analyse l'environnement d'une organisation est celle de sa complexité. Plus un environnement est complexe, plus il génère d'occasions à saisir et de problèmes à résoudre. Par **complexité de l'environnement,** on entend l'ampleur des problèmes et des occasions que présente l'environnement organisationnel immédiat et global, telle que la révèlent trois variables majeures : sa *richesse,* l'étroitesse de ses liens d'*interdépendance* avec l'organisation et le degré d'*incertitude* qu'il génère.

La richesse de l'environnement   En général, l'environnement est plus riche lorsque l'économie est en croissance, lorsque que le niveau de scolarité des gens s'améliore et lorsque ceux dont dépend l'organisation prospèrent. Pour l'entreprise d'affaires, un environnement plus riche signifie des conditions économiques qui s'améliorent, des consommateurs qui dépensent davantage et une volonté plus affirmée des fournisseurs (entre autres, les banques) d'investir dans l'avenir de l'entreprise. Dans un tel environnement, les organisations sont plus nombreuses à survivre, et ce, même si leur configuration structurelle n'est pas la plus appropriée. Cette richesse de l'environnement influe aussi sur les occasions qui s'offrent aux organisations et sur leur dynamisme – leur potentiel d'adaptation aux changements. La structure de l'organisation doit lui permettre de déceler les occasions et d'en tirer profit.

Un environnement en déclin, par contre, sera beaucoup moins fertile pour les organisations. Ainsi, une récession généralisée, par exemple, offrira un environnement plus pauvre aux entreprises d'affaires. Bien que les organisations ne réagissent pas toutes de la même manière aux difficultés qu'elles rencontrent dans un environnement en déclin, trois réactions courantes méritent tout de même notre attention. Au Japon, par tradition, les plus grandes entreprises industrielles hésitent à mettre à pied leurs travailleurs permanents ; elles choisissent d'abord de réduire le temps de travail du personnel féminin, de déplacer certains travailleurs vers leurs entreprises satellites et d'instaurer des programmes de formation pour ceux qui restent afin de se préparer à la reprise. Cependant, à mesure que les problèmes économiques du pays se prolongent, cette attitude typique change, et les dirigeants japonais prennent des mesures de plus en plus semblables à celles que privilégient leurs homologues américains dans ce genre de situations : offres de préretraite, compression du personnel et externalisation d'un plus grand nombre d'activités.

Aux États-Unis, la tradition voulait que les entreprises réagissent au déclin en commençant par mettre à pied les travailleurs sans tâches d'encadrement, quitte à monter dans la pyramide hiérarchique si leur environnement continuait à s'appauvrir. Cependant, à mesure que la concurrence se mondialisait et que les possibilités des TIC se multipliaient, les entreprises américaines ont commencé à modifier leur structure organisationnelle en réduisant les unités fonctionnelles et le nombre de niveaux hiérarchiques – rationalisation draconienne, mais dont on peut atténuer les effets.

■ *Complexité de l'environnement*   Ampleur des problèmes et des occasions que présente l'environnement organisationnel immédiat et global, telle que la révèlent trois variables majeures : sa richesse, l'étroitesse de ses liens d'interdépendance avec l'organisation et le degré d'incertitude qu'il génère

En Europe, pour de nombreuses entreprises, il est difficile, légalement, de mettre à pied des travailleurs lorsque l'économie se détériore. Si le déclin économique se prolonge, nombre d'entre elles demandent donc l'aide du gouvernement. En dernier recours, les dirigeants européens se tournent vers des allègements structurels comme ceux auxquels procèdent leurs homologues américains, une solution de plus en plus inévitable pour résister à la concurrence en provenance d'Asie et d'Amérique du Nord.

L'interdépendance entre l'organisation et l'environnement   La relation entre la structure organisationnelle et les liens d'interdépendance que l'organisation entretient avec son environnement est souvent subtile et indirecte. Ainsi, l'organisation peut coopter de puissants éléments extérieurs en les intégrant à sa structure, comme le font ces grandes sociétés dont les conseils d'administration comptent des représentants des institutions financières ou des compagnies d'assurance. L'organisation peut aussi revoir sa conception organisationnelle, adaptant sa structure de manière à amortir ou à neutraliser les exigences d'un élément extérieur très influent. Ce type de stratégie se concrétise le plus souvent par la mise sur pied d'un service voué aux questions relatives à cet élément extérieur ; ainsi, dans la quasi-totalité des grandes sociétés nord-américaines, on trouve près du sommet de la pyramide une unité chargée des relations avec les pouvoirs publics. Si le service à quelques gros clients se révèle crucial pour l'organisation, souvent l'organisation passera d'une structure fonctionnelle à une structure divisionnaire[28].

■ L'INCERTITUDE ET L'INSTABILITÉ DE L'ENVIRONNEMENT

L'instabilité de l'environnement et l'incertitude qu'elle génère peuvent être particulièrement néfastes aux bureaucraties de grande taille. En période de changement, nos biens d'investissement deviennent rapidement obsolètes, et nos modes de fonctionnement habituels, infructueux. Sur le plan de la conception organisationnelle, la réaction la plus évidente à ces facteurs déstabilisateurs consiste à adopter une structure organisationnelle plus *organique ;* dans des conditions extrêmes, le passage à l'adhocratie peut s'imposer. Cependant, ces pressions externes en faveur d'une structure flexible peuvent être incompatibles avec la taille de l'organisation et les technologies de l'organisation. Dans de tels cas, le passage à une structure plus souple peut être trop difficile ou trop long ; l'organisation devra alors lutter tant bien que mal pour survivre tout en modifiant peu à peu sa configuration structurelle.

■ LA PRÉPONDÉRANCE DES FACTEURS ENVIRONNEMENTAUX ET LE RECOURS AUX ALLIANCES

Dans les secteurs de haute technologie et dans les champs d'activité où les TIC dominent – la robotique, par exemple, ou encore les industries des semi-conducteurs, des matériaux de pointe (céramiques et fibres de carbone) ou des systèmes de traitement de l'information –, il arrive souvent qu'une organisation ne puisse à elle seule détenir tout le savoir nécessaire pour mettre en marché de nouveaux produits. Et, dans bien des cas, les entreprises détentrices de ce savoir sont dans un autre pays. Il importe donc que la conception organisationnelle dépasse les *frontières* de l'organisation pour s'étendre à des **alliances interentreprises** – rapprochements stratégiques d'entreprises indépendantes sous forme d'accords de coopération ou de coparticipation – ou *coentreprises (joint ventures)*. Ces accords interviennent souvent entre des sociétés situées dans plusieurs pays[29].

■ *Alliance interentreprises*
Rapprochement stratégique d'entreprises indépendantes sous forme d'accords de coopération ou de coparticipation

Ces alliances, si fréquentes dans les milieux de la haute technologie, visent deux objectifs : la mise au point de nouveaux produits et une certaine garantie que les solutions élaborées deviendront des normes adoptées dans le reste du monde. Ainsi, Zénith a conclu une alliance avec AT&T pour mettre au point un système commun de télé HD (télévision haute définition) ; de leur côté, Toshiba, Sony et une trentaine d'autres sociétés japonaises ont constitué un réseau stratégique voué à l'élaboration de leur propre système haute définition. La lutte a été âpre, mais il semble qu'en Amérique du Nord, le groupe de Zénith-AT&T se taillera la meilleure part d'un marché estimé à près de 20 milliards de dollars américains. Cela dit, notons que la stratégie des alliances interentreprises visant le partage technologique n'est pas nouvelle : on l'utilisait déjà au début du XXᵉ siècle.

Les alliances peuvent également permettre aux organisations d'explorer les possibilités de coopération dans le futur. L'une des alliances stratégiques les plus notables et les plus influentes est celle réalisée par l'américano-germanique DaimlerChrysler et la japonaise Mitsubishi. Ces deux multinationales ont convenu de partager leurs technologies et de démarrer des projets en coparticipation, selon leurs besoins ; en octobre 2000, une prise de participation de DaimlerChrysler, qui a acquis 34 % du capital de Mitsubishi, a encore renforcé leurs liens.

Les alliances interentreprises sont également fréquentes dans des secteurs industriels mieux établis, mais sous d'autres formes. Ainsi, en Europe, on parle d'*associations informelles* ou de *cartels* : une entente de coopération entre concurrents établit leurs parts respectives du marché afin de limiter l'incertitude et d'améliorer les conditions commerciales pour les parties. Au Canada et aux États-Unis, de telles ententes seraient souvent jugées illégales.

Au Japon, dans de nombreux secteurs, le réseautage d'entreprises bien établies prend la forme du *keiretsu,* dont il existe deux modèles courants. Le premier est le *keiretsu* organisé autour d'une banque, où les liens interentreprises découlent d'une participation croisée ou de liens historiques avec l'institution financière ; le groupe Mitsubishi en est un exemple éloquent. Dans le second type de *keiretsu,* vertical, un manufacturier d'envergure est à la tête d'un réseau de fournisseurs et de distributeurs ; le fabricant jouit alors de contrats d'approvisionnement à long terme, souvent dans le cadre de participations croisées. Dans une certaine mesure, ce type de *keiretsu* isole les entreprises japonaises des actionnaires et leur fournit un mécanisme de partage de technologies ainsi que de recherche et développement. Toyota, par exemple, est au cœur d'un *keiretsu* vertical.

L'organisation en réseau a également commencé à faire des adeptes en Amérique du Nord. Dans cette configuration structurelle, l'entreprise centrale se spécialise dans une activité particulière, comme la conception ou l'assemblage, et travaille à long terme avec quelques fournisseurs à la création des composants et à l'amélioration de l'efficience de la production. Nike est actuellement le chef de file dans ce type de relations interentreprises.

On voit apparaître des versions encore plus poussées de cette configuration en réseau qui tentent de répondre simultanément aux exigences contradictoires de la taille, des technologies et de l'environnement en matière de structure organisationnelle. Des entreprises abandonnent leurs unités fonctionnelles pour réduire leur taille et profitent de toutes les possibilités des TIC. Retenons cependant que, pour faire face aux changements environnementaux et tirer avantage des TIC, il importe avant tout de faire des choix éclairés et de ne pas réagir aveuglément.

Procter & Gamble ◄

www.pg.com

Lorsque Procter & Gamble a pénétré le marché européen, la société s'est dotée d'une structure divisionnaire. D'abord, chaque pays avait son unité correspondante. Puis, une fois le marché mieux ciblé, ce sont les diverses régions européennes qui sont devenues le fondement de la structure divisionnaire. Aujourd'hui, la société est plutôt organisée autour des gammes de produits — les savons, les détergents, etc. Le modèle matriciel qu'elle a adopté lui permet d'établir des liens entre ses nouvelles divisions de produits et les anciennes divisions nationales et régionales. Le marché européen correspond maintenant à près du tiers des ventes totales de Procter & Gamble.

www.mediagrif.com

Il y a cinq ans, quand on ne faisait que commencer à évoquer la possibilité du commerce électronique interentreprises, le secteur qu'on imaginait le plus spontanément comme candidat susceptible d'être mis sur Internet était évidemment celui de l'électronique.

Or, on pourrait penser tout aussi spontanément que le plus grand cybermarché de l'électronique se trouve quelque part en Californie. Pas du tout. Il réside à Montréal, il s'appelle The Broker Forum, et il est contrôlé par Mediagrif.

The Broker Forum, qui a débuté ses activités en 1996, est une plate-forme d'échange où interagissent quelque 1 600 entreprises membres, essentiellement des courtiers et des distributeurs de composants électroniques, qui paient des frais annuels d'adhésion de 2 000 $. Ces entreprises peuvent piger à même une base de données de 6,4 M de types de pièces référant à plus de 6,8 G de composants détenus dans les stocks des membres, disséminés dans plus de 37 pays. [...]

La formule était trop belle pour la limiter au seul secteur des distributeurs. Mediagrif a donc poursuivi son offensive avec deux autres projets dans le même secteur de l'électronique et deux autres visant le marché des équipements informatiques et des télécommunications. [...]

Mediagrif n'entend pas s'en tenir à seulement cinq cybermarchés — ce qui est déjà considérable. Récemment, elle a annoncé un partenariat avec Rona pour la mise en place d'un marché dans le domaine de l'entretien et de la réparation. [...]

Yan Barcelo. « Mediagrif a été la pionnière des cybermarchés interentreprises »,
Les Affaires : Technologies – solutions d'affaires, édition hors série 2001.

Conception organisationnelle et stratégie

Pour bien des organisations, les questions de taille, de technologies et d'environnement représentent à la fois trop d'obstacles et trop d'occasions. Les spécialistes de la conception organisationnelle recommandent l'implantation d'une structure qui s'harmonise avec la stratégie organisationnelle, cette dernière devant mettre à profit l'ensemble des avantages qui découlent de la taille, des technologies et de l'environnement de l'organisation.

La ***stratégie organisationnelle*** est un processus qui consiste à positionner l'organisation dans son environnement concurrentiel et à implanter les mesures qui lui permettront de soutenir efficacement cette concurrence[30]. Les spécialistes de l'analyse des organisations s'intéressent depuis fort longtemps aux relations entre la stratégie, la structure et la performance d'une organisation. Dans les années 1960, Alfred Chandler a étudié l'évolution des grandes entreprises américaines, pour conclure que leur structure découlait de leur stratégie, celle-ci étant déterminée principalement par leurs dirigeants. Des travaux plus récents indiquent que la formule de la réussite est beaucoup plus complexe[31]. En effet, une stratégie a plus de chances d'être gagnante lorsque l'organisation mise à la fois sur une

■ *Stratégie organisationnelle*
Processus qui consiste à positionner l'organisation dans son environnement concurrentiel et à implanter les mesures qui lui permettront de soutenir efficacement cette concurrence

orientation commune, et sur le caractère unique des compétences et habiletés des groupes et des individus qui la composent. L'élaboration d'une stratégie est un processus interactif. Les dirigeants déterminent les *objectifs stratégiques* qui, selon eux, assureront le succès de l'organisation, traduisent ces objectifs en une *vision* et décident d'une position cible dans l'environnement global et immédiat, puis mettent au point la structure organisationnelle qui soutiendra cette vision.

■ DES STRATÉGIES FONDÉES SUR LES COMPÉTENCES

À une certaine époque, on demandait aux dirigeants d'une organisation d'élaborer leur stratégie en fonction d'un avantage économique bien précis[32]. Mais décider que l'entreprise deviendra un chef de file en matière de technologie et créer une adhocratie pour y parvenir ne suffit pas, disent aujourd'hui de nombreux experts en stratégie organisationnelle, qui insistent plutôt sur les talents et les compétences essentielles à l'organisation pour mener une concurrence efficace[33]. Avec le temps, une organisation peut acquérir des compétences techniques et administratives uniques. À mesure que les cadres intermédiaires et inférieurs procèdent à des modifications et à des rajustements mineurs pour régler des problèmes précis et saisir les occasions uniques qui se présentent à eux, ils acquièrent – et avec eux l'organisation – de nouvelles compétences. La haute direction qui reconnaît ces compétences pourra adapter et modifier sa stratégie de manière à établir ce qu'on appelle une *stratégie fondée sur les compétences*.

L'organisation doit s'appuyer sur la somme de compétences et d'expériences dont elle dispose, et elle doit les parfaire. Au cours de ce processus, elle peut décider de s'orienter vers d'autres produits et d'autres marchés en faisant appel à la créativité, à l'innovation et aux talents de tous ses travailleurs. Longtemps, IBM a eu la réputation d'être, au mieux, un imitateur à succès qui offrait le meilleur des services pour ses ordinateurs centraux. La société n'était pas le chef de file sur le plan technologique, mais elle dictait les normes de l'industrie, offrait un service de qualité ainsi qu'une gamme étendue de biens et services pour ses ordinateurs centraux. Aujourd'hui, IBM bouge. La *Big Blue* a non seulement adopté des procédés de fabrication souples et efficaces pour ses ordinateurs personnels, mais elle a aplani sa structure et accru sensiblement la participation de ses travailleurs. Elle a également réussi à se placer au centre d'un réseau d'entreprises de haute technologie voué à fournir les *services* dont a besoin un marché de l'informatique en expansion constante. En cherchant à réduire le nombre de niveaux hiérarchiques et celui des unités fonctionnelles, et en privilégiant l'innovation et l'acquisition de compétences distinctives, IBM lutte contre une forme traditionnelle de gestion, qui, bien qu'elle ait longtemps assuré son succès, n'était plus adaptée aux impératifs du contexte actuel.

Les dirigeants de sociétés telles que Ford, AT&T et Dow reconnaissent maintenant qu'une stratégie gagnante s'appuie sur les compétences de leurs travailleurs. De fait, si elles sont mises en valeur par une gestion avisée et soutenues par une structure qui favorise la participation des travailleurs, les compétences des travailleurs deviennent un élément clé de la réussite d'une organisation.

Mettre ainsi les individus au cœur de la stratégie organisationnelle a attiré l'attention sur un sujet important: l'apprentissage organisationnel. Les hauts dirigeants le reconnaissent maintenant, leur organisation doit *apprendre* ou disparaître.

Kodak Camera ←

www.kodak.com

Après la restructuration orchestrée par Gord Wilson, Kodak Canada se lance dans les alliances stratégiques afin d'améliorer ses compétences technologiques dans le secteur de l'imagerie électronique. Cette refonte va bien au-delà de l'autonomisation et de la participation accrue des travailleurs: salariés et cadres intermédiaires sont en train de mettre en œuvre une stratégie unique fondée sur leurs aptitudes et leurs habiletés, et qui privilégie résolument l'apprentissage.

L'acquisition de compétences stratégiques par l'apprentissage organisationnel

L'*apprentissage organisationnel* est un processus d'acquisition de savoir, ainsi que de diffusion, d'interprétation et de conservation de l'information à l'échelle de l'organisation, processus visant à accroître son potentiel d'adaptation[34]. En termes simples, l'apprentissage organisationnel suppose que l'organisation et ses membres modifient leurs façons de faire en s'appuyant sur leur expérience et sur celle d'autres intervenants. Le défi consiste à *faire pour apprendre* et à *apprendre à faire*.

■ L'ACQUISITION DU SAVOIR

Au cours de leur existence, toutes les organisations *apprennent* en acquérant de l'information de diverses façons et à des rythmes variables. L'information la plus importante est peut-être celle qui provient de sources extérieures au moment de la création de l'organisation : dans les premières années d'exploitation, les gestionnaires *imitent* ce qu'ils considèrent être des pratiques fructueuses ou s'en inspirent[35]. Avec le temps, cependant, l'organisation peut également apprendre par l'expérience et par la recherche systématique.

■ *Imitation* Procédé qui consiste, pour une organisation, à reproduire des pratiques qui ont démontré leur efficacité dans d'autres organisations

L'imitation   L'*imitation* est importante pour une organisation nouvellement créée, car 1) elle lui fournit des solutions qui, sans être toujours idéales, ont le mérite d'être applicables ; 2) elle réduit le nombre de décisions qui exigent une analyse en profondeur, ce qui permet aux gestionnaires de se concentrer sur les questions cruciales ; 3) elle légitime les décisions des dirigeants, et favorise l'acceptation de leurs choix par le personnel, les fournisseurs et la clientèle, tout en réduisant le nombre d'orientations qui doivent être expliquées et justifiées.

Lorsqu'on réfléchit sur l'imitation, une des questions clés à se poser est la suivante : jusqu'à quel point les gestionnaires tentent-ils d'isoler les relations de cause à effet ? Se contenter de copier ce que font les autres, sans essayer d'en saisir toutes les facettes, mène souvent tout droit à l'échec. Les exemples d'organisations qui ont tenté d'instaurer les cercles de qualité, l'autonomisation et la décentralisation sous prétexte que d'autres en avaient fait la clé de leur réussite abondent. Trop d'entre elles ont ensuite délaissé ces pratiques, leurs gestionnaires n'ayant pas compris pourquoi et dans quelles conditions elles avaient réussi ailleurs. Lorsqu'il a recours à l'imitation, le gestionnaire doit adapter ce qu'il imite au contexte particulier de son organisation.

L'expérience   Une des premières sources de savoir est l'expérience. Toutes les organisations et tous les gestionnaires peuvent apprendre de cette façon. Outre l'apprentissage par l'action, les gestionnaires peuvent lancer systématiquement des programmes structurés visant à tirer des leçons tant des succès que des revers. Ainsi, tout programme de recherche et développement bien conçu doit permettre aux gestionnaires d'apprendre tant de leurs réussites que de leurs échecs.

Apprendre en agissant de manière intelligente est un concept fondamental dans les nombreuses entreprises japonaises qui privilégient le contrôle statistique de la qualité, les cercles de qualité et autres pratiques de même nature. Dans bien des cas, elles ont découvert que la somme des petits rajustements peut se traduire par une amélioration notable de la qualité et de l'efficience. L'inconvénient majeur de l'apprentissage par l'action réside dans le fait qu'on ne peut prévoir ni la nature exacte des changements ni le moment où ils se produiront. Les gestionnaires doivent donc avoir la conviction que des améliorations peuvent être faites, se montrer ouverts aux suggestions et procéder aux changements qui s'imposent, si insignifiants qu'ils semblent. Cependant, il est plus facile de dire que d'agir…

L'apprentissage vicariant (ou *apprentissage par modèle*)   *L'apprentissage vicariant* se fait en tirant profit des expériences des autres. Sur le plan individuel, cette forme d'apprentissage social amène le gestionnaire, après observation du comportement d'une autre personne ou d'un modèle, à modifier ses pratiques de gestion pour les rendre plus profitables à l'organisation.

L'apprentissage social individuel   L'apprentissage social résulte des interactions entre l'individu, les gens qui l'entourent et l'environnement. La figure 12.1, qui illustre et explique ce processus d'apprentissage social, s'inspire des travaux d'Albert Bandura[36]. Selon ce schéma, l'individu se sert de l'apprentissage vicariant pour acquérir un comportement en observant et en imitant autrui. Il tente ensuite de le maîtriser par la pratique. Dans un contexte professionnel, le *modèle* peut être un gestionnaire, un collègue qui manifeste les comportements recherchés ou un travailleur plus âgé qui sert de *guide* ou de *parrain* à un ou plusieurs collègues plus jeunes et moins expérimentés. Notons à cet égard que, selon certains, le manque de mentors pour les femmes gestionnaires explique la lenteur de leur progression professionnelle[37].

Les processus symboliques mentionnés à la figure 12.1 jouent également un rôle de premier plan dans l'apprentissage social. Les mots et les symboles employés par les gestionnaires et d'autres intervenants dans un milieu de travail peuvent faciliter la transmission de valeurs, de convictions et d'objectifs, et orienter ainsi le comportement individuel. Par exemple, le «pouce levé» d'un patron vous indique qu'il

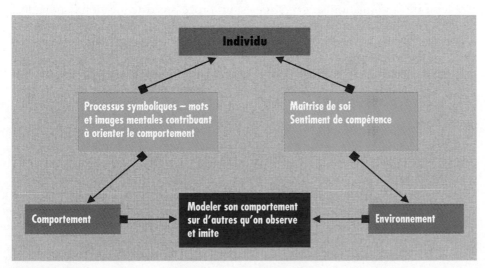

Figure 12.1
Le schéma de l'apprentissage social

juge votre comportement approprié. Parallèlement, la maîtrise de soi influe énormément sur le comportement d'une personne. Étroitement lié à cette maîtrise de soi, le *sentiment de compétence* correspond à la conviction qu'a l'individu d'être capable d'agir de façon appropriée dans une situation donnée. Les gens qui ont un fort sentiment de compétence sont convaincus qu'ils possèdent les aptitudes nécessaires à l'accomplissement d'une tâche donnée, qu'ils peuvent fournir les efforts nécessaires et qu'aucun événement extérieur ne les empêchera d'atteindre le niveau de rendement souhaité[38]. En revanche, ceux qui n'ont pas ce sentiment de compétence croient fermement que, quels que soient les efforts qu'ils y consacrent, ils ne parviendront jamais au résultat escompté, et cela, à cause de facteurs extérieurs sur lesquels ils n'ont aucune possibilité d'agir. Si vous êtes du premier type, une mauvaise note à un examen vous stimulera à étudier davantage, à discuter avec le professeur, bref, à prendre des moyens pour faire mieux la prochaine fois ; si vous êtes du deuxième type, vous pourriez abandonner le cours ou cesser d'étudier. Bien entendu, même ceux qui possèdent un fort sentiment de compétence n'ont pas une emprise totale sur leur environnement.

Une bonne partie de l'apprentissage en milieu de travail est beaucoup moins systématique que ne le montre la figure 12.1. Certaines organisations l'ont bien appris, le processus de recherche d'information ne peut pas toujours être structuré ou planifié en fonction d'une occasion à saisir ou d'un problème à résoudre. Les gestionnaires peuvent alors avoir recours à des stratégies d'apprentissage social moins systématiques comme l'*étalonnage concurrentiel*, le *greffage* et l'*impartition*.

L'***étalonnage concurrentiel*** consiste, pour une organisation, à comparer ses produits, ses services et ses méthodes à ceux de ses concurrents les plus sérieux et des chefs de file dans son champ d'activité, et cela, dans une démarche d'amélioration continue. Les gestionnaires avisés peuvent contribuer à l'apprentissage organisationnel en étudiant leur environnement et en évaluant, par un processus de comparaison, leurs méthodes de production et leurs systèmes de gestion. Ainsi, une organisation peut étudier le produit fini d'un concurrent (composition et caractéristiques techniques) et en reproduire rapidement toutes les caractéristiques normalisées ; c'est ce qu'on appelle la *rétroconception*. Autre moyen courant d'obtenir de l'information, le ***greffage*** est un processus d'acquisition d'individus, d'unités ou d'organisations visant à accroître le savoir de l'organisation qui se porte acquéreur. Presque toutes les organisations cherchent à «débaucher» des travailleurs expérimentés qui sont au service d'autres organisations en espérant tirer parti de leur expérience et des solutions nouvelles qu'ils apporteront. Ainsi, la haute direction de Dayton-Hudson est allée recruter le nouveau vice-président d'un de ses grands magasins chez son principal concurrent, Nordstrom, afin d'en apprendre autant que possible sur les stratégies gagnantes de ce chef de file.

Mais accumuler du savoir ne suffit pas, encore faut-il réussir à le traduire en action. Et c'est là que réside le problème, tant avec l'étalonnage concurrentiel qu'avec le greffage. Nous reviendrons sur le principal problème à surmonter lorsqu'on greffe à une organisation un élément extérieur au chapitre 13, qui traite de la culture organisationnelle. En effet, le greffage peut entraîner un choc des cultures, auquel cas, au lieu de tirer parti de leurs différences pour trouver de nouvelles solutions, les deux entités ne feront que s'opposer, parfois très durement. À l'inverse du greffage, l'*impartition* – ou *externalisation* – consiste à confier l'exécution de certaines activités à des entités extérieures à l'organisation. Dans une certaine mesure, toutes les organisations recourent à l'impartition. Néanmoins, le

■ ***Étalonnage concurrentiel***
Procédé qui consiste, pour une organisation, à comparer ses produits, ses services et ses méthodes à ceux de ses concurrents les plus sérieux et des chefs de file dans son domaine ; s'inscrit dans une démarche d'amélioration continue

■ ***Greffage*** Processus d'acquisition d'individus, d'unités ou d'organisations visant à accroître le savoir de l'organisation qui se porte acquéreur

choix des activités qui seront maintenues dans une organisation reste une décision cruciale pour ses gestionnaires. Comme nous l'avons vu au chapitre précédent, les organisations se départissent surtout des activités périphériques ou fonctionnelles.

■ LA DIFFUSION DE L'INFORMATION

Une fois l'information obtenue, le gestionnaire doit mettre en place des mécanismes qui assureront la diffusion de l'information pertinente aux personnes qui en ont besoin. Pour les organisations de grande taille, l'un des enjeux consiste à déterminer rapidement qui détient de l'information et à qui elle pourrait être utile ; souvent, l'implantation d'un ou de plusieurs réseaux informatisés de type intranet reliant diverses unités peut résoudre une partie du problème

Bien qu'elle soit indispensable, la collecte de données ne suffit pas. Pour qu'elles se transforment en information utile, les données doivent être interprétées.

■ L'INTERPRÉTATION DE L'INFORMATION

Dans une organisation, l'information repose sur la connaissance et la compréhension qu'ont ses membres des objectifs organisationnels – énoncés ou non –, ainsi que de leur appréciation quant à la pertinence des données au regard de ces objectifs et des circonstances du moment. Malheureusement, le processus d'interprétation qui permet d'établir de multiples liens entre des données, des objectifs et un contexte est trop souvent entravé ou enrayé par un certain nombre de problèmes communs[39].

L'interprétation intéressée   La tendance du gestionnaire à interpréter les événements, les circonstances et l'histoire à son avantage est un phénomène quasi universel. Gestionnaires ou non, les travailleurs voient généralement ce qu'ils veulent voir ou ce qu'ils ont déjà vu, et rarement ce qui est ou ce qui pourrait être.

Les scénarios de gestion   On parle de *scénarios de gestion* pour décrire ces routines qu'acquièrent à la longue les gestionnaires d'une même organisation, tant dans leur façon de diagnostiquer et d'analyser les problèmes que dans celle d'envisager les solutions possibles[40]. Ces scénarios, qui varient selon les organisations, reposent souvent sur ce qui a déjà fait ses preuves dans le passé. Jusqu'à un certain point, on peut y voir une série de rituels qui reflètent le contenu de la *mémoire collective* de l'organisation. Mais en s'attachant à ce qu'ils ont déjà vu et appris, les gestionnaires risquent de ne pas voir ce qui se passe et d'être incapables de *désapprendre*.

Un scénario peut être assez complexe pour fournir un ensemble de solutions apparemment éprouvées, puisqu'elles se basent sur l'expérience de l'organisation. La structure des organisations les plus grandes et les plus anciennes est généralement axée sur l'efficience plutôt que sur l'apprentissage ; autrement dit, leur configuration structurelle privilégie la répétition, le volume et la routine. Pour apprendre, l'organisation doit être capable de désapprendre, de changer ses routines afin d'obtenir rapidement des données brutes ainsi que diverses interprétations des événements du moment, plutôt que de se rabattre sur des archives externes[41].

Très peu de gestionnaires remettent en question un scénario qui a fait ses preuves ; la plupart tentent de résoudre les problèmes d'aujourd'hui avec des solutions d'hier. D'abord à l'école, puis dans leur milieu professionnel, les gestionnaires sont formés pour générer des actions correctives selon une même vision passéiste du monde. Autrement dit, les gestionnaires privilégient des améliorations pondérées et progressives au lieu d'inventer de nouvelles façons d'aborder le diagnostic et la résolution des problèmes.

■ *Mythe organisationnel*
Croyance non fondée qui circule dans l'organisation, et que la plupart de ses membres acceptent tacitement sans la remettre en question

Les mythes   On qualifie de ***mythe organisationnel*** une croyance non fondée qui circule dans l'organisation, et que la plupart de ses membres acceptent tacitement sans la remettre en question[42]. Le fait que ces mythes soient sans fondement n'empêche pas les membres de l'organisation de baser leur interprétation des problèmes ou des occasions sur ces idées fausses. En voici trois des plus répandus qui empêchent souvent toute possibilité de voir apparaître d'autres interprétations.

1. Le premier mythe postule qu'il n'existe *qu'une seule vérité au sein de l'organisation*. Il s'exprime souvent en ces termes : « Le jugement des autres peut être subjectif ; moi, je garde mon objectivité lorsqu'il s'agit de cerner les problèmes et de trouver des solutions. » Il s'agit là d'un mythe parce que l'objectivité absolue n'existe pas ; à divers degrés et de diverses manières, nous sommes tous enclins aux erreurs d'interprétation. Par ailleurs, plus l'enjeu est complexe, plus les interprétations valables peuvent être nombreuses.

2. Le second mythe est la *présomption de compétence*. À tous les échelons de la hiérarchie, les gestionnaires sont portés à croire que la partie de l'organisation dont ils sont responsables se porte bien et ne réclame que des changements mineurs. Comme nous le montrons dans cet ouvrage, c'est rarement le cas. La gestion des organisations est en pleine révolution, et tout gestionnaire doit réévaluer son approche globale de la gestion du comportement humain dans les organisations.

3. Le troisième mythe concerne le *refus des compromis*. La plupart des gestionnaires estiment que leur équipe, leur unité ou leur organisation peut refuser les compromis tout en satisfaisant chaque intervenant. Cette attitude courante peut avoir des suites désastreuses. Par exemple, lorsqu'on recourt à des technologies complexes et dangereuses, les impératifs de sécurité entraînent souvent une baisse d'efficience. Mais certains dirigeants peuvent refuser tout compromis qui pourrait miner l'efficience et prendre des actions énergiques pour l'améliorer au mépris de la sécurité, prétextant qu'une activité efficiente est nécessairement une activité sécuritaire. Un accident grave risque de s'ensuivre[43].

■ LA CONSERVATION DE L'INFORMATION

En milieu organisationnel, la conservation de l'information utile repose essentiellement sur sept éléments clés : les gens, la culture organisationnelle, les processus de transformation, les structures formelles, l'écologie, les archives externes et les technologies de l'information et des communications[44].

1. Les *gens* sont les principaux dépositaires de l'information dont disposent les organisations ; celles qui maintiennent un groupe assez nombreux et relativement stable de personnes qualifiées ont généralement une plus grande capacité d'acquérir de l'information, de la conserver et de la retrouver en temps utile.

2. La *culture organisationnelle* est une importante réserve d'information sur les expériences partagées par les membres d'une organisation. Souvent, elle garde la mémoire de l'organisation bien vivante en véhiculant des histoires et des anecdotes riches en information, saisissantes, pleines de sens, et qui survivent aux protagonistes des événements qu'elles relatent.

3. *Les documents, recueils de politiques, manuels de procédures, directives écrites et les méthodes courantes* – même non écrites – sont autant de *mécanismes de transformation* servant à conserver l'information accumulée. Pour des opérations très complexes et rarement effectuées, les sources d'information écrites se révèlent précieuses. Ainsi, la Pacific Gas and Electric Company possède un centre de documentation entièrement consacré à sa centrale nucléaire de Diablo Canyon ; on peut y trouver les plans complets de toute la centrale, ceux qui attestent des modifications faites depuis son ouverture, ainsi que des plans d'intervention étape par étape pour la quasi-totalité des scénarios d'accident envisageables.

4. La *structure formelle* de l'organisation ainsi que les divers postes qu'elle comporte constituent également des mécanismes – moins évidents, mais tout aussi importants – de conservation de l'information. Lorsqu'un appareil atterrit sur un porte-avions des Forces armées canadiennes, il y a généralement des dizaines de personnes sur le pont, apparemment pour assister à son atterrissage. En fait, chacune est là pour une raison précise. Et chacune pourrait retracer l'*historique* de la place qu'elle occupe et la relier à quelque accident antérieur qui aurait pu être évité si, comme aujourd'hui, quelqu'un avait été assigné à cet endroit précis.

5. Les *structures matérielles* (ou l'*écologie,* dans le langage des théoriciens de l'apprentissage) offrent également un potentiel de conservation de l'information important, quoique sous-utilisé. Ainsi, il existe un système traditionnel de gestion des stocks de pièces et composants appelé *système à double casier ;* l'un des deux casiers sert de réserve et, dès que quelqu'un l'ouvre, il lance automatiquement les procédures de commande de renouvellement du stock afin que l'usine, l'atelier et le magasin ne manquent pas de pièces.

6. Les *archives externes* peuvent fournir de l'information très utile à la plupart des grandes organisations. Les anciens travailleurs de l'organisation, les analystes boursiers, les fournisseurs, les distributeurs et les médias peuvent être d'importantes sources d'information. Ces *archives externes* ont une valeur indéniable, puisque qu'elles peuvent donner de certains événements une interprétation assez différente de celle de l'organisation.

7. Enfin, les TIC de l'organisation sont un mécanisme puissant et taillé sur mesure pour conserver de l'information. Trop souvent, cependant, les gestionnaires ne les utilisent pas de façon stratégique, ou s'en servent pour traiter et transmettre de l'information, mais négligent son potentiel de *conservation*.

Les cycles stratégiques d'apprentissage organisationnel

Tout au long des années 1990, la presse spécialisée rapportait régulièrement que telle ou telle grande société procédait à une « rationalisation majeure », c'est-à-dire à de radicales compressions de personnel. Il pouvait s'agir de Bell Canada, de General Motors ou d'IBM, le message semblait toujours le même : les grandes

LE GESTIONNAIRE EFFICACE 12.1

COMMENT RATIONALISER EN ÉVITANT LES EXCÈS ?

En période de rationalisation, les organisations devraient tout mettre en œuvre pour :

1. Diagnostiquer avec précision les causes de déclin.
2. Éviter les tentatives grandioses de réécriture de l'histoire.
3. Lutter contre la tendance à centraliser davantage, à rendre les structures plus rigides et à réduire la participation.
4. Cibler les compressions de personnel et, autant que possible, conserver les travailleurs.
5. Tenir les travailleurs informés pour apaiser leurs craintes.
6. Travailler d'arrache-pied à restaurer le moral du personnel et mettre l'accent sur la participation.

■ **Cycle négatif** Phénomène caractérisé par une baisse de performance de l'organisation, suivie d'une détérioration encore plus marquée

sociétés nord-américaines vivaient des temps difficiles. En fait, elles s'adaptaient enfin à la nouvelle réalité concurrentielle, mais au détriment des travailleurs à leur service. Comme nous l'avons vu dans ce chapitre, le message qui provient aujourd'hui de ces organisations est passablement différent. Toutes insistent maintenant sur l'acquisition de compétences par la formation et par l'autonomisation des travailleurs, tant pour l'apprentissage que pour la mise en œuvre des améliorations nécessaires. Toutes essaient d'éviter de refaire cette erreur qui consiste à se lancer dans des tentatives désespérées de réorientation dont tout le monde savait qu'elles arrivaient trop tard (voir *Le gestionnaire efficace 12.1*). Des études récentes sur les cycles d'apprentissage mettent en lumière les raisons pour lesquelles certaines organisations ne parviennent pas à apprendre tandis que d'autres s'adaptent rapidement[45].

■ LE CYCLE NÉGATIF

Le terme **cycle négatif** décrit un phénomène caractérisé par une baisse de la performance de l'organisation, suivie d'une détérioration encore plus profonde. Les organisations qui sont constamment en processus de rationalisation – comme Boeing – sont dans un cycle négatif. Les mêmes problèmes se produisent à répétition, et l'organisation ne parvient pas à instaurer des mécanismes appropriés d'apprentissage organisationnel. Souvent, l'organisation connaît des difficultés au cours d'une ou de plusieurs phases du processus d'apprentissage. Son incapacité à s'adapter dans le passé entraîne une multiplication des problèmes parallèlement à une diminution des ressources qui pourraient contribuer à résoudre la vague suivante de difficultés, et l'organisation tombe dans un cercle vicieux dont il lui sera difficile de sortir.

Certains facteurs importants associés aux cycles négatifs restent à découvrir, mais, dans l'état actuel de la recherche, trois d'entre eux ressortent déjà de manière évidente[46]:

1. *L'inertie organisationnelle* Il est toujours difficile de changer une organisation, mais plus elle est grande, plus elle a tendance à l'inertie.

2. *L'orgueil* Trop peu de cadres supérieurs se montrent prêts à remettre en question leurs actions ou celles de leur organisation parce qu'ils se réfèrent toujours aux réussites passées. Ils se refusent à admettre que des pratiques novatrices hier puissent être dépassées aujourd'hui.

3. *Le détachement* Les dirigeants et les cadres sont souvent convaincus d'être capables de gérer une foule d'activités sur simple analyse de rapports et de dossiers financiers. Ils perdent ainsi contact avec la réalité et négligent de procéder à ces rajustements uniques et particuliers qu'exige toute organisation. Un expert-conseil a accumulé une petite fortune en donnant des conférences aux gestionnaires, où il conseillait de se concentrer sur l'amélioration continue et de pratiquer la *gestion par déambulation* – se promener dans les bureaux, les ateliers et les usines – pour éviter de sombrer dans le détachement.

■ LE CYCLE POSITIF

L'inertie, l'orgueil et le détachement sont des maux répandus, mais certainement pas une fatalité à laquelle l'organisation ne peut échapper. Comme nous l'avons démontré à plusieurs reprises, certains gestionnaires essaient de réinventer leur organisation au quotidien. Ils espèrent ainsi enclencher un **cycle positif** – phénomène caractérisé par une adaptation réussie de l'organisation suivie d'autres améliorations. Microsoft est un bon exemple d'entreprise qui est dans un cycle positif. Lorsque c'est le cas, les mêmes problèmes ne se reproduisent pas, et l'organisation réussit à instaurer des mécanismes d'apprentissage adéquats. Même si la société connaît certaines difficultés majeures dans le processus d'apprentissage, ses gestionnaires tentent continuellement de favoriser l'acquisition de savoir et d'améliorer la diffusion, l'interprétation et la conservation de l'information à l'échelle organisationnelle.

Les organisations qui s'adaptent avec succès peuvent profiter des bienfaits du cycle positif. La force d'inertie organisationnelle n'entraîne pas forcément de mauvais résultats, du moins si les gestionnaires ne se montrent pas d'une confiance excessive et restent en prise avec les activités clés de l'organisation. Cette nécessité pour l'organisation de rester bien ancrée dans la réalité et de maintenir un cycle positif est peut-être en train de générer une nouvelle forme de configuration organisationnelle : la structure pluricellulaire.

■ **Cycle positif** Phénomène caractérisé par une adaptation réussie de l'organisation, suivie d'autres améliorations

Le modèle pluricellulaire : la structure de l'avenir

Lorsque nous avons abordé le sujet des TIC, nous avons mentionné qu'elles pouvaient avoir une valeur stratégique, sans préciser davantage. Maintenant que nous avons étudié les influences de l'environnement et de la stratégie sur la structure organisationnelle, et souligné l'importance d'un apprentissage en prise avec la réalité, il est temps de nous projeter dans le futur.

Dans un contexte mondialisé, où l'organisation dispose de TIC avancées et doit constamment apprendre pour survivre, les dirigeants pourraient fort bien opter pour certains éléments du modèle pluricellulaire. Comme son nom l'indique, la **structure pluricellulaire** est une organisation constituée d'un réseau de *cellules* quasi autonomes. Il peut s'agir d'un réseau d'entreprises – les cellules – chapeautées par une maison mère. Chaque cellule est quasi autonome dans la mesure où, comme la cellule humaine, elle assume toutes les fonctions nécessaires à sa survie. Mais toutes sont censées collaborer à l'amélioration du savoir-faire, des produits et des services du réseau, de manière à innover dans tous les champs d'activité où l'une de ses entités opère[47]. Le contrôle s'exerce par la sélection rigoureuse du personnel et par le test du marché, tandis que la coordination repose essentiellement sur des systèmes intégrés d'information et de communication. La stratégie sur laquelle repose la structure pluricellulaire consiste à apprendre profitablement. Si une cellule ne passe pas le test du marché, la haute direction la remplace ou, du moins, remplace ses cadres. Si une cellule prend trop d'ampleur et commence à devenir trop bureaucratique, on peut la diviser.

■ **Structure pluricellulaire** Structure organisationnelle constituée d'un réseau de cellules quasi autonomes, mais qui collaborent à l'amélioration du savoir-faire, des produits et des services du réseau, de manière à innover dans tous les champs d'activité où opère l'une des cellules

Existe-t-il des entreprises pluricellulaires? À notre connaissance, il n'en existe aucun exemple à l'état pur, mais plusieurs en utilisent certains éléments. Stan Shih a fondé Acer, une société mondiale vouée à la fabrication des ordinateurs et construite selon sa vision d'une fédération d'entreprises. Lorsque Acer a décidé de lancer un ordinateur *racé* et bon marché en Amérique du Nord, elle a fait appel à la collaboration de *cellules* tant à l'intérieur qu'à l'extérieur de la société, et cela a donné Acer Aspire. C'est Frog, une entreprise indépendante, qui s'est chargée de l'esthétique industrielle, tandis que certaines cellules d'Acer aux États-Unis et à Singapour se chargeaient de la fabrication et de la commercialisation. Les autres cellules d'Acer pouvaient en modifier les caractéristiques à leur gré pour d'autres clientèles ou d'autres régions du monde.

Guide de révision

Qu'est-ce que la conception organisationnelle ? Qu'est-ce qui distingue la structure des PME de celle des grandes organisations ?

- La conception organisationnelle est un processus qui consiste à déterminer la structure appropriée pour l'organisation et à la mettre en œuvre.

- Les organisations de petite taille se caractérisent souvent par une structure simple ; les plus grandes organisations, par une structure bureaucratique.

Comment les technologies liées aux activités d'exploitation influent-elles sur la structure de l'organisation ?

- Il existe un lien étroit entre les technologies liées aux activités d'exploitation et la structure organisationnelle.

- Lorsque les activités d'exploitation d'une entité sont axées sur la production en petite série et la technologie intensive, la structure organisationnelle privilégiée est souvent l'adhocratie, caractérisée par une forte décentralisation.

Comment les technologies de l'information et des communications influent-elles sur la structure de l'organisation ?

- Il existe un lien entre les TIC (technologies de l'information et des communications) et la structure organisationnelle.

- D'un point de vue organisationnel, les TIC peuvent servir de substituts à diverses activités d'exploitation ainsi qu'à certains mécanismes de contrôle et modes formels de coordination, constituer des outils d'apprentissage organisationnel et conférer à l'organisation un avantage stratégique.

Quel est le lien entre l'environnement – les conditions externes – et la structure de l'organisation ?

- La configuration structurelle doit non seulement s'harmoniser à certains facteurs internes tels que la taille et les technologies de l'organisation, mais aussi s'adapter à de puissantes forces qui s'exercent dans son environnement.

- L'analyse de l'environnement doit tenir compte de l'environnement global (les conditions générales du milieu) et de l'environnement immédiat (les principaux intervenants, la concurrence).

- Le degré de complexité de l'environnement a une influence directe sur l'organisation, qui se doit de répondre à ces exigences accrues en élaborant des structures plus complexes telles que les alliances interentreprises.

Qu'est-ce que la stratégie organisationnelle, et comment est-elle liée à la structure organisationnelle?

■ La stratégie organisationnelle est un processus qui consiste à positionner l'organisation dans son environnement concurrentiel et à implanter les mesures qui lui permettront de soutenir efficacement cette concurrence.

■ La structure organisationnelle est liée à la stratégie de l'organisation; pour que sa configuration structurelle soit un gage de réussite, elle doit soutenir la stratégie organisationnelle.

■ Une stratégie organisationnelle gagnante s'appuie sur les compétences des travailleurs; si celles-ci sont mises en valeur par une gestion avisée et soutenues par une structure qui favorise la participation des travailleurs, elles deviennent un élément clé de la réussite d'une organisation.

Qu'est-ce que l'apprentissage organisationnel? Quelles sont les principales méthodes d'acquisition du savoir? Quels sont les principaux éléments sur lesquels repose la conservation de l'information?

■ L'apprentissage organisationnel est un processus d'acquisition de savoir, ainsi que de diffusion, d'interprétation et de conservation de l'information à l'échelle de l'organisation.

■ L'imitation, l'expérience et l'apprentissage vicariant sont d'importantes sources de savoir.

■ Les gestionnaires peuvent aussi avoir recours à des stratégies d'apprentissage social moins systématiques comme l'étalonnage concurrentiel, le greffage et l'impartition.

■ En milieu organisationnel, la conservation de l'information repose essentiellement sur les éléments suivants: les gens, la culture organisationnelle, les mécanismes de transformation, les structures formelles, l'écologie, les archives externes et les TIC.

En quoi les cycles d'apprentissage organisationnel peuvent-ils être stratégiques pour l'organisation?

■ L'analyse des cycles d'apprentissage organisationnel aide à comprendre les raisons pour lesquelles certaines organisations continuent à s'enfoncer dans le marasme alors que d'autres sont en plein essor.

■ Dans l'environnement hautement concurrentiel où évoluent les organisations contemporaines, les organisations doivent s'adapter continuellement pour maintenir un cycle positif d'apprentissage organisationnel et profiter de ses bienfaits.

Qu'est-ce que la structure pluricellulaire, en quoi est-elle liée à l'apprentissage organisationnel?

■ La nécessité de maintenir un cycle positif d'apprentissage organisationnel est en train d'engendrer une nouvelle forme de structure organisationnelle: la structure pluricellulaire.

■ La structure pluricellulaire est une structure organisationnelle constituée d'un réseau de cellules quasi autonomes, mais qui collaborent à l'amélioration du savoir-faire, des produits et des services du réseau, de manière à innover dans tous les champs d'activité où l'une des cellules opère.

Évaluation des connaissances

■ QUESTIONS À CHOIX MULTIPLE

1. La structure d'une organisation doit s'adapter à tous ces facteurs, sauf un. Lequel ? **a)** Son environnement **b)** Sa stratégie organisationnelle **c)** Sa taille **d)** Les technologies qu'elle utilise pour ses activités d'exploitation et pour le traitement de l'information **e)** Les travailleurs qu'elle embauchera

2. _____ consiste(nt) en une combinaison des ressources, du savoir et des techniques qui permettent à l'organisation de créer un bien ou un service. **a)** Les TIC **b)** La stratégie **c)** L'apprentissage organisationnel **d)** Les technologies liées aux activités d'exploitation **e)** L'environnement global **f)** Le cycle positif

3. _____ consiste(nt) en une combinaison de l'équipement, du matériel, des procédures et des systèmes utilisés pour recueillir, emmagasiner, analyser et diffuser l'information, afin que celle-ci puisse se traduire en savoir. **a)** L'environnement immédiat **b)** La stratégie **c)** Les technologies liées aux activités d'exploitation **d)** Les TIC **e)** Le déclin de l'organisation

4. Laquelle des affirmations suivantes s'applique le mieux à l'adhocratie? **a)** Sa structure facilite l'échange d'information et l'apprentissage organisationnel. **b)** Elle se caractérise par un très grand nombre de directives et de politiques. **c)** Elle n'a que très peu recours aux TIC. **d)** Elle traite les problèmes courants avec une grande efficacité. **e)** C'est une structure très répandue parmi les organisations les plus traditionnelles.

5. L'ensemble des conditions culturelles, économiques, politico-juridiques et éducationnelles qu'on trouve dans les milieux où l'organisation est implantée s'appelle _____ **a)** l'environnement des tâches. **b)** l'environnement immédiat. **c)** le champ d'activité. **d)** la complexité de l'environnement. **e)** l'environnement global.

6. Le segment de l'environnement qui concerne les autres sociétés avec lesquelles l'organisation doit entrer en interaction à la fois pour obtenir des intrants et pour écouler ses produits s'appelle _____ **a)** l'environnement global. **b)** l'environnement stratégique. **c)** le milieu d'apprentissage organisationnel. **d)** le contexte technologique. **e)** l'environnement immédiat.

7. Les _____ sont des accords de coopération ou de coparticipation entre deux entreprises indépendantes. **a)** fusions **b)** acquisitions **c)** alliances interentreprises **d)** adhocraties **e)** configurations stratégiques

8. Le processus d'acquisition de savoir, ainsi que de diffusion, d'interprétation et de conservation de l'information à l'échelle de l'organisation s'appelle _____ **a)** l'apprentissage vicariant. **b)** l'expérience. **c)** l'apprentissage organisationnel. **d)** le mythe organisationnel. **e)** l'interprétation intéressée.

9. _____ sont trois méthodes d'apprentissage social. **a)** L'étalonnage concurrentiel, le greffage et l'impartition **b)** Le greffage, l'impartition et l'expérience **c)** La spécialisation inadaptée, l'étalonnage concurrentiel et le greffage **d)** L'étalonnage concurrentiel, le greffage et l'expérience **e)** L'expérience, l'imitation et l'étalonnage concurrentiel

10. _____ sont trois facteurs qui minent le processus d'interprétation de l'information. **a)** Le détachement, l'étalonnage concurrentiel et les mythes organisationnels **b)** Les interprétations intéressées, le détachement et les mythes organisationnels **c)** Les scénarios de gestion, la spécialisation inadaptée et les mythes organisationnels **d)** L'impartition, les mythes organisationnels et le détachement **e)** Les mythes organisationnels, les scénarios de gestion et les interprétations intéressées

■ VRAI OU FAUX ?

11. La structure organisationnelle d'une PME est généralement très semblable à celle d'une grande entreprise. **V F**

12. Les organisations qui recourent à des technologies stables et bien déterminées pour leurs activités d'exploitation ont plus d'occasions que les autres de substituer le jugement aux techniques de gestion. **V F**

13. Les adhocraties ont tendance à privilégier la spécialisation verticale et le contrôle. **V F**

14. Généralement, l'usage intensif des TIC dans une organisation y entraîne un accroissement du personnel fonctionnel. **V F**

15. L'environnement global d'une organisation est constitué de toutes les autres sociétés avec lesquelles elle doit interagir pour obtenir des intrants et écouler sa production. **V F**

16. L'environnement immédiat d'une organisation inclut toutes les autres sociétés avec lesquelles elle doit interagir pour obtenir des intrants et écouler sa production. **V F**

17. L'alliance interentreprises est la forme la plus poussée de l'adhocratie. **V F**

18. L'imitation consiste, pour une organisation, à reproduire des pratiques qui ont fait leurs preuves dans d'autres organisations. **V F**

19. La clé d'un apprentissage organisationnel efficace est la manipulation. **V F**

20. On dit qu'une organisation est dans un cycle négatif lorsque sa performance se détériore, et que cette tendance dure et s'aggrave avec le temps. **V F**

■ QUESTIONS À RÉPONSE BRÈVE

21. Énumérez les raisons pour lesquelles une grande organisation ne peut se contenter d'une structure simple.

22. Décrivez l'historique de l'implantation des TIC en milieu organisationnel ainsi que leurs rôles.

23. Décrivez, selon les points de vue respectifs de Thompson et de Woodward, l'effet qu'ont sur l'organisation les technologies auxquelles elle recourt pour ses activités d'exploitation.

24. Quels sont les trois principaux facteurs qui déterminent le degré de complexité d'un environnement organisationnel?

■ QUESTION À DÉVELOPPEMENT

25. Pourquoi une entreprise comme Ford Motors choisirait-elle d'adopter une structure matricielle pour le volet conception et mise au point de ses véhicules, tout en s'abstenant d'étendre cette configuration à ses activités de fabrication et de montage?

Reportez-vous aux études de cas, aux exercices et aux autoévaluations de notre *Cahier d'apprentissage en CO* (voir p. 531).

■ **Consultez le site Web du manuel. Vous y trouverez un questionnaire interactif et des exercices en ligne sur le contenu de ce chapitre.**

www.erpi.com/schermerhorn

Culture organisationnelle et haute performance

NORTEL S'EN VA-T-EN GUERRE POUR SÉDUIRE ET RETENIR LE TALENT

www.nortelnetworks.com

C'est un avertissement assez sérieux sur la disponibilité de la main-d'œuvre qu'a lancé Chahram Bolouri, président, exploitation à l'échelle globale, de Nortel Networks. «Toutes les entreprises de haute technologie qui vont vouloir réussir dans les années qui viennent doivent se préparer à une véritable guerre : celle d'attirer, mais aussi de retenir le talent», a-t-il dit aux membres de la Chambre de commerce de Saint-Laurent.

Pour Nortel, un des plus grands fournisseurs d'équipement de télécommunications et d'accès Internet au monde, il ne s'agit pas d'accaparer tout le talent disponible, mais bien de cibler les 10 % à 15 % se trouvant au haut de l'échelle.

Le talent, ajoute Chahram Bolouri, c'est la clé, et les entreprises s'en rendent compte au point de changer de politique et de culture. «Auparavant, une entreprise allait chercher le talent là où il se trouvait. Aujourd'hui, la même entreprise investit là ou le talent est.» [...]

M. Bolouri a fait état d'importants changements apportés dans les derniers mois chez Nortel. Des changements de culture jugés nécessaires à la rétention d'employés talentueux.

- L'entreprise a banni la hiérarchie.
- Elle a éliminé l'utilisation de titres à l'interne.
- Les employés sont récompensés en vertu de leur contribution et de leur performance et non pas en vertu de leur ancienneté.
- Nortel a imposé le travail en équipe.
- La firme encourage la pensée créatrice.
- Et l'entreprise se dit prête à prendre des risques !

En plus des changements apportés à la culture de l'entreprise, des changements ont aussi été apportés aux procédures et aux processus. «Tout ce qui prenait de 20 à 26 mois pour se faire se fait maintenant entre 12 et 18 mois, ajoute Chahram Bolouri, et les cycles de planification ont été ramenés à six mois.»

André Salwyn. *Les Affaires*, 14 octobre 2000, p. 24.

Au chapitre 12, nous avons insisté sur les transformations qu'ont connues, ces dernières années, la plupart des organisations, du géant de l'automobile à la PME conceptrice de logiciels. À tous les niveaux et dans toutes les activités d'exploitation, les gens s'efforcent d'accroître la productivité à l'aide de TIC de plus en plus diversifiées. La préoccupation première n'est plus l'efficience à court terme ; elle a été remplacée par des objectifs de qualité, d'innovation et de valeur ajoutée. Les gestionnaires reconnaissent maintenant l'importance de mettre sur pied des OHP qui ont une véritable raison d'être, et redécouvrent la primauté des ressources humaines. Ils abandonnent les anciennes méthodes de contrôle et de supervision, au profit de nouvelles approches fondées sur la participation et l'engagement du personnel[1]. Les cadres deviennent des animateurs, des conseillers, des guides et des entraîneurs. Dans notre jargon, nous qualifions ces nouvelles tendances de *changement culturel*. L'exemple de Nortel présenté en introduction de chapitre en est une éloquente illustration.

Questions clés

L'avantage concurrentiel d'un grand nombre d'OHP – avantage plus évident qu'on pourrait le croire – est leur culture organisationnelle. Ce chapitre est consacré à la culture organisationnelle dans le contexte de la haute performance. Voici les questions clés que vous devriez garder à l'esprit en le lisant :

- Qu'est-ce qu'une culture organisationnelle ?
- Quels sont les aspects apparents d'une culture organisationnelle ?
- En quoi les valeurs communes des membres d'une organisation peuvent-elles influer sur la culture de cette organisation ?
- En quoi les hypothèses communes des membres d'une organisation peuvent-elles influer sur la culture de cette organisation ?
- Comment peut-on gérer, entretenir et orienter une culture organisationnelle ?
- Comment un processus de développement organisationnel peut-il consolider ou régénérer la culture d'une organisation ?

Le concept de culture organisationnelle

La **culture organisationnelle** (ou *culture d'entreprise,* dans les milieux d'affaires) se définit comme l'ensemble des attitudes, valeurs et croyances communes qu'acquièrent les membres d'une organisation, et qui guident leur comportement[2]. Comme la personnalité d'un individu, la culture d'une organisation est unique: il n'y en a pas deux identiques. De plus en plus, les spécialistes et les consultants en gestion s'entendent pour dire que la culture distinctive d'une organisation peut avoir un effet déterminant sur sa performance globale et sur la qualité de vie professionnelle de ses membres.

■ *Culture organisationnelle*
(ou *culture d'entreprise*)
Ensemble des attitudes, valeurs et croyances communes qu'acquièrent les membres d'une organisation, et qui guident leur comportement

■ LES FONCTIONS ET LES COMPOSANTES D'UNE CULTURE ORGANISATIONNELLE

C'est par leur expérience collective que les membres d'une organisation parviennent à résoudre deux questions capitales liées à sa pérennité: celle de l'*adaptation externe* – que faut-il accomplir précisément et comment pouvons-nous y arriver? – et celle de l'*intégration interne* – comment réglerons-nous les problèmes quotidiens liés au fait et de travailler ensemble et de se côtoyer[3]?

L'adaptation externe   Par *adaptation externe,* on entend la capacité de l'organisation d'atteindre ses objectifs et de composer avec les forces de l'environnement; plus précisément, l'adaptation externe concerne les tâches à accomplir ainsi que les méthodes à employer pour atteindre les objectifs organisationnels et, le cas échéant, pour assumer les succès et les échecs.

■ *Adaptation externe*   Capacité de l'organisation d'atteindre ses objectifs et de composer avec les forces de l'environnement; concerne les tâches à accomplir ainsi que les méthodes à employer pour atteindre les objectifs organisationnels et, le cas échéant, pour assumer les succès et les échecs

À travers les expériences qu'ils partagent, les membres d'une organisation peuvent acquérir des perspectives communes qui les guident dans leurs activités de tous les jours. Mais pour cela, il est essentiel qu'ils connaissent la véritable mission de l'organisation, et pas seulement les énoncés relatifs à certains de ses éléments constitutifs – les actionnaires, par exemple. Au fil de leurs interactions, les travailleurs en viendront naturellement à comprendre leur rôle dans l'accomplissement de cette mission: selon les cas, ils pourront se voir comme des ressources humaines de première importance, comme des rouages de la machine ou comme un simple coût à réduire.

La mission de l'organisation et la perception qu'ont ses membres de sa contribution sociétale sont étroitement liées aux questions de responsabilité, d'objectifs et de méthodes. Chez 3M, par exemple, les travailleurs estiment qu'il leur incombe d'innover et de se monter créatifs; pour eux, cette responsabilité est liée aux objectifs organisationnels d'innovation et d'amélioration continue des produits et des procédés.

Dans une organisation, chaque groupe de travailleurs a également tendance 1) à départager les forces externes les plus importantes des moins importantes, 2) à trouver des façons d'évaluer ses réalisations, et 3) à produire des explications sur les raisons qui font que les objectifs ne sont pas toujours atteints. Par exemple, chez DaimlerChrysler, les cadres n'évaluent plus leur progrès en fonction de cibles précises, mais plutôt en fonction de l'avancement d'un processus global de croissance; au lieu d'*expliquer* un échec en évoquant la situation économique ou en blâmant la haute direction, ils se sont donné des objectifs extrêmement exigeants, et ils ont redoublé d'efforts pour accroître la participation et l'engagement de leurs subordonnés[4].

L'adaptation externe concerne également deux autres aspects, souvent négligés et pourtant cruciaux, de la façon de composer avec les forces de l'environnement. Premièrement, les travailleurs doivent trouver des façons d'informer les gens de l'extérieur de leurs réussites réelles. Par exemple, les travailleurs de 3M parlent de la quantité et de la qualité des produits utiles que leur entreprise a apportés au marché. Deuxièmement, les travailleurs doivent savoir quand le moment est venu d'admettre collectivement un échec. Toujours chez 3M, on a trouvé une solution simple pour les produits en développement. Au tout début du processus d'élaboration, les travailleurs se fixent des critères d'abandon de projet; dès qu'ils constatent qu'ils font fausse route, ils suspendent leurs efforts et les réorientent[5].

En résumé, l'adaptation externe repose sur une compréhension commune des membres de l'organisation concernant d'importantes questions de survie et d'adaptation à l'environnement:

- Quelle est notre mission, et comment pouvons-nous contribuer à la remplir?
- Quels sont nos objectifs, et comment pouvons-nous les atteindre?
- Quelles sont les principales forces externes auxquelles nous devons faire face?
- Comment allons-nous évaluer nos résultats?
- Que ferons-nous si nous n'atteignons pas certains objectifs?
- Comment ferons-nous savoir aux autres à quel point nous sommes excellents?
- Quand devrons-nous abandonner un projet?

■ **Intégration interne** Capacité des membres de l'organisation de se donner une identité collective et d'harmoniser leurs façons de travailler ensemble et de se côtoyer.

L'intégration interne La culture organisationnelle apporte également des solutions aux problèmes d'*intégration interne* de l'organisation. Par **intégration interne,** on entend la capacité des membres de l'organisation de se donner une identité collective et d'harmoniser leurs façons de travailler ensemble et de se côtoyer.

Le processus d'intégration interne commence souvent par l'émergence d'un sentiment d'unité ou d'une identité collective, c'est-à-dire que chaque groupe ou chaque «sous-culture» parvient à définir son unicité au sein de l'organisation. Par le dialogue et l'interaction, les membres commencent à se faire une idée de l'environnement dans lequel ils évoluent; selon les cas, ils pourront y voir un univers en évolution ou un univers figé, un univers riche en possibilités ou un univers menaçant. Lorsque ces divers groupes ou sous-cultures prennent collectivement conscience du fait qu'ils peuvent changer d'importants aspects de cet univers, et que ce qui leur apparaissait comme une menace est en fait une occasion d'évoluer, cela peut représenter un grand pas vers l'innovation[6].

Essentiellement, le fait de travailler en groupe suppose trois choses: 1) qu'on décide qui est membre du groupe et qui ne l'est pas; 2) qu'on détermine de manière informelle les comportements acceptables et inacceptables; et 3) qu'on distingue les alliés des adversaires. Les tenants de la gestion intégrale de la qualité affirment que les membres des sous-ensembles d'une organisation ont besoin de considérer leur supérieur immédiat comme un des leurs et s'attendent à ce qu'il les représente auprès de cadres supérieurs compréhensifs.

Pour travailler ensemble efficacement, les gens doivent régler collectivement des questions relatives au pouvoir, à l'autorité et au statut de chacun, et s'entendre sur l'attribution des récompenses et des punitions liées à tels ou tels comportements. Trop de gestionnaires négligent ces dimensions de l'intégration interne ; ils se montrent incapables d'expliquer clairement les raisons d'une promotion et de démontrer que cette récompense ainsi que le statut et le pouvoir qui s'y rattachent vont dans le sens des convictions de l'ensemble des travailleurs.

Les divers groupes doivent aussi se donner les moyens de communiquer et d'établir des liens d'amitié au sein de l'organisation. Ces dimensions de l'intégration interne peuvent sembler bizarres à certains, mais elles sont indispensables. Pour agir efficacement en équipe, les gens doivent accepter que les rapprochements et les liens d'amitié entre certains équipiers soient inévitables ; les politiques organisationnelles visant à empêcher la création de tels liens n'ont donc aucune raison d'être. Étonnamment, des compressions budgétaires au ministère de l'Intérieur des États-Unis ont eu des retombées positives à cet égard. Autrefois, en effet, les cadres qui occupaient des postes politiques prenaient leur repas dans une salle à manger où

DIVERSITÉ EN MILIEU DE TRAVAIL

www.aventis.cropscience-france.fr

À Lyon, la société agrochimique née de la fusion du français Rhône-Poulenc et de l'allemand Hoechst tente de créer de nouvelles valeurs pour surmonter les différences. La réussite ou l'échec de la fusion repose en grande partie sur ce projet de management. Dans le quartier Saint-Pierre, un bâtiment sortira de terre, cet été, pour accueillir le nouveau siège d'Aventis Agriculture. Plus de 150 personnes, venues d'Allemagne notamment, vont prendre pied dans la métropole provinciale, qui envisage d'ouvrir une école allemande pour ces familles. Dans un contexte agricole toujours morose, Alain Godard, président de la structure, ne souhaite plus qu'un peu de chance pour finaliser l'intégration de Rhône-Poulenc Agro, Hoechst et Agrevo.

D'ores et déjà les anciens bâtiments de Rhône-Poulenc Agro ont été « reconfigurés » pour fonder une nouvelle culture d'entreprise. Chaque salarié dispose d'une même superficie de 13 m², dotée d'une fenêtre, quel que soit son poste hiérarchique. Le directoire bicéphale d'Aventis Crop Science n'échappe pas à la règle. Alain Godard et l'allemand Gerhard Prante, en tant que président et vice-président d'Aventis Crop Science, ont décidé de montrer l'exemple : ils ont descendu la cloison et se font un tête-à-tête peu conventionnel, dans un 18 m² un tantinet monacal. « La pratique qui est d'accorder les bureaux les plus spacieux, pourvus du plus grand nombre de fenêtres et de la moquette la plus épaisse, aux postes hiérarchiques de l'entreprise n'a plus cours ici », souligne Alain Godard qui désire par ces actes symboliques « signifier le passage d'une structure pyramidale à une organisation la plus transversale possible ». Les titres ronflants sont aussi interdits de séjour. Une seule dénomination est admise : « responsable de ».

Le plus gros chantier d'Aventis reste le mariage d'équipes de cultures différentes qui doivent apprendre à travailler ensemble. Des séances de « sensibilisation aux autres cultures » en passant par des jeux de simulation jusqu'aux séminaires de travail en équipe suivis par un conseiller. Près de 300 responsables ont déjà été formés de façon à constituer un socle de valeurs communes. « Quand on travaille avec les chercheurs d'Aventis à Francfort ou à Lyon, ils commencent par nous dire qu'ils se comprennent entre eux et qu'ils ont les mêmes références. Nous leur montrons que nous sommes tous très marqués par notre environnement socioculturel, une différence que l'on retrouve jusque dans les méthodologies de recherche. On reproduit ce pourquoi on a été récompensé à l'école », explique Jacques Pateau, conseiller en management culturel chargé de l'intégration dans Aventis.

Véronique Lorelle. « Aventis Agriculture veut créer une nouvelle culture d'entreprise », *Le Monde*, 8 février 2000, p. 22.

le reste du personnel n'était pas admis; aujourd'hui, tout le monde mange dans la même cafétéria, et les membres du personnel politique temporaire se font des amis chez les fonctionnaires de carrière.

En résumé, l'intégration interne passe par la résolution de problèmes importants liés au fait de travailler ensemble et de se côtoyer, et qu'on peut résumer par les questions suivantes:

- Quelle est notre identité collective distinctive?
- Comment envisageons-nous notre univers de travail, et qui en fait pleinement partie?
- Comment réglons-nous collectivement les questions relatives au pouvoir, à l'autorité et au statut de chacun?
- Comment communiquons-nous entre nous et avec les autres?
- Sur quoi se fondent nos liens d'amitié?

Il est crucial que les membres du personnel répondent à ces questions, car une organisation n'est pas seulement un milieu de travail, mais aussi le milieu où nous passons une bonne partie de notre vie adulte[7].

■ LA CULTURE DOMINANTE, LES SOUS-CULTURES ET LES CONTRE-CULTURES

Généralement, les organisations de petite taille possèdent une seule culture organisationnelle, cimentée par un ensemble d'attitudes, de valeurs et de croyances communes. Dans les organisations de plus grande taille, en revanche, on constate souvent l'existence de plusieurs *sous-cultures* ainsi que d'une ou plusieurs *contre-cultures*[8].

■ **Sous-culture** Philosophie et valeurs propres à un groupe, mais qui ne se définissent pas en opposition à la culture dominante de l'organisation

On entend par **sous-culture** une philosophie et des valeurs propres à un groupe, mais qui ne se définit pas en opposition à la culture dominante de l'organisation[9]. Notons que, dans une organisation, les sous-cultures fortes sont souvent le fait d'équipes ou de groupes hautement performants, leur émergence renforçant les liens entre des gens qui doivent collaborer à une tâche particulière. Ainsi, à l'usine Boeing de Renton (près de Seattle), on trouve des sous-cultures très fortes chez les ingénieurs-vérificateurs de matériaux ainsi que chez les ingénieurs de liaison – deux groupes très spécialisés chargés de résoudre des problèmes techniques extrêmement complexes touchant la sécurité des appareils. Cependant, l'existence de ces sous-cultures n'empêche nullement ces groupes d'ingénieurs d'endosser les valeurs fondamentales de Boeing.

■ **Contre-culture** Philosophie et valeurs propres à un groupe, et qui se définissent en opposition à la culture dominante de l'organisation

En revanche, le terme **contre-culture** désigne une philosophie et des valeurs propres à un groupe, et qui se définissent en opposition à la culture dominante de l'organisation[10]. Dès que Stephen Jobs a réintégré Apple pour en prendre la direction générale, il a créé une contre-culture au sein même de la société. Les 18 mois qui ont suivi ont été riches en conflits, car les partisans de l'ancien directeur (Gil Amelio) se sont battus pour conserver leur place au sein de l'entreprise. C'est finalement le nouveau directeur qui l'a emporté, et Apple par la même occasion: la contre-culture de Jobs est devenue la culture dominante de la société.

Les acquisitions et les fusions peuvent faire émerger une ou plusieurs contre-cultures, les entités nouvellement acquises ou fusionnées pouvant fort bien entretenir des valeurs et des croyances contraires à la culture de l'acquéreur ou de l'organisation principale ; on parle alors de *choc des cultures organisationnelles*[11]. Lorsque Coca-Cola a acheté Columbia Pictures, le fabricant de boissons gazeuses ne savait pas à quel point l'industrie du cinéma pouvait être différente du commerce des petites bulles ; plutôt que de s'enliser dans un interminable choc des cultures, Coca-Cola a revendu Columbia – et sa culture organisationnelle – à Sony[12].

L'importation de sous-cultures Toute organisation de grande taille qui recrute sa main-d'œuvre dans l'environnement où elle est implantée est susceptible d'importer du même coup des sous-groupes sociaux ou ethnoculturels parfois importants. Dans les entreprises nord-américaines, les sous-cultures et les contre-cultures se créent naturellement à partir de caractéristiques telles que l'origine ethnoculturelle, le sexe, l'âge ou même le quartier de résidence. Au Japon, les dates d'obtention des diplômes, le sexe et l'origine régionale sont des éléments clés de la création de sous-cultures en milieu organisationnel. Dans les entreprises européennes, ce sont l'origine ethnoculturelle, la langue ainsi que le sexe qui jouent un rôle majeur dans l'apparition des sous-cultures. Finalement, dans la plupart des pays moins développés, les sous-cultures et les contre-cultures organisationnelles se forment à partir de caractéristiques telles que la langue, l'éducation, la religion ou le statut social de la famille.

L'ampleur des difficultés liées à l'importation de sous-groupes issus de la société environnante dépend de l'utilité de ces sous-groupes pour l'organisation dans son ensemble. Au pire, il se peut que les cadres supérieurs, parce qu'ils acceptent mal ces différences, privilégient l'uniformité et le respect des valeurs de la culture dominante. Cette approche engendre essentiellement trois types de problèmes. Premièrement, les sous-groupes de travailleurs unis par une même religion ou une même origine ethnoculturelle seront enclins à créer une contre-culture et à consacrer plus d'énergie à améliorer leur statut collectif qu'à assurer la pérennité de l'organisation. Deuxièmement, l'organisation risque d'avoir beaucoup de mal à s'adapter à des changements culturels plus profonds. Par exemple, on sait qu'en Amérique du Nord les attitudes à l'égard des femmes, des personnes handicapées et des minorités ont beaucoup évolué depuis 20 ans. Les organisations qui gardent leurs vieux préjugés et leurs attitudes traditionnelles ont perdu plus de personnel qualifié et connu davantage de problèmes de communication et de conflits interpersonnels que les organisations qui manifestent une plus grande ouverture et un plus grand respect à l'égard d'une main-d'œuvre diversifiée. Troisièmement, les organisations qui endossent ces préjugés et ces divisions sociales, et qui les reproduisent en leur sein, risquent d'éprouver de grandes difficultés à mener des activités internationales importantes. Ainsi, plusieurs sociétés japonaises ont eu beaucoup de mal à s'adapter aux politiques nord-américaines de non-discrimination à l'égard des femmes[13].

La valorisation de la diversité culturelle Les gestionnaires peuvent intervenir pour éradiquer toute sous-culture ou contre-culture qui émerge au sein de leur organisation. De nombreuses entreprises tentent actuellement d'appliquer un modèle préconisé par le chercheur Taylor Cox : celui de l'*organisation multiculturelle,* c'est-à-dire l'organisation qui valorise la diversité culturelle, mais prend tous les moyens pour empêcher les sous-cultures issues de l'environnement de pénétrer le tissu social qui lui est propre[14]. Comme Cox travaille sur des problèmes propres aux États-Unis, ses recommandations pourraient ne pas s'appliquer aux organisations établies dans des pays à population plus homogène. Voici son programme en cinq étapes pour créer une organisation multiculturelle :

1. L'organisation doit soutenir le pluralisme tout en visant une socialisation fondée sur la diversité. Pour cela, les membres des divers groupes *naturels* doivent apprendre les uns des autres afin d'être mieux informés et de mieux se connaître, ce qui permettra d'éliminer les stéréotypes.

2. L'organisation doit veiller à ce que sa structure intègre la diversité à tous les échelons, de sorte qu'il soit impossible d'associer tel ou tel groupe à tel ou tel type de poste ou de tâches ; par exemple, elle doit éviter la sexualisation des tâches.

3. L'organisation doit essayer d'intégrer les réseaux informels en éliminant les barrières et en accentuant la participation du personnel, ce qui revient à démanteler les groupes informels fondés sur des divisions qu'on retrouve dans la société.

4. L'organisation doit faire disparaître les liens qui l'associent à un groupe particulier ; autrement dit, elle doit veiller à ne pas donner l'impression d'être réservée aux jeunes, aux aînés, aux hommes, aux femmes, etc.

5. L'organisation doit travailler activement à éliminer les conflits interpersonnels fondés sur l'appartenance à un groupe donné ou sur une réaction brutale du groupe dominant à l'égard d'une minorité particulière.

La mise en application intégrale du programme de Cox pose deux problèmes majeurs : elle amène l'organisation à se couper de la culture qui prédomine dans la société où elle est implantée, et à éliminer certains regroupements naturels qui pourraient l'aider à atteindre ses objectifs. Par exemple, l'armée des États-Unis ne pourrait pas implanter l'ensemble du programme de Cox puisque la loi américaine interdit aux femmes l'accès à certaines fonctions de combattant. Autre exemple : pour suivre à la lettre le programme de Cox, les travailleurs de chaque groupe d'âge, y compris ceux dans la vingtaine, devraient être représentés proportionnellement à leur nombre au sein de la haute direction ; or, dans la plupart des organisations, on exige des cadres supérieurs un jugement aiguisé par un degré d'expérience que peu de gens aussi jeunes possèdent. Cela, soulignons-le au passage, n'empêche pas certains dirigeants avisés de trouver d'autres moyens pour se rapprocher de cette tranche d'âge ; ainsi, Robert Hausman, président de Coventry Industries (Boca Raton, Floride), se fait un point d'honneur de partager une pizza une fois par mois avec les plus jeunes membres de son personnel[15].

■ LES NIVEAUX D'ANALYSE CULTURELLE

L'analyse culturelle permet de dégager trois dimensions de la culture d'une organisation, dimensions qui se révèlent l'une après l'autre, un peu comme des couches superposées : d'abord la *culture apparente*, puis les *valeurs communes* et, enfin, les *hypothèses communes*, cette dernière dimension étant la plus profonde, et donc la plus difficile à découvrir[18].

La première dimension de la culture d'une organisation, celle de la *culture apparente*, décrit «la manière dont on fait les choses ici», c'est-à-dire les méthodes établies par le groupe et enseignées aux nouveaux venus. La culture apparente englobe aussi les récits, les cérémonies et les rituels associés à l'histoire des succès du groupe.

La deuxième dimension de la culture d'une organisation est celle des *valeurs communes*. Leur rôle est crucial, car elles relient les gens et peuvent agir comme un puissant mécanisme de mobilisation des membres de l'organisation. De nombreux consultants conseillent d'ailleurs aux organisations d'instaurer un «ensemble cohérent et dominant de valeurs communes»[17]. Sur le plan de l'analyse culturelle, la notion de communauté de valeurs implique que le groupe forme un tout : certains membres peuvent ne pas adhérer entièrement à ces valeurs, mais tous ont conscience de leur existence, et on leur a souvent répété à quel point elles étaient primordiales. Ainsi, chez Hewlett-Packard, le mot *qualité* revient sur toutes les lèvres ; l'entreprise s'est édifiée sur la conviction que chacun avait un rôle à jouer dans la création de produits de qualité.

Enfin, la dimension la plus profonde de la culture organisationnelle est celle des hypothèses communes – les vérités allant de soi – que les divers groupes de l'organisation ont élaborées et acquises au fil de leur expérience collective. Ces hypothèses communes sont souvent très difficiles à cerner mais, lorsqu'on y parvient, on comprend mieux que la culture soit aussi omniprésente dans tous les aspects de la vie organisationnelle.

Prenons le temps d'approfondir ces trois dimensions de la culture organisationnelle telles qu'elles se révèlent l'une après l'autre à la lumière de l'analyse culturelle.

Les aspects apparents de la culture organisationnelle

D'importants aspects de la culture d'une organisation émergent de l'expérience collective de ses membres, lui conférant son originalité et, souvent, un avantage concurrentiel. Certains de ces aspects apparents s'observent dans les pratiques quotidiennes ; d'autres doivent être découverts, par exemple, en demandant aux travailleurs de raconter des événements marquants de l'histoire de leur organisation. C'est souvent à travers le récit d'événements précis que se révèlent certains aspects uniques d'une culture organisationnelle donnée[18]. On peut donc commencer à comprendre la culture d'une organisation en observant les travailleurs qui vaquent à leurs activités, en écoutant leurs histoires et en leur demandant leur interprétation de ce qui se passe au jour le jour.

■ LES RÉCITS, LES RITES, LES RITUELS ET LES SYMBOLES

Les organisations regorgent d'histoires de gagnants et de perdants, de succès et d'échecs. De tous ces récits, le plus important est sans doute celui de la fondation de l'organisation, qui transmet les leçons de quelque valeureux entrepreneur luttant pour concrétiser un rêve, ainsi que la vision qui l'animait et qui guide peut-être encore l'organisation. Lorsque cette histoire est embellie par le temps, elle prend l'allure d'une *épopée* – récit légendaire de tout ce que le *héros* a accompli[19]. Les épopées sont importantes pour l'organisation, car elles servent à enseigner aux nouvelles recrues sa mission réelle, son mode de fonctionnement et sa manière d'intégrer les gens. Cela dit, le récit de la fondation de l'organisation est rarement tout à fait exact et passe souvent sous silence ses aspects les moins reluisants.

■ *Épopée* Récit légendaire qui raconte les exploits du héros

Si vous avez quelque expérience du monde du travail, vous avez sans doute déjà prêté l'oreille à des anecdotes qui tournaient autour de ces questions : Comment le patron réagit-il devant une erreur ? Quelqu'un qui commence au bas de l'échelle a-t-il des chances de se rendre aux plus hauts échelons ? Qu'est-ce qui pourrait entraîner mon licenciement ? Ce sont là des sujets d'histoires très populaires dans la plupart des organisations[20]. Ces récits recèlent souvent des informations valables et autrement inaccessibles : qui « est plus égal que les autres », jusqu'où va vraiment la sécurité d'emploi, et comment s'exercent véritablement la supervision et le contrôle. Essentiellement, les récits qui courent dans une organisation permettent d'entrevoir la vision du monde et la vie collective de ses membres.

Les *rites* et les *rituels* sont sans doute les manifestations les plus apparentes d'une culture organisationnelle. Les *rites* sont des activités planifiées, standardisées et récurrentes auxquelles on recourt à un moment précis afin d'influer sur la perception et sur le comportement des membres de l'organisation ; quant aux *rituels,* ce sont des ensembles de *rites.* Dans les entreprises japonaises, par exemple, les travailleurs de tous les échelons commencent souvent leur journée de travail en se livrant à des exercices de gymnastique et en chantant en chœur l'*hymne de l'entreprise.* Isolément, la séance de gymnastique et le chant sont des rites ; ensemble, elles constituent un rituel. Autre exemple : chez Mary Kay Cosmetics, on organise à dates fixes des cérémonies inspirées du concours *Miss America* (un rituel), à la fois pour encourager la fixation d'objectifs de rendement ambitieux et pour souligner les réussites exceptionnelles en décernant des *trophées* (épinglettes d'or ou de diamants, étoles de fourrure, etc.).

Certains rites et rituels sont propres à tel ou tel groupe de l'organisation. La technologie utilisée dans une unité, la spécificité de ses activités et le regroupement de spécialistes dont elle est issue peuvent favoriser l'émergence de sous-cultures. Un langage commun peut suffire à établir les frontières d'une sous-culture. Souvent, le langage spécifique d'une sous-culture ainsi que ses rites et ses rituels apparaissent aux autres comme une sorte de jargon. Il arrive que ces jargons débordent les frontières de l'organisation et se répandent dans la société. Ainsi, on a pu lire dans une publicité de Hewlett-Packard vantant les mérites d'un de ses ordinateurs : « MS-DOS, Lotus 1-2-3 [...] modèle HP 95LX avec une mémoire vive 512 K » Bien des gens ont dû trouver cette annonce rébarbative, mais elle a attiré l'attention d'un public averti pour qui le jargon HP est un langage familier[21].

Les symboles d'une organisation sont un autre aspect apparent de sa culture organisationnelle. Un *symbole culturel* est un objet, une action ou un événement qui transmet un message d'ordre culturel ; par exemple, l'uniforme des facteurs de Postes Canada ou des livreurs de UPS, ou encore les célèbres arches jaunes qui se multiplient aux quatre coins de la planète sont des symboles culturels. Bien que les symboles culturels soient souvent très faciles à *voir,* leur signification et leur portée ne sont évidemment pas toujours évidentes.

■ LES NORMES ET LES RÔLES

La culture organisationnelle précise souvent quand certains comportements sont appropriés ainsi que la position de chacun dans le système social de l'organisation. Ces *normes* et ces *rôles* prescrits par la culture font partie des mécanismes de con-

---

■ *Rite* Activité planifiée, standardisée et récurrente à laquelle on recourt à un moment précis afin d'influer sur la perception et sur le comportement des membres de l'organisation

■ *Rituel* Ensemble de rites

■ *Symbole culturel* Objet, action ou événement qui transmet un message d'ordre culturel

www.disney.com

Chez Disney, toutes les nouvelles recrues ont droit à l'histoire du fondateur. Walt Disney disait toujours, raconte-t-on, qu'en tout adulte bat un cœur d'enfant et que, dans un parc de Disney, «chacun de nous est un artiste du spectacle» — un credo qu'on associe couramment à la philosophie fondatrice de l'entreprise.

En réalité, Walt Disney était un perfectionniste : il serait difficile d'imaginer patron plus dur et, à plusieurs reprises, il a misé l'avenir de l'entreprise sur un seul film. Son leitmotiv, «chacun de nous est un artiste», ne découlait pas d'une philosophie, mais d'une expérience durement acquise. En effet, le premier Disneyland en Californie fut loin d'être un succès à son ouverture ; pour qu'il le devienne, il a fallu que la direction licencie la majeure partie du personnel, dont l'expérience se limitait aux foires régionales, pour la remplacer par un groupe de jeunes travailleurs inexpérimentés, mais formés au moule Disney.

Plus récemment, à Disneyland Paris, on a mis presque cinq ans à trouver le moyen d'harmoniser la culture maison et la culture européenne. L'enjeu actuel est de décider ce qu'on fera de CapCities/ABC. Car Disney englobe maintenant des entités aussi fameuses que ABC et ESPN, en plus d'une foule de quotidiens, de 50 magazines, de plusieurs sociétés cinématographiques et de parts dans une équipe de baseball. Gérer une culture organisationnelle au sein d'un conglomérat multinational n'est pas de tout repos...

⊕

trôle normatif de l'organisation et transparaissent dans ses activités courantes[22]. Par exemple, chaque organisation a sa façon propre de présenter et de diffuser à tel ou tel moment les consignes de la haute direction. Dans une organisation donnée, les réunions peuvent être des moments propices à la négociation et au dialogue dans un climat participatif : les gestionnaires établissent l'ordre du jour, mais laissent ensuite fuser les idées, les critiques et les suggestions. Les *normes* peuvent être très différentes dans une autre organisation, où le patron se rendra à la réunion avec des attentes précises : les idées et les critiques ayant été émises en privé avant la rencontre, celle-ci servira essentiellement à annoncer les décisions aux participants et à leur transmettre des ordres sur ce qu'ils devront faire à l'avenir.

■ L'APPARITION DE SIGNIFICATIONS COMMUNES

Ce qui apparaît d'une organisation à l'observateur extérieur ne correspond pas toujours à ce que ses membres y voient de l'intérieur. Lorsque la télévision montre le personnel de la NASA en train de remplir les réservoirs de carburant du lanceur de la navette spatiale, vous pouvez très bien ne rien y voir d'autre. Cependant, si vous demandiez à ces gens ce qu'ils font, leur réponse pourrait vous surprendre : ils ne font pas que remplir des réservoirs, *ils participent à la conquête de l'espace*. À travers leurs interactions et avec le soutien de toute l'organisation, ces travailleurs ont donné à leurs activités une signification commune plus large, un sens plus vaste. Dans cette perspective, la culture organisationnelle est un ensemble de significations et de perceptions communes, créées et acquises par le personnel de l'organisation au fil de leurs interactions[23]. Cet ensemble de significations communes s'accompagne généralement de valeurs partagées.

Valeurs et culture organisationnelle

Pour vraiment décrire la culture d'une organisation, il faut aller au-delà des apparences. Selon de nombreux chercheurs et gestionnaires, les valeurs communes sont au cœur de la culture organisationnelle : elles contribuent à transformer des activités routinières en activités importantes et appréciables, relient l'organisation à des valeurs significatives de la société où elle est implantée, et peuvent même lui procurer un avantage concurrentiel notable. Dans les organisations, ce qui fonctionne pour quelqu'un est souvent présenté et enseigné à de nouvelles recrues comme *la* bonne manière de penser et d'agir. Des valeurs fondamentales sont ainsi accolées aux solutions qu'on a trouvées pour résoudre les problèmes quotidiens. En établissant une telle relation entre des *valeurs* et des *actions*, l'organisation puise dans l'une des dimensions les plus puissantes et les plus profondes de l'être humain. Les tâches quotidiennes de l'individu acquièrent ainsi, en plus d'une *signification,* une *valeur :* ce qu'il fait n'est plus simplement utilitaire, mais *bon* et *important.*

Certaines organisations florissantes ont en commun des caractéristiques d'ordre culturel[24]. Les organisations dotées d'une culture forte se caractérisent par un système de valeurs largement partagées et profondément enracinées. Des valeurs communes distinctives peuvent renforcer l'identité institutionnelle, améliorer l'engagement collectif, créer un système social interne stable et amoindrir la nécessité des contrôles formels et bureaucratiques. Cependant, une culture forte peut devenir une arme à double tranchant. Un système de valeurs communes largement partagées et une culture fortement ancrée peuvent engendrer une vision monolithique de l'organisation et de son environnement. Si des changements radicaux s'imposent, l'évolution de l'organisation pourra en être freinée. Ainsi, General Motors, dont la culture organisationnelle est incontestablement très forte, éprouve de grandes difficultés à s'adapter à un environnement dynamique et hautement concurrentiel.

Microcell ◀

www.microcell.com

Les valeurs sont tellement importantes pour André Tremblay, de Microcell, qu'elles ont été établies avant même la fondation de la société. Ces valeurs sont l'ouverture (aux idées des autres), l'expertise, l'adaptabilité, la convivialité (entre toutes les personnes de l'entreprise) et l'engagement. Cette dernière valeur a été ajoutée plus tard au cours d'une rencontre des gestionnaires.

Jean-Paul Gagné, « Communication et travail d'équipe, des principes clés en gestion », *Les Affaires,* 28 octobre 2000, p. 41.

Hypothèses communes et culture organisationnelle

Dans la plupart des cultures organisationnelles, on trouve un certain nombre d'hypothèses communes, connues et largement endossées par tout le personnel. Comme les valeurs communes, les hypothèses communes expriment la culture de l'organisation. Ainsi, chez Microcell, tous partagent des postulats du type :

> « [...] il faut être très compétent pour être les meilleurs », « on gère dans l'ambiguïté et l'incertitude, donc il faut être souples, ouverts vers l'extérieur et prêts à se remettre en question » ou « il faut réaliser ce qu'on s'engage à faire »[25].

■ LA PHILOSOPHIE DE GESTION

La *philosophie de gestion* relie les questions clés relatives aux objectifs organisationnels aux questions clés relatives à la collaboration entre les membres pour indiquer à grands traits les méthodes que l'organisation devrait adopter dans la conduite de ses affaires[26]. Très importante pour l'organisation, une philosophie de gestion bien élaborée 1) fixe des limites qui s'appliquent à tous ses membres et que la plupart comprennent bien; 2) fournit à ses membres un modèle cohérent pour aborder les situations nouvelles et originales; et 3) contribue à souder ses membres en leur garantissant une voie connue vers la réussite. Par exemple, Wal-Mart applique une philosophie de gestion très claire, qui associe la croissance et la rentabilité au service à la clientèle et à l'engagement individuel des travailleurs. Chaque gérant administre *un magasin dans le magasin,* avec l'appui des cadres supérieurs et des acheteurs institutionnels. Cette approche permet aux individus de prendre des initiatives tout en reliant leurs efforts aux contraintes de gestion et aux réalités des politiques d'achat. Jadis, les slogans naïfs du légendaire Sam Walton insufflaient et soutenaient l'esprit d'équipe; aujourd'hui, les gestionnaires le font en évoquant la mémoire du *héros.* Et sa philosophie de gestion s'exprime encore dans celle du géant Wal-Mart, qui continue de cultiver quelques valeurs à l'ancienne comme le service à la clientèle, la sobriété, l'ardeur au travail et l'entraide.

Les principaux éléments d'une philosophie de gestion (voir *Le gestionnaire efficace 13.1*) peuvent figurer officiellement dans l'énoncé de mission de l'organisation, dans ses objectifs ou dans son plan d'action. Cependant, le cœur d'une philosophie de gestion d'envergure tient à ce qui n'est écrit nulle part dans ces documents, et que tout le monde comprend pourtant de la même manière…

■ LES MYTHES ORGANISATIONNELS

Dans de nombreuses organisations, la philosophie de gestion s'appuie sur un ensemble de mythes organisationnels. Comme on l'a vu au chapitre précédent, les *mythes organisationnels* sont des croyances non fondées qui circulent dans l'organisation, et que la plupart de ses membres acceptent tacitement sans les remettre en question. Au cours d'une étude menée sur la sécurité dans plusieurs centrales nucléaires, on a demandé aux cadres supérieurs s'ils estimaient que la sécurité y était en partie sacrifiée au profit de l'efficience. La réponse a été sans équivoque: une centrale sécuritaire est une centrale rentable. Pourtant, la plupart de ces cadres avaient eu sous les yeux des données démontrant qu'il n'existe pas de corrélation entre les

---

Le CO et les fonctions de l'organisation

GESTION DES RESSOURCES HUMAINES

Les entreprises doivent rajuster leur tir

Dans un monde de vitesse et de précarité, marqué par la montée d'Internet, le marché du travail n'est plus tout à fait le même. Le profil des travailleurs a sensiblement changé ces dernières années, et les entreprises n'ont d'autre choix que de s'adapter à cette nouvelle réalité.

« Voilà 20 ans que je fais du recrutement et je n'ai jamais vu le marché aussi actif que depuis les trois dernières années, affirme le chasseur de têtes, Michel Pauzé. La "vieille" économie est toujours très active, la "nouvelle" est surchauffée. »

En outre, ajoute le président de Michel Pauzé et associés, le marché favorise présentement les employés, non les employeurs. C'est dire que le travailleur d'aujourd'hui est plus exigeant, et ses demandes sont bien différentes de celles d'hier.

« Aujourd'hui, les gens demandent d'abord: "Qu'est-ce qu'il y a pour moi?", indique Michel Lizotte, associé chez Raymond Chabot Grant Thornton. C'est ce qui explique l'apparition de questions qu'aucun employé n'aurait formulées il y a dix ans: Y a-t-il un programme d'options d'actions? L'entreprise est-elle cotée en bourse? Sinon, quand prévoit-elle faire son premier appel public à l'épargne? »

Michel Pauzé ajoute qu'après avoir joué du ciseau lors des grandes vagues de rationalisation des années 1990, les meilleurs employeurs ont ajusté leur discours. Ils parlent désormais de valeurs et de culture d'entreprise. « De plus en plus, les bonnes entreprises nous exposent clairement leurs valeurs et exigent que nous en tenions compte dans notre recrutement. On constate, précise-t-il, que ces entreprises consacrent beaucoup de temps à l'intégration de leurs employés. Celles qui le font vont être gagnantes; elles auront une meilleure rétention de leur personnel et moins d'absentéisme. »

Mais qu'entend-on au juste par valeurs d'entreprise? Il peut s'agir d'un programme de développement de personnel, par exemple, ou encore de gestion de la performance au travail. On insistera sur des valeurs d'intégrité, de capacité à travailler en équipe ou de façon autonome. On misera davantage sur la créativité, la capacité d'innovation et les qualités d'entrepreneurship. Et ce, particulièrement dans les PME qui connaissent une croissance rapide et qui n'ont tout simplement pas le temps d'encadrer l'effectif.

« Le "savoir-être", souligne Michel Pauzé, est devenu presque aussi important que le savoir-faire. On réalise de plus en plus que le succès de quelqu'un tient autant à ce qu'il sait faire qu'à la façon dont il le fait. »

Yan Barcelo. « Ressources humaines: Les entreprises doivent rajuster leur tir », *PME,* vol. 16, n° 8, 1er septembre 2000, p. 45.

LE GESTIONNAIRE EFFICACE 13.1

LES ÉLÉMENTS CLÉS DES CULTURES ORGANISATIONNELLES FORTES

Les cultures organisationnelles fortes reposent sur :

- une compréhension commune réelle, largement acceptée et souvent résumée dans des slogans, de la raison d'être de l'organisation ;
- la primauté de la personne, qui doit passer avant les directives, les politiques, les procédures et la conformité aux exigences d'un poste ;
- la mise en valeur de héros dont les actions reflètent la philosophie et les préoccupations de l'organisation ;
- le recours aux rituels et aux cérémonies pour rapprocher les membres de l'organisation et construire une identité collective ;
- une compréhension commune des règles informelles et des attentes tacites, de manière à ce que tous les membres de l'organisation sachent ce que l'on attend d'eux ;
- la conviction que ce que fait chaque membre de l'organisation est important, quel que soit son rang hiérarchique, et qu'il est primordial de partager l'information et les idées.

mesures de sécurité adoptées et l'efficience. Mais admettre l'existence d'un compromis soulevait la question d'un choix à faire entre efficience et sécurité. Tous voulaient se convaincre que respecter l'une revenait à promouvoir l'autre[27].

Même si certains se moquent de ce genre d'attitude, et voudraient qu'une réflexion sérieuse et rationnelle remplace la *mythologie organisationnelle,* toute organisation a besoin d'un certain nombre de mythes[28]. Les mythes permettent aux dirigeants d'aborder les problèmes insolubles selon une perspective différente, en les décomposant en éléments plus faciles à gérer. Ils peuvent faciliter l'expérimentation, la créativité et la gestion, et faire en sorte que les dirigeants ne soient plus confinés à leurs seuls rôles de décideur et de distributeur de ressources. En outre, tous les travailleurs espèrent que leurs supérieurs seront aussi capables de se montrer justes et de faire preuve de compassion.

■ L'INFLUENCE DES CULTURES NATIONALES

Les hypothèses très largement partagées dans une organisation proviennent souvent de la culture du pays où elle est implantée[29]. Ainsi, la culture de Sony, axée sur les réalisations collectives, et celle de Zénith, axée sur l'excellence individuelle, reflètent toutes deux la culture de leur société d'appartenance : la culture collectiviste des Japonais et la culture individualiste des Nord-Américains.

Les valeurs liées à une culture nationale peuvent influer sur les attentes des éléments constitutifs de l'organisation, de même que sur les solutions préconisées et largement acceptées pour répondre à certains problèmes. Lorsqu'ils passent d'un pays à l'autre, les gestionnaires doivent donc être conscients de ces différences culturelles pour ne pas agir en contradiction avec des hypothèses communes de la culture nationale. Au Japon et en Europe occidentale, on s'attend à ce que les dirigeants travaillent en collaboration de façon officieuse avec les représentants des pouvoirs publics ; or, cette pratique normale dans ces pays équivaudrait à du trafic d'influence en Amérique du Nord. Autre exemple : certains cadres sud-américains trouvent naturel de rémunérer directement certains services obtenus d'un ministère ; ailleurs, ces paiements sont considérés comme des pots-de-vin.

Toute organisation qui a des activités à l'échelle internationale doit en être consciente, les actions qui contredisent des hypothèses communes liées à la culture nationale risquent de choquer les travailleurs et d'avoir un effet désastreux sur sa performance, et cela, même si les gestionnaires sont bien intentionnés. Au milieu des années 1980, General Electrics a voulu remonter le moral des cadres de la Compagnie générale de radiologie, qu'elle venait d'acquérir de Thompson. Les dirigeants américains ont donc invité tous les cadres européens à un séminaire de bienvenue près de Paris et leur ont distribué des T-shirts portant le slogan de GE *«Go for One»* –, une pratique courante lors des séminaires de formation en Amérique du Nord. Les Français n'ont pas du tout apprécié le cadeau, l'un d'entre eux allant jusqu'à assimiler ce geste à un comportement nazi : « On se serait cru sous Hitler. Vouloir nous forcer à porter ces *uniformes,* c'était humiliant. »

La gestion de la culture organisationnelle

Lorsqu'il s'agit de mettre sur pied une organisation hautement performante, la culture organisationnelle devrait être considérée comme aussi fondamentale que la structure et la stratégie. Si les gestionnaires avisés doivent être capables de soutenir et de consolider une culture organisationnelle forte qui existe déjà depuis un certain temps, ils doivent également être capables de contribuer à en créer une au besoin. Ainsi, Mike Walsh, le directeur général de Union Pacific, a apporté à cette entreprise une approche inédite et rafraîchissante que le magazine *Fortune* a

ENTREPRENEURIAT

www.zeroknowledge.com

Jeunes et anticonformistes, les entreprises technologiques commencent à se frotter à la dure réalité de la croissance. Feuilles de temps et hiérarchie remplacent peu à peu l'improvisation. Les rebelles de la nouvelle économie seraient-elles en train de se ranger ? « Le plus grand défi quand on grossit, c'est de garder sa culture », constate Éric Malette, responsable des ressources humaines de ZeroKnowledge Systems (ZKS).

Grâce au logiciel Freedom, qui permet de naviguer incognito dans Internet, l'entreprise connaît un boom sans précédent. Elle est passée de 30 à 192 employés en moins d'un an. Et la course effrénée se poursuit. ZeroKnowledge est toujours en mode recrutement. « Au moment où on se parle, je pourrais facilement combler 50 postes. » [...]

Mais qui dit plus d'employés dit aussi un système de paie plus sophistiqué, des tonnes de paperasse à gérer et autant d'ego à dorloter. Pour Gisèle Boivin, consultante en gestion des ressources humaines pour Public Technologies Multimédia (PTM), le plus difficile est de rester près des employés, loin de la bureaucratie. « Quand on a une petite équipe, les gens se connaissent, ils sont polyvalents, donnent leur point de vue et voient l'évolution de l'entreprise. Ils voient tout de suite l'impact de leur contribution. Tout ça se dilue quand on grossit. » [...]

Structure oblige, ZeroKnowledge a tout de même trouvé le moyen de dynamiser tout ça. Chaque division s'est donné un nom. Ainsi, le département des ressources humaines s'appelle le département pour les gens et Éric Malette en est le chef de bande. Les responsables du contrôle de la qualité sont devenus des agents de la CIA pour Code Integrity Agency.

L'entreprise a maintenant sa salle de billard et de jeux vidéo, son gymnase et son lieu de méditation. ZKS se targue de n'avoir perdu qu'un employé depuis le début.

Kathy Noël. « Les entreprises rebelles dépassées par la croissance », *Les Affaires,* 15 avril 2000, p. 29.

qualifiée de «culture organisationnelle introvertie». Sous son leadership, les changements culturels internes ont permis l'autonomisation des gestionnaires à tous les échelons hiérarchiques. La réaction des intéressés ne s'est pas fait attendre : «Nous étions tellement ravis que l'entreprise nous accorde de nouvelles responsabilités que nous voulions que ça marche.»

Deux stratégies globales de gestion de la culture organisationnelle retiennent particulièrement l'attention des chercheurs en CO. La première fait appel aux gestionnaires et implique une modification des aspects apparents de la culture organisationnelle, ainsi que de ses valeurs et hypothèses communes. La seconde repose sur l'utilisation des méthodes de *développement organisationnel* pour modifier tel ou tel élément de la culture visée.

■ CRÉER, CONSOLIDER ET CHANGER UNE CULTURE ORGANISATIONNELLE

Les gestionnaires peuvent modifier les aspects les plus apparents d'une culture organisationnelle : langage, récits, épopées, rites et rituels (voir *Le gestionnaire efficace 13.2* pour les types dominants de cultures organisationnelles). Ils peuvent réorienter les leçons à tirer des histoires qui circulent, et même encourager les gens à adopter leur point de vue sur la réalité de l'organisation. À cause de leur statut, les cadres supérieurs peuvent réinterpréter certaines situations et modifier la signification des événements marquants de l'organisation. Ils peuvent aussi y instituer de nouveaux rites et rituels, une démarche qui exige temps et énergie, mais qui peut être avantageuse à long terme.

Ce sont les hauts dirigeants, en particulier, qui donnent le ton à la culture organisationnelle et aux changements culturels. Ainsi, les hauts dirigeants de Aetna ont misé sur leur tradition humaniste pour favoriser l'acquisition de compétences essentielles chez un personnel très motivé, mais sous-qualifié. Même dans une industrie sidérurgique où sévit une concurrence impitoyable, le président de Nucor, F. Kenneth Iverson, s'est appuyé sur les valeurs fondamentales de l'entrepreneuriat américain pour réduire de moitié le nombre de niveaux hiérarchiques. Chez Procter & Gamble, Richard Nicolosi est parvenu à stimuler l'innovation et la créativité des travailleurs en faisant appel à des valeurs communes axées sur une participation accrue au processus décisionnel.

Ces exemples montrent comment les gestionnaires peuvent intervenir directement pour favoriser une culture organisationnelle capable de répondre aux importantes questions d'adaptation externe et d'intégration interne. Les recherches récentes sur les liens entre la culture d'une organisation et sa performance financière confirment la nécessité d'aider les travailleurs à s'adapter à l'environnement. Toutefois, ces travaux indiquent aussi que cela ne suffit pas, pas plus qu'il ne suffit de se consacrer aux actionnaires ou aux clients pour garantir la réussite économique à long terme d'une entreprise. Les gestionnaires doivent travailler sur ces trois dimensions *simultanément*. Mais privilégier à la fois les actionnaires, la clientèle et le personnel signifie faire passer au second plan la satisfaction des intérêts de la haute direction. L'ère des bureaux immenses, des salaires mirobolants, des *parachutes dorés* (postes protégés ou généreuses indemnités de départ pour les équipes dirigeantes en cas d'achat par une grande entreprise), des avions réservés aux hauts dirigeants, des salles à manger luxueuses et des clubs privés semble bel et bien révolue.

Les premières études consacrées à la culture organisationnelle et au changement culturel privilégiaient souvent les interventions directes des dirigeants pour modifier les valeurs et les hypothèses des gens en les resocialisant. Cela revenait en fait à essayer de modifier leurs sentiments en espérant que leurs pensées et leurs actions suivent, l'objectif étant d'établir un vaste consensus à l'échelle de l'organisation[30]. Des travaux plus récents donnent à penser que cette approche unificatrice axée sur les valeurs n'est peut-être ni souhaitable ni réalisable.

Les dirigeants qui tentent de modifier les valeurs des gens par une approche autoritaire, sans changer le fonctionnement de l'organisation ni reconnaître l'importance des individus, font fausse route. Les valeurs ne s'imposent pas d'en haut ; elles émergent de l'ensemble des membres de l'organisation. Une culture dynamique, axée sur le changement et la satisfaction professionnelle, ne peut venir que de la combinaison d'interventions de gestion, de choix technologiques et d'initiatives venant de tous les membres de l'organisation. Dans certaines grandes organisations, les valeurs communes peuvent même varier d'une installation à l'autre.

Les dirigeants qui tentent de relancer une organisation en édictant des changements majeurs au mépris des valeurs communes commettent également une erreur. Les choses pourront changer en surface, mais un examen plus approfondi de la situation révélera souvent que des services entiers résistent à ce changement, et que des personnes clés refusent de s'engager dans la voie qu'on leur indique. De telles réactions dénotent souvent que les gestionnaires n'ont pas pris la mesure des effets des changements qu'ils veulent instaurer sur les valeurs communes. Ils ne se sont pas demandé si ces changements heurtaient les valeurs des membres de l'organisation, ni s'ils allaient à l'encontre de vieilles hypothèses communes profondément enracinées dans la culture organisationnelle ou, pire, dans la culture nationale du pays où l'organisation est implantée.

Très rares sont les dirigeants qui réussissent à remodeler les hypothèses communes d'une organisation sans recourir à des mesures draconiennes. Roger Smith l'a compris, aussi a-t-il préféré créer une toute nouvelle division au sein de GM pour produire la Saturn. Chez Harley-Davidson, la nouvelle équipe de direction a dû remplacer presque tous les cadres intermédiaires pour réussir à instaurer une nouvelle culture organisationnelle bien distinctive et hautement compétitive.

Trop souvent, les équipes de direction elles-mêmes ne sont pas conscientes d'appartenir à une culture organisationnelle donnée, d'être imprégnées des hypothèses largement partagées au sein de leur organisation. Si les cadres supérieurs de l'Europe de l'Est doivent réexaminer les fondements *idéologiques* de leurs organisations au moment où leurs pays adoptent l'économie de marché, leurs homologues nord-américains et occidentaux doivent faire de même pour s'adapter aux enjeux de la nouvelle économie qui s'installe en ce début de millénaire.

IBM Japan ←

www.ibm.com

Pourquoi des travailleurs nouvellement embauchés par IBM Japon ont-ils été indignés lorsqu'un cadre américain leur a déclaré que l'objectif de la société était d'optimiser les investissements des actionnaires ? Parce qu'au Japon, les intérêts des travailleurs passent avant ceux des actionnaires.

LE GESTIONNAIRE EFFICACE 13.2

CHOISIR UNE ORGANISATION EN FONCTION DE SA CULTURE

Selon une étude, on peut distinguer quatre types dominants de cultures organisationnelles :
1. l'*académie*, c'est-à-dire la culture qui soutient le cheminement professionnel des gens par des programmes de formation soigneusement choisis ;
2. la *forteresse*, c'est-à-dire la culture qui demande aux gens de s'engager dans le redressement de l'organisation et de lutter pour sa survie ;
3. le *club*, c'est-à-dire la culture qui privilégie l'ancienneté, la loyauté, le statut et l'adéquation entre les gens et l'organisation ;
4. l'*équipe de base-ball*, c'est-à-dire la culture axée sur le talent et sur le rendement.

■ L'ÉVOLUTION DE LA CULTURE ORGANISATIONNELLE

L'organisation d'aujourd'hui doit veiller constamment à ce que sa culture continue à évoluer et à lui conférer un avantage concurrentiel. Pour relever ce défi, elle doit s'engager résolument dans un processus d'autoévaluation continue et de changement planifié, démarche qui lui permettra de faire face aux problèmes et aux occasions qui se présentent dans un environnement complexe et exigeant. Le *développement organisationnel* (DO) est une approche globale de changement planifié conçue pour améliorer l'efficacité générale des organisations ; plus précisément, il s'agit d'une application des connaissances issues des sciences du comportement dans un effort à long terme pour améliorer la capacité d'adaptation des organisations aux changements de l'environnement ainsi que leur efficacité dans la résolution des problèmes internes[31].

■ **Développement organisationnel** *(DO)* Approche globale de changement planifié conçue pour améliorer à long terme l'efficacité générale des organisations

Quels que soient leur taille, leurs champs d'activité et leur contexte, de nombreuses organisations ont recours au développement organisationnel pour améliorer leur performance globale. Le DO fournit aux gestionnaires un ensemble d'outils avec lesquels ils voudront se familiariser pour atteindre et maintenir un niveau élevé de productivité. Comme il s'agit d'une approche qui est globale – c'est-à-dire portant sur l'organisation dans son ensemble – et fondée sur des connaissances scientifiques, on fait souvent appel à un expert-conseil pour faciliter son implantation. Cependant, les méthodes de DO sont intimement liées à une meilleure compréhension de la culture organisationnelle, et les gestionnaires doivent donc intégrer ses concepts fondamentaux à leurs pratiques quotidiennes.

Le développement organisationnel, ses processus et ses applications

Le développement organisationnel propose un ensemble de méthodes éprouvées pour améliorer ce qu'on appelle en termes d'analyse culturelle l'*adaptation externe* et l'*intégration interne* de l'organisation. Fait à noter, le DO cherche à instaurer le changement de manière à ce que tous les travailleurs y participent activement et se sentent capables d'assurer l'évolution de la culture de leur organisation ainsi que son efficacité à long terme. À cet égard, la réussite d'un programme de DO tient en bonne partie à ses postulats et à ses valeurs, ainsi qu'aux fondements de la *recherche-action* sur lesquels il repose.

■ LES POSTULATS FONDAMENTAUX DU DO

Le développement organisationnel repose sur un ensemble de postulats concernant les individus, les groupes et les organisations, postulats qui orientent la démarche de changement.

Pour ce qui est des *individus,* les principes directeurs du DO témoignent d'un profond respect des personnes et d'une grande confiance en leurs capacités. Le DO postule 1) que l'individu a plus de chances de satisfaire ses besoins de croissance et de développement si son environnement de travail le soutient et le motive; et 2) que la plupart des gens sont capables d'assumer des responsabilités et de contribuer au succès de leur organisation.

Pour ce qui est des *groupes*, les principes directeurs du DO reflètent la conviction qu'ils peuvent être avantageux tant pour les individus que pour l'organisation. Le DO postule 1) que les groupes aident leurs membres à satisfaire d'importants besoins individuels tout en contribuant à la réalisation des objectifs organisationnels; et 2) que des gens qui travaillent ensemble pour satisfaire à la fois des besoins individuels et des besoins organisationnels peuvent former des groupes efficaces.

Pour ce qui est des *organisations*, les principes directeurs du DO traduisent un respect de leur complexité en tant que systèmes constitués d'éléments interdépendants. Le DO postule que 1) des changements dans un élément de l'organisation se répercuteront sur ses autres éléments; 2) il est possible de concevoir une structure organisationnelle ainsi que des postes qui répondent aux besoins respectifs des individus, des groupes et de l'organisation.

■ LES VALEURS ET LES PRINCIPES QUI SOUS-TENDENT LE DO

L'approche systématique de changement planifié que propose le DO vise deux types d'objectifs : les *objectifs axés sur les résultats* (essentiellement des enjeux liés à l'adaptation externe) et les *objectifs axés sur les processus* (essentiellement des enjeux liés à l'intégration interne). Les *objectifs axés sur les résultats* visent à accroître l'efficacité opérationnelle par l'amélioration des capacités d'adaptation externe; ils se concentrent sur ce qui est accompli par les efforts des individus et des groupes. Les *objectifs axés sur les processus* visent à améliorer des aspects tels que la communication entre les membres de l'organisation, leurs interactions et le processus décisionnel; ils se concentrent sur la collaboration entre les membres de l'organisation et visent l'amélioration de l'intégration interne.

Le DO tente d'aider l'organisation et son personnel dans la poursuite de ces objectifs, 1) en instaurant un climat propice à la résolution de problèmes dans l'ensemble de l'organisation; 2) en ajoutant au pouvoir formel le pouvoir personnel lié au savoir et aux compétences; 3) en amenant la responsabilité décisionnelle aux niveaux où l'information pertinente est disponible; 4) en créant un climat de confiance et en optimisant la collaboration entre les individus et les groupes; 5) en renforçant le sentiment de propriété des travailleurs à l'égard de leur organisation; et 6) en facilitant l'autonomisation et l'autoévaluation des travailleurs dans leur cadre de travail[32]. Toute démarche de DO s'appuie donc, du moins implicitement, sur ces valeurs. Autrement dit, le DO vise à améliorer la contribution des membres de l'organisation à l'atteinte des objectifs organisationnels, et cherche à le faire en les traitant comme des adultes responsables qui méritent de travailler dans un milieu stimulant et gratifiant.

■ LES FONDEMENTS DE LA RECHERCHE-ACTION APPLIQUÉS AU DO

Pour les spécialistes du DO, la **recherche-action** est un processus qui englobe 1) la collecte systématique de données pertinentes sur une organisation, 2) des mécanismes de rétroaction qui mènent à la planification des actions à entreprendre,

■ *Recherche-action*   Approche d'évaluation organisationnelle et de résolution de problèmes qui repose sur une collecte systématique de données, suivie d'une rétroaction qui mène à la planification des actions à entreprendre, puis de l'évaluation des résultats par la collecte et l'analyse de nouvelles données obtenues une fois le plan d'action mis en œuvre

et 3) l'évaluation des résultats par la collecte et l'analyse de nouvelles données obtenues une fois le plan d'action mis en œuvre. Il s'agit donc d'une approche d'évaluation organisationnelle et de résolution de problèmes qui repose sur des données factuelles et qui est axée sur la collaboration. Lorsqu'on l'utilise dans une démarche de développement organisationnel, la recherche-action permet de dégager et d'orienter les actions susceptibles d'améliorer l'efficacité de l'organisation. La figure 13.1 schématise le déroulement typique d'une telle démarche. Le processus s'enclenche lorsque quelqu'un décèle un *écart de rendement* (le niveau de rendement constaté est inférieur au niveau souhaité) et entreprend d'analyser la situation sous tous ses aspects afin de cerner les problèmes et les occasions qu'elle comporte. Il se poursuit avec les étapes suivantes : collecte de données, rétroaction sur les données, analyse des données et élaboration du plan d'action. Une fois ce plan d'action à l'œuvre, on procède à l'évaluation des résultats. Si l'étape de l'évaluation ou de la réévaluation des résultats permet de déceler un autre écart de rendement, un nouveau cycle de recherche-action s'enclenche.

La figure 13.2 présente un ensemble de grilles d'analyse qui peuvent aider l'expert en DO à poser ses diagnostics ; elles reposent sur le modèle du *système*

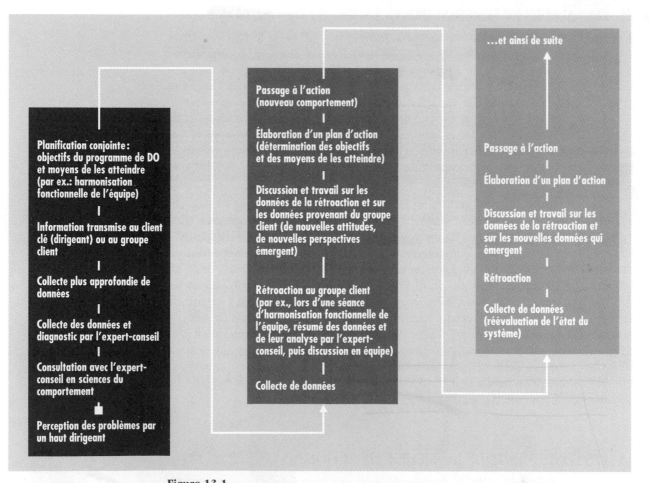

Figure 13.1
Un modèle de recherche-action dans une démarche de développement organisationnel

ouvert et sur des concepts de CO qui vous sont devenus familiers. Le tableau montre que :

- *à l'échelle de l'organisation,* on évalue l'efficacité en tenant compte des forces qui s'exercent dans l'environnement externe ainsi que des caractéristiques fondamentales de l'organisation, comme sa stratégie, ses technologies, sa structure, sa culture et ses systèmes de gestion ;
- *à l'échelle du groupe,* on évalue l'efficacité en tenant compte des forces qui s'exercent dans l'environnement interne de l'organisation ainsi que des caractéristiques fondamentales du groupe, comme ses tâches, sa composition, ses normes, sa cohésion et son fonctionnement ;
- *à l'échelle de l'individu,* on évalue l'efficacité en tenant compte de l'environnement interne du groupe de travail ainsi que de dimensions qui relèvent de l'individu, comme ses tâches, ses objectifs, ses besoins, ses compétences et ses relations interpersonnelles.

■ LES MÉTHODES DE DO

Le processus de recherche-action devait engager les membres de l'organisation dans diverses activités qui permettront de poser les diagnostics adéquats, puis d'élaborer et de mettre en œuvre le plan d'action qui amènera des changements constructifs.

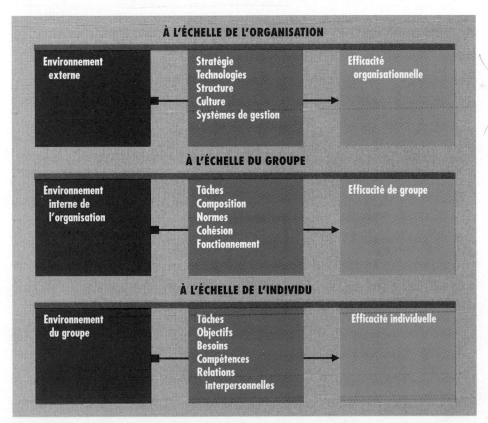

Figure 13.2
Les niveaux de diagnostic dans un processus de DO : paramètres de l'efficacité à l'échelle de l'organisation, du groupe et de l'individu

Les démarches de recherche-action, de collecte de données et de diagnostic se conjuguent et se concrétisent par le choix et l'utilisation des méthodes de DO. Les **méthodes de développement organisationnel** sont des activités lancées par un spécialiste en DO pour faciliter le changement organisationnel planifié et aider ceux qui y sont engagés à améliorer leur capacité de résolution de problèmes. De nombreux gestionnaires y recourent de façon moins structurée pour comprendre et améliorer leurs propres activités. Les principales méthodes de DO peuvent être classées en trois catégories selon qu'elles sont axées sur l'organisation dans son ensemble, sur les groupes et les relations intergroupes ou sur les individus[33].

Les méthodes de DO axées sur l'organisation dans son ensemble Pour être efficace, une organisation se doit d'atteindre ses principaux objectifs de performance, tout en assurant à son personnel une excellente qualité de vie professionnelle. Les principales méthodes de DO visant l'ensemble de l'organisation sont l'*enquête de rétroaction*, les *séances d'échange de vues*, la *réorganisation structurelle* et l'*organisation parallèle*.

- L'**enquête de rétroaction** repose sur une collecte de données au moyen d'un questionnaire adressé à tous les membres de l'organisation ou à un échantillon représentatif; à partir des résultats de l'enquête, on amorce un processus collectif d'interprétation des données qui débouche sur l'élaboration d'un plan d'action.

- La **séance d'échange de vues** sert à déterminer et à implanter rapidement les mesures susceptibles d'améliorer le fonctionnement de l'organisation[34]. L'expert en DO réunit pour une journée-rencontre un échantillon représentatif des membres de l'organisation, y compris la haute direction. Dans une démarche très structurée, les participants dressent d'abord des listes individuelles de suggestions susceptibles d'améliorer la situation, puis en discutent et les peaufinent en petits groupes jusqu'à ce qu'ils en tirent un plan d'action, que la haute direction approuve et met immédiatement en œuvre. Le plus difficile est souvent d'amener les cadres supérieurs à admettre que des changements s'imposent à *leur* niveau. Or, si les changements proposés ne concernent que les subordonnés et négligent la haute direction, cette démarche se soldera par un échec.

- La **restructuration organisationnelle** consiste à modifier la structure de l'organisation ou ses principaux sous-systèmes pour en améliorer l'efficacité opérationnelle. La restructuration organisationnelle vise évidemment à établir la meilleure adéquation possible entre la structure, les technologies et l'environnement de l'organisation. Dans le contexte actuel de changement constant où les organisations s'engagent de plus en plus dans des activités internationales et où les TIC évoluent à toute vitesse, une structure organisationnelle peut vite devenir désuète. La restructuration organisationnelle est donc une méthode clé en DO.

- L'**organisation parallèle** est conçue pour activer un mécanisme créatif de résolution de problèmes; périodiquement, un échantillon représentatif des membres de l'organisation se retire de la structure formelle pour se livrer en petits groupes à des séances de résolution de problèmes[35]. Ces structures parallèles – ou *collatérales* – sont temporaires. Leurs activités ne se substituent pas à celles de la structure officielle, elles s'y ajoutent et les enrichissent.

Les méthodes de DO axées sur le groupe et les relations intergroupes Ces méthodes de DO sont conçues pour augmenter l'efficacité opérationnelle d'un ou de plusieurs groupes au sein de l'organisation. Elles comprennent, entre autres, l'*harmonisation fonctionnelle de l'équipe*, la *consultation sur le fonctionnement du groupe* et l'*harmonisation fonctionnelle intergroupes*.

- L'*harmonisation fonctionnelle de l'équipe,* dont nous avons déjà traité au chapitre 10, est également une méthode de DO. Un cadre ou un expert-conseil en DO invite les membres d'un groupe à se livrer à une série d'actions planifiées visant à recueillir et à analyser des données sur son fonctionnement, puis à instaurer des changements visant à faciliter la collaboration entre les membres et à améliorer l'efficacité opérationnelle de l'équipe. Comme l'*enquête de rétroaction* menée à l'échelle de l'organisation, l'harmonisation fonctionnelle de l'équipe exige une collecte de données et de la rétroaction; cependant, ses éléments clés sont l'évaluation collective des données et le consensus sur les mesures à prendre. Les séances d'harmonisation fonctionnelle de l'équipe ont souvent lieu lors d'une *retraite* ou d'une rencontre à l'extérieur du lieu de travail, durant laquelle les équipiers se consacrent de façon intensive à ce processus de réflexion, d'analyse et de planification.

- La **consultation sur le fonctionnement du groupe** consiste en une série d'activités structurées, animées par un expert-conseil, et visant, comme l'harmonisation fonctionnelle de l'équipe, à améliorer l'efficacité fonctionnelle du groupe. Cependant, comme son nom l'indique, cette consultation se concentre sur les *modes de fonctionnement* qui déterminent la collaboration entre les équipiers : le consultant tente de les aider à les améliorer en travaillant avec eux sur la cohésion du groupe, ses normes, ses processus décisionnels, ses modes de communication, sur les conflits internes ainsi que sur les activités de leadership liées aux relations et aux tâches.

- L'**harmonisation fonctionnelle intergroupes** est une variante de l'harmonisation fonctionnelle de l'équipe qui vise à améliorer les relations de travail entre deux ou plusieurs groupes, et du même coup leur efficacité respective. Le spécialiste en DO propose aux membres des groupes touchés (ou à leurs représentants) des activités destinées à leur faire prendre conscience de la façon dont ils se perçoivent mutuellement; cette étape franchie, des activités conjointes de résolution de problèmes pourront améliorer sensiblement la coordination entre ces groupes, et les inciter à se soutenir mutuellement en tant qu'éléments importants d'une même organisation.

Les méthodes de DO axées sur les individus   Le rendement et la satisfaction professionnelle sont deux facteurs clés de l'efficacité individuelle en milieu de travail. Les méthodes de DO axées sur les individus peuvent porter autant sur les problèmes personnels des travailleurs que sur la conception de leur poste ou leur cheminement professionnel. Elles comprennent, entre autres, la *négociation de rôles,* la *redéfinition de poste* et l'*élaboration d'un plan de carrière*.

- La **négociation de rôle,** dont nous avons donné un exemple au chapitre 10 (figure 10.3), est, rappelons-le, un processus qui permet à des individus de clarifier leurs attentes respectives et mutuelles – ce qu'ils s'attendent à donner et à recevoir – dans leurs relations professionnelles. Comme les rôles et le personnel changent avec le temps, la négociation de rôle peut être un bon moyen de s'assurer que les travailleurs comprennent le leur.

- La **redéfinition de poste** est un processus qui vise à établir une adéquation durable entre les besoins et compétences d'un travailleur, et les exigences de son poste. L'approche diagnostique élaborée par Richard Hackman et Greg Oldham

■ *Consultation sur le fonctionnement du groupe*
Méthode de développement organisationnel qui consiste en une série d'activités structurées, animées par un expert-conseil, et visant à améliorer l'efficacité fonctionnelle du groupe

■ *Harmonisation fonctionnelle intergroupes*   Méthode de développement organisationnel qui vise à améliorer les relations de travail entre deux ou plusieurs groupes, et du même coup leur efficacité respective

■ *Négociation de rôle*   Méthode de développement organisationnel qui permet à des travailleurs de clarifier leurs attentes respectives et mutuelles dans le cadre de leurs relations professionnelles

■ *Redéfinition de poste*
Méthode de développement organisationnel qui vise à établir une adéquation durable entre les besoins et compétences d'un travailleur et les exigences de son poste

pour l'enrichissement des tâches et présentée au chapitre 8 en est un bon exemple[36]. Vous vous souviendrez qu'ils suggéraient, entre autres, 1) d'analyser les caractéristiques fondamentales du poste, 2) d'évaluer les besoins et les compétences de son titulaire, et 3) de modifier les caractéristiques fondamentales du poste, par l'enrichissement ou la simplification des tâches, afin d'obtenir une meilleure adéquation avec les caractéristiques du travailleur. Ce type d'approche peut également s'appliquer à un groupe de postes.

- L'*élaboration du plan de carrière* est, comme nous l'avons vu au chapitre 7, un processus au cours duquel le travailleur se penche sur ses perspectives de carrière à plus long terme avec son supérieur ou un spécialiste en ressources humaines. Ils peuvent ainsi établir conjointement leurs objectifs professionnels, évaluer leurs besoins en matière de perfectionnement et préparer activement un plan de carrière à court terme et à long terme. De plus en plus, la planification de carrière devient le moyen privilégié par les organisations les plus avant-gardistes pour soutenir et motiver leur personnel.

■ LE DO ET L'ÉVOLUTION DE LA CULTURE ORGANISATIONNELLE

Aujourd'hui, un grand nombre d'entreprises de haute technologie fort prospères recourent aux principes et aux méthodes du DO sans pour autant utiliser le terme *développement organisationnel*. Il n'est pas question pour des sociétés comme Nortel Networks ou Cisco d'essayer d'imposer des changements à leur personnel. Les hauts dirigeants de telles organisations ont une approche très pragmatique de la gestion de la culture organisationnelle : ils acceptent l'existence de sous-cultures, comprennent la nécessité de régler les problèmes d'adaptation externe et d'intégration interne, et recourent aux méthodes de DO pour y faire face. Ils n'élaborent pas des systèmes de valeurs et des hypothèses en vase clos ; ils y travaillent avec leur personnel, de manière à consolider et à orienter continuellement leur culture organisationnelle.

Guide de révision

Qu'est-ce qu'une culture organisationnelle?

■ On appelle culture organisationnelle – ou culture d'entreprise – l'ensemble des attitudes, valeurs et croyances communes qu'acquièrent les membres d'une organisation, et qui guident leur comportement.

■ La culture d'une organisation peut contribuer à la résolution des problèmes d'adaptation externe et d'intégration interne.

■ On trouve dans la plupart des organisations de multiples sous-cultures et, dans certains cas, une ou plusieurs contre-cultures susceptibles d'engendrer des conflits destructeurs.

■ On peut analyser une culture organisationnelle en étudiant ses trois dimensions: les aspects apparents de la culture, les valeurs communes et les hypothèses communes.

Quels sont les aspects apparents d'une culture organisationnelle?

■ Les aspects apparents d'une culture organisationnelle sont 1) les récits, les rites et les rituels ainsi que les symboles communs aux membres de l'organisation; 2) les normes et les rôles véhiculés par la culture; et 3) les significations communes que les travailleurs élaborent au fil de leurs interactions.

■ Les normes et les rôles véhiculés par la culture organisationnelle précisent le moment où certains comportements sont appropriés, ainsi que la place des membres de l'organisation dans son système social.

■ Les significations communes que les travailleurs élaborent avec le temps leur donnent le sentiment de contribuer à un objectif plus vaste auquel ils associent leurs activités quotidiennes.

En quoi les valeurs communes des membres d'une organisation peuvent-elles influer sur la culture de cette organisation?

■ Les valeurs communes sont au cœur de la culture organisationnelle: elles contribuent à transformer des activités routinières en activités importantes et appréciables, relient l'organisation à des valeurs importantes de la société où elle est implantée, et peuvent même lui procurer un avantage concurrentiel notable.

■ Des valeurs communes distinctives peuvent renforcer l'identité institutionnelle, améliorer l'engagement collectif, créer un système social interne stable et amoindrir la nécessité des contrôles formels et bureaucratiques.

■ Toutefois, un système de valeurs communes largement partagées et une culture fortement ancrée peuvent engendrer une vision monolithique de l'organisation et de son environnement. Si des changements radicaux s'imposent, l'évolution de l'organisation pourra en être freinée.

En quoi les hypothèses communes des membres d'une organisation peuvent-elles influer sur la culture de cette organisation ?

■ Les hypothèses communes – ou vérités allant de soi – que les divers groupes de l'organisation ont élaborées et acquises au fil de leur expérience collective constituent la dimension la plus profonde de la culture organisationnelle.

■ Certaines organisations expriment ces hypothèses communes par une philosophie de gestion ; celle-ci relie les questions clés relatives aux objectifs organisationnels aux questions clés relatives à la collaboration entre les membres pour indiquer à grands traits les méthodes que l'organisation devrait adopter dans la conduite de ses affaires.

■ Souvent, la philosophie de gestion d'une organisation s'appuie sur un certain nombre de mythes organisationnels.

Comment peut-on gérer, entretenir et orienter une culture organisationnelle ?

■ Deux stratégies globales de gestion de la culture organisationnelle retiennent particulièrement l'attention des chercheurs en CO.

■ La première stratégie fait appel aux gestionnaires et implique une modification des aspects apparents de la culture organisationnelle, ainsi que de ses valeurs et hypothèses communes.

■ La seconde repose sur l'utilisation des méthodes de développement organisationnel pour modifier tel ou tel élément de la culture visée.

Comment un processus de développement organisationnel peut-il consolider ou régénérer la culture d'une organisation ?

■ Tout gestionnaire désireux de gérer, d'entretenir et de réorienter la culture organisationnelle peut employer les méthodes de DO.

■ Le DO est une approche globale de changement planifié conçue pour améliorer à long terme l'efficacité générale des organisations ; cette démarche repose sur l'application des connaissances provenant des sciences du comportement.

■ Les objectifs du DO sont de deux types : 1) les objectifs axés sur les résultats, qui visent l'amélioration de l'exécution des tâches et 2) les objectifs axés sur le fonctionnement, qui visent l'amélioration de la collaboration entre les membres de l'organisation.

■ Le DO a recours aux principes fondamentaux des sciences du comportement concernant l'individu, le groupe et l'organisation. Il repose sur des valeurs humanistes et suppose un effort collectif soutenu.

■ Les principales méthodes de DO axées sur l'ensemble de l'organisation sont : l'enquête de rétroaction, la séance d'échange de vues, la réorganisation structurelle et l'organisation parallèle.

■ Les principales méthodes de DO axées sur les groupes et les relations intergroupes sont l'harmonisation fonctionnelle de l'équipe, la consultation sur le fonctionnement du groupe et l'harmonisation fonctionnelle intergroupes.

■ Les principales méthodes de DO axées sur l'individu sont la négociation de rôles, la redéfinition de poste et l'élaboration du plan de carrière.

Mots clés

Évaluation des connaissances

■ QUESTIONS À CHOIX MULTIPLE

1. La culture organisationnelle concerne tous ces éléments, sauf un. Lequel?
_____ **a)** Les hypothèses communes des membres de l'organisation
b) Les capacités acquises des membres de l'organisation **c)** La personnalité
du dirigeant **d)** Les croyances communes des membres de l'organisation
e) La perception que les membres de l'organisation ont de leur identité collective

2. Les trois niveaux d'analyse culturelle décrits dans ce chapitre sont _____
a) les aspects apparents de la culture organisationnelle, les valeurs communes
et les hypothèses communes. **b)** les récits, les rites et les rituels. **c)** les symboles,
les mythes et les récits. **d)** la culture apparente, la culture latente et les objets
tangibles. **e)** les symboles culturels, les mythes et les récits.

3. Le terme adaptation externe désigne _____ **a)** les croyances non fondées
des cadres supérieurs. **b)** le processus qui permet à l'organisation de composer
avec les forces de l'environnement. **c)** la vision du fondateur. **d)** le processus
de collaboration au sein de l'organisation. **e)** des activités planifiées, uniformisées
et récurrentes qui ont lieu à un moment précis.

4. Le terme intégration interne désigne _____ **a)** le processus visant
à déterminer l'identité collective des membres de l'organisation et la façon
dont ils travailleront ensemble. **b)** la mission et les objectifs de l'organisation.
c) des croyances non fondées et acceptées inconditionnellement pour justifier
les procédés en vigueur dans l'organisation. **d)** des sous-groupes qui possèdent
leurs propres valeurs et rejettent celles de la collectivité. **e)** le processus qui
permet à l'organisation de composer avec les forces de l'environnement.

5. La coutume qui veut que les ouvriers japonais commencent leur journée en
faisant de la gymnastique et en chantant en chœur l'hymne de l'organisation est
un exemple _____ **a)** de symbole. **b)** de mythe organisationnel.
c) d'hypothèse commune. **d)** de rituel. **e)** d'épopée.

6. Le terme _____ désigne le sentiment de contribuer à un objectif plus
vaste que les travailleurs associent à leurs activités quotidiennes, et qu'ils
acquièrent au fil de leurs interactions. **a)** rite b) symbole culturel **c)** mythe de la
fondation **d)** signification commune **e)** intégration interne

7. L'histoire d'un redressement miraculeux attribuable aux efforts d'un gestionnaire visionnaire est un exemple_____ **a)** d'épopée. **b)** de mythe fondateur. **c)** d'intégration interne. **d)** de concrétisation d'une culture latente. **e)** d'hypothèse commune.

8. Le DO est conçu avant tout pour améliorer_____ **a)** l'efficacité globale de l'organisation. **b)** les relations intergroupes. **c)** la synergie. **d)** le processus de changement planifié. **e)** la dynamique de groupe.

9. Les trois étapes d'un processus de recherche-action sont _____ **a)** le diagnostic, l'intervention et le renforcement. **b)** la collecte de données, l'intervention et l'évaluation. **c)** l'intervention, l'application et l'innovation. **d)** le diagnostic, l'intervention et l'évaluation. **e)** la planification, l'implantation et l'évaluation.

10. Le DO est une démarche de changement planifié enrichie par _____ **a)** l'évaluation. **b)** l'intervention. **c)** l'amélioration de la capacité de se renouveler de l'organisation. **d)** tous les changements subséquents. **e)** le renforcement.

■ VRAI OU FAUX ?

11. L'ensemble des valeurs et des croyances communes qui s'acquièrent au sein d'une organisation s'appelle la culture organisationnelle. **V F**

12. L'idée voulant que les cadres supérieurs soient capables de gérer tous les aspects de la culture organisationnelle est un mythe. **V F**

13. L'adaptation externe concerne des questions telles que la véritable mission de l'organisation, ses objectifs et les moyens de les atteindre. **V F**

14. La question de l'attribution des récompenses et des sanctions fait partie de l'adaptation externe. **V F**

15. Une sous-culture comporte souvent des rites et des rituels. **V F**

16. Un rituel est un ensemble de rites. **V F**

17. Tout objet, œuvre d'art ou événement servant à véhiculer une signification culturelle s'appelle un rite. **V F**

18. À l'échelle de l'organisation, les principales méthodes de DO sont l'enquête de rétroaction, la séance d'échange de vues, la restructuration organisationnelle et l'organisation parallèle. **V F**

19. La séance d'échange de vues est une méthode de DO qui vise à régler les conflits. **V F**

20. L'enquête de rétroaction est une méthode de DO à l'échelle de l'organisation. **V F**

■ QUESTIONS À RÉPONSE BRÈVE

21. Décrivez les cinq étapes recommandées par Taylor Cox pour créer une organisation multiculturelle.

22. Quelles sont les trois questions essentielles que soulève le fait de travailler en groupe? Illustrez-les par des exemples.

23. Trouvez un exemple de la façon dont les normes et les rôles culturels influent sur l'atmosphère d'une salle de classe. Donnez des exemples tirés de votre expérience personnelle.

24. Quels sont les éléments clés d'une culture organisationnelle forte ?

■ QUESTION À DÉVELOPPEMENT

25. Résumez le processus de DO et présentez-en les niveaux de diagnostic ainsi que les paramètres de l'efficacité à chacun de ces niveaux.

Reportez-vous aux études de cas, aux exercices et aux autoévaluations de notre *Cahier d'apprentissage en CO* (voir p. 531).

■ **Consultez le site Web du manuel. Vous y trouverez un questionnaire interactif et des exercices en ligne sur le contenu de ce chapitre.**

www.erpi.com/schermerhorn

Leadership et haute performance

QUAND VOTRE EMPLOYÉ A DEUX FOIS VOTRE ÂGE…

www.mediacces.com

Pascal Lépine avait 22 ans quand il est devenu président de Media@accès. Son associé, Raymond Allen, en avait 53. Ses employés avaient en moyenne 10 ans de plus que lui, et ses sous-traitants étaient pour la plupart dans la fin de la quarantaine.

Quand son associé lui a soumis un plan d'affaires qu'il ne trouvait pas à point, Pascal n'a pas osé le critiquer comme il aurait voulu le faire. Quand il a voulu montrer à un de ses employés comment refaire une tâche, il s'est fait répliquer: «Non, je ne le ferai pas comme ça!»

Avec son banquier, «c'était l'enfer», se souvient-il. «Il m'ignorait complètement et ne s'adressait qu'à mon associé, alors que c'est moi qui détient 60 % de l'entreprise!»

«La situation était devenue insupportable. Imaginez un dirigeant qui a peur de diriger! Mais j'ai fini par apprendre. Quand j'ai avoué à mon associé ma difficulté à le diriger, il a trouvé ça drôle.»

De nos jours, de plus en plus de jeunes se trouvent à des postes de commande. Qu'ils soient nommés présidents d'entreprise ou simples cadres, que ce soit dans le point com ou dans la vieille économie, l'heure est aux jeunes loups, tandis que les baby-boomers prennent leur préretraite ou s'écartent pour laisser venir le sang neuf. […]

«La nomination d'un jeune peut susciter de la résistance chez un employé plus âgé, explique Claude Paquette, consultant en management chez Raymond Chabot Grant & Thornton. Elle vient souvent remettre en question des choix que le plus âgé a faits plus ou moins consciemment durant sa carrière.» […]

Alain Reid, consultant pour la Société Pierre-Boucher, renchérit. «Le premier défi du jeune patron est de convaincre son personnel qu'il a absolument besoin d'eux, dit-il. S'il réussit, il gagne 50 % de leur adhésion en partant.»

M. Reid dit avoir déjà vu des jeunes «blancs-becs» qui sortent tout droit de leur MBA, qui sont très cartésiens, qui ont des idées théoriques sur les façons de gérer, mais qui sont concrètement nuls. Ces gens-là, dit-il, ont besoin d'un coup d'humilité. […]

Pascal Lépine a constaté que les problèmes d'autorité se posent plus souvent avec les professionnels qui sont à peine plus âgés que lui qu'avec ceux qui sont beaucoup plus vieux. «Pour les premiers, on dirait que c'est leur identité professionnelle qui est en jeu, tandis que pour les seconds, leur place est faite», souligne-t-il.

Chose certaine, les employés qui héritent d'un jeune patron veulent voir de quoi ce dernier est capable. Selon M. Paquette, on fait souvent l'erreur de croire que le patron doit avoir plus de connaissances que son équipe.

«C'est faux. Le patron a été choisi pour son leadership, c'est-à-dire sa capacité de diriger une équipe. Les connaissances techniques, ce sont les plus âgés qui les ont. On demande de moins en moins à un superviseur d'être supérieur au plan technique.»

Alain Reid précise : «Un bon patron, c'est celui qui réussit à motiver les employés à mieux atteindre les objectifs de l'entreprise. C'est un facilitateur. Et il n'y a pas d'âge pour ça.»

Suzanne Dansereau. *Les Affaires,* 26 août 2000, p. 15.

Pour bien des observateurs, l'essence même du leadership réside dans la *vision* du dirigeant, qui lui permet de saisir les occasions et d'infléchir ainsi le cours des événements. Si la plupart s'accordent à dire que le leadership des dirigeants fait vraiment une différence, d'autres pensent le contraire : selon eux, les leaders sont soumis à de telles contraintes que leur influence réelle sur l'environnement est pratiquement nulle. Pour d'autres encore, le leadership est un mystère, une sorte d'envoûtement facile à constater, mais impossible à définir. Dans ce chapitre, nous nous pencherons sur ces diverses perspectives.

Questions clés

Ce chapitre porte sur la nature et le rôle du leadership, et plus particulièrement sur les nouvelles approches du leadership dans les milieux organisationnels axés sur la haute performance. Voici les questions clés que vous devriez garder à l'esprit en le lisant :

- Qu'est-ce que le leadership, et en quoi diffère-t-il de la gestion ?
- Que postulent les théories des traits personnels et des comportements du leader ?
- Que postulent les théories du leadership situationnel ?
- Comment la théorie de l'attribution peut-elle être reliée au leadership ?
- Quelles sont les nouvelles approches du leadership dans les organisations hautement performantes ?

Le leadership et la gestion

Dans la première partie de cet ouvrage, nous avons traité des gestionnaires et de leurs fonctions, rôles, tâches et compétences. Nous allons maintenant nous pencher sur les liens entre ces notions et les notions de *leader* et de *leadership*.

Peut-on distinguer le leader du gestionnaire? Y a-t-il une différence entre le leadership et la gestion? Si oui, quelle est-elle? Ce débat n'a pas encore été tranché. On considère en général que le rôle de la gestion est de favoriser la stabilité de l'organisation et de lui permettre de fonctionner sans heurts, tandis que le leadership vise à faciliter l'adaptation et à instaurer les changements nécessaires[1]. Selon les cas, les titulaires d'un poste de direction pourraient se livrer à la fois à des activités de gestion et de leadership, ou privilégier les unes au détriment des autres. Cependant, comme gestion et leadership sont également indispensables, les dirigeants qui n'assument pas les deux types de responsabilités doivent impérativement s'entourer de gens qui se chargent des tâches négligées.

Dans cet ouvrage, nous définirons le **leadership** comme un type d'influence interpersonnelle par laquelle un individu amène un autre individu ou un groupe à s'acquitter de la tâche qu'il veut voir menée à bien. Précisons-le immédiatement, le leadership n'est qu'une des facettes de l'influence, une notion plus large sur laquelle nous reviendrons au prochain chapitre. Le leadership se manifeste sous deux formes: 1) *le leadership formel*, exercé par des gens nommés ou élus à un poste qui leur confère une autorité officielle au sein de l'organisation; et 2) *le leadership informel*, exercé par des gens dont l'ascendant tient à des compétences particulières qui leur permettent de répondre aux besoins de leurs collègues. Bien que ces deux types de leadership soient importants en milieu organisationnel, ce chapitre porte essentiellement sur le leadership formel.

Le leadership a donné lieu à une profusion de publications – on dénombre plus de 10 000 études sur le sujet –, qui l'envisagent sous divers angles[2]. La façon la plus simple d'aborder l'étude de ces recherches et de leurs applications est de procéder chronologiquement, en commençant par les théories traditionnelles (par exemple, les théories des traits personnels du leader, les théories des comportements du leader et les théories du leadership situationnel) pour s'intéresser ensuite aux nouvelles approches du leadership (par exemple, la théorie de l'attribution, les théories du leadership charismatique et la théorie du leadership transformateur). Dans le contexte de haute performance où intervient maintenant le CO, ces jalons de l'évolution du leadership revêtent une pertinence toute particulière. Comme nous allons le voir, ils sont tous importants pour le leader.

■ ***Leadership*** Type d'influence interpersonnelle par laquelle un individu amène un autre individu ou un groupe à s'acquitter de la tâche qu'il veut voir menée à bien

Les théories des traits personnels et des comportements du leader

■ LES THÉORIES DES TRAITS PERSONNELS DU LEADER

Selon les ***théories des traits personnels du leader***, ce sont en grande partie des attributs personnels qui permettent de distinguer leaders et non-leaders – les

■ ***Théories des traits personnels du leader*** Théories du leadership selon lesquelles ce sont en grande partie des attributs personnels qui permettent de distinguer leaders et non-leaders, et de prédire les résultats d'un leadership donné

leaders ayant «les dispositions nécessaires[3]» – et de prédire les résultats d'un leader ou d'une organisation. Vieille de plus d'un siècle, la *théorie des grands personnages* a été la première tentative d'étude du leadership ; axée sur les différences entre leaders et non-leaders, elle tente de répondre à la question suivante : quels sont les traits personnels qui distinguent les grands personnages de la masse ? en quoi, par exemple, Catherine la Grande différait-elle de ses sujets[4] ? Par la suite, on a mené d'autres recherches sur les différences entre leaders et non-leaders ainsi que sur la prédiction des résultats selon des traits personnels ; cependant, pour diverses raisons, notamment des problèmes de théorisation et de mesure des traits, aucune de ces études n'a donné de résultats concluants[5].

Par contre, des travaux plus récents ont porté fruit : les chercheurs sont parvenus à dégager plusieurs traits qui, en plus de correspondre aux points forts des leaders (voir la figure 14.1), permettent de prédire les résultats d'un leadership donné.

En général, les leaders sont énergiques, et leur comportement est stable (ni imprévisible, ni capricieux). Ils aspirent au pouvoir non pas en tant que fin en soi, mais en tant que moyen de concrétiser une vision ou d'atteindre des objectifs. Les leaders se révèlent aussi très ambitieux et animés par un fort désir d'accomplissement. Ils manifestent une maturité émotionnelle qui leur permet de reconnaître leurs forces et leurs faiblesses, et ils travaillent constamment à s'améliorer. Ils doivent aussi être intègres ; sans la confiance de ceux qui les suivent, ils perdraient leur appui. Ce sont des personnes qui ne se découragent pas facilement ; elles s'en tiennent à la voie qu'elles se sont tracée et mettent tout en œuvre pour

Vitalité et résistance au stress Vigueur physique et force morale

Désir de pouvoir essentiellement altruiste Fort besoin d'exercer le pouvoir, mais essentiellement au bénéfice d'autrui

Désir d'accomplissement Volonté de mener des projets à bien, de réussir, d'exceller ; acceptation des responsabilités ; détermination à atteindre les objectifs associés aux tâches

Maturité émotionnelle Équilibre ; absence de troubles psychologiques majeurs

Confiance en soi Confiance générale en soi-même et en sa capacité d'assumer les responsabilités du leader

Intégrité Adéquation entre les comportements et les valeurs personnelles ; honnêteté, sens éthique, fiabilité

Persévérance ou ténacité Capacité de surmonter les obstacles ; force de caractère ; volonté

Aptitudes cognitives, intelligence, compétences sociales Capacité de recueillir, d'assimiler, d'organiser et d'interpréter l'information ; intelligence supérieure à la moyenne, discernement ; compréhension approfondie du contexte social

Connaissance approfondie de la tâche Connaissance de l'organisation, du secteur et des aspects techniques du travail

Flexibilité Capacité de réagir adéquatement aux changements qui surviennent dans l'environnement

Figure 14.1
Les traits personnels associés au succès du leader

ÉTHIQUE ET RESPONSABILITÉ SOCIALE

www.bartontraining.org/index.htm

Développer les habiletés de leadership des gestionnaires tout en participant à un projet éducatif en faveur de jeunes enfants. C'est l'expérience hors du commun, mais particulièrement stimulante, à laquelle a participé Diane Pagé, administratrice de contrats chez Nortel, qui a assumé pendant une semaine la coresponsabilité d'un camp de vacances.

« C'est une aventure unique, qui m'a appris en très peu de temps bien plus sur mes compétences de gestionnaire qu'un programme traditionnel de formation ne l'aurait fait en quelques mois. Si mon employeur me proposait de nouveau de participer à une telle expérience, j'embarquerais tout de suite. »

L'idée de jumeler une œuvre aux objectifs caritatifs avec un programme de formation visant à développer les capacités de communication et de leadership chez les cadres a germé, il y a une bonne dizaine d'années, dans la tête d'un Britannique, Charlie Wigzell. En 1990, il créa la société sans but lucratif Barton Training Trust. Depuis, sa formule pour le moins inusitée a séduit des entreprises aussi prestigieuses que la Barclays Bank et Nortel.

« M. Wigzell a eu une riche intuition. Il s'est dit que les enfants de 8 à 11 ans sont tellement spontanés dans leurs réactions, positives ou non, qu'il serait intéressant de les voir interagir avec des cadres transformés pour l'occasion en animateurs de camp de vacances », explique Andrée Jalbert, propriétaire d'une franchise Baron pour l'ensemble du Canada.

Les enfants jouent ainsi les rôles de clients pour les animateurs néophytes. Mme Pagé se souvient qu'elle avait, avec neuf autres collègues de son entreprise, bénéficié de deux jours de préparation intensive portant sur la sécurité et les jeux préférés des enfants.

« On s'est rendu au camp pour un briefing au début d'une fin de semaine. Les enfants sont arrivés le dimanche soir. Le lundi, c'était notre première journée à temps plein avec les jeunes. Ce soir-là, nous étions tous plutôt fiers de notre travail. Pourtant, des enfants ne se sont pas gênés pour dire que, comme animateurs, on faisait plutôt amateurs ! » Si, pour les cadres, le fait de participer à une activité au profit d'enfants — pour la plupart en provenance de milieu défavorisé — est une expérience valorisante, l'objectif premier demeure les leçons qu'ils en tireront de leur style de gestion. « Pendant toute la semaine, les cadres demeurent en permanence sur la brèche. Les enfants sont, par nature, impatients. Il faut donc prendre des décisions, bonnes ou mauvaises, dans l'urgence. C'est un environnement propice pour en apprendre beaucoup sur ses propres aptitudes au leadership », souligne Mme Jalbert. [...]

Michel De Smet. « Consolider son leadership grâce à des enfants », *Les Affaires*, 15 avril 2000, p. 76.

---

atteindre leurs buts. Elles doivent posséder des aptitudes cognitives suffisantes pour traiter efficacement l'immense quantité d'information à laquelle elles sont exposées, mais n'ont pas à être exceptionnellement brillantes ou douées : une intelligence supérieure à la moyenne suffit. Les leaders doivent aussi avoir une bonne compréhension de leur environnement social. Enfin, ils doivent posséder des connaissances vastes et précises sur leur champ d'activité, leur organisation et leur travail.

■ LES THÉORIES DES COMPORTEMENTS DU LEADER

Comme les théories des traits personnels que nous venons d'étudier, les ***théories des comportements du leader*** postulent que le leadership a un effet déterminant sur les résultats organisationnels en matière de performance et de gestion des

■ *Théories des comportements du leader* Théories du leadership selon lesquelles ce sont en grande partie les comportements du leader qui permettent de prédire les résultats d'un leadership donné

ressources humaines ; toutefois, au lieu de focaliser sur les traits personnels du leader, elles se concentrent sur ses comportements. Deux programmes de recherche bien connus, ceux de l'Université du Michigan et de l'Université de l'Ohio, ouvrent des pistes de réflexion très intéressantes sur les comportements associés au leadership.

Les études de l'Université du Michigan   À la fin des années 1940, des chercheurs de l'Université du Michigan ont lancé un programme de recherche sur les comportements associés au leadership, l'objectif étant de dégager les comportements les plus susceptibles de produire un rendement efficace. Après avoir interrogé des groupes hautement performants et peu performants dans diverses organisations, les chercheurs ont conclu que les comportements des leaders se répartissent en deux grandes catégories : *les comportements axés sur les travailleurs* et *les comportements axés sur la production*. Les *dirigeants axés sur les travailleurs* accordent une grande importance au bien-être de leurs subordonnés, tandis que les *dirigeants axés sur la production* se préoccupent davantage de l'exécution du travail. Les recherches ont établi que, de manière générale, les groupes de travail des dirigeants axés sur les travailleurs sont plus productifs que ceux des dirigeants axés sur la production[6].

On peut voir ces comportements comme un continuum ; les comportements des dirigeants axés sur les travailleurs se trouveraient à une extrémité et ceux des dirigeants axés sur la production, à l'autre. Notons qu'on désigne parfois ces deux catégories sous les termes plus généraux de *comportements axés sur les relations* et de *comportements axés sur la tâche*.

Les études de l'Université de l'Ohio   Presque à la même époque, un important programme de recherche sur le leadership voyait le jour à l'Université de l'Ohio. Ses chercheurs ont fait passer dans des établissements industriels et militaires un questionnaire visant à mesurer les perceptions des subordonnés par rapport aux comportements de leadership de leurs supérieurs. Ils ont ainsi pu dégager deux dimensions similaires à celles mises en évidence par le programme de recherche de l'Université du Michigan : le ***leadership axé sur la considération pour autrui*** et le ***leadership axé sur la structuration des activités***[7]. Comme le dirigeant axé sur les travailleurs, le leader qui a beaucoup de considération pour autrui est très sensible à ce que ressentent ses subordonnés, et s'efforce de les satisfaire. Par contre, le leader qui privilégie la structuration des activités veille plutôt à préciser les exigences liées à la tâche et à clarifier les autres aspects du travail, s'apparentant en cela au leader axé la production. On parle parfois de ces deux types de leadership comme du *leadership socio-émotif* et du *leadership axé sur la tâche*.

Les chercheurs de l'Université de l'Ohio ont d'abord pensé que les subordonnés des leaders axés sur la considération et qui privilégient la dimension socio-émotive se distingueraient par une satisfaction professionnelle plus élevée et un meilleur rendement. Cependant, des études ultérieures ont établi que les leaders doivent à la fois avoir de la considération pour autrui et se soucier de la structuration de la tâche. La grille du leadership rend compte de l'importance de ces deux dimensions.

La grille du leadership   Conçue par Robert Blake et Jane Mouton, la grille du leadership est l'une des applications les plus connues des modèles comportementaux. On commence par déterminer l'intérêt que le gestionnaire porte à l'élément humain, d'une part, et à la tâche, d'autre part. Puis, on inscrit les résultats obtenus

■ *Leadership axé sur la considération pour autrui*
Type de leadership où le dirigeant, axé sur les travailleurs, manifeste beaucoup de considération pour autrui, est très sensible à ce que ressentent ses subordonnés et s'efforce de les satisfaire

■ *Leadership axé sur la structuration des activités*
Type de leadership où le dirigeant, axé sur la tâche, cherche surtout à en préciser les exigences et à clarifier les autres aspects du travail

dans une grille dont l'ordonnée (intérêt envers autrui) et l'abscisse (intérêt envers la tâche) présentent chacune neuf graduations. Par exemple, le gestionnaire qui obtient 1,9 (1 pour l'intérêt envers la tâche et 9 pour l'intérêt envers autrui) se caractérise par un style «social». Une note de 1,1 dénote un style relâché ou «laisser-faire». Une note de 9,1 correspond à un style «autocrate» strictement axé sur la tâche, et une note de 5,5 dénote un style axé sur le compromis. Enfin, le gestionnaire qui accorde énormément d'importance aux deux dimensions et se caractérise par un style «intégrateur» obtiendrait une note idéale de 9,9.

La théorie des échanges leader-membres de Graen   Comme les précédentes, *la théorie des échanges leader-membres* de Graen présume que le leadership à une incidence majeure sur les résultats. Cependant, contrairement aux modèles décrits plus haut, où l'on met l'accent sur l'effet du comportement du leader sur les résultats de ses subordonnés, la théorie des échanges de Graen se concentre sur la qualité de la relation professionnelle entre le leader et ses subordonnés. L'échelle en sept points inhérente à ce modèle mesure 1) le respect que le leader éprouve pour les capacités de ses subordonnés, et vice versa; 2) la confiance que les leaders et leurs subordonnés se portent mutuellement; et 3) les responsabilités réciproques qu'ils estiment avoir. Considérées dans leur ensemble, ces trois dimensions déterminent qui fait partie du cercle du leader, et qui n'en fait pas partie[8].

Les membres du cercle du leader font généralement office d'assistants, de lieutenants ou de conseillers, et tendent à avoir des échanges plus profonds et plus personnalisés avec le leader que ceux qui ne font pas partie de son cercle. Ces derniers tendent à privilégier les exigences professionnelles plus officielles, et l'influence qu'ils exercent sur leur leader et que leur leader exerce sur eux est assez faible. À cause des rapports plus personnalisés qui s'instaurent dans le cercle du leader, typiquement, ce dernier confie à ceux qui en font partie des tâches intéressantes, leur délègue d'importantes responsabilités, partage avec eux l'information dont il dispose et les fait participer au processus décisionnel, en plus de leur offrir d'autres bénéfices comme son approbation, son appui personnel et des horaires de travail plus avantageux.

Les recherches montrent que les groupes où les échanges leader-membres sont de meilleure qualité se caractérisent par une productivité et une satisfaction professionnelle accrues, un taux de roulement plus faible, des salaires plus élevés et un avancement professionnel plus rapide. Ces résultats sont encourageants, de sorte que les études sur cette approche se multiplient. Naturellement, de nombreuses questions restent toujours en suspens. Par exemple, que se passe-t-il si les travailleurs sont traités très différemment selon qu'ils appartiennent ou non au cercle du leader? Les travailleurs à l'écart du cercle risquent-ils d'en éprouver du ressentiment et de saboter le travail de l'équipe? Il nous reste aussi beaucoup à apprendre sur la manière dont s'instaure la dynamique des échanges entre les membres du cercle et les autres, de même que sur l'évolution de leurs relations[9].

Les dimensions interculturelles   Il est important de savoir si les dimensions comportementales que nous venons d'analyser se manifestent de la même manière d'un pays à l'autre. Certaines études menées aux États-Unis, en Grande-Bretagne, à Hong-Kong et au Japon indiquent que les comportements semblent se manifester différemment selon le contexte culturel. Par exemple, en Grande-Bretagne, on dira qu'un dirigeant a de la considération pour ses subordonnés s'il leur explique

■ *Théorie des échanges leader-membres*   Théorie du leadership selon laquelle la qualité des échanges leader-membres a un effet déterminant, pour l'organisation et pour les subordonnés, sur les résultats

comment utiliser l'équipement ; pour jouir de la même réputation, le dirigeant japonais devra les aider à résoudre leurs problèmes personnels[10]. Par ailleurs, les recherches prouvent que la théorie des échanges leader-membres s'applique au Japon[11].

Les théories du leadership situationnel

■ **Théories du leadership situationnel** Théories du leadership selon lesquelles ce sont les contingences situationnelles qui, associées aux traits et aux comportements du leader, permettent de prédire les résultats d'un leadership donné

Les théories des traits personnels et les théories des comportements du leader postulent qu'en soi, le leadership exerce une influence majeure sur les résultats. Mais, selon une autre approche, celle des **théories du leadership situationnel**, il ne suffit pas d'analyser les traits personnels et les comportements du dirigeant pour prédire les résultats du leadership, il faut aussi tenir compte des caractéristiques de la *situation*.

Selon House et Aditya, l'influence des traits personnels du leader dépend en partie de la situation où il se trouve – ou, plus précisément, de l'adéquation entre ses traits personnels et les exigences de cette situation[12]. Ainsi, un fort besoin d'accomplissement aura d'autant plus d'importance que la tâche est difficile et qu'elle exige du dirigeant qu'il fasse preuve d'initiative et se sente pleinement responsable des résultats. La souplesse du dirigeant produira des effets plus marqués s'il travaille dans un environnement instable ou s'il est amené à superviser diverses personnes au fil du temps. Un fort besoin de pouvoir motivé par le désir de servir autrui sera plus important dans une organisation complexe, où la mise en œuvre des décisions exige beaucoup de persuasion et un fort ascendant sur les gens. Enfin, les traits personnels du dirigeant n'auront pas le même effet selon que le milieu de travail est plus ou moins rigide. Ainsi, dans une organisation très hiérarchisée où l'on trouve d'innombrables règlements, procédures et autres contraintes, l'influence des traits personnels du dirigeant sera minime, car, encadré et restreint par la rigidité de la structure, le leader pourra difficilement exprimer son dynamisme. Parfois, les traits personnels sont directement liés aux résultats et peuvent déterminer si une personne donnée est ou non un leader. Ils peuvent aussi influer sur les comportements du leader ; par exemple, un dirigeant très énergique sera porté à adopter des comportements directifs et à prendre spontanément en charge les projets qui doivent être menés à terme[13].

■ LA THÉORIE DE LA CONTINGENCE DE FIEDLER

■ **Maîtrise situationnelle** Marge de manœuvre dont jouit le leader pour déterminer les comportements de son groupe, et capacité du leader à prévoir les retombées des actions et des décisions des membres de ce groupe

■ **Questionnaire du collègue le moins apprécié** (CMA) Instrument de mesure qui permet de déterminer si le style de leadership d'un dirigeant est axé sur les relations ou sur la tâche

Les travaux de Fred Fiedler ont marqué, au milieu des années 1960, l'avènement de «l'ère situationnelle»[14]. Selon Fiedler, l'efficacité d'un groupe repose sur l'adéquation entre le style du leader – style associé à un trait de personnalité – et les exigences de la situation. Fiedler s'intéresse plus particulièrement à la **maîtrise situationnelle** – c'est-à-dire la marge de manœuvre dont jouit le leader pour déterminer les comportements de son groupe, et sa capacité de prévoir les retombées des actions et des décisions des membres de ce groupe.

Pour évaluer le style de leadership d'une personne donnée, Fiedler utilise un instrument appelé le **questionnaire du collègue le moins apprécié** (CMA). Les répondants doivent décrire la personne avec laquelle leurs relations professionnelles ont été les plus difficiles – le collègue qu'ils ont le moins apprécié – en la situant sur divers axes dont les extrémités correspondent à des adjectifs contraires.

Par exemple:

Inamical ——— ——— ——— ——— ——— ——— ——— Amical
          1   2   3   4   5   6   7   8

Plaisant ——— ——— ——— ——— ——— ——— ——— Déplaisant
          1   2   3   4   5   6   7   8

Fiedler estime que les leaders dont l'indice CMA est le plus élevé (c'est-à-dire ceux qui décrivent en des termes très positifs le collègue qu'ils apprécient pourtant le moins) pratiquent un style de leadership axé sur les relations, tandis que ceux qui présentent un indice CMA faible pratiquent un style de leadership axé sur la tâche. Pour Fiedler, cette propension à privilégier l'une ou l'autre de ces deux dimensions (la tâche ou les relations) est un trait personnel qui conduit à des comportements directifs ou non directifs *selon le degré de maîtrise situationnelle dont jouit le leader*. En d'autres termes, le leader axé sur la tâche ne sera pas directif s'il a une maîtrise importante sur la situation; par contre, il sera assez ou même très directif si sa maîtrise situationnelle est moyenne ou faible. Le leader axé sur les relations réagira à l'inverse.

La figure 14.2 montre que les leaders axés sur la tâche obtiennent de meilleurs résultats lorsque la maîtrise situationnelle est forte ou faible, et les leaders axés sur les relations, lorsque la maîtrise situationnelle est moyenne.

La figure montre également que Fiedler détermine trois degrés de maîtrise situationnelle – faible, moyen, élevé – selon la combinaison des trois variables suivantes:

- *les relations entre le leader et les membres du groupe* (bonnes ou médiocres) – le soutien que les membres du groupe apportent au leader;

- *la structure de la tâche* (forte ou faible) – la rigueur et la précision des objectifs, procédures et directives associés à la tâche du groupe que dirige le leader;

- *le pouvoir hiérarchique* (fort ou faible) – l'autorité que détient le leader étant donné la position qu'il occupe dans la structure hiérarchique, ainsi que le pouvoir d'attribuer récompenses et punitions que lui confère son poste.

Les trois variables de la maîtrise situationnelle de Fiedler

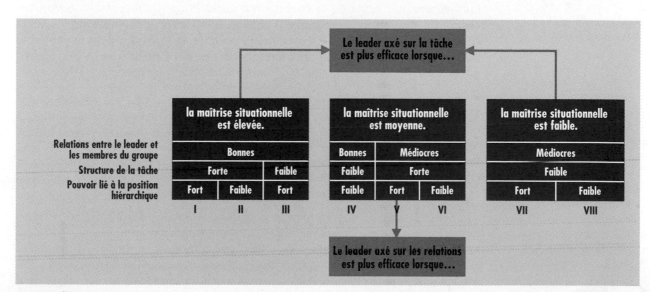

Figure 14.2
Les prédictions du modèle de la contingence de Fiedler

Prenons d'abord l'exemple du cadre qui supervise une équipe chargée de fabriquer des pièces pour des ordinateurs personnels. À la tête d'un groupe dont la tâche est très structurée, ce cadre jouit du plein appui de son groupe, ainsi que du pouvoir d'accorder des augmentations et d'engager ou de licencier ses coéquipiers. Ce cadre bénéficie donc d'une maîtrise situationnelle élevée et se trouve dans la situation I de la figure 14.2. S'il se trouvait dans les situations II ou III, son degré de maîtrise situationnelle serait moindre, mais resterait élevé. Dans ces situations où le degré de maîtrise situationnelle est élevé, le leader axé sur la tâche qui adopte un comportement non directif maximiserait l'efficacité de son groupe.

Considérons maintenant le cas du président d'un conseil étudiant constitué de bénévoles, et dont le pouvoir hiérarchique est par conséquent très faible. Supposons que les membres du conseil soient insatisfaits du travail de leur président et que leur tâche soit peu structurée – par exemple, ils doivent organiser un «Carrefour de l'emploi» pour faciliter les relations entre futurs diplômés et employeurs éventuels. Le dirigeant du groupe se trouve dans la situation VIII de la figure 14.2 : sa maîtrise situationnelle est très faible. Ici, le leader le plus efficace serait donc celui qui accorde la priorité à la tâche et qui adopte un comportement directif pour maintenir la cohésion du groupe et focaliser les efforts sur cette tâche floue ; en fait, une telle situation exige ce type de leadership.

Enfin, prenons l'exemple du directeur d'un département universitaire ; la plupart des membres du département bénéficient de la permanence d'emploi et apprécient grandement leur leader. Nous sommes ici dans la situation IV (figure 14.2), qui correspond à une maîtrise situationnelle moyenne : relations harmonieuses entre le leader et les membres du groupe, tâche peu structurée et pouvoir hiérarchique faible. Pour être pleinement efficace dans cette situation, le leader devrait accorder la priorité aux relations, éviter les comportements directifs et manifester beaucoup de considération aux membres du département.

La théorie des ressources cognitives de Fiedler Récemment, Fiedler a encore fait avancer sa théorie de la contingence en élaborant la *théorie des ressources cognitives* – les ressources cognitives étant des aptitudes et des compétences[15]. Selon cette théorie, les variables situationnelles ou contingences qui déterminent si le leader doit adopter un comportement directif ou non directif sont les suivantes :

- les aptitudes ou les compétences du leader et des membres de son groupe ;
- le degré de stress du leader ;
- l'expérience du leader ;
- le soutien que les subordonnés offrent au leader.

La théorie des ressources cognitives est particulièrement intéressante parce que, contrairement à la plupart des autres modèles du leadership, elle tient compte des aptitudes du leader et des subordonnés.

Selon la théorie des ressources cognitives, quand le leader est compétent, détendu et soutenu par les membres de son équipe, un comportement directif améliore les résultats. Si ces conditions sont réunies, le groupe est disposé à accepter un style de leadership directif, et cette approche devient le moyen de communication le plus efficace. Par contre, si le leader est sous pression, il ne peut consacrer toute son énergie à la tâche ; l'expérience prime alors les aptitudes. Si le leader ne jouit pas de l'appui des membres de son équipe, ces derniers seront peu réceptifs à ses ordres et son influence sera moindre. Les aptitudes des membres du groupe s'avèrent d'autant plus importantes que le leader n'est pas directif et qu'il jouit du soutien de ses subordonnés. Par contre, si les subordonnés ne font pas confiance à leur leader, alors des variables comme la difficulté inhérente à la tâche auront une plus grande influence que le leader ou ses subordonnés.

L'évaluation et les applications   L'origine du modèle de la contingence de Fiedler remonte aux années 1960, et cette théorie a suscité depuis des réactions tantôt favorables, tantôt défavorables. Ses détracteurs s'interrogent surtout sur ce que mesure véritablement l'indice CMA. Certains observateurs doutent aussi de la validité de l'interprétation avancée par Fiedler, voulant que les comportements des leaders varient selon le degré de maîtrise qu'ils peuvent exercer dans une situation donnée. Enfin, selon d'autres études, les prédictions les plus exactes de cette théorie sont celles qui correspondent aux situations I et VIII, IV et V (voir la figure 14.2), les résultats étant moins probants dans les autres situations[16]. Quant à la théorie des ressources cognitives, les conclusions des chercheurs qui s'y sont intéressés sont mitigées[17].

Pour ce qui est des applications de sa théorie, Fiedler a mis au point le ***programme de formation «adéquation leader-situation»***, auquel ont eu recours certaines organisations comme Sears Roebuck. Les leaders y apprennent à analyser la situation où ils se trouvent afin d'harmoniser leur indice CMA à la maîtrise situationnelle qu'elle leur confère. Rappelons que, comme l'indique la figure 14.2, le degré de maîtrise situationnelle se mesure selon trois variables : les relations entre le leader et les membres de son groupe, la structuration de la tâche et le pouvoir hiérarchique du leader. Dans ce programme de formation, les leaders apprennent comment, lorsque la situation où ils se trouvent et leur indice CMA ne concordent pas, ils peuvent y remédier en modifiant les variables de la maîtrise situationnelle. Notons que l'adéquation entre la situation et l'indice CMA des leaders peut également s'obtenir par les processus de sélection ou d'affectation : par exemple, on affectera les leaders dont l'indice CMA est élevé à des postes présentant un fort degré de maîtrise situationnelle[18]. Comme sa théorie de la contingence, le programme de formation «adéquation leader-situation» de Fiedler a fait l'objet de nombreuses études destinées à vérifier son efficacité. Bien qu'elles ne soient pas unanimes, plus d'une douzaine d'entre elles révèlent tout de même une amélioration des résultats du groupe à la suite du programme de formation suivi par le leader[19].

En conclusion, bien que plusieurs questions sur la théorie de la contingence de Fiedler restent à élucider, notamment la véritable signification de l'indice CMA, ce modèle et le programme de formation «adéquation leader-situation» qui en est issu semblent assez bien appuyés[20]. Ils se révèlent particulièrement intéressants par la réflexion qu'ils suscitent sur les variables situationnelles et leur influence sur l'efficacité de tel ou tel style de leadership.

■ ***Programme de formation «adéquation leader-situation»***   Programme de formation où les leaders apprennent à analyser la situation dans laquelle ils se trouvent afin d'harmoniser leur indice CMA à la maîtrise situationnelle qu'elle leur confère

■ LA THÉORIE DU CHEMINEMENT CRITIQUE DE HOUSE

En s'appuyant sur les travaux de plusieurs de ses prédécesseurs, Robert House a formulé une autre théorie bien connue du leadership situationnel[21]. Sa *théorie du cheminement critique* se fonde sur la théorie des attentes que nous avons étudiée au chapitre 6 : le terme de «cheminement critique» fait référence à l'influence du leader sur les perceptions qu'ont ses subordonnés de leurs objectifs professionnels et de leurs objectifs personnels, ainsi que des liens – ou chemins – entre ces deux catégories d'objectifs.

■ **Théorie du cheminement critique de House** Théorie du leadership selon laquelle la fonction clé du leader consiste à adapter ses comportements aux contingences d'une situation donnée de manière à les pallier

La *théorie du cheminement critique de House* postule que la fonction clé du leader consiste à adapter ses comportements aux contingences d'une situation donnée, comme celles qu'on trouve en milieu de travail, de manière à les pallier. Selon House, les subordonnés apprécient d'autant plus leur leader qu'il est en mesure de remédier aux carences du milieu professionnel ; par exemple, le dirigeant peut dissiper l'ambiguïté des descriptions de poste ou montrer qu'un bon rendement se traduira par une augmentation salariale. Toujours selon House, le rendement devrait s'améliorer à mesure que les *chemins* qui mènent des efforts aux résultats (attentes) et des résultats à des récompenses valorisées (instrumentalité) deviennent plus clairs.

La figure 14.3 résume la théorie de House. Elle présente quatre types de leadership – le *leadership directif*, le *leadership de soutien*, le *leadership orienté vers les objectifs* et le *leadership participatif* – et deux catégories de variables situationnelles – les *caractéristiques des subordonnés* et les *caractéristiques du milieu de travail*. Le dirigeant doit adapter ses comportements de manière à pallier les variables problématiques (contingences) de la situation afin d'accroître la satisfaction de ses subordonnés, d'être mieux accepté d'eux et de les inciter à donner un meilleur rendement.

■ **Leadership directif** Type de leadership qui consiste à expliquer de manière très détaillée les tâches que les subordonnés doivent accomplir ainsi que la manière dont ils doivent le faire

Le ***leadership directif*** consiste à expliquer de manière très détaillée les tâches que les subordonnés doivent accomplir ainsi que la manière dont ils doivent le faire – ce qui revient sensiblement à la structuration des activités. Le ***leadership de soutien*** accorde la priorité aux besoins et au bien-être des subordonnés,

■ **Leadership de soutien** Type de leadership qui accorde la priorité aux besoins et au bien-être des subordonnés, et qui favorise l'instauration et le maintien d'un climat de travail amical

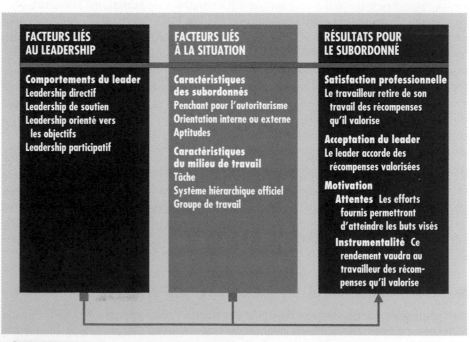

Figure 14.3
Résumé des principales relations établies par la théorie du cheminement critique de House

et favorise l'instauration et le maintien d'un climat de travail amical – ce qui revient sensiblement à adopter des comportements empreints de considération pour autrui. Le **leadership orienté vers les objectifs** met l'accent sur la fixation d'objectifs stimulants et sur l'obtention d'un rendement élevé; il repose sur une confiance inébranlable en la capacité des membres du groupe d'atteindre les résultats visés, si ambitieux soient-ils. Enfin, le **leadership participatif** est axé sur la consultation : le dirigeant invite les subordonnés à faire part de leurs suggestions et en tient compte dans ses prises de décisions.

Pour ce qui est des caractéristiques des membres du groupe, ce modèle accorde de l'importance à la tendance à l'*autoritarisme* (étroitesse d'esprit, rigidité), à l'*orientation interne ou externe* (lieu de contrôle) et aux *aptitudes*. Pour ce qui est du milieu de travail, ce modèle étudie des variables suivantes : la *nature des tâches des subordonnés* (structure de la tâche), le *système hiérarchique officiel* et le *groupe de travail*.

Les prédictions de la théorie du cheminement critique   Selon ce modèle, le leadership directif devrait avoir un effet positif sur les subordonnés si la tâche est floue et un effet négatif si, au contraire, elle est extrêmement précise. Dans le premier cas, le comportement directif du leader pallie le peu de structuration de la tâche, tandis que dans le deuxième cas les subordonnés perçoivent la directivité du leader comme une entrave. Cette théorie prédit aussi que, si la tâche n'est pas clairement structurée, le leader aura avantage à se montrer encore plus directif à l'égard de subordonnés étroits d'esprit et qui ont un fort penchant pour l'autoritarisme.

Le leadership de soutien augmenterait la satisfaction des travailleurs auxquels incombent des tâches très répétitives et perçues comme désagréables, stressantes ou peu gratifiantes. En manifestant de la considération à ses subordonnés, le leader pallie la difficulté de leurs conditions de travail. Par exemple, le travail sur une chaîne de montage automobile traditionnelle passe souvent pour être très répétitif, voire désagréable et frustrant; en manifestant son soutien aux membres de son groupe, le superviseur peut leur rendre la tâche plus agréable.

Le leadership axé sur les objectifs inciterait les subordonnés à fournir un meilleur rendement et leur donnerait confiance en leur capacité d'atteindre des objectifs ambitieux. En ce qui concerne les subordonnés chargés de tâches mal définies (floues), mais variées (non répétitives), le leadership orienté vers les objectifs devrait raffermir leur conviction que des efforts soutenus les mèneront aux résultats souhaités.

Le leadership participatif accroîtrait la satisfaction des subordonnés dont les tâches sont variées et qui disposent d'assez de latitude pour y mettre une touche personnelle. Par exemple, dans un projet de recherche complexe et difficile, le leadership participatif inciterait les membres qui disposent d'une certaine marge de manœuvre à trouver leurs propres solutions aux problèmes soulevés par le projet. Ce style de leadership entraînerait aussi une satisfaction élevée chez des subordonnés affectés à des tâches monotones, mais qui sont conciliants et ouverts d'esprit. Dans un groupe de travailleurs qui serrent des boulons du matin au soir, par exemple, ceux qui n'ont pas de penchant pour l'autoritarisme apprécieront un leader qui les laisse donner une touche personnelle à leur travail pour rompre la monotonie.

L'évaluation et les applications   La théorie du cheminement critique de House remonte à plus de trente ans. De façon générale, les premières recherches confirmaient sa validité ainsi que les prédictions que nous venons d'évoquer[22]. Cependant,

■ *Leadership orienté vers les objectifs*   Type de leadership qui met l'accent sur la fixation d'objectifs stimulants et sur l'obtention d'un rendement élevé; repose sur une confiance inébranlable en la capacité des membres du groupe d'atteindre les résultats visés, si ambitieux soient-ils

■ *Leadership participatif*   Type de leadership axé sur la consultation : le dirigeant invite les subordonnés à lui faire part de leurs suggestions, et en tient compte dans ses prises de décisions

dans les années 1990, des spécialistes renommés concluaient de leurs évaluations de cette théorie que plusieurs de ses dimensions n'avaient pas fait l'objet de vérifications adéquates, et cette théorie n'a guère suscité d'études récentes[23]. Dernièrement, House a lui-même revu sa théorie du cheminement critique et l'a élargie pour en faire la «théorie du leadership de l'unité de travail». Analyser ici les détails de cette nouvelle théorie sort de notre propos. Mentionnons simplement qu'elle repose sur une liste de comportements du leader plus étoffée que celle de la théorie du cheminement critique et qu'elle prend en considération à la fois certaines des dimensions du leadership traditionnel et du nouveau leadership[24]. Reste à voir l'intérêt qu'elle suscitera parmi les chercheurs.

En ce qui concerne les applications, les résultats des recherches portant sur la théorie initiale du cheminement critique sont assez probants pour nous permettre d'avancer deux conclusions. Premièrement, une formation appropriée peut effectivement permettre au leader d'adapter ses comportements en fonction des caractéristiques de la situation où il se trouve. Deuxièmement, comme nous l'avons d'ailleurs vu dans le programme de formation «adéquation leader-situation», le leader peut apprendre à évaluer la situation et à modifier les variables situationnelles.

■ LE MODÈLE DU LEADERSHIP SITUATIONNEL DE HERSEY ET BLANCHARD

À l'instar des autres théories situationnelles, le modèle élaboré par Paul Hersey et Kenneth Blanchard repose sur l'hypothèse qu'il n'existe pas de «recette miracle» en matière de leadership[25]. La variable clé étudiée par ces auteurs est la maturité des subordonnés, c'est-à-dire la capacité et la volonté des subordonnés d'exécuter la tâche qui leur est assignée. Pour Hersey et Blanchard, le leadership situationnel exige du leader qu'il adapte ses comportements en fonction du degré de maturité de ses subordonnés. Ainsi, selon le degré de maturité de ses subordonnés, il adoptera des comportements axés sur la tâche (par exemple, orienter et guider les subordonnés dans leur travail) ou des comportements axés sur les relations (par exemple, leur offrir du soutien socio-émotif). Comme le montre la figure 14.4, le modèle de Hersey et Blanchard dégage quatre styles de leadership: le leadership de délégation, le leadership de participation, le leadership de motivation et le leadership autocratique; chacun repose sur une combinaison particulière de comportements de leadership axés sur la tâche et de comportements de leadership axés sur les relations. La figure 14.4 indique également le style de leadership le plus approprié pour chacun des degrés de maturité des subordonnés:

- *Le leadership autocratique convient mieux aux subordonnés dont la maturité est faible*. Il consiste à préciser les rôles des travailleurs qui ne peuvent ni ne veulent prendre de responsabilités; en éliminant toute ambiguïté quant à la tâche à effectuer, il élimine du même coup tout sentiment d'insécurité.

- *Le leadership de motivation convient mieux aux subordonnés dont la maturité va de faible à moyenne*. Ce style de leadership permet à la fois d'orienter la tâche et d'offrir le soutien nécessaire aux travailleurs qui souhaitent assumer des responsabilités, sans avoir toutes les aptitudes nécessaires pour le faire. Afin de maintenir l'enthousiasme, il faut ajouter aux directives les explications et les encouragements.

- *Le leadership de participation convient mieux aux subordonnés dont le degré de maturité va de moyen à élevé*. Ce style de leadership donne de bons résultats

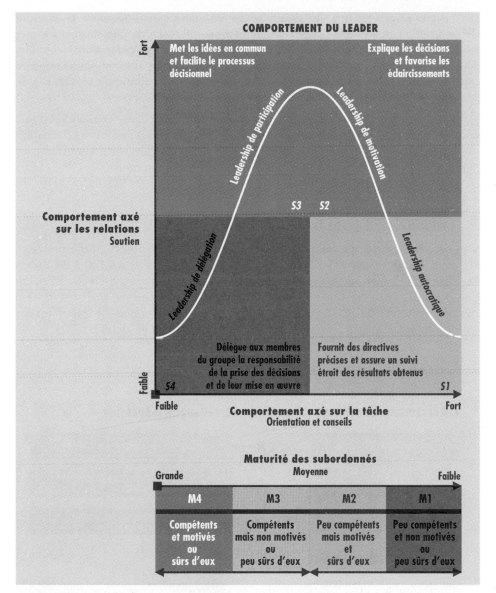

COMPORTEMENT DU LEADER

Fort

Met les idées en commun
et facilite le processus
décisionnel

Explique les décisions
et favorise les
éclaircissements

Leadership de participation

Leadership de motivation

S3   S2

**Comportement axé
sur les relations**
Soutien

Leadership de délégation

Leadership autocratique

Délègue aux membres
du groupe la responsabilité
de la prise des décisions
et de leur mise en œuvre

Fournit des directives
précises et assure un suivi
étroit des résultats obtenus

Faible

S4

S1

Faible   Fort

Comportement axé sur la tâche
Orientation et conseils

Maturité des subordonnés

Grande   Moyenne   Faible

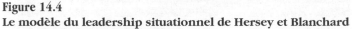

M4	M3	M2	M1
Compétents et motivés ou sûrs d'eux	Compétents mais non motivés ou peu sûrs d'eux	Peu compétents mais motivés et sûrs d'eux	Peu compétents et non motivés ou peu sûrs d'eux

Figure 14.4
Le modèle du leadership situationnel de Hersey et Blanchard

avec des subordonnés qui ont toutes les aptitudes requises pour prendre des
responsabilités, mais qui ne souhaitent pas le faire. Ceux-ci ont besoin d'appui
et d'encouragements pour accroître leur motivation. En les invitant à prendre
part aux décisions, le leader stimule leur volonté de s'investir dans leur travail.

• *Le leadership de délégation convient bien aux subordonnés dont le degré de
maturité est élevé.* Ce style de leadership consiste à procurer un minimum d'encadrement et de soutien par rapport à la tâche à effectuer; il permet donc aux
subordonnés compétents et déterminés d'assumer la responsabilité du travail
à accomplir.

Ce modèle de leadership situationnel exige du leader qu'il acquière la capacité d'évaluer avec justesse les exigences de la situation, puis de choisir et d'adopter le style de leadership approprié. Cette approche accorde une place importante aux subordonnés et à ce qu'ils éprouvent par rapport à la tâche à accomplir, et suggère que, pour être efficace, le leader doit rester attentif à l'évolution de la maturité de ses subordonnés et adapter son comportement en conséquence.

Bien que l'approche du leadership situationnel de Hersey et Blanchard soit connue de longue date et fasse partie intégrante de programmes de formation implantés dans de nombreuses organisations, ce n'est que récemment que les chercheurs ont commencé à l'étudier de manière systématique[26].

■ L'APPROCHE DES SUBSTITUTS DU LEADERSHIP

Contrairement aux approches traditionnelles dont nous venons de faire mention, la théorie des substituts du leadership postule que, dans certains cas, l'effet du leadership hiérarchique est pratiquement nul. John Jermier et d'autres chercheurs affirment que certaines caractéristiques des subordonnés, de la tâche ou de l'organisation peuvent soit tenir lieu de leadership, soit neutraliser l'influence du leader sur ses subordonnés[27]. La figure 14.5 présente quelques-uns de ces facteurs.

**Figure 14.5
Quelques substituts
et neutralisants
du leadership**

CARACTÉRISTIQUES DES SUBORDONNÉS	EFFET SUR LE LEADERSHIP
Expérience, aptitudes, formation	Remplacent le leadership axé sur la tâche
Professionnalisme	Remplace le leadership axé sur la tâche et le leadership de soutien
Indifférence à l'égard des récompenses offertes par l'organisation	Neutralise le leadership axé sur la tâche et le leadership de soutien

CARACTÉRISTIQUES DE LA TÂCHE	
Travail très structuré ou routinier	Remplace le leadership axé sur la tâche
Travail intrinsèquement satisfaisant	Remplace le leadership de soutien

CARACTÉRISTIQUES DE L'ORGANISATION	
Forte cohésion du groupe	Remplace le leadership axé sur la tâche et le leadership de soutien
Faible pouvoir hiérarchique du leader	Neutralise le leadership axé sur la tâche et le leadership de soutien
Éloignement physique du leader	Neutralise le leadership axé sur la tâche et le leadership de soutien

Les **substituts du leadership** remplacent l'influence exercée par le leader et la rendent ainsi moins nécessaire, voire superflue. Comme on le voit à la figure 14.5, il serait inutile, peut-être même impossible, que le leader fournisse à ses subordonnés des directives précises par rapport à leur travail si leurs aptitudes, leur expérience et leur formation leur permettent de très bien s'en tirer seuls. Par ailleurs, les **neutralisants du leadership** empêchent le leader d'adopter certains comportements ou annulent les effets de ses actions. Par exemple, le fait que le dirigeant détienne peu d'autorité ou soit séparé physiquement de son équipe risque de réduire son influence à néant, même si ses subordonnés ont besoin d'encadrement.

Certaines recherches sur les substituts du leadership menées auprès de travailleurs du Mexique, des États-Unis et du Japon suggèrent à la fois des similitudes et des différences d'un pays à l'autre. Toutefois, une analyse de 17 de ces recherches menées aux États-Unis et dans d'autres pays ne donne pas de résultats probants quant à la validité de la théorie des substituts du leadership. Les chercheurs soulignent notamment qu'il faudrait élargir les catégories de caractéristiques et de comportements du leader. Ils ajoutent que cette approche semble fonctionner surtout avec les équipes hautement performantes ; en effet, de telles équipes peuvent fixer leurs propres normes de rendement, lesquelles se substitueront aux normes et moyens édictés par un leader hiérarchique adoptant des comportements axés sur la tâche[28].

La théorie de l'attribution et le leadership

Les théories traditionnelles du leadership que nous venons d'étudier postulent toutes que le leadership et ses principaux effets peuvent être déterminés et mesurés objectivement. Or, ce n'est pas toujours le cas. La théorie de l'attribution étudie la manière dont les différents acteurs d'une situation donnée tentent d'en comprendre les causes, de déterminer les responsabilités de chacun et d'évaluer les qualités personnelles des parties prenantes. Cette théorie apporte un éclairage important sur le phénomène du leadership.

Pensez à un groupe de travail ou à une équipe qui, selon vous, fonctionne vraiment bien. Supposons maintenant qu'on vous demande de situer son leader sur l'une des échelles du leadership que nous avons étudiées dans ce chapitre. Compte tenu de l'excellent rendement du groupe, il est probable que, comme tous ceux qui se sont prêtés à cet exercice avant vous, vous décriviez son leader en des termes très élogieux. Autrement dit, vous lui *attribuez* certains comportements et qualités sur la foi des résultats de son groupe. De la même façon, les dirigeants *attribuent* des causes aux comportements de leurs subordonnés et agissent en conséquence. Par exemple, si un leader attribue le piètre rendement d'un travailleur à sa paresse ou à sa négligence, il sera tenté de le réprimander ; par contre, s'il attribue son piètre rendement à un facteur externe, comme une surcharge de travail, il aura plutôt tendance à chercher une solution pour régler le problème. De nombreuses études confirment que leaders et subordonnés sont sujets à ce phénomène d'*attribution*[29].

■ **Substituts du leadership**
Caractéristiques des subordonnés, de la tâche ou de l'organisation qui remplacent l'influence exercée par le leader et la rendent ainsi moins nécessaire, voire superflue

■ **Neutralisants du leadership**
Caractéristiques des subordonnés, de la tâche ou de l'organisation qui empêchent le leader d'adopter certains comportements ou annulent les effets de ses actions

■ LES PROTOTYPES DU LEADERSHIP

Les études montrent aussi que chacun se fait une idée personnelle des qualités qui caractérisent le «bon leader» et des comportements qu'adopte le «vrai leader» dans telles ou telles circonstances. Cette représentation mentale du leader idéal est ce qu'on appelle un ***prototype de leadership***[30]. Ces modèles implicites se composent généralement d'une combinaison de caractéristiques précises et de caractéristiques plus générales. Ainsi, le prototype du président d'une grande banque serait bien différent de celui du militaire de haut rang; cependant, ils auraient en commun certaines caractéristiques fondamentales qui sont attribuées à tous les leaders dans notre société, par exemple l'intégrité et le sentiment de compétence.

■ *Prototype de leadership*
Représentation mentale du leader idéal

Par ailleurs, on peut s'attendre à ce que les modèles du leader idéal diffèrent d'un pays à l'autre ou d'un groupe culturel à l'autre[31]. Pour dégager ces différences, des chercheurs ont demandé à des gens de huit pays différents d'indiquer, en se basant sur une liste de qualités, lesquelles correspondaient le mieux à leur conception d'un dirigeant d'entreprise. Ensuite, ils en ont isolé pour chacun des pays les cinq caractéristiques qui y étaient le plus souvent associées. Observez les différences entre les portraits qui en résultent aux États-Unis et au Japon.

- Aux États-Unis, le dirigeant d'entreprise modèle est déterminé; il focalise tous ses efforts sur la concrétisation des buts; il est éloquent, assidu et persévérant.
- Au Japon, le dirigeant d'entreprise modèle assume ses responsabilités; il est très scolarisé, digne de confiance, intelligent et discipliné.

De telles différences s'observent parmi les autres pays, quoique l'on constate aussi certains éléments communs.

Plus le comportement du leader est conforme à l'idée que se font ses subordonnés du dirigeant idéal (c'est-à-dire à leur prototype de leadership), plus ses relations avec eux seront fructueuses, et meilleurs seront les résultats[32]. Les deux phénomènes d'attribution que nous venons d'exposer montrent que le leadership comporte une importante dimension symbolique. Autrement dit, le leadership est en partie ce que ses observateurs pensent qu'il est. Ces constatations ont ouvert plusieurs pistes de réflexion et de recherche en matière de leadership. Ironiquement, la première de ces approches affirme que le leadership n'exerce, en définitive, qu'un effet négligeable, sinon nul, sur l'efficacité de l'organisation. La seconde, elle, tend à lui attribuer une importance démesurée; elle nous amène au modèle charismatique ainsi qu'à plusieurs autres dimensions du nouveau leadership.

■ LA SURÉVALUATION DES INCIDENCES DU LEADERSHIP

Jeffrey Pfeffer a étudié ce qui se passe quand les hauts dirigeants de l'organisation sont remplacés. Pfeffer est l'un des chercheurs qui estiment que même les PDG des grandes entreprises n'exercent en définitive qu'une incidence minime sur les bénéfices et sur l'efficacité de l'organisation, en comparaison des forces qui s'exercent dans son champ d'activité et dans son environnement plus général (par exemple, la réduction du budget fédéral de la défense). En outre, ces leaders doivent justifier auprès de tant de groupes et de partenaires différents l'utilisation qu'ils font des ressources que cette contrainte limite fortement leur leadership. Selon Pfeffer, ces forces et ces contraintes sont même si puissantes que l'influence des hauts dirigeants est essentiellement symbolique. Les dirigeants et leurs collègues se contenteraient, en fait, d'élaborer des explications pour justifier leurs décisions[33].

L'exagération de l'effet réel du leader ou cette attribution de résultats collectifs au seul leader se produit surtout quand la performance est très faible ou très élevée, ou encore lorsque plusieurs personnes peuvent en être tenues responsables. James Meindl et ses collègues appellent le ***mirage du leadership*** ce phénomène qui consiste à attribuer au leader des qualités et des vertus mystérieuses ou envoûtantes, presque surnaturelles[34]. Prenons le cas d'une équipe de la Ligue nationale de hockey qui perd toutes ses parties, et dont le directeur général congédie l'entraîneur. Le directeur général, pas plus que personne, ne peut vraiment expliquer les piètres résultats de l'équipe. Mais comme il ne peut pas congédier tous les joueurs en bloc, il remplace l'entraîneur pour symboliser le changement de cap, la mise en œuvre d'un leadership neuf qui, à coup sûr, relancera l'équipe…

La réorientation du leadership et les organisations hautement performantes

Avec cette analyse de la théorie de l'attribution et des dimensions symboliques du leadership, nous nous éloignons graduellement du leadership traditionnel pour entrer dans la sphère du nouveau leadership. Le ***nouveau leadership*** fait la part belle aux approches charismatique et transformatrice, ainsi qu'à divers aspects de la vision qui leur est associée. On considère ce nouveau leadership comme particulièrement crucial pour les personnes et les organisations qui changent et qui évoluent avec des objectifs de haute performance[35].

■ LES THÉORIES DU LEADERSHIP CHARISMATIQUE

Récemment, Robert House et ses collègues ont beaucoup travaillé sur des développements de la théorie du leadership charismatique formulée antérieurement par House. (Ne pas confondre ce modèle charismatique avec la théorie du cheminement critique, également de House, ni avec son prolongement que nous avons étudié dans le présent chapitre[36].) La nouvelle théorie de House est intéressante, notamment parce qu'elle s'appuie à la fois sur les traits personnels et sur les comportements pour expliquer le leadership.

Le ***leadership charismatique*** de House est celui qu'exerce le dirigeant qui, uniquement grâce à sa personnalité, parvient à exercer une influence forte et profonde sur ses subordonnés. De tels leaders se distinguent par un fort besoin de pouvoir, ainsi que par leur confiance en leurs capacités et en la justesse morale de leurs convictions. En d'autres termes, leur besoin de pouvoir, renforcé par leur foi absolue en la rectitude morale de leurs points de vue, les pousse à devenir des leaders, ce dont ils se sentent tout à fait capables grâce au sentiment de compétence qui les habite. Ces traits personnels suscitent, en retour, l'adoption de comportements charismatiques : projection d'un modèle à suivre, édification de l'image, formulation d'objectifs (surtout des objectifs simples et clairement circonscrits), détermination d'attentes élevées, manifestation d'une solide confiance en soi et mobilisation des subordonnés.

■ ***Mirage du leadership***
Phénomène qui consiste à attribuer au leader des qualités et des vertus mystérieuses ou envoûtantes, presque surnaturelles

■ ***Nouveau leadership*** Type de leadership qui privilégie les approches charismatique et transformatrice, ainsi que diverses dimensions de la vision qui leur sont associées

■ ***Leadership charismatique***
Type de leadership où le dirigeant, uniquement grâce à sa personnalité, parvient à exercer une influence forte et profonde sur ses subordonnés

L'une des études les plus intéressantes et les plus importantes sur certains aspects de la théorie du leadership charismatique porte sur plusieurs présidents des États-Unis[37]. Cette recherche révèle une forte corrélation positive entre le charisme d'un président donné et sa performance. Elle démontre aussi que le type de traits personnels décrits par House, ainsi que la manière de réagir aux situations de crise, entre autres facteurs, permettent de distinguer, parmi l'échantillon étudié, les présidents qui ont du charisme de ceux qui en sont dépourvus. D'autres études sur des présidents américains révèlent, par ailleurs, que les électeurs qui considéraient Bill Clinton comme un personnage charismatique votaient ensuite pour lui[38].

House et ses collègues résument d'autres travaux qui appuient en partie leur théorie. Certaines études particulièrement intéressantes indiquent que les leaders charismatiques négatifs – ou «nuisibles» – ont tendance à utiliser leur pouvoir personnel pour satisfaire uniquement leurs propres intérêts; les leaders charismatiques positifs – ou «bénéfiques» – privilégient au contraire un pouvoir essentiellement altruiste, qui favorise l'autonomisation des subordonnés et les responsabilise. Cette constatation expliquerait la différence entre des leaders «nuisibles», comme Adolf Hitler et David Koresh, et des leaders «bénéfiques», par exemple Martin Luther King[39].

Jay Conger et Rabindra Kanungo ont élaboré un modèle du leadership charismatique qui met en évidence trois étapes[40]. Dans une première étape, le leader évalue d'un œil critique l'état actuel des choses, fait le point sur les lacunes de la situation et fixe les grandes lignes des objectifs à atteindre. Il établit le bilan des ressources disponibles ainsi que des contraintes et obstacles qui risquent d'entraver la concrétisation de ces objectifs. Il prend également la mesure des capacités et des aptitudes de ses subordonnés, de leurs besoins et de leur degré de satisfaction professionnelle. Dans la deuxième étape, le leader exprime avec précision les objectifs et la vision, l'idéal vers lequel tendre. Ici, ce sont surtout ses compétences à communiquer clairement une vision et à gérer des impressions qui sont mises à contribution. Dans la troisième et dernière étape, le leader explique comment concrétiser ces objectifs et cette vision, et propose des moyens inhabituels et novateurs d'y arriver. Telles sont les trois étapes que Martin Luther King a traversées dans la démarche non violente de défense des droits civiques par laquelle il a modifié en profondeur la dynamique raciale aux États-Unis.

Selon Conger et Kanungo, si, plutôt que de s'en tenir au statu quo, le leader articule une vision, manifeste une sensibilité à son environnement et adopte des comportements non traditionnels, ses subordonnés le considéreront comme un leader charismatique. Les dirigeants de ce type semblent agir très différemment de leurs homologues «non charismatiques»[41].

Enfin, une question particulièrement importante se pose au sujet du leadership charismatique: est-il décrit de la même façon selon que le leader côtoie ses subordonnés ou en est éloigné? Boas Shamir a étudié récemment cette question en Israël, pour découvrir que les descriptions des leaders charismatiques éloignés de leurs subordonnés – par exemple l'ancienne première ministre israélienne Golda Meir – et celles des leaders charismatiques proches, comme un professeur, présentent plus de différences que de similitudes[42]. La figure 14.6 résume les principales conclusions de la recherche de Shamir. Il en ressort clairement qu'un leader peut être considéré comme charismatique qu'il maintienne un contact étroit avec ses subordonnés ou qu'il n'ait avec eux que des contacts sporadiques, voire inexistants. Toutefois, les traits personnels et les comportements du leader sont bien différents selon que le leader est proche ou éloigné.

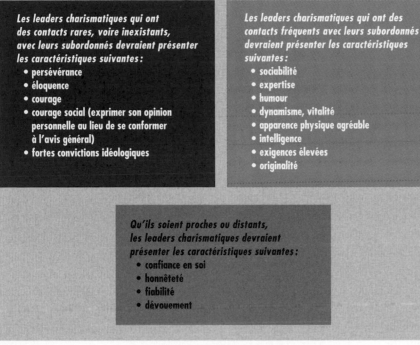

Figure 14.6
Description des caractéristiques des leaders charismatiques proches et éloignés

■ LA THÉORIE DU LEADERSHIP TRANSACTIONNEL ET DU LEADERSHIP TRANSFORMATEUR

En s'appuyant sur des notions venant de James MacGregor Burns, ainsi que sur les travaux de House, Bernard Bass a conçu une théorie qui s'intéresse au *leadership transformateur* et au *leadership transactionnel*[43].

Le **leadership transactionnel** concerne les échanges nécessaires entre le leader et ses subordonnés pour atteindre au jour le jour le niveau de rendement convenu. Ces échanges impliquent, de la part du leader, l'un ou l'autre des quatre comportements présentés dans *Le gestionnaire efficace 14.1*.

Le **leadership transformateur** va au-delà du rendement habituel ou quotidien. Pour Bass, il survient lorsque le leader : 1) amène ses subordonnés à élargir leurs horizons, à mieux comprendre les objectifs et la mission du groupe et à se les approprier ; 2) incite les subordonnés à voir au-delà de leur propre intérêt pour envisager celui d'autrui.

Les dimensions du leadership transformateur   Le leadership transformateur se fonde sur quatre dimensions : le charisme, l'inspiration, la stimulation intellectuelle et la reconnaissance individuelle.

- Le *charisme* est porteur d'une vision et il transmet aux subordonnés fierté, respect, confiance et conviction d'accomplir une mission importante ; par exemple, Steve Jobs, le fondateur d'Apple Computer, a montré son charisme en insistant

■ *Leadership transactionnel*
Type de leadership qui repose sur les échanges nécessaires entre le dirigeant et ses subordonnés pour atteindre au jour le jour le niveau de rendement convenu

■ *Leadership transformateur*
Type de leadership où le dirigeant : 1) amène ses subordonnés à élargir leurs horizons, à mieux comprendre les objectifs et la mission du groupe et à se les approprier ; 2) incite les subordonnés à voir au-delà de leur propre intérêt pour envisager celui d'autrui

sur la nécessité de faire du Macintosh un ordinateur radicalement nouveau, différent de tous les autres.

- L'*inspiration* insuffle des attentes élevées, recourt aux symboles pour renforcer et focaliser les efforts de tous, et exprime des objectifs importants en termes simples ; qu'on pense à cette image du film *Patton* où George C. Scott, debout sur une estrade, face à ses troupes, pistolet à crosse de nacre à la ceinture, se détache sur un gigantesque drapeau des États-Unis.

- La *stimulation intellectuelle* fait appel à l'intelligence, à la rationalité et à la rigueur dans la résolution des problèmes ; par exemple, votre patron vous incite à envisager un problème ardu sous un tout nouvel angle.

- La *reconnaissance individuelle* consiste à accorder à chacun une attention particulière, à le traiter comme un être unique ; par exemple, votre patron vient vous voir et vous adresse quelques mots qui vous valorisent en tant qu'individu.

Bass conclut que si le leadership transformateur est probablement plus commun dans les hautes sphères de la direction – où les leaders ont davantage de chances de proposer et de transmettre une vision –, il n'y est pas restreint ; on le retrouve à tous les échelons de l'organisation. En outre, le leadership transformateur peut aller de pair avec le leadership transactionnel, lequel s'apparente à la plupart des approches du leadership traditionnel mentionnées plus haut. Pour réussir, les dirigeants doivent exercer à la fois un leadership transformateur et un leadership transactionnel, tout comme ils doivent miser à la fois sur le leadership et sur la gestion[44].

L'évaluation et les applications　Les quelques analyses de grande envergure qui ont cherché à synthétiser les nombreuses études qu'a suscitées la théorie de Bass rapportent l'existence de liens positifs et significatifs entre les dimensions du leadership transformateur définies par Bass d'une part, et d'autre part certains aspects du rendement et de la satisfaction professionnelle des travailleurs, de même que des efforts accrus, une réduction de l'épuisement professionnel et du stress, et un parti pris du groupe pour l'innovation. Si les liens les plus forts concernent le charisme et l'inspiration, les autres dimensions du leadership transformateur sont également importantes. Ces conclusions confirment celles d'autres études[45] et montrent que le nouveau leadership peut susciter des retombées plus larges que le leadership traditionnel.

LE GESTIONNAIRE EFFICACE 14.1

QUATRE COMPORTEMENTS POSSIBLES DU LEADER TRANSACTIONNEL

1. *L'attribution de récompenses en fonction du rendement*　Quand les travailleurs atteignent les objectifs fixés, le leader leur accorde les récompenses correspondantes.
2. *La gestion par exceptions active*　Le leader cherche à détecter les écarts par rapport aux règles et aux normes, et il adopte les mesures correctives qui s'imposent.
3. *La gestion par exceptions passive*　Le leader intervient uniquement si les normes ne sont pas atteintes.
4. *Le laisser-faire*　Le leader se défile, n'assume pas ses responsabilités et évite de prendre des décisions.

www.coachu.com

Tous les mercredis soirs, à 21 h précises, Yves Hamelin décroche son téléphone, compose un numéro interurbain et attend. Au bout du fil, il entend des voix, quand soudain quelqu'un demande : « Bonjour, qui vient de se joindre à l'appel conférence ? » « C'est moi, Yves Hamelin du Québec, dit-il. Le débat peut commencer. » Le but de l'exercice : apprendre à devenir un coach.

C'est qu'Yves Hamelin, 41 ans, directeur des ressources humaines chez Elf Atochem, de Bécancour, participe aux TeleClass, des téléconférences qu'organise la Coach U Inc., une entreprise américaine qui se spécialise dans la formation de coachs à distance.

« On est une douzaine de participants de partout en Amérique du Nord qui se parlent au téléphone chaque semaine, dit-il. La dernière fois, il y avait des gens du Minnesota, du Texas, de la Californie, de Chicago, etc. »

Au Québec, ils sont une dizaine à avoir obtenu leur certification de la Coach U, après avoir suivi les sept modules des TeleClass. En ce moment, Yves Hamelin participe au module nº 4, intitulé *Quel genre de coach êtes-vous ?*

« On tente de faire l'inventaire de notre style personnel, dit-il. Durant les débats, on échange des idées, on partage des expériences, on pose des questions, bref on apprend à écouter et à devenir un meilleur coach. » [...]

S'agit-il d'un nouveau style de coaching ? « Absolument », répond Jean-Pierre Fortin, gradué de la Coach U et président de la firme montréalaise Coaching de gestion inc. « Le télécoaching a gagné beaucoup d'adeptes chez les cadres de niveau moyen », dit-il.

Une tendance que confirme Serge Baron, vice-président au développement des affaires, au Groupe CFC : « Le projet est embryonnaire, mais un client qui veut avoir accès à un formateur peut désormais le faire par téléphone, sur des plages de temps qui lui sont réservées ».

Par contre, Nicole Vachon, présidente d'Innovation Consultants, privilégie encore les rencontres face à face. « Car le contact humain est très important dans une relation de coaching », soutient-elle.

Bien sûr, la méthode ne change rien aux grands principes de coaching qui reposent, grosso modo, sur une philosophie de collaboration.

« Pour faire du coaching, il faut d'abord passer d'un style de gestion autoritaire à un style axé davantage sur le partenariat, affirme-t-il. C'est la façon de communiquer qui change », dit M. Fortin.

« Et il faut jouer le rôle d'accompagnateur, précise Serge Baron. Le coach n'est pas là pour dire quoi faire ou comment faire, mais pour aider son employé à identifier comment il va pouvoir développer ses compétences. »

Dans le fond, il faut lui apprendre à pêcher.

René Lewandowski. « La mode est au coaching par téléconférence », *Les Affaires,* 16 octobre 1999, p. 37.

■ LE LEADERSHIP DANS LES ÉQUIPES HAUTEMENT PERFORMANTES

Les modèles du leadership étudiés dans ce chapitre s'appliquent à toutes les organisations, quoique de manière différente[46]. Toutefois, compte tenu de l'importance que nous accordons aux organisations hautement performantes, nous devons maintenant voir, de façon plus particulière, comment ces types de leadership s'exercent dans les équipes autonomes (ou autogérées, ou autodirigées). Comme on l'a vu dans les chapitres précédents, les membres de ces équipes autonomes gèrent ou dirigent eux-mêmes leur groupe de travail. Il faut alors se poser la question

COMPORTEMENTS DU COORDONNATEUR	ACTIVITÉS DE L'ÉQUIPE VISÉES PAR LES ENCOURAGEMENTS DU COORDONNATEUR*
Encourage la simulation avant l'action. L'équipe analyse une activité et l'envisage en détail avant de s'y livrer réellement.	• Analyser les différentes composantes de l'activité • Simuler la mise en œuvre de la nouvelle tâche • Analyser la nouvelle tâche • Penser aux moyens de mener à bien un projet
Encourage l'équipe à fixer elle-même ses objectifs. L'équipe fixe elle-même ses objectifs de rendement.	• Fixer les objectifs de l'équipe • Fixer les objectifs individuels des coéquipiers • Fixer les objectifs de chaque tâche • Fixer les objectifs de rendement de l'équipe
Encourage l'équipe à s'autocritiquer. L'équipe se critique rigoureusement lorsque son rendement laisse à désirer.	• Faire preuve d'esprit critique • Être exigeant quant à son rendement • Pratiquer l'autocritique • Faire preuve d'esprit critique quand les résultats laissent à désirer
Encourage l'équipe à pratiquer l'autorenforcement. L'équipe se félicite lorsque son rendement est élevé.	• Se féliciter entre coéquipiers • Être fier de soi • Se féliciter mutuellement de son bon travail • Être satisfait de soi
Encourage l'équipe à définir ses propres attentes. L'équipe a des attentes élevées quant au rendement collectif.	• Être convaincu qu'on peut obtenir d'excellents résultats • Avoir des attentes élevées en matière de rendement • Attendre beaucoup de soi-même
Encourage l'équipe à s'observer et à s'autoévaluer. L'équipe observe et surveille, analyse et évalue son niveau de rendement.	• Rester attentif à son niveau de rendement • Savoir exactement où se situe son niveau de rendement • Évaluer ses résultats avec exactitude

* Ces activités étaient décrites d'une manière précise dans un questionnaire, où certaines questions étaient délibérément très similaires afin de garantir la fiabilité de l'instrument.

Figure 14.7
Quelques comportements typiques des coordonnateurs externes d'équipes hautement performantes

suivante : Ont-ils tout de même un leader extérieur au groupe ? La réponse est oui, bien que les tâches et les activités de ce leader externe soient différentes de celles d'un superviseur traditionnel. Même son titre diffère : *coordonnateur, facilitateur, animateur,* etc.

La figure 14.7 décrit les principaux comportements de leadership qu'on attend des coordonnateurs. Essentiellement, il s'agit d'encourager l'équipe, dont les activités révèlent comment elle répond aux attentes du coordonnateur. Mais, en supposant que l'équipe autonome se livre aux activités qu'encourage le coordonnateur, quel effet ses interventions ont-elles réellement ? Une étude montre que les équipes établissent un lien positif entre l'efficacité de leur coordonnateur et les encouragements que ce dernier leur prodigue pour les inciter à s'autodiriger.

Une autre étude montre que les comportements de leadership du coordonnateur ont un effet positif sur le rendement de l'équipe et favorisent la satisfaction à plusieurs égards[47]. Ces comportements ne seraient donc pas négligeables.

Examinons de plus près la figure 14.7. Notons tout d'abord que ces comportements, si importants soient-ils, portent essentiellement sur les activités de leadership que l'équipe assume elle-même – ils ne concernent pas les autres activités de leadership, comme la gestion des ressources ou encore les relations avec les autres unités. En d'autres termes, l'accent est mis sur le système social et non sur le système technique ; de fait, Manz et Sims estiment que la responsabilité fondamentale du coordonnateur externe est d'amener l'équipe à s'autogérer, et donc de favoriser des comportements de leadership en son sein[48]. Par ailleurs, ces mêmes chercheurs précisent que le leader *interne,* qui fait partie intégrante de l'équipe, joue le rôle d'un coéquipier supplémentaire qui aide l'équipe à s'organiser elle-même, à coordonner ses tâches et à s'assurer de la disponibilité des ressources. À cet égard, d'autres auteurs soulignent que, même si les encouragements du coordonnateur à l'équipe pour qu'elle assume elle-même son leadership ont un effet positif sur son efficacité et sur la satisfaction professionnelle des coéquipiers, cette corrélation serait probablement plus forte encore si ces autres dimensions du leadership étaient également intégrées[49].

Penchons-nous pour conclure sur deux autres considérations. Premièrement, les activités de leadership que les coéquipiers assument eux-mêmes peuvent être considérées comme un substitut partiel du leadership hiérarchique, même si un coordonnateur les encourage. Par exemple, les coéquipiers se félicitent et s'appuient au lieu de compter uniquement sur le coordonnateur pour les complimenter sur leur travail. Comme on l'a vu dans les chapitres précédents, de tels comportements prennent de plus en plus d'importance dans les organisations hautement performantes. Deuxièmement, bien que ces comportements supposent la participation active des coéquipiers, ils ne semblent pas particulièrement empreints de charisme. Ils s'avèrent plus efficaces s'ils sont associés à certains traits personnels et comportements de coordination mentionnés précédemment, et s'ils sont appuyés par le nouveau leadership de leaders positifs («bénéfiques») plus haut placés dans l'organisation.

▪ QUELQUES CONSIDÉRATIONS SUR LE NOUVEAU LEADERSHIP

Après avoir comparé les thèmes fondamentaux du leadership traditionnel et du nouveau leadership dans les milieux axés sur la haute performance, il importe de se poser deux questions de fond sur le rôle du nouveau leadership dans les milieux de travail.

Le CO et les fonctions de l'organisation

GESTION DES OPÉRATIONS

Les chefs des modules de production gèrent la complexité des ateliers

John Deere & Company, le plus grand fabricant de machinerie agricole du monde, produit 45 modèles de planteuses totalisant… 1,7 million d'options ! Pour bien gérer cette complexité, l'entreprise a institué un circuit de production, rapproché les machines les unes des autres et réorganisé le travail en 12 modules, chargés chacun de fabriquer certains assemblages et de les souder aux châssis des planteuses. Pour aider les chefs de module et les ouvriers à s'y retrouver dans le maquis de ces tâches, Deere les informe sur tous les aspects de la production, depuis l'échéancier d'assemblage jusqu'au contrôle de la qualité. Dans la mesure du possible, l'entreprise confie le pouvoir décisionnel aux personnes qui détiennent déjà l'information et les outils d'incitation. Les chefs de module possèdent ainsi les données dont ils ont besoin pour gérer leurs budgets, y compris en ce qui concerne la dotation en personnel, le temps supplémentaire, l'entretien et autres. Ainsi, chefs d'équipe et coéquipiers peuvent planifier leur travail et aborder d'une manière efficace les diverses contraintes de leur propre module, mais aussi des autres sections de la chaîne de montage. Par exemple, si un assembleur détecte un problème de qualité quand une planteuse passe devant lui, il le règle lui-même ou s'adresse à la personne responsable pour qu'elle le règle, et ce, quel que soit son poste. *www.deere.com*

LE GESTIONNAIRE EFFICACE 14.2

CINQ COMPÉTENCES DU LEADER CHARISMATIQUE

- *La sensibilité aux contextes les plus propices à l'exercice du charisme* Essentiellement, capacité de procéder à un bilan critique de la situation et de détecter des problèmes
- *La vision* Essentiellement, recours à la pensée créatrice pour concevoir d'importants projets de changement ainsi que pour apprendre
- *La communication* Maîtrise de la langue parlée et écrite
- *La gestion des impressions* Essentiellement, adoption de comportements pouvant servir de modèle, apparence générale soignée, maîtrise du langage corporel et verbal
- *L'autonomisation* Essentiellement, communication d'attentes élevées en matière de rendement, accroissement de la participation des subordonnés au processus décisionnel, assouplissement des contraintes bureaucratiques, établissement d'objectifs significatifs et instauration de systèmes de récompenses appropriés

Premièrement, *le nouveau leadership peut-il s'apprendre au moyen de programmes de formation?* Oui, répondent les chercheurs qui se sont penchés sur le sujet. Bass et ses collègues, par exemple, ont élaboré plusieurs programmes de formation de ce type. Dans l'un des ateliers qu'ils proposent, les responsables évaluent les compétences initiales des participants à la lumière des critères de Bass, puis leur fournissent une rétroaction. Par la suite, les participants adaptent leur programme de perfectionnement de manière à améliorer leurs points faibles, et ils travaillent en collaboration avec les formateurs pour développer leurs aptitudes de leadership. Les études de Bass, et de Bass et Avolio démontrent les effets bénéfiques de tels programmes; ces chercheurs font également état de formations dispensées à des équipes entières et de programmes conçus sur mesure en fonction des besoins d'une organisation donnée[50]. Conger et Kanungo proposent aussi des programmes visant à favoriser l'acquisition des comportements décrits dans leur modèle (voir *Le gestionnaire efficace 14.2*)[51].

Les modèles du leadership qui accordent une place centrale à la vision insistent souvent sur l'importance de la formation. Kouzas et Posner décrivent les résultats d'un programme d'une semaine implanté chez AT&T. Ce programme consistait notamment à sensibiliser les leaders à des dimensions qui permettent d'élaborer, de communiquer et de renforcer une vision commune. Selon Kouzas et Posner, dix mois après le programme, on observe chez les participants une augmentation moyenne de 15 % de ces comportements visionnaires[52]. Dans le même ordre d'idées, Sashkin a établi un modèle du leadership qui met l'accent sur divers aspects de la vision et du changement culturel en milieu organisationnel. Sashkin analyse plusieurs formations permettant aux dirigeants de perfectionner leurs aptitudes visionnaires, d'apprendre à stimuler le changement culturel dans l'organisation et de mieux le gérer[53]. Tous les programmes de formation portant sur le nouveau leadership font largement appel aux exercices pratiques; les dirigeants ne se contentent pas de lire des textes sur la vision, ils doivent aussi appliquer les principes étudiés.

La deuxième question est la suivante: *Le nouveau leadership est-il toujours utile et bénéfique?* Comme nous l'avons souligné, certains dirigeants charismatiques «nuisibles», par exemple Adolf Hitler, peuvent exercer un effet négatif sur leurs subordonnés ou leurs partisans. De même, le nouveau leadership n'est pas toujours nécessaire, ni souhaitable. Dans certains cas, le temps et les efforts consacrés à la vision font perdre de vue des activités quotidiennes cruciales. Notons aussi que le nouveau leadership n'est pas suffisant en soi: il doit être exercé conjointement avec le leadership traditionnel. Enfin, le nouveau leadership n'est pas utile ou bénéfique uniquement aux échelons supérieurs; de nombreux experts s'accordent sur le fait qu'il peut s'appliquer à tous les échelons de l'organisation.

ENTREPRENEURIAT

[…] À l'aube de l'an 2000, l'entrepreneuriat féminin a de forts appuis. Une magnifique occasion se dessine avec l'émergence des NTIC (nouvelles technologies de l'information et des communications). La nouvelle économie axée sur la connaissance convient particulièrement aux femmes. Elles sont jeunes, scolarisées, souples, créatives et originales, elles ont le profil idéal pour se positionner en regard des possibilités actuelles. Si, à l'époque, le secteur manufacturier ne leur était pas vraiment ouvert, le secteur des NTIC semble leur appartenir.

L'avenir exige un changement radical dans la gestion des entreprises, qui mette en valeur la souplesse des femmes dans ce domaine. Cet univers fondé sur le savoir de tous demande une capacité de gérer tout en souplesse et de respecter le consensus. Diriger à distance une organisation immatérielle, quasi virtuelle, exige une main de fer dans un gant de velours !

Les institutions financières reconnaissent que les entrepreneurs NTIC ont moins de difficulté à obtenir leur financement. Elles apprécient les femmes dans ce secteur, car, bien souvent, leur gestion est plus transparente et elles sont davantage réceptives aux conseils que leurs confrères. Il y a aujourd'hui dans ce secteur un préjugé favorable envers les femmes et l'accès au capital de risque leur en est d'autant facilité.

Michèle Bernard. « L'entrepreneuriat féminin », *PME — En affaires au Québec*, numéro hors série, automne 2000, p. 70.

Guide de révision

Qu'est-ce que le leadership, et en quoi diffère-t-il de la gestion?

■ Le leadership est un type d'influence interpersonnelle par laquelle un individu amène un autre individu ou un groupe à s'acquitter de la tâche qu'il veut voir menée à bien.

■ On considère généralement que le rôle de la gestion est de favoriser la stabilité de l'organisation et de lui permettre de fonctionner sans heurts, tandis que le leadership vise à faciliter l'adaptation et à instaurer les changements nécessaires.

Que postulent les théories des traits personnels et des comportements du leader?

■ Les théories des traits personnels du leader postulent que ce sont en grande partie des attributs personnels qui permettent de distinguer leaders et non-leaders, et de prédire les résultats d'un leadership donné.

■ Les traits personnels seraient largement innés et difficiles à modifier.

■ Comme les théories des traits personnels, les théories des comportements du leader reposent sur l'hypothèse que le leader a une influence déterminante sur les résultats organisationnels; cependant, elles postulent que ce sont en grande partie les comportements du leader qui permettent de prédire les résultats d'un leadership donné.

■ Les comportements du leader sont au cœur des études de l'Université du Michigan et de l'Université de l'Ohio, de la grille du leadership de Blake et Mouton et de la théorie des échanges leader-membres de Graen.

■ Les théories des comportements du leader se prêtent bien à l'élaboration de programmes de formation en leadership.

Que postulent les théories du leadership situationnel?

■ Les théories du leadership situationnel postulent que ce sont les contingences situationnelles qui, associées aux traits et aux comportements du leader, permettent de prédire les résultats d'un leadership donné.

■ Les traits personnels ont un effet d'autant plus marqué qu'ils correspondent bien aux exigences de la situation dans laquelle le leader se trouve.

■ Les traits personnels du leader n'auront pas le même effet selon que le milieu de travail est plus ou moins rigide.

■ Les principales théories du leadership situationnel sont la théorie de la contingence de Fiedler, la théorie du cheminement critique de House, la théorie du leadership situationnel de Hersey et Blanchard et la théorie des substituts du leadership de Kerr et Jermier.

■ Selon l'approche des substituts du leadership, certaines caractéristiques des subordonnés, de la tâche ou de l'organisation peuvent soit tenir lieu de leadership, soit neutraliser l'influence du leader sur ses subordonnés.

Comment la théorie de l'attribution peut-elle être reliée au leadership ?

■ La théorie de l'attribution étudie la manière dont les différents acteurs d'une situation donnée tentent d'en comprendre les causes, de déterminer les responsabilités de chacun et d'évaluer les qualités personnelles des parties prenantes.

■ Dans la mesure où elle montre que le leadership et ses principaux effets ne peuvent pas toujours être déterminés avec exactitude et mesurés de façon objective, la théorie de l'attribution est un complément intéressant aux théories traditionnelles du leadership.

■ Les leaders attribuent des causes aux comportements de leurs subordonnés et agissent en conséquence.

■ Quand un groupe obtient de bons résultats, leaders et subordonnés en concluent généralement que le leadership exercé est efficace.

■ Leaders et subordonnés se font souvent une représentation du leader idéal ; ils comparent le leader à ce prototype et, selon qu'il y correspond ou non, concluent qu'il est un bon ou un mauvais dirigeant.

■ Certains experts estiment que le leadership n'exerce en fait qu'un effet minime sur les résultats organisationnels et qu'il est essentiellement de nature symbolique. D'autres, les partisans du mirage du leadership, reprennent à leur compte cette dimension symbolique, mais en parant le leadership de qualités ou de vertus presque surnaturelles.

Quelles sont les nouvelles approches du leadership dans les organisations hautement performantes ?

■ Le nouveau leadership accorde une place importante aux approches du leadership charismatique et du leadership transformateur, ainsi qu'à différentes dimensions de la vision qui leur est associée.

■ Selon les approches du leadership charismatique et transformateur, les subordonnés ont tendance à attribuer des aptitudes de leadership extraordinaires au leader dès que celui-ci manifeste certains comportements ; ces attributions peuvent ensuite les inciter à atteindre des objectifs qui transcendent leur intérêt personnel, ce qui contribuera à transformer l'organisation.

■ Les plus importantes des nouvelles approches en matière de leadership sont les modèles du leadership charismatique élaborés respectivement par House et par Conger et Kanungo, ainsi que le modèle du leadership transformateur de Bass.

■ Le leadership transformateur a une portée plus large que le leadership charismatique ; il intègre généralement le charisme comme une dimension de leadership parmi d'autres.

■ Dans les équipes autonomes qui caractérisent les organisations hautement performantes, le rôle du coordonnateur externe consiste à encourager l'équipe et à l'aider à s'autogérer.

■ Dans les équipes autonomes qui caractérisent les organisations hautement perfor-mantes, le rôle du leader interne consiste à aider l'équipe à s'organiser, à coordonner ses tâches et à s'assurer de la disponibilité des ressources.

■ D'une manière générale, le nouveau leadership est important parce qu'il va au-delà du leadership traditionnel en favorisant le changement, ce qui est crucial dans un contexte en évolution rapide caractérisé par un impératif d'excellence.

Mots clés

Évaluation des connaissances

■ QUESTIONS À CHOIX MULTIPLE

1. _____ postule(nt) que, en soi, le leadership a un effet déterminant sur les résultats organisationnels en matière de performance et de gestion des ressources humaines. **a)** Les théories des traits personnels et des comportements **b)** La théorie de l'attribution **c)** Les théories du leadership situationnel **d)** La théorie des substituts du leadership

2. Selon les modèles des traits personnels et des comportements du leader, l'effet des traits et des comportements sur les résultats du leadership _____ **a)** est aussi important que l'effet des autres variables. **b)** est plus important que l'effet des autres variables. **c)** est déterminé par les autres variables. **d)** n'est que symbolique.

3. Comment le leadership se distingue-t-il de la gestion? **a)** Le leadership favorise la stabilité alors que la gestion favorise le changement. **b)** Le leadership favorise le changement alors que la gestion favorise la stabilité. **c)** Le leadership est une compétence innée, alors que la gestion s'apprend. **d)** Il n'y a pas de différence entre le leadership et la gestion.

4. Première tentative d'analyse du leadership, la théorie des grands personnages expliquait la différence entre les leaders et les non-leaders _____ **a)** par le comportement de leurs subordonnés. **b)** par leurs traits personnels. **c)** par les caractéristiques de la situation, du contexte. **d)** par le fait que les leaders ont une taille supérieure à la moyenne.

5. La théorie de la contingence de Fiedler distingue trois variables de la maîtrise situationnelle : les relations entre le leader et ses subordonnés, la structure de la tâche et _____ **a)** le pouvoir de commandement. **b)** le pouvoir hiérarchique. **c)** le pouvoir discrétionnaire. **d)** la complexité de la situation.

6. Selon la théorie _____ , la principale fonction du leader consiste à pallier les carences de la situation. **a)** des traits personnels du leader **b)** des comportements du leader **c)** du cheminement critique **d)** des influences multiples

7. Le prototype de leadership _____ **a)** sert avant tout à sélectionner et former les leaders. **b)** repose en grande partie sur l'indice CMA. **c)** est une représentation mentale du leader idéal. **d)** énumère les aptitudes requises pour devenir un leader.

8. _____ ne joue(nt) pas un rôle crucial dans le modèle de Conger et Kanungo. **a)** La gestion par exceptions active **b)** La vision **c)** La sensibilité aux contextes les plus propices à l'exercice du charisme **d)** L'autonomisation

9. Le leadership des équipes autodirigées _____ **a)** mise surtout sur le charisme personnel du coordonnateur. **b)** privilégie l'autonomisation des membres de l'équipe. **c)** mise surtout sur les traits personnels du coordonnateur. **d)** a été remplacé par la technologie.

10. Le leadership dans les organisations hautement performantes_____ **a)** fait appel à la fois aux approches traditionnelles et nouvelles du leadership, ainsi qu'à l'autonomisation du personnel. **b)** repose uniquement sur les principes de l'autogestion. **c)** a été remplacé en grande partie par la technologie. **d)** est très autocratique.

■ VRAI OU FAUX ?

11. Les premières études sur le leadership portaient essentiellement sur les comportements des leaders. **V F**

12. Leadership et gestion ont exactement les mêmes fonctions. **V F**

13. Les études de l'Université du Michigan concluaient que les groupes supervisés par un leader axé sur les travailleurs sont plus efficaces. **V F**

14. Le modèle situationnel de Hersey et Blanchard repose essentiellement sur la maturité des subordonnés. **V F**

15. Les neutralisants du leadership empêchent le leader d'adopter certains comportements ou annulent les effets de ses actions. **V F**

16. Selon la perspective du mirage du leadership, les leaders n'ont guère d'effets sur l'organisation. **V F**

17. Le leadership transformateur et le leadership transactionnel peuvent aller de pair. **V F**

18. Le leadership charismatique et le leadership transformateur sont des approches qui s'inscrivent dans la tendance du «nouveau leadership». **V F**

19. Coordonnateurs externes et leaders internes des équipes hautement performantes assument les mêmes fonctions. **V F**

20. Dans les équipes autonomes, le leadership repose largement sur le charisme. **V F**

■ QUESTIONS À RÉPONSE BRÈVE

21. Définissez le leadership et dites en quoi il se distingue de la gestion.

22. Analysez le rôle des théories des traits personnels et des comportements du leader dans l'étude du leadership.

23. Analysez le rôle des théories situationnelles dans l'étude du leadership.

24. Comparez leadership traditionnel et nouveau leadership.

■ QUESTION À DÉVELOPPEMENT

25. Vous venez d'obtenir un mandat à titre de consultant pour analyser le rôle du leadership chez Media@accès, l'entreprise décrite au début de ce chapitre, et proposer des moyens d'améliorer son efficacité. Dites comment vous aborderiez cette mission, en formulant toutes les hypothèses nécessaires.

Reportez-vous aux études de cas, aux exercices et aux autoévaluations de notre *Cahier d'apprentissage en CO* (voir p. 531).

■ Consultez le site Web du manuel. Vous y trouverez un questionnaire interactif et des exercices en ligne sur le contenu de ce chapitre.
www.erpi.com/schermerhorn

Pouvoir et jeu politique

LE GRAND PATRON

www.alcatel.com

Adieu caricatures, stéréotypes et clichés! Le grand patron français a résolument changé de visage. Il rajeunit, cultive le sourire, surveille sa ligne, avoue son salaire et se montre à l'aise tant en complet anthracite qu'en bras de chemise. Comme Serge Tchuruk, président-directeur général d'Alcatel, il n'est plus fils d'archevêque mais disciple du mérite. Sympathique? Oui, mais plus exposé que jamais. Car son ennemi n'est plus de classe; il est de la même caste. Le PDG est un loup pour le PDG. Sous les fourches Caudines de ses actionnaires, sous l'épée de Damoclès du Nasdaq, sous les feux de la rampe, sous pression permanente... bref, submergé, l'homme ne doit pourtant montrer aucune faiblesse.

«Il fait quand même la pluie et le beau temps», s'imaginent ses salariés. Erreur. Pour se mettre à l'abri, le patron doit sans cesse se mouiller. Fusions, acquisitions, restructurations... Plan social, chiffre d'affaires global, augmentation de capital... Pas le choix: la meilleure défense, c'est l'attaque. Chaque semaine une filiale. Chaque mois une OPA. Chaque année une assemblée générale. De quoi épuiser le commun des mortels. Mais pas lui. Le PDG du XXIe siècle est monté sur ressorts. À l'inverse de son aïeul replet, assis sur des brevets industriels et une pile de certitudes, le grand patron mondialisé n'a plus de rente. Il faut qu'il rapporte. À peine a-t-il dompté l'ancienne économie qu'on lui en invente une nouvelle. Juste pour voir. À la merci d'un fonds de pension qui s'excite, au gré d'un krach asiatique, il doit garder tout son influx tendu vers le profit. En échange, il a droit à un parachute, *golden* ou *diamond*, qui le dispense de saut à l'élastique, supplice réservé à ses cadres dirigeants. Mais là encore, gare à lui! Une fois congédié, ses stock-options seront publiées et livrées à l'opinion.

De quoi tisser l'étoffe de nouveaux héros, dans une société réconciliée avec l'argent. Voici que le PDG supplante les hommes politiques, concurrence les acteurs de cinéma, détrône les vedettes du gotha. La télévision fait de lui une star, les magazines populaires traquent son intimité et les éditeurs transforment ses souvenirs en best-seller.

Ils sont ainsi une petite cinquantaine à brasser un chiffre d'affaires de plus de 30 milliards de francs; une petite douzaine à dépasser les 100 milliards. Une élite, un club, une aristocratie? Avant tout, des hommes comme les autres, qui incarnent pour tous les Français le modèle optimiste de la réussite.

Christian Makarian. *L'Express,* 28 décembre 2000, p. 46-47.

Quand les gens décident de travailler pour une organisation donnée, il est rare que ce soit uniquement pour l'aider à atteindre ses buts ; sauf exception, ils le font pour leurs propres raisons et en fonction de leurs propres objectifs. Comme chaque travailleur défend ses intérêts personnels dans la structure hiérarchique, l'analyse du pouvoir et du jeu politique qui s'exercent dans l'organisation apporte un éclairage crucial sur le comportement humain en milieu organisationnel. À les entendre, les gestionnaires n'ont jamais assez de ressources – d'argent, de gens, de temps et d'autorité – pour mener leurs tâches à bien. Bref, ils considèrent qu'ils n'ont pas tout le *pouvoir* nécessaire pour atteindre leurs buts[1]. Nous verrons dans ce chapitre qu'en milieu organisationnel, pouvoir et jeu politique ont deux faces. D'une part, ils représentent le côté discutable et parfois sordide de la gestion : les organisations ne sont pas des démocraties, et les êtres humains n'y ont pas tous une influence égale. D'autre part, ils apparaissent comme d'importants outils organisationnels que les gestionnaires doivent utiliser pour que le travail se fasse et que les objectifs soient atteints. Dans les organisations efficaces, le pouvoir revient à des gens astucieux qui le développent, l'entretiennent et le gèrent avec une grande habileté ; le jeu politique est inhérent à toute organisation. Cela dit, il est souvent possible de concilier les intérêts individuels et ceux de l'organisation ; les gestionnaires avisés sont précisément ceux qui savent déceler ces points de jonction et les mettre à profit[2].

Questions clés

On ne saurait bien comprendre les rôles des différents intervenants dans une organisation sans analyser la dynamique du pouvoir et du jeu politique qui s'y pratiquent. Voici les questions clés que vous devriez garder à l'esprit en lisant ce chapitre :

■ Qu'est-ce que le pouvoir ? En quoi le pouvoir se distingue-t-il de l'influence ?

■ Comment les gestionnaires acquièrent-ils le pouvoir nécessaire pour exercer leur leadership ?

■ Qu'est-ce que la responsabilisation du personnel ? Comment les gestionnaires peuvent-ils responsabiliser leurs subordonnés ?

■ Qu'entend-on par «jeu politique» dans le contexte organisationnel ?

■ Quelle incidence le jeu politique a-t-il sur les gestionnaires et sur la gestion dans l'organisation ?

Le pouvoir

En comportement organisationnel, le ***pouvoir*** se définit comme la capacité d'amener autrui à accomplir la tâche qu'on veut voir menée à bien, ou d'influer sur le cours des événements. L'essence même du pouvoir se situe dans la capacité qu'a celui ou celle qui le détient d'influer sur le comportement d'autrui[3]. Le pouvoir est la force à laquelle on recourt pour que les choses se passent comme on le désire ; tandis que l'***influence*** est l'effet sur autrui du pouvoir qu'on exerce, c'est-à-dire la réaction comportementale à l'exercice du pouvoir. Nous avons vu, au chapitre 14, que le leadership est une importante forme d'influence. Il en existe d'autres qui font l'objet du présent chapitre.

Les gestionnaires puisent leur pouvoir à deux sources, l'une organisationnelle, l'autre individuelle. On peut donc distinguer deux types de pouvoir : le *pouvoir hiérarchique* et le *pouvoir personnel*[4].

■ LE POUVOIR HIÉRARCHIQUE

Du seul fait de la position qu'il occupe dans la hiérarchie de l'organisation, le gestionnaire se voit attribuer trois types de pouvoir : le *pouvoir de récompense*, le *pouvoir de coercition* et le *pouvoir légitime*.

Le ***pouvoir de récompense*** est la capacité qu'a le gestionnaire d'influer sur le comportement de ses subordonnés en leur offrant des récompenses extrinsèques – primes, promotions, compliments, etc. – ou en créant un contexte professionnel favorisant les récompenses intrinsèques – enrichissement des tâches, autonomisation, etc. Bien que tous les gestionnaires puissent dispenser des récompenses, leur façon d'y accéder et d'en faire usage pour influer sur autrui sera plus ou moins efficace selon leurs compétences personnelles.

S'il peut passer par la récompense, le pouvoir peut aussi s'exercer par la sanction. Par exemple, le gestionnaire peut menacer un subordonné de suspendre son augmentation salariale, de le muter, de le rétrograder ou de recommander son renvoi s'il ne se conforme pas à ses ordres. Cette capacité qu'a le gestionnaire d'influer sur le comportement de ses subordonnés en leur refusant les récompenses qu'ils convoitent ou en les punissant s'appelle le ***pouvoir de coercition***. L'étendue et l'importance du pouvoir de coercition varient selon les organisations et selon les gestionnaires. La présence de syndicats et la politique organisationnelle en matière de ressources humaines peuvent encadrer son usage de manière très stricte et en réduire grandement la portée.

La troisième forme du pouvoir hiérarchique est le ***pouvoir légitime*** (ou l'*autorité*), c'est-à-dire la capacité qu'a le gestionnaire d'influer sur le comportement de ses subordonnés en s'appuyant sur leur conviction que *le patron a le droit de commander*. Par exemple, le patron peut détenir l'autorité nécessaire pour approuver ou rejeter certaines requêtes de ses subordonnés – mutations, achats d'équipements, congés, heures supplémentaires, etc. Le pouvoir légitime est donc cette forme particulière de pouvoir que détient le gestionnaire parce que les subordonnés trouvent légitime que les titulaires des postes de gestion commandent. Si cette légitimité disparaît, les subordonnés n'acceptent plus l'autorité. Comme le pouvoir légitime a de nombreuses facettes, et qu'il peut être en grande partie «latent», il vaut la peine d'expliquer un peu mieux cette notion.

■ ***Pouvoir***   Selon la perspective : 1) capacité d'un individu d'amener autrui à accomplir la tâche qu'il veut voir menée à bien ; 2) outil ou ressource qui permet d'influer sur le cours des événements

■ ***Influence***   Effet sur autrui du pouvoir qu'exerce un individu ; réaction comportementale à l'exercice du pouvoir

■ ***Pouvoir de récompense***   Capacité qu'a le gestionnaire d'influer sur le comportement de ses subordonnés en leur offrant des récompenses extrinsèques ou en créant un contexte professionnel favorisant la récompenses intrinsèques.

■ ***Pouvoir de coercition***   Capacité qu'a le gestionnaire d'influer sur le comportement de ses subordonnés en leur refusant les récompenses qu'ils convoitent ou en les punissant

■ ***Pouvoir légitime*** (ou *autorité*)   Capacité qu'a le gestionnaire d'influer sur le comportement de ses subordonnés en s'appuyant sur leur conviction que « le patron a le droit de commander »

L'un des aspects les plus importants de la légitimité du pouvoir est l'accès à l'information et la mainmise qu'on a sur elle. Pour certains observateurs, l'information devrait même être considérée en soi comme une source de pouvoir bien distincte. Dans la plupart des organisations, le «droit de savoir» et d'utiliser l'information est limité et encadré par une série de règles et de règlements. Ainsi, la rémunération des membres du personnel est généralement confidentielle; les dessins industriels sortent rarement des services de l'ingénierie; les stratégies de marketing sont généralement classées «top secret», de même que la dernière évaluation de rendement du patron. Officiellement, cette mainmise sur l'information ne vise qu'à protéger les intérêts de l'organisation, mais en réalité sa raison d'être est souvent de préserver et d'accroître le pouvoir des détenteurs d'information.

Dans la plupart des organisations, la légitimité du pouvoir repose sur un ordre moral et technique implicite. Comme nous le verrons dans ce chapitre, du berceau à la retraite, en passant par l'école et le monde du travail, tous les membres de notre société apprennent à obéir à «l'autorité supérieure». Dans les organisations occidentales, cette autorité supérieure correspond aux plus hautes sphères de la direction, à ceux qui sont au sommet de la pyramide organisationnelle. Dans d'autres sociétés, elle peut revenir, indépendamment de toute considération hiérarchique ou organisationnelle, aux détenteurs de l'autorité morale: chefs de tribu, leaders religieux, etc. Dans nos organisations, la légitimité du pouvoir des hauts dirigeants est de plus en plus liée à leur statut de représentants de diverses constituantes. Il s'agit là d'un rôle technique ou instrumental, mais beaucoup de hauts dirigeants associent des causes sociales à leur rôle de figure d'autorité.

■ LE POUVOIR PERSONNEL

Le pouvoir personnel émane de l'individu lui-même; il n'est pas lié au poste qu'il occupe. Pourtant, son importance s'avère considérable dans de nombreuses organisations des mieux gérées. Le pouvoir personnel repose essentiellement sur l'*expertise,* la *persuasion rationnelle* et la valeur de *référence,* de modèle.

Par **pouvoir d'expertise**, on entend la capacité qu'a un individu d'influer sur le comportement d'autrui grâce aux connaissances, à l'expérience et au discernement qui lui sont propres, et dont d'autres, qui ne les possèdent pas, ont besoin. Ainsi, un subordonné obéit au cadre qui a un pouvoir d'expertise parce qu'il considère que ce dernier en sait généralement plus long que lui sur ce qu'il faut faire et sur la manière de le faire. Le pouvoir d'expertise est un pouvoir relatif, et non absolu.

Le ***pouvoir de persuasion rationnelle*** se définit comme la capacité qu'a un individu d'influer sur le comportement d'autrui en l'amenant à admettre le bien-fondé d'un objectif donné et les moyens proposés pour l'atteindre. La plupart des tâches quotidiennes du cadre supposent le recours à la persuasion rationnelle, que ce soit avec ses supérieurs, ses pairs ou ses subordonnés. En définitive, la persuasion rationnelle consiste à expliquer pourquoi il est souhaitable de produire les résultats voulus et à démontrer comment certaines mesures proposées permettront de les obtenir.

Le ***pouvoir de référence*** est la capacité qu'a un individu d'influer sur le comportement d'autrui parce que l'autre veut s'identifier à la source de pouvoir. Ici, le subordonné obéit au supérieur sur qui il cherche à modeler ses comportements, ses perceptions et ses convictions; cette obéissance se manifeste, notamment,

■ **Pouvoir d'expertise** Capacité qu'a un individu d'influer sur le comportement d'autrui grâce aux connaissances, à l'expérience ou au discernement qui lui sont propres, et dont d'autres, qui ne les possèdent pas, ont besoin

■ **Pouvoir de persuasion rationnelle** Capacité qu'a un individu d'influer sur le comportement d'autrui en l'amenant à admettre le bien-fondé d'un objectif donné ainsi que des moyens proposés pour l'atteindre

■ **Pouvoir de référence** Capacité qu'a un individu d'influer sur le comportement d'autrui à cause du désir qu'a ce dernier de s'identifier à la source de pouvoir quand le subordonné s'efforce de faire les choses comme son patron le désire parce qu'il l'apprécie sur le plan personnel. En un sens, le subordonné cherche ainsi à éviter tout comportement qui risquerait de détériorer la relation agréable et satisfaisante qu'il entretient avec son supérieur. Le pouvoir de référence du patron peut être accru si ce dernier évoque l'ordre moral ou indique clairement une voie à long terme vers un but moral. Dans le langage courant, on dit des gestionnaires qui exploitent ces aspects plus «ésotériques» de la vie organisationnelle qu'ils ont du *charisme* ou qu'ils ont une *vision*. Les subordonnés se plient à leurs consignes non pas pour obtenir une récompense en contrepartie de leurs actions ou de leur niveau de rendement, mais pour avoir accès à ce que leur patron incarne, c'est-à-dire un moyen de s'élever.

■ L'ACQUISITION ET L'USAGE DU POUVOIR ET DE L'INFLUENCE

Une bonne partie du temps de travail des gestionnaires est consacrée à des *comportements axés sur le pouvoir,* c'est-à-dire à des actions visant essentiellement à établir ou à utiliser des relations avec des gens qui sont disposés à se conformer, du moins jusqu'à un certain point, à leurs attentes et à leurs souhaits[5]. La figure 15.1 illustre les trois formes d'influence – ascendante, descendante et horizontale –, que doit exercer le gestionnaire pour réussir, ainsi que les types de pouvoir qui y correspondent.

Le gestionnaire efficace est celui qui réussit, au fil du temps, à acquérir et à conserver un niveau important de pouvoir hiérarchique et de pouvoir personnel. S'il détient suffisamment de pouvoir de divers types – et à cette condition seulement –, le gestionnaire pourra exercer l'influence ascendante (sur ses supérieurs hiérarchiques), descendante (sur ses subordonnés) et horizontale (sur ses collègues de même niveau et ses partenaires externes) dont il a besoin pour agir.

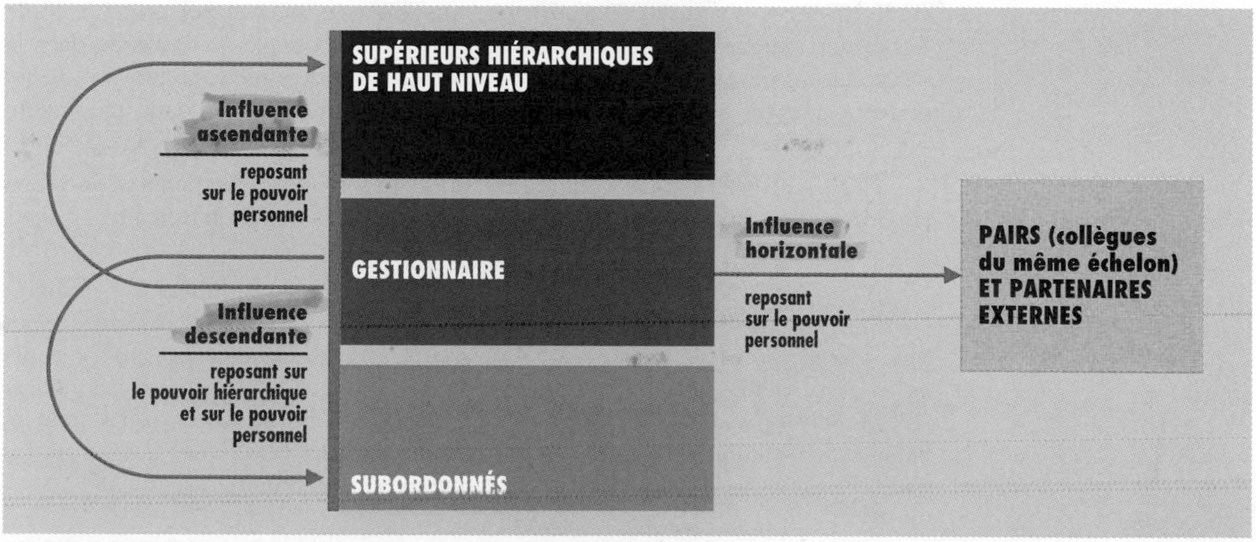

Figure 15.1
Les trois formes d'influence du gestionnaire et les types de pouvoir qui y correspondent

Développer son pouvoir hiérarchique   Pour accroître son pouvoir hiérarchique, le gestionnaire doit prouver aux autres que son unité de travail contribue largement à la concrétisation des objectifs organisationnels et qu'elle peut répondre aux besoins urgents de l'organisation. Supposons un cadre qui souhaite jouer un rôle plus stratégique dans l'enchaînement global des tâches (le déroulement du travail) et occuper ainsi une place plus centrale et plus déterminante dans l'organisation. Ce cadre pourra alors, par exemple, s'imposer comme un point de passage obligé de l'information, s'organiser pour qu'une partie de ses responsabilités professionnelles n'incombe qu'à lui, élargir son réseau de communication et de relations, ou encore occuper un bureau qui lui permettra de garder l'œil sur les principales allées et venues.

Le gestionnaire peut également rendre ses tâches et celles de son unité de travail plus cruciales pour l'organisation en recourant à diverses stratégies. Par exemple, il pourra s'approprier un rôle de coordonnateur interne ou de représentant externe de l'organisation, ou proposer que ses subordonnés assument ces responsabilités – surtout si l'organisation met en œuvre un processus de rationalisation. Si l'organisation opère dans un contexte technologique très dynamique, il pourra aussi fournir aux autres unités certains services et renseignements que nul autre ne saurait leur procurer ; cette stratégie se révèle particulièrement efficace si le cadre réussit à obtenir que son groupe participe aux décisions directement liées à la concrétisation des grands objectifs organisationnels. Pour renforcer son pouvoir hiérarchique, le gestionnaire pourra également déléguer les tâches les plus routinières, diversifier et renouveler régulièrement les responsabilités de ses subordonnés, proposer des idées neuves et prendre part aux nouveaux projets. Nous reviendrons sur le sujet lorsque nous traiterons de la responsabilisation des travailleurs.

Les moyens que prennent les gestionnaires pour étendre leur l'influence n'ont pas tous un effet positif sur l'organisation. Ainsi, le gestionnaire peut acquérir plus d'influence en concevant des tâches difficilement évaluables, par exemple, en élaborant des descriptions de postes ambiguës ou en adoptant un jargon pour décrire le travail de son groupe.

Développer son pouvoir personnel   On l'a dit, le pouvoir personnel découle des caractéristiques propres de l'individu, et non de la place qu'il occupe dans la hiérarchie ni des autres aspects de son poste. De toutes les caractéristiques qui peuvent aider les gestionnaires à renforcer leur pouvoir personnel dans une organisation, trois s'avèrent déterminantes : l'expertise, le sens politique et le charme.

La plus évidente est sans conteste l'*expertise*. La formation et le perfectionnement, la participation à des associations professionnelles et la collaboration à des projets dès leurs premiers stades sont d'excellents moyens de développer une expertise.

Bien qu'elle soit moins évidente, une autre façon de renforcer son pouvoir personnel est de développer son *sens politique,* c'est-à-dire d'apprendre à négocier plus efficacement, à se montrer plus persuasif, et à mieux distinguer les objectifs et les moyens auxquels tel ou tel individu est le plus susceptible de souscrire. Car si le néophyte pense que les gens sont tous plus ou moins les mêmes – qu'ils tendent vers les mêmes objectifs et qu'ils sont prêts à emprunter les mêmes voies pour les atteindre –, le gestionnaire astucieux reconnaît les différences individuelles et sait en tirer parti.

Pour accroître son pouvoir de référence, on peut aussi jouer de son *charme,* c'est-à-dire miser sur une personnalité agréable, des façons d'agir plaisantes et une allure attirante.

Montrer de l'ardeur au travail permet aussi de renforcer le pouvoir d'expertise et le pouvoir de référence, et par conséquent le pouvoir personnel global. Quand une personne s'investit visiblement dans son travail, son entourage s'attend généralement à ce qu'elle en sache passablement long, et a tendance à lui demander conseil. Il est probable que ses efforts lui vaudront également le respect de cet entourage, qui peut même finir par s'en remettre à elle pour qu'elle continue à fournir ces efforts.

Développer à la fois son pouvoir hiérarchique et personnel   Pour les besoins de l'analyse, on considère en général que les sources de pouvoir s'appuient soit sur les caractéristiques personnelles, soit sur la position hiérarchique. Mais dans les faits, la plupart des actions et des comportements qui visent à influer sur autrui tiennent à la fois du pouvoir hiérarchique et du pouvoir personnel.

La plupart des gestionnaires cherchent à accroître la visibilité de leurs réussites, c'est-à-dire à faire mieux connaître les bons résultats qu'ils produisent. Pour ce faire, ils 1) multiplient les contacts avec les cadres supérieurs, 2) font des présentations orales de leurs rapports écrits, 3) participent à des groupes de travail chargés de résoudre des problèmes particuliers, 4) diffusent des notes de service sur les réussites de leur unité, et 5) saisissent toutes les occasions de faire circuler leur nom et d'accroître leur notoriété personnelle. La plupart des gestionnaires savent également que l'accès à l'information ou la mainmise qu'on a sur elle jouent un rôle déterminant dans les relations entre supérieurs et subordonnés. La rétention d'information critique peut raffermir temporairement le pouvoir d'expertise du cadre, mais elle peut aussi nuire à l'efficacité de ses subordonnés. De même, le cadre peut restreindre l'accès aux décideurs clés de l'organisation. Si ses subordonnés peuvent communiquer avec ces décideurs clés de manière informelle, ces contacts directs neutraliseront, au moins en partie, les désavantages de ce blocus. D'ailleurs, les cadres supérieurs chevronnés ont l'habitude d'instaurer des circuits parallèles qui leur permettent de communiquer directement avec les travailleurs de la base, et cela afin de contrecarrer la tendance des cadres intermédiaires à retenir l'information ou à faire écran entre leurs subordonnés et eux.

Le pouvoir d'expertise est généralement de nature relationnelle, et intimement lié au contexte propre à l'organisation. Les décisions d'importance se prennent souvent en dehors des voies habituelles, sous l'influence de gens clés qui ont le savoir requis. Créer et utiliser des coalitions et des réseaux est une autre façon de renforcer son pouvoir d'expertise. Par leur entremise, on peut infléchir la circulation de l'information et modifier les paramètres d'analyse. Les cadres créent aussi des coalitions et des réseaux pour élargir leur accès à l'information et leurs occasions de participer aux décisions et aux projets clés.

Les cadres s'efforcent aussi de déterminer, ou du moins d'influencer, les prémisses décisionnelles, c'est-à-dire les bases qui servent à définir le problème et à choisir une option. Si le problème est défini d'une manière telle qu'il correspond parfaitement au champ de compétence d'un cadre, c'est naturellement à ce cadre que sera confiée la mission de le résoudre. Cette stratégie lui aura permis de raffermir subtilement son pouvoir hiérarchique.

Souvent, les cadres qui veulent accroître leur pouvoir exposent très clairement leurs objectifs et leurs besoins, et s'attachent ensuite à prouver qu'ils sont prioritaires pour l'organisation, non pas en brandissant leurs sources de pouvoir, mais plutôt en faisant œuvre de «persuasion rationnelle», c'est-à-dire en convainquant leur entourage du bien-fondé des priorités qu'ils défendent. En d'autres termes, les cadres les plus avisés ne menacent pas et n'invoquent pas les sanctions possibles pour accroître leur pouvoir. Ils vont plutôt miser à la fois sur leur pouvoir personnel et sur la position stratégique de leur unité de manière à accroître leur pouvoir *global*. Comme le contexte organisationnel change au fil du temps, telle ou telle source de pouvoir personnel pourra prendre plus d'importance, en elle-même ou combinée au pouvoir hiérarchique. Accroître son pouvoir est tout un art!

www.vivendi.com　www.alcatel.com
www.francetelecom.com

💻 TECHNOLOGIE

[...] La connexion de la quasi-totalité du personnel de l'entreprise sur un intranet pose un sérieux problème aux cadres, qui détenaient auparavant l'essentiel de leur pouvoir de l'information. La légitimité hiérarchique a changé. Le chef légitime n'est plus celui qui détient l'information et en organise l'émiettage avec parcimonie. « Ne pas partager l'information, aujourd'hui, c'est une faute de management », juge Jean-Marie Messier [PDG de Vivendi].

En diffusant aux 90 000 salariés connectés sur l'intranet du groupe son programme Go to US, destiné à inciter le personnel à partir dans ses entreprises américaines, Alcatel a eu beaucoup plus de succès qu'il n'en aurait eu par les voies ordinaires, la hiérarchie intermédiaire rechignant la plupart du temps à laisser s'envoler ses troupes. « C'est un changement extraordinaire dans la vie de l'entreprise, se félicite Serge Tchuruk [PDG d'Alcatel]. On est de plus en plus en démocratie directe ! » De leur côté, 80 % des salariés de France Télécom jugent l'information répartie désormais de plus en plus équitable. [...]

Sabine Delanglade. « Internet : Tous en scène », *L'Express,* 27 avril 2000, p. 12.

💻

■ DU POUVOIR À L'INFLUENCE

Savoir user de son pouvoir hiérarchique et de son pouvoir personnel pour exercer l'influence voulue sur son entourage n'est pas facile pour la plupart des gestionnaires. En pratique, ils recourent à diverses stratégies pour y parvenir, les plus courantes étant[6] :

Les stratégies d'influence les plus courantes

- *la raison* – étayer l'argumentation logique par des faits et des données ;
- *l'amabilité* – tabler sur la flatterie, la bonne volonté et les impressions favorables ;
- *la coalition* – se servir de ses relations pour obtenir du soutien ;
- *la négociation* – négocier en offrant des contreparties ;
- *l'autorité* – utiliser une approche personnelle, directe et musclée ;
- *l'autorité supérieure* – s'assurer de l'appui d'un ou de plusieurs supérieurs hiérarchiques ;
- *les récompenses et les punitions* – recourir aux récompenses et aux sanctions organisationnelles.

Les recherches montrent 1) que la raison est la plus utilisée de toutes ces stratégies et 2) que l'amabilité, l'autorité, la négociation et l'autorité supérieure servent plus souvent pour influencer des subordonnés que des supérieurs hiérarchiques[7]. Ces constats recoupent ce qui a été dit précédemment, à savoir que l'influence descendante (qui s'exerce sur les subordonnés) repose souvent sur des sources hiérarchiques et personnelles de pouvoir, alors que l'influence ascendante (qui s'exerce sur les supérieurs) fait plutôt appel au seul pouvoir personnel.

Rares sont les chercheurs qui ont étudié les mécanismes de l'influence ascendante dans les organisations. Ce fait est regrettable, car les gestionnaires vraiment efficaces sont ceux qui savent influer sur leurs supérieurs aussi bien que sur leurs subordonnés. Selon une étude, supérieurs et subordonnés s'entendent pour dire que la raison, c'est-à-dire l'exposé logique des idées, est la stratégie d'influence ascendante la plus répandue[8]. Quand on les interroge sur les raisons des échecs et des réussites dans ce domaine, les réponses des deux groupes présentent certaines similitudes, mais aussi des divergences. Supérieurs et subordonnés s'accordent sur les raisons du succès d'une tentative d'influence ascendante : la proposition est pertinente, présentée de manière favorable et vient d'un subordonné compétent en la matière[9]. En revanche, les deux groupes ne s'entendent pas sur les causes de l'échec d'une stratégie d'influence ascendante. Les subordonnés l'attribuent à l'étroitesse d'esprit du supérieur, au manque de pertinence de la proposition et à la piètre qualité des relations personnelles avec le supérieur ; les supérieurs, au manque de pertinence de la proposition, à une présentation défavorable et au manque de compétences du subordonné en la matière.

■ LE POUVOIR, L'AUTORITÉ ET L'OBÉISSANCE

Comme nous l'avons souligné, le pouvoir est la capacité d'influer sur le comportement d'autrui, alors que l'autorité est la capacité d'exercer cette influence par la légitimité que confère la position hiérarchique. Or, nous savons que les gens qui semblent avoir du pouvoir n'obtiennent pas toujours tout ce qu'ils veulent d'autrui. Pourquoi certains individus obéissent-ils aux consignes, et d'autres non ? Et tout d'abord, pourquoi les subordonnés devraient-il se plier à l'autorité ou au «droit de commander» d'un supérieur hiérarchique ? Enfin, à supposer que les subordonnés consentent à obéir, qu'est-ce qui détermine les limites de leur obéissance ?

Les expériences de Milgram Le mythe de l'indépendance et de l'individualisme effréné des Nord-Américains est si fermement enraciné que nous devons nous arrêter sur la question suivante : Comment se fait-il que la plupart d'entre nous soyons manifestement tout disposés à obéir aux ordres ? Une analyse des fameuses études de Stanley Milgram nous aidera à mieux comprendre le phénomène de l'obéissance[10]. Ce chercheur a conçu une expérience pour établir dans quelle mesure les gens sont prêts à obéir aux ordres émis par une figure d'autorité, même si, ce faisant, ils croyaient mettre en danger la vie d'une autre personne. Les sujets, des hommes entre 20 ans à 50 ans, exerçaient des métiers divers (ingénieur, vendeur, enseignant, ouvrier, etc.). Ils recevaient un dédommagement symbolique en contrepartie de leur participation à cette recherche.

Les responsables de cette expérience firent croire aux sujets que l'étude consistait à évaluer les effets de la punition sur l'apprentissage – ce qui n'était évidemment pas le cas. Les sujets jouaient le rôle de *professeur*. L'*élève,* un compère de Milgram, était attaché à une chaise dans une pièce voisine, une électrode fixée au poignet. Le *chercheur,* un autre compère de Milgram, portait la blouse blanche du scientifique. D'une mine impassible, et même sévère, il ordonnait au *professeur* de lire à l'élève une liste de paires de mots. Le *professeur* devait ensuite relire le premier mot d'une paire ainsi que quatre autres termes. La tâche de l'*élève* consistait à désigner lequel de ces quatre termes était apparié au premier dans la liste initiale. Pour ce faire, il devait appuyer sur un bouton qui faisait clignoter un voyant sur le tableau de commande devant lequel le *professeur* était assis.

Le *professeur* avait reçu comme instruction d'administrer un choc électrique à l'*élève* en cas de réponse erronée. On lui avait expliqué que l'intensité des décharges devait augmenter chaque fois que l'*élève* se trompait. Il manipulait des interrupteurs censés envoyer des décharges de 15 volts à 450 volts; ces chiffres étaient clairement indiqués sur le tableau de commande. En réalité, l'*élève* ne recevait pas de choc électrique; il jouait la comédie, commettant volontairement de nombreuses erreurs et réagissant de plus en plus vivement aux «décharges» reçues, en fonction de leur supposée intensité. Si le *professeur* (en fait, le véritable sujet de l'expérience) refusait d'administrer le choc, le chercheur recourait successivement à quatre exhortations pour le convaincre de se conformer aux consignes: 1) «Continuez, je vous prie»; 2) «Pour les besoins de l'expérience, vous devez continuer»; 3) «Il est absolument indispensable que vous continuiez»; 4) «Vous n'avez pas le choix, vous devez continuer». Si le *professeur* refusait encore après la quatrième exhortation, l'expérience prenait fin. À votre avis, à quel stade les *professeurs*, c'est-à-dire les sujets de l'expérience, se sont-ils rebellés?

C'est la question que Milgram a posée à certains de ses étudiants et de ses collègues. La plupart ont répondu que personne ou presque ne dépasserait le stade du «choc très fort». En fait, 26 sujets, soit 65 % de l'échantillon, ont poursuivi l'expérience jusqu'à son terme, administrant ainsi des décharges maximales à l'*élève*. Les 14 autres sujets ont cessé d'obéir au chercheur à des niveaux intermédiaires divers, mais aucun n'a arrêté avant les 300 volts, stade auquel l'*élève* cognait contre les murs en signe de souffrance…

Ces résultats ont beaucoup surpris les observateurs, y compris Milgram lui-même. Pourquoi, se demandaient-ils, les gens acceptent-ils d'obéir aux ordres dans des conditions aussi extrêmes? Milgram tenta de répondre à la question en menant d'autres expériences, lesquelles lui permirent de constater que les sujets avaient tendance à obéir un peu moins: 1) quand l'expérience avait lieu dans un bureau délabré (au lieu d'un laboratoire d'université); 2) quand la victime se trouvait physiquement plus près d'eux; 3) quand le chercheur se tenait plus loin d'eux; et 4) quand ils pouvaient observer d'autres sujets qui refusaient de se plier aux volontés du chercheur. Leur degré d'obéissance restait toutefois très supérieur à celui auquel on se serait attendu a priori.

Qu'est-ce que cela signifie par rapport à la responsabilisation des travailleurs? En fait, ces études révèlent notre tendance à nous conformer aux ordres, à obéir, à suspendre notre jugement personnel pour faire ce qu'on nous demande. Dans de nombreuses organisations, les travailleurs sont engagés précisément pour cela, pour obéir. Ils sont récompensés lorsqu'ils le font et, souvent, se sentent démunis quand on cherche à les «responsabiliser».

L'obéissance et l'acceptation de l'autorité   En milieu organisationnel, la rébellion ouverte et l'opposition directe à celui qui dicte des manières nouvelles et différentes d'accomplir les tâches sont plutôt rares. Si la tendance à se conformer aux ordres est tellement forte et l'insurrection tellement exceptionnelle, comment expliquer alors que tant d'organisations semblent avoir sombré dans le chaos?

Les travaux de Chester Barnard, auteur réputé de management, apportent un éclairage révélateur sur la question[11]. Barnard s'est intéressé davantage au «consentement des subordonnés» qu'aux droits des dirigeants. Selon lui, certaines conditions bien précises doivent être remplies pour que les subordonnés acceptent les directives du patron et s'y conforment. Il estime, notamment, que les quatre conditions suivantes sont nécessaires pour qu'il y ait acceptation de l'autorité:

1. le subordonné doit comprendre la directive;
2. le subordonné doit se sentir physiquement et mentalement apte à se conformer à la directive;
3. le subordonné doit estimer que la directive ne va pas à l'encontre de la mission de l'organisation;
4. le subordonné doit estimer que la directive ne va pas à l'encontre de ses intérêts personnels.

La formulation de ces conditions a son importance. Par exemple, pour accepter un ordre et s'y conformer, il n'est pas indispensable que le subordonné *comprenne* en quoi l'action demandée aide l'organisation; il suffit qu'il soit convaincu qu'elle n'est pas incompatible avec la mission de l'organisation. Le gestionnaire avisé ne tient jamais ces quatre conditions pour acquises; quand il donne ses directives aux subordonnés, il n'oublie pas que l'adhésion n'est pas automatique. En ce qui concerne la responsabilisation des travailleurs, les travaux de Barnard nous éclairent sur deux problèmes cruciaux. Premièrement, rares sont les subordonnés qui saisissent ce que leur patron attend d'eux quand il cherche à les responsabiliser; ils ne comprennent clairement ni les tâches à accomplir ni les résultats à atteindre. Deuxièmement, la plupart des subordonnés se méfient des gestionnaires; il est donc important qu'ils connaissent les avantages que la responsabilisation présente pour eux ou, du moins, qu'ils sachent qu'elle ne va pas contre leurs intérêts. Et ce n'est pas en clamant les bienfaits de la responsabilisation *pour l'organisation* que les cadres répondront à ce besoin essentiel.

L'obéissance et la zone d'indifférence   La plupart des gens cherchent à maintenir un équilibre satisfaisant entre ce qu'ils donnent à l'organisation (leur contribution) et ce qu'ils en retirent en contrepartie (les incitations). Dans les limites de leur contrat psychologique, les travailleurs acceptent de faire plusieurs choses pour l'organisation parce qu'ils considèrent que tel est leur devoir. En échange de certaines incitations, les subordonnés reconnaissent l'autorité de l'organisation et de ses dirigeants, et acceptent que ces derniers puissent les commander jusqu'à un certain point.

Se fondant sur ce principe d'acceptation de l'autorité, Chester Barnard appelle «zone d'indifférence» la zone à l'intérieur de laquelle les subordonnés consentent à obéir aux directives[12]. La *zone d'indifférence* désigne donc l'éventail des demandes auxquelles un subordonné accepte de se conformer sans les juger ni les critiquer. À l'intérieur de la zone d'indifférence, les directives sont suivies sans discussion; en dehors, elles ne sont pas considérées comme légitimes aux termes du contrat psychologique et, selon les cas, le subordonné décidera de s'y conformer ou non. La figure 15.2 illustre la relation entre la zone d'indifférence et le contrat psychologique.

La zone d'indifférence n'est pas fixée une fois pour toutes. Si le patron souhaite que le subordonné accomplisse une tâche ou adopte un comportement qui se situe en dehors de sa zone d'indifférence, il doit élargir cette zone jusqu'à ce qu'elle englobe l'action en question. Pour ce faire, il devra généralement offrir au subordonné des récompenses supplémentaires, car son pouvoir hiérarchique ne suffira pas à le convaincre d'agir. D'ailleurs, dans certains cas, aucun pouvoir hiérarchique ne pourra forcer un subordonné à produire le résultat voulu. Faites le point sur votre propre zone d'indifférence : Jusqu'où êtes-vous prêt à vous soumettre à l'autorité ? Dans quelles circonstances opposeriez-vous un «non» catégorique

■ *Zone d'indifférence* Éventail des demandes de ses supérieurs auxquelles un subordonné accepte de se conformer sans les juger ni les critiquer

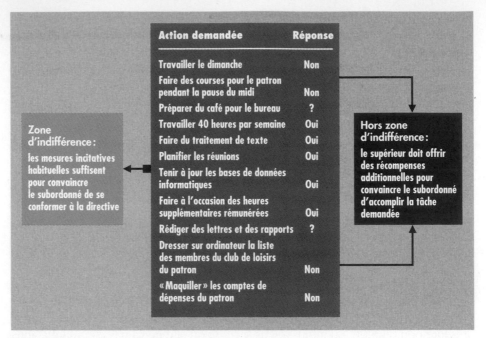

Action demandée	Réponse
Travailler le dimanche	Non
Faire des courses pour le patron pendant la pause du midi	Non
Préparer du café pour le bureau	?
Travailler 40 heures par semaine	Oui
Faire du traitement de texte	Oui
Planifier les réunions	Oui
Tenir à jour les bases de données informatiques	Oui
Faire à l'occasion des heures supplémentaires rémunérées	Oui
Rédiger des lettres et des rapports	?
Dresser sur ordinateur la liste des membres du club de loisirs du patron	Non
«Maquiller» les comptes de dépenses du patron	Non

Zone d'indifférence : les mesures incitatives habituelles suffisent pour convaincre le subordonné de se conformer à la directive

Hors zone d'indifférence : le supérieur doit offrir des récompenses additionnelles pour convaincre le subordonné d'accomplir la tâche demandée

Figure 15.2
Exemple de contrat psychologique pour un adjoint administratif

à votre patron? Dans quelles circonstances vous sentiriez-vous *obligé* de lui dire «non»? Certaines situations sont très délicates sur le plan de l'éthique – par exemple, si un supérieur hiérarchique vous demande de commettre des actes illégaux ou immoraux, voire les deux.

Les recherches sur l'éthique et la gestion montrent que les cadres exercent parfois des pressions sur leurs subordonnés pour les inciter à défendre une position erronée, à signer de faux documents, à fermer les yeux sur leurs inconduites ou à faire affaire avec leurs amis[13]. La plupart d'entre nous avons eu ou aurons à affronter ce type de dilemme éthique au cours de notre carrière. Pour le moment, retenons simplement que le refus d'obéir ou de respecter la loi du silence peut s'avérer difficile et lourd de conséquences.

■ LA RESPONSABILISATION DES TRAVAILLEURS

Nous l'avons vu dans les chapitres précédents, la *responsabilisation* est un processus par lequel le gestionnaire aide ses subordonnés à acquérir et à utiliser le pouvoir dont ils ont besoin pour prendre des décisions qui les concernent directement et qui ont certaines répercussions sur leur travail. Aujourd'hui plus que jamais, les organisations à l'avant-garde s'attendent à ce que les cadres sachent responsabiliser leurs subordonnés, mais aussi à ce qu'ils se sentent très à l'aise avec cette pratique. Au lieu de considérer le pouvoir comme une chasse gardée des échelons supérieurs de la pyramide hiérarchique traditionnelle, ils doivent le considérer comme une ressource qui peut et qui doit être partagée entre tous ceux qui travaillent dans des structures aplanies et plus collégiales.

La notion de responsabilisation est l'un des changements majeurs qui bouleversent actuellement les organisations. Avec les compressions de personnel, la suppression de certains échelons d'encadrement et l'accroissement de la charge de travail (d'autant plus considérable que l'effectif est réduit), les cadres sont de moins en moins nombreux et doivent de plus en plus déléguer leurs pouvoirs pour mener à bien leurs tâches quotidiennes. En fait, la responsabilisation s'impose comme l'un des fondements des équipes autonomes – ou autogérées – et autres équipes favorisant la participation des travailleurs au processus décisionnel qui sont de plus en plus courantes dans les organisations.

■ LE POUVOIR ET LA RESPONSABILISATION

Le concept de responsabilisation s'appuie sur une toute nouvelle conception du pouvoir. Jusqu'ici, notre réflexion a surtout porté sur le pouvoir que certaines personnes exercent sur d'autres; selon cette conception traditionnelle, le pouvoir est donc une relation qui met en présence des personnes. La responsabilisation des travailleurs repose sur la capacité d'influer sur le cours des événements; le pouvoir reste de nature relationnelle, mais il s'exerce par rapport à des problèmes à résoudre et à des occasions à saisir – et non plus par rapport à des personnes. Il est bien difficile de s'y retrouver dans le maquis rhétorique que les organisations développent actuellement autour de la notion de responsabilisation, tant ce terme est en vogue chez les gestionnaires. Retenons que toute tentative de responsabilisation des travailleurs doit être scrutée à la lumière des effets qu'elle risque d'avoir sur la dynamique du pouvoir dans l'organisation (voir *Le gestionnaire efficace 15.1*).

L'évolution du pouvoir hiérarchique   Quand une organisation veut déplacer le pouvoir vers les échelons inférieurs de sa hiérarchie, elle doit aussi modifier la structure du pouvoir hiérarchique. Or, ce changement soulève des questions cruciales : Les travailleurs «responsabilisés» peuvent-ils distribuer récompenses et sanctions en fonction des résultats obtenus? Leur nouvelle marge de manœuvre est-elle légitimée par un surcroît d'autorité? Trop souvent, les tentatives de responsabilisation désorganisent des modèles hiérarchiques bien rodés et menacent les cadres des échelons intermédiaires et inférieurs. Comme le disait un cadre inférieur : «Toute cette histoire de responsabilisation, ça a l'air formidable pour les cadres supérieurs. Mais ce ne sont pas eux qui doivent courir un peu partout pour obtenir les autorisations nécessaires pour appliquer les suggestions de mon équipe. Ils ne m'ont jamais donné l'autorité de procéder à ces changements. Tout ce que je peux faire, c'est de demander des permissions!»

L'élargissement de la zone d'indifférence   Avant de mettre en place un programme de responsabilisation des travailleurs, la direction de l'organisation doit bien circonscrire la zone d'indifférence, puis prendre des mesures concrètes et systématiques pour l'élargir. Trop souvent, les dirigeants tiennent pour acquis que leurs directives concernant la responsabilisation seront suivies, et négligent d'expliquer aux personnes visées

LE GESTIONNAIRE EFFICACE 15.1

LIGNES DIRECTRICES POUR LA MISE EN ŒUVRE D'UN PROGRAMME DE RESPONSABILISATION

1. L'autorité doit être déléguée aux échelons inférieurs d'une manière claire, sans ambiguïté aucune.
2. La planification doit être participative et intégrée à tous les niveaux.
3. Les cadres de tous les échelons, mais surtout des plus élevés, doivent manifester de solides habiletés de communication.

les avantages *pour elles* de ce transfert des responsabilités. Chez Montgomery Ward, par exemple, la direction a annoncé aux commis des ventes qu'ils avaient désormais le «pouvoir» d'approuver les retours de marchandises; mais, d'un même souffle, elle a réduit le personnel à temps plein pour engager des vendeurs à temps partiel payés au salaire minimum et n'ayant pas droit à tous les avantages sociaux des travailleurs à temps plein. En d'autres termes, alors que la direction voulait que ses vendeurs assument plus de tâches, elle rétrécissait leur zone d'indifférence en diminuant les incitations. Aujourd'hui, dans plusieurs des magasins Montgomery Ward, un bureau central placé sous la supervision directe du gérant traite tous les retours de marchandises.

■ LE POUVOIR EN TANT QUE RESSOURCE EXPANSIBLE

Les travailleurs doivent être formés à exercer le pouvoir et l'influence que leur confère la responsabilisation. Comme elle modifie la dynamique entre supérieurs et subordonnés, cette formation représente une tâche des plus délicates pour les gestionnaires à qui elle incombe, et un défi de taille pour les travailleurs qu'elle vise. Le secret de la réussite consiste à modifier la conception du pouvoir dans l'organisation. Plutôt que comme une force exercée par une personne sur d'autres, le pouvoir doit être vu comme un outil, une ressource qui permet d'influer sur le cours des événements. Selon cette nouvelle définition, tous les travailleurs peuvent acquérir du pouvoir, quel que soit leur niveau hiérarchique.

Préciser les rôles et les responsabilités de chacun peut aider les gestionnaires à responsabiliser leurs subordonnés. Ainsi, les cadres supérieurs peuvent choisir de se concentrer sur la planification à long terme et sur les rajustements d'envergure, tâche que rend nécessaire le jeu des forces stratégiques qui s'exercent dans l'environnement externe. Si la haute direction entend consacrer l'essentiel de son énergie aux enjeux à long terme et fournir simplement des balises trimestrielles à ses subordonnés, il est indispensable qu'à tous les échelons hiérarchiques les membres de l'organisation soient aptes et disposés à prendre d'importantes décisions opérationnelles pour maintenir la rentabilité. En offrant aux subordonnés la possibilité de résoudre eux-mêmes les problèmes quotidiens et en leur accordant la latitude dont ils ont besoin pour agir, l'autonomisation accroît le pouvoir global dans l'organisation. En d'autres termes, les cadres supérieurs n'ont pas à *céder* du pouvoir pour que les travailleurs des échelons inférieurs en acquièrent. En revanche, les cadres supérieurs devront renoncer à *l'illusion* du contrôle – c'est-à-dire à la fausse impression qu'ils peuvent dicter leurs actions aux travailleurs des cinq ou six échelons qui relèvent d'eux.

Ces principes s'appliquent à toutes les relations cadre-subordonnés. La responsabilisation suppose que *tous* les cadres trouvent de nouvelles manières d'exercer leur influence, qu'ils recourent à la raison plutôt qu'aux spectres de l'autorité supérieure et des sanctions, à la complicité plutôt qu'à la coercition, à la négociation plutôt qu'aux ordres.

On ne le sait que trop, historiquement, les organisations ont toujours privilégié la coercition et l'obéissance. Aujourd'hui, elles doivent aider leurs travailleurs à s'approprier le pouvoir sur les événements et les activités. En général, les cadres redoutent que leurs subordonnés opposent une résistance passive à la responsabilisation en continuant implicitement à réclamer des directives auxquelles obéir ou désobéir. Or, trop souvent, leurs craintes se réalisent. Pourquoi? Parce que les cadres intermédiaires et supérieurs ne modifient vraiment ni leur conception du pouvoir ni l'usage qu'ils font de leurs sources de pouvoir hiérarchique et personnel. La clé du succès consiste donc à orienter au lieu d'imposer, à récompenser au lieu de sévir, à construire au lieu de détruire, à prendre de l'expansion au lieu de rétrécir. L'élargissement de la zone d'indifférence exige aussi l'élargissement des incitations : celles-ci doivent récompenser la réflexion et les initiatives, et non plus simplement l'obéissance.

Le jeu politique en milieu organisationnel

Toute étude sur le pouvoir et l'influence amène inévitablement à parler de «politique». Pour plusieurs, ce mot évoque les transactions illicites, les faveurs et les relations personnelles «bien placées» – une vision qui nous vient peut-être du *Prince* de Machiavel, œuvre à laquelle nous avons fait référence au chapitre 4. Dans ce classique du XVIe siècle, Machiavel, tout en expliquant comment obtenir et garder le pouvoir par le jeu politique, finissait par décrire la politique comme un ramassis de pratiques douteuses, sinon carrément malhonnêtes visant un résultat fort discutable. Dans le contexte qui nous occupe, il est important d'adopter un point de vue plus large sur le jeu politique au sein des organisations[14].

■ LE JEU POLITIQUE EN MILIEU ORGANISATIONNEL : DEUX PERSPECTIVES

On trouve deux perspectives passablement différentes dans l'analyse du *jeu politique* en milieu organisationnel.

La première perspective s'appuie sur la philosophie de Machiavel et associe le jeu politique à la *promotion d'intérêts personnels* et au *recours à des moyens peu scrupuleux*. Dans cette optique, le **jeu politique en milieu organisationnel** consisterait en l'exercice du pouvoir pour parvenir à des fins que l'organisation désapprouve ou pour obtenir des résultats qu'elle approuve, mais par des moyens qu'elle réprouve[15]. On considérera donc qu'un gestionnaire se livre au jeu politique quand il privilégie ses propres objectifs, qu'il utilise des méthodes que l'organisation interdit ou qu'il outrepasse les limites de la légalité. Dans certaines situations ambiguës, cependant, il est très difficile de déterminer si la conduite d'un gestionnaire est *politique* au sens égoïste et intéressé du terme[16]. Par exemple, on peut croire comme certains que John Meriwether a été un innovateur de génie lorsqu'il a établi la Long Term Capital Management (LTCM) en tant que fonds de couverture pour jouer sur les différentiels de taux d'intérêt – après tout, à une certaine époque, cette organisation comptait dans ses rangs deux prix Nobel et 25 titulaires de doctorat[17]... Mais on peut aussi penser comme d'autres qu'il a agi comme un initié sans scrupules ne songeant qu'à défendre ses intérêts personnels quand, voyant qu'il courait à la faillite ou à la prise de contrôle, il a convaincu la Federal Reserve des États-Unis d'orchestrer une opération de sauvetage. Se pourrait-il que, comme c'est souvent le cas dans le monde des affaires, il y ait une part de vérité dans chacune de ces interprétations ?

■ *Jeu politique en milieu organisationnel*   Selon la perspective : 1) exercice du pouvoir pour parvenir à des fins que l'organisation désapprouve ou pour obtenir des résultats qu'elle approuve, mais par des moyens qu'elle réprouve ; 2) art d'élaborer des compromis originaux pour concilier des intérêts rivaux

La deuxième perspective envisage le jeu politique comme une fonction nécessaire en raison des divergences entre les intérêts personnels des divers acteurs. Dans cette perspective, le jeu politique au sein des organisations se définirait donc comme l'art d'élaborer des compromis originaux pour concilier des intérêts rivaux. Quand John Meriwether a fait faillite, aux États-Unis, les observateurs financiers ont craint que l'événement ne déclenche sur les marchés une panique qui aurait finalement nui à tout le monde. La Federal Reserve est donc intervenue. Certes, son action a permis à John Meriwether de ne pas perdre tout ce qu'il possédait, mais ce n'était là qu'un effet accessoire de mesures qui visaient à sauver le système financier dans son ensemble. Selon cette perspective, dans une société hétérogène, les gens ne s'entendent pas sur les intérêts personnels qui doivent primer et donc sur les préoccupations personnelles qui doivent céder le pas à l'intérêt collectif. Le jeu politique découle tout simplement de la nécessité, pour les membres d'une société ou d'un groupe donné, d'éviter les confrontations et de parvenir à des compromis pour vivre ensemble. Il en va de même dans les organisations : si les personnes se rassemblent, travaillent ensemble et se côtoient toute la journée, c'est en définitive parce qu'ils y trouvent personnellement leur compte. De plus, il ne faut pas oublier que c'est en négociant les unes avec les autres que les personnes les plus puissantes et les plus influentes fixent les objectifs de l'organisation et les moyens acceptables d'y parvenir. Le jeu politique au sein des organisations peut donc aussi se définir comme une manière d'exercer le pouvoir en vue de déterminer, selon des critères socialement respectables, tant les fins qu'elles poursuivent que les moyens à prendre pour concilier les intérêts personnels et ceux de la collectivité.

■ LE JEU POLITIQUE : UNE ARME À DOUBLE TRANCHANT

Ces deux conceptions du jeu politique en milieu organisationnel se retrouvent dans ce que disent les gestionnaires de ses effets sur eux et sur les organisations. Selon une étude consacrée à ce sujet, 53 % des gestionnaires interrogés estiment que le jeu politique aide l'organisation à atteindre ses objectifs et à survivre, tandis que 44 % considèrent au contraire qu'il détourne les travailleurs des objectifs organisationnels[18]. Dans cette même enquête, 60 % des répondants indiquent que le jeu politique stimule l'avancement professionnel, alors que 39 % pensent qu'il entraîne une déperdition de pouvoir, de prestige et de crédibilité.

En soi, le jeu politique qui s'exerce dans l'organisation n'est ni bon ni mauvais. Il peut remplir certaines fonctions importantes, notamment en aidant le gestionnaire à surmonter ses lacunes personnelles, à faire face aux changements et à pallier certains problèmes d'autorité :

1. *Surmonter des lacunes personnelles* Dans toute organisation, on constate parfois des décalages entre les caractéristiques des individus et les exigences de leur poste. Même dans les organisations dont la gestion est irréprochable, il peut arriver que, pour une raison ou pour une autre – période d'apprentissage, surmenage, insuffisance de formation ou de compétences, surqualification ou insuffisance de ressources, etc. –, ces décalages touchent les gestionnaires. Le jeu politique s'avère alors un outil précieux pour instaurer des mécanismes qui pallient ces lacunes et permettent d'atteindre les résultats visés.

2. *Faire face aux changements* Le jeu politique dans l'organisation peut aussi favoriser l'adaptation aux changements dans l'environnement de l'organisation ou dans la technologie qu'elle utilise. En effet, il aide les gestionnaires à diagnos-

tiquer les nouveaux problèmes et peut propulser au premier plan les plus désireux de s'y attaquer et les plus aptes à les résoudre. Comme son action est plus rapide que la restructuration, le jeu politique permet à l'organisation de régler des problèmes imprévus concernant les gens ou les ressources avant qu'ils ne deviennent insolubles.

3. *Pallier des problèmes d'autorité*   Il peut arriver que l'autorité d'un cadre s'effrite ou se révèle inopérante dans certaines circonstances. Le jeu politique peut alors empêcher que ce gestionnaire perde trop d'influence. En y recourant, ce dernier pourra maintenir le bon fonctionnement des opérations et assurer la réalisation des tâches dans des cas où la perte d'autorité risquerait, autrement, de poser problème.

■ LE JEU POLITIQUE ET LA DÉFENSE DES INTÉRÊTS PERSONNELS

On vient de le voir, le jeu politique peut aider l'organisation dans son ensemble. Cependant, c'est dans la défense des intérêts personnels que le jeu politique est le plus évident et le mieux compris[19]. Quelle que soit l'organisation, et que ses dirigeants le veuillent ou non, tous les travailleurs font passer leurs intérêts personnels en priorité. D'ailleurs, dans la plupart des organisations, s'ils ne se protègent pas eux-mêmes, personne ne le fera à leur place. Pour se protéger, les travailleurs disposent de trois stratégies : 1) éviter d'agir et de prendre des risques ; 2) reporter sur d'autres leur responsabilité ou leur imputabilité ; et 3) défendre leur territoire, voire l'accroître.

L'évitement   La stratégie de l'évitement est assez courante dans les situations délicates où le travailleur risquerait de se tromper ou de recevoir une sanction s'il agissait. Dans de tels cas, la réaction d'autodéfense la plus courante consiste à *s'en tenir aux règlements,* c'est-à-dire à appliquer strictement les règles et procédures en vigueur, sans en dévier d'un iota. L'une des techniques d'évitement les plus efficaces, quoique frustrante, consiste à *faire l'imbécile.* Nous y recourons tous de temps à autre : « La vitesse est limitée à 40 km/h dans le quartier ? J'le savais pas, m'sieur l'agent ! Sinon, vous pensez bien que je n'aurais pas roulé à 60… »

Si l'application stricte des règles et la comédie de l'imbécillité sont monnaie courante, les travailleurs d'expérience se tournent habituellement vers des stratagèmes plus subtils pour se protéger, notamment la *dépersonnalisation des rapports* ou le *ralentissement du travail.* La *dépersonnalisation des rapports* consiste à traiter les partenaires professionnels – les clients ou les subordonnés, par exemple – comme des numéros ou des objets. Ainsi, les cadres supérieurs ne « congédient » jamais un travailleur de longue date ; c'est l'organisation qui « rationalise ses opérations », « allège son effectif » ou « aplanit sa structure ». Quant au *ralentissement du travail,* il s'agit tout simplement de diminuer la cadence pour faire traîner la tâche en longueur tout en donnant l'illusion de travailler dur. Utilisée avec doigté, cette tactique permet de se poser en farouche défenseur des objectifs et des projets de l'organisation… tout en retardant autant que possible leur implantation.

Le transfert de responsabilité   Les gens qui ont la fibre politique bien développée maîtrisent l'art de se prémunir contre les conséquences fâcheuses de leurs actes. Il existe plusieurs techniques éprouvées de transfert de responsabilités. La plus répandue consiste à *refiler l'addition* à quelqu'un d'autre, c'est-à-dire à définir la tâche de telle sorte que la responsabilité en incombe à autrui, du moins officiellement. L'étendue et la diversité des moyens auxquels on recourt dans les organisations pour redéfinir un problème de manière à ne pas agir ou à reporter sa responsabilité sur un collègue sont proprement stupéfiantes.

Autre façon d'échapper aux responsabilités : *faire des excès de zèle* ou *s'entourer d'une forteresse de pièces justificatives*. Autrement dit, ne pas agir tant que tous les papiers voulus ne sont pas dûment remplis et signés, donc tant qu'il n'apparaît pas clairement aux yeux de tous qu'on ne fait qu'appliquer les procédures d'une manière irréprochable. Une technique voisine de l'accumulation de pièces justificatives consiste à recourir à la *note de service occulte,* qui formule une ou plusieurs objections à un projet mis en œuvre par son auteur lui-même – la tâche demandée est accomplie, mais la note occulte est prête si jamais l'initiative est contestée. Les politiciens font merveille dans ce domaine.

Comme le démontre l'exemple précédent, *réécrire l'histoire* est une façon très commode pour les gestionnaires d'éviter d'assumer leurs responsabilités. Si un programme fonctionne, le cadre clame sur tous les toits qu'il l'a appuyé dès le début ; en cas d'échec, qu'il a toujours émis de sérieuses réserves à son égard. Quoique cette tactique soit souvent bien pratique pour établir a posteriori son statut de défenseur enthousiaste ou d'adversaire éclairé de la première heure, certains cadres ne s'encombrent pas de tels raffinements. Ils se contentent de se présenter à une réunion ou d'en convoquer une, et de récapituler d'entrée de jeu ce qui a été fait de façon à se donner le beau rôle.

Les esprits vraiment retors recourent à trois autres tactiques pour se délester de leurs responsabilités. La première consiste à accuser un individu ou un groupe mal placé pour se défendre ; les travailleurs licenciés, les partenaires externes et les détracteurs et autres opposants font d'excellents boucs émissaires. La seconde consiste à évoquer des événements imprévus. Attention : les cadres vraiment habiles ne s'en tiennent pas aux bonnes vieilles excuses du genre « Le chien a mangé mon devoir… » ; ils misent plutôt sur une rhétorique plus subtile, dans le genre : « Compte tenu du ralentissement imprévu et malheureusement très marqué que nous avons observé récemment dans l'économie, la rentabilité de l'entreprise est légèrement inférieure aux prévisions, pourtant raisonnables, que nous avions établies. » Traduction : l'entreprise a perdu une fortune, mais ce n'est pas ma faute ! Enfin, si les deux tactiques précédentes ne suffisent pas, il reste un dernier espoir. Face à l'échec d'un programme, le gestionnaire peut réaffirmer fermement sa confiance totale en la stratégie mise en œuvre. Alors même que tout semble perdu, il répète inlassablement que sa foi en ce projet est entière et que tous les problèmes viennent de l'insuffisance des ressources affectées à son implantation. Tandis qu'il exhorte ses troupes à redoubler d'efforts pour remporter la victoire, secrètement il espère être promu ou avoir pris sa retraite avant la débâcle.

La défense et l'expansion de son territoire   Cette tradition très ancienne est toujours à l'honneur dans la plupart des grandes organisations. Comme nous l'avons vu dans ce chapitre, les cadres qui veulent consolider leur pouvoir s'efforcent souvent d'élargir les tâches et les responsabilités de leur équipe. La stratégie de défense et d'expansion du territoire tient à la nature même de l'organisation. En effet, par définition, l'organisation est une coalition, c'est-à-dire un regroupement de services, de groupes et d'individus qui, malgré des intérêts rivaux, s'allient en vue d'une action commune, mais où chacun, en tentant d'accroître son influence, en vient à marcher sur les plates-bandes des autres. La stratégie de défense ou d'expansion du territoire apparaîtra plus clairement dans la section suivante, qui porte sur la conduite politique du gestionnaire.

Little Caesars ◄

www.littlecaesars.com

Marian Ilitch, cofondatrice de Little Caesars Pizza, a su imprimer sa marque sur la philosophie de cette entreprise en accordant aux femmes des conditions de travail qui sont parmi les plus alléchantes du marché. Cette entreprise établie au centre-ville de Detroit apporte aussi, et depuis longtemps, un soutien généreux aux organismes caritatifs locaux. Marian Ilitch a récemment fait don d'un million de dollars pour la construction d'un hospice à Detroit.

La conduite politique du gestionnaire

Le gestionnaire pourra mieux comprendre les rouages du jeu politique s'il essaie de se mettre à la place des autres acteurs qui interviennent dans les décisions critiques ou les événements majeurs touchant l'organisation. Toute décision et toute action peuvent être envisagées sous l'angle des avantages et inconvénients qu'elle présente pour chacune des parties en présence. Quand le prix à payer est supérieur aux bénéfices, le gestionnaire pourra adopter une conduite politique susceptible de protéger sa position et ses intérêts.

La figure 15.3 représente une matrice des gains et des pertes pour deux gestionnaires, Lucille et Louis, aux prises avec le dilemme suivant : affecter ou non des ressources à un projet donné, mais la situation est épineuse. Si tous deux débloquent des ressources, le projet sera mené à terme dans les délais et l'organisation gardera un gros client. En revanche, cette décision obligera nos deux gestionnaires à dépasser leurs limites budgétaires, ce qui risquerait en principe d'entacher leurs dossiers professionnels respectifs. Nous supposons néanmoins que l'organisation acceptera sans problème les écarts budgétaires, à condition qu'ils lui permettent de garder son client. Donc, si Louis et Lucille acceptent tous deux d'affecter les ressources nécessaires au projet, ils sortiront gagnants de cette situation, de même que l'organisation. Cette situation correspond au quart supérieur gauche de la figure ; il s'agit évidemment de l'issue la plus favorable pour toutes les parties.

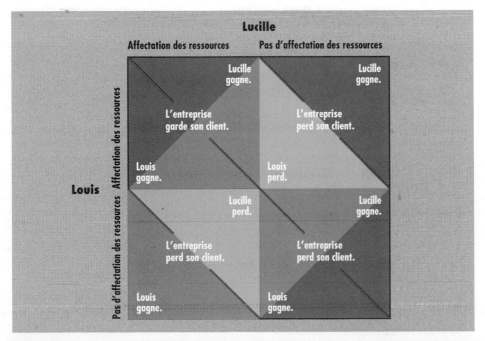

Figure 15.3
Matrice des gains et des pertes dans le cas de l'affectation de ressources à un projet fictif

Supposons maintenant que Lucille débloque les ressources requises, mais pas Louis. L'entreprise perd le client et Lucille a dépassé son budget pour rien, mais Louis reste dans les limites des dépenses autorisées. Ici, l'entreprise et Lucille sont perdantes, mais Louis sort vainqueur. Cette situation est décrite dans le quart inférieur gauche de la figure. Le quart supérieur droit correspond à la situation inverse : Louis débloque les ressources, mais pas Lucille. Elle remporte la victoire, mais Louis et l'entreprise sortent perdants. Enfin, si les deux gestionnaires décident de ne pas affecter les ressources au projet, tous deux restent dans les limites de leur budget et sortent ainsi gagnants de l'exercice, mais l'entreprise perd son client.

De toute évidence, l'entreprise aurait avantage à ce que Louis et Lucille décident d'affecter les ressources au projet. Le feront-ils ? Prendriez-vous le risque de dépasser votre budget sachant que votre collègue sera peut-être plus prudent ? En définitive, le dilemme se ramène à une question de confiance. Or, l'instauration d'une relation de confiance entre collègues, qu'ils soient gestionnaires ou salariés, est une tâche délicate qui prend du temps. Dans certains cas, il sera indispensable que des cadres d'échelons supérieurs interviennent pour régler la situation. En pratique, dans bon nombre d'organisations, il est fort probable que ni Louis ni Lucille n'affecteraient les ressources nécessaires. Pourquoi ? Parce que, trop souvent, la culture de l'organisation et le climat qui y règne incitent cadres et salariés à protéger autant que possible leurs intérêts personnels en prenant un minimum de risques.

■ LE JEU POLITIQUE ET LES RELATIONS DE POUVOIR ENTRE LES UNITÉS

Le jeu politique donne un cadre officiel aux relations entre les gestionnaires en tant que représentants de leurs unités de travail respectives. Les gestionnaires entretiennent généralement cinq grands types de relations intergroupes horizontales, lesquelles concernent[20] :

Les cinq grands types de relations intergroupes horizontales

- *le déroulement du travail,* c'est-à-dire les contacts avec les unités qui se trouvent en aval ou en amont dans la chaîne de production – par exemple, le contremaître responsable d'une chaîne de montage informe un de ses collègues, responsable d'une étape ultérieure de la production, d'un retard dont il devra tenir compte ;

- *le service,* c'est-à-dire les contacts avec les unités chargées d'aider à la résolution de problèmes – par exemple, le contremaître d'une chaîne de montage établit une relation de service quand il demande au chef de l'entretien de réparer de toute urgence une pièce d'équipement importante ;

- *le conseil,* c'est-à-dire les contacts avec les unités fonctionnelles qui ont une expertise spécialisée – par exemple, un cadre demande conseil au directeur du personnel au sujet de l'évaluation du personnel ;

- *la vérification,* c'est-à-dire les contacts avec les unités qui ont le droit d'évaluer le travail des autres après coup – par exemple, le responsable de la qualité refuse la livraison de certains produits et demande à son collègue chargé de la fabrication de la reprendre ;

- *l'approbation,* c'est-à-dire les contacts avec les unités dont l'approbation est indispensable pour prendre une décision ou mettre en œuvre un projet – par exemple, le directeur du marketing soumet une description de poste au responsable de l'équité en matière d'emploi pour obtenir son aval avant d'entamer le processus d'embauche d'un nouveau vendeur.

Pour avoir une conduite politique efficace, le gestionnaire doit bien saisir les relations de pouvoir qu'entretiennent les diverses unités. Les unités opérationnelles ont souvent plus de pouvoir que les unités fonctionnelles, et les unités au sommet de la hiérarchie en ont généralement plus que celles de la base. Plus une unité approuve ou vérifie le travail des autres, plus elle a du pouvoir. Une relation fondée sur le déroulement du travail confère plus de pouvoir qu'une simple relation de conseil, mais toutes deux donnent davantage de pouvoir que les relations basées sur le service.

■ LE JEU POLITIQUE DANS LE CERCLE DU CHEF DE LA DIRECTION

De Jay Gould – requin de l'industrie des années 1890 – à Bill Gates – l'actuel président de Microsoft, les *grands patrons* ont toujours fasciné. Une analyse des dynamiques à l'œuvre dans les cercles dirigeants nous permettra de dissiper certains mystères et de mieux comprendre ce qui sous-tend le jeu politique aux échelons supérieurs des organisations.

La dépendance par rapport aux ressources   La conduite politique du dirigeant peut parfois s'expliquer par la dépendance de son organisation par rapport aux ressources, c'est-à-dire par le fait que son organisation a besoin de ressources qui appartiennent à d'autres[21]. D'une manière générale, la dépendance par rapport aux ressources augmente dans les circonstances suivantes : 1) les ressources dont l'organisation a besoin se raréfient ; 2) les acteurs externes resserrent leur mainmise sur les ressources ; et 3) les ressources sont concentrées entre les mains d'agents externes peu nombreux et les produits de remplacement se raréfient. L'un des rôles politiques du chef de la direction consiste donc à établir des compromis viables avec les propriétaires des ressources dont il a besoin, compromis qui raffermiront son pouvoir. Pour cela, il doit faire le point sur le pouvoir relatif des différents acteurs externes et élaborer une stratégie ciblée pour chacun des fournisseurs.

Dans les grandes organisations, la stratégie retenue consiste souvent à réduire le degré de dépendance à l'égard des acteurs externes. Par exemple, l'organisation prend le contrôle des ressources dont elle a besoin par des fusions ou des acquisitions. Elle peut aussi tenter de modifier les règles du jeu pour se mettre à l'abri des attaques ou des revirements des fournisseurs les plus puissants. Ainsi, Netscape a fait appel au gouvernement des États-Unis pour se prémunir contre les offensives de Microsoft. Les marchés peuvent aussi être défendus au moyen de barrières douanières. En outre, aux États-Unis, les lois sur le « droit au travail » permettent de limiter l'influence des syndicats. Toutefois, même les organisations les plus grandes et les plus puissantes ne peuvent exercer un contrôle absolu sur toutes les contingences externes majeures.

La concurrence internationale a réduit considérablement les possibilités d'action qui s'offrent aux dirigeants ; ceux-ci ne peuvent plus ignorer l'étranger, le vaste monde qui commence à leurs frontières. Nombre d'entre eux devront, si ce n'est déjà fait, repenser complètement leurs manières de travailler. Ainsi, des organisations qui pouvaient autrefois très bien fonctionner sans aide étrangère voient aujourd'hui leurs dirigeants favoriser la création d'entreprises conjointes et la conclusion d'alliances stratégiques avec des partenaires du monde entier. Ces associations permettent aux diverses parties prenantes d'accéder aux ressources et aux technologies dont elles ont besoin, mais aussi de bénéficier d'un accroissement de leurs marchés et d'une baisse de leurs coûts de production.

Toujours au chapitre de la dépendance par rapport aux ressources, mais sous un angle plus sordide, la rémunération des dirigeants suscite une controverse de plus en plus vive. Autrefois, les PDG des États-Unis gagnaient environ 30 fois plus que la moyenne des travailleurs, un ratio comparable à ceux des pays d'Europe et du Japon[22]. Aujourd'hui, toujours aux États-Unis, nombreux sont les PDG qui gagnent 3 000 fois la rémunération moyenne des travailleurs. Le magazine québécois *Commerce* s'est penché sur la question :

> En 1999, le revenu moyen des PDG des 362 plus grandes entreprises américaines a atteint le chiffre record de 12,4 millions de dollars, en hausse de 17 % par rapport à 1998. C'est six fois plus que leur chèque de 1990 ! [...]
>
> Bien sûr, la comparaison avec les États-Unis n'est que conceptuelle. Car il faut bien l'admettre, comparé à l'ouragan qui sévit au Sud, le vent inflationniste qui souffle sur le Québec n'est qu'une petite brise. À eux seuls, les trois premiers CEO américains sur la liste des dirigeants les mieux payés en 1999, et recensés dans le *Business Week* du 17 avril 2000, ont empoché la rondelette somme de 953 millions de dollars américains, soit environ 1,4 milliard de dollars canadiens, incluant salaire, primes et rémunération à long terme.
>
> En comparaison, Robert Brown, de Bombardier, James Doughan d'Abitibi-Consolidated et Pierre Lessard de Métro, nos trois médaillés cette année dans la liste de *Commerce,* n'ont pu récolter ensemble que 26,7 millions de dollars canadiens, incluant salaire, primes, autre rémunération et gains sur options réalisées. Charles Wang, le CEO de Computer Associates Intl et le numéro un cette année sur la liste américaine, s'est enrichi de 655 millions de dollars, soit près de 970 millions de dollars canadiens. C'est cinq fois les 186,5 millions de dollars canadiens empochés par l'ensemble des 150 dirigeants des entreprises québécoises recensés par *Commerce* !
>
> N'empêche que si nos PDG se sentent complexés face à leurs collègues américains, cette souffrance est toute relative : la rémunération moyenne des 150 PDG d'entreprises de notre classement, dont le siège social est au Québec, est passée de 1 112 309 dollars en 1998 à 1 243 767 dollars en 1999. Un bond appréciable de 12 %. Et ils peuvent toujours se consoler en jetant un coup d'œil sur les derniers chiffres de Statistique Canada : au Québec, en mars 2000, la rémunération moyenne hebdomadaire s'établissait à 582,08 dollars, en hausse de 2,5 % par rapport à l'an passé. Autrement dit, un salarié québécois qui touche 30 268 dollars par année (582,08 $ × 52 semaines) devra travailler pendant 41 ans pour gagner autant que le salaire annuel moyen, version 1999, des 150 PDG les mieux rémunérés ! Parallèlement, un PDG se situant dans la moyenne salariale, n'aura besoin que d'un peu plus d'une semaine de boulot pour ramasser les 30 268 dollars que fait le salarié moyen pendant toute une année ![23]

Comment expliquer que ces PDG deviennent si riches ? D'abord, par la loi du marché : les entreprises de haute technologie exercent une pression à la hausse sur les salaires des PDG en cherchant à recruter des hauts dirigeants de la *vieille économie* qui jouissent d'une excellente réputation et peuvent inspirer confiance aux investisseurs. En outre, l'intérêt financier personnel du PDG est étroitement lié aux intérêts financiers à court terme d'actionnaires puissants. En principe, les PDG devraient veiller à la santé *à long terme* de leur organisation ; en pratique, cependant, leur rémunération est directement corrélée à l'évolution à *court terme* du prix de l'action de leur entreprise. Concrètement, quand un PDG décrète des réductions de personnel, fait campagne en faveur d'une fusion ou sabre dans les avantages sociaux (par exemple, le plan de protection médicale des travailleurs), les bénéfices de l'organisation augmentent d'une manière spectaculaire, ce qui fait

MONDIALISATION   ⊕

Le numéro un mondial du luxe LVMH a frappé un grand coup aux États-Unis en se portant acquéreur de Donna Karan International (DKI), une prestigieuse maison de prêt-à-porter affichant un chiffre d'affaires de 650 millions de dollars américains. LVMH réalise ainsi sa première grande opération dans la mode aux États-Unis, au moment où son différend avec Pinault Printemps Redoute (PPR) pour le contrôle de Gucci s'enlise, alors même qu'il convoitait le maroquinier italien pour conforter son leadership mondial dans le luxe. PPR souhaite faire de Gucci le noyau d'un nouveau pôle rival de LVMH. L'acquisition de Donna Karan permet à LVMH de s'implanter dans la mode aux États-Unis et d'internationaliser cette marque essentiellement américaine jusque-là, a expliqué hier Yves Carcelle, président de LVMH Fashion Group, lors d'une conférence de presse. «Cette acquisition est une étape stratégique» pour LVMH, a-t-il dit. [...] Donna Karan a créé sa maison en 1984. Elle fabrique des vêtements pour hommes et pour femmes, des accessoires et des souliers, qu'elle commercialise sous les marques Donna Karan New York (collections : *black label* et *gold label*), DKNY "lifestyle", DKNY Jean's et DKNY Active pour les jeunes. Elle a reçu en 1999, 25 millions de revenus de licences (parfums, lunettes, montres, bas, collants et vêtements pour enfants).

Hassen Zenati. «LVMH frappe un grand coup aux États-Unis», *La Presse* (AFP), 19 décembre 2000, p. B6.

⊕ ──────────────────────────────

très vite exploser le cours de l'action. Évidemment, une telle conduite peut mettre en péril la santé à long terme de leur organisation, mais rares sont les PDG qui résistent à l'appât du gain immédiat. Pas étonnant, dans ce contexte, que la façon dont les organisations sont gérées suscite un regain d'intérêt tant chez les observateurs que chez les chercheurs.

La gestion stratégique de l'organisation   On appelle ***gestion stratégique de l'organisation*** le système que la haute direction met en place en matière d'autorité, d'influence et de normes de comportement des gestionnaires. Ce système détermine ce qui est important, comment les problèmes sont posés, qui doit ou ne doit pas prendre les décisions les plus cruciales et quelles sont les limites acceptables de leur application.

Les chercheurs soulignent que la gestion stratégique de l'organisation est en grande partie le fait d'une *coalition dominante* composée des principaux acteurs de l'organisation[24]. Comme on peut s'y attendre, plusieurs des cadres supérieurs de l'organisation font partie de cette coalition, mais il arrive aussi qu'elle comprenne certains acteurs externes qui ont accès aux ressources clés. Par conséquent, toute analyse de la gestion stratégique de l'organisation repose sur une analyse de la dépendance par rapport aux ressources, laquelle dévoile le contrôle réel exercé par les membres de la coalition dominante sur les plus critiques de ces ressources.

Dans cette optique des cercles dirigeants, la gestion stratégique quotidienne de l'organisation consiste à cerner et à résoudre les problèmes à mesure qu'ils surviennent. Par l'entremise de ce système de gestion stratégique, les membres de la coalition dominante tentent de modeler la réalité. En acceptant ou en rejetant les propositions des subordonnés, en orientant les objectifs et les stratégies en fonction des intérêts des acteurs externes les plus puissants, et en sélectionnant des gens apparemment porteurs de telles ou telles valeurs et qualités, ils peuvent établir graduellement leur système de gestion stratégique dans l'organisation.

■ *Gestion stratégique de l'organisation*   Système mis en place par la haute direction en matière d'autorité, d'influence et de normes de comportement des gestionnaires

En outre, ce système repose – du moins en partie – sur des bases éminemment politiques.

Autrefois, la gestion stratégique se définissait et s'exerçait dans les limites de l'organisation, et incombait même très souvent à un nombre restreint de personnes. Aujourd'hui, débats et controverses la transportent de plus en plus souvent sur la place publique. Le nombre et la sauvagerie des OPA qui ont défrayé la chronique et ébranlé le monde des affaires dans les années 1980 et 1990 témoignaient, dans une certaine mesure, de cette nouvelle tendance. Si certains observateurs estiment que les hauts dirigeants des entreprises ne défendent pas suffisamment les intérêts des actionnaires, d'autres considèrent au contraire qu'ils négligent, voire trahissent, les intérêts de ses autres constituantes et du public en général.

On estime, par exemple, qu'en 15 ans de *dégraissage,* les 500 plus grandes entreprises listées par *Fortune* ont supprimé quelque huit millions de postes[25]. S'il fut un temps où les cadres et les salariés de ces entreprises étaient convaincus que la philosophie de gestion de leur employeur tenait compte de leurs intérêts – et les défendait –, rares sont les travailleurs qui manifestent encore, en ce début de millénaire, une telle confiance. En même temps qu'elle annonçait une production record, des profits presque inégalés et une fusion avec McDonnell-Douglas, Boeing supprimait quelque 20 000 postes d'ingénieur à son siège social de Seattle – et licenciait la quasi-totalité des ingénieurs engagés aux cours des deux dernières années. Comme le soulignait d'un trait caustique un observateur: «L'entreprise a dévoré ses petits pour engraisser les primes des dirigeants». De toute évidence, Boeing n'est pas une organisation hautement performante.

Par ailleurs, le grand public s'inquiète de plus en plus des pratiques de certaines entreprises, notamment celles qui œuvrent dans les secteurs des technologies à haut risque comme le traitement des produits chimiques, les techniques médicales, les manipulations génétiques et le raffinage pétrolier. Dow-Corning, par exemple, est accusé d'avoir vendu des implants mammaires causant des défaillances du système immunitaire, et il n'est pas sûr que l'entreprise se remettra de ce scandale. Dow-Corning affirme que le lien de cause à effet entre ses produits et les problèmes médicaux constatés chez les utilisatrices n'a pas été établi de manière rigoureuse sur le plan scientifique. Cependant, procès après procès, les tribunaux ont accordé des dommages aux femmes qui ont porté des implants Dow-Corning et qui éprouvent maintenant des troubles du système immunitaire. Il ne fait donc aucun doute que les tribunaux en tiennent responsable la direction de l'entreprise.

Les lacunes de la gestion stratégique peuvent aussi empêcher les organisations de gérer efficacement leurs activités internationales. Leurs hauts dirigeants peuvent bien imputer à des facteurs externes – les lois sur les échanges commerciaux, par exemple – leurs piètres résultats, notamment face à des pays concurrents comme le Japon et d'autres pays asiatiques. Mais, selon leurs détracteurs, c'est leur incompétence en matière de gestion internationale qui freine les entreprises qu'ils sont censés diriger. En fait, la gestion stratégique est trop étroitement liée aux intérêts immédiats des actionnaires et à la rémunération des PDG.

Ceci étant dit, tout n'est pas sombre au royaume de la gestion: divers indices suggèrent que la gestion stratégique des entreprises américaines commence à dépasser les seuls intérêts de leurs propriétaires pour s'étendre à ceux de leurs travailleurs et des collectivités où elles opèrent.

Pour Cavanagh, Moberg et Velasquez, la gestion stratégique doit reposer sur un code d'éthique, et tous les membres de l'organisation, du salarié le plus modeste

Le CO et les fonctions de l'organisation

GESTION DES RESSOURCES HUMAINES

De la difficulté du psy en entreprise

Le psy a fait son nid dans l'entreprise, mais à quel prix ? Coincé entre les désirs du patron et l'angoisse du salarié, le thérapeute tord le bras à Freud pour mieux s'adapter à Taylor. [...]

Plus que dans tout autre domaine, la déontologie du praticien joue ici un rôle déterminant. Car il faut bien répondre, avec le maximum de rigueur et d'honnêteté, aux interrogations qui jaillissent dès qu'on sort du classique schéma de la thérapie en tête-à-tête : comment transférer à l'univers collectif des concepts d'ordinaire réservés à la thérapie individuelle ? Comment appréhender la relation triangulaire psy/patron/salarié ? Que va privilégier le praticien, lui qui est payé par l'employeur : la normalisation ou l'épanouissement du salarié ? « On peut aider le salarié à adhérer aux normes en vigueur sans le transformer en béni-oui-oui, assure Éric Albert, psychiatre et consultant. Lui apprendre, par exemple, à passer d'une logique de rétention d'information à une logique de coopération. » Mais Gilles Amado, professeur de psychosociologie des organisations à HEC, reconnaît l'ambiguïté intrinsèque des psys en entreprise : « Un psy digne de ce nom ne peut en même temps travailler auprès des personnes et contre leurs intérêts. Cela étant, il existe une tension éthique incontournable entre le travail psychologique mené avec le salarié et les visées normalisatrices de l'entreprise. » [...]

Parce qu'il symbolise l'intrusion concrète du psy dans l'entreprise, le coaching est l'exercice qui soulève le plus grand nombre de questions morales. Si, en théorie, les objectifs à atteindre semblent clairement définis (« reconquérir son leadership », « prendre de nouvelles responsabilités », « assumer pleinement son rôle de dirigeant »), dans la pratique, c'est une autre paire de manches. Faut-il limiter cet accompagnement à la sphère professionnelle ? Peut-on s'autoriser des incursions dans la vie personnelle ? Voire n'aborder que des sujets d'ordre intime ? En la matière, chacun agit selon sa conscience. [...]

Parce que le coaching flirte souvent avec la psychothérapie, parce qu'il est pris en charge par l'entreprise, il doit s'entourer de règles strictes : durée des séances, périodicité, longueur du cycle... tout doit être codifié et le principe de confidentialité impérativement respecté. Malgré ces précautions, certains reconnaissent que la demande des entreprises n'est pas toujours très claire : « Un directeur des ressources humaines peut m'envoyer un salarié en espérant que je ferai passer un message..., explique Béatrice Abeille-Robin [psychologue-clinicienne et psychothérapeute]. Il faut être très vigilant, refuser certaines missions, ne pas avoir peur de perdre un client. »

Peu à peu, la culture psychologique se diffuse à l'intérieur de l'entreprise. Elle part du haut de la pyramide hiérarchique, séduit les grandes structures plus que les PME, et singulièrement celles dont les patrons ont été sensibilisés au sujet. Même s'ils sont encore très loin des pratiques américaines, nombre de chefs d'entreprise français ont compris qu'une connaissance, même sommaire, du fonctionnement mental de l'homme permet de mieux travailler et de mieux diriger une équipe.

« Le rêve de tout manager, et cela depuis Taylor, c'est de connaître le fond de l'âme humaine, rappelle Gilles Amado, ce que l'on nomme aujourd'hui l'inconscient. » Ah ! découvrir les motivations profondes de ses salariés, savoir en jouer, avancer l'argument qui fera mouche, appuyer de façon perverse là où ça fait mal... Séduisant, mais risqué. Le danger ? Aboutir à ce que Gilles Amado nomme l'« exploitation affective de l'homme par l'homme ». Bien plus subtile que l'autre... Et bien pire !

Mylène Sultan. *Le Point,* 15 décembre 2000, p. 126.

jusqu'au PDG, devraient avoir un comportement conforme à l'éthique, c'est-à-dire un comportement qui satisfait aux critères suivants[26]:

1. il engendre «le plus grand bien pour le plus grand nombre», autrement dit, il optimise la satisfaction des gens tant à l'intérieur qu'à l'extérieur de l'organisation (*point de vue utilitariste*);

2. il respecte les droits de toutes les parties, notamment les droits humains suivants: droit à la liberté de consentement, de parole et de conscience, droit au respect de la vie privée et à un procès équitable (*point de vue moraliste*);

3. il respecte les règles de droit – justice procédurale – et garantit à toutes les personnes un traitement juste et équitable de toutes les parties intéressées – justice distributive (*point de vue de la justice sociale*).

Un comportement qui ne respecte pas tous ces critères n'est pas nécessairement contraire à l'éthique. Il pourrait se justifier d'un point de vue éthique dans des situations particulières où interviennent des *facteurs transcendants,* qui peuvent se résumer ainsi:

- *Il y a conflit entre les divers critères* – par exemple, un gestionnaire met l'un des membres de son personnel sur table d'écoute, parce que c'est la seule façon de prouver qu'il s'adonne à des pratiques frauduleuses préjudiciables à l'organisation et, possiblement, à des tiers.

- *L'application d'un critère est conflictuelle* – par exemple, un gestionnaire met en place un programme de rationalisation qui, parce qu'il améliore la rentabilité financière et le rendement des investissements des actionnaires, assure la survie de l'entreprise; cependant ce programme suppose d'importantes compressions de personnel, ainsi qu'une détérioration des conditions d'emploi et une surcharge de travail pour les *survivants.*

- *Il y a impossibilité d'appliquer les critères* – par exemple, un gestionnaire approuve des modifications dans la fabrication de certains produits, mais il ignore les effets néfastes qu'auront à long terme les nouveaux matériaux sur l'environnement.

Adopter et maintenir un comportement éthique exige souvent que l'on consente d'importants sacrifices personnels. Et cela suppose qu'on renonce aux habituelles rationalisations qu'utilisent les PDG et les autres membres de l'organisation pour justifier leurs entorses à l'éthique: 1) ce comportement n'est pas vraiment illégal, il peut donc être considéré comme moralement acceptable; 2) ce comportement va, somme toute, dans le sens des intérêts de l'organisation; 3) ce comportement n'aura pas de conséquence puisqu'il ne sera sans doute jamais découvert, et encore moins révélé au grand jour; et 4) ce comportement est une preuve de loyauté envers le patron ou l'organisation, ou du désir de servir les intérêts à court terme des actionnaires. Même si elles sont séduisantes a priori, de telles rationalisations doivent être soumises à un examen scrupuleux, sinon tout le système de gestion stratégique de l'organisation risque de basculer du côté le plus discutable et le plus sordide du jeu politique.

Guide de révision

Qu'est-ce que le pouvoir ? En quoi le pouvoir se distingue-t-il de l'influence ?

- Le pouvoir est, selon la perspective qu'on adopte, 1) la capacité d'un individu d'amener autrui à accomplir la tâche qu'il veut voir menée à bien; 2) un outil, une ressource qui permet d'influer sur le cours des événements.

- L'influence est l'effet sur autrui du pouvoir qu'on exerce, c'est-à-dire la réaction comportementale à l'exercice du pouvoir.

Comment les gestionnaires acquièrent-ils le pouvoir nécessaire pour exercer leur leadership ?

- Le gestionnaire puise son pouvoir à deux sources: l'une organisationnelle, l'autre individuelle.

- Du seul fait de la position qu'il occupe dans la hiérarchie de l'organisation, le gestionnaire se voit attribuer trois types de pouvoir: le pouvoir de récompense, le pouvoir de coercition et le pouvoir légitime.

- Par contre, le pouvoir personnel émane de l'individu lui-même; il n'est pas lié au poste qu'il occupe. Il repose essentiellement sur l'expertise, la persuasion rationnelle et la valeur de référence.

- Les gestionnaires peuvent acquérir et accroître leur pouvoir hiérarchique et leur pouvoir personnel par divers moyens.

- Pour exercer une influence ascendante, descendante et horizontale, les gestionnaires peuvent recourir à diverses stratégies comme la raison, l'amabilité, la coalition, la négociation, l'autorité, l'autorité supérieure, les récompenses et les punitions.

- La plupart des gens ont tendance à obéir aux directives quand elles émanent de personnes qui détiennent pouvoir et autorité.

- La zone d'indifférence est l'éventail des demandes de ses supérieurs auxquelles un subordonné accepte de se conformer sans les juger ni les critiquer.

- En définitive, le pouvoir et l'autorité ne sont opérants que dans la mesure où les gens sur lesquels ils s'exercent les «acceptent».

Qu'est-ce que la responsabilisation du personnel ? Comment les gestionnaires peuvent-ils responsabiliser leurs subordonnés ?

- La responsabilisation est un processus par lequel le gestionnaire aide ses subordonnés à acquérir et à utiliser le pouvoir dont ils ont besoin pour prendre des décisions qui les concernent directement et qui ont certaines répercussions sur leur travail.

- La responsabilisation repose sur la conception du pouvoir comme un outil ou une ressource qui permet d'influer sur le cours des événements, plutôt que comme la capacité d'un individu à amener autrui à accomplir la tâche qu'il veut voir menée à bien.

- Pour réussir la mise en œuvre d'un projet de responsabilisation, il est indispensable que l'autorité soit clairement déléguée, que la planification soit participative et intégrée à tous les niveaux, et que les cadres de tous les échelons, surtout les plus élevés, manifestent de solides habiletés de communication.

Qu'entend-on par «jeu politique» dans le contexte organisationnel?

- Le jeu politique est inhérent à toute organisation, quelle qu'elle soit.

- Selon la perspective qu'on adopte, le jeu politique peut être vu comme: 1) l'exercice du pouvoir pour parvenir à des fins que l'organisation désapprouve ou pour obtenir des résultats qu'elle approuve, mais par des moyens qu'elle réprouve; ou 2) l'art d'élaborer des compromis originaux pour concilier des intérêts rivaux.

Quelle incidence le jeu politique a-t-il sur les gestionnaires et sur la gestion dans l'organisation?

- Les gestionnaires recourent souvent au jeu politique dans le contexte du processus décisionnel, quand il doivent concilier leurs intérêts personnels et ceux d'autrui – gestionnaire ou non.

- Les gestionnaires recourent aussi au jeu politique quand leurs unités respectives manœuvrent pour accroître leur pouvoir et améliorer leur position relative.

- Les hauts dirigeants recourent au jeu politique pour aborder de manière stratégique la dépendance de leur organisation par rapport à son environnement extérieur pour l'approvisionnement en ressources.

- La gestion stratégique de l'organisation est le système mis en place par la haute direction en matière d'autorité, d'influence et de normes de comportement des gestionnaires.

- Les PDG et les gestionnaires peuvent et doivent mettre sur pied un système de gestion stratégique conforme à l'éthique et exempt de toute justification douteuse.

Mots clés

Gestion stratégique de l'organisation p. 413

Influence p. 393

Jeu politique en milieu organisationnel p. 405

Pouvoir p. 393

Pouvoir de coercition p. 393

Pouvoir de persuasion rationnelle p. 394

Pouvoir de récompense p. 393

Pouvoir de référence p. 394

Pouvoir d'expertise p. 394

Pouvoir légitime (ou autorité) p. 393

Zone d'indifférence p. 401

■ QUESTIONS À CHOIX MULTIPLE

1. Les trois bases du pouvoir hiérarchique sont _____ **a)** la récompense, l'expertise et la coercition. **b)** l'autorité, l'expérience et le discernement. **c)** le savoir, l'expérience et le discernement. **d)** la récompense, la coercition et l'expertise. **e)** la récompense, la coercition et l'autorité.

2. _____ est la capacité qu'a un individu d'influer sur le comportement d'autrui en l'amenant à admettre le bien-fondé d'un objectif donné ainsi que des moyens proposés pour l'atteindre. **a)** Le pouvoir de persuasion rationnelle **b)** Le pouvoir légitime **c)** Le pouvoir de récompense **d)** Le pouvoir de coercition **e)** Le pouvoir de référence

3. Quand le subordonné agit de manière à préserver sa relation avec son supérieur, c'est que ce dernier exerce sur lui un pouvoir _____ **a)** d'expertise. **b)** de récompense. **c)** de coercition. **d)** d'approbation. **e)** de référence.

4. L'une des lignes directrices pour l'implantation d'un programme de responsabilisation stipule que _____ **a)** la délégation de l'autorité ne doit pas être trop précise pour laisser place aux interprétations personnelles. **b)** les gestionnaires ne doivent pas perdre leur temps à communiquer avec leurs subordonnés. **c)** la planification doit être traitée à part et selon le degré de responsabilisation. **d)** la haute direction doit être raisonnablement certaine que ses directives quant à la responsabilisation seront appliquées à la lettre. **e)** l'autorité doit être déléguée aux échelons inférieurs d'une manière claire et précise.

5. Des expériences de Milgram nous avons tiré un certain nombre d'enseignements majeurs, notamment, que _____ **a)** les Américains sont très indépendants et réfractaires à l'autorité. **b)** les gens sont disposés à obéir dans la mesure où leur comportement ne risque pas de blesser qui que ce soit. **c)** les gens ont tendance à obéir aux figures d'autorité, même s'il semble que cela peut blesser quelqu'un. **d)** les gens obéissent toujours aux figures d'autorité. **e)** les gens n'obéissent jamais, à moins qu'une figure d'autorité ne le leur ordonne à plusieurs reprises.

6. L'éventail des demandes de ses supérieurs auxquelles un subordonné accepte de se conformer sans les juger ou les critiquer s'appelle _____ **a)** le contrat psychologique. **b)** la zone d'indifférence. **c)** les expériences de Milgram. **d)** le niveau fonctionnel du jeu politique. **e)** le vecteur du pouvoir.

7. Les trois formes d'influence que le gestionnaire doit acquérir pour réussir sont l'influence _____ **a)** ascendante, descendante et horizontale. **b)** ascendante, descendante et diagonale. **c)** descendante, horizontale et diagonale. **d)** descendante, horizontale et externe. **e)** interne, externe et diagonale.

8. Le cadre peut recourir à la fois à son pouvoir hiérarchique et à son pouvoir personnel lorsqu'il cherche à exercer une influence _____ **a)** ascendante. **b)** horizontale. **c)** descendante. **d)** sur le déroulement du travail. **e)** axée sur des relations de conseil.

9. Pour _____ , le gestionnaire peut recourir à diverses stratégies comme la raison, la coalition, la négociation, l'autorité supérieure, etc. **a)** renforcer son pouvoir personnel **b)** renforcer son pouvoir hiérarchique **c)** exercer son pouvoir de référence **d)** exercer une influence **e)** renforcer son pouvoir de coercition

10. Négocier l'interprétation d'une clause de la convention collective est une activité qui relève _____ **a)** du jeu politique en milieu organisationnel. **b)** des relations horizontales. **c)** d'une relation d'approbation. **d)** d'une relation de contrôle. **e)** d'un comportement contraire à l'éthique.

■ VRAI OU FAUX ?

11. La coercition est un comportement adopté en réponse à l'exercice du pouvoir. **V F**

12. Le pouvoir de référence découle des qualités personnelles de celui qui le détient, et non de sa position hiérarchique. **V F**

13. Le pouvoir hiérarchique comprend la capacité d'influer sur le comportement d'autrui en faisant appel à sa raison. **V F**

14. Pouvoir légitime et autorité sont des synonymes. **V F**

15. Le pouvoir de récompense du gestionnaire est sa capacité d'influer sur le comportement de ses subordonnés en leur offrant des récompenses intrinsèques et extrinsèques. **V F**

16. La théorie de l'acceptation de l'autorité stipule que les subordonnés acceptent toujours les ordres de leurs supérieurs hiérarchiques. **V F**

17. Les expériences de Milgram montrent que les gens sont généralement réticents à obéir aux figures d'autorité. **V F**

18. Le processus par lequel le gestionnaire aide ses subordonnés à acquérir puis à utiliser le pouvoir dont ils ont besoin pour prendre des décisions s'appelle le jeu politique en milieu organisationnel. **V F**

19. Dans l'optique de la dépendance par rapport aux ressources, l'un des rôles majeurs qui incombent aux hauts dirigeants consiste à accroître et à répartir le pouvoir. **V F**

20. Améliorer ses connaissances et son apparence physique permet au gestionnaire d'accroître son pouvoir hiérarchique. **V F**

■ QUESTIONS À RÉPONSE BRÈVE

21. Expliquez en quoi les divers types de pouvoir hiérarchique et de pouvoir personnel s'appliquent ou non aux relations entre le professeur et l'étudiant dans un contexte scolaire. Précisez quels types de pouvoir les étudiants peuvent exercer sur leurs professeurs.

22. Expliquez au moins trois des moyens que peuvent prendre les gestionnaires pour accroître **a)** leur pouvoir hiérarchique et **b)** leur pouvoir personnel.

23. Expliquez au moins quatre des stratégies d'influence qui s'offrent aux gestionnaires en milieu organisationnel. Illustrez par des exemples comment chacune d'elles s'applique ou non à l'exercice **a)** de l'influence descendante et **b)** de l'influence ascendante.

24. Définissez la notion de jeu politique en milieu organisationnel et illustrez par un exemple **a)** son bon côté et **b)** son côté plus sordide.

■ QUESTION À DÉVELOPPEMENT

25. Comment expliqueriez-vous les fusions et les acquisitions s'il était prouvé qu'elles ont rarement des retombées financières positives pour les actionnaires?

Reportez-vous aux études de cas, aux exercices et aux autoévaluations de notre *Cahier d'apprentissage en CO* (voir p. 531).

■ **Consultez le site Web du manuel. Vous y trouverez un questionnaire interactif et des exercices en ligne sur le contenu de ce chapitre.**

www.erpi.com/schermerhorn

Information et communication

COMMENT TIRER LE MEILLEUR PARTI DE LA COMMUNICATION

Scott G. McNealy, directeur général de Sun Microsystems, a fait ses preuves dans le milieu des affaires américain. Détenteur d'une maîtrise en administration des affaires de l'Université Stanford, il est renommé dans le monde de la haute technologie pour sa conception originale de l'avenir – une vision centrée sur la force du réseautage plutôt que sur l'ordinateur personnel. Créateur du langage Java, qui permet de transférer des programmes informatiques aussi bien que des données sur un réseau, Sun a gardé une longueur d'avance et reste l'une des entreprises majeures de l'industrie des TIC. Quant à l'avenir, voici ce qu'en dit McNealy: «L'ordinateur personnel n'est qu'un spot sur l'écran. C'est un gros spot bien scintillant, mais ce n'est qu'un spot. Dans cinquante ans, vos petits-enfants vous demanderont si vous aviez *vraiment* un ordinateur sur votre bureau, et cela leur paraîtra très étrange.»

Mais il n'y a pas que les ordinateurs qui font avancer le système de Sun, les gens le font aussi. Comme bien des chefs d'entreprise éclairés, McNealy a mis en place un vaste programme de communication organisationnelle, qui repose notamment sur des enquêtes auprès des membres du personnel. Grâce à des questionnaires ou à des sondages envoyés par courriel, Sun prend régulièrement le pouls de ses travailleurs sur divers sujets, notamment sur *les inhibiteurs de rendement* – c'est-à-dire les choses qui leur ont compliqué la tâche durant une période donnée. Les réponses servent à établir ce qu'on appelle l'*indice de qualité des travailleurs*, une initiative qui classe Sun parmi les entreprises où il fait bon travailler. Jim Lynch, directeur de la qualité chez Sun, voit un lien direct entre la qualité de vie professionnelle chez Sun et l'attirance de la clientèle pour la société.

Grâce à une bonne communication avec les travailleurs, l'information sur des problèmes de travail circule et on peut remédier à la situation, pour le bien du personnel, certes, mais aussi dans le contexte plus large de l'engagement qu'a pris l'organisation d'assurer la qualité de ses produits. Chez Sun, la direction reconnaît que l'information et la communication sont les éléments clés d'un processus continu de développement organisationnel[1].

Tout le monde sait que la «communication» est vitale pour toute organisation. Mais créer un environnement aussi riche sur le plan de l'information que celui de Sun Microsystems suppose un véritable engagement organisationnel et beaucoup de travail, surtout dans la conjoncture actuelle, où la rapidité est d'une importance déterminante pour les organisations. Comme le disait Bill Gates: «Seuls les gestionnaires qui maîtrisent l'univers digital pourront détenir un avantage concurrentiel[2]». Cependant, mettre à profit l'information et la technologie pour jouir des avantages de la haute performance exige une détermination peu commune à élargir les canaux de communications – d'abord entre les membres du personnel, puis entre eux et les clients. Cela suppose aussi une culture organisationnelle fondée sur la confiance, qui favorise la libre circulation des idées et des suggestions dans l'organisation, tant verticalement – de bas en haut aussi bien que de haut en bas – qu'horizontalement. Les organisations éclairées qui s'engagent résolument dans cette voie exigeante en sont récompensées sur le plan de la performance et de la satisfaction professionnelle de leurs membres.

Questions clés

Ce chapitre traite du processus de la communication, de ses enjeux sur les plans interpersonnel et organisationnel, ainsi que des nouvelles possibilités qu'offre l'évolution des TIC. Voici les questions clés que vous devriez garder à l'esprit en le lisant:

- En quoi consiste le processus de communication?
- Quels sont les éléments clés de la communication interpersonnelle?
- Quels sont les principaux obstacles à la communication?
- Qu'est-ce que la communication organisationnelle?
- Quels sont les enjeux spécifiques de la communication dans les milieux hautement performants?

La nature de la communication

Le rapport annuel 1998 de Lucent Technologies, un géant de l'industrie technologique, commençait par ces mots : « L'industrie des communications connaît une
véritable révolution. » Plus loin, le document faisait état de 900 millions de messages vocaux échangés quotidiennement, de 2,7 billions de courriels envoyés
chaque année (5 millions à la minute), de 100 millions d'internautes recensés cette
année-là et de l'achalandage d'Internet qui doublait tous les cent jours[3] – à la fin
de l'année 2000, le nombre d'internautes était estimé à 295 millions. Ces statistiques
sont stupéfiantes et leurs conséquences, très claires. La fringale généralisée d'information n'est pas près de s'apaiser et, de plus en plus, l'avenir des organisations
dépendra de leur capacité à utiliser l'information et les TIC de manière à en tirer
des avantages stratégiques. Voilà qui nous amène directement au cœur de la question, c'est-à-dire aux exigences et aux possibilités extraordinaires de ce processus
complexe que nous appelons la *communication*.

■ LE PROCESSUS DE COMMUNICATION

La **communication** se définit comme un processus d'émission et de réception de
messages porteurs de sens. La figure 16.1 schématise les éléments fondamentaux
de ce processus. On y note la présence d'une *source*, l'*émetteur*, qui encode un
message pour transmettre un sens voulu, ainsi que d'un *récepteur*, qui décode le
message reçu pour en saisir le sens[4]. Selon les cas, il pourra y avoir ou non une
rétroaction du *récepteur*. Bien que ce processus semble des plus élémentaires, ce
qui se produit au cours d'un tel échange est plus complexe qu'il n'y paraît.

■ ***Communication*** Processus
d'émission et de réception de
messages porteurs de sens

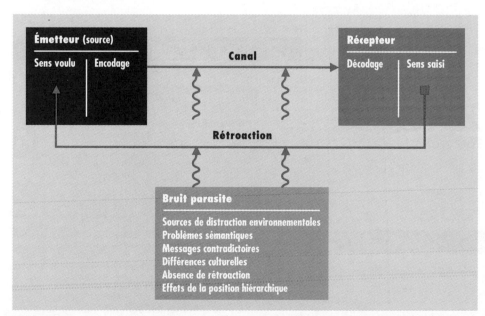

Figure 16.1
Le processus de communication et les causes potentielles de bruit parasite

Notamment, le message peut être brouillé par un ***bruit parasite***, terme qui désigne toute perturbation qui interfère dans la transmission du message et interrompt le processus de communication.

L'émetteur – la source d'information – est un individu ou un groupe d'individus qui tente de communiquer avec quelqu'un d'autre, notamment pour modifier les attitudes, les connaissances ou le comportement du récepteur. Par exemple, un chef d'équipe pourrait vouloir communiquer au directeur de sa division les raisons pour lesquelles son équipe a besoin de plus de temps ou de ressources pour mener à bien le projet qui lui est assigné. La communication commence donc par un *encodage,* c'est-à-dire par la traduction d'une idée ou d'une pensée en un message constitué de symboles verbaux, écrits ou non verbaux (comme les gestes), d'un ou de plusieurs types. Le message est ensuite transmis par divers ***canaux de communication*** – rencontre en personne, téléphone, courriel, lettre, note de service, messagerie vocale, etc. Le choix d'un canal peut avoir un effet important sur le processus lui-même; certaines personnes utilisent plus efficacement certains canaux, et certains canaux conviennent mieux à certains types de messages. Pour reprendre notre exemple, le canal que choisira le chef d'équipe – conversation en personne, note écrite, courriel, messagerie vocale – pour communiquer son message pourrait influer sensiblement sur la réaction du directeur de la division.

Le processus de communication ne s'arrête évidemment pas une fois le message envoyé. Pour qu'un sens soit attribué à ce message, il faut que son destinataire, l'individu ou le groupe à qui il s'adresse, le reçoive et l'interprète, le *décode.* Ce processus de décodage est compliqué par de nombreux facteurs, notamment les connaissances et l'expérience du récepteur ainsi que sa relation avec l'émetteur. D'autres points de vue, comme ceux des amis, des collègues ou des supérieurs, peuvent également avoir une incidence sur l'interprétation que fera le récepteur du message. En fait, à la suite du décodage, le récepteur peut attribuer au message un sens bien différent de celui que lui avait donné l'émetteur.

www.zaq.com

ENTREPRENEURIAT

«Quatre-vingt-dix pour cent du talent d'un gestionnaire est d'agir comme un bon être humain et ce n'est pas quelque chose qu'on apprend à l'école», dit Paul Allard, président et chef de la direction de Zaq Solutions interactives. «Les échecs et les réussites d'une entreprise sont souvent liés à des facteurs de relations humaines entre la gestion et les employés. Les dirigeants doivent savoir parler aux gens.» M. Allard était l'un des trois entrepreneurs invités à livrer le fond de leur pensée sur les techniques de gestion de leur entreprise dans le cadre d'une conférence organisée récemment à Montréal. La conférence visait à partager les expériences de réussite d'entreprises québécoises. Zaq est une firme montréalaise spécialisée dans la télévision interactive qui compte à son conseil d'administration Pierre Boivin, président du Club de hockey Canadien de Montréal, et Rémi Marcoux, président du conseil du Groupe Transcontinental GTC. La compagnie a un chiffre d'affaires de 3 M$ et compte 85 employés.

Charles-Albert Ramsay. «L'empathie, l'une des qualités premières du gestionnaire», *Les Affaires*, 11 novembre 2000, p. 39.

■ LA RÉTROACTION ET LA COMMUNICATION

Lorsqu'ils reçoivent un message, la plupart des gens sont conscients du décalage possible entre l'interprétation qu'ils en font et le sens qu'a voulu lui donner l'émetteur. La **rétroaction** – message adressé par le récepteur d'un message à son émetteur de départ – est une façon de déceler d'éventuels décalages. L'échange d'information qui en découle peut améliorer sensiblement le processus de communication. Il vaut donc la peine de rappeler ce traditionnel conseil aux gestionnaires : «Maintenez les canaux de rétroaction *ouverts.*»

En pratique, on associe souvent la *rétroaction* au fait, pour une personne, de communiquer à l'autre son évaluation de ce qu'il a dit ou fait. Fournir ce type particulier de rétroaction de telle sorte que le récepteur l'accepte et s'en serve d'une manière constructive exige une grande habileté. Des remarques qui se voulaient courtoises et utiles peuvent fort bien être perçues comme déplaisantes et même hostiles. Ce risque est particulièrement important lors des évaluations de rendement. Le cadre ou le chef d'équipe ne doit donc pas se contenter de glisser le formulaire d'évaluation dûment rempli dans le dossier de la personne évaluée. Pour répondre à ses besoins de développement, il doit lui fournir une rétroaction, c'est-à-dire lui communiquer adéquatement les résultats de l'évaluation – les félicitations comme les critiques[5] (voir *Le gestionnaire efficace 16.1*).

> ### LE GESTIONNAIRE EFFICACE 16.1
>
> ### COMMENT FOURNIR UNE RÉTROACTION CONSTRUCTIVE
>
> - Instaurez une atmosphère de confiance mutuelle et soyez direct.
> - Ne restez pas dans le vague ; soyez précis et fournissez des exemples clairs.
> - Donnez votre rétroaction au moment le plus propice *pour le récepteur*.
> - Soyez certain de ce que vous affirmez ; vérifiez vos perceptions auprès d'autres personnes *avant* de les formuler.
> - Concentrez-vous sur ce qui est vraiment du ressort du récepteur.
> - Limitez la quantité d'information transmise à chaque intervention.

■ *Rétroaction*   Dans le processus de communication, message qu'adresse à son tour le récepteur d'un message à son émetteur de départ, généralement pour transmettre son évaluation de ce que ce dernier a dit ou fait

Les bases de la communication interpersonnelle

Les organisations contemporaines sont des milieux très axés sur l'information et, de plus en plus, sur la haute technologie. Cependant, ne l'oublions jamais, ce sont encore les êtres humains qui font *tourner la machine*. Et, pour mettre en commun leurs énergies et leurs talents, et collaborer efficacement à l'édification des organisations hautement performantes, ces êtres humains doivent exceller dans les communications interpersonnelles.

■ COMMUNICATION EFFICACE ET COMMUNICATION EFFICIENTE

Toute communication entre les gens soulève au moins deux questions cruciales : l'exactitude de la communication – une question d'efficacité – et son coût – une question d'efficience.

On peut dire qu'il y a **communication efficace** lorsque le sens que l'émetteur donne à son message et le sens saisi par le récepteur sont pratiquement identiques[6].

■ *Communication efficace*   Communication où le sens donné par l'émetteur à son message et le sens saisi par le récepteur sont pratiquement identiques

Cette adéquation, qui devrait être le but de toute communication, n'est pas toujours atteinte. Par exemple, en écrivant ces lignes, nous nous demandons si l'interprétation que vous allez en faire correspondra exactement à ce que nous voulions exprimer. Nous serions sans doute moins inquiets si nous étions avec vous dans une salle de cours où vous pourriez nous poser des questions. Il faut multiplier les occasions de fournir de la rétroaction et de poser des questions, car ce sont là d'excellents moyens d'accroître l'*efficacité* de la communication.

■ ***Communication efficiente***
Communication qui offre le meilleur rapport possible entre le coût en ressources et les résultats

Quant à la **communication efficiente**, c'est celle qui offre le meilleur rapport possible entre le coût en ressources et les résultats. On sait que le temps est une ressource importante. Imaginez que votre professeur doive communiquer individuellement avec chacun de ses étudiants pour transmettre son enseignement ; le coût en temps serait si exorbitant qu'une telle situation est à peine envisageable. Au travail, les gens évitent de se déplacer chaque fois qu'ils ont un message à communiquer ; ils misent sur l'efficience des notes de service, des babillards, des réunions, du courriel, du téléphone et de la messagerie vocale.

Cependant, si *efficients* soient-ils, ces canaux de communication ne sont pas toujours *efficaces*. Communiquer par courriel un changement à une politique de l'organisation peut épargner du temps à l'émetteur, mais il n'est pas sûr que la directive sera interprétée et respectée comme il le voudrait. De même, une communication efficace n'est pas toujours efficiente. Le patron qui rendrait visite personnellement à chacun des membres du personnel pour les prévenir d'un changement de procédure serait assuré que tout le monde a compris, mais le coût d'une telle démarche serait énorme.

■ LA COMMUNICATION NON VERBALE

■ ***Communication non verbale*** Communication qui passe par l'expression faciale, le regard, la position du corps, la mimique, etc.

Tout le monde le sait, le gens communiquent par d'autres moyens que la parole et l'écrit. Par conséquent, il faut aussi comprendre et maîtriser la **communication non verbale**, qui passe par l'expression faciale, le regard, la position du corps, la mimique, etc. La communication non verbale sert souvent à clarifier ou à renforcer ce qui est *dit,* mais elle peut aussi avoir lieu sans qu'aucun mot ne soit prononcé ; elle n'accompagne donc pas toujours la communication verbale. La *kinésique,* c'est-à-dire l'étude des gestes et des postures du corps, a maintenant sa place dans les études et les théories sur la communication[7]. La dimension non verbale de la communication révèle souvent ce qu'un individu veut dire ou pense réellement. Elle peut également influer sur les impressions que les autres auront de lui. Ainsi, les gens qui mènent des entrevues sont généralement mieux disposés à l'égard de ceux qui émettent des signaux non verbaux positifs (regard franc, posture droite, etc.) qu'envers ceux qui dégagent des signaux plus négatifs (yeux baissés, posture avachie, etc.). Pour faire bonne impression en entrevue et dans d'autres situations, il faut soigner à la fois les aspects verbaux et non verbaux de la communication, y compris la ponctualité, la tenue vestimentaire et le maintien.

L'agencement physique de l'espace – des bureaux, par exemple – est une autre dimension de la communication non verbale. La *proxémique,* l'étude de l'utilisation que les êtres humains font de l'espace, nous apprend beaucoup sur la communication[8]. La figure 16.2 illustre trois agencements du bureau d'un cadre, accompagnés des messages non verbaux qu'ils peuvent transmettre à ses visiteurs. En les observant, pensez à l'axiome proposé par T. Hall, pionnier de la proxémique :

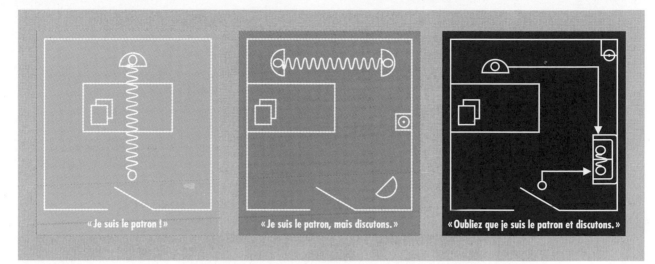

Figure 16.2
L'agencement d'un bureau et la communication non verbale

«Toutes choses étant égales par ailleurs, ce qui est éloigné est moins important pour nous que ce qui est proche.» Comparez ces schémas avec l'agencement de votre propre bureau, de celui d'un supérieur ou de quelqu'un de votre entourage en vous demandant quel est le message transmis aux visiteurs[9].

■ ***Écoute active***   Façon d'écouter qui aide l'émetteur à exprimer ce qu'il veut vraiment dire

■ L'ÉCOUTE ACTIVE

La capacité de *bien* écouter est un atout primordial pour ceux et celles dont la fonction repose sur des activités de communication. Car, rappelons-le, le processus de communication comporte deux volets : 1) envoyer un message ou «dire», et 2) recevoir un message ou «écouter». Malheureusement, trop de gens sont davantage préoccupés de dire que d'écouter[10]. Dans les milieux de travail contemporains, tout le monde devrait acquérir de bonnes compétences d'***écoute active***, c'est-à-dire développer la capacité d'aider l'émetteur à exprimer ce qu'il veut vraiment dire. Ce concept est né des travaux de conseillers et de thérapeutes entraînés à aider les gens à s'exprimer et à parler de ce qui leur tient à cœur[11]. Prenez un moment pour réfléchir sur les règles de base de l'écoute active (voir le *Gestionnaire efficace 16.2*), puis lisez attentivement les conversations rapportées dans les deux exemples qui suivent. Constatez la différence d'attitude de la directrice de succursale selon qu'elle pratique ou non l'écoute active. Comment vous sentiriez-vous si vous étiez le chef d'équipe dans l'une et l'autre de ces situations[12]?

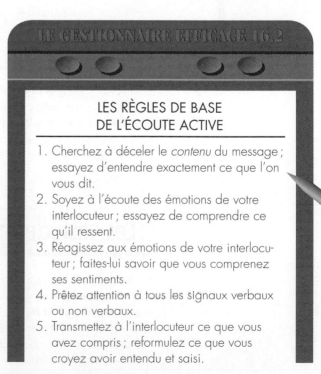

LE GESTIONNAIRE EFFICACE 16.2

LES RÈGLES DE BASE DE L'ÉCOUTE ACTIVE

1. Cherchez à déceler le *contenu* du message ; essayez d'entendre exactement ce que l'on vous dit.
2. Soyez à l'écoute des émotions de votre interlocuteur ; essayez de comprendre ce qu'il ressent.
3. Réagissez aux émotions de votre interlocuteur ; faites-lui savoir que vous comprenez ses sentiments.
4. Prêtez attention à tous les signaux verbaux ou non verbaux.
5. Transmettez à l'interlocuteur ce que vous avez compris ; reformulez ce que vous croyez avoir entendu et saisi.

Exemple 1

Le chef d'équipe: Hé! Johanne! Qu'est-ce que c'est que cette commande? On ne peut pas s'en occuper aujourd'hui, on est débordé. Pour qui nous prennent-ils?

La directrice de succursale: Mais c'est une commande! Alors, occupez-vous-en le plus rapidement possible. Nous subissons tous d'énormes pressions cette semaine.

Le chef d'équipe: Mais ils devraient savoir que nous sommes déjà en retard à cause de ce problème de logiciel dont je t'ai parlé…

La directrice de succursale: Écoute, ce n'est pas moi qui décide ce qui se passe en haut. Mon travail est de m'assurer qu'ils aient ce qu'ils veulent, et c'est ce que je suis en train de faire.

Le chef d'équipe: Attends de voir la réaction de mes gars! Ils ne vont pas aimer ça…

La directrice de succursale: Tu vas devoir régler ça avec eux, pas avec moi.

Exemple 2

Le chef d'équipe: Hé! Marcelle! Qu'est-ce que c'est que cette commande? On ne peut pas s'en charger aujourd'hui, on est débordé. Pour qui nous prennent-ils?

La directrice de succursale: Tu sembles être furieux contre eux. Cette situation te met en colère, n'est-ce pas?

Le chef d'équipe: Évidemment! Juste comme on allait rattraper le retard qu'a entraîné ce problème de logiciel, ils nous arrivent avec cette commande supplémentaire!

La directrice de succursale: Comme si vous n'en aviez pas assez sur les bras, hein?

Le chef d'équipe: Exactement! Je n'ai aucune idée de ce que je vais dire à l'équipe. Ils sont déjà tellement tendus aujourd'hui! On dirait que tout ce qu'on fait ici est urgent, très urgent et encore plus urgent.

La directrice de succursale: Je suppose que tu trouves injuste de leur en demander plus.

Le chef d'équipe: Eh bien… oui. Je sais que c'est la même chose dans les autres services… Enfin, si on n'a pas le choix, je vais me débrouiller pour leur en parler.

La directrice de succursale: J'apprécie beaucoup. Faites votre possible et, de mon côté, je vais voir ce que je peux faire pour que, à l'avenir, on s'en tienne à ce qui est prévu.

La directrice de succursale de notre deuxième exemple démontre de réelles habiletés d'écoute active. Elle a répondu aux doléances de son subordonné de manière à le faire parler, et cela lui a permis d'en apprendre davantage sur la situation. Quant au chef d'équipe, il se sentait mieux ensuite, parce qu'il a pu s'exprimer et qu'il a le sentiment d'avoir été écouté.

Les obstacles à la communication

Il importe de bien connaître la nature et les effets des six types de *bruits parasites* qui interfèrent le plus couramment dans les échanges interpersonnels. Comme nous l'avons vu à la figure 16.1, ces obstacles potentiels au processus de la communication sont: 1) les sources de distraction environnementales; 2) les problèmes sémantiques; 3) les messages contradictoires; 4) les différences culturelles; 5) l'absence de rétroaction; et 6) les effets de la position hiérarchique.

■ LES SOURCES DE DISTRACTION ENVIRONNEMENTALES

De nombreuses sources de distraction provenant de l'environnement peuvent compromettre l'efficacité d'une tentative de communication. La scène qui suit, où nous surprenons les bribes d'un entretien entre Georges et son patron Louis, en fournit quelques exemples[13].

> «Très bien, Georges, parlez-moi de votre problème.» Le téléphone sonne, le patron décroche, promet un rapport quelconque à son interlocuteur «dès que je l'aurai moi-même obtenu», et raccroche. «Bon, alors, où en étions-nous, Georges? Ah! oui, vous avez un problème avec les gens du marketing; vous avez l'impression que...» La secrétaire apporte à Louis des documents à signer. Il les signe et la secrétaire repart. «Euh, vous dites qu'ils ne sont pas très coopératifs? Eh bien! je vais vous donner mon point de vue...» Nouvel appel téléphonique, suivi de la visite d'un collègue, avec qui Louis a rendez-vous. «Bon, écoutez, Georges, essayez donc de régler ça directement avec eux. Désolé, mais là, il faut que j'y aille.»

Dès le départ, Louis n'était manifestement pas intéressé par les problèmes de son subordonné. Mais il y a plus: il a laissé des sources environnementales le submerger d'informations qui l'ont distrait à plusieurs reprises. Sa discussion avec Georges en a grandement souffert, et ce dernier repart totalement insatisfait. Louis pourrait éviter ce genre d'erreur en établissant des priorités et en planifiant les moments réservés à une communication pleine et entière. Si Georges avait quelque chose à lui dire, son patron aurait dû prévoir un moment propice au dialogue, durant lequel il ne se serait pas laissé distraire par le téléphone ou par l'arrivée d'un visiteur. À tout le moins, il aurait pu fermer la porte de son bureau et prévenir sa secrétaire qu'il ne voulait pas être dérangé.

■ LES PROBLÈMES SÉMANTIQUES

Dans la mesure où ils brouillent le sens du message et peuvent même le rendre complètement indéchiffrable, un mauvais choix de mots et l'usage de termes hermétiques sont d'importants obstacles à la communication. Voici deux exemples de la langue de bois qui, à une époque, a failli s'imposer comme le modèle de la communication officielle[14]:

A. «Nous vous invitons à nous faire parvenir toute recommandation que vous jugeriez pertinente et nous vous assurons que lesdites recommandations seront examinées avec la plus grande attention.»

B. «Des éléments représentatifs de la clientèle continuent à insister sur la nécessité fondamentale d'une stabilisation de la structure des prix à un niveau inférieur à celui qui prédomine actuellement.»

Ne serait-il pas plus simple de dire a) «Envoyez-nous vos recommandations» et b) «Les consommateurs réclament une baisse des prix»? Il existe en anglais une devise de gestion qu'on appelle le *KISS principle,* pour «Keep it short and simple». Un principe à retenir. Après tout, pourquoi embrouiller ce qui peut être clair et net?

■ LES MESSAGES CONTRADICTOIRES

Il y a souvent un décalage entre les mots que prononce un individu et ce que révèlent ses gestes et son langage corporel; c'est ce que l'on appelle un ***message contradictoire***. Il est important de détecter ce genre de décalage, car les signaux non verbaux peuvent révéler les intentions et sentiments véritables de l'émetteur[15].

■ **Message contradictoire**
Décalage entre les mots que prononce un individu et ce que révèlent ses gestes et son langage corporel

Au cours d'une réunion d'affaires, par exemple, un interlocuteur peut très bien prononcer un «oui» prudent, alors que son visage indique l'inquiétude et qu'il recule sur son siège; son langage corporel exprime ainsi des réserves et dément l'accord exprimé verbalement.

■ LES DIFFÉRENCES CULTURELLES

Les gens devraient toujours se montrer prudents lorsqu'ils s'engagent dans une communication interculturelle, qu'elle se passe entre gens d'un même pays, mais d'origines ethnoculturelles différentes, ou entre gens de nationalités différentes. Le problème le plus courant est l'*ethnocentrisme*, soit, comme nous l'avons vu au chapitre 3, la tendance à penser que les façons de faire de sa propre culture sont les meilleures ou les seules valables. L'ethnocentrisme s'accompagne souvent d'un refus d'essayer de comprendre d'autres points de vue et de prendre au sérieux les valeurs qu'ils sous-tendent, état d'esprit qui peut aisément engendrer des problèmes de communication entre gens d'origines diverses.

Les difficultés de communication interculturelle les plus évidentes tiennent évidemment aux différences linguistiques. Ainsi, les messages publicitaires qui connaissent beaucoup de succès dans un pays n'ont pas nécessairement la même portée ni le même sens dans la langue d'un autre pays. L'introduction par Ford de son modèle européen Ka peut poser quelques problèmes au Japon, car le mot *Ka* désigne un moustique en japonais; les analystes se demandent si une voiture qui a le nom d'un insecte porteur de maladies peut inspirer confiance[16]. Les gestes peuvent également avoir un sens différent selon les cultures: se tenir assis les jambes croisées est tout à fait acceptable en Angleterre, mais offensant en Arabie Saoudite, surtout si la plante des pieds est tournée vers une autre personne. Faire un signe de la main pour attirer l'attention de quelqu'un est correct au Canada, mais impoli en Asie[17].

■ L'ABSENCE DE RÉTROACTION

La communication unidirectionnelle va de l'émetteur au récepteur sans qu'il y ait de réponse ou de rétroaction immédiate du récepteur – c'est le cas, par exemple, pour une note de service ou un message vocal. La communication bidirectionnelle, elle, va dans les deux sens – comme c'est normalement le cas dans une conversation. Les recherches indiquent que, bien que plus coûteuse en temps et en argent, la communication bidirectionnelle est plus précise et plus efficace que la communication à sens unique. Cependant, à cause de leur efficience, les canaux de communication unidirectionnels – notes de service, courrier postal, courriel, messagerie vocale, etc. – sont très utilisés en milieu de travail. Malheureusement, s'ils facilitent les choses pour l'émetteur, les messages unilatéraux peuvent être frustrants pour le récepteur qui n'est pas certain de comprendre ce que leur auteur désire ou veut dire exactement.

■ LES EFFETS DE LA POSITION HIÉRARCHIQUE

Dans les organisations, les différences de statut peuvent devenir des obstacles à la communication entre travailleurs de niveaux hiérarchiques différents. D'une part, à cause de l'autorité que leur confère leur position, les cadres peuvent être portés à «dire» beaucoup plus qu'à «écouter». D'autre part, nous savons que les messages en provenance des niveaux inférieurs sont souvent déformés lorsqu'ils parviennent aux niveaux supérieurs de la hiérarchie, si toutefois ils y parviennent[18]. Il arrive que des subordonnés *filtrent* l'information et transmettent seulement ce que, selon eux, leurs supérieurs veulent entendre. On appelle parfois **effet «motus»** ce phénomène qui consiste à rester *bouche cousue* par politesse ou par réticence à transmettre une mauvaise nouvelle[19]. Que l'effet «motus» soit motivé par la crainte des représailles à la suite de mauvaises nouvelles, par le refus d'admettre une erreur ou par le désir de plaire, le résultat est le même : le supérieur, induit en erreur par les informations incomplètes, inexactes ou tendancieuses qu'on lui fournit, risque de prendre des décisions inadéquates.

Pour éviter ce genre de problèmes, gestionnaires et chefs d'équipe doivent entretenir avec leurs subordonnés et les membres de leur équipe des relations de travail fondées sur la confiance, et saisir toutes les occasions pour les rencontrer et leur parler en personne. Une méthode simple, mais dont l'efficacité est désormais reconnue pour instaurer ce climat de confiance est la **gestion par déambulation**, qui consiste, pour le gestionnaire, à sortir régulièrement de son bureau pour aller parler à ses subordonnés à leur poste de travail. En se livrant à ces *promenades,* les cadres peuvent réduire la distance hiérarchique qui les sépare de leurs subordonnés et favoriser la libre circulation de l'information entre les divers paliers de l'organisation[20]. Cette attitude améliorera la quantité et la qualité des informations à la disposition des décideurs, et leurs décisions refléteront mieux les besoins des travailleurs sur le terrain.

La communication organisationnelle

La communication entre les membres du personnel, ainsi qu'entre ces derniers et les clients, les fournisseurs, les distributeurs, les partenaires et une foule d'autres personnes, est une source d'information vitale pour l'organisation. Le terme **communication organisationnelle** désigne ce processus par lequel l'information circule et s'échange de façon descendante, ascendante et horizontale à travers les structures formelles et informelles d'une organisation[21].

Aujourd'hui plus que jamais, la technologie informatique joue un rôle déterminant dans la façon dont l'information se partage et s'utilise en milieu organisationnel. Les recherches sur la *valeur* des canaux de communication, c'est-à-dire sur leur capacité à transmettre efficacement l'information, ont démontré l'importance du choix du canal selon le type de message à communiquer. Il est généralement admis que le canal le plus riche est l'échange direct, en personne. Viennent ensuite le téléphone, le courrier électronique, la note de service et la lettre. Le canal le moins valable est le tableau d'affichage, bien qu'il puisse convenir pour des messages routiniers ou peu compliqués, comme l'annonce du lieu d'une réunion. Lorsqu'il s'agit de messages complexes et qui exigent des réponses, la communication doit emprunter des canaux de meilleure qualité pour être efficace.

■ LES CANAUX DE COMMUNICATION FORMELS ET INFORMELS

Nous l'avons dit, l'information emprunte aussi bien des canaux formels qu'informels. Les **canaux de communication formels** suivent la *ligne d'autorité*

■ *Effet «motus»* Phénomène qui consiste à rester bouche cousue par politesse ou par réticence à transmettre une mauvaise nouvelle

■ *Gestion par déambulation* Stratégie de gestion qui consiste, pour le gestionnaire, à sortir régulièrement de son bureau pour aller parler à ses subordonnés à leur poste de travail

■ *Communication organisationnelle* Processus par lequel l'information circule et s'échange de façon descendante, ascendante et horizontale à travers les structures formelles et informelles d'une organisation

■ *Canal de communication formel* Canal de communication qui suit la ligne d'autorité établie par la structure hiérarchique établie par la structure hiérarchique ; l'organigramme indique le chemin que les messages officiels doivent emprunter d'un palier à l'autre. Comme une certaine image d'autorité s'attache aux canaux formels, il est d'usage de les utiliser pour transmettre des annonces officielles, surtout si elles touchent à des politiques et procédures qu'on tient à faire respecter.

■ **Canal de communication informel** Canal de communication qui emprunte d'autres voies que la ligne d'autorité établie par la structure hiérarchique

Cela dit, une bonne part du réseautage se fait à travers les **canaux de communication informels** qui, eux, ne sont pas associés à la *ligne d'autorité* établie par la structure hiérarchique[22]. Tout en coexistant fort bien avec les canaux plus officiels, les canaux informels permettent de sauter certains niveaux hiérarchiques et de transmettre l'information plus rapidement à travers la structure. Ils contribuent également à créer une atmosphère de communication ouverte et garantissent, dans une certaine mesure, les contacts entre les *bonnes* personnes[23].

■ **Téléphone arabe** Transmission de rumeurs et d'informations officieuses, généralement de bouche à oreille, à travers les réseaux d'amis et de connaissances

L'un des canaux informels les plus courants est le **téléphone arabe** – les réseaux d'amis et de connaissances par lesquels circulent les rumeurs et les informations officieuses. Ce bouche à oreille a l'avantage de transmettre l'information rapidement et avec efficience. De plus, il remplit d'autres besoins : il peut donner un sentiment de sécurité, l'impression de faire partie d'un réseau et d'être dans le coup lorsque des événements importants surviennent ; de plus, comme il s'agit d'une

www.hermanmiller.com   www.sap.com

❖❖❖ ORGANISATION HAUTEMENT PERFORMANTE

Design innovateur, mobilier ergonomique, espaces ouverts, aires de travail contiguës aux aires de repos, lumière abondante. Aujourd'hui, les entreprises de la nouvelle économie mettent tout en œuvre pour créer un environnement de travail agréable pour leurs employés. C'est à qui aurait le plus beau concept pour attirer cette main-d'œuvre tant recherchée. Dans cette optique, les fabricants de mobilier de bureau rivalisent d'imagination pour mettre au point le produit qui apporte, si l'on se fie à leur publicité, rien de moins qu'une solution au recrutement et à la rétention de personnel. La compagnie Herman Miller a lancé récemment sa toute nouvelle collection d'aménagement de bureau baptisée RE:SOLVE, conçue spécifiquement pour les travailleurs de la nouvelle économie, avec des stations de travail déployées à 120 degrés autour d'un point central, un mobilier sur roulettes, de nombreuses surfaces de rangement, des toiles mobiles pour délimiter l'espace et qui filtrent la lumière.

Après deux ans à l'étroit dans un espace plus ou moins fonctionnel, SAP Labs (Canada) s'est installée récemment dans la Cité du Multimédia [Montréal]. Ce concepteur de solutions logicielles intégrées qui compte une soixantaine d'employés est une des premières entreprises de la région métropolitaine à opter pour les stations de travail RE:SOLVE de Herman Miller. Quand est venu le temps de choisir l'aménagement de bureau, Laure Le Bars, directrice, a tenu à consulter les membres de son personnel pour connaître leur avis. « C'est important de travailler dans les meilleures conditions possibles, explique-t-elle. On embauche des gens de haut niveau. C'est bien beau de leur offrir des massages sur chaise et autres choses du genre, mais un bureau reste un lieu de travail. Il faut fournir aux gens tous les outils pour qu'ils puissent travailler le plus efficacement et confortablement possible. C'est une question de productivité. » « Je ne voulais pas que tout le monde soit aligné en rangée derrière leur cubicule, poursuit-elle. Les gens travaillent en équipe par projet. On les a donc regroupés par îlots de travail, qui sont répartis autour d'un espace de lunch central où les employés peuvent se rencontrer même en dehors des heures de repas, ce qui favorise la communication », dit-elle.

Sylvie Lemieux. « Vos aires de travail favorisent-elles la rétention des employés ? », *Les Affaires*, 30 décembre 2000, p. 15.

communication interpersonnelle, il peut combler des besoins d'ordre social. Cependant, le téléphone arabe a aussi des inconvénients, le premier étant que les informations transmises ne sont pas nécessairement exactes ni à jour. En outre, les rumeurs peuvent faire du tort aux individus comme à l'organisation. Pour éviter cela, le gestionnaire doit s'assurer, dès le départ, que l'information juste parvienne aux personnes clés dans les réseaux informels.

■ LA CIRCULATION DE LA COMMUNICATION

La *communication descendante* va des paliers supérieurs aux paliers inférieurs de la hiérarchie. Comme le montre la figure 16.3, ses principales fonctions sont d'informer les subordonnés sur les stratégies organisationnelles élaborées par leurs supérieurs, de leur rappeler régulièrement les politiques, procédures et directives clés, et de leur annoncer les changements technologiques ; en outre, la rétroaction sur la productivité est très importante. Le partage de ces informations contribue à diminuer la propagation de rumeurs et d'inexactitudes quant aux intentions des dirigeants ; il crée un sentiment de sécurité chez les subordonnés, qui n'ont pas l'impression d'être tenus à l'écart. Selon les spécialistes, la déficience de la communication descendante est une erreur de gestion malheureusement fréquente. Sur les questions de restructuration, par exemple, un sondage a révélé que, parmi les salariés interrogés, 64 % ne croyaient pas ce que leur disaient les gestionnaires, 61 % se considéraient mal informés sur les projets de l'organisation et 54 % se plaignaient du manque d'explications quant aux décisions prises par les dirigeants[24].

La *communication ascendante,* quant à elle, va des paliers inférieurs aux paliers supérieurs de la hiérarchie. Comme le montre la figure 16.3, elle informe les paliers supérieurs de la hiérarchie de ce que font les subordonnés, des problèmes qu'ils

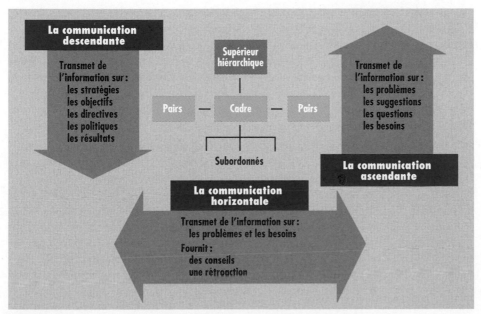

Figure 16.3
La circulation de l'information en milieu organisationnel

■ **Réseau de communication décentralisé** Réseau de communication où la circulation et le partage de l'information s'effectuent par communication directe entre tous les membres du groupe

■ **Réseau de communication centralisé** Réseau de communication où le coordonnateur du groupe centralise l'information

rencontrent, des améliorations qu'ils suggèrent; plus généralement, elle leur permet de savoir ce qu'ils pensent de leur emploi et de leur organisation. Les sondages de Sun Microsystems dont nous parlions en introduction sont un bon exemple de communication ascendante. Cela dit, on ne doit jamais perdre de vue les effets de la position hiérarchique sur l'efficacité de la communication ascendante.

Nous avons souligné à plusieurs reprises l'importance de la *communication horizontale* dans les milieux de travail contemporains. De nos jours, les organisations doivent se montrer particulièrement sensibles aux réactions de leurs clients; elles ont donc besoin d'une rétroaction précise et à jour, ainsi que de renseignements détaillés sur leurs produits. Pour répondre aux besoins des clients, elles doivent obtenir rapidement la bonne information et pouvoir la transmettre dans les meilleurs délais aux membres du personnel. À l'intérieur de l'organisation, les membres doivent être capables de communiquer efficacement d'un service ou d'une division à l'autre, et être disposés à le faire; ils doivent se traiter mutuellement comme des «clients internes» et être à l'écoute de leurs besoins respectifs. De nombreuses organisations se tournent vers les nouvelles structures organisationnelles qui favorisent la communication horizontale par l'institution de comités, d'équipes et de groupes de projets interservices; certaines organisations adoptent une structure matricielle. En outre, on s'intéresse de plus en plus à l'*écologie organisationnelle,* qui étudie la façon dont l'architecture et l'aménagement des locaux favorisent la communication et la productivité, notamment en améliorant les échanges horizontaux.

■ LES RÉSEAUX DE COMMUNICATION

Un choix éclairé de modèle d'interaction et de réseau de communication peut avoir une influence très positive sur les modes de fonctionnement et la productivité des groupes organisationnels. La figure 16.4 décrit trois modèles d'interaction et de réseau de communication courants dans les organisations contemporaines[25].

Certaines formes d'organisation du travail reposent sur des *groupes interactifs*; leurs membres collaborent très étroitement à l'exécution des tâches et coordonnent constamment leurs activités; la circulation et le partage de l'information s'y font par communication directe entre tous les membres du groupe. Ce modèle d'interaction produit un **réseau de communication décentralisé** – qu'on appelle parfois *réseau en étoile* ou *communication tous azimuts*. C'est l'approche qui convient le mieux aux tâches complexes et non routinières, et elle donne d'excellents résultats sur le plan de la satisfaction professionnelle[26].

D'autres formes d'organisation du travail s'appuient sur les *groupes d'action parallèle;* leurs membres travaillent indépendamment les uns des autres, mais sont liés par un mécanisme central de coordination. Le travail à faire est réparti entre les travailleurs, qui accomplissent leurs tâches surtout de façon individuelle. Les activités de chaque travailleur sont coordonnées, les résultats sont mis en commun à un point de contrôle central, et l'information est dirigée vers le coordonnateur puis redistribuée. Le coordonnateur étant au centre des flux de l'information, ce modèle produit ce qu'on appelle un **réseau de communication centralisé** – à cause des rayons du schéma, on parle souvent de *communication radiale*. Cette approche convient particulièrement aux tâches qu'on peut aisément uniformiser ou diviser. C'est habituellement le coordonnateur – la seule personne du groupe à toucher à tous les aspects du traitement de l'information – qui retire une satisfaction professionnelle de ce type de groupe.

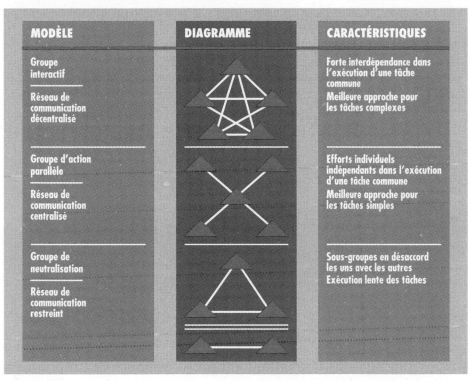

Figure 16.4
Modèles d'interaction et réseaux de communication au sein des groupes

On parle de *groupes de neutralisation* lorsque des sous-groupes ne s'entendent pas sur certains aspects du travail. Le désaccord peut être lié à une question ponctuelle – le meilleur moyen d'atteindre un objectif, par exemple –, ou découler d'un problème à long terme – un conflit de travail entre salariés et gestionnaires, par exemple. Dans les deux cas, le modèle d'interaction qui s'installe produit un **réseau de communication restreint**; les sous-groupes campent sur leurs positions respectives, se contestent mutuellement et entretiennent des relations antagonistes. Comme on peut s'y attendre, la communication dans ce type de groupe est souvent limitée et tendancieuse, ce qui engendre souvent des problèmes de compétition néfaste entre les sous-groupes.

■ *Réseau de communication restreint*   Réseau de communication où les sous-groupes en présence sont en désaccord et campent sur leurs positions respectives, ce qui limite la circulation et le partage de l'information

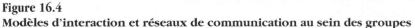

La communication dans les organisations hautement performantes

Ces dernières années, l'un des changements majeurs dans les organisations – comme dans toute la société, d'ailleurs – a été l'explosion des TIC. Nous avons soudainement quitté l'ère du téléphone, du courrier postal, de la photocopie et des rencontres en personne pour nous retrouver à l'ère du message vocal, du courriel, de la télécopie, de la téléconférence informatisée et de la rencontre virtuelle, d'Internet et de l'intranet. Dans la nouvelle économie du savoir, la maîtrise de tous les aspects de la télématique devient une habileté essentielle à la réussite professionnelle. La croissance fulgurante du commerce électronique est également en train de transformer la nature même des relations commerciales dans notre société[27]. Compte tenu de la vitesse et de l'ampleur de ce mouvement, rester à jour dans toute la gamme des TIC et s'intéresser de très près aux nouveaux enjeux de la communication organisationnelle est un impératif pour chacun de nous.

■ DES TECHNOLOGIES EN ÉVOLUTION

Comme nous l'avons vu tout au long de cet ouvrage, les multiples effets des TIC sur la gestion se manifestent dans la croissance du télétravail, la conception organisationnelle et le réseautage d'entreprises, le travail d'équipe et le développement de logiciels de rencontres virtuelles et de prise de décisions, pour ne mentionner que quelques-unes de leurs innombrables applications. L'évolution des TIC permet maintenant aux organisations: 1) de diffuser l'information plus rapidement; 2) de mettre en circulation un plus grand volume d'information; 3) de donner un accès plus étendu et plus immédiat à cette information; 4) d'inciter tout le personnel à partager l'information et à s'en servir; ainsi que 5) d'intégrer les systèmes et les fonctions, et d'utiliser l'information pour se relier à leur environnement plus étroitement que jamais auparavant.

Il importe cependant de reconnaître les désavantages potentiels de la communication électronique. Pour commencer, les TIC restent essentiellement impersonnelles: les gens interagissent par la médiation des machines, et non plus directement. Les indices non verbaux de la communication, qui pourraient y ajouter une dimension contextuelle, disparaissent de leurs interactions. Le média électronique peut influer sur les aspects affectifs de la communication; certains disent, par exemple, qu'il permet plus facilement que la communication directe les attitudes brusques, exagérément critiques et insensibles – on va jusqu'à parler de *fusillade* pour désigner certains propos enflammés qui s'échangent dans le cyberespace. Bref, la médiation de l'ordinateur peut désinhiber les gens et les inciter à laisser libre cours à leur impatience[28].

L'autre risque est celui de la surabondance d'informations – «l'infobésité». Dans certains cas, les réseaux, les systèmes de courriels ou les serveurs intranets finissent par être surchargés par un trop grand volume d'informations. Ce problème peut survenir à l'échelle de l'organisation, mais aussi à l'échelle individuelle: il peut devenir extrêmement stressant et frustrant pour les travailleurs de trier un tel afflux d'information.

Malgré ces inconvénients, les technologies de l'information et des communications continueront indéniablement à modifier la nature du travail, et surtout celle du travail de bureau. Le bureau traditionnel cède rapidement la place à un nouvel environnement dominé par le télétravail et l'utilisation des réseaux électroniques. Les travailleurs de demain vont tirer avantage des TIC, qui leur permettront de passer moins de temps dans leur bureau et de se consacrer davantage à la clientèle, tout cela dans des conditions mieux adaptées aux besoins individuels.

■ UN CONTEXTE SOCIAL COMPLEXE

La complexité du contexte social des organisations d'aujourd'hui soulève de nombreuses questions sur la communication. Ainsi, l'étude des différences entre les styles de communication des hommes et des femmes suscite un intérêt qui ne se dément pas. Dans les nombreux ouvrages qu'elle a consacrés au sujet, notamment *Talking 9 to 5 – Women and Men in the Workplace: Language, Sex and Power,* la réputée sociolinguiste Deborah Tannen affirme que l'apprentissage et le processus de socialisation des hommes et ceux des femmes diffèrent tellement qu'il en résulte des difficultés de communication entre les sexes[29]. Ses recherches indiquent notamment que, dans leurs façons respectives de communiquer, les femmes seraient davantage axées sur l'établissement de relations au sein du groupe, et les hommes, davantage préoccupés par l'établissement de leur rang dans le groupe[30]. Comme nous avons tendance à nous entourer de gens dont le style de communication s'apparente au nôtre, chacun des sexes dominerait les communications dans des situations où il est majoritaire[31].

Dans le même ordre d'idées, de plus en plus de gens se posent la question suivante : « Les femmes communiquent-elles mieux que les hommes ? » Selon une étude menée par la firme de consultants Lawrence A. Pfaff and Associates, cela pourrait être le cas[32]. L'étude indique que les hauts dirigeants classent les femmes cadres au-dessus de leurs collègues masculins sur le plan de la communication, de la disponibilité, de l'évaluation du personnel et de la responsabilisation des travailleurs ; de plus, leurs réponses sont corroborées par celles des subordonnés. L'une des explications possibles serait que l'éducation et la socialisation des femmes les aideraient à acquérir dès l'enfance des compétences qui facilitent le processus de communication et aiguisent leur sensibilité aux relations interpersonnelles. Au contraire, l'éducation et la socialisation des hommes renforceraient dès l'enfance des comportements susceptibles de nuire à la communication – comme l'agressivité, la compétition et l'individualisme[33]. Cependant, les gestionnaires qui se penchent sur cette question doivent éviter de tomber dans les stéréotypes liés au sexe et se concentrer sur le plus important : comment améliorer l'efficacité de la communication dans l'organisation[34].

La question de la protection de la vie privée est un autre sujet de controverse lié à la communication dans les milieux organisationnels contemporains. L'inquiétude soulevée par la possibilité que les employeurs *espionnent* les travailleurs qui utilisent le système de messagerie électronique de l'organisation en est un exemple.

Le CO et les fonctions de l'organisation

SYSTÈMES D'INFORMATION ORGANISATIONNELS

La planification des ressources organisationnelles donne naissance à la cyberentreprise

L'une des tendances de l'heure les plus marquées est sans contredit l'intégration complète de l'organisation. L'émergence des « entreprises virtuelles » devient un enjeu concurrentiel majeur dans de nombreux domaines. VF Corporation, qui fabrique annuellement pour plus de 2 milliards de dollars de jeans pour des grandes marques comme Lee, Wrangler, Britannia et Rustler, est un exemple typique de cette tendance. Lorsque MacKey McDonald prit les rênes de la société à titre de directeur général, il envisageait de créer une compagnie branchée, capable d'utiliser les dernières technologies pour suivre les caractéristiques sociodémographiques des consommateurs, les points de vente et toute information pertinente à ses systèmes de production et de distribution. En bref, cela consistait à faire de l'information et des technologies un réel atout concurrentiel. Au centre des systèmes de gestion intégrée de l'information mis en place par VF, on trouve le logiciel SAP qui centralise la planification des ressources pour l'ensemble de la société. Ce logiciel, qui est le noyau du système, sert à regrouper l'information transmise par des logiciels secondaires qui gèrent le développement de produits, le micromarketing, les prévisions, la planifation des stocks et des matières premières, le contrôle de la production et de l'entreposage. Entièrement intégré et à la fine pointe de ce qu'offrent les technologies, ce système informatisé a un objectif. L'investissement a été de plus de 100 millions de dollars US, et VF travaille encore à sa mise en œuvre. Cependant, les objectifs de coût-efficacité et d'accélération de la mise en marché sont à la portée de l'entreprise. McDonald est confiant que les retombées vont être élevées. Il est à noter que les travailleurs, à tous les niveaux, ont été associés à l'implantation de ce système quant à la planification et à la détermination des besoins. Selon McDonald : « Ce sont des gens de chez nous qui ont conçu les produits et les procédés. C'est pour cette raison que nous croyons que cela va réussir. »

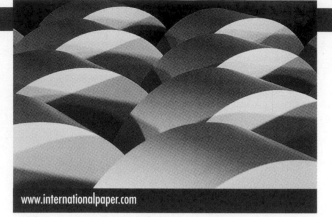

DIVERSITÉ EN MILIEU DE TRAVAIL

Chez International Paper, à Memphis (Tennessee), P. J. Smoot fait office de leader en matière de formation et de développement. Elle a compris que le concept du patron — de la patronne — autoritaire qui juge et critique ses subordonnés est dépassé. Il est très difficile de motiver les travailleurs et d'améliorer leurs résultats par le processus traditionnel d'évaluation de rendement; elle l'a donc carrément renversé, en instituant un processus qui commence au bas de l'échelle hiérarchique, avec l'autoévaluation des subordonnés. Pour cette visionnaire, le travail du gestionnaire est d'être à l'écoute de ses subordonnés, d'apprendre à les connaître et de se familiariser avec leurs besoins pour mieux aider à atteindre des objectifs fixés conjointement. Son conseil: «Écoutez pour bien comprendre, puis réagissez honnêtement et de façon constructive. Concentrez-vous sur les objectifs d'affaires plutôt que sur la personnalité des gens.»[35]

Les organisations les plus avant-gardistes sont en train d'établir une politique interne sur la confidentialité des communications du personnel, et les législateurs s'intéressent de près à ces initiatives. En Illinois, une loi autorise maintenant l'écoute par les employeurs des appels téléphoniques du personnel – bien qu'un certain flou subsiste quant à ses limites. Ce genre de contrôle est courant dans certains domaines de services, notamment les réservations aériennes; il s'agit là d'une tendance qui alimente l'inquiétude des milieux syndicaux, pour qui le syndrome *Big Brother* ressemble de moins en moins à de la science-fiction[36]. L'enjeu du respect de la vie privée va sans doute demeurer d'actualité puisque les TIC rendent plus facile, pour les employeurs, le contrôle du rendement et des communications du personnel.

Sur un plan plus général, la rectitude politique dans la communication organisationnelle prend une importance croissante. La *langue* du travail évolue, elle aussi; les euphémismes se multiplient pour ne pas blesser ni choquer certains individus ou certains groupes. Il n'y a pas si longtemps, on désignait bien autrement les «aînés», les minorités «visibles», ou encore les «personnes handicapées physiquement», etc., et notre vocabulaire continuera probablement à évoluer. La plupart des organisations sont conscientes de ce changement, et elles sont nombreuses à offrir des programmes de formation axés spécifiquement sur l'élimination de toute marque d'intolérance et d'insensibilité dans les communications.

Guide de révision

En quoi consiste le processus de communication ?

■ La communication est un processus d'émission et de réception de messages porteurs de sens.

■ Le processus de communication comporte plusieurs étapes : l'encodage du message (traduction d'une idée ou d'une pensée en un ou plusieurs symboles), la transmission du message par un canal de communication, la réception du message et son décodage par le récepteur qui attribue un sens à ce message.

■ On appelle bruit parasite toute perturbation qui interfère dans la transmission du message et interrompt le processus de communication.

■ La rétroaction est le processus par lequel le récepteur d'un message adresse à son tour un message à l'émetteur de départ, généralement pour transmettre son évaluation de ce que ce dernier a dit ou fait.

■ Pour être constructive, la rétroaction doit être directe, explicite et fournie en temps opportun.

Quels sont les éléments clés de la communication interpersonnelle ?

■ La communication est efficace lorsqu'il y a adéquation entre le sens que donne l'émetteur à son message et le sens que lui donne le récepteur.

■ La communication est efficiente lorsqu'elle offre le meilleur rapport possible entre le coût en ressources et les résultats.

■ La communication non verbale passe par l'expression faciale, le regard, la position du corps et la mimique.

■ L'écoute active favorise la libre circulation d'une information complète entre l'émetteur et le récepteur ; celui qui la pratique doit s'abstenir de tout jugement et inciter l'émetteur à s'exprimer.

■ La communication organisationnelle peut emprunter divers canaux de communication formels et informels. Le choix d'un canal peut avoir un effet important sur le processus lui-même ; certaines personnes utilisent plus efficacement certains canaux, et certains canaux conviennent mieux à certains types de messages.

Quels sont les principaux obstacles à la communication ?

■ Les sources de distraction environnementales, les problèmes sémantiques, les messages contradictoires, les différences culturelles, l'absence de rétroaction et les effets de la position hiérarchique peuvent faire obstacle à la communication en créant un bruit parasite.

- Le message contradictoire – décalage entre les mots que prononce un individu et ce que révèlent ses gestes et son langage corporel – brouille le processus de communication.

- En l'absence de rétroaction, il peut être difficile de savoir si le sens donné au message a été reçu sans erreur.

- Les effets de la position hiérarchique peuvent entraîner un filtrage des informations et une réduction des échanges entre les subordonnés et leurs supérieurs.

Qu'est-ce que la communication organisationnelle ?

- La communication organisationnelle est le processus par lequel l'information circule et s'échange à travers les structures formelles et informelles de l'organisation.

- Pour fonctionner efficacement, l'organisation dépend de la circulation de l'information à travers des réseaux complexes de communication ascendante, descendante et horizontale.

- Les groupes en milieu organisationnel travaillent selon différents modèles d'interaction et de réseau de communication. Un choix éclairé de modèle d'interaction et de réseau de communication peut avoir une influence très positive sur les modes de fonctionnement et la productivité de ces groupes.

- Les groupes interactifs utilisent un réseau de communication décentralisé. C'est le modèle qui convient le mieux aux tâches complexes et non routinières.

- Les groupes d'action parallèle utilisent un réseau de communication centralisé. C'est le modèle qui convient le mieux aux tâches simples, que l'on peut aisément uniformiser ou diviser.

- Les groupes de neutralisation utilisent un réseau de communication restreint ; ce modèle apparaît lorsqu'il y a désaccord entre des sous-groupes.

Quels sont les enjeux spécifiques de la communication dans les milieux hautement performants ?

- Les TIC modifient le milieu de travail. Cette évolution s'accompagne de nombreux avantages, notamment la rapidité et l'accroissement des capacités de traitement de l'information.

- Les TIC présentent également des désavantages, notamment la dépersonnalisation du processus de communication, lequel y perd entre autres sa dimension affective.

- Les chercheurs s'intéressent à l'existence de différences éventuelles entre les styles de communication des hommes et des femmes, et, le cas échéant, à l'efficacité comparée de ces styles de communications différents dans les nouveaux milieux de travail.

- Les questions relatives au respect de la vie privée et à la rectitude politique en matière de communication organisationnelle suscitent beaucoup de débats actuellement.

Mots clés

Évaluation des connaissances

■ QUESTIONS À CHOIX MULTIPLE

1. Une critique émise à l'égard d'un salarié devrait _____ **a)** être générale et non spécifique. **b)** être communiquée au moment le plus propice pour l'émetteur. **c)** toucher à des éléments qui sont du ressort du récepteur. **d)** couvrir tous les aspects de la question de manière à en finir une fois pour toutes.

2. La communication est dite _____ lorsqu'elle offre le meilleur rapport possible entre le coût en ressources et les résultats et elle est dite _____ lorsque l'émetteur et le récepteur donnent le même sens au message. **a)** efficace […] électronique **b)** efficiente […] électronique **c)** électronique […] en personne **d)** efficiente […] efficace

3. Quel est le canal le plus approprié pour la transmission d'un message complexe et qui exige une réponse? **a)** La conversation en personne **b)** La note de service **c)** Le courriel **d)** L'appel téléphonique

4. Si les mots que prononce une personne sont contredits par les signaux non verbaux de son langage corporel, on est en présence _____ **a)** d'un message ethnocentrique. **b)** d'un message contradictoire. **c)** d'un problème sémantique. **d)** de l'effet de la position hiérarchique.

5. La gestion par déambulation peut contribuer à surmonter les obstacles à la communication, notamment _____ **a)** les effets de la position hiérarchique. **b)** les problèmes sémantiques. **c)** les distractions environnementales. **d)** les questions de proxémique.

6. Un groupe d'action parallèle utilise un réseau de communication _____ **a)** interactif. **b)** décentralisé. **c)** centralisé. **d)** restreint.

7. Un problème complexe sera traité plus efficacement par un groupe utilisant un réseau de communication _____ **a)** tous azimuts. **b)** radiale. **c)** électronique. **d)** linéaire.

8. Les TIC permettent de traiter de grandes quantités d'information, mais elles risquent de rendre la communication organisationnelle _____ **a)** moins accessible. **b)** moins immédiate. **c)** plus impersonnelle. **d)** plus personnelle.

9. L'aménagement physique des bureaux et son effet sur la communication sont une question de _____ **a)** kinésique. **b)** proxémique. **c)** sémantique. **d)** position hiérarchique.

10. Dans une communication _____ l'émetteur sera sans doute plus à l'aise ; dans une communication _____ le récepteur sera probablement mieux informé. **a)** unidirectionnelle, [...] bidirectionnelle, **b)** descendante, [...] ascendante, **c)** ascendante, [...] descendante, **d)** bidirectionnelle, [...] unidirectionnelle,

■ VRAI OU FAUX ?

11. Au cours du processus de communication, l'encodage consiste à interpréter un message et à lui attribuer un sens. **V F**

12. La proxémique est l'étude des messages contradictoires dans l'organisation. **V F**

13. L'une des règles de l'écoute active est d'éviter de reformuler ou de paraphraser ce que l'émetteur vient de dire. **V F**

14. Le téléphone arabe peut avoir un effet positif sur la communication dans les organisations. **V F**

15. La médiocrité de la communication descendante est une erreur de gestion fréquente. **V F**

16. Les nouvelles tendances en matière de structure organisationnelle favorisent la communication horizontale. **V F**

17. Les recherches en écologie organisationnelle mettent en lumière l'importance de la communication informelle. **V F**

18. Les membres d'un groupe d'action parallèle sont portés à interagir fréquemment et à s'échanger directement les informations. **V F**

19. La tendance à tenir des propos enflammés (ou *fusillade*) et à laisser libre cours à sa colère peut être un des désavantages de la communication électronique. **V F**

20. Les organisations contemporaines ne se préoccupent pas beaucoup de rectitude politique dans leurs communications. **V F**

■ QUESTIONS À RÉPONSE BRÈVE

21. Pourquoi le concept de la valeur des divers canaux de communication peut-il être utile aux gestionnaires ?

22. Quelle est la place des canaux de communication informels dans les organisations d'aujourd'hui ?

23. Pourquoi y a-t-il souvent un filtrage des communications entre les paliers inférieurs et supérieurs de l'organisation ?

24. Y a-t-il une différence entre les styles de communication des hommes et des femmes ?

■ QUESTION À DÉVELOPPEMENT

25. «Dans notre organisation, les gens ne se parlent plus. Tout le monde ne jure que par le courrier électronique. Si quelqu'un nous met en colère, nous lui expédions un courriel, bien à l'abri derrière notre ordinateur !» C'est en ces mots que Richard exprime sa frustration devant ce qui se passe chez Delta General. Sa collègue, Xiaomei, réagit à ses doléances : «Je suis d'accord avec toi, mais le directeur général devrait pouvoir trouver le moyen d'améliorer la communication

organisationnelle sans que nous renoncions pour autant aux avantages du courriel!» À titre de consultant, que conseilleriez-vous au directeur général pour l'aider à relever le défi que lui lance Xiaomei?

Reportez-vous aux études de cas, aux exercices et aux autoévaluations de notre *Cahier d'apprentissage en CO* (voir p. 531).

■ **Consultez le site Web du manuel. Vous y trouverez un questionnaire interactif et des exercices en ligne sur le contenu de ce chapitre.**
www.erpi.com/schermerhorn

Le processus décisionnel

(Au coin supérieur droit, dans un bloc noir : **17**)

WESTJET CONGÉDIE SON CHEF DE LA DIRECTION, JUGÉ TROP AUTOCRATIQUE

www.westjet.com

WestJet Airlines Ltd. a congédié son chef de la direction, Steve Smith, parce que ce dernier intervenait trop dans le travail de ses subordonnés, a indiqué le président du conseil et fondateur de l'entreprise, Clive Beddoe.

WestJet, une société aérienne de Calgary qui a joué avec succès la carte de transporteur à rabais et qui se prépare maintenant à livrer bataille à Air Canada dans l'est du pays, a indiqué que Beddoe allait reprendre ses anciennes fonctions de président et chef de la direction à la tête de la compagnie, fondée il y a quatre ans et qui compte maintenant 1 500 employés.

Smith, ancien cadre chez Air Canada passé chez WestJet il y a 18 mois, a causé une certaine surprise parmi les observateurs. [...]

«Nous lui avons demandé de démissionner. Le conseil d'administration avait perdu confiance en sa capacité de diriger l'entreprise», a déclaré le fondateur en entrevue à Reuters.

M. Beddoe soutient toutefois que ce départ n'a pas causé d'amertume entre lui et M. Smith. «On s'entend bien sur un plan personnel, mais je ne crois pas qu'il était prêt à accepter notre façon de faire les choses», a-t-il dit.

Selon M. Beddoe, M. Smith aurait eu trop tendance à remettre en question les décisions prises par son équipe de direction et d'autres employés. De plus, il aurait eu tendance à se mêler des moindres détails de l'entreprise, en contradiction avec la philosophie de gestion de WestJet, a soutenu M. Beddoe.

«Steve venait d'un contexte plus traditionnel, où le style de gestion était plus orienté du haut vers le bas, alors que nous favorisons davantage l'inverse. Nous faisons confiance aux gens dans leur boulot, et nous les récompensons quand ils le font bien et nous célébrons leurs succès», a-t-il expliqué.

«Dans le cas de Steve, il voulait clairement superviser et remettre en question ce que l'équipe de direction, les cadres et ultimement les employés faisaient. Ça démoralisait complètement les gens, et éventuellement, ils seraient partis et nous aurions vu un changement important dans le style de cette compagnie.» [...]

Jeffrey Jones. *La Presse* (Reuters), 12 septembre 2000, p. D16.

La réussite d'une organisation dépend des décisions que prennent ses membres jour après jour. La qualité de ces décisions se répercute tant sur la productivité à long terme de l'organisation que sur sa «personnalité», telle que la perçoivent son personnel, sa clientèle et le reste de la société. Les environnements dynamiques et instables où évoluent les organisations contemporaines exigent toujours plus de rigueur et de créativité dans le processus décisionnel. Nouveaux produits, procédés de fabrication novateurs, initiatives avant-gardistes dans le service au consommateur, rien de tout cela n'existerait sans les idées. Par conséquent, les organisations doivent impérativement se doter d'un processus décisionnel qui favorise la circulation d'idées nouvelles et qui soutient les efforts des gens désireux de les concrétiser. De plus, comme Steve Smith l'a appris à ses dépens, ce processus décisionnel ne peut pas faire abstraction de la culture organisationnelle et de ses valeurs fondamentales. Si le succès des organisations repose sur des décisions judicieuses, celui des individus est également lié à la qualité des décisions qu'ils prennent.

Questions clés

Ce chapitre porte sur les multiples aspects du processus décisionnel en milieu organisationnel. Voici les questions clés que vous devriez garder à l'esprit en le lisant:

- Qu'est-ce que la prise de décision? Comment se prennent les décisions dans les organisations?
- Quels sont les divers modèles décisionnels?
- Quels rôles jouent l'intuition, le jugement et la créativité dans le processus décisionnel?
- Comment peut-on gérer le processus décisionnel?
- Comment la technologie, la culture et l'éthique influent-elles sur la prise de décision?

Le processus décisionnel

On peut définir la **prise de décision** (ou *processus décisionnel*) comme le processus qui consiste à choisir un plan d'action pour régler un problème ou pour saisir une occasion[1]. Fondamentalement, ce processus décisionnel comporte cinq étapes :

1. constater et définir le problème ou l'occasion qui se présente ;

2. déterminer et analyser les actions possibles en évaluant leurs effets respectifs sur le problème ou sur l'occasion ;

3. choisir un plan d'action ;

4. mettre en œuvre le plan d'action choisi ;

5. évaluer les résultats du plan d'action choisi et, au besoin, faire un suivi.

Cependant, précisons-le tout de suite, dans les milieux qui connaissent de profonds bouleversements et où plusieurs nouvelles technologies s'imposent, cette approche étape par étape ne s'applique pas toujours ; à l'occasion, une approche décisionnelle moins orthodoxe peut très bien fonctionner, et même donner de meilleurs résultats. Ajoutons aussi que, selon nous, tout processus décisionnel devrait également inclure une réflexion d'ordre éthique sur les conséquences éventuelles des diverses actions envisagées.

Pour savoir s'il vaut mieux privilégier une approche traditionnelle ou une approche moins orthodoxe de la prise de décision dans telles ou telles circonstances, il est essentiel de bien connaître les divers types de contextes décisionnels et de décisions.

■ **Prise de décision**
(ou *processus décisionnel*) Processus qui consiste à choisir un plan d'action pour régler un problème ou pour saisir une occasion

■ LES CONTEXTES DÉCISIONNELS

Dans les organisations, les décisions concernant la résolution de problèmes peuvent se prendre dans trois types de contextes : la certitude, le risque et l'incertitude[2].

Dans un **contexte décisionnel de certitude,** les décideurs disposent de suffisamment d'information pour prévoir les résultats de chacune des actions qu'ils envisagent. C'est le cas, par exemple, des gens qui placent de l'argent dans un compte d'épargne en sachant de manière certaine quel intérêt ils en tireront pour une période donnée. Le contexte de certitude est évidemment idéal pour prendre des décisions de gestion et résoudre des problèmes organisationnels, puisqu'il s'agit simplement de choisir la solution parfaite ou la meilleure des solutions possibles. Malheureusement, loin d'être la règle, la certitude est l'exception dans l'univers décisionnel des gestionnaires.

Dans un **contexte décisionnel de risque,** les décideurs n'ont pas de certitude absolue quant aux résultats des diverses actions qu'ils envisagent, mais connaissent les probabilités qui y sont associées. La *probabilité* d'un phénomène est une estimation des chances qu'il se produise. Les probabilités peuvent s'évaluer par des méthodes statistiques objectives ou par intuition. Ainsi, un gestionnaire pourra estimer statistiquement combien de produits d'un lot de fabrication seront rejetés pour non-conformité aux normes de qualité, et un dirigeant expérimenté pourra parvenir au même résultat en se fondant sur son expérience. Le contexte décisionnel de risque est le plus fréquent dans les organisations contemporaines.

■ **Contexte décisionnel de certitude**   Contexte où les décideurs disposent de suffisamment d'information pour prévoir les résultats de chacune des actions qu'ils envisagent

■ **Contexte décisionnel de risque**   Contexte où les décideurs n'ont pas de certitude absolue quant aux résultats des diverses actions qu'ils envisagent, mais connaissent les probabilités qui y sont associées

■ *Contexte décisionnel d'incertitude* Contexte où les décideurs disposent de si peu d'information qu'il leur est impossible d'évaluer les probabilités associées aux résultats des actions qu'ils envisagent

■ *Anarchie contrôlée* Climat qui règne dans une organisation ou une division durant une période de transition caractérisée par des changements très rapides ainsi que par un manque de hiérarchie légitimée et de collégialité

Dans un ***contexte décisionnel d'incertitude,*** les décideurs disposent de si peu d'information qu'il leur est impossible d'évaluer les probabilités associées aux résultats des actions qu'ils envisagent. C'est évidemment le contexte décisionnel le plus délicat des trois. L'incertitude oblige les décideurs à s'en remettre essentiellement à la créativité individuelle ou collective pour résoudre les problèmes ; elle exige qu'on trouve des solutions de rechange inédites et novatrices aux comportements habituels. En situation d'incertitude, il faut souvent miser sur l'intuition, la perspicacité et le flair. Qui plus est, le contexte décisionnel d'incertitude est souvent caractéristique d'un milieu organisationnel qui connaît des changements rapides sur le plan 1) de son environnement externe, 2) des TIC que l'on utilise pour l'analyse et la prise de décision, et 3) du personnel qui influe sur la définition des problèmes et le choix du plan d'action. On qualifie souvent d'***anarchie contrôlée*** (ou d'*anarchie organisée*) le climat qui règne dans une organisation ou une division durant une période de transition caractérisée par des changements très rapides ainsi que par un manque de hiérarchie légitimée et de collégialité. S'il fut une époque où une telle situation était exceptionnelle, force est de constater que nombre d'entreprises de haute technologie et d'organisations qui étendent leurs activités à l'échelle mondiale présentent de nos jours plusieurs caractéristiques de l'anarchie contrôlée.

■ LES TYPES DE DÉCISIONS

Les types de décisions que prennent les gestionnaires varient selon qu'il s'agit de régler des problèmes courants ou des problèmes exceptionnels. Comme les problèmes courants surviennent régulièrement, on peut y répondre par des solutions uniformisées. La ***décision programmée*** répond à un problème par une solution uniformisée ayant fait ses preuves. Le réapprovisionnent automatique des stocks dès qu'ils atteignent un certain seuil et l'avertissement écrit au dossier d'un travailleur qui enfreint la procédure organisationnelle sont de bons exemples de décision programmée.

■ *Décision programmée* Décision qui répond à un problème par une solution uniformisée ayant fait ses preuves

Par définition, les problèmes exceptionnels ou inédits se présentent rarement ou pour la première fois. Comme on ne peut y répondre par une solution uniformisée, ils exigent des solutions novatrices. La ***décision non programmée*** répond à un problème par une solution conçue sur mesure. Généralement, les cadres supérieurs consacrent la majeure partie de leur temps à la résolution de problèmes inhabituels. C'est le cas, par exemple, du responsable du marketing qui doit réagir à l'arrivée sur le marché du nouveau produit d'un concurrent étranger. Son expérience de situations similaires peut lui servir ; cependant, dans l'immédiat, le problème exige une solution inédite, fondée sur les caractéristiques particulières du marché à ce moment précis.

■ *Décision non programmée* Décision qui répond à un problème par une solution conçue sur mesure

■ *Décision par association* Décision qui répond vaguement à un problème ennuyeux et récurrent par une solution qui, bien qu'elle n'ait pas été conçue spécifiquement pour le résoudre, peut y être associée

Selon nous, dans les organisations qui vivent l'anarchie contrôlée ou qui en présentent certaines caractéristiques, on peut envisager un troisième type de décision : les ***décisions par association,*** qui répondent vaguement à un problème ennuyeux et récurrent par des solutions qui, bien qu'elles n'aient pas été conçues spécifiquement pour les résoudre, peuvent y être associées. Compte tenu de la nature chaotique du cadre de travail, de la nécessité d'agir plutôt que d'attendre et de la capacité des travailleurs de transformer en succès à peu près n'importe quelle décision, une série de décisions par association peut permettre d'améliorer la situation même si les problèmes ne sont pas résolus.

Les modèles décisionnels

Historiquement, le CO a mis l'accent sur deux types d'approches de la prise de décision, l'une classique, l'autre comportementale (ou *behavioriste*)[3]. Selon la ***théorie classique de la décision,*** le décideur évolue dans un univers de certitude absolue. Selon la ***théorie comportementale de la décision,*** fondée sur la notion de *rationalité limitée,* le décideur agit seulement en fonction de la perception qu'il a d'une situation donnée. La figure 17.1 résume ces deux approches.

■ *Théorie classique de la décision*   Théorie selon laquelle le décideur évolue dans un univers de certitude

■ *Théorie comportementale de la décision*   Théorie selon laquelle le décideur agit seulement en fonction de ce qu'il perçoit d'une situation donnée

■ LES THÉORIES CLASSIQUE ET COMPORTEMENTALE DE LA DÉCISION

Idéalement, le gestionnaire fait face à un problème clairement défini, il connaît toutes les actions possibles ainsi que leurs conséquences et il est donc en mesure de choisir la meilleure des solutions possibles, la solution optimale. C'est la façon idéale de prendre des décisions. De nature normative, cette approche classique est souvent présentée aux gestionnaires comme le modèle à suivre pour prendre des décisions.

Les spécialistes du comportement doutent de l'applicabilité de la théorie classique de la décision dans la plupart des situations. Ils reconnaissent que l'esprit humain est un formidable outil, capable des plus grandes réalisations, mais ils savent aussi que les êtres humains ont des *limites cognitives* qui restreignent leur capacité de traiter de l'information. Les carences de l'information et sa surcharge empêchent les décideurs de parvenir à la certitude absolue ; par conséquent, il leur est généralement impossible de procéder selon le modèle classique. Par ailleurs, les décideurs sont soumis à ce qu'on appelle la *rationalité limitée* – terme consacré

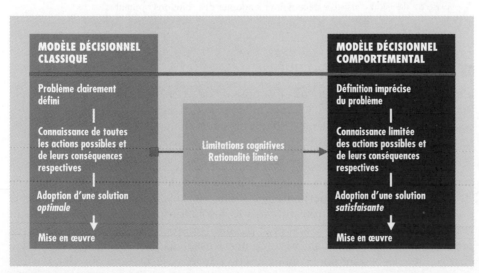

Figure 17.1
Le processus décisionnel selon les modèles classique et comportemental

signifiant que, si les êtres humains peuvent se montrer logiques et rationnels, ils ont tout de même des limites[4]. En tant qu'être humain, le décideur comprend et interprète les choses en fonction de ses propres caractéristiques et de son cadre de référence personnel – une vision simplifiée d'une réalité complexe. La théorie classique de la décision ne décrit donc pas de manière complète et exacte la façon dont se prennent la plupart des décisions dans une organisation[5].

Dans l'univers *chaotique* de mondialisation et de haute technologie où évoluent les nouvelles organisations, la théorie classique de la décision peut sembler très inadéquate. Cependant, la rejeter en bloc avec toutes ses possibilités d'application serait une erreur. Dans la plupart des organisations, les modèles classiques peuvent s'appliquer aux niveaux inférieurs de la hiérarchie ; même les organisations qui recourent aux technologies les plus avancées ont à résoudre des problèmes clairement définis auxquels elles ont déjà trouvé des solutions optimales. Le fait que des gestionnaires ne connaissent pas la solution optimale d'un problème peut laisser croire qu'il s'agit d'une situation exceptionnelle, même si ce n'est pas le cas.

Nous l'avons dit, la théorie comportementale de la décision tient compte de la rationalité limitée et postule que les gens agissent seulement en fonction de ce qu'ils perçoivent d'une situation donnée. Comme ces perceptions sont souvent imparfaites, la majeure partie des décisions prises dans les organisations ne le sont pas dans un contexte de certitude absolue. Selon cette approche, la plupart du temps, le décideur agit dans un contexte d'incertitude et ne dispose que d'une information limitée. En milieu organisationnel, les décideurs font souvent face à des problèmes flous et, dans bien des cas, ils n'ont qu'une connaissance fragmentaire des actions possibles et de leurs conséquences. Ces contraintes engendrent un phénomène que Herbert Simon, précurseur de l'analyse des processus décisionnels, a appelé l'***approche satisfaisante de la décision*** : les décideurs choisissent la première action qui leur semble donner une solution satisfaisante ou acceptable au problème. Simon affirme :

> Pour l'individu comme pour l'organisation, prendre des décisions consiste presque toujours à chercher et à adopter des solutions satisfaisantes. Ce n'est qu'exceptionnellement que la prise de décision consiste à découvrir et à adopter des solutions optimales[6].

■ ***Approche satisfaisante de la décision*** Approche selon laquelle le décideur choisit la première possibilité qui lui semble donner une solution satisfaisante ou acceptable à un problème donné

■ LE MODÈLE DE LA POUBELLE

Il existe une troisième approche de la prise de décision, issue de ce qu'on a appelé le ***modèle de la poubelle***[7]. Selon ce modèle, les principales composantes du processus décisionnel – problèmes, solutions, intervenants et contexte décisionnel – se trouvent pêle-mêle dans la « poubelle » de l'organisation.

Dans les organisations où le contexte est stable et où l'on utilise depuis un certain temps une technologie qu'on connaît bien, la tradition, la stratégie et la structure administrative permettent de faire de l'ordre dans le contenu de la poubelle. Les problèmes trouvent ainsi leur solution propre ; on peut maintenir l'ordonnancement du processus et appliquer l'approche comportementale de la prise de décision. Cependant, si le contexte est dynamique, que la technologie change, que les besoins sont conflictuels ou que les objectifs sont obscurs, la situation peut se compliquer ; on privilégie alors l'action plutôt que la réflexion. Les solutions apparaissent comme des *possibilités* – des moyens indépendants des

■ ***Modèle de la poubelle*** Modèle selon lequel les principales composantes du processus décisionnel – problèmes, solutions, intervenants et contexte décisionnel – se trouvent pêle-mêle dans la « poubelle » de l'organisation

problèmes ou des occasions – qui émergent non pour résoudre des problèmes particuliers, mais comme des leçons tirées de l'expérience d'autres organisations. Ces nouvelles solutions ou possibilités peuvent se concrétiser par l'embauche de nouveaux travailleurs, par le recours à des experts ou à des consultants, ou encore par des rapports sur les meilleures interventions. On peut donc appliquer des solutions qui ne sont pas associées à des problèmes précis, surtout si aucune autre solution n'a permis de résoudre un problème chronique et persistant. Bien que les solutions adoptées apportent des changements au sein de l'organisation, il est peu probable qu'elles puissent vraiment résoudre des problèmes précis.

Le modèle de la poubelle met en lumière une caractéristique importante du processus décisionnel dans beaucoup de grandes organisations : souvent, les gens qui choisissent les solutions ne sont pas ceux qui les appliquent. En effet, la tâche de concrétiser les décisions de leurs supérieurs incombe généralement aux subordonnés. Comme ceux-ci doivent à la fois interpréter les intentions de leurs supérieurs et régler les problèmes pratiques au fur et à mesure qu'ils se posent, ils ont l'occasion de modifier les solutions privilégiées par les paliers supérieurs de la hiérarchie. Autrement dit, la solution initiale et la solution implantée peuvent être assez différentes, et la relation entre les deux risque d'être encore plus ténue lorsque les cadres supérieurs se montrent imprécis ou ne suivent pas de très près la mise en œuvre d'une décision. Il peut s'ensuivre des écarts importants entre les résultats prévus par les décideurs et les résultats obtenus par ceux qui implantent les décisions.

Le modèle de la poubelle met en lumière un autre aspect du processus décisionnel : de nombreux problèmes organisationnels restent non résolus. Autrement dit, toute organisation souffre de déficiences chroniques qui ne semblent jamais s'arranger. Selon le modèle de la poubelle, la persistance de tels problèmes s'explique par le fait que les décideurs n'arrivent pas à s'entendre sur les actions possibles, à choisir une solution ou à l'appliquer au moment opportun et de manière cohérente, ou encore par le fait que les décideurs ne savent pas comment régler leurs problèmes chroniques. L'adéquation entre problème, solution et décision ne se réalise, comme avec les autres modèles, que lorsque le problème «trouve» sa solution et qu'un décideur est vraiment déterminé à l'appliquer. Pour le gestionnaire avisé, l'enjeu clé consiste donc à établir les liens appropriés entre les problèmes et les solutions.

Le CO et les fonctions de l'organisation

MARKETING

Comment réussir son entrée dans les affaires électroniques

Tout le battage qui se fait depuis quelques mois pour inciter les PME à prendre le virage du commerce électronique ne doit pas nous faire perdre de vue qu'une telle démarche reste davantage une question d'affaires que de technologie. C'est la mise en garde que faisait aux gens d'affaires le président du Conseil de l'Ordre des comptables agréés du Québec, Pierre Brochu, au colloque sur les PME branchées organisé par le CEFRIO, plus tôt cette année.

Comme le recommanderait tout bon comptable, il faut considérer l'option de passer au commerce électronique avec prudence et après mûre réflexion. Associé au service conseil en gestion et technologie au cabinet Arthur Andersen de Montréal, André Bergevin souligne que c'est un domaine où l'on risque fort, sans une bonne préparation, de gaspiller temps et argent et de connaître des résultats décevants. Autrement dit, il faut bien calculer son coup et éviter de s'y engager à l'aveuglette, au risque d'y laisser sa chemise.

Rappelons à cet effet que des études ont déjà démontré que sur quatre projets d'implantation d'une solution de commerce électronique, trois échouent faute de planification. Cela ne remet pas en cause pour autant la pertinence des nouveaux modèles d'affaires en commerce électronique.

Si l'on se fie aux prévisions de diverses firmes de recherche, la plupart des entreprises n'auront d'ailleurs bientôt plus le choix d'adopter une plate-forme transactionnelle électronique. Et cela vaut aussi bien pour le commerce auprès des consommateurs que pour le commerce interentreprise, communément appelés *business to consumers* (B2C) et *business to business* (B2B).

«Malheureusement pour les gens d'affaires, il n'existe pas de recette miracle pour implanter avec succès une solution de commerce électronique, souligne André Bergevin. Mais comme pour le lancement d'une affaire traditionnelle, une démarche structurée menant à l'établissement d'un plan d'affaires précis s'impose par son bon sens.» [...]

Jean Garon. *PME*, vol. 16, n° 9, 1er octobre 2000, p. 18.

■ LES RÉALITÉS DU PROCESSUS DÉCISIONNEL

Les trois modèles que nous venons de décrire mettent en lumière certaines caractéristiques des processus décisionnels complexes inhérents à la fonction de gestionnaire. La différence entre le gestionnaire qui peut prendre une décision *optimale* – selon le modèle classique – et celui qui doit se contenter d'une solution *satisfaisante* – selon le modèle comportemental – réside dans la quantité d'information disponible. Les facteurs bien réels de la rationalité limitée et des limites cognitives influent sur la façon dont les gens définissent les problèmes, déterminent les actions possibles et choisissent un plan d'action. Par conséquent, la plupart des décisions qui se prennent en milieu organisationnel exigent bien plus qu'un choix rationnel posé au terme d'un processus linéaire, comme le suggèrent souvent les modèles théoriques; si le processus décisionnel n'y est probablement pas aussi chaotique que ne le suggère le modèle de la poubelle, il n'est souvent même pas aussi rationnel que ne le décrit le modèle comportemental. Autrement dit, en milieu organisationnel, les décisions, qui portent souvent sur des problèmes inhabituels ou exceptionnels, doivent se prendre dans un contexte de risque ou d'incertitude, où les décideurs manquent à la fois de temps et d'information.

L'intuition, le jugement et la créativité

Les décisions gardent toujours l'empreinte caractéristique des gens qui les prennent, du jeu politique dans l'organisation et des enjeux auxquels font face les décideurs. En pratique, il est tout aussi essentiel de comprendre le rôle de l'intuition, du jugement et de la créativité dans le processus décisionnel que de savoir comment les décisions se prennent.

■ **Intuition** Faculté de connaître ou de déceler rapidement et sans hésiter les possibilités d'une situation donnée

Pour la prise de décision dans un contexte de risque ou d'incertitude, l'***intuition***, c'est-à-dire la faculté de connaître ou de déceler rapidement et sans hésiter les possibilités d'une situation donnée, est un élément clé[8]. Comme l'intuition introduit dans le processus décisionnel des éléments qui tiennent de la personnalité et de la spontanéité, elle a un grand potentiel de créativité et d'innovation.

Il y a quelques années, les spécialistes ne s'entendaient pas sur la façon dont les gestionnaires devaient planifier leurs actions et prendre leurs décisions[9]. Selon certains, la planification pouvait se dérouler de façon méthodique, étape par étape; d'autres estimaient au contraire que la nature même du travail de gestion rendait cette approche quasi impraticable. Nous le savons aujourd'hui, les gestionnaires privilégient la communication orale. Par conséquent, ils sont donc plus enclins à recueillir des données et à prendre leurs décisions dans un climat relationnel et interactif qu'à respecter étape par étape une démarche méthodique[10]. Comme les gestionnaires doivent souvent se fier à des impressions, lorsqu'ils tentent d'avoir un portrait global de la situation afin de redéfinir les problèmes et de les associer à diverses solutions, ils ont tendance à synthétiser les données plutôt qu'à les analyser. Ils travaillent vite, se livrent à des tâches très diverses et sont souvent interrompus; ils n'ont donc pas beaucoup de temps pour réfléchir seuls, planifier leurs actions et prendre des décisions de manière méthodique (voir *Le gestionnaire efficace 17.1*).

Les gestionnaires ont-ils raison de privilégier une approche plus intuitive que méthodique? Les environnements plus chaotiques et l'usage de technologies de pointe qui caractérisent tant d'organisations contemporaines favorisent sans aucun doute une démarche plus intuitive. Malheureusement, trop d'entreprises d'affaires ont encore le réflexe d'emprunter ailleurs des solutions toutes faites plutôt que de chercher des solutions sur mesure à leurs problèmes. Il est certain que les gestionnaires d'aujourd'hui travaillent dans des contextes chaotiques, et qu'en qualité de décideurs ils doivent faire confiance à leurs capacités intuitives. Cependant, pour trouver les solutions inédites et ingénieuses que requièrent les problèmes complexes auxquels ils font face, ils doivent également recourir à la démarche analytique. Bref, ils doivent apprendre à combiner judicieusement les démarches analytique et intuitive.

LE GESTIONNAIRE EFFICACE 17.1

COMMENT AMÉLIORER L'INTUITION

Techniques de relaxation
- Oubliez pour un temps le problème qui vous préoccupe.
- Isolez-vous dans un endroit calme.
- Essayez de mettre de l'ordre dans vos idées.

Exercices mentaux
- Pratiquez la visualisation (imagerie mentale).
- Laissez venir les idées sans vous fixer d'objectif précis.

MONDIALISATION

La société d'origine finlandaise Nokia est devenue le deuxième fabricant mondial de téléphones cellulaires et un chef de file dans la fourniture de réseaux numériques et fixes. L'organisation parvient à rester à l'avant-garde des secteurs les plus dynamiques de l'industrie des télécommunications en s'appuyant carrément sur ses membres et sur leur manière très particulière de prendre des décisions: la «manière finlandaise», mais plus encore la «manière Nokia». Chez Nokia, le processus décisionnel est axé non pas sur la bureaucratie, mais sur l'innovation technologique et l'atteinte des objectifs, ce qui permet à l'entreprise d'appliquer et de perfectionner sans retard les techniques les plus récentes. De plus, le processus décisionnel s'appuie sur les quatre valeurs Nokia: satisfaction de la clientèle, respect de l'individu, réussite et apprentissage continu. Cependant, les cadres de Nokia sont conscients que la façon dont ces valeurs interviennent dans la prise de décision peut varier considérablement d'une culture à l'autre.

www.nokia.com

■ L'INFLUENCE DES HEURISTIQUES SUR LE JUGEMENT

Le jugement, autrement dit le recours à l'intellect, revêt une très grande importance dans tous les aspects du processus décisionnel. Ainsi, lorsque nous remettons en question la dimension éthique d'une décision, ce que nous mettons en doute, c'est le *jugement* de la personne qui l'a prise. Les recherches montrent que les gens sont portés à commettre des erreurs à cause d'idées préconçues qui altèrent souvent la qualité du processus décisionnel[11]. Ces idées préconçues résultent des ***heuristiques,*** c'est-à-dire des stratégies ou des procédés simplificateurs utilisés dans la prise de décision. Les heuristiques peuvent être utiles pour affronter l'incertitude et l'insuffisance d'information inhérentes à certains problèmes, mais elles risquent également d'entraîner des erreurs de jugement récurrentes qui nuisent à

■ ***Heuristique*** Stratégie ou procédé simplificateur utilisé dans la prise de décision

la qualité des décisions, ou à leur justesse sur le plan de l'éthique. Il est donc utile de connaître les plus courantes des heuristiques qui peuvent fausser le jugement : l'*heuristique de l'accessibilité mentale*, l'*heuristique de la représentativité* et l'*heuristique des données de référence*[12].

On appelle ***heuristique de l'accessibilité mentale*** le procédé qui consiste à juger un événement présent à la lumière des situations passées qui reviennent le plus facilement à la mémoire. On peut penser, par exemple, au spécialiste en R&D qui déciderait de ne pas lancer un nouveau produit parce qu'il se souvient de l'échec du dernier produit lancé ; ici, l'échec passé influe négativement – et peut-être de façon injustifiée – sur le jugement de l'individu et sur sa décision de lancer ou non le nouveau produit.

L'***heuristique de la représentativité*** est le procédé qui consiste à évaluer la probabilité d'un événement sur la base des similitudes qu'il présente avec d'autres situations à propos desquelles on entretient des idées préconçues. Ainsi, un chef d'équipe pourrait recruter un nouveau membre non pas en fonction de ses compétences particulières, mais parce qu'il détient un diplôme d'une université qui a la réputation de former des «supercadres» ; ici, plutôt que de se fonder sur les compétences réelles du travailleur, ce chef d'équipe se laisserait influencer par la réputation d'une université et de certains de ses diplômés.

L'***heuristique des données de référence*** est un procédé qui consiste à évaluer un événement présent sur la base de données provenant d'expériences passées ou d'une source extérieure, et adaptées aux circonstances actuelles. Prenons l'exemple d'un cadre qui ferait des recommandations sur les augmentations de salaire de ses subordonnés en ajoutant simplement un pourcentage fixe à leur salaire du moment. Ici, le salaire de base sert de *donnée de référence* pour les augmentations ultérieures. Or, dans certains cas, ce critère peut s'avérer inadéquat ; il se pourrait, par exemple, que la valeur d'un des subordonnés de ce cadre soit devenue de beaucoup supérieure à son nouveau salaire.

En plus de recourir à ces heuristiques, le décideur est également enclin à des erreurs de jugement d'ordre plus général. Ainsi, il peut tomber dans le ***piège de la confirmation,*** erreur consistant à chercher les informations qui confirment ce qu'on croit être vrai, et à ignorer ou à négliger celles qui pourraient infirmer cette conviction. Forme de *perception sélective,* cette erreur amène le décideur à ne voir dans une situation donnée que les éléments qui corroborent une opinion toute faite. Autre erreur qui guette le décideur, le ***piège du jugement a posteriori*** consiste à surestimer rétrospectivement ce qu'on aurait pu ou dû prévoir d'un événement. C'est un piège, car agir ainsi peut engendrer une insécurité ou même un sentiment d'incompétence chez l'individu au moment de prendre d'autres décisions.

■ LES FACTEURS DE LA CRÉATIVITÉ

La ***créativité*** intervient dans le processus décisionnel dans la mesure où elle permet d'élaborer des réponses originales et ingénieuses aux problèmes ou aux occasions qui se présentent. Dans un environnement dynamique où fourmillent les problèmes inhabituels, la capacité d'élaborer des solutions sur mesure détermine souvent la réussite des individus et des organisations aux prises avec des enjeux complexes[13].

■ Heuristique de l'accessibilité mentale Procédé qui consiste à juger un événement présent à la lumière des situations passées qui reviennent le plus facilement à la mémoire

■ Heuristique de la représentativité Procédé qui consiste à évaluer la probabilité d'un événement sur la base des similitudes qu'il présente avec d'autres situations à propos desquelles on entretient des idées préconçues

■ Heuristique des données de référence Procédé qui consiste à évaluer un événement présent sur la base de données provenant d'expériences passées ou d'une source extérieure, et adaptées aux circonstances actuelles

■ Piège de la confirmation Erreur consistant à chercher les informations qui confirment ce qu'on croit être vrai, et à ignorer ou à négliger celles qui pourraient infirmer cette conviction

■ Piège du jugement a posteriori Erreur qui consiste à surestimer rétrospectivement ce qu'on aurait pu ou dû prévoir d'un événement

■ Créativité Capacité d'élaborer des réponses originales et ingénieuses aux problèmes ou aux occasions qui se présentent

Nous l'avons souligné dans la troisième partie de cet ouvrage, le groupe peut améliorer de beaucoup la créativité du processus décisionnel. En ce sens, l'utilisation judicieuse du *remue-méninges,* du *groupe nominal* ou de la *technique Delphi* peut aider les individus et les organisations à augmenter considérablement un potentiel créateur. Et l'apport de l'informatique aux réunions à distance et aux outils d'aide à la décision accroît encore davantage ce potentiel créateur.

On peut voir la *pensée créatrice* comme un processus en cinq étapes :

1. *la préparation* : engagement dans un processus d'apprentissage actif et d'observation continue essentiel pour affronter un environnement complexe[14];

2. *la réflexion* : définition et clarification des problèmes afin de dégager diverses façons d'y faire face ;

3. *l'incubation* : étude des problèmes sous divers points de vue afin de découvrir des solutions inédites auxquelles on ne pourrait parvenir avec une approche strictement méthodique et linéaire ;

4. *l'illumination* ou *les éclairs de génie* : les gens voient soudainement comment tous les morceaux d'un casse-tête jusque-là insoluble peuvent s'emboîter ;

5. *la vérification* : analyse rationnelle des actions envisagées pour s'assurer de leur bien-fondé[15].

Pour que la pensée créatrice se manifeste, l'organisation doit la favoriser en soutenant ses membres à chacune de ces étapes. Cependant, il faut se souvenir que plusieurs facteurs peuvent inhiber la pensée créatrice lors du processus décisionnel. Notamment, les heuristiques que nous avons décrites peuvent restreindre l'éventail des actions qu'envisagent les gestionnaires et les amener à négliger des solutions intéressantes. De même, des blocages liés à la culture et à l'environnement peuvent limiter la créativité : c'est le cas lorsque les décideurs sont dissuadés d'envisager certaines solutions parce qu'elles vont à l'encontre de normes culturelles ou organisationnelles.

La gestion du processus décisionnel

Comme nous venons de le voir en parlant de pensée créatrice, les membres d'une organisation – peu importe sa taille, son type et son champ d'activité – doivent faire bien plus que prendre des décisions : quel que soit leur niveau hiérarchique, ils doivent prendre les bonnes décisions, de la bonne manière et au bon moment[16]. Or, la gestion du processus décisionnel suppose elle-même des décisions parfois critiques, notamment en ce qui concerne 1) le choix des problèmes à régler, 2) le choix et le rôle des participants au processus décisionnel, et 3) l'abandon d'un plan d'action décidé antérieurement.

■ LE CHOIX DES PROBLÈMES À RÉGLER

La plupart des gens sont trop occupés par trop d'autres choses importantes pour prendre eux-mêmes les décisions sur tous les problèmes et toutes les occasions qui se présentent. S'il est efficace, le gestionnaire ou le chef d'équipe sait comment établir les priorités, quand déléguer les décisions et quand ne pas intervenir. Lorsqu'on se demande s'il faut s'attaquer ou non à un problème donné, il peut être utile de se poser les questions suivantes[17]:

- *Le problème est-il facile à régler?* Les problèmes mineurs ne devraient pas réclamer autant d'attention et de temps que les problèmes importants; si le problème est mineur, une décision erronée sera moins coûteuse.
- *Le problème peut-il se régler de lui-même?* Lorsqu'on établit des priorités, les problèmes mineurs viennent en dernier. Étonnamment, lorsqu'on y arrive enfin, on constate souvent qu'ils se sont réglés d'eux-mêmes ou que quelqu'un d'autre y a vu. Moins de problèmes à régler, c'est plus de temps et d'énergie à mettre ailleurs.
- *Est-ce à moi de prendre une décision?* Nombre de problèmes peuvent être résolus par d'autres personnes. Il faut cependant veiller à déléguer les décisions aux gens les mieux préparés; idéalement, elles devraient revenir aux gens qu'elles touchent directement dans leur travail.
- *Compte tenu du contexte organisationnel, est-il possible de régler ce problème?* Le décideur avisé fait la différence entre les problèmes qu'on peut envisager de régler de manière réaliste et ceux qui sont pratiquement insolubles.

■ LE CHOIX ET LE RÔLE DES PARTICIPANTS AU PROCESSUS DÉCISIONNEL

Les gestionnaires et les chefs d'équipe novices commettent souvent l'erreur de croire qu'ils doivent régler tous les problèmes en prenant eux-mêmes toutes les décisions. En fait, les bonnes décisions organisationnelles se prennent, selon le cas, individuellement et *par voie d'autorité,* par consultation ou collectivement.

■ *Décision par voie d'autorité*
Décision que prend un responsable en s'appuyant sur l'information dont il dispose, et à laquelle les membres de son groupe n'ont pas participé

La ***décision par voie d'autorité*** est une décision que prend un responsable en s'appuyant sur les données dont il dispose, et à laquelle les membres de son groupe ne participent pas. Cette méthode décisionnelle reflète souvent les prérogatives liées à la position hiérarchique du décideur au sein de l'organisation. Par exemple, un directeur de magasin peut décider de la rotation des salariés pour la pause du midi en affichant un horaire.

■ *Décision par consultation*
Décision que prend un responsable après avoir demandé l'avis des membres de son groupe

La ***décision par consultation*** est une décision que prend un responsable après avoir demandé l'avis des membres de son groupe. Revenons à l'exemple précédent: le directeur de magasin peut informer les salariés de la nécessité d'établir une rotation pour la pause du midi et leur demander d'exprimer leurs préférences et leurs raisons avant de prendre une décision sur l'horaire.

■ *Décision collective* Décision prise par l'ensemble des membres d'un groupe

Enfin, en plus de consulter les membres de son groupe, le gestionnaire peut les inviter à participer au choix de la solution. La véritable ***décision collective*** (ou par consensus) est celle à laquelle participent tous les membres d'un groupe donné. Par exemple, notre directeur de magasin pourrait organiser une réunion afin d'obtenir l'accord de tous les salariés sur un horaire donné ou sur une façon d'établir un horaire.

Victor Vroom, Philip Yetton et Arthur Jago ont conçu une grille d'analyse (voir la figure 17.2) pour aider les gestionnaires à choisir la méthode décisionnelle la plus appropriée à telle ou telle situation[18]. Conformément au principe fondamental de leur modèle, la méthode décisionnelle doit toujours être fonction du problème

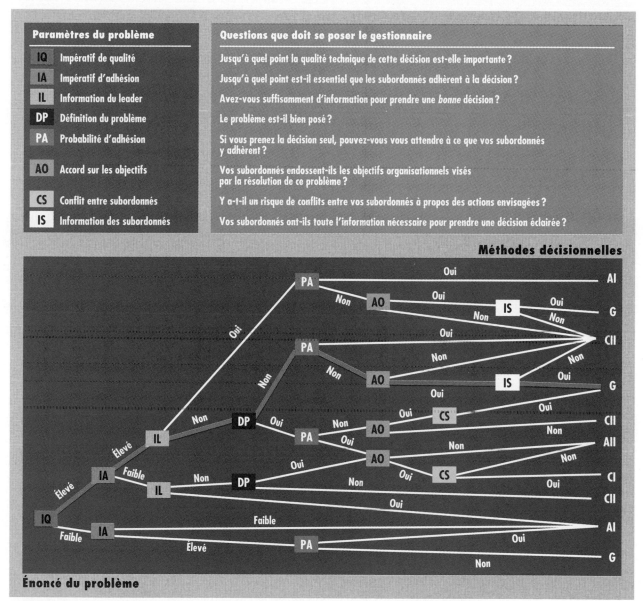

Figure 17.2
Le choix d'une méthode décisionnelle : la grille d'analyse de Vroom et Jago

à résoudre ; l'enjeu sous-jacent est de déterminer, selon les exigences de la situation, quand et comment utiliser telle ou telle méthode décisionnelle. Leur modèle s'intéresse plus particulièrement aux méthodes suivantes :

- **AI** (*première variante de la décision par voie d'autorité*)   Le gestionnaire règle le problème ou prend la décision de manière individuelle, en s'appuyant sur l'information dont il dispose sur le moment.

- **AII** (*deuxième variante de la décision par voie d'autorité*)   Avant de décider d'une solution, le gestionnaire obtient l'information nécessaire de ses subordonnés

Les méthodes décisionnelles

ou d'autres membres du groupe ; il peut ou non les informer de la nature du problème sur lequel il se penche. Les subordonnés fournissent l'information requise, mais ils ne génèrent pas les possibilités d'action ni ne les évaluent.

- **CI** (*première variante de la décision par consultation*) La consultation se fait sur une base individuelle. Le gestionnaire informe ses subordonnés ou d'autres membres du groupe du problème sur lequel il se penche et reçoit idées et suggestions ; il prend ensuite une décision qui pourra ou non en tenir compte.

- **CII** (*seconde variante de la décision par consultation*) La consultation se fait sur une base collective. Le gestionnaire informe ses subordonnés ou d'autres membres du groupe du problème sur lequel il se penche, et reçoit idées et suggestions qui découlent de la réflexion collective ; il prend ensuite une décision qui pourra ou non en tenir compte.

- **G** (*décision collective ou par consensus*) Le gestionnaire informe collectivement les subordonnés du problème, puis invite le groupe à parvenir à une décision consensuelle.

Dans la version la plus récente de leur grille d'analyse, Vroom et Jago utilisent le diagramme présenté à la figure 17.2 pour aider le gestionnaire à analyser la situation et à choisir la méthode décisionnelle la plus appropriée. Les paramètres clés de ce modèle sont, notamment, l'importance de la qualité de la décision, l'accessibilité de l'information et l'adhésion requise des subordonnés pour appliquer pleinement la décision. Bien que ce schéma puisse sembler complexe et difficile à déchiffrer, la logique qui le sous-tend offre la rigueur qui s'impose dans le choix d'une méthode décisionnelle. Faites l'exercice : prenez un problème organisationnel qui vous est familier et procédez étape par étape, selon le processus illustré à la figure 17.2. Cette analyse vous amènera à comprendre que des paramètres comme l'impératif de qualité, l'accès à l'information et l'adhésion des subordonnés peuvent avoir une influence considérable sur les résultats d'une décision. L'exercice vous rappellera également que toutes les méthodes décisionnelles sont valables et utiles. Pour gérer efficacement la participation des subordonnés au processus décisionnel, l'essentiel est de savoir quand employer chacune de ces méthodes et comment procéder avec chacune d'entre elles.

■ L'ABANDON D'UN PLAN D'ACTION DÉCIDÉ ANTÉRIEUREMENT

Le désir bien normal de l'organisation de poursuivre un plan d'action retenu après mûre réflexion renforce certaines tendances, naturelles elles aussi, qu'on observe chez les décideurs[19]. Lorsque le douloureux processus décisionnel semble enfin avoir abouti, les dirigeants s'engagent publiquement à appliquer un plan d'action donné et sa mise en œuvre commence ; dès lors, les gestionnaires seront réticents à admettre qu'ils se sont trompés et à faire marche arrière. Plutôt que de revenir sur une décision dont les résultats sont manifestement mauvais, ils auront tendance à s'acharner. La **surenchère irrationnelle** – c'est-à-dire l'investissement d'efforts supplémentaires dans un plan d'action dont tout indique qu'il est un échec – se traduit par le vieux précepte «Cent fois sur le métier remettez votre ouvrage».

Dès leurs premiers cours, les étudiants en finance découvrent la fatalité des «coûts irrécupérables» – l'argent dépensé est disparu à tout jamais. La décision de poursuivre une action est une décision ; comme toute autre décision, elle doit être examinée en fonction des investissements qu'elle requiert et du rendement attendu. Nous touchons ici à l'une des dimensions du processus décisionnel que les dirigeants

■ *Surenchère irrationnelle*

Investissement d'efforts supplémentaires dans un plan d'action dont tout indique qu'il est un échec

[…] «Pour que l'entrepreneur fasse un cheminement majeur, il faut qu'il voie le problème de façon différente, il doit renverser son raisonnement. Je leur dis que c'est comme ça qu'ils vont mieux comprendre», dit-il [Jean-Marie Toulouse, directeur de l'École des Hautes Études Commerciales de Montréal].

Et le plus grand défi qui attend les entrepreneurs au tournant de cette décennie sera, plus que jamais, la gestion du savoir.

«Les seules à le faire [à gérer le savoir] sont les corporations profession-nelles, mais elles ont du mal à le faire en dehors du corporatisme. Il faudra trouver dans l'entreprise des mécanismes pour gérer les apprentissages et se bâtir une mémoire d'entreprise. Avec des objets, c'était plus facile ; maintenant, c'est du savoir que l'on vend. »

«C'était plus facile aussi, dit M. Toulouse, quand les personnes sous sa gou-verne étaient des employés de production. On n'avait qu'à compter le nombre de pièces trouées, boulonnées ou découpées ; maintenant, c'est plus compliqué. Vos 10 cerveaux les plus importants, comment allez vous les gérer sans créer d'iniquités ? Allez-vous les payer plus cher ? Quelle est la marge quand votre compétiteur vient vous les voler en plus ? »

«Aujourd'hui, il y a des gens tous différents dans les organisations et l'économie du savoir valorise cette différence. Les entreprises devront les gérer par des valeurs collectives, pas en faisant du cas par cas, car elles deviennent trop impor-tantes. »

L'autre défi des entreprises qui grandissent sera de trouver une structure différente de la pyramide pour prendre les décisions. L'armée, l'Église ; ces organisation sont gérées sur des modèles hiérarchisés. Les pointcoms ne peuvent être gérées en pyramide. Alors, vive les structures en réseaux.

Mais qui prend les décisions ? Dans toute organisation, il y a un certain nombre de décisions difficiles à prendre. Avec une pyramide, c'était facile, on allait voir en haut. Dans les réseaux, il faut trouver qui est le petit Jésus et qui va prendre les décisions difficiles que plus personne ne veut prendre.

«Tout le monde veut prendre la décision de se lancer en Bourse pour aller chercher 30 M$, mais voudriez-vous être celui ou celle qui signera l'arrêt de mort de l'usine GM à Sainte-Thérèse ? » demande Jean-Marie Toulouse.

Les belles visions, l'absence de hiérarchie et de titres, c'est bien joli, mais tout ça devra tenir ensemble. «On verra réapparaître le dirigeant d'entreprise, mais son rôle sera composé d'inspiration plus que d'autorité. Il transmettra des valeurs. » […]

Kathy Noël. «Manifestants et dirigeants devront apprendre à se parler», *Les Affaires*, 6 janvier 2001, p. 29.

---

et les cadres supérieurs ont le plus de mal à saisir, pour une raison bien simple : la plupart sont parvenus aux postes qu'ils occupent pour avoir transformé en réussite des plans d'action qui semblaient voués à l'échec[20]. La tendance à redoubler d'efforts l'emporte donc souvent sur les raisons qu'ils auraient d'interrompre le pro-cessus. Ainsi, le décideur pourra assimiler tout commentaire défavorable à une réaction passagère, ménager son orgueil en refusant d'admettre que sa décision était une erreur, parler des résultats négatifs comme d'*occasions d'apprendre* et réaffirmer que des efforts supplémentaires permettront de surmonter les difficultés[21].

Il n'est pas facile d'inverser cette tendance, d'admettre une erreur et de changer de plan d'action. La *surenchère irrationnelle* est l'un des pièges de la prise de décision ; elle conduit le décideur à adopter une ligne de conduite que les faits ne justifient pas. Le gestionnaire devrait donc veiller à repérer les erreurs et se montrer prêt à revenir sur les mauvaises décisions et à renoncer aux plans d'action qui se révèlent impraticables[22]. Plus facile à dire qu'à faire, bien entendu... Mais, encore une fois, le bon décideur est prêt à faire marche arrière ; il sait quand s'arrêter et quand cesser d'investir du temps et des ressources dans un plan d'action stérile. Comme l'aurait grommelé W. C. Fields : « Si ça ne marche pas tout de suite, essaie, essaie encore, puis laisse tout tomber. »

La technologie, la culture et l'éthique dans le processus décisionnel

Dans les environnements organisationnels contemporains, les décideurs font face à des problèmes qui semblent se complexifier sans cesse, comme en témoignent les grandes tendances qu'on observe aujourd'hui dans les milieux de travail[23] :

Les tendances clés des milieux de travail

- Les organisations réduisent leur taille ; elles optent pour l'externalisation et emploient de moins en moins de travailleurs à temps plein ;
- De nouvelles structures organisationnelles, plus flexibles et plus adaptables, remplacent les traditionnelles structures pyramidales ;
- Les nouvelles structures organisationnelles privilégiant une coordination horizontale accrue, il devient de plus en plus indispensable d'acquérir une compréhension intégrée des diverses fonctions de l'organisation ;
- Les travailleurs qui allient compétences techniques et aptitude au travail d'équipe sont de plus en plus recherchés ;
- La nature du travail évolue constamment : les emplois changent rapidement, ils exigent une formation continue et sont moins soumis au traditionnel « 9 à 5 ».

Chacune de ces tendances influe sur le processus décisionnel : qui y participe, sur quoi il porte, où et comment il se déroule. La quête incessante d'une productivité toujours plus grande accroît les contraintes et les tensions dans l'organisation, et met les travailleurs à rude épreuve tout en leur offrant d'innombrables occasions de mettre leurs talents à profit et de combler leurs besoins. Dans cette nouvelle donne de la réalité organisationnelle, des questions d'ordre technologique, culturel et éthique ajoutent encore à la complexité du processus décisionnel.

■ LES TIC ET LE PROCESSUS DÉCISIONNEL

Tout au long de ce livre, nous n'avons cessé de répéter que les organisations d'aujourd'hui font une utilisation de plus en plus poussée des technologies de l'information et des communications. On peut penser qu'un jour, les progrès réalisés dans le domaine de l'*intelligence artificielle* – simulation par ordinateur du fonctionnement du cerveau d'un expert humain – permettront de remplacer un grand nombre de décideurs[24]. Herbert Simon, lauréat du prix Nobel et spécialiste du processus décisionnel, est convaincu que l'*intelligence* de l'ordinateur finira par surpasser celle de l'être humain.

■ **Intelligence artificielle**
Simulation par ordinateur du fonctionnement du cerveau d'un expert humain

On trouve déjà dans les organisations des applications de l'intelligence artificielle aux processus décisionnels. Les gestionnaires peuvent aujourd'hui recourir à des systèmes experts d'aide à la décision. Dans une certaine mesure, ces systèmes raisonnent comme des experts humains; ils procèdent à des déductions en appliquant la règle du «soit..., soit...». Par exemple, si vous composez un numéro sans frais afin d'obtenir un prêt hypothécaire, il se peut que vous tombiez non pas sur un être humain, mais sur un logiciel chargé de recueillir l'information pertinente et, éventuellement, de vous confirmer l'attribution du prêt. De même, dans les usines, des systèmes d'aide à la décision permettent d'optimiser la productivité des machines et des travailleurs.

Dans un avenir proche, des logiciels capables de dépasser les opérations booléennes pour raisonner par logique floue ainsi que des réseaux neuromimétiques capables de raisonner par induction en reproduisant les capacités de traitement du cerveau deviendront pleinement fonctionnels et pourront prendre des décisions plus complexes que les actuelles décisions programmées. De tels systèmes trouveront d'innombrables usages et se propageront partout, aussi bien dans les hôpitaux – où ils serviront notamment à confirmer les diagnostics des médecins – que dans les sociétés de financement – où ils serviront à analyser les portefeuilles de placement[25].

Les outils informatiques d'aide à la décision collective, incluant l'Internet et les intranets, ont libéré la traditionnelle réunion des contingences de l'interaction directe. Les logiciels dont nous disposons aujourd'hui permettent à des équipes virtuelles de définir les problèmes et de prendre des décisions quelle que soit la distance physique qui sépare leurs membres. Nous savons déjà que ces logiciels se révèlent particulièrement utiles pour générer des idées – qu'on pense aux cyberséances de remue-méninges – et pour réduire les délais de la prise de décision. En outre, les équipiers dont la collaboration passe par la médiation de l'ordinateur ont tendance à se focaliser davantage sur les tâches, ce qui réduit les conflits interpersonnels et autres problèmes associés aux délibérations en personne. Par contre, le fait que les décisions soient prises par des *groupes virtuels* risque d'entraîner une déshumanisation du processus, et peut-être même un engagement moindre à l'égard des actions décidées et de leur suivi. Enfin, il semble que les étudiants acceptent mieux la médiation de l'ordinateur dans la prise de décision que leurs aînés qui ont déjà plusieurs années de carrière derrière eux[26].

Ce que les TIC ne feront pas de sitôt, c'est de s'attaquer aux questions soulevées par le modèle de la poubelle. Les TIC promettent au contraire un univers plus ordonné, où le processus décisionnel sera plus conforme aux modèles traditionnels, mais repoussera les limites de la rationalité humaine. Reste à voir ce que les TIC pourront apporter à ces décisions encore plus importantes qui précèdent les modèles décisionnels traditionnels, c'est-à-dire à ces choix prédécisionnels qui sont fortement influencés par des facteurs d'ordre culturel et éthique.

■ LES FACTEURS CULTURELS ET LE PROCESSUS DÉCISIONNEL

La culture est la façon dont un groupe d'individus règle les problèmes, a dit Fons Trompenaars[27]. Dès lors, on peut s'attendre à ce que les différences culturelles se traduisent par des différences dans le choix des problèmes à régler et dans la façon de le faire. Ainsi, historiquement, on constate des préférences culturelles en matière de résolution de problèmes. Dans ce chapitre, nous avons privilégié

www.mediagrif.com

En sol québécois, bien peu de personnes ont entendu parler de Mediagrif. Avec raison, cette pionnière du B2B [commerce interentreprise, communément appelé business to business] réalise moins de 1 % de son chiffre d'affaires au Québec. L'entreprise gagne toutefois à être connue puisqu'elle est l'une des rares sociétés purement Internet à avoir réalisé des profits au cours des trois dernières années. [...]

Contrairement à la majorité des acteurs Internet, Mediagrif ne s'attaque pas à des problématiques d'entreprises mais d'industries. La firme de Longueuil développe et exploite des cybermarchés verticaux interentreprises. « Nous menons actuellement huit projets de front dans plusieurs secteurs dont ceux des composants électroniques, des pièces d'ordinateurs et de la vente de marchandises sous licence », explique Denis Gadbois, président et chef de la direction. Et ce, sans parler de la vingtaine de dossiers en analyse. [...]

L'objectif est simple : fournir aux acheteurs professionnels un guichet unique qui leur permettra de voir l'offre des différents distributeurs, de comparer les prix et de négocier, de passer leurs commandes en ligne avec livraison à leurs portes dans les délais prescrits. Tout cela en leur donnant la possibilité de réduire leur coût d'approvisionnement. [...]

L'aventure débute à la fin 1995, alors que trois jeunes loups se demandent comment cette nouvelle technologie qu'est Internet pouvait contribuer à améliorer les performances organisationnelles et régler les inefficacités de certains marchés. Après analyse, ils ciblent l'industrie des composants électroniques pour expérimenter leur modèle d'affaire et lancer leur premier cybermarché, le Broker Forum. La problématique à résoudre : un secteur très fragmenté où distributeurs et courtiers, dispersés un peu partout sur le globe, fonctionnent encore par téléphone, fax et disquettes expédiées par messager. Une façon de faire très coûteuse et improductive.

« Du coup, notre modèle d'affaires permettait de centraliser toute l'information à un seul endroit et d'en donner l'accès à qui le désirait au moment voulu, explique Denis Gadbois. Les distributeurs pouvaient ainsi répondre plus rapidement à leurs clients à moindre coût, comparer les prix et les offres de plusieurs fournisseurs de façon très simple, mieux identifier les sources d'approvisionnement à l'échelle mondiale et disposer d'un tableau plus complet pour prendre de meilleures décisions d'affaires. » Une véritable révolution pour l'époque !

Broker Forum propose aujourd'hui plus de 8 millions de lignes d'inventaire totalisant quelques milliards de dollars. Plus de 10 000 demandes de soumission y sont traitées par jour. On y retrouve des membres aussi prestigieux qu'Arrow Electronics, le plus grand distributeur de composants électroniques sur la scène mondiale, une entreprise américaine qui génère un chiffre d'affaires annuel de 13 milliards US. Inutile de préciser que son adhésion a donné énormément de crédibilité à la jeune entreprise. [...]

Le mois dernier, Mediagrif a fait son entrée en Bourse. Bien qu'important, l'accès au capital ne constituait pas l'élément fondamental de cette décision. « Pour faire affaire avec des partenaires internationaux, nous devons avoir une plus grande visibilité. Une PME basée à Longueuil a plus de difficulté à dénicher un client à San Francisco qu'une société bien cotée en Bourse sur laquelle les analystes financiers se penchent et font des rapports. De plus, comme nous voulons éventuellement effectuer des acquisitions et que la majorité se négocie aujourd'hui par échange d'actions, nous devions faire le saut pour accéder à cette monnaie d'échange », explique le président.

Le moins qu'on puisse dire c'est que les projets et les idées ne manquent pas chez Mediagrif. L'entreprise dispose d'ailleurs d'une dizaine de millions pour le développement de nouveaux marchés, une alliance stratégique qu'elle a conclue avec la Banque Royale. Au cours des prochains mois, l'entreprise devrait donc annoncer des initiatives dans le secteur du catalogue électronique. Un domaine qui donne quelques maux de tête à l'industrie du .com.

Liette D'Amours. « Mediagrif, un .com rentable », *La Presse,* 14 novembre 2000, p. D18.

l'approche nord-américaine : axée sur la rapidité, l'esprit de décision et la sélection individuelle d'une des actions possibles, elle insiste davantage sur le *choix* d'une solution que sur son application. Le modèle de la poubelle suggère même que l'application d'une décision peut être vue comme une activité presque extérieure aux autres étapes de la prise de décision.

Dans d'autres cultures, on insiste moins sur le choix individuel d'une solution que sur l'élaboration d'une solution qui donne des résultats. Plutôt que de comparer la situation du moment avec une quelconque situation optimale, comme le prône le modèle classique, on part de ce qui est praticable et fonctionne[28]. Si un changement peut améliorer une situation donnée, et même si cette situation ne préoccupe nullement la haute direction, les cadres subalternes pourront implanter ce changement ; ils informeront ensuite leurs supérieurs de l'amélioration obtenue. Les organisations qui, sous-estimant l'importance d'implanter les changements *en douceur,* se lancent tête baissée dans des bouleversements d'envergure auraient intérêt à adopter des systèmes qui s'inspirent du *ringi* japonais. Dans ce processus de décision collective, les paliers inférieurs de l'organisation doivent approuver par écrit les décisions des paliers supérieurs avant qu'elles soient appliquées ; précisons-le, cette approbation ne porte pas sur le bien-fondé du changement proposé, mais simplement sur sa *faisabilité* aux yeux du groupe touché[29].

La différence culturelle la plus marquée par rapport au processus décisionnel concerne non pas la *façon* de résoudre les problèmes, mais le *choix des problèmes que l'organisation peut résoudre.* Ainsi, le simple fait qu'une procédure soit ancienne la rend plus suspecte aux yeux des Nord-Américains qu'aux yeux des Français[30]. Par ailleurs, nos façons de voir sont encore trop imprégnées de la pensée bureaucratique occidentale[31]. Les cultures ne sont pas toutes aussi pluralistes, brutalement compétitives ou impersonnelles que la culture nord-américaine. Dans d'autres parties du monde, la loyauté peut intervenir dans le processus décisionnel, et préserver l'harmonie peut sembler plus important que d'augmenter la productivité d'un cran ; bref, l'analyse et la résolution des problèmes peuvent être axées davantage sur des dimensions humaines et sociales que sur des dimensions purement bureaucratiques.

■ LES QUESTIONS D'ÉTHIQUE ET LE PROCESSUS DÉCISIONNEL

On n'insistera jamais trop sur la dimension éthique des comportements en milieu de travail ; il vaut donc la peine d'y revenir. Au chapitre 1, nous avons présenté un cadre d'analyse pour la prise de décisions conformes à l'éthique. Nous avions alors défini le *dilemme éthique* comme une situation où un individu doit choisir de poser ou non un acte qui présente des avantages potentiels tout en étant contraire à l'éthique. Les dilemmes éthiques surviennent souvent dans des contextes de risque ou d'incertitude, ou en présence de problèmes exceptionnels ou inédits. La façon dont vous gérerez vos décisions dans de telles circonstances – que vous connaîtrez inévitablement au cours de votre carrière – pourrait fort bien être le test ultime quant à vos normes éthiques personnelles.

La rubrique *Le gestionnaire efficace 1.2* (p. 18) propose un aide-mémoire fort utile pour résoudre un dilemme éthique : on vous y suggère de ne prendre aucune décision avant d'avoir répondu de façon satisfaisante aux questions suivantes[32] : « Est-ce légal ? Est-ce juste ? Est-ce avantageux ? », « Si ma famille l'apprend, comme vais-je me sentir ? », « Si les médias exposent l'affaire sur la place publique, comment vais-je me sentir ? ».

Advanced Telecom ◄ Research Laboratory

Hugo de Varis rêve du jour où un ordinateur possédera à lui seul autant de « matière grise » que tous les êtres humains qui ont peuplé la Terre. Chez Advanced Telecom Research Laboratory, une société installée au Japon, il fait partie d'une équipe qui met au point des puces informatiques qui reproduisent le comportement du cerveau humain et du système nerveux central. L'intelligence artificielle (IA) est une simulation par ordinateur des processus de la pensée d'un expert.

Lorsqu'on aborde la dimension éthique du processus décisionnel, il faut se pencher sur les critères qu'utilisent les gens pour définir les problèmes, et les valeurs qui sous-tendent ces critères[33]. De toute évidence, le choix des problèmes à régler, la sélection des gens qui participeront au processus décisionnel, l'évaluation des effets potentiels des diverses actions envisagées et le choix d'une solution soulèvent des questions d'ordre moral.

Une conduite conforme à l'éthique n'a rien à voir avec les regrets que l'on éprouve *après le fait*. Comme le souligne Fineman:

> Si les gens sont incapables d'anticiper la honte ou la culpabilité qu'ils pourront ressentir s'ils posent certains actes, c'est que les codes moraux sont sans effet [...] Les décisions peuvent être entachées de mensonge, de tromperie, de fraude, de négligence inavouée – agissements condamnés dans la plupart des cultures. Mais la vigilance éthique doit aller bien au-delà des considérations pragmatiques sur les préjudices que peuvent causer de tels actes[34].

Autrement dit, si vous êtes le décideur, prendre une décision ne consiste pas seulement à choisir et à appliquer la meilleure solution pour le bien de l'organisation; que vous le vouliez ou non, c'est un processus qui engage vos valeurs et votre code moral. Donc, le choix d'une solution et son application ne doivent pas seulement résoudre un problème ou générer de bons résultats, ils doivent correspondre à vos valeurs personnelles et être bénéfiques pour les autres. En ce sens, la prise de décision sera sans doute le plus grand défi de votre carrière[35].

Guide de révision

Qu'est-ce que la prise de décision ? Comment se prennent les décisions dans les organisations ?

■ La prise de décision (ou processus décisionnel) est un processus qui consiste à choisir un plan d'action pour régler un problème ou pour saisir une occasion.

■ En milieu organisationnel, les décisions se prennent souvent dans un contexte de risque ou d'incertitude, où les décideurs font face à des problèmes flous et ne disposent que d'une information fragmentaire sur les actions possibles et leurs conséquences.

■ Les problèmes routiniers et récurrents peuvent être résolus par des décisions programmées. Les problèmes exceptionnels ou inédits exigent des décisions non programmées, conçues sur mesure pour répondre à la situation.

Quels sont les divers modèles décisionnels ?

■ La théorie classique de la décision postule que le décideur fait face à des problèmes clairement définis, connaît toutes les actions possibles ainsi que leurs conséquences, et est donc en mesure de choisir la solution optimale.

■ Selon la théorie comportementale de la décision, le décideur agit seulement en fonction de la perception qu'il a d'une situation donnée ; la plupart du temps, il fait face à des problèmes mal définis, ne dispose que d'une information limitée et adopte une solution satisfaisante, c'est-à-dire la première solution qui semble acceptable ou opportune dans les circonstances.

■ Selon le modèle de la poubelle, les composantes principales du processus décisionnel – problèmes, solutions, intervenants et contexte décisionnel – se trouvent pêle-mêle dans la « poubelle » de l'organisation.

Quels rôles jouent l'intuition, le jugement et la créativité dans le processus décisionnel ?

■ L'intuition est la faculté de connaître ou de déceler rapidement et sans hésiter les possibilités d'une situation donnée.

■ Pour trouver les solutions inédites et ingénieuses que requièrent les problèmes complexes auxquels ils font face, les gestionnaires doivent apprendre à combiner judicieusement les démarches analytique et intuitive.

■ Les heuristiques sont des stratégies ou des procédés simplificateurs utilisés dans la prise de décision. Si elles peuvent être utiles pour affronter l'incertitude et l'insuffisance d'information inhérentes à certains problèmes, elles risquent également d'entraîner des erreurs de jugement récurrentes qui nuisent à la qualité des décisions ou à leur justesse sur le plan de l'éthique.

■ L'heuristique de l'accessibilité mentale consiste à juger un événement présent à la lumière des situations passées qui reviennent le plus facilement à la mémoire. L'heuristique de la représentativité consiste à évaluer la probabilité d'un événement sur la base des similitudes qu'il présente avec d'autres situations à propos desquelles on entretient des idées préconçues. L'heuristique des données de référence consiste à évaluer un événement présent sur la base de données provenant d'expériences passées ou d'une source extérieure, et adaptées aux circonstances actuelles.

- La recherche de solutions originales et ingénieuses aux problèmes organisationnels exige de la créativité ; celle-ci peut être améliorée par des stratégies individuelles ou collectives de résolution de problèmes.

Comment peut-on gérer le processus décisionnel ?

- Le gestionnaire averti sait comment établir les priorités, quand déléguer les décisions et quand ne pas intervenir.

- Surtout s'ils sont novices, les gestionnaires et les chefs d'équipe commettent souvent l'erreur de croire qu'ils doivent régler tous les problèmes en prenant eux-mêmes toutes les décisions. En fait, les bonnes décisions organisationnelles se prennent, selon le cas, individuellement et par voie d'autorité, par consultation ou collectivement.

- La grille d'analyse conçue par Vroom et Jago aide le gestionnaire à choisir la méthode décisionnelle la plus appropriée au problème à résoudre. L'impératif de qualité, l'accessibilité de l'information et l'adhésion des subordonnés comptent parmi les paramètres clés de ce modèle.

- En milieu professionnel, il faut se méfier de la tendance à la surenchère irrationnelle, c'est-à-dire la tendance des gestionnaires à investir des efforts supplémentaires dans un plan d'action dont tout indique qu'il est un échec.

Comment la technologie, la culture et l'éthique influent-elles sur la prise de décision ?

- L'évolution des TIC modifie constamment la nature du processus décisionnel en milieu organisationnel.

- Les différences culturelles influent sur le choix des problèmes à régler, sur la sélection de ceux qui participent au processus décisionnel, sur la façon de choisir les solutions ainsi que sur les motifs qui sous-tendent ces décisions.

- L'éthique intervient à chaque étape du processus décisionnel. Le choix d'une solution et son application ne doivent pas seulement résoudre un problème ou générer de bons résultats, ils doivent correspondre aux valeurs personnelles du décideur et être bénéfiques pour les autres.

Mots clés

Anarchie contrôlée p. 450

Approche satisfaisante de la décision p. 452

Contexte décisionnel de certitude p. 449

Contexte décisionnel de risque p. 449

Contexte décisionnel d'incertitude p. 450

Créativité p. 456

Décision collective p. 458

Décision non programmée p. 450

Décision par association p. 450

Décision par consultation p. 458

Décision par voie d'autorité p. 458

Décision programmée p. 450

Heuristique p. 455

Heuristique de l'accessibilité mentale p. 456

Heuristique des données de référence p. 456

Heuristique de la représentativité p. 456

Évaluation des connaissances

■ QUESTIONS À CHOIX MULTIPLE

1. Une fois qu'un plan d'action a été choisi et mis en œuvre, l'étape suivante du processus décisionnel consiste à _____ **a)** répéter le processus. **b)** chercher d'autres problèmes ou possibilités. **c)** évaluer les résultats. **d)** fournir les documents étayant la décision.

2. Dans quel contexte décisionnel le décideur doit-il composer avec les probabilités concernant les actions possibles et leurs conséquences? **a)** Le contexte de certitude **b)** Le contexte de risque **c)** L'anarchie contrôlée **d)** Le contexte d'incertitude

3. Les décisions par association sont généralement associées à un contexte _____ **a)** d'anarchie contrôlée. **b)** de certitude. **c)** de risque. **d)** de décision satisfaisante.

4. Le gestionnaire qui dispose d'une information limitée et qui agit dans un contexte relativement risqué prendra probablement des décisions fondées sur _____ **a)** l'approche de la décision optimale. **b)** la théorie classique de la décision. **c)** la théorie comportementale de la décision. **d)** la surenchère irrationnelle.

5. Le responsable du marketing qui décide de ne pas lancer un produit parce que le dernier produit lancé sur le marché a été un échec est influencé par l'heuristique _____ **a)** des données de référence. **b)** de l'accessibilité mentale. **c)** de l'ajustement. **d)** de la représentativité.

6. Les cinq étapes du processus de la pensée créatrice sont la préparation, _____, l'illumination et la vérification. **a)** l'extension, l'évaluation **b)** la réduction, la réflexion **c)** l'adaptation, l'extension **d)** la réflexion, l'incubation

7. Selon le modèle de Vroom, pour choisir entre une méthode de décision individuelle ou collective, on doit se fonder notamment sur des critères comme l'impératif de qualité, l'accès à l'information et _____ **a)** l'impératif d'adhésion. **b)** la taille de l'organisation. **c)** le nombre d'intervenants. **d)** la position hiérarchique du leader.

8. Le précepte «Vingt fois sur le métier remettez votre ouvrage» illustre la tendance des décideurs _____ **a)** à la pensée de groupe. **b)** au piège de la confirmation. **c)** à la surenchère irrationnelle. **d)** à la décision par association.

9. Les spécialistes de l'intelligence artificielle tentent actuellement de mettre au point des ordinateurs capables de résoudre des problèmes en raisonnant par induction grâce _____ **a)** à des réseaux neuromimétiques. **b)** à des systèmes experts. **c)** à la logique floue. **d)** aux remue-méninges virtuels.

10. Les préférences quant à ceux qui doivent participer au processus décisionnel _____ **a)** varient légèrement d'une culture à l'autre. **b)** ne sont importantes que dans les cultures individualistes. **c)** ne sont importantes que dans les cultures à distance hiérarchique élevée. **d)** varient substantiellement d'une culture à l'autre.

■ VRAI OU FAUX ?

11. La plupart des décisions de gestion se prennent dans des contextes décisionnels certains. **V F**

12. Les décisions non programmées conviennent mieux aux problèmes routiniers et récurrents. **V F**

13. En matière de prise de décision, l'approche analytique est toujours préférable à l'approche intuitive. **V F**

14. Les gestionnaires n'ont pas à résoudre eux-mêmes tous les problèmes qui surgissent. **V F**

15. La surenchère irrationnelle est une méthode utile pour améliorer l'application des décisions collectives. **V F**

16. Recourir aux nouveaux outils qu'offrent les TIC peut être une bonne façon de s'attaquer aux questions soulevées par le modèle de la poubelle. **V F**

17. Le *ringi* est un processus de décision collective auquel on recourt au Japon pour obtenir l'approbation des paliers inférieurs de la hiérarchie organisationnelle quant à l'applicabilité des décisions prises aux paliers supérieurs. **V F**

18. Le consensus est toujours préférable à la décision par voie d'autorité. **V F**

19. Le caractère impersonnel des relations est l'un des désavantages potentiels de la prise de décision collective par des équipes virtuelles. **V F**

20. En dernière analyse, les bouleversements que connaissent les milieux de travail contemporains rendent pratiquement impossible la prise de décision. **V F**

■ QUESTIONS À RÉPONSE BRÈVE

21. Expliquez ce que sont les heuristiques et décrivez leur effet potentiel sur le processus décisionnel.

22. Qu'est-ce qui différencie la décision collective, la décision par consultation et la décision par voie d'autorité ?

23. Qu'est-ce que la surenchère irrationnelle ? Pourquoi est-il important d'en tenir compte au cours du processus décisionnel ?

24. Quelles questions devrait se poser un gestionnaire ou un chef d'équipe pour choisir les problèmes à résoudre et établir les priorités ?

■ QUESTION À DÉVELOPPEMENT

25. Sachant que vous suivez un cours en CO, vos amis s'amusent à vous montrer des bandes dessinées de Dilbert, où des cadres prennent des décisions qui n'ont aucun rapport avec les problèmes qui se posent. Que pouvez-vous leur expliquer pour leur permettre de mieux comprendre les dessins de Dilbert?

Reportez-vous aux études de cas, aux exercices et aux autoévaluations de notre *Cahier d'apprentissage en CO* (voir p. 531).

■ **Consultez le site Web du manuel. Vous y trouverez un questionnaire interactif et des exercices en ligne sur le contenu de ce chapitre.**

www.erpi.com/schermerhorn

Conflits et négociation

POUR EN FINIR AVEC LES CONFLITS AU TRAVAIL

Voici l'histoire classique d'un petit conflit devenu grand. Incorrigible retardataire, Éric remet systématiquement ses rapports après la date d'échéance, bien que Marie, sa patronne, lui ait signalé son mécontentement à plusieurs reprises. Éric agit ainsi avec tout le monde, mais Marie croit que son employé refuse de se soumettre à l'autorité féminine. Bien entendu, elle n'aborde jamais la question sous cet angle avec Éric : une patronne trop émotive, cela ne fait pas sérieux.

Un jour, au beau milieu d'une réunion, Marie, exaspérée par la négligence d'Éric, lui lance une remarque humiliante. Blessé, l'employé se garde bien d'en parler, craignant à son tour qu'on abuse de sa sensibilité. Mais la fois suivante, il ne respecte toujours pas son échéance et semble plutôt content de déranger sa patronne... Et les choses s'enveniment...

Cette histoire est racontée par Michelle Larivey, psychologue et cofondatrice du groupe Ressources en Développement. Elle illustre le genre de conflits qui minent les relations de travail. Au mieux, on parle de brouilles, de guéguerres intestines. Au pire, de harcèlement moral, voire de violence.

Les conflits interpersonnels en milieu de travail se sont multipliés au même rythme que les restructurations. La tension a monté ! Dans un contexte où chacun se retrouve débordé et inquiet, on a le blâme facile. Petit conflit deviendra grand.

« Il y a conflit quand une personne a l'impression que son intégrité a été atteinte », croit Jocelyn Poirier, formateur et consultant en médiation auprès d'organismes privés et publics des régions de Chicoutimi, Québec et Montréal. Un événement se produit, au cours duquel un individu se sent dévalorisé.

Or, on réagit en fonction de ce qu'on perçoit. On interprète et on se trompe parfois sur les intentions de l'autre. Autrement dit, s'il y a un conflit, c'est parce qu'on l'a pris... personnellement. Selon Michelle Larivey, beaucoup de conflits se régleraient rapidement si les personnes acceptaient de se parler franchement. Marie et Éric, par exemple, auraient tout intérêt à se communiquer leur perception du problème, en insistant sur ce qui le rend si important pour chacun d'entre eux. Ils pourraient ensuite formuler clairement besoins et demandes. Simple ? Oui, mais pas facile. On doit accepter de montrer une certaine vulnérabilité et faire preuve d'ouverture devant la critique.

La démarche implique un peu d'introspection préalable. Tout d'abord, on cherche à comprendre pourquoi tel enjeu revêt une importance particulière pour soi et provoque une réaction aussi intense. Par exemple, Marie est très dérangée par les retards d'Éric parce qu'elle les interprète comme un acte d'insubordination volontaire. Or, si elle se sent si menacée, c'est peut-être parce qu'elle doute de sa capacité à assumer un rôle d'autorité. L'objectif est d'observer sa propre attitude afin de repérer les gestes qui peuvent encourager le comportement même qu'on déplore chez l'autre. C'est le cas de la remarque que Marie a lancée à Éric en pleine réunion. […]

Julie Calvé. *Affaires PLUS,* décembre 1999, p. 58-62.

Le travail quotidien des gens qui œuvrent dans des organisations repose incontestablement sur la communication et les relations interpersonnelles. Dans les groupes où l'on a établi une communication franche et où l'information circule librement, les conflits interpersonnels sont beaucoup moins nombreux. Comme l'illustre l'article présenté en introduction, l'implicite et le non-dit peuvent entretenir les différends. Pour être en mesure d'instaurer des plans d'action appropriés dans des situations souvent difficiles et contraignantes, les gestionnaires doivent donc posséder les compétences humaines essentielles à la collaboration[1]. D'autre part, la communication interpersonnelle suscite parfois des divergences de vues et des désaccords qui peuvent être néfastes. Une excellente compréhension des mécanismes fondamentaux du conflit et de la négociation est de plus en plus essentielle à la réussite des hauts dirigeants et des gestionnaires des OHP.

Questions clés

Ce chapitre traite du conflit et de la négociation en milieu organisationnel, deux processus clés qui ont une incidence considérable sur le rendement et la satisfaction professionnelle. Voici les questions clés que vous devriez garder à l'esprit en le lisant :

- Qu'est-ce qu'un conflit ?
- Comment peut-on gérer adéquatement les conflits ?
- Qu'est-ce que la négociation ?
- Qu'est-ce qui différencie la négociation distributive de la négociation raisonnée ?

Le conflit

Il y a **conflit** lorsque surviennent des désaccords sur des questions de fond, ou des frictions créées par des problèmes relationnels entre des individus ou des groupes[2]. La plupart des gestionnaires et des chefs d'équipe consacrent un temps considérable à gérer des conflits[3]. Tantôt ils sont directement impliqués et y prennent part en tant que protagonistes ; tantôt ils interviennent à titre d'arbitres ou de médiateurs pour aider des individus ou des groupes à résoudre leurs conflits. Dans les deux cas, ils doivent être solidement préparés. Pour que le conflit ne les prenne pas au dépourvu, ils doivent être capables de reconnaître les situations potentiellement conflictuelles et d'y réagir en répondant tant aux besoins de l'organisation qu'à ceux des différentes parties en cause[4].

■ **Conflit**   Désaccord sur des questions de fond, ou frictions résultant de problèmes relationnels entre des individus ou des groupes

■ LE CONFLIT DE FOND ET LE CONFLIT ÉMOTIONNEL

Au quotidien, le conflit en milieu organisationnel peut se présenter sous la forme d'un *conflit de fond* ou d'un *conflit émotionnel.*

Le **conflit de fond** est un désaccord fondamental sur les buts et objectifs à poursuivre, ou sur les moyens d'y parvenir[5]. Une dispute avec un patron au sujet d'un plan d'action comme la stratégie de mise en marché d'un nouveau produit est un exemple de conflit de fond. Lorsque des gens travaillent ensemble jour après jour, il est tout à fait normal qu'ils aient des divergences de vues sur diverses questions d'ordre professionnel : les objectifs du groupe ou de l'organisation, la répartition des ressources, l'attribution des récompenses, les politiques et les procédures, la répartition des tâches, etc. La plupart des gestionnaires doivent surmonter quotidiennement ce genre de conflit.

■ **Conflit de fond**   Désaccord fondamental sur les buts et objectifs à poursuivre, ou sur les moyens d'y parvenir

Le **conflit émotionnel,** lui, tient à des problèmes relationnels qui se manifestent notamment par des sentiments de colère, de méfiance, d'animosité, de crainte et de rancune. Le *conflit de personnalités,* comme on l'appelle communément, peut drainer l'énergie des gens touchés et les détourner des priorités professionnelles[6]. Les conflits émotionnels peuvent survenir dans toutes sortes de situations, entre collègues ou entre supérieurs et subordonnés. Pour les personnes en cause, cette dernière forme de conflit émotionnel est peut-être la plus pénible à vivre. Malheureusement, à cause des impératifs d'une conjoncture hautement concurrentielle et des restructurations et réductions de personnel qui en découlent, les situations où la dureté du patron peut provoquer des conflits émotionnels se multiplient.

■ **Conflit émotionnel**   Problèmes relationnels qui se manifestent notamment par des sentiments de colère, de méfiance, d'animosité, de crainte et de rancune

■ LES DIVERS NIVEAUX DE CONFLITS

Lorsqu'on doit affronter soi-même des conflits en milieu de travail, la première question à se poser est la suivante : « Est-ce que j'ai la préparation nécessaire pour affronter différents types de conflits et les résoudre ? »

Les conflits en milieu de travail peuvent se situer sur le plan de l'individu (la personne vit un conflit intérieur qui ne touche qu'elle), des relations interpersonnelles (conflit entre deux ou plusieurs individus), des relations entre des groupes au sein d'une organisation ou des relations entre des organisations.

Certains conflits qui ont une incidence sur le comportement au sein de l'organisation ne concernent qu'une seule personne. On parle de **conflit intrapersonnel** lorsqu'un individu vit un déchirement intérieur issu de l'incompatibilité, réelle ou perçue, entre ses attentes ou ses objectifs d'une part, et les attentes qu'on entretient à son égard ou les objectifs qu'on lui fixe d'autre part ; ou issu d'un choix qu'il a à faire. Il s'agit, par exemple, du conflit entre la personne et le rôle qu'elle doit jouer.

> ■ **Conflit intrapersonnel**
> Déchirement intérieur issu de l'incompatibilité, réelle ou perçue, entre les attentes ou objectifs d'un individu d'une part, et les attentes qu'on entretient à son égard ou les objectifs qu'on lui fixe d'autre part ; ou issu d'un choix que l'individu a à faire

En outre, on distingue habituellement les trois formes suivantes de conflits intrapersonnels :

- le *conflit approche-approche,* où l'individu hésite entre deux possibilités tout aussi positives et alléchantes l'une que l'autre – par exemple, lorsqu'il a le choix entre une promotion très intéressante ou un poste des plus séduisants dans une autre organisation ;
- le *conflit évitement-évitement,* où l'individu hésite entre deux possibilités tout aussi négatives et rebutantes l'une que l'autre – par exemple, lorsqu'il a le «choix» entre une mutation dans une ville qui lui déplaît ou le licenciement pur et simple ;
- le *conflit approche-évitement,* où l'individu est ambivalent quant à une possibilité qui comporte à la fois des aspects positifs et négatifs – par exemple, lorsqu'il reçoit une offre de poste mieux rémunéré, mais qui aura des répercussions déplaisantes sur sa vie personnelle.

> ■ **Conflit interpersonnel**
> Conflit qui oppose deux individus ou davantage

Le **conflit interpersonnel** oppose deux individus ou davantage. Il peut s'agir d'un conflit de fond (par exemple, entre deux cadres qui ne s'entendent pas sur l'embauche d'un candidat à un poste donné), d'un conflit émotionnel (par exemple, entre deux travailleurs qui critiquent constamment leurs attitudes et leurs modes de vie mutuels, et qui n'arrivent pas à travailler ensemble) ou d'une combinaison des deux.

> ■ **Conflit intergroupes**
> Conflit qui oppose deux groupes ou davantage

Le **conflit intergroupes** oppose deux groupes ou davantage au sein de l'organisation. Là encore, il peut s'agir d'un conflit de fond, d'un conflit émotionnel ou d'une combinaison des deux. Relativement fréquents dans les organisations, les conflits intergroupes peuvent rendre difficiles la coordination et l'intégration des tâches[7]. L'exemple typique est le conflit entre deux unités opérationnelles, comme la production et le marketing. Le recours de plus en plus courant à des équipes interfonctionnelles et à des groupes de projet est l'un des moyens dont disposent les gestionnaires pour mettre fin à ce type de conflit et pour favoriser la créativité et l'efficacité dans leurs activités.

> ■ **Conflit interorganisationnel** Conflit qui oppose deux organisations ou davantage

Le **conflit interorganisationnel** oppose deux organisations ou davantage. Il s'agit souvent de concurrence et de rivalité entre des organisations qui ont des activités dans les mêmes marchés ; on n'a qu'à penser à la lutte constante que se livrent les entreprises canadiennes et leurs rivales étrangères. Cependant, loin de se réduire à la concurrence interentreprises, le concept de *conflit interorganisationnel* s'étend aux litiges qui opposent les syndicats et les organisations qui emploient leurs membres, les organismes de réglementation et les organisations qui leur sont assujetties, les organisations et leurs fournisseurs, ou certains groupes de pression et certaines organisations, pour ne donner que ces exemples.

■ LE CONFLIT CONSTRUCTIF ET LE CONFLIT DESTRUCTEUR

Les conflits en milieu organisationnel peuvent être déstabilisants tant pour les protagonistes que pour leur entourage. Travailler dans un climat d'hostilité constante

ÉTHIQUE ET RESPONSABILITÉ SOCIALE

De nouvelles tasses calorifuges ont fait leur apparition chez Café Starbucks. Trois ans de recherche ont permis à la chaîne, établie dans 17 pays, d'éliminer l'usage des tasses « à double gaine » ou le recours à deux tasses de carton emboîtées, pratiques condamnées par les groupes environnementaux, qui y voyaient un gaspillage polluant. La nouvelle tasse a été conçue pour garder le café chaud et éviter que le consommateur ne se brûle, mais aussi pour répondre à ses exigences en matière de conditionnement. Elle a été mise au point en collaboration avec l'Alliance for Environmental Innovation, un organisme environnementaliste à but non lucratif. Comme Starbucks accueille quelque huit millions de clients par semaine, cette tasse novatrice ne passera certainement pas inaperçue[8].

www.starbucks.com

peut devenir très pénible. Cependant, comme le montre la figure 18.1, les spécialistes en CO considèrent que le conflit peut être tantôt *constructif,* tantôt *destructif.*

Le **conflit constructif** est celui qui a des retombées positives pour les individus, les groupes ou l'organisation. Le conflit peut être constructif s'il met au jour des problèmes qui autrement resteraient latents ; s'il pousse les parties à étudier de plus près une décision, voire à la reconsidérer, pour vérifier que la bonne ligne de conduite a été adoptée ; s'il augmente l'information dont disposent les décideurs ; ou s'il stimule une créativité propice à l'amélioration du rendement individuel, collectif ou organisationnel. Le gestionnaire efficace sait comment provoquer un conflit constructif dans des situations où se satisfaire du statu quo empêcherait des changements ou une évolution qui s'imposent.

Le **conflit destructeur,** au contraire, a des retombées négatives pour les individus, les groupes ou l'organisation. Il détourne les énergies, nuit à la cohésion

■ *Conflit constructif* Conflit qui a des retombées positives pour les individus, les groupes ou l'organisation

■ *Conflit destructeur* Conflit qui a des retombées négatives pour les individus, les groupes ou l'organisation

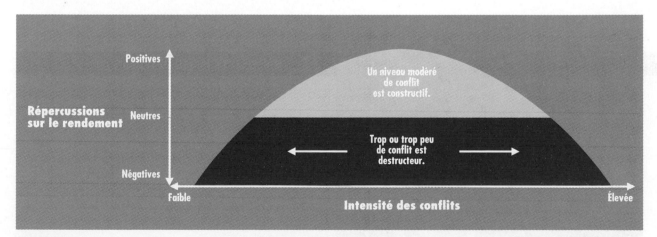

Figure 18.1
Les deux dimensions du conflit : le conflit constructif et le conflit destructeur

du groupe, favorise les manifestations d'hostilité et, de façon générale, crée un environnement néfaste pour les travailleurs. On en a l'exemple lorsque deux collègues n'arrivent pas à travailler ensemble à cause de divergences d'ordre personnel (un conflit émotionnel destructeur) ou lorsque le travail des membres d'un comité piétine parce qu'ils ne parviennent pas à s'entendre sur les objectifs du groupe (un conflit de fond destructeur). Des conflits destructeurs de ce type risquent de diminuer à la fois la productivité et la satisfaction professionnelle, et peuvent même devenir des causes d'absentéisme et de roulement accru du personnel. Les gestionnaires doivent être à l'affût des conflits destructeurs et y réagir promptement afin de les enrayer ou, du moins, d'en atténuer les conséquences.

■ LA CULTURE ET LES CONFLITS

La société contemporaine présente de nombreux signes d'une détérioration des relations sociales : tensions entre les races, entre les générations, entre les hommes et les femmes, entre les hétérosexuels et les homosexuels, et ainsi de suite. D'une façon ou d'une autre, ces tensions découlent toutes de différences entre les gens. Voilà qui nous rappelle l'important potentiel conflictuel des différences culturelles.

Lorsque nous avons décrit les diverses dimensions de la culture au chapitre 3, nous avons noté, entre autres différences, celles qui ont trait à l'orientation temporelle. Lorsque des gens issus d'une culture orientée sur le court terme, comme la culture nord-américaine, essaient de travailler avec des gens issus d'une culture orientée sur le long terme, les risques de conflit sont importants. Il en va de même lorsque des individualistes travaillent avec des collectivistes ou que des gens issus d'une culture à distance hiérarchique élevée sont en relation professionnelle avec des gens d'une culture à distance hiérarchique faible[9]. Dans tous ces cas, les personnes incapables d'accepter et de respecter l'influence de la culture sur le comportement peuvent contribuer à l'apparition de situations dysfonctionnelles et destructrices. Par contre, en faisant preuve de sensibilité et de respect dans les relations professionnelles interculturelles, on peut trouver des façons de travailler ensemble sans trop de difficultés, et même mettre à profit les avantages du conflit constructif.

www.ibm.com

⇄ DIVERSITÉ EN MILIEU DE TRAVAIL

Les OHP comme IBM doivent tirer parti de la diversité ; elles doivent profiter au maximum des talents, compétences et autres atouts qu'offrent une main-d'œuvre et des milieux de travail diversifiés. Les différences entre les diverses cultures du monde commandent différents modes de gestion. Les hauts dirigeants et les gestionnaires des organisations modèles sont conscients des enjeux culturels, et les comprennent bien ; ils valorisent la diversité. Vice-président du service Diversité globale chez IBM, J. T. Child junior affirme : « La diversité de la main-d'œuvre est un pont entre le milieu de travail et le marché. Et ses piliers sont les idéaux qui inspirent notre façon de traiter les citoyens de tous les pays comme des clients potentiels. »

La gestion des conflits

Il y a bien des façons de réagir à un conflit, mais l'objectif primordial devrait toujours être de jeter les bases d'une véritable **résolution de conflit,** c'est-à-dire éliminer les causes sous-jacentes du conflit. Les gestionnaires doivent savoir que des conflits non résolus pavent la voie à d'autres conflits de même nature. Plutôt que de nier leur existence ou de se contenter d'en supprimer temporairement les manifestations, il vaut toujours mieux s'attaquer de front aux conflits importants et les résoudre une fois pour toutes. Ce processus passe d'abord par une bonne compréhension des causes du conflit, mais il est également essentiel de déterminer à quelle phase le conflit est parvenu.

■ *Résolution de conflit*
Situation où les causes sous-jacentes d'un conflit ont été éliminées

■ LES PHASES D'UN CONFLIT

La plupart des conflits traversent les diverses phases[10] qu'illustre la figure 18.2. Les *antécédents* du conflit sont des conditions propices à l'apparition d'un conflit. Lorsque ces conditions préalables finissent par entraîner des différends sur des questions de fond ou des antagonismes d'ordre émotionnel, on entre dans la phase du *conflit perçu*; notons que cette perception d'un conflit peut n'être le fait que d'un des antagonistes. Il est essentiel de distinguer le *conflit perçu* du *conflit ressenti*. La personne qui *ressent* le conflit éprouve une tension désagréable qui la pousse à agir afin de s'en soulager. Pour qu'un conflit puisse se résoudre, il faut que toutes les parties perçoivent son existence et ressentent ce besoin d'agir.

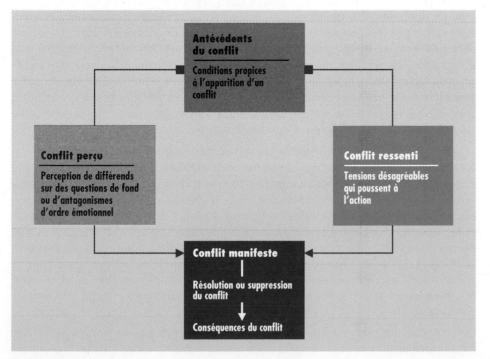

Figure 18.2
Les phases d'un conflit

Lorsque le différend s'exprime ouvertement, qu'il se traduit par des comportements, le conflit devient *manifeste*; à cette phase, on peut le résoudre en éliminant ses antécédents ou en y remédiant. On peut également *supprimer* le conflit: ses manifestations disparaîtront, mais les conditions qui l'ont suscité resteront inchangées; il ne s'agit que d'un traitement de surface. C'est ce qui se passe, par exemple, lorsqu'une des deux parties décide d'oublier momentanément le désaccord qui l'oppose à l'autre. La *suppression* n'est qu'une façon superficielle et souvent temporaire de «régler» le conflit. En fait, comme nous l'avons dit, le conflit supprimé et le conflit non résolu appartiennent à la même catégorie. Tous deux risquent de s'envenimer et d'engendrer ultérieurement des conflits du même ordre. Cependant, supprimer le conflit est parfois la meilleure solution à court terme dont dispose le gestionnaire, du moins jusqu'à ce qu'il parvienne à modifier les antécédents de ce conflit.

Les conflits de fond non résolus peuvent engendrer des problèmes émotionnels d'envergure; ils risquent de dégénérer en conflits émotionnels destructeurs. Par contre, un conflit vraiment résolu peut créer des conditions favorables qui diminueront les risques de conflits ultérieurs et faciliteront la résolution de ceux qui pourraient survenir. Le gestionnaire ne doit donc jamais perdre de vue les *conséquences* à long terme d'un conflit.

■ LES DIVERS TYPES DE SITUATIONS CONFLICTUELLES ET LEURS PRINCIPALES CAUSES

Un processus efficace de gestion de conflit commence par le diagnostic de ses causes, ce qui suppose une connaissance préalable des divers types de situations conflictuelles.

Le *conflit vertical* oppose des personnes ou des groupes de niveaux hiérarchiques différents; il se manifeste souvent par des litiges entre subordonnés et supérieurs à propos des ressources, des objectifs, des délais ou des résultats en matière de rendement. Le *conflit horizontal* met aux prises des personnes ou des groupes d'un même échelon hiérarchique; leurs mésententes découlent souvent d'objectifs incompatibles, du manque de ressources ou de facteurs purement interpersonnels. Dans le *conflit entre une unité opérationnelle et une unité fonctionnelle*, un autre type de conflit, les deux parties veulent s'approprier le pouvoir de trancher telle ou telle question: embauche, congédiement, etc.

Également fréquent en milieu de travail, le *conflit de rôle* survient souvent lorsque les attentes en matière de tâches sont exprimées de manière inadéquate ou déstabilisante. On l'a vu au chapitre 10 à propos du travail d'équipe, les problèmes de cet ordre viennent souvent de ce qu'un ou plusieurs émetteurs expriment des attentes contradictoires ou incompatibles. Il arrive aussi que les valeurs et les besoins d'une personne entrent en conflit avec les attentes liées à son rôle ou que les attentes attachées aux divers rôles d'une même personne soient incompatibles. Le conflit risque d'autant plus d'éclater qu'il existe des antécédents. Certaines caractéristiques des relations de travail entre les membres ainsi qu'entre les groupes au sein d'une organisation entrent notamment en ligne de compte. Examinons-les.

Les situations d'*interdépendance dans le circuit de production* peuvent être une importante source de conflit. Des mésententes ou des disputes ouvertes peuvent surgir entre des individus ou des unités qui doivent coopérer pour atteindre des objectifs ambitieux[11]. Les conflits seront plus fréquents si l'interdépendance est très étroite : lorsqu'une personne ou un groupe dépend d'une autre personne ou d'un autre groupe pour atteindre ses objectifs, par exemple. Ainsi, dans les restaurants, les rapports entre le personnel de la cuisine et le personnel du service tournent souvent au vinaigre lorsque les plats tardent à sortir de la cuisine. Enfin, les conflits peuvent dégénérer lorsqu'il y a *ambiguïté des rôles*, c'est-à-dire lorsque les tâches et les objectifs de chacun sont mal définis, ou lorsqu'il y a *ambiguïté en matière de responsabilité*, c'est-à-dire lorsque les champs de responsabilité et l'étendue de l'autorité ne sont pas clairement délimités.

Réelle ou perçue comme telle, l'*insuffisance des ressources* peut également susciter une concurrence destructrice entre diverses composantes d'une même organisation. Lorsque les ressources se raréfient, les relations de travail risquent de se détériorer. Cela est particulièrement vrai lorsque l'organisation connaît des difficultés financières ou procède à des compressions de personnel ou de budget. De tels contextes poussent certains individus ou certains groupes à rivaliser pour obtenir ou conserver le plus possible des ressources qui se raréfient ; ils risquent également de s'opposer à une nouvelle répartition des ressources ou de mettre en place des contre-mesures pour empêcher qu'une part de leurs ressources ne soit attribuée à d'autres.

Enfin, les relations de travail peuvent être sujettes à des conflits lorsqu'il y a *asymétrie de pouvoir* ou *asymétrie de valeurs*, c'est-à-dire lorsque qu'il y a un trop grand écart entre la position hiérarchique et l'influence ou les valeurs de personnes ou de groupes interdépendants. On a des exemples de ce type de conflit lorsqu'une personne qui a peu de pouvoir a besoin de l'aide d'un collègue mieux placé, mais peu coopératif ; lorsque des gens dont les valeurs divergent radicalement sont forcés de collaborer à une tâche commune ; ou lorsqu'une personne haut placée doit interagir avec un collègue qui occupe une position inférieure, ou qu'elle dépend de lui à certains égards.

■ LES STRATÉGIES DE GESTION INDIRECTE DES CONFLITS

Les diverses stratégies de gestion indirecte des conflits ont ceci de commun qu'elles ne s'attaquent pas de front aux problèmes, pas plus qu'elles ne tentent de les résoudre en réunissant les personnes impliquées. Les principales de ces stratégies sont : la diminution de l'interdépendance, l'appel aux objectifs communs, le recours aux supérieurs hiérarchiques ou la modification des scénarios et des mythes organisationnels.

La diminution de l'interdépendance   Si les conflits sont liés aux circuits de production, le gestionnaire peut revoir le degré d'interdépendance des unités ou des individus[12]. Il dispose pour cela d'une solution très simple : la *dissociation,* qui consiste à éliminer ou à restreindre les contacts entre les parties en conflit. Dans certains cas, on peut réorganiser les tâches des unités en diminuant le nombre de points de coordination qu'elles requièrent ; les unités en conflit peuvent ensuite être «dissociées», chacune disposant d'un accès direct aux ressources dont elle a besoin. La dissociation peut apaiser les relations, mais elle peut aussi déboucher sur un dédoublement des tâches ou sur une mauvaise répartition des ressources.

Lorsque les intrants d'un groupe sont constitués des extrants d'un autre groupe, le recours à des stocks-tampons peut être une autre façon de diminuer l'interdépendance. La méthode la plus répandue consiste à constituer des stocks de sécurité entre les individus ou les groupes en conflit afin d'éliminer les répercussions sur le groupe cible des éventuelles variations de la production d'intrants. Bien que cette méthode puisse effectivement atténuer les manifestations conflictuelles, elle est de moins en moins utilisée à cause des coûts élevés de stockage ; en fait, elle va à l'encontre de la *livraison juste-à-temps*, qui est maintenant la tendance privilégiée en gestion des opérations.

Désigner quelqu'un pour servir de *courroie de transmission* entre les groupes antagonistes peut faciliter la gestion d'un conflit lié à l'interdépendance des tâches[13]. Pour améliorer la coopération et l'exécution des tâches communes, la personne appelée à remplir un tel rôle (la coordonnatrice de projet, par exemple) doit évidemment avoir une bonne connaissance des groupes en cause, de leurs activités, de leurs membres, de leurs besoins et de leurs normes respectives. Malgré son coût élevé, cette méthode est souvent utilisée lorsque des groupes spécialisés dans des domaines différents, comme l'ingénierie et la commercialisation, doivent collaborer à des projets complexes et de longue haleine.

L'appel aux objectifs communs   L'appel à des objectifs communs peut recentrer l'attention des parties potentiellement antagonistes sur une conclusion souhaitable pour tous. Resituer les désaccords potentiels dans un cadre où les parties doivent reconnaître leur interdépendance dans l'atteinte d'objectifs communs peut modifier leurs points de vue et les convaincre de renoncer aux querelles mesquines. Cependant, il sera difficile d'y parvenir si leur rendement respectif est déjà faible et qu'elles ne s'entendent pas sur les moyens de remédier à la situation. Le gestionnaire devra alors tenir compte de *l'effet de complaisance,* qui pousse les gens à attribuer à autrui ou à des conditions externes la responsabilité des échecs. Pour résoudre le conflit, il devra donc, dans un premier temps, s'assurer que toutes les parties assument leur part de responsabilité.

Le recours aux supérieurs hiérarchiques   Cette stratégie de la résolution des conflits s'appuie sur la chaîne de commandement ; elle consiste simplement à transmettre les problèmes aux supérieurs hiérarchiques pour qu'ils trouvent des

www.ford.com

ORGANISATION HAUTEMENT PERFORMANTE

Ce sont les objectifs communs qui motivent les cadres de Ford lorsqu'ils travaillent en équipes interfonctionnelles à ce qu'ils appellent des « projets de 100 jours ». Conduite par le président-directeur général de Ford, Jacques Nasser, cette initiative fait partie des moyens qu'il a mis en place pour faire évoluer la culture de l'entreprise vers plus de rapidité et de souplesse dans la satisfaction des besoins de la clientèle. L'une des façons d'y parvenir est de lancer un objectif commun : « augmenter la valeur de l'action », par exemple, puis de laisser les équipes travailler sur les moyens d'y parvenir. C'est ainsi qu'une équipe britannique a trouvé le moyen de réduire les frais de voyage des ingénieurs chargés de l'implantation de nouvelles usines, et qu'une équipe du Michigan a trouvé comment éliminer un bruit provoqué par une pièce de métal sur un modèle de camionnette. Nasser prêche par l'exemple en participant à des séances de formation et en montrant son allégeance à la nouvelle culture d'entreprise[14].

solutions. Bien qu'il donne des résultats probants dans certains cas, le recours aux supérieurs hiérarchiques a ses limites. Si le conflit est sérieux et récurrent, le recours continuel aux supérieurs ne permettra peut-être jamais une véritable résolution du problème. Distraits de leurs responsabilités quotidiennes, les cadres qui sont obligés d'intervenir risquent de ne pas diagnostiquer correctement les causes réelles du conflit, et sa résolution ne sera alors que superficielle. Signalons que les gestionnaires débordés peuvent être enclins à réduire les conflits qu'on leur soumet à leur seule dimension émotionnelle ; ils risquent alors d'y réagir de manière expéditive en remplaçant la personne qui, à leurs yeux, présente un *problème de personnalité*[15].

La modification des scénarios et des mythes organisationnels   Dans certaines situations, le gestionnaire gère le conflit superficiellement en recourant à des *scénarios*, c'est-à-dire à des comportements routiniers qui finissent par faire partie de la culture organisationnelle[16]. Ces scénarios deviennent des rituels qui permettent aux parties en litige d'évacuer leurs frustrations et d'admettre leur interdépendance au sein de cette entité plus vaste qu'est l'organisation. À titre d'exemple, citons la réunion mensuelle des responsables de service qui est censée servir des objectifs de coordination et de résolution de problèmes, mais qui, en fait, n'est souvent qu'un forum courtois où l'on entérine des accords superficiels[17]. Dans de tels cas, les responsables de service savent parfaitement qu'ils ne pourront résoudre véritablement aucun conflit d'envergure. Mais, en respectant point par point le scénario, en exprimant à peine leurs divergences et en s'empressant de faire comme si tout était réglé, officiellement, ils semblent s'attaquer aux problèmes et leur trouver des solutions. De tels scénarios peuvent et doivent être modifiés de manière à favoriser la reconnaissance des conflits et la confrontation active des points de vue divergents.

■ LES STRATÉGIES DE GESTION DIRECTE DES CONFLITS

La figure 18.3 présente une grille d'analyse qui décrit les stratégies de gestion directe des conflits selon le degré de coopération et d'affirmation de soi qu'elles supposent. Comme l'explique la rubrique *Le gestionnaire efficace 18.1,* chacune de ces stratégies peut être appropriée dans certaines circonstances.

Consultants et chercheurs s'entendent pour dire qu'un conflit n'est vraiment résolu qu'une fois que ses causes sous-jacentes ont été mises au jour – raisons de fond ou d'ordre émotionnel – et qu'on a trouvé une solution où toutes les parties sont gagnantes. La meilleure façon d'aborder cette question cruciale – *Qui y gagne ?* – est de l'envisager du point de vue de chacune des parties en présence[18].

LE GESTIONNAIRE EFFICACE 18.1

LA GESTION DIRECTE DES CONFLITS : QUAND RECOURIR À TELLE OU TELLE STRATÉGIE ?

- Si on dispose des ressources nécessaires, entre autres le temps et l'argent, et que toutes les conditions préalables sont réunies, on choisit la stratégie de la résolution de problème afin de véritablement régler le conflit.
- L'évitement peut être une solution appropriée dans l'une ou l'autre des situations suivantes : le problème est banal ; des questions plus urgentes mobilisent l'attention ; on veut calmer le jeu et donner aux parties impliquées le temps d'envisager la situation sous un angle différent.
- La contrainte peut être une solution appropriée si la situation exige une intervention rapide et décisive ou si on doit prendre une mesure impopulaire.
- L'accommodation peut être une solution appropriée si l'enjeu revêt plus d'importance pour l'autre partie que pour soi ou si on veut accumuler un crédit qui pourra être utile ultérieurement.
- Le compromis peut être une solution appropriée si on veut obtenir un accord temporaire sur des questions complexes ou si une solution rapide s'impose.

**Figure 18.3
Grille d'analyse
des diverses stratégies
de gestion directe
des conflits**

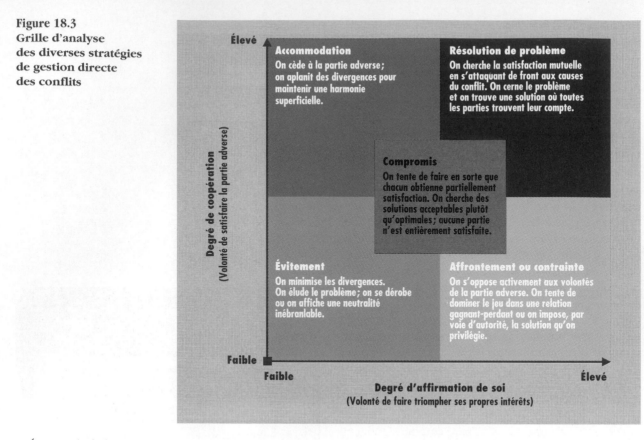

■ **Évitement** (ou *fuite*) Stratégie de gestion de conflit par laquelle on élude le problème en se comportant comme s'il n'existait pas

■ **Accommodation** Stratégie de gestion de conflit par laquelle on aplanit les divergences, et se focalise sur les ressemblances et les points d'entente

■ **Compromis** Stratégie de gestion de conflit où chaque partie cède à l'autre sur un point important

■ **Affrontement** Stratégie de gestion de conflit où la victoire revient à celle des parties qui réussit à s'imposer par son poids, par la supériorité de ses compétences ou par son influence

■ **Contrainte** Stratégie de gestion de conflit où l'une des parties, s'appuyant sur son autorité hiérarchique, impose sa solution et spécifie les gains et les pertes de chacune

La situation qui ne fait que des perdants Dans cette situation, aucune des parties n'obtient entière satisfaction. On aboutit généralement à ce type de situation lorsqu'on a opté pour l'une ou l'autre des stratégies suivantes : 1) l'*évitement* (ou la *fuite*) – on élude le problème en se comportant comme s'il n'existait pas, parfois dans l'espoir qu'il se dissipe de lui-même ; 2) l'*accommodation* – on aplanit les divergences, et on se focalise sur les ressemblances et les points d'entente : la *coexistence pacifique* est préservée, mais le problème reste entier et risque d'engendrer frustrations et rancœur ; 3) le *compromis* – chaque partie cède à l'autre sur un point important. Dans les trois cas, comme personne n'obtient entière satisfaction et que les antécédents du conflit restent inchangés, la table est mise pour des conflits ultérieurs de même nature.

La situation qui fait un gagnant et un perdant Dans cette situation caractérisée par un degré élevé d'affirmation de soi et un faible degré de collaboration, une partie l'emporte sur l'autre. On se trouve généralement dans ce cas lorsqu'on a opté pour l'une ou l'autre des stratégies suivantes : 1) l'*affrontement :* la victoire revient à celle des parties qui a réussi à s'imposer par son poids, par la supériorité de ses compétences ou par son influence ; 2) la *contrainte :* en s'appuyant sur son autorité, l'une des parties impose sa solution, et spécifie les gains et les pertes de chacune. Dans les deux cas, on ne s'attaque pas aux racines du conflit, et on tend à étouffer les désirs d'une des parties en présence ; on peut donc s'attendre à d'autres conflits autour des mêmes questions.

La situation qui ne fait que des gagnants   Ce n'est qu'à condition de pouvoir miser sur des degrés élevés de coopération et d'affirmation de soi qu'on pourra parvenir à cette situation optimale[19]. Cela suppose, en effet, que toutes les parties reconnaissent l'existence d'un problème, acceptent d'y prêter attention et optent pour une approche de ***résolution de problème,*** c'est-à-dire un processus de prise de décision et de résolution de conflit qui s'appuie sur la collecte et l'évaluation de l'information pertinente. En adoptant une telle stratégie, on vise l'élimination des antécédents du conflit, c'est-à-dire des raisons de poursuivre le conflit ou de le faire renaître. On doit donc veiller à ne négliger ni n'étouffer aucun de ses aspects : toutes les questions pertinentes doivent être soulevées et discutées ouvertement.

On peut affirmer qu'on est bel et bien parvenu à une situation qui ne fait que des gagnants si les toutes les parties 1) estiment avoir atteint leurs objectifs respectifs, 2) jugent la solution acceptable pour chacune d'elles, et 3) s'engagent à se montrer honnêtes et ouvertes tant sur les faits que sur leurs sentiments. Si c'est le cas, le conflit est vraiment réglé.

Bien que la stratégie de la *résolution de problème* soit généralement celle qu'on favorise, elle présente un désavantage majeur : elle peut être coûteuse en temps et en énergie. De plus, elle n'est possible que si toutes les parties manifestent un haut degré d'affirmation de soi et de coopération. Enfin, elle sera difficilement applicable si la coopération n'est pas une des valeurs dominantes de la culture organisationnelle[20].

■ ***Résolution de problème***
Stratégie de gestion de conflit qui s'appuie sur la collecte et l'évaluation de l'information pertinente

La négociation

Mettez-vous un instant dans la peau d'un cadre. Vous avez commandé récemment un ordinateur bloc-notes à la fine pointe de la technologie. Entre-temps, un collègue d'un autre service a lui aussi commandé un ordinateur bloc-notes, mais il a préféré un modèle différent. Or, votre patron vient de vous informer qu'un seul modèle sera commandé et, bien entendu, vous estimez que vous avez choisi ce qui se fait de mieux. Voilà une belle situation conflictuelle en puissance…

■ LA NÉGOCIATION : DÉFINITION, OBJECTIFS ET RÉSULTATS

La situation que nous venons de décrire n'est qu'un exemple des multiples situations qui amènent les gestionnaires et autres protagonistes à s'engager dans une ***négociation,*** processus par lequel des parties qui privilégient des possibilités divergentes tentent de parvenir à une décision commune[21]. En milieu organisationnel, où les sujets de désaccord potentiels sont innombrables : échelle salariale, objectifs de productivité, évaluation du rendement, attribution des tâches, horaires de travail, aménagement de l'espace, etc., la négociation est cruciale.

Dans toute négociation, deux types d'objectifs doivent être pris en considération :
- les *objectifs liés au contenu,* qui concernent la teneur des questions sur lesquelles porte la négociation : par exemple, les montants chiffrés d'une entente salariale dans le cadre d'une négociation collective ;
- les *objectifs liés aux relations,* qui concernent la façon dont les personnes engagées dans la négociation et, éventuellement, les groupes qu'ils représentent

■ ***Négociation*** Processus par lequel des parties qui privilégient des possibilités divergentes tentent de parvenir à une décision commune

LES CRITÈRES D'UNE NÉGOCIATION EFFICACE

1. Qualité de l'accord : Les résultats de la négociation débouchent sur un accord de qualité qui est judicieux et satisfaisant pour toutes les parties.
2. Harmonie : La négociation se déroule dans l'harmonie et elle favorise de bonnes relations interpersonnelles plutôt que de les inhiber.
3. Efficience : La négociation est efficiente, elle ne requiert pas plus de temps et d'argent qu'il n'est nécessaire.

arriveront à travailler ensemble une fois le processus mené à terme : par exemple, la capacité des représentants syndicaux et patronaux d'établir une collaboration efficace après le règlement d'un désaccord contractuel.

Malheureusement, bien des négociations se soldent par une dégradation des relations, essentiellement parce que les parties en présence ont accordé trop d'importance aux objectifs liés au contenu ainsi qu'à leurs propres intérêts, et ont négligé les objectifs relationnels. Une *négociation efficace* règle des questions de contenu en préservant – ou même en améliorant – les relations de travail ; elle favorise la conciliation des intérêts respectifs et débouche sur des décisions communes « pour le bien de tous ». Les trois critères déterminants d'une négociation fructueuse sont la qualité de l'accord, l'harmonie et l'efficience (voir *Le gestionnaire efficace 18.2*).

◼ LES ASPECTS ÉTHIQUES DE LA NÉGOCIATION

S'ils tiennent à garder de bonnes relations professionnelles, les gestionnaires et les autres protagonistes doivent respecter des normes éthiques rigoureuses tout au long des négociations. Cependant, même si les parties sont résolues à se conduire de manière irréprochable, au fil des pourparlers, leurs intérêts respectifs risquent de faire flancher cette détermination. Dans le feu de l'action, l'envie de chacun d'obtenir plus que son vis-à-vis ou la conviction qu'il n'y a pas suffisamment de ressources pour satisfaire toutes les parties prennent souvent le pas sur les bonnes intentions[22]. Lorsque la tension retombe, les participants tentent souvent de justifier des comportements très discutables sur le plan de l'éthique en alléguant qu'ils étaient anodins, inévitables ou justifiés. Pourtant, à long terme, les inconvénients de ces rationalisations a posteriori l'emportent souvent sur leurs avantages. Ainsi, la partie qui a eu des comportements contraires à l'éthique ne parviendra pas nécessairement à satisfaire ses desiderata ; de plus, elle s'expose aux représailles des protagonistes lésés. Enfin, notons-le, une fois qu'ils ont enfreint les règles de l'éthique, les gens ont tendance à s'enferrer et à récidiver[23].

◼ LES DIVERS TYPES DE NÉGOCIATIONS EN MILIEU ORGANISATIONNEL

En milieu organisationnel, les gestionnaires et les chefs d'équipe doivent se préparer à prendre part à au moins quatre types de négociations :

- la *négociation bilatérale*, où le gestionnaire négocie directement avec un autre protagoniste ;
- la *négociation de groupe*, où le gestionnaire négocie avec les autres membres de son groupe ou de son équipe pour parvenir à une décision collective ;
- la *négociation intergroupes*, où le groupe auquel appartient le gestionnaire négocie avec un autre groupe pour régler un problème ou une situation qui les concernent tous ;

- la *négociation sectorielle*, où le gestionnaire négocie à titre de représentant d'une constituante de l'organisation avec des représentants d'une autre constituante ; la négociation menée par les représentants de la direction et des syndicats pour arriver à un accord qui prendra la forme d'une convention collective en est un exemple.

■ CULTURE ET NÉGOCIATION

Les différences culturelles liées à l'orientation temporelle, à la dimension individualisme/collectivisme et à la distance hiérarchique peuvent avoir une incidence notable sur une négociation. Ainsi, lorsque des gens d'affaires nord-américains tentent d'accélérer des négociations avec leurs homologues chinois, c'est souvent dans l'intention de conclure dès que possible un accord définitif qui liera les deux parties et régira leurs relations ultérieures. Mais la culture de leurs vis-à-vis ne joue pas en leur faveur. En effet, l'homme d'affaires chinois typique envisage la négociation comme un processus beaucoup plus lent, où l'établissement de bonnes relations interpersonnelles est un préalable essentiel à tout accord ; de plus, en cas d'accord, il sera réticent à tout mettre par écrit et s'attendra même à ce que l'entente puisse être modifiée ultérieurement au gré des circonstances[24]. Bref, son approche de la négociation est aux antipodes de celle du négociateur nord-américain, dont la culture est axée sur le court terme et l'individualisme.

Les stratégies de négociation

Cadres et salariés doivent souvent négocier les uns avec les autres l'accès à des ressources organisationnelles toujours rares : argent, temps, ressources humaines, installations et équipement. Peu importe l'objet de la négociation, la façon dont on l'aborde et la stratégie qu'on adopte peuvent avoir une influence majeure sur ses résultats. Ainsi, la **négociation distributive** est centrée sur les *positions* respectives des parties en conflit, chacune luttant pour obtenir sa part du gâteau. Par contre, la **négociation raisonnée** (ou *négociation à gains mutuels*) est centrée sur l'évaluation des questions à régler et des intérêts en jeu, toutes les parties cherchant conjointement une solution qui maximise leurs gains mutuels[25].

■ LA NÉGOCIATION DISTRIBUTIVE

Les stratégies axées sur la négociation distributive reposent sur la question suivante : Qui maximisera ses gains? Dans la mesure où elle va façonner les attitudes de chacun, cette question aura une influence majeure sur le processus de négociation et sur ses résultats. La négociation distributive se présente sous deux formes : la version dure et la version douce, l'une et l'autre donnant rarement des résultats optimaux.

- *La version dure*   Dans ce type de négociation distributive, les parties adoptent la ligne dure. Elles tiennent absolument à satisfaire leurs propres intérêts, ce

■ *Négociation distributive*
Négociation centrée sur les positions respectives des parties, chacune luttant pour maximiser ses propres gains

■ *Négociation raisonnée*
(ou *négociation à gains mutuels*) Négociation centrée sur l'évaluation des questions à régler et des intérêts en jeu, et où toutes les parties cherchent conjointement une solution qui maximise leurs gains mutuels

qui mène à un affrontement où chacune cherche à dominer l'autre et à maximiser ses gains. Cette stratégie, fondée sur l'affirmation de soi, débouche soit sur une situation qui fait un gagnant et un perdant, une partie s'imposant et remportant la victoire, soit sur une impasse.

• *La version douce*   Dans ce type de négociation distributive, en revanche, au moins une des parties se montre prête à faire des concessions pour parvenir à une solution, et cherche à répondre aux desiderata de l'autre partie. Cette situation débouche soit sur l'accommodation de la plus conciliante des parties, soit sur un compromis, chacune des parties acceptant de céder du terrain pour parvenir à un accord. Dans les deux cas, on peut s'attendre à un certain degré d'insatisfaction : même s'il y a eu compromis, c'est-à-dire si les parties ont coupé la poire en deux, ni l'une ni l'autre n'a vraiment obtenu ce qu'elle voulait à l'origine.

La figure 18.4 illustre les principaux éléments d'une *négociation distributive bilatérale* typique, en prenant pour exemple le cas d'une jeune diplômée qui négocie une offre d'emploi avec le recruteur d'une grande société[26]. Du point de vue de cette diplômée, la situation est la suivante : sa demande initiale au recruteur est un salaire de 45 000 $, mais elle est prête à transiger jusqu'à un *niveau minimal d'acceptation* de 35 000 $, soit le salaire le plus bas qu'elle accepterait pour ce poste. Du point de vue du recruteur, la situation se présente tout autrement : son offre initiale à la jeune diplômée est un salaire de 30 000 $, mais il se réserve la possibilité de transiger jusqu'à un *niveau maximal d'acceptation* de 40 000 $, soit le salaire le plus élevé qu'il serait prêt à accorder au nom de l'entreprise.

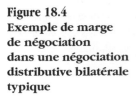

Marge de négociation
Écart entre les niveaux d'acceptation respectifs – minimal pour l'un, maximal pour l'autre – des protagonistes d'une négociation

L'écart entre les niveaux d'acceptation respectifs des protagonistes d'une négociation, minimal pour l'un, maximal pour l'autre, s'appelle la **marge de négociation.** La figure 18.4 illustre cette marge de négociation, qui se situe, dans l'exemple présenté, entre 35 000 $ et 40 000 $. Comme les niveaux d'acceptation des deux parties se chevauchent, il s'agit d'une marge de négociation positive, ce qui signifie que les protagonistes peuvent formuler propositions et contre-propositions. En revanche, si le salaire le plus bas que notre jeune diplômée était prête à accepter pour ce poste était de 42 000 $, son niveau minimal d'acceptation serait supérieur au niveau maximal du recruteur, et il leur serait pratiquement impossible de transiger. La négociation bilatérale typique comporte toujours cette tâche délicate qui consiste d'abord à découvrir les niveaux d'acceptation respectifs (le sien et celui de son vis-à-vis), puis à progresser vers un accord acceptable pour chacune des parties, c'est-à-dire qui se situe quelque part à l'intérieur de la marge de négociation.

**Figure 18.4
Exemple de marge de négociation dans une négociation distributive bilatérale typique**

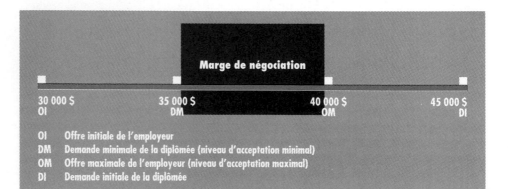

Marge de négociation

30 000 $ OI	35 000 $ DM	40 000 $ OM	45 000 $ DI

OI   Offre initiale de l'employeur
DM   Demande minimale de la diplômée (niveau d'acceptation minimal)
OM   Offre maximale de l'employeur (niveau d'acceptation maximal)
DI   Demande initiale de la diplômée

■ LA NÉGOCIATION RAISONNÉE

Les stratégies axées sur la négociation raisonnée reposent, quant à elles, sur la question suivante : Comment pouvons-nous maximiser l'utilisation des ressources ? Notons-le, la question est très différente de celle que sous-tend la négociation distributive. La négociation raisonnée est beaucoup moins susceptible de déboucher sur des affrontements ; comme elle est axée sur une approche de résolution de problème, elle amène les parties à envisager un éventail de solutions beaucoup plus vaste au cours du processus. Ici, les parties s'orientent vers la recherche conjointe d'une solution mutuellement satisfaisante ; elles visent une situation qui ne fait que des gagnants.

Dans le meilleur des cas, et il n'est pas rare, la négociation raisonnée donne effectivement lieu à une véritable coopération : les participants s'engagent conjointement dans un processus de résolution de problème pour parvenir à un accord qui maximise les gains mutuels. Cependant, la négociation raisonnée peut aussi conduire à l'*évitement* si les parties jugent que des questions plus importantes réclament leur temps et leur attention, ou encore si elles estiment que les résultats qu'elles peuvent escompter de la négociation ne valent pas le temps, l'énergie et les efforts qu'elle exige. Enfin, la négociation raisonnée peut aussi déboucher sur un *compromis* où chaque partie cède sur un point qu'elle juge moins important que ce qu'elle reçoit en contrepartie. Pour reprendre l'exemple précédent, la jeune diplômée et le recruteur pourraient inclure dans leurs pourparlers la question de la date d'entrée en fonction. Étant donné qu'une fois embauchée elle ne pourra plus prendre de vacances avant un an, notre candidate serait peut-être prête à réduire ses exigences salariales en échange de la possibilité de prendre son poste quelques semaines plus tard.

■ COMMENT PARVENIR À UNE ENTENTE DANS UNE NÉGOCIATION RAISONNÉE ?

Nous l'avons dit, la négociation raisonnée vise la maximisation des gains pour toutes les parties. Mais ce résultat ne va pas de soi ; pour parvenir à de véritables accords raisonnés, il faut réunir certaines conditions essentielles : des attitudes propices, des comportements constructifs et une information appropriée[27].

Les attitudes essentielles   Trois attitudes sont essentielles pour permettre une entente raisonnée. D'abord, chaque partie doit s'engager dans la négociation avec une certaine *confiance* en l'autre partie, ce qui explique que l'éthique et les bonnes relations soient si importantes lors des négociations. Deuxièmement, chaque partie doit signifier à l'autre qu'elle est *prête à partager l'information* qu'elle détient ; si ce n'était pas le cas, il serait très difficile d'envisager une résolution efficace des problèmes. Troisièmement, chaque partie doit manifester une *volonté de poser des questions concrètes et de répondre à celles de l'autre partie*, ce qui facilitera le partage de l'information.

Les comportements essentiels   Tout comportement adopté au cours d'une négociation revêt une importance considérable tant à cause de ses véritables effets que de l'impression qu'il laisse à autrui. Par conséquent, tout bon négociateur doit adopter les comportements suivants, qui sont essentiels à la conclusion d'une entente raisonnée :

Les comportements essentiels à une entente raisonnée

- aborder objectivement le problème ; ne pas y mêler les questions personnelles, afin d'éviter que des considérations d'ordre émotionnel n'interviennent dans le processus de négociation ;
- se concentrer sur les intérêts en jeu, et non sur les positions ;
- éviter de porter des jugements prématurés ;
- séparer le brassage d'idées de l'évaluation des solutions possibles ;
- régler les différends et choisir les solutions à partir de normes ou de critères objectifs.

L'information essentielle Le partage de l'information est une dimension primordiale de la négociation raisonnée. Notamment, toutes les parties doivent se familiariser avec le concept de *meilleure solution de rechange* (MESORE), selon lequel chaque partie doit savoir ce qu'elle fera si aucun accord n'est obtenu. Cela signifie que chaque partie doit déterminer et comprendre ses intérêts propres dans les questions négociées ; elle doit savoir ce qui est le plus important pour elle et tâcher de comprendre les intérêts de l'autre partie, et l'importance relative qu'ils ont pour elle. Aussi difficile que cela puisse paraître, chaque partie doit comprendre ce qui a de la valeur pour l'autre partie, au point même de pouvoir déterminer sa MESORE.

■ LES OBSTACLES LES PLUS FRÉQUENTS À LA NÉGOCIATION

Il faut admettre que le processus de négociation est très complexe sur le plan culturel et sur bien d'autres plans. De plus, il est caractérisé par les nombreux risques de confusion liée à l'imprévisibilité de la dynamique des individus et des groupes. Par conséquent, toute personne engagée dans une négociation doit au moins tâcher d'en éviter les écueils les plus courants[28].

1. Les gens qui participent à une négociation ont tendance à établir leurs positions en partant de l'hypothèse erronée qu'un gain ne peut s'obtenir qu'en retirant quelque chose à l'autre partie. Ce mythe du jeu à somme nulle est typique de la négociation distributive. La négociation raisonnée, quant à elle, repose sur le principe qu'il est possible de parvenir à une entente qui maximise les avantages qu'en retireront toutes les parties.

2. Comme les parties entament souvent la négociation avec des exigences extrêmes, il y a un risque de *surenchère irrationnelle*. Une fois leurs demandes exprimées, les protagonistes peuvent en effet se sentir liés par elles et hésiter à reculer. L'orgueil et la crainte de perdre la face peuvent les pousser à refuser de céder du terrain, ce qui risque de compromettre tout espoir de règlement. Il est donc vital de lutter contre cette tendance.

3. Les négociateurs font souvent preuve d'une *assurance excessive* à l'égard de leur position, jugeant que c'est la meilleure sinon la seule possible. Ce manque d'ouverture peut les empêcher de comprendre les besoins et les intérêts de l'autre partie. Certains négociateurs sont incapables de voir le bien-fondé des arguments de l'autre partie, bien-fondé qui n'échapperait pas à un observateur impartial. Avec une telle attitude, il devient très difficile de parvenir à une entente positive et raisonnée.

4. Des problèmes de communication peuvent aussi compliquer la négociation, et même la faire échouer. La négociation doit être un « processus de communica-

Sun Microsystems ◄

www.sun.com

Clark Masters, vice-président et directeur général de Sun's Enterprise System Products Group, un groupe de produits de 1 700 membres, a dû faire face à des difficultés internes, alors que la crise économique en Asie imposait d'importants rajustements. Plutôt que de réagir comme c'est l'habitude en exigeant des travailleurs un surcroît d'efforts, il a réfléchi sur les résultats d'un sondage où ceux-ci se plaignaient de la surcharge de travail et des échéances trop serrées. Résultats : la répartition des tâches a été modifiée et les échéanciers adaptés, à la satisfaction de tous.

tion réciproque en vue de prendre une décision commune[29]». Ce processus risque d'être freiné par un *problème de discours* – le protagoniste ne parle pas vraiment à l'autre, n'essaie pas vraiment de bien se faire comprendre – ou par un problème d'*écoute* – les parties font la sourde oreille ou sont incapables de comprendre ce que leur dit l'autre partie. Il est certain qu'une négociation raisonnée a plus de chances de réussir si les protagonistes pratiquent l'écoute active et posent les questions qui clarifient les positions. De temps à autre, chaque partie doit *se mettre à la place de l'autre* pour essayer de comprendre la situation selon son point de vue[30].

■ LE RÔLE D'UN TIERS DANS LA NÉGOCIATION

Lorsque la négociation piétine, que les parties sont dans une impasse et qu'il semble impossible de trouver une solution, l'intervention d'un tiers peut devenir nécessaire pour faire avancer les pourparlers et, éventuellement, parvenir à un accord. Les parties peuvent alors recourir à l'**arbitrage**, règlement d'un différend effectué par un tiers neutre qui agit à titre d'arbitre et qui, après avoir entendu leurs arguments respectifs, prend une décision à laquelle elles sont liées. Chez les sportifs professionnels, les questions salariales se règlent souvent par arbitrage. La **médiation** est, quant à elle, un processus où un tiers neutre tente, par la persuasion et les arguments rationnels, d'amener les parties à une solution négociée. Notons que, contrairement à l'arbitre, le médiateur ne peut imposer une solution. La médiation est un procédé courant dans les négociations travailleurs-employeurs : les parties en présence acceptent l'intervention de médiateurs professionnels pour dénouer des situations sans issue.

Le CO et les fonctions de l'organisation

RELATIONS DE TRAVAIL

Retour au boulot à la PdA

Les techniciens de la Place des Arts sont retournés au travail hier après-midi, plus de 19 mois après le début du conflit de travail qui les oppose à la direction de la société d'État. Conflit qui n'est pas résolu. Loin de là.

À la demande expresse du premier ministre Bouchard, les deux parties retournent à la table de négociation et les techniciens suspendent leur grève pour trente jours. Une trêve qui s'annonce difficile.

« On va se piler sur le cordon du cœur », disait hier Henri Massé, président de la FTQ. Quel que soit l'organe dont il est question ici, cela fera mal. Les techniciens ont beau dire qu'ils retournent au boulot avec beaucoup de bonne volonté, ils retournent travailler avec ceux qui les ont remplacés, dont certains se sont publiquement rangés du côté de l'employeur.

Un médiateur doit être nommé ces jours-ci. Il aura le mandat de rapprocher deux parties qui semblent être à des années-lumière d'une entente. Le président de la PdA, Clément Richard, cachait mal ses craintes hier. Alors que le communiqué officiel du complexe culturel parlait de « satisfaction », M. Richard a rappelé que les cadres qui ont travaillé en remplacement des techniciens ont très bien fait le travail en étant deux fois moins nombreux.

C'est le renouvellement de la convention collective des techniciens qui est à l'origine du conflit. Mais, depuis juin 1999, bien des choses ont été dites, bien des gestes ont été faits de part et d'autre qui ne faciliteront pas les négociations. En tête de liste, cette décision du conseil d'administration de la Place des Arts de ne plus offrir les services techniques à ceux qui louent leurs espaces, chacun étant libre d'engager son propre personnel. [...]

Stéphanie Bérubé. *La Presse*, 1er février 2001, p. E1.

■ *Arbitrage* Règlement d'un différend par un tiers neutre qui agit comme arbitre et qui, après avoir entendu les arguments des parties, prend une décision à laquelle elles sont liées

■ *Médiation* Processus où un tiers neutre tente, par la persuasion et les arguments rationnels, d'amener des parties à une solution négociée

Guide de révision

Qu'est-ce qu'un conflit ?

- On peut dire qu'il y a conflit lorsque surviennent des désaccords sur des questions de fond, ou des frictions créées par des problèmes relationnels entre des individus ou des groupes.

- En milieu de travail, le conflit peut se présenter sous deux formes : 1) le conflit de fond, qui est un désaccord fondamental sur les buts et objectifs à poursuivre, ou sur les moyens d'y parvenir ; et 2) le conflit émotionnel, qui tient à des problèmes relationnels et se manifeste notamment par des sentiments de colère, de méfiance, d'animosité, de crainte et de rancune.

- Si on le contient dans des limites raisonnables, le conflit peut être source de créativité et d'accroissement du rendement ; sinon, il peut devenir destructeur.

- Les situations conflictuelles en milieu organisationnel surviennent dans les relations verticales et horizontales ainsi que dans les relations entre les unités fonctionnelles et opérationnelles. Le conflit de rôle est également fréquent en milieu de travail.

- La plupart du temps, un conflit progresse par phases : la phase des antécédents du conflit ; la phase du conflit perçu ; la phase du conflit ressenti et la phase du conflit manifeste.

- Des conflits non résolus pavent la voie à d'autres conflits de même nature.

Comment peut-on gérer adéquatement les conflits ?

- Les approches indirectes de gestion des conflits privilégient des stratégies comme la diminution de l'interdépendance, l'appel aux objectifs communs, le recours aux supérieurs hiérarchiques ou la modification des scénarios et des mythes organisationnels.

- La gestion directe d'un conflit repose sur des stratégies comme l'évitement, l'accommodation, le compromis, l'affrontement ou la contrainte, et la résolution de problème ; ces stratégies correspondent à diverses combinaisons d'affirmation de soi et de coopération chez les parties en conflit.

- L'affrontement comme la contrainte débouchent sur une situation qui fait un gagnant et un perdant. Dans les deux cas, on ne s'attaque pas aux racines du conflit, et on tend à étouffer les désirs d'une des parties en présence ; on peut donc s'attendre à d'autres conflits autour des mêmes questions.

- L'évitement (ou la fuite), l'accommodation et le compromis débouchent sur une situation qui ne fait que des perdants. Dans les trois cas, personne n'obtient entière satisfaction et les antécédents des conflits restent inchangés ; la table est mise pour des conflits ultérieurs de même nature.

- Il est préférable d'opter pour une véritable résolution de conflit, qui débouche sur une situation qui ne fait que des gagnants ; on y parvient par l'approche de la résolution de problème.

Qu'est-ce que la négociation?

- La négociation est un processus par lequel des parties qui privilégient des possibilités divergentes tentent de parvenir à une décision commune.

- Les gestionnaires peuvent être engagés dans divers types de négociations : bilatérales, de groupe, intergroupes et sectorielles.

- La négociation est efficace si les questions de fond sont résolues et si les relations de travail sont préservées ou améliorées au cours du processus.

- Une conduite conforme à l'éthique est essentielle pour réussir une négociation.

Qu'est-ce qui différencie la négociation distributive de la négociation raisonnée?

- La négociation distributive est centrée sur les positions respectives des parties, chacune luttant pour maximiser ses propres gains.

- La négociation raisonnée (ou négociation à gains mutuels) est centrée sur l'évaluation des questions à régler et des intérêts en jeu; toutes les parties cherchent conjointement une solution qui maximise les gains de chacune.

- La réussite d'une négociation repose sur la capacité des parties à établir une bonne communication et à éviter les écueils les plus fréquents.

Mots clés

Évaluation des connaissances

■ QUESTIONS À CHOIX MULTIPLE

1. Le _____ se manifeste sous la forme d'un désaccord fondamental sur les objectifs à atteindre ou sur les moyens d'y parvenir. **a)** conflit relationnel **b)** conflit émotionnel **c)** conflit de fond **d)** conflit de procédures

2. En gestion de conflit, _____ est une approche indirecte qui s'appuie sur la chaîne de commandement. **a)** le recours aux supérieurs **b)** la fuite **c)** la restructuration organisationnelle **d)** l'appel à des objectifs communs

3. Toutes les possibilités suivantes, sauf une, comptent parmi les retombées positives que peut avoir un conflit en milieu organisationnel. Laquelle est l'intruse? **a)** Mettre en lumière des problèmes qui, sinon, resteraient latents **b)** Stimuler la créativité **c)** Élargir la marge de négociation **d)** Améliorer la productivité

4. Les approches suivantes aboutissent généralement à des conflits qui ne font que des perdants, sauf _____ **a)** l'affrontement. **b)** le compromis. **c)** l'accommodation. **d)** l'évitement.

5. Dans laquelle des circonstances suivantes l'accommodation pourrait-elle être une stratégie de gestion de conflit appropriée? **a)** Une intervention rapide et décisive s'impose. **b)** On veut accumuler un crédit qui pourrait être utile dans l'avenir. **c)** On veut donner aux protagonistes le temps de se calmer et d'envisager la situation sous un angle différent. **d)** On veut régler temporairement un problème complexe.

6. Selon la grille d'analyse des diverses stratégies de gestion directe des conflits, _____ se caractérise par des degrés élevés d'affirmation de soi et de coopération. **a)** l'affrontement **b)** le compromis **c)** l'accommodation **d)** la résolution de problème

7. Les critères d'une négociation efficace sont _____ **a)** la qualité de l'accord, l'harmonie et l'efficience. **b)** l'efficience et l'efficacité. **c)** le respect de l'éthique, l'aspect pratique et l'efficience. **d)** la qualité, l'aspect pratique et la productivité.

8. _____ sont deux dimensions à considérer lors d'une négociation. **a)** Le rendement et l'évaluation **b)** La tâche et les questions de fond **c)** Les questions de fond et les relations entre les personnes engagées dans la négociation **d)** La tâche et le rendement

9. Lequel des énoncés suivants est vrai? **a)** La négociation raisonnée débouche sur l'accommodation. **b)** La négociation distributive version dure débouche sur la résolution de problème. **c)** La négociation distributive version souple débouche sur l'accommodation ou le compromis. **d)** La négociation distributive version dure débouche sur une situation qui ne fait que des gagnants.

10. Tous les facteurs suivants sont des écueils à éviter lors d'une négociation, sauf un. Lequel? **a)** Le mythe voulant que l'une des parties doit perdre quelque chose pour que l'autre fasse des gains **b)** La surenchère rationnelle **c)** La confiance excessive **d)** L'écoute non active **e)** Les comportements contraires à l'éthique

■ VRAI OU FAUX ?

11. Généralement, le conflit intergroupes facilite la coordination des activités liées aux tâches. **V F**

12. Les conflits interpersonnels peuvent être des conflits émotionnels, des conflits de fond ou les deux. **V F**

13. Un niveau modéré de conflit est constructif. **V F**

14. Une interdépendance élevée dans les circuits de production peut occasionner des conflits. **V F**

15. La grille d'analyse des diverses stratégies de gestion directe des conflits les classe selon le degré de coopération et d'affirmation de soi qu'elles supposent. **V F**

16. Deux objectifs sont en jeu au cours de toute négociation: maximiser ses gains et tenter de faire des gains mutuels. **V F**

17. L'approche privilégiée en négociation est la négociation distributive. **V F**

18. Au cours d'une négociation raisonnée, les parties essaient de faire des gains mutuels. **V F**

19. Selon le concept de MESORE, chaque partie engagée dans une négociation doit savoir ce qu'elle fera s'il n'y a pas d'entente.   **V F**

20. Les deux problèmes de communication les plus courants lors d'une négociation sont liés au discours et à l'écoute.   **V F**

■ QUESTIONS À RÉPONSE BRÈVE

21. Énumérez et expliquez trois types de situations conflictuelles auxquelles doit faire face le gestionnaire.

22. Énumérez et expliquez les principales stratégies de gestion indirecte de conflit.

23. Dans quelles circonstances un gestionnaire devrait-il avoir recours 1) à l'évitement ? 2) à l'accommodation ?

24. Comparez la négociation distributive et la négociation raisonnée. En quoi diffèrent-elles ? Laquelle est la plus souhaitable ? Pourquoi ?

■ QUESTION À DÉVELOPPEMENT

25. Décrivez les obstacles que vous pourriez rencontrer si vous aviez à négocier le salaire d'un nouvel emploi et expliquez comment vous y feriez face.

Reportez-vous aux études de cas, aux exercices et aux autoévaluations de notre *Cahier d'apprentissage en CO* (voir p. 531).

■ **Consultez le site Web du manuel. Vous y trouverez un questionnaire interactif et des exercices en ligne sur le contenu de ce chapitre.**

www.erpi.com/schermerhorn

Changement, innovation et stress

LE JOUR OÙ J'AI ÉTÉ « FUSIONNÉ »

Contrôleur de gestion dans une entreprise de la grande distribution, Jean-Pierre, 50 ans, a cru les belles paroles de son nouvel employeur. Deux ans plus tard, il était… à la porte !

Pendant deux ans, nous avons vécu de mensonge en mensonge, de contrevérité en contrevérité. Chaque fois, nous reprenions espoir. Mais c'était toujours pour être déçus. Tout a commencé avec d'importants mouvements en Bourse sur l'action du groupe. «Ne vous en faites pas, nous a-t-on dit. Le capital est parfaitement verrouillé.» Puis un jour, brutalement, nous apprenons que nous sommes vendus. De plus nous découvrons que les tractations duraient depuis très longtemps. Premier choc. Dans la grande distribution, on demande aux salariés de se défoncer en permanence : lorsque le chiffre d'affaires d'un magasin baisse, la panique se transmet de la direction à la caissière. Et là, on nous traitait comme des meubles : nous nous sommes sentis trahis.

Pour nous rassurer, on nous a alors expliqué que «rien n'allait changer». Foutaise ! Quelques temps plus tard, nous avons été prévenus que «systématiquement les outils de gestion des deux enseignes allaient être comparés pour ne retenir dans chaque domaine (informatique, gestion, achats, etc.) que les meilleurs». C'est alors que nous avons compris qu'il s'agissait de la bataille du pot de fer contre le pot de terre. Dans une fusion, le «racheté» est systématiquement considéré comme un nul ! Tout est joué d'avance. Et pourtant, nous ne pouvions nous empêcher de nous défoncer. C'était l'angoisse ! Je travaillais alors comme un dingue, 70 heures par semaine. Même le week-end je ne me séparais jamais de mon portable. Des types qu'on ne connaît pas déboulent constamment, vous posent des questions, épluchent votre boulot. Nous avions l'impression de passer en permanence un examen. Nous nous sentions guettés. Et ça dure des semaines. Plus le temps passe. Plus le stress monte. Et pourtant, nous espérions toujours faire partie des «rescapés».

C'est alors que la nouvelle tombe : changement d'enseigne ! Sur tous les magasins, on déboulonne notre marque pour la remplacer par celle de l'acheteur. Au moment de la fusion, la direction nous avait pourtant juré, la main sur le cœur, que les deux enseignes subsisteraient. Un mensonge de plus. La gestion des hommes dans ces moments-là, c'est n'importe quoi et sauve qui peut l'emploi. Peu à peu, nous avons vu débarquer «ceux d'en face». Un, puis deux, puis trois… Ils viennent avec leurs collaborateurs, s'installent dans les bureaux, font des réunions dans notre dos. Dans notre camp, la déstabilisation est totale. On fonctionne au Lexomyl et au Stilnox. Arrive le moment de vérité: chacun a droit à son entretien. D'une voix doucereuse, comme si l'on parlait à un grand malade, on vous explique qu'il faut accepter sans discuter le poste que l'on vous propose ou… partir. Pour ma part, j'ai droit à un emploi dans une filiale à 350 kilomètres de chez moi, dirigée par un mec dont je sais pertinemment qu'il ne veut pas de moi! Je décide de partir… Je me rappelle avoir pris cette décision dans un état second: on ne sait plus qui on est, ce que l'on veut, ce qu'on vaut.

La direction des relations humaines (drôle d'appellation dans ces circonstances) entre alors dans la danse et vous signifie votre licenciement sous le prétexte que «pour des raisons personnelles, vous avez refusé le poste que l'on vous proposait». Le mieux alors est de trouver un bon avocat qui se bat pour vous obtenir des indemnités.

Dans la région où je travaillais, les huit directeurs de magasin ont été remplacés, mutés ou dégradés. Une fusion, ce sont des centaines de personnes qui, tout d'un coup, reçoivent le message qu'ils sont des mauvais, et à qui on ne laisse aucune chance de prouver le contraire. C'est cela qui est destructeur. Je suis sûr que beaucoup de gens se reconnaîtront dans mon témoignage.

Jacqueline de Linares. *Le nouvel Observateur*, 4 janvier 2001, p. 13.

Comme le montre le témoignage du contrôleur de gestion dans l'article qui ouvre ce chapitre, on peut sans exagérer qualifier d'agité, de turbulent et même de houleux l'environnement actuel des affaires et de la gestion. Si les restructurations, fusions ou acquisitions ne débouchent pas toujours sur des situations aussi pénibles, il ne fait aucun doute qu'un changement mal géré peut déstabiliser une organisation, ébranler ses membres et avoir des effets délétères sur leur santé physique et mentale. L'économie mondiale, avec son lot de problèmes et d'occasions, réserve sans cesse de nouvelles surprises, même aux gens d'affaires les plus chevronnés. Les organisations changent au rythme de leur environnement; elles cherchent, dans un marché de plus en plus concurrentiel, à s'attacher non seulement des clients, mais aussi les plus compétents des travailleurs. Dans les nouveaux milieux de travail, la flexibilité est devenue le mot d'ordre: les gens doivent être capables de s'adapter, de changer continuellement[1]. En plus de leur demander d'augmenter la productivité, d'apprendre des succès d'autrui, de viser la qualité totale et l'amélioration continue, on s'attend à ce qu'ils puissent générer et intégrer le changement et l'innovation, tout en gérant adéquatement le stress qui en résulte inévitablement. Connu mondialement comme le père du management moderne, le consultant, auteur et conférencier Tom Peters affirme: «Les turbulences du marché nous poussent à faire de l'innovation une façon de vivre. Nous devons tous apprendre, en tant qu'individus et en tant qu'organisations, à accueillir l'innovation et le changement aussi résolument que nous nous y sommes opposés dans le passé[2].»

Questions clés

Ce chapitre traite de sujets cruciaux comme le changement, l'innovation et le stress, tels qu'ils se manifestent aujourd'hui en milieu organisationnel. Voici les questions clés que vous devriez garder à l'esprit en le lisant:

- Qu'est-ce que le changement planifié en milieu organisationnel?
- Quelles sont les diverses stratégies de changement planifié?
- Comment peut-on gérer la résistance au changement?
- Comment les organisations innovent-elles?
- Qu'est-ce que le stress, et quels sont ses effets en milieu organisationnel?

Le changement au sein des organisations

«Changement»: ce simple mot, qui a pris une valeur de slogan pour d'innombrables organisations, voire pour la plupart, décrit une transformation plus ou moins profonde selon les cas.

Le changement en profondeur, ou *changement radical,* donne lieu à une révision majeure de l'organisation ou de certaines de ses composantes[3]. Dans le monde des affaires actuel, ce type de changement résulte souvent d'un événement déterminant, comme l'arrivée d'un nouveau directeur général ou d'un nouveau propriétaire à la suite d'une fusion ou d'une acquisition, ou une chute spectaculaire des résultats d'exploitation. Lorsqu'un tel événement survient dans l'existence d'une organisation, il peut déclencher un changement radical intense qui englobera toutes les dimensions de la réalité organisationnelle.

Cependant, le changement organisationnel n'est pas toujours aussi draconien. Très fréquent et moins traumatisant, le *changement graduel,* ou *changement superficiel,* fait partie de l'évolution normale d'une organisation. Il se caractérise notamment par l'introduction de nouveaux produits, de nouvelles technologies, de nouveaux systèmes ou de nouveaux procédés. Le changement graduel ne change pas fondamentalement la nature de l'organisation, mais il modifie ses modes d'exploitation pour les améliorer ou leur donner de nouvelles extensions. Dans le contexte actuel, savoir pratiquer l'amélioration continue par une stratégie de changement graduel est un atout de taille pour une organisation.

La réussite d'un changement organisationnel, qu'il soit radical ou graduel, dépend en bonne partie de l'***agent de changement*** qui le suscite et le soutient, c'est-à-dire l'individu ou le groupe qui prend en charge la modification des schèmes

- **Agent de changement**
  Individu ou groupe qui prend en charge la modification des schèmes de comportement d'une personne ou d'un système social

de comportement d'une personne ou d'un système social. Bien que des consultants de l'extérieur puissent jouer ce rôle, le contexte dynamique des organisations contemporaines exige de tout gestionnaire ou leader qu'il joue également le rôle de catalyseur ; cette responsabilité est maintenant considérée comme inhérente au leadership. Bref, aujourd'hui, l'agent de changement efficace est un « leader de changement[4] ».

■ LE CHANGEMENT PLANIFIÉ ET LE CHANGEMENT NON PLANIFIÉ

Le changement organisationnel n'est pas toujours inspiré par un agent de changement. Ainsi, le ***changement non planifié*** survient spontanément ou par hasard. S'il peut causer de graves perturbations – une grève sauvage peut entraîner la fermeture d'une usine, par exemple –, il peut aussi avoir des avantages ; ainsi, un conflit interpersonnel peut donner lieu à de nouvelles procédures qui facilitent le déroulement des opérations entre deux services. Lorsque des forces instigatrices d'un *changement non planifié* se manifestent, le gestionnaire doit donc réagir rapidement pour en atténuer les effets négatifs et en maximiser les bienfaits potentiels. Il est souvent possible de tirer parti de changements non planifiés.

Le ***changement planifié,*** lui, résulte des efforts délibérés d'un agent de changement, en réaction à un *écart de rendement* perçu. Les écarts de rendement, c'est-à-dire les écarts entre le rendement constaté et le rendement désiré, peuvent se présenter comme des problèmes à surmonter, mais aussi comme des occasions à saisir. La plupart des changements organisationnels planifiés peuvent être envisagés comme un déploiement d'efforts visant à répondre à des écarts de rendement d'une manière avantageuse pour l'organisation et pour ses membres. Dans un processus d'amélioration continue, le gestionnaire doit faire preuve d'une vigilance constante afin de déceler rapidement tout écart de rendement et d'y réagir adéquatement.

■ **Changement non planifié**
Changement qui survient spontanément ou par hasard, sans l'intervention d'un agent de changement

■ **Changement planifié**
Changement qui résulte des efforts délibérés d'un agent de changement, en réaction à un écart de rendement perçu

■ LE CHANGEMENT PLANIFIÉ : FORCES ET CIBLES ORGANISATIONNELLES

Indépendamment de leur nature et de leur taille, les organisations contemporaines sont soumises à des forces de changement qui viennent à la fois de l'intérieur et de la périphérie[5]. Ces forces se manifestent de diverses manières, notamment :

- *dans les relations entre l'organisation et son environnement* fusions, alliances stratégiques et cessions d'actifs ne sont que quelques-unes des réponses possibles aux défis d'un environnement économico-politique de plus en plus dynamique et complexe ;

- *dans le cycle de vie de l'organisation*   les modifications structurelles et culturelles que connaît toute organisation au fil de son évolution et de sa croissance sont également des mesures d'adaptation à l'environnement interne et externe ;
- *dans les relations de pouvoir au sein de l'organisation*   les changements apportés aux mécanismes de contrôle interne, y compris les systèmes de récompenses et d'avantages, sont des tentatives de s'adapter aux jeux politiques qui apparaissent.

Comme le montre la figure 19.1, le changement planifié entraîné par l'une ou l'autre de ces forces peut cibler plus particulièrement une ou plusieurs des diverses composantes organisationnelles que nous avons étudiées dans les chapitres précédents, notamment : la raison d'être de l'organisation, ses stratégies, sa structure et son personnel, de même que ses objectifs, sa culture, ses tâches et sa technologie. Cependant, ne l'oublions pas, toutes ces composantes sont intimement liées, de sorte que tout changement qui cible l'une d'elles risque fort de se répercuter sur d'autres, et de les modifier. Ainsi, un changement dans les tâches fondamentales de l'organisation – ce que font ses membres – entraîne presque inévitablement un

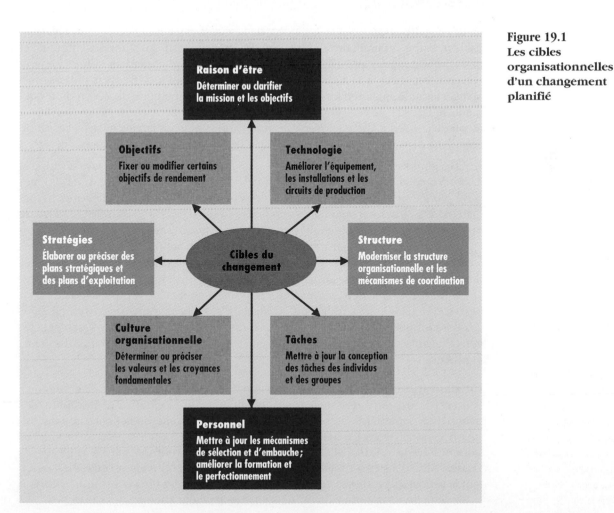

Figure 19.1
Les cibles organisationnelles d'un changement planifié

changement dans sa technologie, c'est-à-dire la façon d'exécuter ces tâches. En outre, le fait de modifier les tâches et la technologie de l'organisation suppose généralement qu'on modifie quelque peu la structure organisationnelle, c'est-à-dire la hiérarchie de l'autorité, les réseaux de communication ainsi que les rôles des travailleurs. À leur tour, les changements technologiques et structurels pourront exiger des changements sur le plan des connaissances, des compétences et des comportements des travailleurs, donc des changements qui touchent le personnel de l'organisation[6]. Évidemment, quelle que soit la cible du changement, il faudra lutter contre la tendance à se rabattre sur des solutions toutes faites faciles à implanter, mais dont les résultats sont douteux[7].

■ LES ÉTAPES DU CHANGEMENT PLANIFIÉ

Le psychologue Kurt Lewin recommande de considérer tout effort de changement comme un processus comportant trois étapes distinctes dont aucune ne doit être négligée pour que le changement visé réussisse : la *décristallisation*, l'*instauration du changement* et la *recristallisation*[8]. Selon Lewin, on aurait trop tendance à se centrer sur l'étape intermédiaire, celle du changement lui-même, au détriment des phases de *décristallisation* et de *recristallisation*.

La décristallisation   Selon le modèle de Lewin, la responsabilité de la **décristallisation,** étape préliminaire durant laquelle on remet en question des attitudes et des comportements présents pour que le besoin de changement soit clairement ressenti, incombe à la haute direction. Plusieurs facteurs peuvent favoriser la décristallisation, notamment des pressions de l'environnement, un déclin du rendement, le constat de l'existence d'un problème ou la découverte d'une meilleure façon de procéder. Trop souvent, les innovations ne sont jamais mises à l'essai ou échouent parce qu'on a négligé ou bâclé l'étape de la décristallisation.

Les grandes organisations semblent particulièrement enclines à ce qu'on appelle le *syndrome de la grenouille ébouillantée,* en référence à un curieux phénomène : si on plonge une grenouille dans une casserole d'eau bouillante, elle saute immédiatement à l'extérieur ; par contre, si on l'immerge dans une casserole d'eau froide qu'on amène lentement à ébullition, elle y reste jusqu'à ce que la chaleur de l'eau la tue[9]. De même, si les gestionnaires plongés dans l'action cessent d'être attentifs à ce qui se passe dans leur environnement, s'ils ne perçoivent pas les tendances déterminantes ou le besoin de changement, l'organisation risque de se délabrer et de perdre peu à peu ses avantages concurrentiels. Souvent, les indices d'un besoin de changement sont bien là, mais ils passent inaperçus ou sont négligés jusqu'à ce qu'il soit trop tard. Les meilleures organisations sont dirigées par des gens vigilants qui ont compris l'importance de l'étape de la décristallisation dans le processus de changement.

L'instauration du changement   L'étape de l'*instauration du changement* est celle où l'on prend des mesures pour changer la situation en modifiant des paramètres comme les tâches, la structure, la technologie ou l'effectif de l'organisation. Selon Lewin, les agents de changement sont portés à aller trop vite : ils sautent l'étape de décristallisation et commencent tout de suite à changer les choses. Même s'ils sont bien intentionnés, ils courent souvent à l'échec en omettant la préparation adéquate au changement. Changer les choses est une opération assez difficile en soi pour qu'on ne s'y lance pas tête baissée.

■ *Décristallisation* Étape préliminaire du changement planifié, durant laquelle on remet en question des attitudes et des comportements présents pour que le besoin de changement soit clairement ressenti

■ *Instauration du changement* Étape intermédiaire du changement planifié, durant laquelle on implante des mesures visant à changer une situation en modifiant des paramètres comme les tâches, la structure, la technologie ou l'effectif de l'organisation

La **recristallisation**   La dernière étape du processus de changement planifié est celle de la *recristallisation,* durant laquelle on consolide et on assimile à long terme les acquis du changement. À cette étape, il est essentiel 1) de maintenir l'élan qui a présidé au changement, 2) d'encourager les succès, 3) d'intensifier le soutien en cas de difficulté, et 4) de faire en sorte qu'à long terme le changement soit intégré au mode de fonctionnement habituel. Cette étape repose donc sur une évaluation des progrès et des résultats du changement, de même que de son coefficient coûts-bénéfices ; on pourra ainsi corriger le tir pour assurer sa réussite à long terme. Si tout ce suivi est négligé ou si l'étape de la recristallisation est bâclée, le changement risque d'être instauré de manière incomplète ou abandonné à courte échéance.

■ *Recristallisation*   Étape finale du changement planifié, durant laquelle on consolide et on assimile à long terme les acquis du changement

Les stratégies de changement planifié

Les gestionnaires et autres agents de changement recourent à diverses stratégies pour exercer leur pouvoir, avoir de l'influence sur les autres et obtenir d'eux qu'ils soutiennent le changement planifié. Comme le montre la figure 19.2, ces stratégies de changement s'appuient sur les divers types de pouvoir que nous avons étudiés au chapitre 15. Notons que chacun a des répercussions assez différentes sur le processus de changement planifié[10].

■ LA COERCITION

Lorsqu'il recourt à la *stratégie de coercition,* l'agent de changement s'appuie sur son pouvoir légitime (l'autorité), sur son pouvoir de récompense ou sur son pouvoir de coercition pour amener les personnes à se soumettre au changement qu'il propose. Ce faisant, il agit de façon unilatérale et s'appuie sur l'autorité que lui confère sa position pour dicter le changement ; il le suscite par la promesse de récompenses

■ *Stratégie de coercition* Stratégie où l'agent de changement s'appuie sur son pouvoir légitime (l'autorité), sur son pouvoir de récompense ou sur son pouvoir de coercition pour amener les personnes à se soumettre au changement qu'il propose

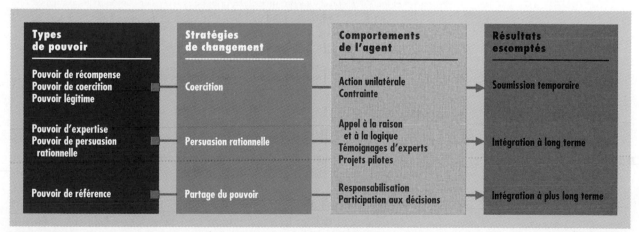

Figure 19.2
Types de pouvoir, stratégies de changement, comportements de l'agent de changement et résultats escomptés

alléchantes ou il l'impose par la menace de punitions. Les personnes touchées se plient au changement essentiellement parce qu'elles ont peur d'être punies si elles s'y opposent ou parce qu'elles convoitent les récompenses promises si elles se soumettent. Mais cette soumission est généralement temporaire : elle dure tant que l'agent de changement maintient la pression et exerce visiblement son autorité, ou que la possibilité des sanctions ou des récompenses reste bien évidente.

L'agent de changement qui recourt à une stratégie de coercition se reconnaîtra dans la description suivante :

> Vous estimez que les gens agissent essentiellement par intérêt personnel, c'est-à-dire en fonction des gains et des pertes que peut leur réserver une situation donnée. Comme vous croyez que seuls ces mobiles peuvent les amener à changer, vous tentez de découvrir leurs intérêts, et vous faites pression sur eux. Si vous avez de l'autorité, vous vous en servez ; sinon, vous faites miroiter des récompenses ou vous brandissez des menaces. Dès que vous découvrez un point faible, vous l'exploitez, et vous *manœuvrez* pour vous faire des alliés chaque fois que l'occasion se présente[11].

■ LA PERSUASION RATIONNELLE

Lorsqu'il recourt à la **stratégie de persuasion rationnelle,** l'agent de changement s'appuie sur son pouvoir d'expertise ou son pouvoir de persuasion rationnelle pour convaincre les personnes qu'elles ont avantage à adhérer au changement qu'il propose. On qualifie parfois d'*approche rationnelle-empirique* cette stratégie, car elle postule que ce sont la raison et la logique qui guident les gens lorsqu'ils décident de soutenir un changement ou de s'y opposer ; l'agent de changement s'appuie ici sur les connaissances, l'expérience et le discernement dont il dispose pour convaincre les indécis que le changement qu'il propose leur sera bénéfique. Lorsqu'elle réussit, cette stratégie donne généralement lieu à un changement mieux intégré et plus durable que celui qu'on obtient par la coercition.

L'agent de changement qui recourt à la stratégie de persuasion rationnelle se reconnaîtra dans la description suivante :

> Vous estimez que les gens sont fondamentalement rationnels, que c'est la raison qui guide leurs actes et leurs décisions. Vous présumez que, pour peu qu'on leur démontre les avantages qu'ils retireront du changement proposé, la logique et la raison les amèneront à l'endosser. Votre approche du changement consiste donc à transmettre de l'information et des faits, en insistant sur l'intérêt que présente votre proposition de changement pour les personnes que vous cherchez à persuader. Vous êtes certain qu'elles y adhéreront si vous parvenez à les convaincre de sa logique[12].

■ LE PARTAGE DU POUVOIR

L'agent de changement qui recourt à la **stratégie de partage du pouvoir** s'appuie sur son pouvoir de référence pour responsabiliser les personnes touchées par le changement qu'il propose, et pour favoriser sincèrement et activement leur participation à sa planification et à son implantation. Cette stratégie vise à orienter et à soutenir le changement grâce à l'engagement et à la responsabilisation. Parfois appelée l'*approche normative-rééducatrice,* elle se fonde notamment sur des valeurs personnelles, des normes collectives et des objectifs communs, de sorte que l'adhésion au changement proposé se fait naturellement. Les gestionnaires qui recourent à cette stratégie misent sur leur réputation et leur charisme, et délèguent une partie de leur pouvoir aux personnes touchées pour leur permettre de participer à la planification et à la mise en œuvre du changement. Comme elle exige un engagement important des participants, cette approche produit généralement un changement mieux intégré et plus durable que celui qu'on obtient par la persuasion rationnelle.

L'agent de changement qui recourt à la stratégie de partage du pouvoir se reconnaîtra dans la description suivante :

> Vous estimez que les mobiles des gens sont complexes. Vous pensez que les normes socioculturelles auxquelles ils souscrivent et qu'ils s'efforcent de respecter guident leurs comportements. Vous savez que transmettre de l'information et des connaissances sur le changement proposé et en démonter logiquement le bien-fondé ne suffit pas à modifier ces tendances, que cela suppose aussi des changements sur le plan des attitudes, des valeurs, des compétences et des relations. Aussi, lorsque vous cherchez à faire changer les autres, vous prenez en considération les effets incitatifs ou inhibiteurs des normes et des pressions du groupe. Lorsque vous travaillez avec les gens, vous essayez de connaître leur point de vue, et de découvrir leurs sentiments et leurs attentes[13].

La résistance au changement

Le terme ***résistance au changement*** désigne tout comportement ou toute attitude indiquant un refus de soutenir ou d'opérer un changement proposé. En milieu organisationnel, les agents de changement considèrent généralement cette résistance comme un obstacle à la réussite du changement, ce en quoi ils n'ont pas nécessairement raison. En effet, la résistance au changement peut aussi être envisagée comme une forme de rétroaction dont l'agent de changement peut tirer parti pour faciliter l'atteinte *des objectifs* du changement[14]. Cette approche constructive postule que, lorsque les gens résistent à un changement, ils le font pour préserver quelque chose qu'ils jugent important et qui leur semble menacé.

■ ***Résistance au changement***
Tout comportement ou toute attitude indiquant un refus de soutenir ou d'opérer un changement proposé

■ POURQUOI LES GENS RÉSISTENT-ILS AU CHANGEMENT ?

Les gens ont de multiples raisons de résister au changement. Au nombre de celles qui sont énumérées dans *Le gestionnaire efficace 19.1,* on trouve notamment la peur de l'inconnu, la peur de perdre des acquis, l'inutilité réelle ou perçue du changement et le manque de ressources. Ainsi, les membres d'une équipe peuvent s'opposer à l'installation d'ordinateurs ultraperfectionnés à leur poste de travail parce qu'ils éprouvent de l'appréhension devant un système d'exploitation qu'ils n'ont jamais utilisé, parce qu'ils redoutent que l'efficacité de ces ordinateurs ne serve de prétexte pour se «débarrasser» de certains d'entre eux, ou encore parce qu'ils estiment qu'ils s'acquittent bien de leurs tâches et qu'ils n'ont pas besoin de ces ordinateurs. Des

LE GESTIONNAIRE EFFICACE 19.1

HUIT RAISONS DE RÉSISTER AU CHANGEMENT

1. La peur de l'inconnu
2. Le manque d'information pertinente
3. La peur de perdre des acquis
4. L'inutilité réelle ou perçue du changement
5. La peur de perdre du pouvoir
6. Le manque de ressources
7. Un moment mal choisi
8. L'attachement aux habitudes

raisons de cet ordre peuvent engendrer une résistance aux plus judicieux et aux mieux fondés des changements.

La résistance à la nature même du changement   Il arrive que l'agent de changement constate une résistance à la nature même du changement qu'il propose ; les gens s'y opposent parce que, selon eux, il ne vaut pas le temps, les efforts et l'attention qu'ils devront y consacrer. Pour diminuer ce type de résistance, l'agent de changement devrait d'abord s'assurer que sa proposition respecte les conditions suivantes, et veiller à ce que toutes les personnes touchées la perçoivent ainsi[15] :

Les conditions d'un changement réussi	

- *Le changement doit être bénéfique*   il doit comporter un ou plusieurs avantages notables pour les personnes touchées et représenter une amélioration par rapport à ce qui se faisait jusque-là ;
- *Le changement doit être conciliable avec les caractéristiques des gens touchés* il doit être aussi compatible que possible avec leurs valeurs et leur expérience ;
- *Le changement doit être relativement simple*   il ne doit pas être trop complexe, de sorte que les personnes touchées sont en mesure de le comprendre et de le mettre en œuvre ;
- *Le changement doit s'accompagner d'une période d'essai*   les personnes touchées pourront le mettre à l'essai graduellement et opérer les modifications qui s'imposent au fur et à mesure de son implantation.

La résistance à la stratégie de changement   Les agents de changement doivent aussi se préparer à affronter une résistance à la stratégie de changement qu'ils adoptent. Ainsi, ils doivent savoir que :

- une *stratégie de coercition* peut engendrer une résistance chez les gens qui n'apprécient par la gestion autoritaire ou le recours aux menaces ;
- une *stratégie de persuasion rationnelle* peut engendrer de la résistance si les données sur lesquelles s'appuie le changement lui-même ou l'expertise de ses promoteurs sont douteuses ;
- une *stratégie de partage du pouvoir* peut engendrer une résistance si les gens la jugent hypocrite et ont l'impression d'être manipulés.

La résistance à l'agent de changement   Cette forme de résistance au changement est dirigée vers la personne qui le met en œuvre ; elle est souvent liée à des problèmes de personnalité ou à d'autres différences entre cette dernière et les gens touchés par le changement. Les agents de changement qui risquent plus particulièrement de déclencher des réactions de résistance sont ceux qui n'ont pas un contact étroit avec les personnes touchées par le changement, ceux qui semblent avoir un intérêt personnel dans le changement qu'ils proposent ou ceux qui s'investissent beaucoup sur le plan émotif. Les études indiquent également que les agents de changement dont les caractéristiques individuelles (âge, formation et autres caractéristiques socio-économiques) sont très différentes de celles des personnes touchées par le changement déclenchent une résistance encore plus grande[16].

■ COMMENT RÉAGIR À LA RÉSISTANCE AU CHANGEMENT

L'agent de changement avisé connaît plusieurs façons de réagir positivement à toute forme de résistance au changement[17]. Les six principales sont présentées à la figure 19.3. En voici une brève description.

Méthode ⟶	À utiliser lorsque... ⟶	Avantage(s) ⟶	Inconvénient(s)
Information et communication	l'information est insuffisante ou inexacte.	Elle suscite chez les gens touchés le désir de contribuer au changement.	Elle peut exiger beaucoup de temps.
Participation et engagement	les personnes touchées détiennent de l'information importante ou ont le pouvoir de résister au changement.	Elle améliore la planification du changement pour une plus grande quantité d'information disponible, et favorise l'engagement des personnes touchées.	Elle peut exiger beaucoup de temps.
Facilitation et soutien	la résistance au changement est liée à des problèmes de ressources ou d'adaptation.	Elle répond directement à des besoins précis sur le plan des ressources ou de l'adaptation.	Elle peut exiger beaucoup de temps et entraîner des coûts importants.
Négociation et entente	le changement peut occasionner des pertes importantes pour certains individus ou certains groupes.	Elle permet d'éviter que la résistance ne prenne trop d'ampleur.	Elle peut être coûteuse et comporte le risque que d'autres personnes touchées exigent des ententes similaires pour adhérer au changement.
Manipulation	les autres stratégies s'avèrent inefficaces ou sont jugées trop coûteuses.	Elle peut donner des résultats rapides et peu coûteux.	Elle peut causer d'autres problèmes si les personnes touchées se sentent manipulées.
Coercition explicite ou implicite	l'agent de changement est en position d'autorité et qu'il faut agir vite.	Elle est rapide et permet de venir à bout de toute forme de résistance.	Elle peut causer d'autres problèmes si les personnes touchées se mettent en colère.

Figure 19.3
Les méthodes pour faire face à la résistance au changement

- *Information et communication :* Avant d'implanter un changement, on informe les personnes touchées pour qu'elles en comprennent bien les motifs. Cette approche semble donner de meilleurs résultats lorsque la résistance résulte d'une information inexacte ou incomplète.
- *Participation et engagement :* On permet aux personnes touchées de contribuer à la conception et à l'implantation du changement, soit en leur demandant leurs points de vue et leurs suggestions, soit en les intégrant au comité ou au groupe qui pilote le projet. Cette approche est particulièrement utile lorsque l'agent de changement ne détient pas toute l'information nécessaire pour traiter une situation problématique.
- *Facilitation et soutien :* On fournit de l'aide matérielle et psychologique aux gens qui éprouvent des difficultés liées au changement : le gestionnaire prête une oreille attentive à leurs problèmes et à leurs doléances, leur propose une formation adéquate et les aide à faire face aux exigences de rendement. Cette approche est particulièrement utile lorsque les contraintes et les difficultés liées à l'implantation du changement engendrent des frustrations.
- *Négociation et entente :* On offre des incitatifs à ceux qui manifestent ou pourraient manifester une résistance au changement : autrement dit, on leur accorde certains avantages en échange de la promesse de ne pas bloquer les changements

institués. Cette approche est particulièrement utile auprès des individus ou des groupes pour qui le changement planifié représente une perte importante.

• *Manipulation:* On manœuvre pour influer sur les personnes touchées par le changement en sélectionnant l'information qui leur est transmise et en organisant le déroulement des événements de telle sorte que le changement s'installe de

www.metro.ca

▣ TECHNOLOGIE

Les grands progiciels de gestion développés par SAP, Oracle, People Soft et JD Edwards sont peut-être des outils précieux dans l'entreprise mais ils causent aussi bien des maux de tête aux gestionnaires. De grandes entreprises qui les implantent de façon massive depuis quelques années se réveillent avec des coûts élevés en matière de gestion des ressources humaines.

« Les entreprises nous disent qu'une telle opération transforme en profondeur leurs pratiques de gestion et que cela ne se fait pas sans douleur auprès des gestionnaires et de leurs employés », rapporte Serge Baron, associé principal et vice-président du Groupe CFC, une société-conseil en management et gestion des ressources humaines. [...]

Ces systèmes communément appelés ERP pour Entreprise Resource Planning assurent l'automatisation et la standardisation de toutes les activités de l'entreprise, à partir de la facturation de la paie jusqu'à la gestion des achats et des ventes.

Dans les faits, ces progiciels permettent aux ordinateurs de tous les services d'une entreprise de « se parler ». Ainsi, le directeur des ventes qui promet la lune à ses clients peut, par quelques touches sur son clavier, accéder à l'inventaire des stocks gardé secret par un directeur de la production soucieux de conserver une marge de manœuvre. [...]

Bref, il ne s'agit pas seulement d'acheter un logiciel, mais de procéder à tout un changement de culture organisationnelle. Les gestionnaires doivent soudainement développer de nouvelles habiletés politiques dans cet univers où le pouvoir est décentralisé. Certains ont carrément le sentiment de perdre le contrôle.

Le fait que ces systèmes uniformisent les différents processus de l'entreprise, en les regroupant dans une même base de données, déstabilise les employés. Ils doivent délaisser leurs méthodes de travail personnelles pour apprendre à faire fonctionner des logiciels standardisés. [...]

Dans certains cas, l'aspect humain peut bloquer ou faire échouer l'implantation. En général, de 5 % à 10 % des budgets y est consacré. « La tendance est que les entreprises vont finalement y consacrer en moyenne 30 %, dont la moitié pour la formation », dit M. Blais [président du Groupe Mentor, firme spécialisée dans le rendement au travail].

En somme, il faut intégrer le plus vite possible les employés et l'ensemble des gestionnaires dans le processus d'implantation. Certaines entreprises intègrent dès le début un spécialiste en gestion du changement, recruté à l'interne, au sein de leur équipe de direction.

C'est le cas de Gilbert Vézina, de Métro Richelieu. À la toute fin du projet d'implantation de SAP, cette année, il aura formé et rassuré plus de 3 000 employés grâce au journal interne de l'entreprise et à des ateliers intitulés *Le monde selon SAP.* Une équipe de 12 personnes a été affectée à gérer le volet humain du changement.

« Nous avons réalisé qu'on ne pouvait pas implanter ces systèmes sans se soucier des individus. Dès le début, nous avons sensibilisé les gestionnaires pour les aider à détecter les réactions négatives chez leurs employés », dit-il.

La règle d'or dans la gestion du changement ? « Communiquer, communiquer, communiquer ! Avant l'apprentissage du système comme tel, c'est 50 % du travail qui est déjà fait. »

Kathy Noël. « Grands changements... et gros problèmes », *Les Affaires,* 29 janvier 2000, p. 25.

lui-même. Parfois, il est possible «d'acheter» le soutien des meneurs de la résistance en négociant des ententes particulières avec eux. La manipulation est une pratique courante lorsque les autres tactiques ne fonctionnent pas ou sont jugées trop coûteuses.

- *Coercition explicite ou implicite:* L'agent de changement recourt à son autorité pour amener les récalcitrants à se plier au changement prévu; il peut les menacer de diverses sanctions s'ils n'acceptent pas de se soumettre. Cette approche peut être utile lorsque le changement doit être instauré de toute urgence.

Quelle que soit l'approche choisie, il faut se souvenir qu'une résistance au changement dénote généralement la nécessité de prendre des mesures pour obtenir une meilleure adéquation entre le changement planifié, la situation et les personnes touchées. Un bon agent de changement saura y faire face en se montrant ouvert à la rétroaction et en agissant en conséquence.

L'innovation en milieu organisationnel

Les organisations phares ne connaissent pas la stagnation. Non seulement elles innovent, mais elles innovent continuellement[18]: elles valorisent et favorisent l'innovation à tel point que celle-ci s'intègre à leurs activités d'exploitation quotidiennes. L'***innovation*** est un processus qui consiste à générer et à appliquer des idées nouvelles, lesquelles finissent par s'intégrer aux activités quotidiennes de l'organisation; idéalement, elles contribuent à mieux servir la clientèle ou à améliorer la productivité[19]. L'***innovation en matière de produits*** permet de mettre en marché des produits (biens ou services) nouveaux et améliorés afin de mieux répondre aux besoins de la clientèle. L'***innovation en matière de procédés*** permet la mise au point de méthodes de travail et d'activités d'exploitation nouvelles et améliorées.

■ LE PROCESSUS D'INNOVATION

Le schéma de la figure 19.4 illustre les principales étapes d'un processus d'innovation typique en milieu organisationnel:

- *l'imagination:* découverte d'une idée grâce à la créativité spontanée, à l'ingéniosité et au traitement de l'information;
- *l'expérimentation:* détermination de la valeur et des applications potentielles de l'idée;
- *l'étude de faisabilité:* détermination des coûts et des bénéfices anticipés;
- *l'application:* production et commercialisation du nouveau produit, ou mise en place du nouveau procédé.

Le processus ne se termine qu'une fois franchie la dernière étape, celle de l'application. Autrement dit, avoir une idée, même géniale, ne suffit pas pour innover; ce n'est qu'une fois qu'elle aura traversé toutes les étapes que nous venons de décrire qu'on en connaîtra vraiment la valeur.

■ ***Innovation***   Processus qui consiste à générer et à appliquer des idées nouvelles

■ ***Innovation en matière de produits***   Introduction de produits (biens ou services) nouveaux et améliorés afin de mieux répondre aux besoins de la clientèle

■ ***Innovation en matière de procédés***   Introduction de méthodes de travail ou d'activités d'exploitation nouvelles et améliorées

Lonnie Johnson ◄

Si vous ne connaissez pas le nom de Lonnie Johnson, le produit qu'il a mis au point ne vous est peut-être pas inconnu: cet ancien ingénieur de la NASA détient en effet le brevet du Super Soaker, en partenariat avec Larami Limited. Après avoir découvert qu'une pompe qu'il venait de mettre au point convenait parfaitement aux pistolets à eau, Johnson a construit un prototype qu'il a présenté à Larami. Résultat: on en a vendu plus de 250 millions d'exemplaires.

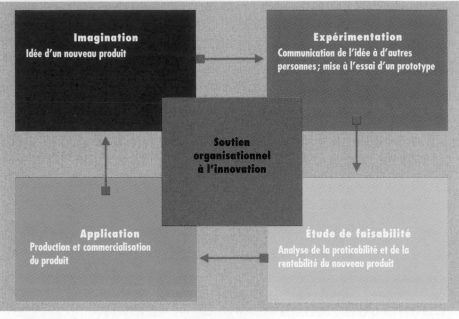

Figure 19.4
Le processus d'innovation : exemple de la conception d'un nouveau produit

■ LES CARACTÉRISTIQUES DES ORGANISATIONS NOVATRICES

Le contexte actuel impose aux organisations et à leurs membres de fortes exigences en matière d'innovation continue. Lorsqu'on examine les caractéristiques des organisations hautement performantes et novatrices, on constate certains traits communs, dont voici les principaux :

• leurs *stratégies* et leur *culture* sont axées sur l'innovation, ce qui suppose notamment une certaine tolérance pour les erreurs et les idées bien intentionnées qui n'aboutissent pas ;

• elles adoptent des *structures* qui soutiennent l'innovation, favorisent la créativité en privilégiant le travail d'équipe et l'intégration interfonctionnelle, et compensent l'incidence négative de leur grande taille par la décentralisation et la responsabilisation du personnel ;

• les plus novatrices ont une politique de *dotation en personnel* axée sur l'innovation : elles accordent une attention particulière au rôle déterminant que peuvent avoir les générateurs d'idées, les détenteurs de l'information, les créateurs de produits et les meneurs de projets ;

• elles bénéficient du *soutien de la haute direction :* les cadres supérieurs donnent l'exemple à leurs collaborateurs, éliminent les obstacles à l'innovation et tentent de faciliter l'apparition d'idées nouvelles. James Burke, l'ancien directeur général de Johnson & Johnson, a déclaré un jour qu'il avait toujours « essayé de faire comprendre aux gens qu'ils avaient droit à l'erreur ». De son côté, Harry V. Quadrucci, le fondateur de Quad Graphics, a tenu à pratiquer un type de gestion particulier, la « gestion *in absentia* ». Ces deux approches reposent sur un même postulat : les travailleurs savent ce qu'ils ont à faire, et le travail des dirigeants est de leur faire confiance et de les aider à faire de leur mieux[20].

La dynamique du stress

Les impératifs de changement et d'innovation en milieu organisationnel soumettent les travailleurs à des pressions non seulement accrues, mais d'un nouveau genre. Or, le **stress** se définit justement comme un état de tension provoqué par des contraintes, des exigences ou des occasions extraordinaires[21].

■ LES SOURCES DE STRESS

Dans une époque aussi mouvementée que la nôtre, quiconque réfléchit sur sa carrière doit tenir compte du stress, auquel personne n'échappe[22]. Les **facteurs de stress** (ou *agents de stress*) auxquels sont soumis les travailleurs sont de plus en plus nombreux et variés. Certains sont directement liés à ce qu'ils vivent en milieu de travail; d'autres, à leur vie personnelle.

Les facteurs de stress liés à la vie professionnelle   Personne n'en doute, le travail peut être stressant, et les exigences d'un emploi peuvent rompre l'équilibre entre notre vie professionnelle et notre vie personnelle. Selon une enquête réalisée par Statistique Canada en 1999, le tiers des Canadiens et Canadiennes âgés de 25 à 44 ans estiment être des bourreaux de travail, et la moitié d'entre eux s'inquiètent de ne pas consacrer assez de temps à leur famille et à leurs amis; au Québec, dans le même groupe d'âge, c'est un jeune adulte sur deux qui se considère comme un bourreau de travail et s'inquiète de ne pas consacrer assez de temps à sa famille et à ses amis[23]. Par ailleurs, l'étude *Les Canadiens au travail,* menée en 1999 par le Groupe-conseil Aon en collaboration avec Le Groupe Financier Banque Royale, révèle que, sur un échantillon aléatoire national constitué de 1328 travailleurs canadiens des deux sexes, près du quart des répondants (24,4 %) se disent insatisfaits de l'équilibre entre leur travail et les autres aspects de leur vie[24]. Aux États-Unis, pour ceux qui travaillent plus de 20 heures par semaine, la moyenne hebdomadaire est passée de 43 heures en 1977 à 47 heures en 1997. Chez les cadres américains, elle excède 50 heures pour un homme sur deux et pour une femme sur quatre[25].

Le stress professionnel a plusieurs causes, notamment:

- *la surcharge de rôle:* les attentes à l'égard d'une personne sont trop élevées, et celle-ci se sent submergée par la charge de travail;
- *l'insuffisance de rôle:* les attentes à l'égard d'une personne sont trop faibles, et celle-ci se sent sous-utilisée;
- *l'ambiguïté de rôle:* la personne a des incertitudes quant à ce qu'on attend d'elle ou quant aux critères qui serviront à évaluer son rendement;
- *le conflit de rôle:* la personne ne parvient pas à répondre aux attentes liées à son rôle parce qu'elles sont contradictoires ou incompatibles;
- *le dilemme éthique:* la personne doit choisir de poser ou non un acte qui présente des avantages potentiels tout en étant contraire à l'éthique;
- *les problèmes de relations interpersonnelles:* la personne doit travailler avec des gens avec qui elle ne s'entend pas ou qui ne s'entendent pas entre elles;
- *le rythme de la progression professionnelle:* la personne a un cheminement de carrière trop rapide (les promotions viennent vite), trop lent (les promotions

■ ***Stress***   État de tension provoqué par des contraintes, des exigences ou des occasions extraordinaires

■ ***Facteur de stress***   Agent de stress

Principaux facteurs de stress liés à la vie professionnelle

tardent à venir) ou encore fait face à un *plafonnement professionnel* (elle constate qu'elle a cessé de grimper les échelons de la hiérarchie organisationnelle et qu'elle ne pourra probablement pas assumer de responsabilités professionnelles plus importantes);

- *des conditions physiquement éprouvantes*: la personne travaille dans de mauvaises conditions: bruit, manque d'intimité, pollution ou autres conditions de travail déplaisantes.

Les facteurs de stress liés à la vie personnelle   Le débordement de problèmes extérieurs à la vie professionnelle des travailleurs peut devenir une source importante, bien que moins évidente, de stress en milieu organisationnel. Des événements familiaux (naissance, séparation, divorce, etc.), des difficultés financières (perte considérable liée à un mauvais investissement, etc.) ou d'autres problèmes personnels peuvent se révéler extrêmement stressants. Comme il est difficile, voire impossible, d'établir une frontière entre la vie professionnelle et la vie personnelle, ces facteurs de stress liés à la vie personnelle peuvent influer sur nos attitudes et nos comportements au travail, comme à l'extérieur du travail.

Le stress et les caractéristiques individuelles   Qu'ils soient liés à la vie professionnelle ou à la vie personnelle, les divers facteurs de stress que nous venons d'énumérer n'ont pas le même effet sur tous les gens. En fait, deux personnes soumises à un même facteur de stress le percevront différemment et y réagiront en fonction de leurs caractéristiques propres – traits de personnalité, valeurs, attitudes, besoins, antécédents, compétences, etc. Les caractéristiques individuelles, qui agissent comme des variables modératrices, ont donc une incidence déterminante sur la relation entre les facteurs de stress auxquels l'individu est soumis et le stress qu'il éprouve. Par exemple, le stress se révèle plus rapidement destructeur pour les personnes très émotives ou qui ont une faible estime de soi. Les individus qui perçoivent une certaine adéquation entre les exigences de leur emploi et leurs compétences semblent mieux tolérer le stress que ceux pour qui ce n'est pas le cas[26]. Certaines dimensions fondamentales de la personnalité entrent également en jeu. Par exemple, l'impatience, le désir de réussite et le perfectionnisme, caractéristiques des gens qui ont une personnalité de type A, peuvent occasionner un stress élevé dans un milieu de travail que d'autres trouveront peu stressant[27].

■ LE STRESS ET LE RENDEMENT

Les répercussions du stress sur nos vies ne sont pas toujours négatives, au contraire[28]. Le *bon stress* (ou *eustress*), qui se traduit par une tension modérée, a des effets positifs: augmentation des efforts et de l'application au travail, stimulation de la créativité et amélioration du rendement. Ce bon stress se manifeste lorsqu'il y a adéquation entre les capacités d'une personne et les exigences de son milieu professionnel, ou entre ses besoins et ceux que son travail lui permet de combler. Vous avez probablement déjà éprouvé les effets de ce type de stress: dans un cours difficile, vous êtes plus attentif en classe, vous étudiez de façon plus intense avant l'examen et vous augmentez vos efforts pour terminer le travail de session à temps.

En revanche, le *mauvais stress* (ou *détresse*) a des effets néfastes tant pour l'individu que pour l'organisation: insatisfaction, baisse de motivation et de rendement, absentéisme, erreurs, comportements contraires à l'éthique, maladies, roulement de personnel accru. Ce *mauvais stress* peut être associé à une tension très faible ou à un excès de tension ; il se manifeste lorsqu'il y a discordance entre les capacités d'une personne et les exigences de son milieu professionnel, ou entre ses besoins et ceux que son travail lui permet de combler. Ainsi, lorsque les demandes de l'environnement sont trop faibles et que les capacités d'une personne sont sous-utilisées, il en résultera un état d'apathie et les symptômes du mauvais stress apparaîtront. Une personne très compétente confinée à des tâches simples, répétitives et monotones pourrait en faire l'expérience. De même, une personne soumise à des exigences qui excèdent ses capacités ne pourra y répondre adéquatement ; comme l'excès de stress affaiblit les défenses psychologiques et physiologiques, les symptômes du mauvais stress risquent d'apparaître. Professeur à Stanford et consultant de renommée internationale, Jeffrey Pfeffer critique sévèrement les organisations où sévissent de telles situations, les accusant de créer des milieux de travail délétères[29]. Ce type d'organisation transmet implicitement à son personnel le message suivant : «Nous allons vous placer dans un environnement où vous devrez travailler à un rythme et dans des conditions insoutenables. Nous vous garderons ici jusqu'à ce que vous soyez épuisés. Ensuite, vous pourrez partir[30]».

ÉTHIQUE ET RESPONSABILITÉ SOCIALE ⚖️

À force de monter la barre, année après année, on risque d'épuiser et de démotiver les meilleurs, les plus performants. [...]

Dans certains milieux, il semble tout à fait normal de viser des cibles de plus en plus ambitieuses. *« The sky is the limit ! »* Voilà ce qu'on veut faire croire au monde dans la plupart des congrès de vente où viennent se raconter des entrepreneurs qui ont réussi, des sportifs de haut niveau et des consultants qui les ont connus.

Bien qu'il soit louable d'avoir un idéal élevé, bien qu'il soit habile de proposer aux gens des buts qui les poussent à se réaliser, voire à se dépasser, la «stratégie du plus» conduit inévitablement à la démobilisation et à l'échec si elle est la seule qu'utilise un manager.

Tout d'abord, il est irréaliste de prétendre que tout le monde peut arriver à en faire plus et à en vouloir plus. C'est un peu comme si un chef d'entreprise garantissait à ses employés qu'à force de travail et de persévérance, ils arriveraient tous à gagner un salaire plus élevé que le salaire moyen de leur groupe. Mathématiquement impossible ! Toute entreprise peut croître, mais ses employés ne croîtront pas tous également. À volonté et à opportunités égales, ces derniers n'ont pas tous le même positionnement, le même potentiel, ni la même énergie.

De plus, dans les «pep talk», on oublie souvent de mentionner que la croissance d'une entreprise a un prix : un prix en termes de stress, d'adaptation et d'apprentissage. Si on ne tient pas compte de cette réalité, on peut faire aux gens des demandes inhumaines. Les conseils d'administration qui engagent les entreprises dans des processus de fusion et de restructuration majeurs et persistent à imposer une augmentation continue des profits, comme si de rien n'était, sont pourtant très nombreux.

Enfin, à partir d'un certain seuil, il devient injuste d'exiger toujours plus d'un individu performant. À force de mettre la barre plus haute d'année en année, on finit par lui proposer des sommets inaccessibles. Ce faisant, on le pénalise, on l'épuise, on le dégoûte carrément. [...]

Nicole Côté. «L'obsession du plus», *Affaires PLUS*, vol. 23, nº 3, 1ᵉʳ mars 2000, p. 47.

⚖️

LE GESTIONNAIRE EFFICACE 19.2

SIGNES D'UN MAUVAIS STRESS

- Changement dans les habitudes alimentaires
- Augmentation de la consommation d'alcool ou de tabac
- Sensation de ne pas être en bonne santé, douleurs, maux d'estomac
- Impatience, incapacité à se concentrer, troubles du sommeil
- Tension, agitation, susceptibilité, nervosité
- Désorientation, accablement, humeur dépressive, irritabilité

■ LE STRESS ET LA SANTÉ

Comme on le sait, le stress peut être néfaste à la santé. À long terme, l'anxiété et la frustration qu'engendre le mauvais stress peuvent compromettre le bien-être physique et mental de l'individu[31]. Les ennuis de santé associés au mauvais stress comprennent les troubles cardiaques et les accidents cardio-vasculaires, l'hypertension, la migraine, les ulcères gastriques, les abus de substances toxiques, la suralimentation, la dépression et les douleurs musculaires, pour n'en nommer que quelques-uns. Les cadres et les chefs d'équipe devraient être à l'affût des signes d'un mauvais stress chez eux comme chez leurs collègues (voir *Le gestionnaire efficace 19.2*). Le principal symptôme du mauvais stress est le changement du comportement habituel : l'assiduité qui se transforme en absentéisme, la ponctualité en retards fréquents, le travail soigné en travail bâclé, l'attitude positive en attitude négative, l'ouverture au changement en résistance, l'esprit d'équipe en hostilité, etc. De tous ces signes, l'absentéisme est certainement celui qui témoigne le plus éloquemment de la mauvaise santé des travailleurs. Ainsi, au Centre hospitalier régional de Rimouski, près de 60 % des congés de maladie chez le personnel sont liés à des problèmes de santé mentale – stress, fatigue, dépression, etc. –, et ce taux est représentatif de celui qu'on trouve dans les autres établissements du réseau de la santé au Québec. Les changements entraînés par la réforme du système de santé ne seraient pas étrangers à cette situation[32]. Selon la Chaire en gestion de la santé et de la sécurité au travail de l'Université Laval, en 1999, l'absentéisme a augmenté de 35 % dans les entreprises québécoises. À l'échelle canadienne, on estime qu'il coûte plus de 16 milliards de dollars aux entreprises[33]. Selon d'autres études, globalement, les coûts économiques du stress – absentéisme, baisse de productivité, taux de roulement plus élevé, accidents, frais médicaux, etc. – s'élèveraient à 20 milliards de dollars au Canada[34].

■ LA GESTION DU STRESS

Pour lutter contre les ravages du stress, la première et la meilleure des stratégies est la *prévention,* c'est-à-dire l'adoption de mesures pour empêcher que le stress n'atteigne des degrés alarmants. Pour prévenir les effets négatifs des divers facteurs de stress, l'individu doit apprendre à les reconnaître, et y réagir adéquatement. Ainsi, il pourrait refuser la responsabilité d'un dossier s'il a l'impression de ne pas avoir le temps ou la compétence nécessaire pour l'assumer, faire clarifier ses tâches ou ses objectifs de rendement s'il les trouve trop flous, ou encore demander qu'on précise son rôle au sein d'un groupe de travail. Une modification de l'horaire de travail peut parfois soulager le stress lié à certains problèmes familiaux. Dans certains cas, le simple fait de savoir qu'un supérieur connaît la situation, et la comprend, peut suffire à réduire l'anxiété d'un travailleur aux prises avec des problèmes personnels.

■ *Gestion du stress* Stratégie qui consiste à déterminer les causes et les symptômes d'un stress excessif, puis à prendre des mesures pour le ramener au niveau optimal

Si le stress a déjà atteint un niveau perturbateur, on devra pratiquer une véritable ***gestion du stress,*** c'est-à-dire déterminer les causes et les symptômes d'un stress excessif, puis prendre des mesures pour le ramener au niveau qui permet un rendement optimal. De nos jours, les gens recherchent de plus en plus active-ment cet état de satisfaction du corps et de l'esprit qu'on appelle le **bien-être.** Bien sûr, l'individu se doit d'assurer son bien-être personnel pour mieux résister au stress, notamment en adoptant une bonne hygiène de vie, par exemple en surveil-lant son alimentation, sa consommation d'alcool et de tabac, son poids et sa forme physique[35]. Mais les organisations ont, elles aussi, intérêt à contribuer au bien-être de leur personnel. Selon une étude de l'Université du Michigan, certaines entreprises ont épargné jusqu'à 600 $US par année par travailleur en aidant leur personnel à combattre les risques d'ennuis majeurs de santé[36]. Directeur général de Healthy Outlook Worldwide, une firme de consultants en conditionnement physique, Arnold Coleman raconte : « Si je peux faire épargner à des entreprises de 5 % à 20 % de leurs frais médicaux, elles me prêtent une oreille attentive. En fin de compte, quand l'entreprise est en bonne santé, tout le monde y trouve son compte[37] [...] ».

Les organisations qui créent des milieux de travail sains et qui investissent à fond dans leurs ressources humaines sont les mieux placées pour bénéficier pleine-ment des talents et des compétences des travailleurs. Comme le disait Jeffrey Pfeffer : « Ce qui vous distingue de vos concurrents, c'est le savoir, les talents, les compétences et l'engagement des gens qui travaillent pour vous. Les entreprises qui traitent bien leur personnel recevront beaucoup en retour[38] ». Une petite phrase qui résume l'essence même du comportement organisationnel.

■ **Bien-être**   État de satisfaction du corps et de l'esprit qui passe par une bonne santé physique et mentale et qui permet de mieux résister au stress

ORGANISATION HAUTEMENT PERFORMANTE

www.dmr.com

[...] DMR Conseil, à Québec, a adopté le programme *Dynamique*, santé et travail mis au point par le Groupe CPS, une firme de consultants en promotion de la santé.

Dans le cadre de ce programme, les participants sont conviés à huit rencontres interactives qui se déroulent habituellement à l'heure du déjeuner, et durant lesquelles on leur donne des outils concrets pour acquérir de saines habi-tudes de vie.

Le programme s'étale sur une période de deux ans à raison d'une confé-rence tous les trois mois sur des sujets variés comme l'alimentation, la famille, les médicaments, le sommeil, etc. Il réunit autant les employés, les cadres que les gestionnaires de l'entreprise.

« C'est un programme très apprécié parce que les gens sont en mesure de voir des résultats concrets dans leur vie en général, pas seulement au travail », souligne France Marotte, coordonnatrice à la formation. « On leur fournit des trucs faciles à mettre en application. »

Un suivi se fait également par l'entremise d'un bulletin d'information et d'une ligne Internet.

En élaborant ce programme, le Groupe CPS a misé sur l'approche préventive plutôt que curative. « Un seul type d'intervention n'est pas suffisant pour avoir des résultats intéressants », soutient Luc Poirier, président de CPS.

« Le stress est souvent la résultante d'un déséquilibre entre toutes les dimensions de la vie d'une personne : la famille, l'alimentation, l'activité physique, etc. Plus les interventions sont diversifiées, mieux c'est. Et il faut aussi avoir des interventions continues. » [...]

Sylvie Lemieux. « Investir dans la santé pour combattre l'absentéisme », *Les Affaires,* 27 janvier 2001, p. 39.

Guide de révision

Qu'est-ce que le changement planifié en milieu organisationnel ?

■ Un changement planifié survient lorsqu'un agent de changement, individu ou groupe, veut résoudre des problèmes ou stimuler les possibilités en matière de rendement.

■ Les principales cibles organisationnelles du changement planifié sont : la raison d'être, les stratégies, les objectifs, la culture, la structure, les tâches, la technologie et le personnel.

■ Le processus de changement planifié comporte trois étapes, toutes essentielles à sa réussite : la décristallisation, l'instauration du changement et la recristallisation.

Quelles sont les diverses stratégies de changement planifié ?

■ Selon les situations, l'agent de changement peut recourir à diverses stratégies pour modifier les comportements des individus et des systèmes sociaux.

■ Lorsqu'il recourt à une stratégie de coercition, l'agent de changement s'appuie sur son autorité, son pouvoir de récompense ou son pouvoir de coercition pour contraindre les personnes à se soumettre au changement qu'il propose.

■ Lorsqu'il recourt à une stratégie de persuasion rationnelle, l'agent de changement s'appuie sur son pouvoir d'expertise ou sur son pouvoir de persuasion rationnelle pour convaincre les personnes qu'elles ont avantage à adhérer au changement qu'il propose.

■ Lorsqu'il recourt à une stratégie de partage du pouvoir, l'agent de changement s'appuie sur son pouvoir de référence pour responsabiliser les personnes touchées par le changement qu'il propose. et pour favoriser leur participation à sa planification et à son implantation.

Comment peut-on gérer la résistance au changement ?

■ Le gestionnaire doit s'attendre à une certaine résistance au changement ; plutôt que de la craindre, il doit y voir une source de rétroaction dont il pourra se servir pour améliorer le changement planifié.

■ Généralement, les gens s'opposent au changement pour défendre quelque chose qu'ils estiment important et qu'ils croient menacé ; leur résistance peut être liée à la nature du changement, à la stratégie employée ou à l'agent de changement lui-même.

■ Le gestionnaire dispose de plusieurs moyens pour vaincre la résistance au changement, notamment : l'information et la communication ; la participation et l'engagement ; la facilitation et le soutien ; la négociation et l'entente ; la manipulation ; et la coercition explicite ou implicite.

Comment les organisations innovent-elles?

■ L'innovation est un processus qui consiste à générer et à appliquer des idées nouvelles, lesquelles finissent par s'intégrer aux activités quotidiennes de l'organisation ; idéalement, elles contribuent à améliorer sa productivité ou son service à la clientèle.

■ L'innovation en matière de produits permet à l'organisation de mettre en marché des produits (biens ou services) nouveaux ou améliorés afin de mieux répondre aux besoins de sa clientèle. L'innovation en matière de procédés permet la mise au point de méthodes de travail ou d'activités d'exploitation nouvelles et améliorées.

■ L'innovation est un processus. Ses principales étapes sont: l'imagination, l'expérimentation, l'étude de faisabilité et l'application.

■ Les organisations les plus novatrices ont ceci en commun que leurs stratégies, leur culture organisationnelle, leur structure, leur politique de dotation en personnel et le leadership des hauts dirigeants soutiennent explicitement et activement l'innovation.

Qu'est-ce que le stress, et quels sont ses effets en milieu organisationnel?

■ Le stress est un état de tension provoqué par des contraintes, des exigences ou des occasions extraordinaires.

■ Les principaux facteurs de stress liés à la vie professionnelle sont: la surcharge ou l'insuffisance de rôle; l'ambiguïté de rôle; le conflit de rôle; le dilemme éthique; les problèmes de relations interpersonnelles; le rythme de la progression professionnelle; et les conditions de travail physiquement éprouvantes.

■ Des événements familiaux, des difficultés financières ou d'autres problèmes personnels peuvent être très stressants pour le travailleur; ce stress lié à la vie personnelle peut déborder sur la vie professionnelle.

■ Chaque individu perçoit les facteurs de stress et y réagit en fonction de ses caractéristiques propres. Les caractéristiques individuelles – traits de personnalité, valeurs, attitudes, besoins, antécédents, compétences, etc. – ont une incidence déterminante sur la relation entre les facteurs de stress auxquels l'individu est soumis et le stress qu'il éprouve.

■ On peut prévenir les effets néfastes du stress en agissant sur les facteurs d'ordre professionnel ou personnel.

■ Si le stress a déjà atteint un niveau perturbateur, on doit envisager une véritable gestion du stress, stratégie qui consiste à déterminer les causes et les symptômes d'un stress excessif, puis à prendre des mesures pour le ramener au niveau qui permet un rendement optimal.

■ L'individu doit veiller à son bien-être personnel en adoptant une bonne hygiène de vie afin de mieux supporter des situations stressantes. Les organisations ont intérêt à contribuer au bien-être de leur personnel. Celles qui créent des milieux de travail sains et qui investissent à fond dans leurs ressources humaines sont les mieux placées pour bénéficier pleinement des talents et des compétences des travailleurs.

Évaluation des connaissances

■ QUESTIONS À CHOIX MULTIPLE

1. Signes que des changements s'imposent, les écarts de rendement peuvent représenter des problèmes à résoudre ou _____ a) des dépenses à éviter. b) des employés à congédier. c) des structures à modifier. d) des occasions à saisir.

2. Dans un processus de changement planifié, la prise de conscience de la nécessité d'un changement est une question relative à l'étape _____ a) du diagnostic. b) de l'évaluation. c) de la décristallisation. d) de l'instauration du changement.

3. La stratégie _____ est une stratégie de changement planifié qui repose notamment sur la transmission d'information et le pouvoir d'expertise. a) de coercition b) de persuasion rationnelle c) de partage du pouvoir d) de l'autorité

4. La stratégie _____ débouche souvent sur une soumission temporaire au changement planifié. a) de coercition b) de persuasion rationnelle c) de partage du pouvoir d) de rééducation-normative

5. L'agent de changement avisé _____ la résistance au changement pour mieux parvenir à ses objectifs. a) élimine b) ne tient pas compte de c) prend en considération d) évite

6. L'une des conditions d'un changement planifié réussi suppose qu'il doit être perçu comme une amélioration par rapport à ce qui se faisait auparavant. Laquelle? a) Le changement doit être bénéfique. b) Le changement doit s'accompagner d'une période d'essai. c) Le changement doit être relativement simple. d) Le changement doit être conciliable avec les caractéristiques des gens touchés.

7. Donner de la formation sur l'utilisation d'une nouvelle technologie informatique est un exemple de gestion de la résistance au changement fondée sur _____ a) la participation et l'engagement. b) l'encouragement et le soutien. c) la négociation et l'entente. d) l'information et la communication.

8. La dernière étape du processus d'innovation est celle de _____ a) l'imagination. b) l'invention. c) l'étude de faisabilité. d) l'application.

9. La surcharge de rôle et le dilemme éthique sont des facteurs de stress _____ ; en revanche, des difficultés financières et un divorce sont des facteurs de stress _____ a) liés à la vie professionnelle […] liés à la vie personnelle. b) liés à la vie professionnelle […] liés à la personnalité. c) collectifs […] personnels. d) réels […] imaginaires.

10. Lequel des éléments suivants est un exemple de gestion du stress axée sur une stratégie de bien-être personnel ? a) La négociation de rôle. b) L'autonomisation. c) Des exercices physiques réguliers. d) Des horaires de travail flexibles.

■ VRAI OU FAUX ?

11. Pour les organisations contemporaines, le seul changement efficace est le changement radical (ou en profondeur).   **V   F**

12. Les agents de changement sont toujours des consultants extérieurs à l'organisation dont le rôle est d'aider les gestionnaires à opérer des changements. **V   F**

13. Les changements qui touchent aux tâches, au personnel, à la technologie ou aux structures sont souvent étroitement liés.   **V   F**

14. Le renforcement positif des comportements souhaités fait partie de la phase de recristallisation du changement planifié.   **V   F**

15. La personnalité et le style de l'agent de changement peuvent susciter une résistance au changement.   **V   F**

16. En matière de changement planifié, la stratégie de partage du pouvoir est identique à celle qui privilégie la persuasion rationnelle.   **V   F**

17. L'innovation en matière de procédés a pour objectif la création d'un nouveau produit ou d'un nouveau service.   **V   F**

18. Les concepteurs de produits et les détenteurs d'information jouent un rôle majeur en matière d'innovation au sein des organisations.   **V   F**

19. La seule stratégie pour lutter contre les ravages du stress est la prévention. **V   F**

20. Le stress relié à la vie personnelle peut avoir une incidence sur les activités professionnelles d'un individu.   **V   F**

■ QUESTIONS À RÉPONSE BRÈVE

21. Que devrait faire le gestionnaire qui décèle l'apparition de forces instigatrices d'un changement non planifié ?

22. Quelles sont les forces internes et externes instigatrices d'un changement organisationnel planifié ?

23. Que nous apprend le syndrome de la grenouille ébouillantée sur les réactions au changement en milieu organisationnel ?

24. Comment le stress peut-il avoir une incidence sur le rendement des travailleurs ?

■ QUESTION À DÉVELOPPEMENT

25. Lorsque Jorge Maldanado est devenu directeur du centre municipal de loisirs de sa municipalité, il en est rapidement venu à la conclusion que de nombreux changements s'imposaient pour en faire une véritable ressource communautaire. Comme le centre venait d'obtenir une subvention, il disposait de fonds pour l'achat de nouveau matériel et le lancement de nouveaux programmes d'activités. Encore fallait-il convaincre le personnel de l'intérêt d'innover dans ce domaine… Or, les premiers efforts de Jorge pour moderniser le centre ont suscité une résistance considérable. Les commentaires du personnel ont été sans équivoque : «Pourquoi tous ces changements ? Tout allait bien jusqu'à maintenant !» À quelles stratégies décrites dans ce chapitre Jorge pourrait-il avoir recours pour faire avancer ses projets ?

Reportez-vous aux études de cas, aux exercices et aux autoévaluations de notre *Cahier d'apprentissage en CO* (voir p. 531).

■ **Consultez le site Web du manuel. Vous y trouverez un questionnaire interactif et des exercices en ligne sur le contenu de ce chapitre.**

www.erpi.com/schermerhorn

Module complémentaire

Les fondements de la recherche en comportement organisationnel

Cet ouvrage fait état de multiples observations et conclusions sur des sujets relatifs au champ d'étude du comportement organisationnel. La très grande majorité de ces observations et conclusions reposent sur les résultats de la recherche en CO ; c'est le cas, pour ne donner que cet exemple, des diverses perspectives et recommandations sur la motivation qu'on trouve au chapitre 6.

Il est essentiel que vous connaissiez les fondements de la recherche en CO, et cela, pour plusieurs raisons :

1. Les fondements de la recherche en CO sont aussi ceux du contenu de cet ouvrage et de votre cours ;

2. Connaître les fondements de la recherche en CO vous permettra d'évaluer, en plus des résultats de recherche rapportés dans ce livre, les données, observations et recommandations qui vous viendront d'autres sources. Par exemple, les médias traitent régulièrement de sujets associés au CO (leadership, motivation, effets des TIC sur les travailleurs et les organisations, etc.). De plus, ceux et celles d'entre vous qui deviendrez gestionnaires serez continuellement inondés d'informations sur la gestion et sur toutes les facettes du comportement humain en milieu organisationnel. Cependant, ces informations ne sont pas toutes d'égale valeur, notamment parce qu'elles ne résultent pas nécessairement de recherches systématiques menées avec toute la rigueur de la méthode scientifique. Ce module vous aidera à en juger. Par exemple, si un jour votre patronne vous demande votre opinion sur un article qu'elle vient de lire à propos du rendement des équipes de travail, les pages qui suivent pourraient vous aider à lui répondre en toute connaissance de cause ;

3. Connaître les fondements de la recherche en CO pourra également vous aider à poser les bonnes questions et à trouver des informations fiables lorsque, en tant que gestionnaire, vous aurez à résoudre des problèmes de gestion et de comportement en milieu organisationnel. Par exemple, le jour où vous voudrez vérifier qu'une des approches du leadership décrites au chapitre 14 donne bien les résultats prévus, le contenu de ce module pourra vous être utile. Ces quelques pages ne feront pas de vous un scientifique ni un expert en CO, mais elles pourront vous aider à développer une pensée scientifique et à vous appuyer sur des recherches scientifiques pour régler les problèmes que vous rencontrez.

La méthode scientifique

Élément clé de la recherche en CO, la ***méthode scientifique*** repose sur les quatre étapes suivantes :

1. élaborer la problématique de recherche, c'est-à-dire préciser la *question* ou le *problème* qui fait l'objet de la recherche ;

2. formuler une ou plusieurs *hypothèses* sur ce que la recherche devrait démontrer, ou des *explications* sur l'objectif que la recherche devrait atteindre ; ces hypothèses ou ces explications peuvent émaner de diverses sources, notamment des recherches antérieures et d'une recension des écrits relatifs à la question ou au problème de recherche ;

3. établir un *protocole de recherche*, c'est-à-dire déterminer le plan ou la stratégie d'ensemble qui encadrera la recherche et lui permettra soit de vérifier sa ou ses hypothèses, soit d'atteindre son objectif ;

4. procéder à la *collecte des données*, à leur *analyse* et à leur *interprétation*[1].

■ LE VOCABULAIRE DE LA RECHERCHE : QUELQUES TERMES USUELS

Dans le reste de ce module, nous allons approfondir certains aspects de cette méthode scientifique que nous venons de décrire succinctement, notamment en nous penchant sur les protocoles de recherche. Mais avant d'aller plus loin, il nous semble important de clarifier quelques termes usuels de la recherche afin de faciliter la compréhension des explications qui vont suivre[2].

Variable Une ***variable*** est une mesure utilisée pour décrire un phénomène du monde réel. Ainsi, un chercheur pourra compter *le nombre de pièces fabriquées en une semaine par les travailleurs d'une unité* (une variable) pour évaluer leur rendement individuel (une autre variable).

Hypothèse de recherche En nous appuyant sur ce que nous en avons déjà dit, nous pouvons définir l'***hypothèse de recherche*** comme une proposition qui prédit l'existence d'une relation entre deux ou plusieurs variables, et que la recherche va tenter de confirmer, d'infirmer ou de nuancer. Par exemple, des chercheurs en CO ont avancé l'*hypothèse* suivante : l'augmentation du nombre de pauses accordées à des travailleurs durant leur journée de travail entraîne une augmentation de leur rendement individuel. Les hypothèses sont des énoncés prévisionnels. Une fois confirmées par la recherche, les hypothèses peuvent avoir des applications concrètes. Ainsi, la confirmation de la relation prédite entre le nombre de pauses et le rendement individuel pourrait avoir l'application concrète suivante : si vous voulez accroître le rendement individuel dans une unité de travail, accordez aux travailleurs des pauses plus fréquentes.

Variable dépendante La ***variable dépendante*** est un fait ou un événement auquel le chercheur s'intéresse et qui, selon son hypothèse de recherche, devrait varier sous l'effet d'un autre facteur (la variable indépendante). En CO, par exemple, la variable dépendante sur laquelle on se penche est très souvent le rendement individuel ; les chercheurs tentent de déterminer les facteurs qui permettraient de prédire une amélioration du rendement. L'une des nombreuses hypothèses avancées est qu'une fréquence accrue des pauses entraîne un accroissement du rendement individuel.

Variable indépendante   La *variable indépendante* est un fait ou un événement qui, selon l'hypothèse de recherche, devrait avoir une incidence sur le fait ou l'événement étudié (la variable dépendante). Dans notre exemple de recherche portant sur le rendement individuel, la fréquence accrue des pauses constitue la variable indépendante.

Variable intermédiaire   La *variable intermédiaire* est un fait ou un événement qui favorise la relation présumée entre une variable indépendante et une variable dépendante, et qui permet de la préciser. Ainsi, des chercheurs ont émis l'hypothèse suivante : la gestion participative (variable indépendante) augmente la satisfaction professionnelle (variable intermédiaire) et, par conséquent, améliore le rendement (variable dépendante).

Variable modératrice   La *variable modératrice* est un fait ou un événement qui, s'il est modifié systématiquement, a une incidence sur la relation entre une variable indépendante et une variable dépendante. La relation entre ces deux variables évolue en fonction de la valeur de la variable modératrice, valeur qui peut être aussi un degré (élevé/faible), une catégorie (jeune/âgé ou homme/femme), etc.[3] Ainsi, l'hypothèse émise dans l'exemple précédent (la gestion participative influe positivement sur le rendement individuel) pourrait ne se vérifier qu'à condition que les travailleurs aient l'impression que leur participation est réelle et légitimée (variable modératrice). Ou encore, elle pourrait se vérifier chez les travailleurs du Canada, mais pas chez ceux du Brésil (ici, la variable modératrice serait le pays).

Théorie   Une *théorie* est un ensemble de concepts, de définitions et de propositions en interrelation, qui propose une vue systématique d'un phénomène afin d'expliquer ses manifestations et de les prédire[4]. Généralement échafaudées à partir de plusieurs hypothèses reposant chacune sur des définitions et des propositions clairement énoncées, les théories tendent à être abstraites et à englober une foule de variables. La plupart, sinon toutes les variables dont nous venons de parler, seraient probablement mises à contribution dans une théorie. Précisons que ce que nous appelons des « théories » en CO ne correspond pas toujours strictement à cette définition ; il s'agit plutôt de points de vue, d'explications ou de perspectives qui ont le mérite d'être logiques et qui sont en voie d'être vérifiés scientifiquement.

Validité   La *validité* est la qualité des résultats de recherche exacts et utilisables. Plus le chercheur réussit à éviter les erreurs au cours de la recherche, plus la validité des résultats qu'il obtient est grande[5]. En d'autres termes, le degré de validité indique le degré de confiance qu'on peut avoir en ses résultats. On distingue deux types de validité :

- La *validité interne* est la qualité des résultats de recherche qui mesurent exactement ce qu'ils sont censés mesurer. La validité interne est plus grande s'il est possible d'écarter à coup sûr toute autre interprétation des résultats de la recherche que celle fournie dans l'hypothèse[6]. Par exemple, des données montrant une amélioration du rendement lorsqu'on adopte des pratiques de gestion participative auront une plus grande validité interne si on peut exclure

■ *Variable indépendante*
Fait ou événement qui, selon l'hypothèse de recherche, devrait avoir une incidence sur la variable dépendante

■ *Variable intermédiaire*
Fait ou événement qui favorise la relation présumée entre une variable indépendant et une variable dépendante, et qui permet de la préciser

■ *Variable modératrice*
Fait ou événement qui, s'il est modifié systématiquement, a une incidence sur la relation entre une variable indépendante et une variable dépendante

■ *Théorie*   Ensemble de concepts, de définitions et de propositions en interrelation, qui propose une vue systématique d'un phénomène afin d'expliquer ses manifestations et de les prédire

■ *Validité*   Qualité des résultats de recherche exacts et utilisables

la possibilité que l'amélioration observée soit plutôt due au remplacement des anciennes machines par de nouvelles, plus efficaces.

• La *validité externe* est la qualité des résultats de recherche qui peuvent être appliqués à toute une population, à tous les contextes, etc.[7] Il ne peut y avoir de validité externe sans validité interne ; on doit être convaincu que les résultats découlent bien des causes déterminées par l'étude avant de pouvoir les généraliser.

Fiabilité La ***fiabilité*** est la qualité d'un instrument de mesure qui donne des résultats consistants et stables. La fiabilité est indispensable à la validité, à l'exactitude. Imaginez-vous en train de tirer sur une cible. Si les points d'impact sont éparpillés sur toute la cible, vos tirs n'ont ni fiabilité (consistance) ni validité (exactitude). Si les points d'impact sont groupés, mais en dehors du cercle extérieur de la cible, vos tirs sont fiables, mais ils ne sont pas valides. Si les points d'impact sont groupés au centre de la cible, vos tirs sont à la fois fiables et valides[8].

Causalité La ***causalité*** est la relation entre deux *variables* dont l'une est la cause et l'autre, l'effet. Lorsque, dans une recherche expérimentale, on émet l'hypothèse que la modification de la variable indépendante aura une incidence sur la variable dépendante, on prédit qu'il y a une relation de causalité entre ces deux variables. Il est très difficile d'établir la présence d'une relation causale dans le cadre des recherches en CO. Démontrer la causalité exige trois types de preuves : 1) il faut établir un lien ou une association entre les variables ; 2) une variable doit précéder l'autre dans le temps ; et 3) il ne doit y avoir aucun autre facteur causal[9]. Par exemple, si nous observons que la participation des travailleurs et leur rendement augmentent ensemble, nous établissons une relation entre ces deux variables ; si nous pouvons aussi prouver que l'augmentation de la participation a précédé celle du rendement, et que cette augmentation ne peut être attribuable à aucun autre facteur (installation de nouvelles machines, etc.), nous pouvons dire que la participation accrue est probablement la cause de l'amélioration du rendement.

■ *Fiabilité* Qualité d'un instrument de mesure qui donne des résultats consistants et stables

■ *Causalité* Relation entre deux variables dont l'une est la cause et l'autre l'effet

Les protocoles de recherche

On l'a vu, le ***protocole de recherche*** est le plan ou la stratégie d'ensemble qui permettra à la recherche de vérifier la ou les hypothèses avancées ou d'atteindre son objectif. Les cinq protocoles de recherche les plus répandus sont l'*expérimentation en laboratoire*, l'*expérimentation sur le terrain*, le *protocole quasi expérimental*, l'*étude de cas* et l'*enquête*[10].

■ *Protocole de recherche* Plan ou stratégie d'ensemble qui permettra à la recherche de vérifier la ou les hypothèses avancées ou d'atteindre son objectif

■ L'EXPÉRIMENTATION EN LABORATOIRE

L'***expérimentation en laboratoire*** est un protocole de recherche où, dans un milieu artificiel, les chercheurs manipulent une ou des variables indépendantes dans des conditions rigoureusement contrôlées. Ce contrôle très strict que permettent des conditions de laboratoire favorise la validité interne de la recherche ; cependant sa validité externe peut pâtir du caractère artificiel de la situation.

■ *Expérimentation en laboratoire* Protocole de recherche où, dans un milieu artificiel, les chercheurs manipulent une ou des variables indépendantes dans des conditions rigoureusement contrôlées

Supposons un chercheur dont la problématique de recherche concerne l'effet de trois programmes incitatifs sur l'absentéisme des travailleurs. Tous trois consistent en une loterie, mais les récompenses varient : le premier offre un prix en argent ; le deuxième, un prix en congés payés ; le troisième, un objet de valeur, comme une automobile. Le chercheur choisit des individus au hasard parmi l'effectif d'une organisation et leur demande de se présenter à son bureau pour participer à une étude.

Dans une expérimentation, l'échantillonnage aléatoire est toujours essentiel : il garantit que les variables non mesurées seront réparties au hasard parmi les sujets, ce qui devrait éviter que des variables étrangères n'influent d'une manière ou d'une autre sur les résultats éventuels. Notons qu'il est souvent impossible de constituer un échantillonnage aléatoire en milieu organisationnel, car les sujets désignés par le sort risquent de ne pas pouvoir se dégager de leurs tâches pour participer à l'expérience.

Toujours au hasard, le chercheur assigne ensuite chacun des participants à un des trois programmes incitatifs (groupes expérimentaux) ou à un quatrième groupe dont les sujets ne sont soumis à aucun programme incitatif (groupe témoin ou groupe de contrôle). À partir de là, les sujets vont travailler à leurs nouveaux postes de travail, dans des conditions complètement artificielles, mais rigoureusement contrôlées. Leur taux d'absentéisme au début et à la fin de l'expérience est mesuré. On se livre ensuite à des comparaisons statistiques entre tous ces groupes pour analyser les données recueillies. Finalement, le chercheur interprète ces données sur les conséquences de chacun des modes de loterie sur l'absentéisme.

Le chercheur a réalisé un échantillonnage aléatoire, a soigneusement mesuré le taux d'absentéisme des sujets de chacun des trois programmes au début et à la fin de l'expérience, et a comparé ces données à celles recueillies auprès du groupe témoin. Par conséquent, si les données de l'expérience indiquent un taux d'absentéisme significativement plus faible chez les sujets d'un des trois groupes, il pourra être raisonnablement certain que le programme incitatif en est la cause.

Cependant, comme cette expérience s'est déroulée dans un milieu artificiel et que les programmes incitatifs (loteries) avaient été très simplifiés pour en permettre le contrôle, notre chercheur aurait des raisons de douter de la validité externe de son expérience ; idéalement, il essaierait de la vérifier en réalisant une étude complémentaire avec un autre protocole de recherche.

■ L'EXPÉRIMENTATION SUR LE TERRAIN

L'*expérimentation sur le terrain* est un protocole de recherche avec expérience où, cette fois dans un milieu naturel, les chercheurs manipulent une ou des variables indépendantes en s'efforçant de contrôler la situation aussi rigoureusement que possible. Par exemple, supposons que, après avoir réalisé l'expérience précédente, notre chercheur veuille maintenant tester l'effet des trois programmes incitatifs sur l'absentéisme des travailleurs non plus en milieu artificiel, mais dans leur milieu naturel. Avec la permission de la direction de l'entreprise, il choisit quatre services et attribue à trois d'entre eux un des trois programmes incitatifs, tandis que le quatrième, le groupe témoin, garde son système de rémunération habituel. Les travailleurs sont ensuite assignés de manière aléatoire à chacun de ces quatre services.

■ *Expérimentation sur le terrain* Protocole de recherche avec expérience où, dans un milieu naturel, les chercheurs manipulent une ou des variables indépendantes en s'efforçant de contrôler la situation aussi rigoureusement que possible

Ce type de recherche se déroule sensiblement comme l'expérimentation en laboratoire, à ceci près qu'en milieu naturel, la situation est plus réaliste, mais moins bien contrôlée. De plus, pour des raisons d'horaire et d'organisation du travail, obtenir une assignation aléatoire des sujets est souvent extrêmement difficile en milieu naturel.

■ LE PROTOCOLE QUASI EXPÉRIMENTAL

■ ***Protocole quasi expéri-***
mental Protocole de recherche
avec expérience se caractérisant
par le fait que les sujets ne sont
pas assignés au hasard à des
groupes et que les *variables*
étrangères échappent au *contrôle*
parfait du chercheur

Parfois, l'assignation aléatoire des sujets est impossible; les chercheurs peuvent tout de même manipuler d'autres variables et obtenir des résultats valides. Lorsque les sujets ne sont pas assignés au hasard à des groupes ou que les *variables étrangères* échappent au *contrôle* parfait du chercheur, on parle d'un ***protocole quasi expérimental.***

■ L'ÉTUDE DE CAS

■ ***Étude de cas*** Protocole de
recherche qui repose sur l'analyse
en profondeur d'une ou de
quelques unités (individu, milieu,
organisation, événement, etc.)

L'***étude de cas*** est un protocole de recherche qui repose sur l'analyse en profondeur d'une ou de quelques unités (individu, milieu, organisation, événement, etc.). L'étude de cas est particulièrement utile aux chercheurs qui s'intéressent à un phénomène peu connu, et qui veulent le fouiller en profondeur pour tenter d'en saisir les concepts les plus pertinents. L'étude de cas peut aussi aider le chercheur à développer une théorie, laquelle pourra ensuite être évaluée à l'aide d'un autre protocole de recherche.

Reprenons notre exemple de l'effet des programmes incitatifs sur l'absentéisme des travailleurs. Ici, le chercheur pourrait s'intéresser à quatre entreprises qui ont conçu et implanté de tels programmes, et passer au crible les raisons de leur succès ou de leur échec. Les résultats d'une telle recherche pourraient fort bien révéler de nouvelles dimensions du problème, qu'on continuera à explorer au moyen d'autres études de cas ou d'autres protocoles de recherche.

Les grands avantages de l'étude de cas résident dans son réalisme, et dans l'abondance et l'intérêt des éléments d'information qu'elle permet de recueillir. Quant à ses inconvénients, notons le fait que le chercheur n'exerce aucun contrôle, la difficulté d'interpréter les résultats à cause de leur profusion, ainsi que le temps et les coûts qu'elle peut supposer.

■ L'ENQUÊTE

■ ***Enquête*** Protocole de
recherche qui repose sur un
questionnaire et vise à décrire ou
à prédire un phénomène

L'***enquête*** est un protocole de recherche qui repose sur un questionnaire et vise à décrire ou à prédire un phénomène. Généralement menée auprès d'un échantillon représentatif d'une population, l'enquête cherche à déceler des relations entre des variables. Elle offre deux avantages importants : la flexibilité ainsi que la possibilité d'examiner et de décrire rapidement et à peu de frais de vastes segments de la population. On peut s'en servir pour mener divers types de recherches en CO, par exemple pour vérifier certaines hypothèses et théories ou pour évaluer certains programmes. L'enquête suppose que le chercheur maîtrise suffisamment le sujet pour poser les bonnes questions; parfois, des recherches antérieures lui fournissent de l'information utile.

Reprenons notre exemple des effets des programmes incitatifs sur l'absentéisme. Après avoir réuni de l'information sur des entreprises dotées de tels programmes et procédé à une recension des écrits sur le sujet, le chercheur élabore son questionnaire; son objectif de recherche est de dresser le profil des entreprises qu'il étudie et de déterminer quels programmes ont fait diminuer le taux d'absentéisme.

La grande limite de l'enquête est le peu de contrôle que le chercheur exerce sur la situation: il ne peut pas manipuler les variables et, parfois, même le choix des répondants et du moment où ils répondront aux questions lui échappent. Autre limite: les réponses à un questionnaire manquent de substance, de sorte que le chercheur obtient parfois des données superficielles.

La collecte, l'analyse et l'interprétation des données

Une fois le protocole de recherche établi, on passe à la collecte et à l'analyse des données, puis à leur interprétation, dernière étape de la démarche scientifique. Les techniques de collecte de données les plus courantes sont: l'entrevue, l'observation, le questionnaire et les méthodes non réactives[11].

■ L'ENTREVUE

L'*entrevue* est une technique de collecte de données qui repose sur un entretien, en personne, au téléphone ou par l'entremise de systèmes informatisés, durant lequel on interroge les répondants sur divers sujets d'intérêt. Dans une *entrevue structurée*, on pose les mêmes questions, dans le même ordre, à tous les répondants. L'*entrevue non structurée* se déroule de façon plus spontanée et n'exige pas un format normalisé pour tous. Souvent, on combine les deux méthodes. L'entrevue permet de poser des questions approfondies et d'obtenir des réponses détaillées; cependant, elle exige généralement beaucoup de temps et, selon sa structure et sa profondeur, peut nécessiter des niveaux élevés de formation et de compétence.

■ *Entrevue* Technique de collecte de données qui repose sur un entretien, en personne, au téléphone ou par l'entremise de systèmes informatisés, durant lequel on interroge les répondants sur divers sujets d'intérêt

■ L'OBSERVATION

L'*observation* est une technique de collecte de données qui consiste à observer un événement, un objet ou une personne, et à consigner ses caractéristiques. Dans certains cas, l'observateur est un chercheur qui n'a aucun lien avec les participants et qui observe la situation de l'extérieur. Dans d'autres cas, l'observateur prend part à la situation (par exemple, il est membre de l'unité de travail observée), et il résume ses observations dans une sorte de journal de bord. Enfin, l'observateur peut choisir d'observer les sujets à leur insu, derrière un miroir sans tain ou à l'aide de caméras de surveillance.

■ *Observation* Technique de collecte de données qui consiste à observer un événement, un objet ou une personne, et à consigner ses caractéristiques

L'observation a deux grands avantages: 1) le comportement est observé au moment où il survient, plutôt que décrit après coup, en réponse à des questions;

et 2) l'observateur peut obtenir des données que les sujets ne veulent pas ou ne peuvent pas dévoiler. Du côté des inconvénients, notons des coûts élevés et la faillibilité des observateurs, lesquels ne fournissent pas toujours des données complètes et exactes.

■ LE QUESTIONNAIRE

■ **Questionnaire** Instrument de collecte de données qui permet d'interroger les répondants sur leurs opinions, leurs attitudes et leurs perceptions touchant divers sujets

Le **questionnaire** est un instrument de collecte de données qui permet d'interroger les répondants sur leurs opinions, leurs attitudes et leurs perceptions touchant divers sujets – en CO, des sujets liés à leur travail. Le questionnaire s'appuie généralement sur des instruments de recherche qui existent déjà. Normalement, les répondants remplissent le questionnaire – les questions peuvent être ouvertes, dichotomiques (*vrai/faux*) ou à choix multiple –, puis le transmettent au chercheur.

Le questionnaire offre deux avantages appréciables : ses coûts modestes et son anonymat, lequel favorise la franchise et l'honnêteté dans les réponses. Par contre, le taux de réponse est souvent faible, ce qui réduit la possibilité de généralisation, et les réponses manquent souvent de substance.

■ LES MÉTHODES NON RÉACTIVES

■ **Méthodes non réactives** Techniques de recherche qui permettent de recueillir des données sans perturber la situation étudiée

Les **méthodes non réactives** sont des techniques de recherche qui permettent de recueillir des données sans perturber la situation étudiée. Ces méthodes mettent l'accent sur les *indices matériels*, les *archives* et l'*observation dissimulée*. Par indices matériels, on entend le genre de renseignements récoltés par John Fry de 3M, qui distribua des lots tests de Post-it aux membres du personnel et découvrit ainsi qu'ils les utilisaient davantage que le Scotch Tape, produit champion de 3M[12]. Les archives sont des données conservées par les organisations au fil de leurs activités quotidiennes : comptes rendus, dossiers, relevés de production, etc.

Le grand avantage des méthodes non réactives est de ne pas perturber la situation étudiée ; comme le chercheur n'intervient pas, sa présence ne modifie pas les réactions des participants. Par contre, leur caractère indirect peut entraîner des déductions erronées, aussi est-il sage de les associer à des évaluations plus directes.

■ L'ANALYSE ET L'INTERPRÉTATION DES DONNÉES

Une fois les données recueillies, il faut les analyser. Le plus souvent, l'analyse de ces données s'appuie sur une forme ou une autre de méthode statistique, depuis le simple décompte et la catégorisation jusqu'aux méthodes à variables multiples les plus élaborées[13]. La description de ce vaste domaine dépasse largement notre propos, mais soulignons néanmoins l'importance de ces méthodes. On utilise, entre autres, les tests statistiques pour valider des hypothèses de recherche, pour vérifier la fiabilité des diverses techniques de collecte des données, et pour fournir de l'information sur la causalité et sur de nombreux autres aspects de l'analyse.

Après avoir analysé systématiquement ses données, le chercheur *interprète* les résultats et prépare un rapport de recherche[14]. Il peut arriver que ce rapport soit utilisé immédiatement par la direction de l'organisation, présenté dans des colloques ou publié dans des revues spécialisées. Enfin, les résultats des recherches en CO finissent souvent par être publiés dans des ouvrages comme le nôtre.

L'éthique scientifique

Compte tenu de la place accordée aux considérations éthiques dans ce livre, quoi de plus approprié que de conclure ce module par les aspects éthiques de la recherche en CO?

Quatre entités sont concernées par la recherche en général, et plus particulièrement par la recherche en CO : la société, les sujets, les clients et les chercheurs. Et chacune de ces entités a des droits[15].

- Les droits de la *société* – le plus vaste champ de recherche en CO – comprennent le droit à l'information sur les résultats de la recherche, le droit à l'objectivité des résultats et le droit à la vie privée (droit de ne pas être importuné) ;
- Les droits des *sujets* comprennent le droit de consentement, le droit au respect de leur intégrité et le droit d'être informés des objectifs de la recherche ;
- Les droits des *clients* de la recherche sont, essentiellement, le droit d'obtenir des recherches de qualité et le droit à la confidentialité ;
- Les droits des *chercheurs* sont essentiellement le droit de chercher, et le droit au respect des règles éthiques de la part de leurs clients et de leurs sujets.

Toutes les parties concernées doivent connaître leurs droits et s'engager à respecter ceux des autres parties. De plus en plus, les organisations qui se livrent à des recherches scientifiques se dotent de codes déontologiques. Dans le champ d'étude du CO, c'est le cas notamment de l'American Psychological Association, de l'Academy of Management et de la Société canadienne de psychologie[16].

CAHIER
D'APPRENTISSAGE
EN CO

I. Études de cas

Cas	Chapitre suggéré	Autres sujets de références
1. *Drexler's Bar-B-Que*	1 Le comportement organisationnel de nos jours	Conception et structure organisationnelles ; culture organisationnelle ; changement et innovation ; processus décisionnel ; leadership.
2. *Sun Microsystems*	2 L'organisation hautement performante	Gestion des ressources humaines ; culture organisationnelle ; innovation ; technologies de l'information et des communications ; leadership.
3. *Des frontières à franchir*	3 Mondialisation et comportement organisationnel	Diversité et différences individuelles ; perception et attribution ; gestion du rendement ; conception de poste ; communication ; prise de décision et conflit.
4. *Jamais le dimanche...*	4 Diversité et différences individuelles	Éthique ; Conception et structure organisationnelles ; culture organisationnelle ; processus décisionnel ; changement organisationnel.
5. *MagRec inc.*	5 Perception et attribution	Éthique et diversité ; conception et structure organisationnelles ; culture organisationnelle ; processus décisionnel ; changement organisationnel.
6. *C'est trop injuste !*	6 Motivation et renforcement	Perception et attribution ; gestion du rendement et récompenses ; communication ; éthique et processus décisionnel.
7. *Amoco*	7 Les systèmes de gestion des ressources humaines	Culture organisationnelle ; mondialisation ; communication ; processus décisionnel.
8. *Loin des yeux, près de l'action*	8 Conception de poste et haute performance	Structure organisationnelle ; motivation ; gestion du rendement et récompenses.
9. *Un membre oublié*	9 La nature des groupes	Travail d'équipe ; motivation ; diversité et différences individuelles ; perception et attribution ; gestion du rendement et récompenses ; communication ; conflit ; leadership.
10. *Les écuries de la NASCAR*	10 Travail d'équipe et équipes hautement performantes	Culture organisationnelle ; leadership ; motivation et renforcement ; communication.
11. *La financière First Community*	11 Les caractéristiques fondamentales des organisations	Conception et structure organisationnelles ; culture organisationnelle ; gestion du rendement et récompenses ; conflit.
12. *Mission Management and Trust*	12 Technologies et structure organisationnelle	Culture organisationnelle ; éthique ; gestion du rendement et récompenses.
13. *Motorola*	13 Culture organisationnelle et haute performance	Innovation ; conflit et négociation ; leadership ; changement et stress.
14. *Perot Systems*	14 Leadership et haute performance	Culture organisationnelle ; organisation hautement performante ; gestion des ressources humaines ; dynamique de groupe et travail d'équipe ; motivation et renforcement.
15. *Direction et syndicat main dans la main à Parma?*	15 Pouvoir et jeu politique	Communication ; conflit ; processus décisionnel ; changement organisationnel ; conception de poste ; dynamique de groupe et travail d'équipe.
16. *L'histoire du morse qui n'en savait pas assez*	16 Information et communication	Leadership ; conflit ; perception et attribution.

Cas		Chapitre suggéré	Autres sujets de références
17. *Johnson & Johnson*	17	Le processus décisionnel	Structure organisationnelle; culture organisation-nelle; changement et innovation; dynamique de groupe et travail d'équipe; diversité et différences individuelles; éthique.
18. *American Airlines traverse une zone de turbulences*	18	Conflits et négociation	Changement, innovation et stress; conception de poste; communication; pouvoir et jeu politique.
19. *Un nouveau vice-recteur pour Mid-West U*	19	Changement, innovation et stress	Leadership; gestion du rendement et récompenses; diversité et différences individuelles; communica-tion; conflit et négociation; pouvoir et influence.

II. Étude de cas intégrée

Cas	Aperçu
Trilogy Software: High Performance Company of the Future?	Abordant de multiples sujets, cette étude de cas porte sur le lancement et la croissance d'un fabricant de logiciels des plus innovateurs. Elle met l'accent sur les OHP, l'environnement concurrentiel, l'innovation, une main-d'œuvre compétente, la motivation et les récompenses, la culture organisationnelle, les technologies et le changement.

Note: cette étude de cas apparaît dans le site Internet du manuel: www.erpi.com/schermerhorn

III. Exercices

Exercice		Chapitre suggéré	Autres sujets de référence
1. *Mon meilleur patron*	1	Le comportement organi-sationnel de nos jours	Leadership.
2. *Les mots de la fin: remue-méninges et idées en vrac*	1	Le comportement organi-sationnel de nos jours	Perception et attribution; gestion des ressources humaines; communication.
3. *Mon meilleur emploi*	2	L'organisation hautement performante	Motivation; conception de poste; culture organisa-tionnelle.
4. *Que valorisez-vous parti-culièrement dans un travail?*	2	L'organisation hautement performante	Diversité et différences individuelles; gestion du rendement et récompenses; motivation; conception de poste; processus décisionnel.
5. *Mon actif*	2	L'organisation hautement performante	Perception et attribution; diversité et différences individuelles; gestion des ressources humaines.
6. *Un poste à l'étranger*	3	Mondialisation et compor-tement organisationnel	Perception et attribution; diversité et différences individuelles; processus décisionnel; gestion des ressources humaines.
7. *Signaux culturels*	3	Mondialisation et compor-tement organisationnel	Perception et attribution; diversité et différences individuelles; processus décisionnel; communica-tion; conflit; dynamique de groupe et travail d'équipe.
8. *Les préjugés au quotidien*	4	Diversité et différences individuelles	Perception et attribution; processus décisionnel; conflit; dynamique de groupe et travail d'équipe.

Exercice	Chapitre suggéré	Autres sujets de référence
9. *Comment percevons-nous les différences?*	5 Perception et attribution	Culture; mondialisation; diversité et différences individuelles; processus décisionnel; communication; conflit; dynamique de groupe et travail d'équipe.
10. *La rivière aux alligators*	5 Perception et attribution	Diversité et différences individuelles; processus décisionnel; communication; conflit; dynamique de groupe et travail d'équipe.
11. *Travail d'équipe et motivation*	6 Motivation et renforcement	Gestion du rendement et récompenses; conception de poste; dynamique de groupe et travail d'équipe.
12. *Les désavantages des mesures disciplinaires*	6 Motivation et renforcement	Perception et attribution; gestion du rendement et récompenses.
13. *Augmentations de salaire annuelles*	7 Les systèmes de gestion des ressources humaines	Motivation; perception et attribution; apprentissage et renforcement; processus décisionnel.
14. *Le jeu de construction*	8 Conception de poste et haute performance	Conception et structure organisationnelles; culture organisationnelle; dynamique de groupe et travail d'équipe; leadership.
15. *Préférences en matière de conception de poste*	8 Conception de poste et haute performance	Motivation; structure organisationnelle; changement.
16. *Un emploi de rêve*	8 Conception de poste et haute performance	Motivation; diversité et différences individuelles; structure organisationnelle; changement.
17. *Travœufs pratiques*	9 La nature des groupes	Dynamique de groupe et travail d'équipe; diversité et différences individuelles; communication; leadership.
18. *Harmonisation fonctionnelle d'une équipe: la chasse aux trésors*	10 Travail d'équipe et équipes hautement performantes	Groupe; leadership; diversité et différences individuelles; communication.
19. *Dynamique d'une équipe de travail*	10 Travail d'équipe et équipes hautement performantes	Groupe; motivation; processus décisionnel; conflit; communication.
20. *Détermination des normes de groupe*	10 Travail d'équipe et équipes hautement performantes	Groupe; communication; perception et attribution.
21. *Culture de groupe de travail*	10 Travail d'équipe et équipes hautement performantes	Groupe; communication; perception et attribution; conception de poste; culture organisationnelle.
22. *La chaise vide*	10 Travail d'équipe et équipes hautement performantes	Groupe; communication; conflits et négociation; pouvoir et jeu politique; leadership; culture organisationnelle.
23. *Les coulisses des organisations*	11 Les caractéristiques fondamentales des organisations	Conception et structure organisationnelles; culture organisationnelle; conception de poste; gestion du rendement et récompenses.
24. *D'un hamburger à l'autre...*	12 Technologies et structure organisationnelle	Caractéristiques organisationnelles; culture organisationnelle; conception de poste.
25. *Une invasion extraterrestre*	13 Culture organisationnelle et haute performance	Conception et structure organisationnelles; mondialisation; diversité et différences individuelles; perception et attribution.

Exercice	Chapitre suggéré	Autres sujets de référence
26. *Interview d'un dirigeant*	14 Leadership et haute performance	Gestion des ressources humaines ; motivation ; pouvoir ; conception de poste ; nouveau milieu de travail ; changement organisationnel et stress.
27. *Inventaire des compétences en leadership*	14 Leadership et haute performance	Différences individuelles ; perception et attribution ; processus décisionnel.
28. *Leadership et participation au processus décisionnel*	14 Leadership et haute performance	Processus décisionnel ; communication ; motivation ; dynamique de groupe et travail d'équipe.
29. *Mon meilleur patron II*	15 Pouvoir et jeu politique	Diversité et différences individuelles ; perception et attribution.
30. *Écoute active*	16 Information et communication	Dynamique de groupe et travail d'équipe ; perception et attribution.
31. *Évaluation d'un supérieur*	16 Information et communication	Processus décisionnel, perception et attribution ; gestion du rendement et récompenses ; motivation.
32. *Rétroaction à 360 degrés*	17 Le processus décisionnel	Communication ; perception et attribution ; gestion du rendement et récompenses ; motivation.
33. *Analyse et négociation de rôle*	17 Le processus décisionnel	Communication ; dynamique de groupe et travail d'équipe ; perception et attribution ; processus décisionnel.
34. *Les naufragés*	17 Le processus décisionnel	Communication ; dynamique de groupe et travail d'équipe ; conflit et négociation ; leadership.
35. *Incursion dans l'inconnu*	17 Le processus décisionnel	Communication ; dynamique de groupe et travail d'équipe ; perception et attribution ; leadership.
36. *Le casse-tête des congés*	18 Conflit et négociation	Communication ; processus décisionnel.
37. *Les oranges Ugli*	18 Conflit et négociation	Communication ; processus décisionnel.
38. *Analyse du champ des forces*	19 Changement, innovation et stress	Processus décisionnel ; conception et structure organisationnelles ; culture organisationnelle.

IV. Autoévaluations

Test	Chapitre(s) suggéré(s)	Autres sujets de référence
1. *Les postulats d'un gestionnaire*	1 Le comportement organisationnel de nos jours	Leadership.
2. *Le gestionnaire du XXIᵉ siècle*	1 Le comportement organisationnel de nos jours 2 L'organisation hautement performante	Leadership ; processus décisionnel ; mondialisation.
3. *Tolérance à l'agitation*	1 Le comportement organisationnel de nos jours 2 L'organisation hautement performante	Perception ; différences individuelles ; changement organisationnel et stress.
4. *Indice de préparation à la mondialisation*	3 Mondialisation et comportement organisationnel	Diversité ; culture ; leadership ; perception ; compétences de gestion ; préparation à une carrière.
5. *Valeurs personnelles*	4 Diversité et différences individuelles	Perception ; motivation ; Leadership.

Test	Chapitre(s) suggéré(s)	Autres sujets de référence
6. *Degré de tolérance à l'ambiguïté*	5 Perception et attribution	Leadership; changement, motivation et stress.
7. *Profil bifactoriel*	6 Motivation et renforcement	Conception de poste; perception; gestion des ressources humaines.
8. *Êtes-vous universel?*	7 Les systèmes de gestion des ressources humaines 8 Conception de poste et haute performance	Diversité et différences individuelles; culture organisationnelle.
9. *Efficacité d'un groupe*	9 La nature des groupes 10 Travail d'équipe et équipes hautement performantes	Structure organisationnelle; culture organisationnelle; leadership.
10. *Préférences en matière de structure organisationnelle*	11 Les caractéristiques fondamentales des organisations 12 Technologies et structure organisationnelle	Conception de poste; diversité et différences individuelles.
11. *Quelle est la culture qui vous convient?*	13 Culture organisationnelle et haute performance	Perception; diversité et différences individuelles.
12. *Le collègue le moins apprécié*	14 Leadership et haute performance	Perception; diversité et différences individuelles; dynamique de groupe et travail d'équipe.
13. *Style de leadership*	14 Leadership et haute performance	Perception; diversité et différences individuelles; dynamique de groupe et travail d'équipe.
14. *Leadership transactionnel et leadership transformateur*	14 Leadership et haute performance 16 Information et communication	Perception; diversité et différences individuelles; dynamique de groupe et travail d'équipe.
15. *Responsabilisation des autres*	15 Pouvoir et jeu politique 16 Information et communication	Leadership; perception et attribution; dynamique de groupe et travail d'équipe.
16. *Machiavélisme*	15 Pouvoir et jeu politique	Leadership; diversité et différences individuelles; motivation.
17. *Votre profil de pouvoir personnel*	15 Pouvoir et jeu politique	Leadership; diversité et différences individuelles; motivation.
18. *Êtes-vous intuitif?*	17 Le processus décisionnel	Diversité et différences individuelles..
19. *Influence des heuristiques sur le processus décisionnel*	17 Le processus décisionnel	Communication; perception.
20. *Styles de gestion de conflit*	18 Conflits et négociation	Diversité et différences individuelles; communication; leadership; motivation.
21. *Votre type de personnalité*	19 Changement, innovation et stress	Diversité et différences individuelles; motivation; conception de poste.
22. *Comment gérez-vous votre temps?*	19 Changement, innovation et stress	Diversité et différences individuelles.

ÉTUDES DE CAS

Drexler's
Bar-B-Que
· · · · · · · · · · · · · · · ·

L e changement semble faire partie de l'existence mais, au Texas, certaines choses sont immuables ; il en va ainsi de l'amour des gens pour le barbecue à la texane. Lorsqu'on emprunte la route qui relie Houston à Waco, on remarque de nombreuses enseignes invitant les automobilistes à s'arrêter pour déguster un *bbq* ou un *bar b q* (leurs goûts sont aussi variés que l'orthographe du mot, et très souvent tout aussi inspirés). Dans les villes texanes, bien des restaurants, souvent des franchises, concurrencent les petits établissements de quartier pour attirer la clientèle.

La survie de chacun de ces commerces repose en bonne part sur sa capacité à déceler la conjoncture favorable et à en tirer parti. Les PME, censées faire preuve de davantage de souplesse et de rapidité à réagir aux changements, courent malgré tout des risques plus élevés que les grandes entreprises, plus aptes à supporter des pertes. Malgré ces différences d'échelle, il est crucial pour *toutes* les entreprises de déterminer si elles ont vraiment la volonté et la capacité de tirer profit des occasions d'affaires qui se présentent. Le 14 février 1995, Drexler's Bar-B-Que, un petit restaurant d'un quartier de Houston, la quatrième ville des États-Unis, eut l'occasion de vérifier s'il possédait cette volonté et cette énergie.

Drexler's est situé au 2020 Dowling Street dans une section de Houston surnommée *Third Ward*, un quartier pauvre à quelques pas du centre-ville qui semble avoir toujours fait partie du décor même s'il n'existe que depuis 1940. À cette époque, l'oncle des propriétaires actuels tenait un établissement appelé Burney's BBQ. Il mourut à la fin des années cinquante, et son frère lui succéda à la tête de ce qui prit alors le nom de Green's Barbecue, après un accord intervenu avec un autre restaurant populaire de *Southwest Houston*. Dans les années soixante-dix, James Drexler, alors âgé de douze ans, commença à travailler auprès de son oncle, qui lui révéla les secrets familiaux pour rôtir le bœuf, le poulet et les saucisses. C'est en gravissant les échelons qu'il apprit le métier et, à la mort de son oncle en 1982, il reprit l'affaire avec sa mère. En 1985, il résilia l'accord de location qui le liait avec cet autre restaurant et baptisa sa rôtisserie Drexler's Bar-B-Que. Jusqu'à aujourd'hui, c'est toujours une entreprise familiale, mais son expansion a entraîné une spécialisation des tâches. James Drexler prépare toujours les viandes, sa mère, Eunice Scott, se charge des accompagnements (l'assiette classique comprend une salade de pommes de terre, une autre de choux, des haricots et des tranches de pain blanc), et sa sœur Virginia est en première ligne pour les commandes et la caisse. Aux deux ou trois employés à temps plein s'ajoutent en été des neveux qui viennent parfois donner un coup de main.

Drexler's est une entreprise familiale, nourrie de fortes valeurs sous-jacentes, et véritablement intégrée à *son* quartier. Malgré leur réussite et une clientèle accrue des autres quartiers de la ville (qui auparavant ne faisait souvent que traverser *Third Ward*), les Drexler n'ont jamais envisagé de déménager leur commerce. La culture d'entreprise et les valeurs qui la sous-tendent portent la marque du chef de famille actuel, Mme Scott. Ses principes – l'honnêteté, la conscience professionnelle, le respect et l'équité – ainsi que sa foi en Dieu imprègnent l'atmosphère et les activités du restaurant. Elle s'y déplace, souriante et chaleureuse, s'informant des besoins des habitués comme de ceux des nouveaux clients. Si le restaurant est ouvert, Mme Scott est présente, mettant elle-même en pratique les principes qu'elle exige de ceux et celles qui travaillent à ses côtés.

Les valeurs prônées par Mme Scott influent également sur la façon dont Drexler's agit à l'égard de la collectivité environnante, composée surtout d'Afro-Américains. Ainsi Drexler's a-t-il commandité pendant nombre d'années une équipe de balle molle et une troupe de louveteaux locale. Grâce à l'engagement de la famille, qui estime qu'une entreprise doit tenter à tout prix d'aider les autres, ces jeunes du voisinage ont ainsi la chance d'aller camper ou de se rendre au parc d'attractions.

Par certains côtés, il pourrait sembler que Drexler's n'est guère flexible ni capable de s'adapter. Il ferme à 18 h ainsi que le dimanche et le lundi, et on y sert le même menu depuis des années. Mais la communauté afro-américaine,

surtout celle qui habite le *Southwest*, l'apprécie depuis fort longtemps. Le restaurant a ses habitués, des clients qui le fréquentent depuis des années, et il a établi un service de traiteur pour organismes qui est des plus prospères. Le restaurant a continué de prospérer tant et si bien que, au début des années 1990, il ne pouvait plus répondre à la demande; plutôt délabré, il n'offrait plus suffisamment d'espace et de tables. Les propriétaires prirent la décision, en 1994, de fermer pour six mois, de raser le vieux local et de construire un établissement plus moderne, en prévoyant de l'espace additionnel pour une expansion future dans des entreprises, associées ou non à la restauration, que d'autres membres de la famille mettraient sur pied. Ce fut une sage décision; dès l'ouverture, la clientèle doubla. Le restaurant allait cependant subir son véritable test d'adaptation aux changements le 14 février 1995.

Mme Scott a deux fils : James, copropriétaire de la rôtisserie, et Clyde, joueur de basket dans la NBA. En 1994, Clyde apparut au restaurant pour mousser la réouverture. Le 14 février 1995, il fut échangé par les *Portland Trailblazers* aux *Rockets* de Houston. Il jouissait d'une certaine célébrité à Houston, car il avait fait ses débuts de basketteur dans l'équipe de l'université, la *Phi Slamma Jamma*, où il avait joué avec Hakeem Olajuwon, l'étoile des *Rockets*. Devenu un équipier talentueux de l'équipe de Portland, il avait été sélectionné à plusieurs reprises dans des équipes étoiles, avait participé à deux finales de la NBA et avait fait partie de la première *Dream Team* qui s'était illustrée aux Jeux olympiques de 1992.

Pour les *Rockets* de Houston, champions en titre, l'hiver 1994-1995 s'avérait difficile, et l'acquisition de Clyde Drexler fit sensation. Avec lui, l'équipe pouvait espérer répéter sa

victoire de l'année précédente. Pour la ville, c'était une grande nouvelle que ce retour d'un héros local dans les rangs de l'équipe championne.

Dès l'annonce de l'échange, une nouvelle clientèle afflua chez Drexler's. Ils furent encore plus nombreux lorsque les *Rockets* enregistrèrent de bons résultats au cours des séries éliminatoires du printemps 1995. Certains jours, la rôtisserie dut fermer plus tôt par manque de nourriture! Au cours des demi-finales contre San Antonio, puis de la finale contre Orlando, les articles de journaux et les reportages télévisés semblaient provenir du restaurant aussi souvent que du palais des sports. Une station de radio y orchestra une fête permettant aux partisans de l'équipe de gagner des billets pour la finale. Un grand journal local lui consacra un article dans sa rubrique gastronomique. Pour de nombreux admirateurs des *Rockets*, fréquenter la rôtisserie était une façon de se rapprocher de l'équipe et ils prirent l'habitude de venir embrasser Mme Scott et bavarder avec elle de son fils Clyde. Lorsque les *Rockets* décrochèrent le titre de champions de la NBA, tous les Houstoniens connaissaient l'équipe et nombre d'entre eux avaient entre-temps découvert Drexler's Bar-B-Que.

Depuis, le restaurant est devenu le pivot d'un ensemble de commerces voisins. Outre ses deux célèbres fils, Mme Scott a quatre filles. Virginia, déjà très engagée dans la vie du restaurant, est copropriétaire d'un salon de coiffure avec sa sœur Charlotte. Barbara Wiltz, une cousine, a ouvert une boulangerie. Il y a également une librairie spécialisée dans le sport qui est louée à une personne étrangère à la famille. En janvier 1996, on a agrandi l'immeuble pour y loger un service de traiteur qui ne cesse de croître.

Pendant ce temps, le restaurant a poursuivi son engagement à l'égard de la collectivité. À Noël et à l'Action de grâces, il offre dans un parc voisin un pique-nique gratuit à tous les habitants du quartier.

Source : Forrest F. Aven Junior (University of Houston – Downtown) et V. Jean Ramsey (Texas Southern University).

Questions

1. En vous servant du modèle du système ouvert décrit au chapitre 1, expliquez comment Drexler's Bar-B-Que devrait fonctionner en tant qu'*organisation apprenante*.

2. Quel est le lien entre les valeurs défendues par Drexler's et les questions de responsabilités sociale et éthique ?

3. Quels sont les défis en matière de leadership, de gestion et d'organisation auxquels Drexler's va devoir faire face au cours de sa croissance ?

CAS N° 2

Sun Microsystems : « Nous sommes le point des *point-com*.»

Que faut-il pour susciter une révolution informatique ? La solution préconisée par Bill Gates et **Microsoft***, reposant sur la vente de micro-ordinateurs équipés de logiciels (de Microsoft, à n'en pas douter !), est peut-être en train de céder la place au système en réseau dont **McNealy** de **Sun Microsystems** s'est fait le champion depuis longtemps. En fait, McNealy est l'un des rares dirigeants de l'industrie de l'informatique à s'être attaqué à la mainmise de Microsoft. Il l'a fait avec une énergie et une ténacité devenues légendaires, et Steven M. Milunovich, analyste chez Merril Lynch, affirme que si on veut connaître l'avenir de l'informatique il faut s'adresser à Sun[1].

Sun Microsystems

C'est en 1982 qu'Andreas Bechtolsheim, **Bill Joy**, Vinod Khosla et Scott McNealy fondent **Sun Microsystems**. Le premier appareil de l'entreprise, le *Sun 1*, est alors un ordinateur hautement performant reposant sur des composants, peu chers et rapidement disponibles, associés au système d'exploitation Unix mis au point par Joy pendant qu'il était étudiant diplômé à l'Université de Californie à Berkeley. Dès ses débuts, Sun résiste à **Wintel** (le modèle Windows-Intel) et se concentre sur

le marché des stations de travail haut de gamme conçues pour les ingénieurs, les concepteurs et les négociants en bourse, ainsi que pour des applications de conception et de fabrication assistées par ordinateur.

Scott McNealy, qui assume la présidence de la société en 1984, n'a cessé depuis de livrer bataille à Microsoft et à Bill Gates. Le créneau privilégié par Sun – les stations de travail haut de gamme (**high-end workstations**) – l'a tout d'abord maintenue à l'écart de la concurrence directe sur le marché des ordinateurs personnels. Cependant, avec le temps, les ordinateurs personnels, devenus de plus en plus puissants, sont entrés en concurrence directe avec les stations de travail. Sun, devant donc diversifier ses produits,

s'est tournée vers d'autres secteurs de l'informatique et particulièrement celui d'Internet.

Sun est la seule grande entreprise à fabriquer une gamme complète d'ordinateurs (**entire line of computers**) composée exclusivement de ses propres modèles équipés de ses puces (les **sparcs**) et de son système d'exploitation, une version d'Unix appelée Solaris. À ce titre, elle est la seule à pouvoir prétendre offrir une solution de remplacement à l'univers Wintel[2]. Cette stratégie n'a pas que des partisans ; certains font remarquer que d'énormes investissements en recherche et développement affaiblissent la société, contrairement aux fabricants qui équipent leurs modèles avec Windows et les puces **Intel**. L'entreprise dépense 10,4 % de ses ventes en recherche et développement, comparativement à 4,5 % pour **Compaq** et 1,6 % pour **Dell** qui comptent sur Microsoft et Intel pour une bonne part de la recherche[3].

Néanmoins fier de cette situation, McNealy affirme que «En informatique, il ne reste que trois grandes sociétés spécialisées dans la technologie : Intel, Microsoft et Sun[4].» Pour l'analyste Joe Ferlazzo, de Technology Business Research, «On commence à les trouver plus crédibles comme fournisseurs de solutions intégrées.» Sun propose, en effet, une solution de rechange attrayante avec le même système d'exploitation sur tous ses modèles, depuis la station de travail à 2500 \$US équipée d'une seule puce Sparc jusqu'au serveur à 1 million de dollars comportant 64 puces en parallèle et autant de puissance qu'un ordinateur central d'IBM. «C'est ce dont on a besoin dans le secteur des services d'accès Internet et de l'informatique d'entreprise», ajoute-t-il. D'un avis totalement différent, Susan Whitney d'IBM soutient que «croire qu'une architecture unique peut répondre à tous les

---

* Les termes en couleur soulignés indiquent des liens Internet figurant dans le site Web du manuel : www.erpi.com/schermerhorn

besoins du milieu n'est pas une stratégie avisée[5]».

McNealy ne se laisse pas démonter par ces arguments et demeure convaincu de la justesse de sa mission qui n'est rien de moins que la disparition de l'ordinateur personnel. Selon lui, «L'ordinateur personnel n'est qu'un spot sur l'écran. C'est un gros spot bien scintillant, mais ce n'est qu'un spot. Dans cinquante ans, vos petits-enfants vous demanderont si vous aviez *vraiment* un ordinateur sur votre bureau, et cela leur paraîtra très étrange[6]. »

L'analyste C.B. Lee de Sutro and Company, ex-cadre chez Sun, affirme que «McNealy a la langue trop bien pendue. À un moment donné, il faut montrer plus de maturité[7]. »

Compensant l'attitude matamore de McNealy, **Ed Zander**, directeur de l'exploitation chez Sun, présente un profil plus conservateur. À ce propos, Milunovich de Merrill Lynch estime que «McNealy et Zander sont comme le *yin* et le *yang*. Si McNealy est le Grand prêtre de cette religion, Ed est beaucoup plus pragmatique. Pour Sun, c'est excellent d'avoir ces deux-là[8]. »

S'il est une chose que l'on se doit d'accorder à McNealy, c'est bien son talent à *réinventer* Sun constamment pour réagir à l'évolution des conditions externes. Il a su faire passer l'entreprise des stations de travail et de leurs composants à des serveurs haut de gamme destinés aux applications Internet. Avec la création de Java et de Jini, Sun est en train de devenir un puissant fabricant de logiciels nécessaires au bon fonctionnement d'Internet et des futures plates-formes de gestion de l'information.

Sun admet que, pour y parvenir, elle a besoin d'attirer des personnes talentueuses. D'ailleurs, plusieurs observateurs considèrent le personnel de Sun comme faisant partie

des plus compétents de la *Silicon Valley*. Pour conserver sa position dans un marché extrêmement concurrentiel, Sun met l'accent sur les avantages indirects :

Soutien aux familles : Les parents adoptifs reçoivent une aide financière pouvant s'élever à 2000 $US. Des salles d'allaitement permettent aux mères de retrouver leur emploi plus rapidement. Dans la région de San Francisco, les parents peuvent confier leurs enfants souffrant d'un mal bénin à un service de garde conçu tout spécialement pour les recevoir. Sun offre aussi un compte de frais pour couvrir les soins aux personnes à charge, un programme de visites médicales et un programme d'aide aux employés.

Espace de travail individuel : Lorsque Sun a conçu son *Menlo Park*, sur le campus de l'Université de Californie, elle a fait appel aux suggestions de son personnel et a découvert que les ingénieurs préféraient des bureaux individuels aux cubicules classiques. Ces derniers ont obtenu l'espace dont ils avaient besoin pour travailler dans le calme.

Respect du temps des employés : La souplesse et le télétravail permettent de mieux organiser des horaires de travail très occupés et évitent aux employés de perdre de longues heures sur les autoroutes californiennes. Ceux qui voyagent en train disposent d'une navette entre la gare et les installations de la société qui rembourse, en outre, une partie des frais de déplacement[9].

Sur cet empire, le *Sun* ne se couche jamais !

Dès 1987, Sun paraphrasa McLuhan avec le slogan «Le réseau *est* l'ordinateur[10]. » Mais ce n'est que depuis peu, avec l'avènement de Java comme langage de programmation

Internet, que tous les morceaux du casse-tête peuvent s'emboîter pour faire de cette vision une réalité.

D'après McNealy, «La vision de Microsoft est l'installation d'un ordinateur central sur chaque bureau, tandis que notre objectif est de faciliter toujours plus l'accès à Internet. Difficile d'avoir des visions plus divergentes[11]! »

En 1995, on a présenté l'interface de programmation **Java** comme étant le premier logiciel universel conçu entièrement pour Internet et pour permettre aux créateurs d'intranets d'élaborer des applications tournant sur n'importe quel ordinateur, quel que soit son processeur ou son système d'exploitation[12]. Plus récemment, Sun a lancé **Jini**, une technologie prometteuse permettant de brancher les ordinateurs et les périphériques à un réseau aussi facilement qu'un téléphone dans une prise murale[13]. L'objectif de Sun est une connexion facile et rapide à Internet et à ses outils par l'entremise d'une simple tonalité (**Webtone**).

Même Microsoft a cédé aux charmes du langage Java et en a acheté les droits pour mettre au point sa propre gamme de logiciels. L'intérêt de Java réside dans sa capacité à réduire les coûts des TI pour les entreprises, puisqu'il s'adapte à tous les appareils équipés de puces informatiques et permet aussi bien à des cartes à puce qu'à des camions de *communiquer* en réseau. Cependant, la mise au point par Microsoft de sa version exclusive de Java conçue pour ne fonctionner que sous Windows a relancé les hostilités. Sun lui a intenté un procès et remporté un premier jugement.

Sun allègue que le réseautage marque les débuts d'une époque caractérisée par le passage des micro-ordinateurs à des appareils plus conviviaux comme les téléphones, les blocs-notes informatisés et les téléviseurs. Sun espère faire de Java le lien pour tous ces nouveaux périphériques vers ses puissants serveurs de réseaux[14]. Microsoft préférerait, bien entendu, voir son propre système d'exploitation **Windows CE** servir de lien et considère les divers appareils connectés à Internet comme des *satellites* du micro-ordinateur qu'ils ne sauraient remplacer.

L'attrait d'un grand nombre de ces périphériques de navigation réside dans leur capacité d'attirer toujours plus d'utilisateurs. Leur emploi facile et leur convivialité vont sans doute renforcer l'omniprésence d'Internet et l'intérêt pour l'information qui s'y trouve. Avec Java, c'est ce marché de la technologie Internet intégrée que vise Sun Microsystems, une technologie qui permettra de faire fonctionner à distance des appareils aussi variés que les électroménagers, les appareils industriels, les systèmes de transmission d'énergie, les équipements de diagnostic ou de surveillance, etc.

Une connexion Internet pour une gamme d'appareils fonctionnant sous Java

Ordinateurs en réseaux : Des micro-ordinateurs réduits au minimum pouvant fonctionner avec des programmes téléchargés.

Boîtiers décodeurs pour le câble et la télévision : TCI va mettre en marché 20 millions de boîtiers décodeurs de technologie Java pour encourager la communication par câble.

Screenphone® : Un terminal à écran tactile pour la navigation dans Internet, pour le courriel et pour des applications aussi concrètes que le règlement de factures ou les achats d'épicerie.

Téléphones cellulaires et téléavertisseurs : Les fabricants de téléphones cellulaires prévoient l'intégration de Java afin d'offrir une foule de services par l'entremise de divers appareils cellulaires.

Cartes à puces : Les cartes *intelligentes* Java offrent des applications de routine comme l'achat direct de billets d'avion.

Véhicules *branchés* : Des équipements de navigation et de diagnostic fonctionnant avec des programmes Java.

Clés : Des passe-partout et des clés électroniques fonctionnant sous Java[15].

McNealy a annoncé que Java signait la fin de Windows, car cette technologie convient particulièrement au terminal Internet (Network Computer ou NC) – un engin peu coûteux sans disque dur, reposant plutôt sur une connexion à un serveur en réseau qui télécharge des programmes Java de petite taille. La chute des prix des micro-ordinateurs a freiné l'essor du NC, mais McNealy et Sun restent confiants : «Chaque jour, les 27 000 salariés de Sun se consacrent à un objectif : le terminal Internet, affirme Ed Zander. Ensemble, ils écrivent les chapitres d'une histoire des plus passionnantes[16]. »

Sun-AOL-Netscape

Pour ce qui fut l'un de ses meilleurs *coups*, Sun a signé le 24 novembre 1998 un accord commercial avec **America Online**, parallèlement à son achat (**purchase**), pour 4,2 milliards de dollars US, de Netscape Communications. L'accès au logiciel de commerce électronique permet à Sun de placer ses serveurs et d'attirer une clientèle qui recherche une architecture davantage intégrée[17]. Sun a, en outre, maintenant accès à l'un des trois plus importants portails du Web. En échange de 350 millions de dollars US en achats de licences, de mise en marché et de publicité, AOL a convenu d'acheter pour 500 millions de dollars de serveurs Sun au cours des

trois années suivant la signature de l'accord.

Les tenants du système ouvert s'inquiétaient, au début, du rôle d'AOL dans ce contrat et craignaient de le voir empêcher la distribution gratuite du navigateur Netscape. Toutefois, Stephen Case, le fondateur d'AOL, a rassuré les inquiets en affirmant que ce partenariat n'entravera en rien l'accès gratuit au navigateur et à la technologie Netscape. Il a l'intention de s'appuyer sur Sun Microsystems pour mettre au point les systèmes qui fourniront l'accès à Internet à la prochaine génération d'appareils.

À titre d'associé d'AOL et de Netscape, Sun est maintenant en position de défier IBM, Hewlett-Packard et autres acteurs dans le domaine des technologies qui vont permettre aux entreprises de s'installer dans le cyberespace. L'enjeu pour McNealy, président-directeur général de Sun, va être de se comporter comme l'authentique chef de file que cet accord pourrait faire de lui. Il lui faudra également veiller à ce que Sun ne se contente pas de prétendre être un bon associé, mais qu'il agisse aussi en conséquence[18].

Un facteur joue en faveur de Sun, car les sociétés vont choisir d'externaliser tout ce qui ne s'avère pas un clair avantage concurrentiel. Il est évident que des fonctions comme les ressources humaines, les finances, le courrier électronique et l'hébergement Web vont emprunter la voie de l'externalisation déjà suivie par la comptabilité salariale et la gestion de la sécurité. Cela fait dix ans que Sun répète que l'avenir de l'ordinateur est dans le réseau, et Oracle entretient cette idée depuis plusieurs années. SAP (un éditeur de progiciels de gestion d'entreprise) a été créé au début des années soixante-dix sur le principe du contrôle centralisé mais, jusqu'à maintenant, il s'est avéré difficile de convaincre les entreprises de confier à d'autres la gestion de leurs *actifs technologiques*. Cette attitude est en train de changer[19].

Les sociétés les mieux placées stratégiquement pour tirer avantage de ce virage sont Sun et **IBM Global Services**. Scott McNealy a dit à plusieurs reprises que les entreprises devraient cesser d'envisager l'achat d'un nouveau serveur et laisser plutôt les coûts d'évolutivité et de fiabilité des architectures aux spécialistes de cette technologie[20].

Malgré cela, pour que Sun puisse concrétiser sa vision, il faut qu'Internet évolue. **John McFarlane**, dirigeant de Solaris Software, résume bien la situation : «La fiabilité, la disponibilité et une évolutivité exceptionnelle peuvent permettre de se démarquer sur le marché [...] Après 17 ans passés chez Nortel, je connais les conséquences désastreuses d'une panne de service quelconque. Je sais à quel point on se sent bien quand le réseau vacille mais continue de ronronner. La même éthique nous anime, chez Sun. Nous fonctionnons avec nos propres systèmes et notre durée moyenne d'immobilisation annuelle est d'environ 22 minutes par employé. Dans l'optique de nos utilisateurs, cela se chiffre par un temps de disponibilité de 99,96 %. Nous avons décroché un contrat avec la bourse de New York parce que nous pouvions leur assurer un temps de disponibilité de 99,99 % et, jusqu'à maintenant, nous en sommes à 100 %. Si Internet doit réellement s'imposer comme le prochain grand moyen de communication pour les utilisateurs grand public, et si la *tonalité Internet* (WebTone) est destinée à permettre une connectivité aussi facile que celle du téléphone, nous devons viser ce niveau de fiabilité pour tous les utilisateurs. Nous l'appelons notre *modèle d'utilité* * *informatique*[21]. »

Comment une entreprise peut-elle s'adapter à autant de changements ? McNealy résume sa stratégie en affirmant que «S'ils estimaient tous que nous sommes sur la bonne voie, ils feraient tous comme nous. Il faut être très controversé tout en ayant raison, pour faire beaucoup d'argent[22]. »

Source : David S. Chappel (Ohio University).

Questions

1. Commentez la définition que les auteurs donnent des OHP. Avez-vous quelque chose à ajouter ou à supprimer ?
2. Analysez Sun Microsystems en fonction des cinq caractéristiques clés des OHP définies par les auteurs.
3. Sun correspond-il à la définition d'une OHP *créée de toutes pièces* ou à celle d'une organisation traditionnelle *restructurée* ?

Notes

1. Robert Hof, Steve Hamm et Ira Sager. «Is the Center of the Computer Universe Shifting?», *Business Week*, 19 janvier 1999, p. 64 à 72.
2. Miguel Helft. «Sun Succeeds with Market Savvy, Pragmatism», *San Jose Mercury News*, 6 décembre 1998.
3. Hof, Hamm et Sager. *Op. cit.*
4. *Ibid.*
5. *Ibid.*
6. *Ibid.*
7. *Ibid.*
8. Helft. *Op. cit.*
9. Amy Merrick. «Companies Go the Extra Mile to Retain Employees», *R&D*, septembre 1998, p. S3.
10. Hof *et al. Op. cit.*
11. *Ibid.*
12. Page d'accueil du site de Sun (20 avril 1999 – History) à <http://www.sun.com/corporateoverview>
13. Hof *et al. Op. cit.*
14. Helft. *Op. cit.*
15. Hof *et al. Op. cit.*
16. Helft. *Op. cit.*
17. Hof *et al. Op. cit.*
18. Ira Sager, Catherine Yang, Linda Himelstein et Neil Gross. «Powerplay : AOL-Netscape-Sun», *Business Week*, 7 décembre 1998.
19. John Taschek. «This Just In : The World Revolves Around Sun», *PC Week*, 4 janvier 1999, p. 48.
20. *Ibid.*
21. John Mcfarlane. «Whose WebTone Is It, Anyway?», mai 1998. Sur la page d'accueil de Sun, utilisez la fonction de recherche (mot clef : Webtone).
22. Helft. *Op. cit.*

---

* Titre de propriété industrielle protégeant, pour une durée généralement assez courte, un objet ou un procédé technique nouveau, sans obligation de satisfaire aux conditions de brevetabilité (GDT de l'OLF).

CAS Nº 3
Des frontières à franchir

Cette étude de cas se fonde sur l'expérience vécue par Angelica Garza, une Américaine d'origine mexicaine qui a travaillé pendant dix ans aux ressources humaines d'une multinationale fabriquant des produits médicaux. La *maquiladora* dont il est question ici se trouve à Tijuana, une grande ville mexicaine faisant face à San Diego (Californie) de l'autre côté de la frontière. Les *maquiladoras* sont des usines mexicaines à capital étranger installées dans les zones frontalières avec les États-Unis pour profiter d'exemptions de droits de douane et d'impôts, et d'une main-d'œuvre à bon marché.

Cette usine de Tijuana appartenait à USMed, propriétaire de six autres installations situées dans divers États américains, dont la Floride. Outre son travail dans cette *maqui-* *ladora* où elle passait le plus clair de son temps, Angelica était également responsable des ressources humaines d'une petite unité, surtout administrative, située à Chula Vista du côté américain de la frontière. Le personnel compte finalement 34 Américains (12 du côté mexicain et 22 du côté américain) et près de 1100 Mexicains.

Les relations étaient pratiquement inexistantes entre Angelica et les cadres aux RH des autres installations d'USMed aux États-Unis ou au Mexique. Selon elle, USMed n'avait aucune politique générale en matière de ressources humaines et encore moins en ce qui concernait la diversité.

L'adaptation d'Angelica aux réalités mexicaines n'a pas été facile, car rien dans son expérience américaine ne l'avait préparée à ce qui l'attendait au sud de la frontière. Ses collègues d'origine anglo-saxonne ne savaient que très vaguement ce qui se déroulait à Tijuana et ne voyaient pas l'intérêt d'essayer de comprendre la main-d'œuvre mexicaine ni de s'en rapprocher. Grâce à son éducation mâtinée de culture latino-américaine, Angelica pouvait en partie comprendre la culture et les valeurs des travailleurs mexicains. Sa maîtrise de l'espagnol lui permettait également de communiquer avec eux, mais ses connaissances et ses liens étaient loin de correspondre à ce qu'imaginaient les dirigeants américains, inconscients des nombreuses différences existant sur le plan culturel entre Angelica et le personnel mexicain :

Rétrospectivement, je suis étonnée de la situation dans laquelle j'étais plongée à l'époque. En fait, je n'y comprenais pas grand-chose. Je me suis aperçue, entre autres, que [les gens croient que les Américains d'origine mexicaine sont les mieux préparés pour travailler avec des Mexicains.] Je suppose que tout le monde estimait que, venant d'une famille *chicano*, j'allais savoir de façon innée comment me fondre dans cette culture complètement différente de la mienne.

Angelica a donc connu bien des frustrations et s'est heurtée à un mur d'incompréhension. Ses tentatives de médiation entre gestionnaires mexicains et américains se traduisaient souvent en méfiance de la part de ses collègues américains, qui n'appréciaient pas ses idées ni ses suggestions. Si les Mexicains éprouvaient pour elle des sentiments ambigus où se mêlaient incompréhension et ressentiment dus à son statut d'Américaine, l'organisation américaine, quant à elle, ne lui offrait guère de soutien.

J'ai découvert que mes collègues mexicaines [deux femmes qui travaillaient à la comptabilité depuis cinq ans] m'en voulaient. Ce qui m'a sauvée, c'est le fait d'être Américaine parce que les femmes mexicaines nous considéraient comme supérieurs. Mais elles m'en voulaient de leur retirer une partie de leurs tâches. Pour elles, c'était comme si on avait estimé qu'elles ne travaillaient pas bien et qu'on nous envoyait là pour leur ôter des responsabilités. Alors, moi, en tant que femme *parachutée* là, j'étais d'autant surveillée. Je ne pouvais obtenir la moindre information de leur part. Elles m'en donnaient le moins possible, ne m'aidaient pas et critiquaient tout ce que je faisais dès que j'empiétais sur leur domaine.

Vous savez, en y repensant, je comprends leurs craintes. Nous débarquions, sûrs et certains de ce que nous avions à faire. Et USMed ne s'embarrassait pas de subtilités – un échec sur tel ou tel point, et vous perdiez votre emploi. Au moindre faux pas, c'était la porte. Il était donc difficile de convaincre les Mexicains de suivre nos protocoles et nos procédures. Le changement n'est jamais facile, mais obtenir d'eux qu'ils suivent certaines de ces règles tenait vraiment du défi.

Angelica finit par comprendre que le comportement des individus à l'égard du travail était avant tout d'origine culturelle et qu'il prenait racine dans les conditions locales. L'expansion rapide des *maquiladoras* s'est traduite par un grand nombre de changements, dont des attentes nouvelles et des styles différents de la part des cadres. Dans les premiers temps, les travailleurs n'étaient pas familiarisés avec ces nouvelles attentes, et les employeurs devaient les former pour qu'ils puissent y répondre. Or, cela se produisait dans un contexte de confrontation entre deux cultures, et Angelica, dans sa position, s'estimait davantage Américaine que Mexicaine, tout en se sachant différente de ses collègues anglo-saxons. C'est à elle que revenait le rôle d'introduire la formation à l'américaine, les attentes et les styles d'encadrement :

Bien entendu, je suis Américaine, une cadre américaine, et j'apportais tout ce bagage avec moi. J'étais poussée, en outre, à imaginer des approches visant à faire disparaître les malentendus ou les problèmes. Étant Mexicaine-Américaine, je croyais qu'il me serait plus facile de travailler au Mexique parce que j'avais baigné, dans une certaine mesure, dans cette culture, mais le choc culturel a été des plus rudes. J'étais face à un groupe d'individus socio-économiquement différents de moi. Beaucoup d'entre eux étaient d'origine rurale, ils venaient de petits *ranchitos* sans toilettes ni douches. Et à Tijuana, il n'y avait aucune infrastructure. La situation s'est améliorée en une dizaine d'années, et c'est bien différent maintenant. À l'époque, on allait travailler en empruntant des chemins de terre qui traversaient des arrière-cours, et les cadavres de chiens servaient de repères pour se souvenir de l'itinéraire ! Je crois que si vous alliez à Tijuana aujourd'hui – ça fait dix ans que les *maquiladoras* y sont installées –, vous rencontreriez un plus grand nombre de gestionnaires, de contremaîtres ou d'administrateurs mexicains qualifiés. À l'époque, trouver des ingénieurs ou des secrétaires bilingues, c'était comme de chercher une aiguille dans une botte de foin.

D'autre part, ce n'était pas facile d'être la seule femme dans un environnement et des réseaux constitués uniquement d'hommes. À cela s'ajoutait le milieu mexicain, et les hommes à qui j'avais affaire me méprisaient à cause de mon sexe. C'est encore mon statut d'Américaine qui m'a sauvée ; si j'avais été Mexicaine, je crois que cela aurait été pire. J'avais, par exemple, à travailler en étroite relation avec le chef du service de la comptabilité, un Mexicain. Je l'entends encore me répéter que je m'étais trompée dans mes chiffres, que je n'avais pas fait ceci ou cela comme il fallait et autres gentillesses. Je révisais mes données, et la seule différence notable était dans la façon de calculer. Pour estimer un salaire annuel, par exemple, lui le faisait sur la base de 365 jours, tandis que je partais de 52 semaines pour parvenir à un taux quotidien. On arrivait tout à fait aux mêmes résultats, et c'est bien normal ; mais moi, je suivais l'approche privilégiée par les Américains, celle à laquelle ils s'attendaient.

Source: Conçu par Bernardo M. Ferdman (California School of Professional Psychology, San Diego, Californie), Plácida I. Gallegos (Southwest Communication Resources Inc.) et The Kaleel Jamison Consulting Group Inc., d'après une version écourtée d'une étude figurant dans le guide pratique de E. E. Kossek et S. Cobel, *Managing Diversity: Human Resource Strategies for Transforming the Workplace* (Oxford, G.-B., Blackwell, 1996).

Questions

1. Quelles sont les compétences qui garantiraient une plus grande efficacité des travailleurs américains œuvrant dans des *maquiladoras* ou dans d'autres entreprises à l'étranger?

2. Quelles sont certaines des conséquences qu'entraîne un manque de sensibilité à l'égard de la diversité? Quels avantages aurait pu tirer cette organisation d'une meilleure compréhension des différences culturelles?

3. Sur le plan des ressources humaines, quels étaient les enjeux exceptionnels auxquels Angelica devait faire face à diverses étapes de son travail chez USMed?

4. Angelica travaillait dans une usine située à l'extérieur des États-Unis. Que peut-on tirer de ses expériences et de ses commentaires qui soit applicable à des activités se déroulant sur le territoire national d'une entreprise?

CAS N° 4
Jamais le dimanche...

Les centres de matériaux de construction de la société McCoy's à San Marcos (Texas) prospèrent depuis près de 70 ans et ce, dans un secteur du commerce de détail toujours plus concurrentiel. McCoy's est l'une des plus grandes entreprises familiales de matériaux de construction des États-Unis, et ses ventes dépassent 400 millions de dollars US. La société attire annuellement une clientèle de plus de 10 millions de consommateurs dans une région couvrant les États du Nouveau-Mexique, du Texas, de l'Oklahoma, de l'Arkansas, du Mississippi et de la Louisiane. Avec ses 103 magasins et ses 1600 travailleurs, la stratégie poursuivie par l'entreprise est d'occuper le créneau des villes de petite et moyenne importance. Fondée par Frank McCoy en 1923, l'entreprise se spécialisait à l'origine dans la toiture, son premier secteur d'activité jusque vers les années soixante, alors qu'elle a commencé à se diversifier sous la direction du fils, Emmett McCoy.

Le principe fondamental de McCoy's est l'achat et la distribution des meilleurs produits disponibles associés à un service à la clientèle de la plus haute qualité. En tant qu'entreprise axée sur les opérations, McCoy's n'a jamais senti le besoin d'avoir un trop grand nombre de niveaux hiérarchiques. On demande aux cadres qui travaillent dans les magasins de se concentrer sur les questions liées au service : placer la marchandise sur les rayons, y marquer les prix, vendre les produits et aider les clients à charger leur véhicule. La majeure partie des tâches administratives s'effectue au siège social afin que le personnel en magasin puisse se consacrer pleinement aux consommateurs. La direction (Emmett McCoy et ses deux fils, Brian et Mike, à titre de vice-présidents) a mis sur pied onze équipes de gestionnaires provenant des régions couvertes par les établissements McCoy's. Ces équipes se réunissent régulièrement pour discuter des nouveaux produits, des façons d'améliorer la livraison et d'autres points visant à maintenir la satisfaction de la clientèle. La direction de chaque équipe se fait par roulement des gestionnaires qui en sont membres.

La main-d'œuvre de McCoy's est constituée à 70 % de travailleurs à temps plein et à 30 % de travailleurs à temps partiel. Selon la philosophie en vigueur dans l'entreprise, l'élément essentiel de sa réussite est un personnel loyal, polyvalent et compétent et, pour l'obtenir, elle offre une formation complète sur le terrain. Pour devenir cadre, il faut commencer en magasin par l'apprentissage de toutes les facettes des activités, avant de poursuivre par un programme de formation en gestion. De plus, tous les apprentis cadres doivent accepter de faire leurs classes dans plusieurs magasins. La promotion se fait surtout à l'interne, et il est très rare que l'entreprise embauche à l'extérieur. Cette situation pourrait cependant changer avec l'introduction accrue de technologies exigeant du personnel plus scolarisé.

Des convictions religieuses très profondes et un engagement important à l'égard de la collectivité influent sur toutes les activités de McCoy's. En 1961, par exemple, Emmett McCoy a décidé, après un ouragan dévastateur, d'offrir ses produits au prix courant plutôt que de profiter des effets d'une demande accrue. Cette décision lui a valu la réputation d'un commerçant honnête – une source de fierté pour tous les membres du personnel – et lui a, de plus, permis d'envisager positivement ses projets de croissance. En 1989, McCoy's est devenue l'une des *entreprises sans drogues* et, depuis, elle participe à la campagne annuelle du ruban rouge *Choose to be Drug Free*. McCoy's soutient également l'organisme *Habitat for Humanity* et la construction de logements à prix modique au Mexique.

De nombreux membres de la famille McCoy sont des chrétiens

évangéliques qui manifestent leur foi par des actions concrètes afin de montrer que, dans leur dévotion à Dieu, ils joignent le geste à la parole. Leurs convictions et leurs principes influent par bien des aspects sur la culture de l'entreprise, et il en est un que nous avons illustré dans le titre de cette étude de cas: «Jamais le dimanche.» Bien que le dimanche soit maintenant une journée très achalandée pour les détaillants, les 103 établissements McCoy's restent fermés ce jour-là.

Source: Anne C. Cowden (California State University, Sacramento).

Questions

1. Comment les convictions de la famille McCoy ont-elles contribué à établir la culture de l'entreprise?
2. Un détaillant aux convictions aussi profondes peut-il être concurrentiel et survivre dans un secteur dominé par des concurrents de l'envergure de Home Depot? Si oui, comment peut-il y parvenir?
3. Un tel engagement à l'égard des normes éthiques et de la responsabilité sociale représente-t-il un avantage ou un handicap pour la gestion d'une entreprise?
4. En quoi une entreprise familiale diffère-t-elle des autres entreprises gérées par des professionnels?

CAS N° 5
MagRec inc.

Le contexte

M. Leed, brillant ingénieur (dépositaire de plusieurs brevets), directeur de groupe chez Fairchild Republic, fonde MagRec inc. en 1960. L'entreprise produit des têtes d'enregistrement – un composant essentiel servant à lire, à écrire et à effacer les données sur les bandes magnétiques et les disques utilisés à l'époque. Les besoins de ce produit sont grands et son avenir semble assuré. L'industrie de l'informatique en est alors à ses balbutiements, et MagRec n'a pas de concurrents véritables. En fait, presque tous les fabricants de têtes d'enregistrement utilisent encore aujourd'hui des méthodes, des techniques et des procédés mis au point et testés par MagRec.

Comme toute entreprise émergente, MagRec a connu des débuts modestes marqués, entre autres, par des problèmes techniques et un manque de liquidités. Ce départ plutôt lent a toutefois été suivi d'un essor rapide. Vers le milieu des années soixante-dix, elle avait déjà acquis 35 % du marché des têtes d'enregistrement et était le deuxième fournisseur nord-américain de ce produit auprès de MegaComputer. MagRec a eu de graves problèmes financiers dans les années quatre-vingt à cause de l'érosion des prix provoquée par la concurrence asiatique. Contrairement à nombre de ses concurrents occidentaux, elle a toutefois supporté l'épreuve et n'a jamais transféré ses activités manufacturières à l'étranger, ce qui n'a pas empêché, cependant, les pertes de s'accumuler. Vers le milieu des années quatre-vingt, MagRec était au bord de la faillite. Face à une situation sans issue, la société s'est lancée dans une coexploitation internationale de grande envergure avec la participation de gouvernements étrangers à titre de propriétaires minoritaires (20 % des actions). Elle a alors reçu des commandes garanties de grandes entreprises japonaises comme GME, Victor Data, Fujitsu,

etc. L'avenir semblait prometteur, mais un événement inattendu allait bouleverser l'existence de l'entreprise.

Le dilemme de Pat

«Lorsque Fred Marsh m'a offert le poste de directeur des ventes, j'étais aux anges. Maintenant, six mois plus tard, j'ai le sentiment d'être en enfer. C'est véritablement la première fois de ma vie que je dois prendre seul certaines décisions. Jusqu'à maintenant, j'ai toujours travaillé en collaboration; ce que je ne pouvais résoudre malgré mes efforts, je le transmettais aux échelons supérieurs. C'est bien différent aujourd'hui, parce que c'est moi le patron… mais le suis-je vraiment? Je suis redevable à Fred de tout ce qu'il m'a enseigné. Il a été mon mentor et, lorsqu'il est devenu vice-président, il a pensé à moi pour le poste qu'il occupait à ce moment. Je l'ai toujours respecté et j'ai maintes fois cru en son jugement. Pourtant, à y repenser, je me demande si j'ai bien fait de l'écouter en ce qui concerne le problème de l'heure.

Tout a commencé un vendredi soir. J'avais prévu d'appeler mon client de la côte ouest – Partco – pour discuter de certaines clauses de notre contrat. Je voulais régler cela rapidement. Partco, qui venait d'être acquis par Volks inc., était un client de longue date, resté fidèle même pendant les périodes difficiles, et c'était surtout un de nos gros clients. J'étais sur le point de passer ce coup de fil lorsque Dinah Coates est entrée dans mon bureau, un dossier en main. Cela faisait trois ans que je travaillais avec Dinah et je l'appréciais. J'ai vite compris que mon appel devrait attendre. En classant de vieux dossiers, elle avait découvert un rapport qui faisait état d'anomalies dans la conception et la fabrication de têtes destinées à Partco. Ce rapport datait de neuf ans et commençait par la note suivante:

Destinataire: Ken Smith, directeur du marketing

Expéditeur: Rich Grillo, V.-P. à l'exploitation

Objet: Calendrier de production des têtes destinées à Partco

Je dois vous informer que, en raison de problèmes de conception, toutes les têtes Partco (514 unités) ont échoué aux tests de contrôle. Ces composantes ne satisfont pas les critères de fiabilité requis pour la lecture*. Une erreur de calcul dans la conception est à l'origine du problème, mais il serait possible de la corriger. Cette correction devrait, cependant, nous prendre au moins six mois. D'autre part, Ron Scott, de la production, vient de m'informer que le lot annuel de 5 000 têtes a déjà été fraisé, et que celles-ci risquent, par le fait même, de présenter les mêmes problèmes.

Ken, je n'ai pas besoin d'insister sur la gravité de cette affaire. Comment pouvons-nous les accepter et les livrer à Partco tout en sachant pertinemment qu'elles vont provoquer des erreurs de lecture une fois installées? Les équipes d'ingénierie et de production ont très bien compris qu'il s'agit d'une priorité exceptionnelle. Si nous retardons quelque peu les livraisons à Systems Tech, nous pouvons envisager de reprendre la production d'ici six mois. En attendant, je pourrais modifier les têtes de Global Widgets, ce qui nous permettrait de livrer au moins un certain nombre d'articles à Partco. Il existe une solution de rechange: si nous disposions de 6 unités de commande de Partco, Michaels et son équipe estiment que, après quelques modifications rapides et faciles au chemin du ruban, ils peuvent réussir à faire fonctionner les têtes. Si cela se vérifie, nous pourrions revenir à la normale d'ici six à huit semaines.

Il y avait également une annexe au rapport:

Confidentiel

(Notes rédigées à la suite d'une rencontre avec Dom Updyke et Rich Grillo)

Solution au problème concernant les têtes destinées à Partco:

Nous pourrions réusiner toutes les têtes de Partco (48 min/unité – coût insignifiant). Pour résoudre le problème de lecture, nous pourrions polir 0,763 mm de plus du sommet de la tête. Ainsi, aucune erreur de lecture ne se produirait. Les têtes répondront alors à

* Note de l'auteur: Il s'agit d'erreur de lecture, pas de message d'erreur. Ainsi, une de ces têtes pouvait-elle lire «3 005,42 $» au lieu de «200 $».

toutes les normes de qualité sauf une – la durée. Selon Dom, la réduction de l'épaisseur de la couche de chrome (employé pour contrer l'usure) fera passer la durée de vie des têtes de 6 000 à 2 500 heures d'utilisation.

D'après notre expérience, nos clients ne tiennent pas de suivi précis de l'utilisation et de la durée d'existence des têtes qu'ils emploient. En outre, les coûts ne nous concernent pas puisque Partco vend ses unités de commande à Mega-Computer qui vend ses systèmes aux utilisateurs. Le client n'est pas vraiment conscient des coûts supplémentaires engendrés par le remplacement d'une tête au bout de 12 ou 18 mois au lieu de la durée normale de deux ans, et s'il l'est, il y a rarement de plaintes à ce propos. En outre, les techniciens d'entretien fournissent souvent des explications très plausibles telles que la température excessive ou une grande utilisation de l'ordinateur.

J'ai fait entreprendre le réusinage des têtes pour les expédier à Partco. J'ai également demandé à John d'informer Partco que, à cause du mauvais temps, nous allions expédier leur commande de cette semaine avec celle de la semaine prochaine.

Dinah était sidérée. Selon elle, notre société avait délibérément planifié la vente de produits tout en sachant qu'ils ne répondraient pas aux normes de durabilité. "C'est prendre le risque de ruiner notre réputation de fournisseur exigeant. Partco et les autres clients achètent nos têtes en croyant qu'elles sont les meilleures. N'est-ce pas de l'escroquerie que de présenter les choses de façon aussi trompeuse?" a-t-elle ajouté. Elle a insisté pour que j'intervienne. Je lui ai répondu que j'allais étudier la question et lui donner ma réponse d'ici la fin de la semaine suivante.

Pendant le week-end, je n'ai guère pensé à autre chose qu'à cette histoire de pièces défectueuses. Nous n'avions reçu aucune plainte et Partco s'était toujours montré satisfait de nos produits et de notre soutien technique. Nous étions même son seul fournisseur. Quant à MegaComputer, il nous avait placés sur sa liste de distributeurs privilégiés, depuis l'expédition jusqu'à l'entreposage. Il

utilisait même nos propres critères de qualité pour évaluer ses autres distributeurs. Le service du contrôle de la qualité de MegaComputer n'examinait jamais nos produits et les évaluait encore moins.

Dès le lundi matin, j'ai montré le rapport à Fred. Il s'en est souvenu immédiatement et a commencé à m'expliquer ce qui s'était passé.

MagRec subissait alors d'intenses pressions et était en croissance rapide. "Cette année-là, nous avons emménagé dans des nouveaux locaux de près de 15 000 m^2 et nous sommes passés d'une soixantaine de travailleurs à plus de 300. Les ventes ont grimpé de façon spectaculaire." Fred dirigeait le service des achats à ce moment-là, et les critères concernant les matières premières changeaient chaque semaine.

"Nous avons commencé en nous servant des normes générales pour nos contrats annuels. Elles nous assuraient le droit d'augmenter la production de 100 % tous les trois mois, et l'objectif était de maintenir le niveau. La perte de Partco aurait pu déclencher un effet domino: finies les inquiétudes, mais finis les clients aussi!"

Fred m'a ensuite expliqué que le problème n'avait pas duré et qu'ils l'avaient corrigé dans le courant de l'année sans éveiller les soupçons de qui que ce soit. Il m'a suggéré d'oublier l'incident et de classer le dossier aux archives. J'ai acquiescé après avoir réfléchi aux contrecoups possibles. Il est vrai que c'était de l'histoire ancienne. Pourquoi aurais-je dû m'en préoccuper? Je n'étais même pas là lorsque cela s'était produit.

Le vendredi suivant, Dinah m'a demandé ce que j'avais découvert. Je lui ai résumé l'opinion de Fred sur la question, ajoutant que ses arguments étaient assez convaincants. Dinah s'est emportée, me disant que j'avais changé depuis ma promotion et que j'étais aussi coupable que les escrocs qui avaient roulé les clients en faisant passer des têtes à courte durée pour des produits de longue durée. Après lui avoir demandé de se calmer, je lui ai expliqué que la décision remontait à plusieurs années et qu'il n'y avait pas eu de conséquences graves – ces têtes n'étaient pas *vraiment* défectueuses puisqu'elles ne provoquaient aucune erreur de lecture.

Je n'étais pas très fier, mais je ne voyais pas comment j'aurais pu agir autrement. En ce qui me concernait, la question était réglée, et je suis retourné à ce que j'avais à faire. Je ne me doutais pas que ce dossier était loin d'être clos.

Ce soir-là, Fred m'a téléphoné vers 22 heures. Il voulait que je le retrouve immédiatement au bureau. Je me suis habillé en me demandant quelle était l'urgence. Quand je suis arrivé à son bureau, ça sentait le café. Charlie (le directeur du personnel) était déjà là, ainsi que Rich Grillo (le V.-P. à l'exploitation) assis à l'autre bout de la table de conférence. Je m'y suis dirigé instinctivement parce que c'était le coin réservé aux fumeurs.

Ken, le directeur du marketing, nous a rejoints un quart d'heure plus tard, et nous nous sommes installés. Fred a commencé la réunion en nous remerciant d'être venus, puis il les a informés de la découverte du dossier concernant Partco et leur a fait un résumé de la situation. Le problème urgent, c'était que Dinah avait appelé Partco et parlé au vice-président, Tim Rand. Rand avait téléphoné à Fred vers 20 heures pour lui dire qu'il prenait un vol de nuit et qu'il avait l'intention de faire la lumière sur cette histoire dès le lendemain matin.

Nous avons passé une nuit exténuante suivie de quelques semaines plutôt tendues. Partco a envoyé une équipe de techniciens pour revoir nos dossiers de tests, de contrôle de qualité et de fabrication. La production a alors diminué, et le moral de tous était au plus bas.

M. Leed s'est rendu en personne en Californie où il a passé une semaine pour convaincre Partco que cela ne se reproduirait plus jamais. Nous avons surmonté la crise, mais n'en sommes pas sortis indemnes. Nous avons cessé d'être le fournisseur unique de Partco, quoique nous ayons conservé 60 % de ses commandes, et nous avons dû accepter de diminuer nos prix, ce qui a eu de graves conséquences. Bien que Partco n'ait jamais divulgué les raisons de ces changements, car nous avions des accords de non-divulgation, le bruit a commencé à circuler qu'il payait moins qu'auparavant, et nous ne pouvions expliquer à nos autres clients ce qui avait motivé cette diminution. Selon moi, c'est Joe Byrne qui est à l'origine de la rumeur. C'était un ingénieur de chez Systems Tech qui fut embauché par Partco et qui a raconté à ses anciens collègues que Partco était doué pour négocier des prix à la baisse. Il ne savait rien, bien entendu, des vraies raisons. Mais nous avons connu quelques ennuis parce que nos clients avaient l'impression de n'être pas traités équitablement. Si nous baissions nos prix, nous allions enregistrer une perte de revenus, mais ne pas le faire risquait de nous faire perdre des clients. Au cours des six mois qui ont suivi, nos ventes ont décliné de près de 40 %. À titre de directeur des ventes, je me sentais mal chaque fois que je présentais les chiffres à Fred.

En ce qui concernait Dinah, j'étais face à un problème de taille. À l'interne, le sentiment général était de l'éviter à tout prix. La décroissance risquait d'entraîner des mises à pied, et les employés l'estimaient responsable des congédiements effectués à la production. Les frictions ont empiré. Dinah a eu de plus en plus de mal à communiquer avec ses collègues et avec les autres services, au point de ne plus pouvoir accomplir normalement ses tâches.

Deux mois après l'incident Partco, Fred m'a convoqué à son bureau et m'a suggéré de congédier Dinah. Il s'inquiétait pour notre rendement, et même s'il n'avait aucun ressentiment personnel, il estimait qu'elle devait partir car cela se répercutait sur la productivité générale de mon service. J'ai pris la défense de Dinah en affirmant que l'histoire Partco allait se calmer et qu'avec le temps je pouvais arranger les choses. Je lui ai rappelé ce qu'avait accompli Dinah et j'ai insisté pour la conserver. Fred ne s'est pas obstiné, mais j'avais toujours le même problème sur les bras.

La situation s'est d'ailleurs envenimée, et j'ai décidé d'essayer de la résoudre moi-même. Je connaissais Dinah depuis plusieurs années, et nous avions de bonnes relations avant cet épisode malheureux. Je l'ai invitée à dîner pour que nous puissions aborder la question. J'ai admis que l'incident des pièces Parto lui avait causé beaucoup de stress et je lui ai suggéré d'aller sur la côte ouest pour s'occuper de ce secteur de façon indépendante.

Ulcérée par ma suggestion, Dinah m'a demandé pourquoi je ne la renvoyais pas tout simplement. J'ai réagi en lui rappelant qu'elle avait tout déclenché en prenant contact avec Partco.

Elle a contre-attaqué en m'accusant de jouer les laquais, d'avoir soulevé la question avec Fred et de lui apporter maintenant la réponse de la direction. Elle a affirmé que je n'avais même pas tenté de résoudre ses problèmes et que je n'avais pas le cran de défendre ce qui était juste. Selon elle, je protégeais mes arrières en ménageant Fred. À titre de directeur, j'aurais dû la défendre et la soulager d'une partie de ce qu'elle subissait. Finalement, Dinah a refusé d'être mutée ou de démissionner, me disant que je n'avais qu'à la congédier, puis elle s'est levée et a quitté le restaurant.

Je suis resté stupéfait, la regardant partir et me demandant en quoi je m'étais trompé et me posant une foule de questions. Moralement, est-ce que Dinah avait pris la bonne décision ? Avais-je eu raison de défendre la position de MagRec ? Aurais-je dû m'opposer à Fred ? Est-ce que j'aurais dû passer par-dessus lui pour présenter le problème à M. Leed ? Étais-je en train de mal agir ? Aurais-je dû écouter Fred et congédier Dinah ? Et si je ne le faisais pas, comment ramener la paix dans mon service ? Mais si Dinah avait raison, n'aurais-je pas dû prendre sa défense plutôt que celle de l'entreprise ? »

Source : Mary McGarry (Empire State College) et Barry R. Armandi (SUNY-Old Westbury).

Questions

1. Mettez-vous à la place de ce cadre supérieur. Que devriez-vous faire, maintenant ? Connaissant tous les détails de cette affaire, reviendriez-vous sur l'une des décisions prises auparavant ?

2. Estimez-vous que Dinah avait raison ? Pourquoi ? À sa place, auriez-vous agi différemment ? Si oui, sur quel plan et pour quelles raisons ?

3. En vous fondant sur la théorie de la dissonance cognitive, expliquez les décisions prises par Pat, Dinah et Fred.

CAS Nº 6
C'est trop injuste !

É tudiante de dernière année à Central University, Mary Jones avait passé plusieurs entrevues d'emploi. Elle faisait partie des meilleurs étudiants de sa classe, participait activement à nombre d'activités parascolaires et avait mérité le respect de ses professeurs. Chaque société qui l'avait reçue en entrevue lui avait présenté plusieurs propositions ; après mûre réflexion, elle décida finalement d'accepter l'offre d'une multinationale, Universal Products. Le salaire proposé était excellent (40 000 $US), les avantages également, et il semblait y avoir des possibilités intéressantes de promotion.

Mary prit son poste quelques semaines après l'obtention de son diplôme et maîtrisa très rapidement ses tâches et responsabilités. À plusieurs occasions, on lui demanda de prolonger sa journée de travail, car les délais de remise de certains rapports étaient souvent serrés. Elle acceptait sans hésiter même si, étant employée exemptée, elle n'était pas rémunérée pour ses heures supplémentaires. De plus, elle rapportait assez souvent du travail chez elle pour y travailler sur son ordinateur et pousser plus loin certaines analyses. Elle venait même parfois au bureau pendant les week-ends pour faire le point sur l'avancement de ses projets ou pour simplement se mettre à jour dans la montagne de courrier accumulé.

L'occasion se présenta pour son directeur de lui confier une tâche relativement difficile. Apparemment, une usine située au Costa Rica connaissait des problèmes de production. La qualité de l'un des produits était très douteuse, et les rapports parvenus sur cette question étaient assez déroutants. On demanda à Mary de faire partie de l'équipe chargée de se pencher sur la question de la qualité et des rapports. L'usine était située près de ses sources de matières premières, en plein cœur de la jungle ; aussi pendant trois semaines, l'équipe envoyée sur place dut s'accom-moder de piètres conditions de séjour. Ils parvinrent cependant, au cours de cette période, à trouver l'origine du problème, à corriger la situation et à améliorer les procédures d'élaboration des rapports. Le chef d'équipe, un ingénieur de la qualité, fit parvenir la note suivante au directeur de Mary : « Je tenais à vous informer de l'excellent travail effectué par Mary Jones lors de notre séjour au Costa Rica. Ses suggestions et idées à l'égard des procédures d'élaboration des rapports ont été précieuses. Sans son aide, nous aurions sans doute dû rester trois semaines de plus et, personnellement, j'en avais plus qu'assez des moustiques ! Merci de nous l'avoir envoyée. »

Universal Products, comme la plupart des entreprises, possède un système d'évaluation annuelle du rendement des employés. Comme Mary venait de passer un peu plus de douze mois au sein de la société, le temps de son évaluation était venu. Lorsqu'elle entra dans le bureau de son directeur, elle était nerveuse car c'était sa première évaluation et elle ne savait à quoi s'attendre. Une fois la porte fermée et quelques plaisanteries échangées pour détendre l'atmosphère, Tom entra dans le vif du sujet.

Tom : Comme je vous l'ai dit la semaine dernière, Mary, cette rencontre va nous permettre de vous évaluer et, ainsi que vous le savez, votre rémunération sera fonction de votre rendement. Comme la philosophie de notre société est de récompenser les éléments performants, nous abordons ces évaluations avec beaucoup de sérieux. J'ai consacré pas mal de temps à penser à votre rendement au cours de l'année écoulée mais, avant de commencer, j'aimerais connaître vos impressions sur Universal, sur vos tâches, ainsi que sur moi en tant que directeur.

Mary : Sincèrement, Tom, je n'ai pas à me plaindre. Tout ce qui concerne Universal et mon poste correspond à ce que l'on m'avait présenté. J'aime beaucoup travailler ici. Le personnel est très obligeant et, dans mon équipe, l'atmosphère est agréable. Mon poste offre amplement de défis à relever, je sens que l'on m'apprécie et j'ai l'impression d'avoir un rôle à jouer. Vous-même, vous vous êtes montré patient et prévenant à mon égard. Dès mon arrivée, vous m'avez permis de m'impliquer pleinement et vous avez bien accueilli mes opinions. J'ai beaucoup appris avec vous et je vous en remercie. Donc, en résumé, je suis heureuse d'être ici.

Tom : Eh bien, Mary, j'espérais vous entendre dire tout cela parce que, de mon point de vue, la plupart des personnes avec qui vous travaillez ressentent la même chose. Mais avant d'aborder la dimension qualitative de cette évaluation, permettez-moi d'examiner avec vous la dimension quantitative. Comme vous le savez, le classement va de la note 1 – la plus basse – à la note 5, la plus élevée. Examinons chaque catégorie, et je vous donnerai des détails sur mon raisonnement pour chacune d'entre elles.

Tom commença par la catégorie I (quantité de travail) et finit par la catégorie X (travail en équipe). Il accorda à Mary, selon la catégorie, la note 4 ou 5 ; en fait, elle n'obtint que deux fois la note 4, et Tom lui expliqua que cela était normal et correspondait à des domaines qui requéraient une certaine amélioration de la part de la majorité des employés.

Tom : Comme vous pouvez le voir, je suis très satisfait de votre rendement. Vous avez reçu les notes les plus élevées jamais accordées à l'un de mes subordonnés. Votre attitude, votre motivation et votre contribution sont des plus appréciées. L'équipe en mission au Costa Rica n'a eu que des louanges à votre égard, et la directrice de l'usine m'a confié que personne avant vous n'avait pu lui expliquer aussi bien les procédures d'établissement des rapports. Devant une telle performance de votre part – que je qualifierais d'époustouflante – Mary, je suis ravi de vous accorder dès aujourd'hui une augmentation de 10 % !

Mary (bouche bée et les yeux brillants) : Tom, franchement, je n'en reviens pas ! Je ne sais pas quoi dire… je vous remercie beaucoup. J'espère pouvoir mériter votre confiance et continuer à faire un aussi bon travail. Merci, vraiment, merci !

Mary prit congé de Tom, le remercia encore vivement et sortit de son bureau avec un large sourire. Elle était aux anges. Non seulement l'évaluation de son rendement lui avait paru des plus cordiales, mais ses notes étaient remarquables, et l'augmentation de salaire la satis-

faisait pleinement. Elle savait pertinemment, pour en avoir discuté avec des collègues, qu'Universal Products n'accordait en moyenne que des augmentations de 5 %. Elle s'était préparée à se satisfaire de cela, ou peut-être d'un 6 % ou 7 %, mais 10 % !!… C'était génial !

En se rendant à son bureau, elle croisa Susan, une collègue.

Sue : Eh ! Mary ? Perdue dans tes pensées ? T'as l'air en forme ! On dirait que tu as eu des bonnes nouvelles. Quoi de neuf ?

Susan Stephens, récemment engagée, travaillait également avec Tom. Elle aussi était diplômée de Central University, de la promotion qui avait suivi celle de Mary. Elle avait été une brillante étudiante, parmi les meilleurs, autant dans ses études que dans les activités parascolaires. Ses professeurs l'avaient chaudement recommandée.

Mary : Oh ! excuse-moi Sue. Je pensais à Universal et aux chances de promotion que l'on nous offre ici.

Sue : Oui, c'est vraiment magn…

Mary : Et j'arrive de ma première évaluation de rendement. Il n'y a vraiment pas de quoi fouetter un chat ! En fait, ça m'a vraiment remonté le moral, j'ai trouvé ça stimulant. J'ai obtenu un très bon classement et je suis impatiente de recommencer l'an prochain ! On a de la chance de travailler ici.

Sue : Tu peux le dire. J'étais sidérée qu'ils m'engagent dès la fin de mes études et surtout à un tel salaire. Entre toi et moi… je commence à 45 000 $! Non mais, t'imagines ! Je n'en croyais pas mes oreilles !… Mary ? Mary, où vas-tu ? Mary, pourquoi me dis-tu que c'est injuste ???… Mary…!

Source : Barry R. Armandi, SUNY-Old Westbury.

Questions

1. Décrivez l'attitude de Mary avant et après sa conversation avec Susan. Y a-t-il eu un changement, et si oui, pourquoi ?
2. À votre avis, que va faire Mary maintenant ? Et plus tard ?
3. Quelles sont les théories de la motivation qui s'appliqueraient le mieux à ce scénario ? Détaillez votre réponse.

CAS N° 7

Amoco : la gestion des RH dans le contexte de la mondialisation

A moco, dont le siège social est à Chicago, fut à l'origine la Standard Oil d'Indiana, une compagnie de raffinage plutôt conservatrice du Midwest américain. Historiquement, Amoco a privilégié une approche résolument *nationale* dans la gestion de ses ressources humaines. Pour cette organisation, la gestion des « ressources humaines internationales » faisait surtout référence à sa politique concernant les expatriés américains travaillant pour elle à l'étranger. Sa direction a été longtemps convaincue que la croissance de la société se ferait sur le territoire des États-Unis, car ce n'est que depuis quelques dizaines d'années que ses réserves de pétrole se situent à l'extérieur du pays. Aujourd'hui, Amoco consacre près de 80 % de ses investissements à des activités se déroulant outre-mer.

La direction d'Amoco estime maintenant que l'élaboration de politiques tenant compte des effets de la mondialisation exige de profonds changements dans les attitudes, les processus organisationnels et les systèmes de gestion des ressources

humaines. Les facteurs motivant une modification des pratiques dans ce domaine comprennent entre autres :

La concurrence mondiale : C'est à l'extérieur des États-Unis que se trouve un nombre croissant de ses concurrents (British Petroleum, Royal Dutch Shell, ELF Aquitaine, BHP).

Les investissements se font outre-mer : Comme la plupart des réserves de pétrole et des marchés à fort potentiel de croissance se situent maintenant à l'étranger, davantage d'activités vont se dérouler à l'extérieur des États-Unis.

Le virage économique : Les États-Unis ne dominent plus l'économie mondiale comme ils le faisaient dans le passé.

La mondialisation des marchés de l'emploi : Les entreprises disposent maintenant d'un bassin de professionnels talentueux en dehors du marché du travail américain. Du fait de cette évolution, il devient nécessaire de gérer les contraintes d'ordre culturel et politique en matière de déplacements, de permis de travail, de tâches et autres conditions caractérisant le marché du travail.

Le coût élevé de l'expatriation : L'augmentation du coût des expatriés pousse Amoco à s'appuyer davantage sur les ressources locales. Cependant, après analyse, on s'aperçoit que, dans certains pays, les dépenses engendrées par les programmes sociaux font grimper les coûts d'embauche sur place.

Les différences en matière de culture et de valeurs au sein de la main-d'œuvre mondiale : Les plus modernes des approches américaines (recrutement sélectif, systèmes d'évaluation et de récompenses individuelles) défavorisent parfois les candidats à l'emploi issus d'autres cultures ou se révèlent difficiles à mettre en place.

Dans certaines régions du monde, il existe parfois des restrictions à l'expatriation des femmes.

La montée des pressions exercées par des gouvernements étrangers : Les attentes changent et les gouvernements étrangers exigent maintenant l'embauche de nationaux.

Le besoin accru d'être *présent* dans les économies locales : Dans nombre de cultures, il est essentiel d'établir des relations à long terme, et de faire la preuve de sa *capacité de résistance*, pour pouvoir s'établir en affaires. Dans certains pays, un manque de présence sur la scène locale pourrait avoir une incidence sur de futures soumissions à des contrats.

L'éthique : Se livrer à la corruption ou violer des lois américaines dans le cadre de ses activités à l'étranger irait à l'encontre des valeurs entretenues par Amoco, et ce, même si ces comportements sont parfois considérés comme *normaux* dans la société dans laquelle elle est établie.

Les profonds changements vécus par l'industrie pétrolière eu égard à la concurrence constituent un facteur de premier plan incitant à une transformation du système de gestion des ressources humaines. De plus en plus, les concurrents d'Amoco sont des sociétés étrangères telles que British Petroleum ou Royal Dutch Shell. Comme toujours plus d'investissements vont se faire outre-mer, il est essentiel que la gestion des RH pratiquée par Amoco s'adapte à ces conditions nouvelles. La direction doit donc cesser de voir dans les États-Unis l'unique fondement de son assise économique.

Le besoin de recourir à une main-d'œuvre mondiale entraînera sans nul doute une demande croissante d'intégration de la main-d'œuvre locale à tous les niveaux hiérarchiques des filiales situées à l'étranger. À cela s'ajoutent les coûts élevés de l'expatriation, à savoir l'affectation d'employés américains à des postes à l'étranger. Si des impératifs financiers poussent Amoco à faire davantage appel aux talents locaux, l'embauche d'un plus grand nombre d'entre eux à des postes de gestion ne garantira pas forcément la réussite du virage de la

mondialisation ; il est essentiel d'harmoniser la vision de la société mère et les besoins locaux. Des cadres supérieurs d'Amoco expriment des craintes – fondées, selon certains – et veillent avec le plus grand soin à recruter des personnes dont l'allégeance première ira à la société plutôt qu'au gouvernement local. De plus, on note une tendance à se montrer peu généreux en ce qui a trait à l'attribution des postes clés à des cadres locaux dans les pays en voie de développement. Ces stratégies de dotation en personnel caractérisées par un certain protectionnisme – même dans les pays industrialisés – se traduisent par l'affectation d'expatriés américains à la plupart des postes d'importance. Ainsi, en Norvège, des cadres se plaignent de l'existence d'un *plafond de verre*, cette barrière invisible qui empêche la promotion des employés locaux à des postes clés. Cette tendance semble, en outre, se confirmer même aux niveaux inférieurs de la hiérarchie, et ce, bien que les activités d'exploitation dans ce pays se déroulent sans accroc et s'accordent relativement bien avec l'orientation de la société aux États-Unis. Même dans les pays d'Europe septentrionale, il existe des différences culturelles qui sont autant de freins à l'internationalisation de la main-d'œuvre. Les valeurs familiales et professionnelles prônées dans les pays européens sont très éloignées de la « boulotmanie » (obsession du travail) privilégiée dans les entreprises américaines. Ainsi, en Norvège, est-il fréquent de voir des hommes quitter leur poste vers 15 h 30 pour aller chercher leurs enfants à l'école, une habitude plutôt rare chez leurs homologues américains. Certains gestionnaires américains estiment que, si une grande quantité de travail exigeant une excellente qualité doit être effectuée dans des délais très courts, il vaut mieux faire appel à des cadres américains.

La mise en œuvre d'une gestion transnationale des RH exige une analyse approfondie des préjugés culturels associés à certaines approches, qui sont certes en vogue, mais qui sont aussi élaborées dans l'optique américaine. Ainsi, le recrutement sélectif, pour lequel ceux qui mènent les entrevues posent des questions ciblées sur des aptitudes clés présentes chez les bons gestionnaires américains, pourrait se révéler inefficace dans les pays où il n'est pas bien vu de trop insister sur ses qualités lors des entrevues d'emploi. Il en va de même pour le concept de gestion intégrale de la qualité, reposant sur l'autonomisation de chaque travailleur, qui pourrait exiger certaines modifications avant sa mise en œuvre dans des cultures plus collectivistes.

Avec le temps, le nombre d'expatriés américains devra diminuer à cause des coûts élevés associés à leurs déplacements. Sur ce plan, une stratégie plus efficiente pourrait passer par un recours accru au personnel américain à titre de consultants. Parallèlement, faire davantage appel aux travailleurs locaux dans la gestion des activités d'exploitation permettrait sans doute de mieux adapter les politiques d'Amoco aux législations et aux traditions locales. Néanmoins, au moment de planifier l'installation de filiales à l'étranger, on constate encore une nette tendance à négliger la dimension des ressources humaines.

Dans la conjoncture actuelle, il est par ailleurs indispensable pour Amoco d'être davantage *présente* dans certains pays, si la société vise à obtenir, par exemple, des concessions ou l'autorisation des pouvoirs publics d'entreprendre des prospections. Dans bien des cultures, pour faire des affaires, il faut établir une relation à long terme et prouver que l'on bénéfice d'une *capacité de résistance* appropriée. Un manque de présence sur la scène locale pourrait

avoir une incidence sur de futures offres de service. Un employé faisait, à ce propos, le commentaire suivant : «Nous avons fait nos preuves en ce qui touche la gestion des aspects techniques de la prospection – nous avons été les chefs de file dans le domaine de la prospection sismique appliquée à la récupération secondaire et tertiaire des hydrocarbures –, mais nous sommes loin de savoir comment agir avec les cultures des territoires concernés pour obtenir les droits de prospecter.» Ajoutons, à la décharge d'Amoco, que selon certains cadres, il faut être réaliste sur ce point et reconnaître qu'il est impossible pour la société de prévoir si sa présence dans un «nouveau» pays durera six mois ou six ans. Cette incertitude découle des résultats de la prospection qui ne se traduit que dans 10 % des cas par la découverte de gisements. Pour ces cadres supérieurs, il est beaucoup plus sensé d'avoir recours à des spécialistes américains tant que l'on n'a rien découvert. Pourtant, l'ouverture d'une antenne locale avant même de découvrir quoi que ce soit est bien un élément clé de la mise en œuvre d'une organisation commerciale au sein de nouveaux marchés. D'ordinaire, cependant, Amoco n'ouvre ce type de bureau qu'une fois un gisement découvert et la concession obtenue. En Roumanie, cette politique a laissé Royal Dutch Shell prendre 10 mois d'avance sur Amoco, car la société anglo-hollandaise s'y est installée bien avant d'obtenir une concession. Un autre argument joue en faveur d'une approche prudente en ce qui concerne l'embauche d'employés étrangers, et c'est le coût des programmes sociaux et des régimes d'indemnités souvent beaucoup plus élevé qu'aux États-Unis. Il serait très onéreux, si aucun gisement n'était découvert, de mettre fin aux activités et d'indemniser les travailleurs embauchés sur place. C'est la raison pour laquelle Amoco engage souvent des contrac-

tuels au cours des premières étapes de développement dans un pays donné.

De nombreux observateurs considèrent, par ailleurs, qu'il est impossible pour une entreprise de la taille d'Amoco d'ouvrir autant de bureaux à travers le monde que des concurrents aussi imposants que Royal Dutch Shell ou Exxon. Amoco devrait plutôt concentrer ses efforts sur l'ouverture rapide de bureaux dans quelques pays judicieusement choisis. Au lieu de mettre à profit son savoir-faire technique *après* une découverte intéressante en vue de nouveaux débouchés commerciaux, la société serait plus avisée de faire connaître sa maîtrise des technologies et de miser sur elle pour influer sur l'obtention de nouveaux contrats.

Un nombre accru de gouvernements font également pression pour que la société engage davantage de personnel sur place. Les exigences dans ce domaine ont changé, et cela peut parfois causer des problèmes, comme dans le cas de Trinidad où existe le principe de l'emploi à vie. Il s'avère difficile de maintenir de faibles coûts d'exploitation si la majeure partie de ces derniers survient très tôt dans l'existence d'une filiale locale. Puis, une fois achevée la construction des installations de forage et lorsqu'elle commence à croître, l'entreprise manque alors de souplesse en ce qui a trait aux effectifs.

Les grandes différences en matière d'éthique d'un pays à l'autre constituent des contraintes additionnelles. Les principes organisationnels d'Amoco lui interdisent de se livrer à la corruption ou de violer les lois américaines dans le cadre d'activités se déroulant à l'étranger, et ce, même si ces comportements sont considérés comme *normaux* dans le pays où elle est établie ou si ses concurrents n'appliquent pas les mêmes règles éthiques. L'éthique concerne également le choix de techniques diminuant les atteintes à l'environnement, même en l'absence de lois en la matière. Les entreprises plus sensibilisées à cet égard risquent d'avoir des coûts d'exploitation plus élevés que leurs concurrents. Mais, sur ce point, quelques cadres croient que les critères éthiques d'Amoco pourraient se concrétiser en avantage concurrentiel et en débouchés commerciaux car, sur le plan de l'environnement, sa politique est très avant-gardiste. Ainsi, au Pakistan, le gouvernement n'autorise pas l'importation de beride, un produit chimique utilisé dans le forage des puits. Amoco y a dépensé un quart de million de dollars supplémentaire dans l'installation de gaines isolantes et d'une salle de stockage étanche pour le plomb, qui s'avère très polluant lorsque mélangé à d'autres substances. En Birmanie, où l'exploitation se fait en pleine jungle, Amoco a pris soin de ne raser autour des puits qu'un couloir étroit, puis d'instaurer un plan de reboisement. Aux États-Unis, Amoco s'efforce non seulement de se conformer aux règlements sur la protection de l'environnement, qui sont parmi les plus sévères au monde, mais encore de les dépasser. Comme le disait l'un de ses dirigeants: «En dépensant davantage maintenant, on peut économiser à long terme, car on sera en avance sur la réglementation future.» Certains estiment que la société devrait mieux faire connaître son dossier environnemental, ce qui pourrait augmenter ses débouchés à l'échelle mondiale.

Source: version abrégée d'un cas présenté dans le guide pratique accompagnant l'ouvrage de E.E. Kossek et S. Lobel, *Managing Diversity: Human Resource Strategies for Transforming the Workplace,* Oxford, Blackwell, 1996.

Questions

1. Qu'est-ce qu'une entreprise plurinationale?

2. Quelles sont les pressions, exercées par le contexte commercial, à l'origine de la mondialisation de la gestion des RH?

3. En matière de RH, que pourrait faire Amoco pour répondre à ces pressions?

CAS Nº 8
Loin des yeux, près de l'action

On définit le *télétravail* comme étant une activité professionnelle que l'on accomplit chez soi ou dans des installations éloignées, en s'appuyant sur les technologies de l'information et des communications pour assurer le lien avec l'organisation. Aux États-Unis, près de 7,6 millions d'individus tirent parti de cette nouvelle forme d'organisation du travail. La décision de permettre à des individus de télétravailler est l'objet de bien des controverses, liées au grand nombre de questions relatives au contrôle de gestion que soulève le fait d'avoir des individus travaillant ou effectuant des tâches de supervision à l'extérieur des locaux de l'organisation.

Pour une chargée de projets en logiciels installée à Los Angeles et supervisant onze des cinquante employés d'un bureau situé à Dallas, il est entendu que le télétravail est une solution efficace, même si elle présente son lot d'inconvénients. Forte de neuf années d'expérience en télétravail, cette cadre est en contact permanent avec ses employés, des concepteurs de logiciels et des vérificateurs-analystes de la qualité. Elle communique avec eux au moyen du courriel, de la messagerie vocale, du téléphone, du télécopieur et, au moins une fois par mois, elle rencontre chaque employé en personne. Chez elle, elle a installé un bureau des plus modernes dans une pièce bien distincte pour s'assurer que ses activités professionnelles n'empiètent pas sur sa vie personnelle. Elle reste cependant en contact étroit avec tous ceux qu'elle dirige. Ainsi, durant le week-end, si un de ses employés est au travail, elle n'a qu'à entrer dans ce bureau à domicile pour répondre à ses questions.

Pour maintenir un contact physique, elle se rend à Dallas une fois par mois et y rencontre individuellement ses subordonnés. Elle passe alors une heure avec chacun d'entre eux pour revoir les objectifs fixés le mois précédent. Au cours du mois suivant, ils maintiendront un contact permanent. Par l'entremise des communications électroniques et personnelles, cette personne a fini par bien connaître ses interlocuteurs. Comme elle le souligne, le fait d'avoir rencontré personnellement ses subordonnés lui permet de mettre des visages sur les voix entendues au téléphone et même d'évaluer l'état psychologique de ses collaborateurs en fonction de leurs intonations. Le télétravail lui permet aussi d'interagir avec ses collègues et des membres des services opérationnels. Il lui est ainsi possible de discuter par téléphone ou courriel des composantes d'un produit, des aspects temporels et financiers, et autres facteurs nécessaires à la gestion efficace de la production.

Cette gestionnaire accorde de nombreux avantages au télétravail. Ainsi, elle reconnaît qu'il est agréable de ne pas avoir chaque jour à se déplacer et à s'habiller pour le bureau. Elle note également le plaisir de relever le défi de maintenir des relations étroites avec ses subordonnés, et le temps gagné en restant chez soi. Même si elle apprécie les bons côtés du télétravail et parvient à bien remplir ses tâches, elle admet l'existence de certains inconvénients : il arrive que certains souffrent d'isolement lorsqu'ils ne sont plus en contact quotidien avec des collègues ; d'autres, en oubliant de tracer une frontière entre le travail et la vie privée, tombent dans la «boulotmanie», une tendance qui peut amener l'épuisement professionnel si l'on n'y prend garde.

Si vous envisagez le télétravail, notre gestionnaire vous suggère ce qui suit : procurez-vous un bon casque d'écoute pour vos conversations téléphoniques ; les premiers temps, attendez-vous à vous sentir isolé et maintenez un contact quotidien étroit avec vos subordonnés.

Source : Anne C. Cowden, California State University, Sacramento.

Questions

1. Le télétravail est-il la tendance de l'avenir ou évitera-t-on d'y recourir en prétextant qu'il occasionne une perte trop grande de contrôle du personnel pour les directions d'organisations ?
2. Le télétravail vous conviendrait-il ? Si oui, à titre de salarié ou de gestionnaire ?
3. Pensez-vous que le télétravail soit efficace pour le *travailleur* comme pour l'*organisation* ? Détaillez votre réponse.

CAS N° 9
Un membre oublié

Le cours *Comportement organisationnel* de cette session semble fournir amplement d'occasions d'apprendre et de mettre en pratique quelques théories et concepts étudiés dans le manuel et traités au cours des discussions en classe, et même d'y prendre plaisir. Christine Spencer, une étudiante zélée et studieuse, a cumulé jusqu'à maintenant de nombreux «A». Si les connaissances et les aptitudes acquises pendant ses études revêtent une grande importance pour elle, les notes qu'elle obtient sont loin de la laisser indifférente. Elle estime qu'elles lui donneront un avantage capital lorsqu'elle se mettra en quête d'un emploi, ce qui ne saurait tarder puisqu'elle en est à sa dernière année d'études.

Dimanche après-midi, 14 h. Christine est plongée dans un devoir de comptabilité sans parvenir à se concentrer. Elle s'en sort très bien dans tous ses cours, sauf en comportement organisationnel. Un pourcentage important de la note de ce cours porte sur la qualité du travail d'équipe ; elle a donc l'impression de ne pas avoir la maîtrise entière de ce travail. Elle se remémore les événements des cinq dernières semaines. L'enseignante, Sandra Thiel, les a répartis en équipes de cinq afin qu'ils effectuent un travail d'envergure comptant pour 30 % de la note finale. Il s'agit d'analyser un cas de sept pages et d'en rédiger un rapport. Mme Thiel a, en outre, demandé aux équipes de présenter leur analyse en classe comme s'ils s'adressaient aux «membres du conseil d'administration de l'entreprise en question» qui évalueraient la façon dont le chef d'équipe et ses collaborateurs ont traité le problème qui leur a été soumis.

Dès la première réunion, Diane, Janet, Steve et Mike ont élu Christine *chef d'équipe*. De nature réservée, Diane se risque très rarement à faire des suggestions mais, si on l'interroge, elle a toujours d'excellentes idées. Mike est le boute-en-train de l'équipe. Christine se souvient d'avoir suggéré qu'ils se rencontrent avant chaque cours de CO pour discuter de l'étude de cas du jour, et Mike a bondi : «Pas question ! Le cours commence à 8 h 30, et j'ai déjà du mal à arriver à l'heure ! En plus, je vais rater mon émission de télévision *Salut, bonjour !* » Ils n'ont pu s'empêcher d'éclater de rire en le voyant si indigné. Steve a déjà une allure d'homme d'affaires, veillant à ce que chaque réunion ait son ordre du jour et notant les résultats tangibles, atteints ou non, à la fin de chaque réunion. Janet est la personne de confiance par excellence et elle en fait toujours plus que ce que l'on lui demande. Quant à Christine, elle se considère comme méticuleuse, organisée et donnant le meilleur d'elle-même dans tout ce qu'elle entreprend.

Cinq semaines se sont donc écoulées depuis le début de la session, et Christine réfléchit sérieusement au travail de CO. Elle a appelé ses coéquipiers pour organiser une réunion à un moment qui conviendrait à tous, mais elle semble se heurter à un obstacle : Mike ne peut être présent car il doit, paraît-il, travailler ce soir-là pour le service de sécurité du campus. En fait, il rate la plupart de leurs réunions, faisant parvenir de petites notes à Christine pour qu'elle en aborde le contenu à sa place avec les autres. Elle ne sait comment réagir. Elle se remémore également un incident survenu la semaine précédente. Avant le début du cours, elle se tenait dans le couloir avec Diane, Janet et Steve, et ils échangeaient des plaisanteries, pour passer le temps en attendant Mme Thiel; aucun d'entre eux n'avait remarqué l'arrivée discrète de Mike qui était allé s'asseoir sans dire un mot.

Elle se souvient d'un autre incident qui s'est produit deux semaines auparavant. Ce matin-là, elle n'avait pas eu le temps de prendre de petit-déjeuner; elle avait dû se dépêcher pour ne pas arriver en retard à son cours de comptabilité. Elle se rendit à la cafétéria pour manger rapidement quelque chose. La préposée lui avait tendu son sandwich, et elle allait s'asseoir, lorsqu'elle aperçut les membres de son équipe. Elle se joignit à eux et la conversation reprit, détendue et agréable comme c'était toujours le cas lorsqu'ils se rencontraient sans raison précise. Mike entra dans la cafétéria, s'approcha de leur table et clama: «Personne ne m'a prévenu que nous avions une réunion!» Surprise, Christine lui répondit qu'ils venaient de se rencontrer par hasard et qu'il pouvait se joindre à eux. Mike les regarda d'un air sceptique, marmonna «Ouais… je vois…» et s'éloigna.

Mme Thiel leur a dit à plusieurs reprises que, en cas de problèmes au sein d'une équipe, les membres devraient d'abord faire l'effort de s'y attaquer de front. S'ils ne pouvaient les résoudre, ils devraient venir lui en parler. Et l'attitude distante de Mike contrastait tellement avec l'exubérance qu'il avait manifestée lors de leur première réunion…

Une heure s'est écoulée. Il est maintenant 15 h, et Christine se rend compte qu'elle mordille nerveusement son stylo. Ils doivent remettre leur analyse la semaine suivante. Chacun d'eux s'est acquitté de la section qui lui revenait, mais Mike ne leur a remis qu'un brouillon de notes. Il a appelé Christine la semaine précédente pour lui dire que, en plus de ses cours et de son emploi sur le campus, il éprouve

des problèmes avec sa petite amie. Christine a beau faire preuve d'empathie, il s'agit tout de même d'un projet collectif. En outre, les autres étudiants vont réévaluer la note reçue. Cela signifie qu'ils diminueront ou bonifieront celle que leur accordera Mme Thiel en fonction de leur évaluation de la contribution de chaque membre. Christine a donc toutes les raisons d'être très inquiète. Elle sait que Mike est créatif et que ses idées originales pourraient faire monter leur note globale. Elle s'inquiète également pour lui. Tout en écoutant la musique ambiante, elle se demande ce qu'elle devrait faire.

_____
Source: Franklin Ramsoomair (Wilfrid Laurier University).

Questions

1. Dans une telle situation de leadership, comment une bonne compréhension des étapes de développement d'un groupe pourrait-elle aider Christine?
2. Comment, en s'appuyant sur sa compréhension de la participation individuelle à un travail collectif, Christine pourrait-elle établir un fonctionnement d'équipe qui profite à la performance commune?
3. Christine fait-elle preuve d'un leadership efficace dans cette situation? Détaillez votre réponse.

CAS N° 10
Les écuries de la NASCAR
••

Si l'on demande aux Américains de citer le sport dont la croissance est la plus rapide, la plupart d'entre eux pensent au basket, au baseball ou au football (ballon ovale ou ballon rond). Cependant, si l'on se fonde sur le nombre total de spectateurs, le titre va aux courses de stock-car. La plus importante organisation sportive dans ce domaine est la *National Association for Stock Car Auto Racing* (**NASCAR**)*, qui organise les **Winston Cup Series**, constituant sa division supérieure; les séries comprennent 34 courses se déroulant sur 22 pistes américaines. Le coup d'envoi est donné le 7 février au **Daytona International Speedway**. La saison se termine le 21 novembre avec les 500 miles de la NAPA (*National Automotive Parts Association*) sur la piste du Atlanta Motor Speedway[1].

NASCAR

Installée à Daytona, en Floride, la famille France (**France family**) est propriétaire de la NASCAR, ce qui fait de cette organisation la seule ligue sportive professionnelle *familiale* des États-Unis. En 1998, ses courses ont attiré 11 millions d'aficionados dans les gradins et près de 252 millions devant leurs écrans de télé[2]. Le public autour des circuits a augmenté de près de 80 % depuis 1990, et les cotes d'écoute des télédiffusions ont placé ce sport en seconde place derrière les matchs de la NFL. Chaque semaine, sept émissions télévisées sur les chaînes du câble et trois émissions de radio sur

_____
* Les termes en couleur soulignés indiquent des liens Internet figurant dans le site Web du manuel: www.erpi.com/schermerhorn

les réseaux nationaux lui sont consacrées. Le site Internet officiel de la NASCAR (<www.nascar.com>) se classe parmi les cinq sites les plus populaires du cyberespace avec près de 35 millions de visites hebdomadaires[3].

Après 50 ans d'existence (**50th anniversary**), la NASCAR est devenue une véritable *locomotive* qui, en plus des courses, commercialise une panoplie d'articles, de vêtements, d'objets de collection, et profite de contrats de publicité jumelée. Coca-Cola a affiché des photos des écuries de course et des pilotes sur 30 millions de bouteilles en 1998, ce qui a constitué la plus importante campagne publicitaire jamais montée par la compagnie, qui précise que les ventes de ces bouteilles ont dépassé celles de la traditionnelle apparition annuelle du père Noël. Cette même année, les produits sous licence NASCAR ont généré plus de 900 millions de dollars US – en 1990, les ventes s'élevaient à 80 millions – pour les fabricants licenciés répartis dans 150 catégories de produits allant des vêtements aux cadeaux souvenirs, aux accessoires, aux jouets et aux articles de collection[4].

Quant aux voitures elles-mêmes, on les a déjà décrites comme étant des *panneaux d'affichage roulant à 320 km/h*. La NASCAR est un exemple unique dans le domaine sportif, puisque les pilotes ont le statut d'entrepreneurs indépendants plutôt que de salariés. À ce titre, ils doivent entretenir leur image tout en démarchant les commanditaires de leur écurie[5] (**race teams**). Aux entreprises traditionnellement associées à la NASCAR, dont **RJR Nabisco**, **Pennzoil-Quaker State** et **General Motors**, s'ajoutent maintenant **M&M-Mars**, **Lowe's** et **Procter and Gamble**. «Si vous comparez la position occupée par la NASCAR en 1993 à celle d'aujourd'hui, vous remarquerez que le sport a évolué profondément, fait observer

Dave Elgena, premier vice-président aux sports automobiles de la **MBNA** (Mercedes-Benz North America). On voit aujourd'hui un grand nombre de sociétés s'y associer, qui ne l'auraient pas fait il y a six ans[6].»

Après avoir vibré aux exploits de vétérans pilotes comme **Richard Petty**, **Cale Yarborough** et **Davey Pearson**, les spectateurs se passionnent pour la nouvelle vague des jeunes coureurs. Ces derniers, comparés aux *anciens* qui ont dominé les circuits pendant des années, sont plus jeunes et plus raffinés. L'un de ceux qui ont le plus de victoires à leur actif dans la ligue est Jeff Gordon de l'écurie **Hendrick Motorsport's #24 Dupont Automotive Finishes**.

Jeff Gordon, un pilote qui fait sensation

Jeff Gordon, qui participe aux courses de la *Winston Cup* depuis 1993, était déjà un fameux coureur au volant des karts qu'il conduisait à l'âge de cinq ans. En 1979 et 1981, il fut champion national de sa catégorie (*quarter-midget*) et, en 1990, il remporta le championnat midget de l'USAC[7] (US Auto Club). Il a suscité l'engouement des amateurs de courses d'automobiles du monde entier en devenant le plus jeune pilote à gagner trois coupes Winston de la NASCAR et plus de 40 courses (**40 individual race**) en quatre ans.

Âgé de 27 ans, Gordon considère que l'éducation familiale reçue en Californie et son mariage avec Brooke Sealy, une ex-Miss Winston, lui ont facilité les choses. Selon Ned Jarrett, commentateur sportif chez CBS et deux fois champion de la NASCAR durant les années soixante: «Il ne fait aucun doute que Jeff a contribué aux progrès de l'image publique de notre sport. Il a élevé la compétition à un degré supérieur et a donné au stock-car une notoriété qu'il n'avait jamais

obtenue auparavant[8].» On peut donc s'interroger sur ce que Jeff possède que d'autres ne parviennent pas à imiter.

À titre de pilote d'une automobile gagnante, Gordon n'est que l'élément le plus visible d'une équipe des plus complexes où chacun a un rôle crucial à jouer lors d'une course. «La mise sur pied d'une équipe victorieuse demande trois ingrédients principaux: des gens, des véhicules et de l'argent, explique Don Hawk, président de **Dale Earnhard** Inc. Il est impossible d'y parvenir avec un seul, ni même avec deux de ces ingrédients; vous avez besoin des trois. Prenez le cas de Gordon. Ray Evernham dirige l'équipe, et ils ont les **Rainbow Warriors** comme mécaniciens de stand. On les reconnaît à leurs uniformes multicolores assortis à la voiture de Jeff, et ce sont les meilleurs du circuit. Ils ont aussi la Chevrolet la plus fiable et la plus rapide, et DuPont pour les financer. Impossible de parvenir où ils sont avec seulement un bon pilote, une bonne voiture ou un portefeuille garni. Il faut coordonner ces trois éléments. Pour moi, une équipe de course, c'est comme un cube de Rubik. Tous les morceaux doivent être en place, selon la bonne combinaison[9].»

Une équipe hautement performante

«La réussite est un adversaire redoutable et trompeur qui nous flatte, entretient nos points faibles et nous pousse à une confiance excessive.»

Le chef de l'équipe de mécaniciens de Gordon, **Ray Evernham**, réputé comme le meilleur dans son domaine, a affiché cette citation dans l'atelier. Si Gordon est la vedette, ils sont nombreux à estimer qu'Evernham est le véritable ciment de l'organisation. À la tête d'un groupe de plus de 120 techniciens et mécaniciens dont le budget annuel avoisine les 12 millions de dollars US, il a une idée bien précise de ce qu'il faut pour finir premier de façon répétée : une préparation minutieuse, un travail d'équipe où l'ego n'a pas de place, une stratégie originale et sans faille – des principes qui s'appliquent à toute OHP[10].

C'est l'équipe qui gagne.

Ray Evernham croit que l'essai de nouvelles méthodes et procédures est indispensable aux équipes. Lorsqu'il a mis sur pied celle des *Rainbow Warriors* qui intervient au puits, aucun des membres n'avait d'expérience ni dans la coupe Winston ni avec le véhicule utilisé. Dirigés par un chef d'équipe de puits, les *Rainbow Warriors* donnent à Gordon un avantage de près d'une seconde à chaque arrêt. À 320 km/h, cette seconde équivaut à près de 100 mètres de piste.

Quand tu entraînes et soutiens une super-vedette comme Jeff Gordon, tu lui donnes le meilleur matériel possible, tu lui fournis l'information dont il a besoin et ensuite… tu dégages de son chemin ! Mais la course d'automobiles est un sport collectif. Les écuries ont des voitures qui se valent et le même matériel. Ce qui nous différencie, ce sont nos gars. J'aime bien parler d'un *QI d'équipe*, parce que, individuellement, on n'est jamais aussi intelligent que l'ensemble que l'on forme.

Je tiens énormément compte des gens, de la gestion et de la dimension psychologique. Plus précisément, je me demande toujours comment les motiver et les souder pour qu'ils forment un tout. Je les nourris d'idées sur le travail d'équipe. Je lis tout ce qui se publie sur le leadership, et il y a une chose que j'ai retenue, c'est l'idée du « cercle énergétique ». Au cours des réunions des *Rainbow Warriors*, nous plaçons toujours nos chaises en cercle. C'est une façon d'affirmer que nous sommes plus forts en tant qu'équipe qu'individuellement[11].

Evernham concrétise ses convictions en mettant l'accent sur le rendement collectif au détriment de celui des individus. Lorsque la voiture gagne une course, tout le monde a droit à une part du montant récolté. En outre, s'il est payé pour une conférence ou une séance de signature d'autographes, Evernham partage également ses honoraires avec le reste de l'écurie. « Je n'aurais pas l'occasion de gagner ces revenus, si ce n'était de l'équipe. Tout le monde doit sentir que sa touche personnelle, sa signature, apparaît sur le produit fini[12]. »

Pendant une course, ce travail d'équipe peut même inclure les adversaires, les autres pilotes. Pour que le degré de compétition réponde aux envies des spectateurs, la NASCAR a recours à plusieurs méthodes afin de placer les véhicules sur un pied d'égalité en matière de performance, ce qui rend le spectacle encore plus passionnant. Pour prendre la tête, les pilotes dépendent de leurs « amis » au volant des voitures qui vont les catapulter en avant de la meute. Il peut s'agir de leurs coéquipiers (**Wally Dallenbach** et **Terry Labonte** pour Hendrick Motorsports) mais aussi de leurs rivaux, car il s'agit de stock-car où les *contacts* font partie de l'épreuve.

Viser la perfection, mais admettre l'imperfection. Les équipes hautement performantes sont en constante amélioration, même si elle se fait par petites touches. Evernham profite de toutes les occasions pour apprendre quelque chose. Si la voiture tourne bien, Evernham demande à Jeff Gordon de lui trouver un défaut. « Nous essayons toujours de la perfectionner, mais elle n'a pas à être parfaite pour gagner. Il lui suffit d'être moins imparfaite que celle des autres[13]. »

Ne pas se regarder le nombril.

Auparavant, la plupart des écuries privilégiaient le véhicule et comptaient sur la puissance du moteur et le talent des pilotes pour gagner une course. Evernham a une optique plus large qui vise à contenir l'ego de chacun :

On ne garde pas un secret bien longtemps au cours de la coupe Winston, aussi est-il vital de protéger l'information que l'on détient. Nous voulons avoir la voiture la plus rapide en piste sans que tout le monde sache à quel point elle l'est. Nous n'abattons nos cartes qu'au moment de nous qualifier ou de courir.

Nous essayons aussi de brouiller le jeu pendant la course. Il faut éviter de répéter les mêmes tactiques ou de laisser les autres deviner à quel moment on va s'arrêter au puits. Comme tout le monde écoute les échanges radio, nous employons parfois des phrases codées pour signaler un changement de deux ou quatre roues. Quelquefois, quand la voiture tourne au poil, Jeff se plaint par radio que la direction est un peu raide, au moment où il se prépare à doubler. Et on piège l'autre écurie ! Le chef d'équipe dit à son pilote « ça baigne, Gordon ne peut pas te dépasser, son volant est raide. » Ce gars-là laisse une petite ouverture, et bingo ! on l'a doublé avant qu'il ait compris[14] !

Pour gagner, changer les règles de conduite. Evernham aborde chaque course différemment de la précédente, cherchant constamment ne serait-ce que le plus petit avantage qui donnera à la voiture et à son pilote l'avance nécessaire pour gagner. Ainsi l'équipe s'entraîne-t-elle à doubler des voitures dans des segments imprévisibles de la piste, où ses adversaires s'y attendront le moins[15].

Ce n'est pas la chance qui préside à la naissance d'une équipe hautement performante. Elle résulte plutôt d'un recrutement rigoureux et de l'apprentissage minutieux des tâches à accomplir. Outre les dix victoires de 1997 et les treize de 1998, la démarche entourant Jeff Gordon s'est soldée par trois coupes Winston. Le pilote remporte près d'une course sur quatre, un palmarès inégalé de nos jours. La question demeure : quelqu'un peut-il le rattraper ?

Source : David S. Chappell (Ohio University).

Questions

1. Évaluez l'équipe entourant Jeff Gordon à partir des dimensions et des caractéristiques d'une équipe hautement performante décrites au chapitre 10.

2. Évaluez l'équipe entourant Jeff Gordon à partir des divers éléments favorisant la cohésion d'un groupe décrits dans ce même chapitre.

3. Analysez le fonctionnement de l'équipe entourant Jeff Gordon à la lumière des diverses approches en matière d'harmonisation fonctionnelle d'une équipe abordées au chapitre 10. Laquelle correspond le plus à la situation présentée dans ce cas?

Notes

1. Annmarie Dodd. «The Fastest Growing Sport on Earth — Fast-Moving and Fast-Growing, NASCAR Uses its Loud, Folksy Appeal to Find New Racing Fans for the Future», *Daily News Record*, 25 janvier 1999.
2. *Ibid.*
3. *Ibid.*
4. *Ibid.*
5. Shav Glick. «Dollars Signs : Sponsorships, Big Money Make NASCAR World Go 'Round'», *The Los Angeles Times*, 14 février 1999, D1.
6. Mark York. «Companies Use NASCAR Races as Means to Rub Elbows, Boost Their Business», *Wall Street Journal*, 22 février 1999, B17B.
7. Dodd. *Op. cit.*
8. "NASCAR Online : Jeff Gordon" à <http://www.nascar.com/winstoncup/drivers/GordJ01/index.html>, 19 février 1999.
9. Holly Cain. «Gordon Becomes Driving Force», *The Seattle Times*, 14 février 1999, D1.
10. Glick. *Op. cit.*
11. Chuck Salter. «Life in the Fast Lane», *Fast Company*, à <http://www.fastcompany.com/online/18/fastlane.html>, octobre 1998.
12. *Ibid.*
13. *Ibid.*
14. *Ibid.*
15. *Ibid.*

CAS N° 11
La financière First Community

La société financière First Community est une petite institution de crédit spécialisée dans le prêt sur actif et l'affacturage à une clientèle constituée principalement de PME, des sociétés en expansion œuvrant dans diverses industries, dont les besoins en capitaux ne sont pas toujours compris des institutions financières traditionnelles. Les prêts de la First Community ne dépassent pas 1 million de dollars US, aussi s'intéresse-t-elle surtout aux PME. Il est essentiel que le personnel des ventes et les responsables des dossiers de financement entretiennent d'excellentes relations de travail, car ils travaillent sur un grand nombre de prêts que les banques considèrent comme étant à haut risque. À cause de ce risque sur les prêts ainsi que sur les contrats d'affacturage, la First Community fixe un taux d'intérêt de 6 % ou plus au-dessus du taux de base.

La crédibilité de la First Community repose sur son histoire ainsi que sur sa politique en matière de ressources humaines. Investissant dans ses employés et s'efforçant de maintenir un faible roulement du personnel, elle a pour stratégie d'établir une équipe professionnelle harmonieuse dont l'expertise sera supérieure à celle de ses concurrents.

Jim Adamany, le directeur général, est bien connu dans le milieu à titre de spécialiste en prêt sur actif et en affacturage. Les salariés et les cadres de la First Community sont, quant à eux, parmi les plus jeunes à évoluer dans le milieu financier. Dans le secteur bancaire, les promotions sont lentes à venir parce que nombre d'institutions ont des programmes de gestion des RH résolument conservateurs. Ce n'est pas le cas de la First Community qui recrute de jeunes diplômés ambitieux souhaitant s'épanouir de concert avec leur entreprise. Si l'institution prend de l'expansion, il en ira de même pour les responsabilités et les salaires de ces jeunes cadres. Ainsi Matt Vincent, le vice-président, est-il dans la jeune trentaine, tandis que le directeur du marketing, Brian Zcray, est âgé d'à peine 28 ans.

La diversité des produits financiers offerts se reflète dans la concurrence tout aussi diversifiée à laquelle la First Community fait face. D'autres petites institutions se spécialisent comme elle dans l'affacturage, technique de gestion financière qui consiste, pour les entreprises, à obtenir des liquidités en cédant leurs comptes à recevoir à un établissement financier qui se charge, moyennant une commission, de les recouvrer. Généralement, ces entreprises représentent les plus petits clients des établissements de crédit. Pour réussir, il est donc essentiel de bien les informer sur les produits car, pour nombre d'entre elles, l'affacturage constitue une nouvelle méthode de financement. La First Community a donc formé son équipe de vente de façon que chacun connaisse parfaitement ses produits et fasse office de représentant du client au cours du processus d'approbation.

Pour s'assurer qu'un prêt ou un contrat d'affacturage correspond à un profil de risque qu'elle peut accepter, la First Community doit poser de nombreuses questions pointilleuses sur les finances de l'entreprise emprunteuse. Ce processus intimide souvent les patrons de PME qui rencontrent les agents de crédit, aussi la First Community traite-t-elle cette phase d'enquête par l'entremise de ses agents commerciaux. Ceux-ci doivent, cependant, tenir compte des exigences des agents de crédit qui, eux, veillent à réduire les risques courus par la First Community tout en entretenant des rapports conviviaux avec les clients. C'est en centralisant l'étude des contrats entre les mains d'une équipe de vente expérimentée que la First Community parvient à poser les questions qui s'imposent en continuant à maintenir l'intérêt des clients pour le processus. Un interrogatoire poussé sur leur situation financière pourrait aisément décourager certains demandeurs, aussi diminue-t-on leurs craintes à l'égard du processus d'approbation en ayant recours aux commerciaux à titre d'intermédiaires. Cette approche permet de maintenir l'accent sur la vente tant à l'étape du recrutement de nouveaux clients qu'à celle de la demande de prêt.

À l'interne, la tension est constante entre les commerciaux et la commission de crédit. L'intérêt des premiers va à l'apport de nouveaux clients puisque leur rémunération dépend pour une bonne part du nombre de contrats conclus. Agissant comme les équipes de vente de la plupart des domaines, ces employés dynamiques sont toujours en quête de nouveaux marchés. En outre, comme les produits qu'ils vendent sont du ressort aussi bien des finances que de l'affacturage, ils sont en contact avec les agents de crédit des deux services. Dans l'un et l'autre service, des gestionnaires sont explicitement chargés de veiller à ce que les contrats potentiels satisfassent aux critères de prêt. Tandis que l'optique d'un agent commercial sera d'obtenir toujours plus de contrats, l'objectif premier du gestionnaire de crédit sera de réduire le plus possible les mauvaises créances.

La pression monte lorsque la commission de crédit rejette des demandes de prêts proposées par les commerciaux. Ces derniers, ayant une certaine expérience des risques représentés par leurs clients en matière de crédit, comprennent souvent fort bien les procédures d'analyse qui conduisent à refuser ou à accorder un prêt. Mais ils désirent aussi que les prêts ayant un authentique potentiel de financement soient approuvés, car la plupart des banques ne transmettent ces dossiers que vers les institutions de crédit qui font preuve d'une certaine ouverture. Si la First Community refuse d'aider un trop grand nombre des entreprises clientes que leur soumet une banque, ce marché risque de se tarir car la banque en question se tournera vers d'autres institutions de crédit.

Pour gérer les divergences structurelles entre les objectifs de ses divisions, la First Community concentre ses efforts sur l'amélioration de la communication. Comme nous l'avons fait remarquer précédemment, le roulement peu élevé de son personnel lui permet de développer la cohésion de l'équipe. Ainsi, les occasions de maintenir une communication ouverte et franche contribuent à combler les différences d'orientation entre les deux divisions. Cela suppose une philosophie organisationnelle qui prône le respect des opinions de tous les employés.

Comme l'approbation d'un prêt est souvent une décision stratégique, les commerciaux et les gestionnaires de crédit disposent d'un processus de discussion ouvert pour en examiner l'approbation éventuelle. C'est à Jim Adamany que revient la décision finale mais, comme il tient à l'opinion de tous ses subordonnés, il leur donne la possibilité de s'exprimer. C'est ainsi que chacun exprime son point de vue sur des questions telles que les antécédents en matière de crédit (l'histoire du crédit) dans un domaine d'activité ou les dernières tendances dans les politiques bancaires de prêt.

Source: Mark Osborn, Chambre de commerce de l'Arizona.

Questions

1. Quels mécanismes de coordination la First Community Financial emploie-t-elle pour gérer les conflits possibles entre sa division des ventes et sa commission de crédit ?
2. Quelles sont les qualités que devrait rechercher la First Community chez ses nouveaux employés pour éviter que sa structure divisionnaire ne provoque trop de problèmes ?
3. Sur quels éléments clés du transfert de l'information cette société doit-elle mettre l'accent ? Comment cette approche peut-elle se communiquer à toute l'organisation ?
4. Pourquoi une institution financière d'aussi petite taille peut-elle se contenter d'une structure aussi simple alors qu'un établissement plus grand pourrait la juger inadéquate ?

CAS N° 12
Mission Management and Trust

En mai 1995, c'est devant plus de 500 chefs d'entreprise et dirigeants politiques de tout l'Arizona que Carmen Bermùdez, directrice générale de Mission Management and Trust (MM&T), a reçu le prestigieux prix Athena. Cette distinction, offerte par la Chambre de commerce de l'Arizona, couronne chaque année les entreprises qui se sont distinguées en promouvant des questions touchant les femmes, dans leurs activités et dans la collectivité. La statue de bronze de 25 kg remise à MM&T avait une signification spéciale pour la directrice de l'entreprise, qui y voyait la concrétisation de ses efforts dans ce domaine.

Mission Management and Trust est une petite société de huit employés que sa constitution récente n'a pas empêchée de percer dans un secteur dominé par de grandes compagnies. Établie en 1994, MM&T administrait déjà plus de 45 millions de dollars US d'actifs en 1996 et plus de 171 millions en l'an 2000. Aux États-Unis, il s'agit de la première société de fiducie possédée par une femme issue d'une minorité ethnoculturelle, ce qui rend cette croissance encore plus impressionnante.

Les sociétés de fiducie fournissent des services aux particuliers, aux organismes et aux entreprises qui leur confient des biens à gérer et à protéger. MM&T offre des services personnalisés à un degré relativement rare pour une société de cette taille. Sachant que ce domaine est des plus concurrentiels, elle a mis au point une stratégie originale associant des pratiques socialement responsables à de bonnes relations commerciales.

L'objectif qui a présidé à sa création, en 1994, visait plus que le simple profit. Sa fondatrice, Carmen Bermùdez, avait trois buts : « 1) créer une société de fiducie marquée par l'excellence ; 2) montrer l'exemple et promouvoir, au sein de la compagnie et à l'extérieur, les débouchés pour les femmes et les minorités ; 3) redistribuer une partie des bénéfices à des projets caritatifs soutenus par ses clients et son personnel. » Comme le montre cet énoncé de mission, MM&T avait un objectif précis qui mettait l'accent non seulement sur le domaine de la gestion en fiducie, mais aussi sur la responsabilité qu'elle avait de se conduire comme un bon citoyen institutionnel.

Même avec ces objectifs louables, MM&T faisait face à la difficulté de trouver des clients non seulement avides de services de qualité, mais également prêts à certains des sacrifices qu'une société de placement à

conscience sociale pouvait décider de faire. Parmi les investisseurs souhaitant un taux de rendement élevé sur leurs placements, nombreux sont ceux que les questions sociales indiffèrent ; ce n'est pas ce marché que MM&T voulait desservir. L'entreprise devait donc établir sa clientèle de manière sélective et trouver les clients qui adhéreraient à sa philosophie en matière d'investissements et de responsabilités institutionnelles. La clientèle idéale serait constituée de particuliers et d'organisations engagés sur le plan social et cherchant une stratégie d'investissements correspondant à leurs engagements.

Le créneau parfait pour MM&T s'est avéré être celui des institutions religieuses. Il est courant de voir des Églises et des organisations à but non lucratif ouvrir des comptes en fiducie pour soutenir des projets spéciaux et exercer un contrôle sur leurs frais d'exploitation. Elles ont donc besoin de services efficaces, même si, très souvent, elles cherchent à investir dans des entreprises pas trop éloignées de leurs idéaux. Une société de fiducie qui investirait dans les industries fort lucratives de l'alcool ou du tabac ne correspondrait sans doute pas à la philosophie d'un grand nombre d'organisations religieuses. MM&T comble ce créneau en prenant des décisions financières à teneur sociale.

MM&T a rapidement commencé à remplir l'un de ses objectifs principaux en donnant une partie de ses bénéfices à des organismes caritatifs. Dès la fin de sa première année d'activité, elle avait offert 4 500 $ à diverses causes allant des Services communautaires catholiques à un programme de bourses mis sur pied par le Centre communautaire juif. Non seulement ces contributions répondent-elles à l'engagement de MM&T, mais elles lui permettent également de recruter d'autres clients ayant des orientations semblables.

De par ses programmes caritatifs, MM&T offre davantage d'attraits à la clientèle qu'elle cible. Une organisation religieuse sera rassurée de savoir qu'une partie de l'argent versé à MM&T pour la gestion de ses actifs retournera à des causes qu'elle-même défend. Si elles ont une portée sociale, les politiques de Mission Management and Trust se justifient également sur le plan du marketing. Pour s'établir, une petite entreprise se doit de comprendre ses clients, et MM&T a maîtrisé ce principe.

Mission Management and Trust tire pleinement parti de ses engagements philanthropiques en tenant ses clients informés des activités financières de la société et, ce qui est encore plus important, de celles qu'elle mène au sein de la collectivité. Le bulletin de MM&T, *The Mission Bell,* traite dans le détail des nouvelles et des questions concernant le domaine de la fiducie et les activités de la société, mais surtout des moyens pris pour concrétiser son engagement social. Le nom même de cette publication (*The Mission Bell*) évoque davantage un périodique religieux ; cependant, il correspond bien aux exigences des clients et son contenu clarifie le rôle et les objectifs de MM&T. Ainsi un numéro de *Mission Bell* contenait-il des articles sur les arrivées récentes au sein du personnel, de l'information sur les investissements et un article sur les mesures prises par MM&T, de concert avec d'autres organismes, pour soutenir l'investissement institutionnel orienté vers des causes sociales. On voit donc qu'elle définit clairement sa philosophie dans ses stratégies, tant de marketing que de communication.

Pour satisfaire pleinement les buts des entreprises clientes, Carmen Bermùdez s'est entourée d'une équipe restreinte de professionnels très expérimentés dont la formation et les principes correspondent à ses idéaux. Elle répète souvent que la meilleure décision d'affaires qu'elle ait jamais prise fut d'«accorder la préférence à des personnes intelligentes, talentueuses et compatibles, dont la qualité principale était une solide expérience.» Les employés de MM&T ne sont pas seulement des spécialistes du domaine de la finance, ce sont également des leaders dans leur communauté. Ce double champ de compétences répond à trois exigences essentielles au succès de l'entreprise. Premièrement, l'engagement communautaire permet de mieux comprendre les orientations en matière d'investissements qu'exigent les organismes auxquels MM&T offre ses services. Deuxièmement, les personnes engagées dans la collectivité ont des contacts bien établis qui peuvent se révéler utiles pour recruter d'autres clients. Enfin, un personnel socialement actif témoigne d'un soutien à l'objectif de l'organisation et contribue à consolider sa culture organisationnelle.

Claire B. Moore, vice-présidente de Mission Management and Trust, offre un parfait exemple de la façon dont une philosophie institutionnelle peut se concrétiser en décisions, en matière de personnel par exemple. L'embauche de Claire se fondait sur sa vaste expérience dans le domaine bancaire dont témoignait le poste de vice-présidente qu'elle occupait à la Bank of America pour l'Arizona. À ses compétences professionnelles s'ajoute son engagement constant dans la collectivité, entre autres au sein du Conseil de la Fondation de l'Université d'Arizona, de l'Orchestre symphonique de Tucson et de la ligue de base-ball junior.

L'exemple de MM&T prouve clairement que les affinités entre la philosophie d'une société et un secteur de marché peuvent donner des résultats concrets. Son engagement à l'égard de ses idéaux est évident et se reflète dans toutes ses pratiques commerciales. Lorsque les ressources

humaines, les investissements, le marketing et la planification stratégique visent des objectifs identiques, on a en main les ingrédients nécessaires à la mise en œuvre d'une culture organisationnelle à succès.

———————————
Source: Mark Osborn, Chambre de commerce de l'Arizona.

Questions

1. En quoi la mission de MM&T ainsi que ses objectifs sociaux et systémiques la distinguent-ils de la plupart des entreprises?

2. Comment s'est créée la culture de MM&T? Quelles en sont les principales caractéristiques?

3. Quels sont les divers moyens dont dispose la directrice générale pour tenter de renforcer la culture organisationnelle de MM&T?

4. Quelle est la stratégie organisationnelle de MM&T? Peut-elle lui conférer un avantage concurrentiel?

CAS Nº 13
Motorola: une culture organisationnelle de haute performance peut-elle suffire?

Motorola Inc.,* réputé dans le monde entier pour son programme de contrôle de la qualité **Six Sigma**, a été l'un des premiers succès de l'ère de l'informatique et de l'électronique. Motorola a évolué, passant d'une entreprise décentralisée mais intégrée, axée essentiellement sur l'électronique et valant 3 milliards de dollars US en 1980, à une société de portefeuille décentralisée et non intégrée valant 27 milliards en 1997[1]. Motorola est l'un des chefs de file dans la communication sans fil, les semi-conducteurs, les systèmes électroniques, les composants et les services. Dans le domaine de la téléphonie cellulaire et des téléavertisseurs, on jugeait ses produits comme étant les meilleurs au début des années 1990. Toutefois, une concurrence accrue, la crise économique en Asie et l'incapacité de prendre le virage numérique ont sérieusement terni l'image de l'entreprise et ses résultats d'exploitation. Peut-on s'attendre maintenant à ce que Motorola retrouve son profil d'organisation hautement performante?

L'évolution de Motorola

C'est en 1928 que **Paul V. Galvin** fondait Galvin Manufacturing Corporation qui deviendrait plus tard Motorola Inc. La mise au point du premier autoradio dans les années trente donnait le coup d'envoi d'une longue histoire (**long history**) d'innovations technologiques. En 1947, l'entreprise adoptait le nom du produit – *Motorola* –, qui suggérait l'idée du *son en mouvement,* et se constituait en société par actions[2]. Poursuivant sur cette lancée, Motorola se fixa comme objectif de fournir aux consommateurs des produits (**products**) qui leur donneraient le temps et la liberté d'explorer de nouveaux mondes et de s'acquitter de leurs tâches quotidiennes avec davantage d'efficacité.

Motorola est synonyme de *premières* pour tout un éventail de produits: premier tube cathodique

———————————
* Les termes en couleur soulignés indiquent des liens Internet figurant dans le site Web du manuel: www.erpi.com/schermerhorn

rectangulaire d'un téléviseur, premier autoradio fonctionnel, premier télé-avertisseur, etc. En 1998, Motorola remportait le premier *Malcolm Baldridge National Quality Award,* qui souligne la qualité dans les entreprises américaines. Cette année-là, George Fisher (l'actuel président de Kodak) devenait président de Motorola, et nombreux sont ceux qui lui attribuent l'entrée de l'entreprise dans l'ère du cellulaire.

Dès 1987, Motorola se lançait dans la conception d'**IRIDIUM**, un réseau de télécommunication sans fil par satellite. Aujourd'hui constitué de 66 satellites à orbite basse interconnectés, le réseau permet la transmission de la voix, de données, de télécopies et de signaux de téléavertisseurs à partir d'un simple combiné. Ce système va simplifier les communications pour les gens d'affaires, les voyageurs, les habitants de régions éloignées et l'utilisateur ordinaire puisqu'il permet de communiquer avec pratiquement n'importe quel endroit de la planète. **Sprint** et Iridium Canada collaborent avec Motorola à la mise sur pied du système pour tout le continent nord-américain. Une fois installé, IRIDIUM fournira aux consommateurs un service de très haute qualité à un prix abordable.

Diversifiant ses produits et services, Motorola a poursuivi son expansion sur le marché mondial (**global marketplace**), ce qui a accru d'autant ses besoins en un personnel talentueux capable de soutenir les normes qu'il établissait. Pour concrétiser cette orientation, Motorola s'est engagé résolument dans la recherche et le maintien d'une base étendue de salariés compétents et bien formés. Cela se reflète dans ses programmes de formation innovateurs, dans la création de la **Motorola University** et dans les généreux régimes d'avantages sociaux (**benefit plans**) offerts à tous les membres du personnel.

L'importance de la culture organisationnelle chez Motorola

Au début des années quatre-vingt-dix, ses innovations et son orientation d'entreprise socialement responsable faisaient de Motorola une authentique OHP. Il est vrai que l'on attribue à sa culture organisationnelle (**organizational culture**) une bonne partie de ses avantages concurrentiels.

Travaillant en *équipes-qualité* (**teams**), les membres de l'organisation s'efforcent d'atteindre un degré exceptionnellement élevé de satisfaction du consommateur et évaluent les vices de fabrication en incidents par milliard. Annuellement, Motorola consacre plus de 100 millions de dollars US à la formation, et chaque membre de l'organisation, même aux échelons inférieurs de la hiérarchie, passe une semaine payée dans les classes de la Motorola University[3].

Pour Motorola, l'objectif premier (**fundamental objective**) est la satisfaction totale du client : « Servir chaque client mieux que ne le font nos concurrents et lui offrir des produits et des services d'excellente qualité afin de mériter sa confiance et son soutien enthousiastes[4]. » La poursuite de cet objectif doit se faire dans le respect des individus, ce qui est clairement exprimé dans son énoncé de principes :

Personnel

Traiter dignement chaque membre du personnel comme un individu à part entière. Maintenir une atmosphère ouverte où la communication directe avec les membres du personnel favorise leur contribution au maximum de leur potentiel et encourage leur adhésion aux objectifs de Motorola. Faciliter l'accès individuel à la formation et au développement pour assurer le maintien d'une main-d'œuvre des plus compétentes et des plus efficaces. Respecter la contribution de nos aînés. Maintenir un régime équitable de rémunérations, d'avantages sociaux et, dans la mesure du possible, de mesures incitatives. Fonder les promotions sur les aptitudes. Appliquer les directives reconnues en matière

d'équité dans l'emploi et de mesures de rattrapage.

Intégrité et éthique

Maintenir les normes les plus élevées en matière d'honnêteté, d'intégrité et d'éthique dans toutes les facettes de nos activités – avec la clientèle, les fournisseurs, les membres du personnel, les pouvoirs publics et l'ensemble de la société – et se conformer aux lois des pays et des collectivités où nous avons des activités[5].

Partisan de la formation au leadership (**leadership training**) et chef de file dans le domaine du contrôle de la qualité (**quality control processes**), Motorola a créé un climat d'entreprise qui encourage l'établissement de normes élevées et une culture de haute performance. Cette approche repose sur des équipes de gestion intégrale de la qualité (**TCS**) qui veillent au respect des engagements de Motorola dans ce domaine et à la satisfaction de la clientèle. Ces équipes atteignent maintenant près de 30 % de ses 150 000 travailleurs, et l'objectif, qui est de réduire de dix fois les défauts de conformité tous les deux ans, les pousse à inventer constamment de nouvelles façons de mettre au point et de fournir leurs produits et services.

Motorola se considère comme une grande famille et encourage son personnel à concilier activités professionnelles et responsabilités familiales. La société finance l'installation de garderies en milieu de travail (**child care centers**) ainsi qu'un programme de bien-être (**wellness program**) destiné à l'ensemble de sa main-d'œuvre.

Dans leur étude sur la culture organisationnelle, John Kotter et James Hesket ont mis en lumière les points suivants :

1. La culture organisationnelle peut avoir une incidence notable sur la performance économique à long terme d'une entreprise.
2. Au cours de la prochaine décennie, l'importance de la culture organisationnelle va augmenter

en tant que facteur déterminant de la réussite ou de l'échec des organisations.

3. Les cultures organisationnelles qui nuisent à la performance économique à long terme sont plus nombreuses qu'on le croit. Elles apparaissent aisément, même dans les organisations où les individus compétents et avisés ne manquent pas.

4. Bien qu'il soit difficile de modifier une culture organisationnelle, il est possible de l'axer davantage sur la performance[6].

Une culture organisationnelle peut néanmoins s'avérer être une arme à double tranchant. Effectivement, une culture organisationnelle forte peut contribuer à la haute performance pendant de longues périodes avant de se traduire en une incapacité d'adaptation aux changements de conditions. Il est donc primordial de promouvoir un équilibre entre stabilité et souplesse favorisant le changement, un cap difficile à maintenir toutefois. Pour nombre d'organisations, la réussite à court terme entraîne, à long terme, des difficultés d'adaptation à l'évolution de l'environnement.

Qu'est-ce qui n'a pas marché?

Dans les premiers jours de juin 1998, le directeur général de Motorola, **Chris Galvin**, annonçait une passation en charges de 1,95 milliard de dollars US et le licenciement de 15 000 travailleurs. Le taux de croissance du secteur des semi-conducteurs – 23 % en 1995 – avait chuté jusqu'à 1 % au début de cette année-là. Au cours des années précédentes, les actions de la société (**Motorola's Stock**) avaient perdu 40 points, atteignant un faible 50 $ en 1998, et sa part du marché américain du téléphone cellulaire était passée de 54 % à 41 %. «C'est plutôt déprimant, se lamentait un gestionnaire de portefeuille. Et ce ne sont pas les avertissements adressés à la direction qui ont manqué[7]!»

Maggie Wilderotter, un ancien membre de la haute direction de McCaw Cellular, devenu depuis **AT&T Wireless Services**, nous donne quelques indices sur l'origine des problèmes de Motorola. Au début des années quatre-vingt-dix, 85 % des téléphones cellulaires vendus par McCaw à ses abonnés provenaient de Motorola, dont le combiné à volet rabattable était très en demande. À cette époque, McCaw a décidé que l'avenir du cellulaire passerait par le numérique et, au cours des années suivantes, Mme Wilderotter a rencontré plusieurs fois les dirigeants de Motorola, tant au siège social à Schaumberg (Illinois) que dans son propre bureau de Seattle. Elle les a exhortés à mettre au point un téléphone numérique, et ils ont répondu qu'ils allaient y travailler. Aussi, lorsqu'en 1996 AT&T a lancé son réseau numérique, Motorola s'est empressé d'annoncer la mise en marché de son téléphone **StarTAC**, léger, élégant… et *analogique* ! AT&T n'avait donc d'autre choix que de se tourner vers des fabricants comme **Nokia** et **Ericson** pour la distribution de combinés numériques. À la fin de 1997, les produits Motorola constituaient moins de 40 % des téléphones cellulaires d'AT&T Wireless.

Selon Mme Wildrerotter, maintenant directrice générale de Wink Communications, une compagnie de télévision interactive: «C'était inexplicable. Nous avions été très clairs sur ce que nous voulions. Je ne sais pas s'ils ont fait la sourde oreille ou s'ils croyaient à un avenir différent pour la téléphonie. Je ne comprends toujours pas comment ils ont pu ainsi laisser passer l'occasion[8].» Nokia prit en 1998 la place de chef de file dans l'industrie des téléphones mobiles, place qu'occupait Motorola depuis la naissance de ce secteur industriel. Les ventes de Nokia – 37,4 millions d'unités (une augmentation de 81,5 % par rapport à l'année précédente) – représentaient 22,9 % des parts du marché tandis que, avec 32,3 millions d'appareils (seulement 27,6 % d'augmentation), Motorola se contentait de 19,8 %[9].

Une bonne part de la réussite de Nokia est attribuable à la technologie numérique équipant 84,6 % des 163 millions de téléphones vendus en 1998 à l'échelle planétaire. Motorola demeure le leader mondial dans le secteur en déclin du téléphone analogique, sans doute grâce à sa position dans le marché américain où le numérique est plus lent à s'imposer. Motorola a tenté de regagner ses parts de marché avec l'introduction d'un modèle numérique du très populaire StarTAC, mais cet appareil coûte 500 $ tandis que le 6100 de Nokia, à 200 $, offre en plus des piles qui durent deux fois plus longtemps[10].

Un examen approfondi du système de télécommunication par satellite (IRIDIUM) a en outre révélé des faiblesses. Le système élimine les *zones mortes* en fournissant une couverture mondiale en services de téléphonie cellulaire. Mais à quel prix? Le modèle **9500 phone** de Motorola s'élève à environ 3000 $, le coût des appels varie de 1,75 à 7 $US la minute et l'appareil est volumineux – pratiquement de la taille et du poids des premiers téléphones cellulaires – et muni d'une grosse antenne noire. De plus, le système ne fonctionne que dans des environnements parfaitement dégagés; les immeubles élevés, voire un feuillage épais, bloquent la transmission[11]. Comment ce système pourrait-il attirer quelqu'un d'autre qu'un travailleur de Motorola se trouvant dans une région des plus éloignées, alors qu'AT&T et d'autres offrent des services d'interurbains presque illimités aux États-Unis pour moins de 90 $ par mois?

Certains des problèmes vécus par Motorola proviennent de facteurs conjoncturels comme la chute des ventes de semi-conducteurs liée à la crise économique asiatique, une concurrence accrue dans le domaine des produits cellulaires et une baisse de la demande en téléavertisseurs. Motorola est en train de procéder à la restructuration de ses activités et applique des mesures de rationalisation. Cependant, sa situation met en lumière le besoin d'une culture organisationnelle forte, certes, mais également capable de réagir aux facteurs externes. Dans le domaine en évolution rapide de la haute technologie, les organisations sont forcées de faire des choix coûteux et difficiles entre technologies concurrentes.

Un grand nombre d'observateurs s'inquiètent aussi de la présence de Chris Galvin à la tête de l'entreprise depuis janvier 1997. Contrairement à ses prédécesseurs, M. Galvin n'a pas une formation d'ingénieur; il a étudié en marketing avant de grimper les échelons dans le secteur commercial de la société. Il a l'intention d'éliminer les rivalités internes et de nouer des liens avec d'autres sociétés de haute technologie[12]. On peut donc se demander si Motorola peut retrouver sa position dominante sans modifier en profondeur sa culture organisationnelle et si Chris Galvin se montrera capable de la guider vers une nouvelle ère.

Source: David S. Chappell (Ohio University).

Questions

1. Commentez la réussite relative de Motorola en ce qui a trait aux deux fonctions et composantes de la culture organisationnelle traitées au chapitre 13.
2. Qu'est-ce qui distingue la culture organisationnelle de Motorola? Répondez à cette question en mettant en évidence les trois niveaux d'analyse: culture apparente, valeurs communes et hypothèses communes.
3. Quelles sont les diverses options dont dispose la direction pour tenter de changer la culture organisationnelle établie chez Motorola?

Notes

1. Patrick Canavan. «Motorola: Agility for the Whole Organization», *Human Resource Planning*, septembre 1998, p. 13 (1).
2. Site de Motorola (historique): <http://www.mot.com/General/Timeline/timeln24.html>
3. «Managing People: Nicely Does it», *The Economist*, 19 mars 1994, p. 84.
4. «Organizational Culture Alignment» à <www.msdev.com/culture.htm>, 7 mars 1999.
5. *Ibid.*
6. Daniel Roth. «From Poster Boy to Whipping Boy: Burying Motorola», *Fortune*, 6 juillet 1998, p. 28 (2).
7. *Ibid.*
8. Alan Cane. «Nokia Seizes Top Spot in Mobile Phones», *Financial Times* (Londres), 8 février 1999, p. 22.
9. *Ibid*
10. Michael Peltz. «Hard Cell», *Worth*, mars 1999, p. 45-47.
11. Walter Mossberg. «Cures for PC Boredom: A Truly Global Phone and a Better Palm Pilot», *Wall Street Journal*, 11 mars 1999, B1.
12. Peltz. *Op. cit.*

CAS Nº 14

Perot Systems: une OHP peut-elle avoir une dimension humaine?

L'ordinateur existe depuis plusieurs décennies, mais ce n'est que dans les années 1990 que les entreprises du monde entier ont compris son réel potentiel utilitaire. Parmi les chefs de file au plan mondial dans le domaine des technologies de l'information, on trouve des firmes de services comme **IBM*** ou **Electronic Data System** (EDS) et des firmes d'experts-conseils comme **Andersen Consulting**, Computer Sciences et **Cap Gemini**. Selon le ministère américain du Commerce, en 1997, les ventes dans l'industrie des conseils en TI, des systèmes intégrés et des systèmes de gestion assistée par ordinateur s'élevaient à 90 milliards de dollars US[1]. Bien qu'en activité depuis 1988 seulement, **Perot Systems**, fondé par Ross Perot, a su s'imposer. Mais cette société – maintenant le sixième producteur de TI au monde – parviendra-t-elle à fournir aux grandes organisations transnationales les moyens d'atteindre cet objectif difficile qu'est la mise au point de systèmes de gestion pleinement intégrés?

Une histoire riche en rebondissements

Ross Perot est, aux États-Unis, l'un des gourous de l'économie de marché. Né le 27 juin 1930, à Texarkana (Texas), Perot a connu une longue suite de réussites et de réalisations notables. Après une enfance texane, il entre à l'école navale en 1949. Au cours de son service militaire, il est président de sa promotion et chef de bataillon, une expérience qui le motive encore aujourd'hui à donner à un grand nombre d'anciens militaires des postes de direction dans sa société.

À sa sortie de la marine, Ross Perot se marie et commence à travailler chez IBM comme représentant dans le service du traitement

---

* Les termes en couleur soulignés indiquent des liens Internet figurant dans le site Web du manuel: www.erpi.com/schermerhorn

de données. En 1962, il crée, avec 1000 $ de capital, une société de traitement de données dont il est l'unique employé et qu'il nomme Electronic Data Systems. S'appuyant sur l'expérience acquise dans l'armée et s'entourant d'anciens militaires, il parvient à faire de cette entreprise le leader américain dans ce domaine.

En 1984, **General Motors** achète **EDS** pour la somme de 2,5 milliards de dollars. GM avait alors l'intention d'accroître considérablement son utilisation de la technologie dans ses processus de fabrication et considérait l'acquisition d'EDS comme un bon moyen d'atteindre cet objectif. Cette transaction fait de Ross Perot l'un des plus gros actionnaires de GM et lui assure un poste de directeur au sein de la société. Il a néanmoins le plus grand mal à s'adapter à son style de gestion bureaucratique et autocratique, et GM finit par racheter sa part en 1986. Après la période de deux ans requise avant de pouvoir entrer en concurrence avec son ancien partenaire, il fonde Perot Systems en 1988[2].

Fait à noter, GM cédera sa participation dans EDS en 1996, lorsqu'il deviendra évident que les deux entités ne sont pas des mieux assorties.

Tout au long de sa carrière, Ross Perot a entretenu l'image d'un citoyen modèle. En 1969, son gouvernement lui a demandé ce qui pouvait être fait pour venir en aide aux prisonniers de guerre américains détenus en Asie du Sud-Est. Pour ses trois ans d'efforts consacrés à leur libération, Perot a reçu la *Medal for Distinguished Public Service*, la plus haute récompense accordée aux civils par le ministère américain de la Défense[3]. En 1992 et en 1996, il a été candidat à la présidence américaine à la tête du **Reform Party** qu'il avait fondé pour être une troisième voie à côté des partis républicain et démocrate.

Sa première campagne électorale l'oblige à se démettre de ses responsabilités quotidiennes au sein de Perot Systems. Cette année-là, **Mort Meyerson**, qui l'avait aidé à faire d'EDS un leader mondial dans le traitement de données, le remplace au poste de directeur général. Même s'il était un collaborateur de la première heure de Perot chez EDS, Meyerson ne partageait pas le désir de Perot de recréer chez Perot Systems le climat organisationnel en vigueur chez EDS – «un modèle militaire surtout composé de jeunes hommes[4].» Selon lui, les choses avaient changé:

En termes purement financiers, mes sept années à la tête d'EDS avaient été couronnées de succès. J'ai quitté mon poste très fier de la société et de ce que nous y avions accompli. Du jour de mon arrivée en 1979 à titre de président à celui de mon départ en 1986, EDS n'avait pas perdu un seul dollar, tous secteurs confondus. Nous n'avions jamais connu de stagnation; dans chaque domaine, nous avons poussé comme de la mauvaise herbe. Un grand nombre de nos collaborateurs se sont enrichis grâce à cette performance économique. J'étais extrêmement fier, à l'époque, d'avoir pu faire des actionnaires des gens qui travaillaient pour EDS.

Mais après mon départ, j'ai compris que j'en avais également rendu un grand nombre malheureux. Notre personnel a payé cher son succès économique – des semaines de 88 heures à enfiler projet sur projet, comme si cela allait de soi. Nous appelions cela des *marches funèbres*, sans aucune ironie. On attendait de chacun qu'il fasse tout ce qu'il fallait pour que le travail avance. Au sommet de nos priorités, il n'y avait que le travail. La famille, la collectivité et tout le reste venaient en second[5].

Ce qui préoccupait maintenant Meyerson, c'était cet accent mis sur les bénéfices au détriment des individus. Il était convaincu que tout avait changé depuis son passage chez EDS – la technologie, les clients, le marché, les aspirations des membres des organisations[6]. Aussi, se posait-il deux questions fondamentales:

1. Doit-on, pour s'enrichir, accepter de sacrifier son bien-être?

2. Doit-on réussir au détriment des clients?

Meyerson voulait que Perot Systems opère une transition vers un modèle organisationnel qui reconnaisse l'existence de questions tout aussi importantes dans la vie que les simples notions de profits et pertes. Aussi fut-il profondément troublé par un cadre supérieur qui lui expliqua comment ils s'y prenaient avec ceux dont le rendement laissait à désirer au sein d'une équipe.

Il me parlait de «coups de feu tirés d'une voiture en marche» pour «se débarrasser» des improductifs, après quoi «leur cadavre serait promené» pour qu'il serve d'exemple. Ce n'était sans doute qu'une façon de parler, mais j'y décelais beaucoup plus: des paroles injurieuses qui influaient sur les comportements. Si l'on n'y remédiait pas, ces discours allaient polluer toute la culture de l'entreprise[7].

Meyerson était conscient d'avoir non seulement soutenu ce genre d'attitude chez EDS, mais encore de l'avoir encouragée. Durant ses sept années de présidence, il avait été en grande partie responsable du climat de haute performance si exigeant pour les travailleurs. Il se souvient encore d'un employé du nom de Max qui n'avait pu venir travailler à cause d'une tempête de neige. Meyerson avait alors appelé chez lui et remis en question sa loyauté à l'égard d'EDS. À la première occasion, ce travailleur avait quitté l'entreprise. Il s'agissait de Max Hopper qui allait plus tard concevoir **SABRE**, le très performant système de réservations utilisé par **American Airlines**[8].

Rien de cela n'était fortuit. J'avais contribué à concevoir EDS pour qu'il fonctionne ainsi, avec des rétributions destinées à motiver les gens. Leur salaire dépendait de la productivité. Si vous parveniez à rendre votre projet rentable, vous étiez grassement récompensé; sinon, vous ne receviez pas grand-chose. Je passais des heures, 15 % de mon temps au moins, à gérer les primes et les récompenses. Je le faisais parce que je savais que cela comptait beaucoup.

Et ça marchait! Nous obtenions exactement ce que nous voulions. Nous demandions aux gens de penser au rendement financier avant toute chose, et ils le faisaient. Ils consacraient toutes leurs énergies à atteindre ce but, même si cela entraînait bien trop de sacrifices personnels ou des gestes contraires à l'intérêt des clients. Et parfois, ce qu'ils faisaient donnait de bons résultats à court terme sur le plan financier, mais allait à l'encontre des intérêts à long terme de la société. C'est un reproche que l'on fait généralement à des directeurs généraux, mais que je n'ai jamais entendu adresser aux échelons inférieurs d'une entreprise. Pourtant, cette idée de fonder les rémunérations sur la productivité a encouragé ce genre de comportement chez chacun des membres de notre personnel[9].

À son arrivée chez Perot Systems, Meyerson se trouva à la tête d'une société de 1500 travailleurs et des revenus de 170 millions de dollars. Il consacra ses premiers efforts à rencontrer la centaine de cadres supérieurs qui y travaillaient. Il tira de ces conversations une « longue liste d'horribles témoignages[10]. » Il se mit à l'œuvre pour changer cette culture organisationnelle par le moyen, entre autres, d'un séminaire de formation suivi par plus des deux tiers du personnel – y compris Meyerson. Ceux qui ne pouvaient s'adapter furent remerciés. L'objectif de Meyerson était clair :

Nous continuons à dire aux gens que nous leur donnerons tout ce que nous pourrons sur le plan financier. En fait, plus de 60 % de la société est la propriété de ceux qui y travaillent. Si nous entrons à la bourse un jour, nous allons encore une fois rendre certains de nos travailleurs très riches.

Mais nous y parviendrons sans qu'ils aient à sacrifier leur existence, en leur offrant une dimension qu'ils trouveront rarement dans la plupart des autres OHP : une organisation à visage humain. Si quelqu'un parmi nous a des intérêts à l'extérieur de l'entreprise, nous le soutiendrons et nous l'encouragerons ; et si ses besoins sont à l'extérieur de l'entreprise, nous l'accepterons[11].

L'autre sujet d'inquiétude pour Meyerson était la façon dont EDS avait traité ses clients. Il se souvenait de ces négociations intenses menées avec le constant désir d'arracher toujours plus au client. Non seulement pour gagner, mais pour dominer[12]. Chez Perot Systems, Meyerson mit

de l'avant une approche bien différente, davantage à l'écoute de la clientèle, et il conçut le système de récompenses pour qu'il corresponde à cette orientation.

Une fois de plus, j'ai eu recours au système des primes chez Perot Systems. On se sert des évaluations à 360 degrés en demandant aux cadres, aux collègues et aux subordonnés d'y prendre part, et aux clients aussi. Ces derniers nous font des rapports et nous réévaluons les primes en fonction de leur taux de satisfaction[13].

Comme bien d'autres firmes de services en technologie, Perot Systems se concentre sur des secteurs industriels précis (**industry groups**) afin de leur fournir une expertise de pointe. Il se spécialise ainsi dans les domaines de la finance, de l'énergie, du tourisme et des transports, des soins de santé, de la communication, de la fabrication industrielle et de la construction[14]. Nombre des contrats décrochés par Perot Systems reflètent la nouvelle raison d'être de la société.

Projet : Avis

Avis Rent a Car System a choisi Perot System Corp. pour concevoir, superviser et entretenir un système ultramoderne de gestion optique des documents concernant la clientèle qui sera installé au siège mondial – Garden City – de la compagnie à New York ainsi que dans son centre de traitement de Virginia Beach. Cette décision place Avis à l'avant-garde dans son secteur d'affaires en matière d'informatisation, et le contrat de services lui permet de se consacrer pleinement à ce qu'il fait de mieux : servir sa clientèle[15].

La mondialisation et les besoins en gestion intégrée production-distribution axée sur la demande du client ont motivé la transition de Perot Systems du traitement de données vers l'intégration de systèmes. Les entreprises dépendent des systèmes de gestion de l'information pour coordonner tous leurs services fonctionnels et opérationnels, y compris le marketing, l'assistance à la clientèle, la logistique, le service

après-vente et les activités de production, en un ensemble cohérent. Plutôt que d'élaborer leurs propres compétences dans ces domaines, un nombre croissant de grandes entreprises se tournent vers des firmes de consultants comme Perot Systems pour l'expertise requise par ces systèmes très complexes.

Un nouveau style de leadership ?

De pair avec sa nouvelle attitude à l'égard des activités de production, Meyerson mit également l'accent sur une nouvelle conception du leadership. Selon ses conclusions, le nouveau leadership demande d'intervenir sur trois fronts :

- **S'assurer que l'organisation connaît sa propre identité.** D'après Meyerson, le premier objectif d'un leader est d'encourager et d'incarner des principes fondamentaux identifiant l'organisation. Ces valeurs n'ont pas tant à voir avec la stratégie d'affaires, les tactiques ou les parts de marché, qu'avec les relations humaines et les responsabilités de l'organisation envers ses membres et ses clients.

- **Choisir adéquatement les individus et créer un environnement où ils pourront réussir.** Le rôle du leader devient alors celui d'un entraîneur plutôt que d'un supérieur. Cela exige de la coopération et un travail d'équipe à tous les échelons de l'organisation. On ne considère pas le leader comme l'autorité finale dans le processus décisionnel, et l'équipe devient un réservoir de connaissances.

- **Être à l'écoute des membres de l'organisation.** Meyerson insiste sur le fait que tout membre du personnel peut entrer en contact direct avec lui par courriel et il répond personnellement à des milliers de messages chaque mois. Le leader n'est plus cet individu anonyme qui, tous les six mois, y va de son petit discours d'encouragement pour motiver le personnel. Le leader doit également prêter une oreille attentive à des questions et à des préoccupations qui dépassent les limites traditionnelles du travail et de l'entreprise[16].

Une OHP peut-elle avoir une dimension humaine?

Tandis que Meyerson se consacrait à sa nouvelle vision du leadership, Perot Systems éprouvait des difficultés à maintenir sa rentabilité. Cette entreprise était parmi les plus petites dans le marché des TI, avec des coûts de production plus élevés et des revenus nets inférieurs, une situation qui préoccupait Ross Perot. Les marges d'exploitation chez Perot Systems étaient en moyenne de 5,3 %, alors que chez EDS, son principal concurrent, elles atteignaient 7,7 %[17]. Depuis 1996, la société avait connu trois directions différentes, et toute offre publique d'actions était constamment remise à plus tard, alors que le marché boursier, florissant comme jamais, était fortement influencé par les nou-

velles technologies. Mécontent de cette situation, Ross Perot décida de reprendre ses activités dans la société vers la fin de 1997.

Présenté tout d'abord comme un directeur général par intérim, Perot est redevenu le vrai patron à plein temps. «Il a centralisé le contrôle des dépenses et des nouveaux contrats. Il a exigé que chaque cadre suive une formation en leadership qui correspond à ses principes. Il a réduit les budgets, repris l'embauche d'ex-militaires et remis les tests de dépistage anti-drogues en vigueur. En outre, il suggérait fortement la lecture de certains livres, dont son autobiographie. Il plaça aux postes de direction les anciens de l'armée qui travaillaient auprès de lui depuis des dizaines d'années, soit depuis qu'il était *général en chef* chez EDS. Les chemises blanches étaient de retour et, si l'on se fie à son idéologie, le régime d'assurance-santé pour les conjoints de même sexe devrait bientôt disparaître[19].»

Tout le monde n'est pas convaincu que Perot parvienne à générer les rendements spectaculaires des beaux jours d'EDS. Selon un cadre d'une société concurrente, «La roue qu'il essaie de réinventer est déjà rouillée[20].» Lorsqu'il avait abandonné ses fonctions de dirigeant de Perot Systems pour se consacrer à la politique, les ordinateurs en réseau commençaient à peine à se répandre. Le courrier électronique et l'accès à Internet étaient réservés aux cadres supérieurs de l'armée et à quelques chercheurs universitaires – Ross Perot, lui, n'utilise pas le courriel et a recours à la communication directe –, et Perot Systems effectuait surtout du travail administratif de routine sur des ordinateurs centraux.

«Chez EDS, il a construit une organisation fondée sur l'autorité et le contrôle», d'après Allie Young, un analyste de Dataquest, une firme de recherche en données industrielles de San Jose (Californie). Son idée,

Projet: le réseau électrique de la Californie

La ISO Alliance est une compagnie à responsabilité limitée, copropriété de ABB Power T&D Co et de Perot Systems, qui a obtenu le contrat de conception et d'implantation de l'un des plus importants systèmes de gestion commerciale dont aura besoin l'État de Californie pour gérer le marché de l'électricité après la déréglementation. Le nouveau système aidera l'État à administrer les soumissions, à contrôler le fonctionnement du réseau et à garantir la fiabilité du service – à la façon dont un système de contrôle de la circulation aérienne coordonne les décollages et les atterrissages pour maintenir l'ordre et prévenir les embouteillages sur les pistes. La Californie est le plus gros marché de l'énergie des États-Unis avec des ventes d'électricité approchant les 27 milliards de dollars US par année[18].

SwissAir

4 mars 1997 – Perot Systems Corporation a annoncé aujourd'hui qu'elle avait acquis le bloc de contrôle détenu par **SwissAir Corp.** dans **Icarus Consulting AG**, une société de conseils en gestion basée à Zurich et à Frankfurt, et œuvrant dans les secteurs du tourisme et des transports en Europe.

Fondée en 1988, Icarus était une copropriété de ses dirigeants à 45 % et du SAir Group (la société en holding de SwissAir) à 55 %. Après l'accord intervenu aujourd'hui, Perot Systems détiendra 70 % des actions d'Icarus ainsi qu'une option d'achat de 3 ans sur la participation du SAir Group.

Icarus a récemment mis au point et implanté un nouveau système de gestion du fret aérien qui combine les services de la Sabena et de SwissAir. Ce rapprochement original se résume essentiellement à la vente par Sabena de sa capacité de transport à Swiss-Cargo, la filiale du SAir Group pour le transport de marchandises. SwissCargo assumera les dépenses de marketing et d'exploitation, et assurera des revenus constants à Sabena. En échange, Swiss-Cargo y gagne plus d'espace de transport, des parts de marché additionnelles et une efficience améliorée dans l'utilisation de ses infrastructures commerciales.

«C'est un bon exemple de consolidation de leurs compétences respectives par des transporteurs aériens importants», selon Ludwig Bertsch, le directeur général d'Icarus installé à Zurich. «Au cours des années à venir, nous verrons apparaître des compagnies aériennes spécialisées dans la conception et la gestion des systèmes de fret et de routes devenir des gestionnaires de réseaux. Certaines seront plus adaptées aux opérations aériennes, tandis que d'autres exploiteront des créneaux comme l'accueil, les services de fret ou d'entretien[21].»

c'était *c'est moi qui commande et c'est à prendre ou à laisser* – un modèle fonctionnel à l'époque, et recherché par les entreprises. Mais aujourd'hui, c'est différent. Les cadres supérieurs interviennent dans le processus décisionnel entourant les contrats, souvent aux côtés du directeur général. Les choix en matière de TI ont des incidences stratégiques, et ils ne veulent pas être tenus à l'écart de quoi que ce soit. Ils veulent que le patron soit un associé[22]. » On peut donc se demander si l'approche autoritaire et centralisatrice de Ross Perot donnera des résultats dans un tel environnement.

L'entrée en bourse

Le 2 février 1999, Morgan Stanley Dean Witter ouvrit l'offre publique d'actions de Perot Systems à 16 $US l'action pour une valeur totale de 1,35 milliard de dollars à la bourse de New York. Avant la fin de l'après-midi, le prix avait augmenté de 26,50 $, cotant l'action à 42,50 $, et Perot Systems valait alors 3,6 milliards. Les analystes attribuèrent ce mouvement à la tendance du moment favorable aux actions dans les secteurs des TI ainsi qu'à la réputation légendaire de Ross Perot. La participation de Perot dans la société passa de 553 millions de dollars à 1,4 milliard en un clin d'œil. (Sa fortune personnelle s'élèverait à 3,7 milliards.)

Il reste cependant à prouver que le style de leadership de Ross Perot peut transformer Perot Systems en une force sur qui compter dans le secteur des technologies de l'information. Avec des concurrents 10 fois plus puissants, la lutte est féroce. EDS a annoncé la signature d'un accord avec **MCI Worldcom** (**deal**) selon lequel EDS assumera la plupart des activités informatiques de MCI qui lui fournira en échange des services en téléphonie et en transmission de données. MCI a jugé que sa division des services en informatique n'était pas suffisamment importante pour tenter de décrocher des contrats[23]. Dans la conjoncture actuelle, Ross Perot pourra-t-il donner à Perot Systems l'avantage concurrentiel dont il a besoin ?

Questions

1. Comparez les styles de leadership respectifs de Meyerson et de Perot en vous fondant sur les théories des comportements du leader avancées par les chercheurs des universités du Michigan et de l'Ohio.

2. À partir du modèle de la contingence de Fiedler et en fonction des caractéristiques particulières du moment, expliquez en quoi le style de Meyerson ou de Perot serait plus approprié à la situation de Perot Systems.

3. Évaluez la situation à Perot Systems en fonction des éléments abordés dans la section sur le nouveau leadership du chapitre 14.

Notes

1. John Mitchell. « Hoovers Industry Snapshot – Computer Software Industry », *Hoovers Online* à <http://www.hoovers.com/features/industry/software1.html>, 5 février 1999.
2. « Ross Perot Biography », *Perot Official World Web Site* à <http://www.perot.org/hrpbio.htm>, 17 décembre 1998.
3. *Ibid.*
4. Allan Myerson. « Perot's Return to Business : The Vote's Not In », *New York Times*, 22 février 1998, p. 3 : 1.
5. Mort Meyerson. « Everything I Thought I Knew About Leadership Is Wrong », *Fast Company*, avril-mai 1996, p. 5 à 11.
6. *Ibid.*
7. *Ibid.*
8. *Ibid.*
9. *Ibid.*
10. *Ibid.*
11. *Ibid.*
12. *Ibid.*
13. *Ibid.*
14. « Perot Systems Homepage » à <http://www.perotsystems.com>, 17 février 1999.
15. « Avis Selects Perot Systems for Imaging and Workflow Solution », *Business Wire*, 8 avril 1996, p. 4081260.
16. Meyerson. *Op. cit.*, p. 10 et 11.
17. Wendy Zelmer et Linda Himelstein, « Why Perot May Go with an IPO », *Business Week*, 10 août 1998, p. 65.
18. « Companies to Manage California Energy Grid », *Electric Light and Power*, septembre 1997, p. 28.
19. Meyerson. *Op. cit.*
20. *Ibid.*
21. « Perot Systems Takes Major Stake in SwissAir Unit ; Consulting Organization, Icarus, Serves European Airlines », *Business Wire*, 4 mars 1997, p. 03041322.
22. Andrew Cave. « Perot Systems' Shares Leap 165pc During Market Debut », *The Daily Telegraph*, 3 février 1999.
23. Mike Mills. « MCI to Sell Unit to EDS », *Washington Post*, 12 février 1999, p. E01.

CAS N° 15
Direction et syndicat main dans la main à Parma ?

Introduction

Nous sommes en 1990. La direction de l'usine d'emboutissage de General Motors à Parma (Ohio) vient de conclure un nouvel accord de trois ans avec la section locale 1005 de l'UAW (syndicat des travailleurs de l'industrie automobile) qui doit entrer en vigueur le 25 septembre. Il s'agit du second accord à survenir *à temps* et *sans l'intervention* de la haute direction de Detroit depuis la signature du précédent, qualifié de *révolutionnaire* par les gens de Parma, sept ans plus tôt. Révolutionnaire parce que la direction et le syndicat avaient surmonté leurs vieilles querelles et instauré une approche fondée sur le travail d'équipe qui avait propulsé l'usine de Parma dans une nouvelle direction. La convention actuelle vient officialiser les priorités communes, à savoir l'instauration des équipes de travail, une formation poussée des travailleurs et un encadrement de soutien. Bill Marsh, le directeur adjoint du personnel pour la main-d'œuvre payée à l'heure, a néanmoins l'impression que, malgré cette autre étape positive dans les relations avec la section 1005, les négociations ont semblé reprendre un processus plus *traditionnel* comparativement à celles de 1983. Bob Lintz, le directeur de l'usine, est du même avis. Le nouveau président du comité d'entreprise – et négociateur en chef de la section 1005 – a introduit de façon inattendue plus de 600 revendications au tout début des négociations avec la direction. Bien que cette dernière et le syndicat soient rapidement parvenus à un accord, la tension créée par cette longue liste d'exigences n'a pas disparu. Elle risque même de détruire l'atmosphère de collaboration que la direction de l'usine et celle du syndicat ont réussi à établir au cours de la décennie, ainsi que l'esprit d'ouverture régnant entre Bob Lintz et les travailleurs horaires.

Le contexte

Au début des années 1980, General Motors, la société mère de Parma, avait mené une étude de rationalisation de la capacité de production et conclu que 75 % des activités de l'usine de Parma devraient soit disparaître, soit être transférées à d'autres installations de GM dans les trois ans. Malgré un an d'interruption des pourparlers officiels et l'absence de convention collective en vigueur, la direction et la section 1005 avaient réagi à la menace de voir leur usine fermer en joignant leurs efforts pour relancer les activités. Leur collaboration avait permis de mener des analyses sur la compétitivité des activités de l'usine et de mettre en lumière un certain nombre d'habitudes de travail contre-productives. Pour officialiser ces nouvelles relations de travail positives, on avait alors préparé une autre convention collective, ratifiée par les ouvriers en 1983, qui diminuait le nombre de catégories de tâches et mettait l'accent sur une approche basée sur les équipes de travail autogérées[1].

Afin d'assurer la mise en œuvre de leur accord, la haute direction et le syndicat avaient créé le groupe *Team Concept Implementation* (TIC) destiné à introduire le nouveau concept, et ils avaient consacré 40 millions de dollars à la formation de l'ensemble de la main-d'œuvre dans des domaines comme la résolution de problèmes, la dynamique de groupe et le développement des habiletés de communication. En 1990, le groupe TCI a octroyé davantage de responsabilités aux travailleurs horaires dans leur poste de travail, les poussant à se concentrer sur la résolution des problèmes et sur les questions véritablement associées à leurs tâches, et à accorder moins d'importance aux différences de statuts et aux échelons hiérarchiques.

Roger Montgomery, président du comité d'entreprise de 1981 à 1990, pense qu'il a été capable de mettre de côté ses doutes quant à la sincérité de la direction et de travailler avec Bob Lintz à la création d'un environnement fondé sur la confiance et la collaboration. Selon lui, la franchise et l'ouverture d'esprit de Bob ainsi qu'un respect mutuel leur ont permis de collaborer dans l'intérêt de l'usine et de ses travailleurs. Roger savait fort bien que Bob allait devoir surmonter des obstacles de taille pour implanter ce climat de coopération à Parma, en particulier pour convaincre certains cadres et gestionnaires. Après des années d'hostilités ouvertes entre le syndicat et la direction, il savait que Bob allait faire face à une forte résistance aux changements parmi les cadres et les superviseurs. Pour sa part, après des années à se battre au nom des travailleurs pour obtenir des portes dans les toilettes ou l'élimination des laissez-passer à l'intérieur de l'usine, Roger avait la conviction que son équipe de syndicalistes avait atteint un plus fort degré de consensus sur le besoin de changements. Il s'estime heureux

que ceux des membres du comité d'entreprise qui n'étaient pas d'accord avec lui sur tous les points aient tout de même soutenu ses efforts parce qu'ils avaient confiance en lui et en sa relation avec Bob Lintz. Ce dernier a lui aussi l'impression que les cadres comme les responsables du syndicat ont contribué, par leurs efforts, à passer l'éponge sur des années de conflits et à instaurer un climat de collaboration des plus positifs[2].

La situation actuelle

Bob Lintz et les cadres sont d'autant plus inquiets de la tension créée par le nombre élevé de revendications que vient de présenter le nouveau président du comité d'entreprise que, au cours des précédentes négociations, le syndicat n'avait présenté qu'une centaine de demandes. Roger Montgomery a apporté son soutien à ce nouveau président, mais la direction ne semble pas convaincue qu'il ait l'intention de poursuivre la stratégie de coopération au sein du syndicat et avec elle-même. L'équipe de dirigeants de la section 1005 vient de se renouveler en partie, et la direction de Parma ne doit pas négliger la possibilité que toute l'équipe de syndicalistes soit devenue beaucoup plus exigeante, particulièrement au moment où deux factions politiques au sein du syndicat tentent de gagner le soutien de ses membres. Même les relations entre les salariés et les travailleurs horaires dans les ateliers de production risquent d'en pâtir.

L'inquiétude régnant chez GM depuis les annonces de fermeture d'usines est peut-être à l'origine de l'ampleur de ces exigences. Depuis le milieu des années 1980, la compagnie a fermé six usines d'emboutissage, et il y a eu des compressions de personnel à Parma. Ces fermetures et les pressions de la haute direction de GM sont consécutives à une baisse de 10 % des parts de marché en moins de dix ans et à une nette dégradation de la santé financière de la compagnie. À l'automne 1990, GM perd plus de 1100 $ par véhicule construit en Amérique du Nord, perte attribuable en partie aux coûts fixes très élevés[3]. Avec des ventes de 700 millions de dollars, l'usine de Parma est un actif important pour GM, mais rien ne garantit sa survie si la demande des produits de la compagnie n'augmente pas. À Wall Street, on reproche à GM de ne pas se montrer assez déterminée dans la fermeture d'usines et de tergiverser avant de se débarrasser d'installations inutiles. La compagnie a donc fait pression sur ses usines pour qu'elles réduisent de façon radicale leurs dépenses et cessent de payer des heures supplémentaires. Parma s'en est plutôt bien sortie sur le plan du maintien des revenus, et ce, en dépit de la baisse de la demande, mais elle doit encore améliorer de façon notable sa productivité. Ainsi y a-t-il des progrès à faire dans l'utilisation des presses-transfert employées dans l'emboutissage des portes et des capots. On a installé ces machines pendant la modernisation de 1983 au coût de 600 millions de dollars mais, sept ans plus tard, leur taux d'utilisation n'est toujours que de 31 %.

L'usine de Parma doit aussi s'améliorer sur le plan de la qualité et veiller à la satisfaction de ses clients. En 1989, elle a commencé à fournir les châssis d'une fourgonnette à l'usine de Tarrytown (New York). Arthur Norelli y était alors le superviseur responsable de la vérification des dimensions des pièces fournies. Il se souvient de ses premières rencontres avec les responsables de Parma : « Ils étaient souvent sur la défensive, comme si nous étions des adversaires. Ils étaient toujours sûrs d'eux, et nous devions leur prouver qu'ils avaient tort. Si nous avions des problèmes d'assemblage avec une de leurs

pièces, ils prétendaient que le problème venait de chez nous. » Un autre client, une usine de boîtes de transmission appartenant à la division Powertrain (propulsion) de GM, s'inquiète de la capacité de Parma à fabriquer des pièces de qualité dans les délais requis. Il y a à peine deux ans, en 1988, Powertrain considérait Parma comme son pire fournisseur en matière de pièces destinées aux boîtes de transmission. Pour Bill Hurles, directeur de la gestion des matériaux chez Powertrain, les gens de Parma semblaient à cette époque « très fiables, mais absolument pas coopératifs ».

En plus des pressions exercées par la compagnie pour diminuer les coûts et améliorer la qualité et la productivité, la direction de l'usine subit celles du syndicat qui voudrait voir les travaux d'emboutissage confiés à des sous-traitants revenir à Parma. Comme Parma vient de perdre la fabrication des arbres de transmission au profit d'une autre usine de GM, le syndicat voudrait récupérer le découpage des tôles, première étape du processus d'emboutissage. Mais c'est Medina Blankings qui a effectué ces travaux jusqu'à maintenant, un fournisseur apprécié pour la qualité de ses produits qui s'est pratiquement intégré à Parma grâce à sa capacité de répondre adéquatement aux demandes, et ce, dans les délais prescrits.

Tandis que GM poursuit ses fermetures et son exercice de rationalisation, les mesures visant à réduire la masse salariale et à éliminer bon nombre d'échelons hiérarchiques dans l'ensemble de l'organisation touchent les travailleurs salariés de Parma de façon sensible. La réduction du personnel entraîne une augmentation des charges de travail, tandis que les chances de promotion, les primes et les avantages sociaux ne s'améliorent pas. Comme dans plusieurs des usines de GM, les salariés assistent à la suppression de

leur prime de fin d'année ainsi qu'à une diminution notable des augmentations de salaire au mérite. Dans le cadre de son plan de réduction des dépenses, GM envisage même d'autres réductions des avantages sociaux. Quant à la participation aux bénéfices des travailleurs – qu'ils reçoivent un traitement annuel ou qu'ils soient payés à l'heure –, elle a virtuellement disparu car les pertes annuelles de la compagnie pour ses activités nord-américaines s'élèvent maintenant à plusieurs milliards de dollars.

Après dix ans passés à la haute direction de Parma à assumer la responsabilité de l'ensemble des activités, Bob Lintz poursuit la mise en place d'une équipe de gestionnaires axée sur l'ouverture et la confiance. Il veut également que ses cadres se consacrent à l'élimination des mésententes existant toujours entre la division de l'emboutissage et celle des pièces, ainsi qu'entre les deux catégories de travailleurs. Il cherche également des individus prêts à soutenir son style de gestion informel fondé sur une participation accrue et à susciter davantage d'implication de la part des travailleurs horaires. Malgré la dissolution officielle du groupe TCI, ses anciens membres poursuivent leurs efforts. Les réunions hebdomadaires des comités d'ateliers, au cours desquelles les délégués syndicaux et les chefs de services abordent des questions pratiques concernant la production, ont toujours lieu et donnent des résultats. Deux fois par mois, Bob et son équipe continuent de rencontrer le comité d'entreprise au complet et le président de la section du syndicat. Ces procédures témoignent de la vitalité du concept d'équipe, toujours en vigueur à Parma.

Conclusion

Malgré le soutien de l'équipe de direction aux efforts de Bob Lintz pour accroître l'engagement des travailleurs horaires, un gestionnaire, Dean Baker, estime que «c'est parfois frustrant. J'aimerais bien qu'il fasse davantage confiance aux cadres.»

Le coordonnateur en chef à la formation, Pat Camarati, s'inquiète de voir de nombreux cadres et contremaîtres considérer les activités de formation mises en place par le groupe *Team Concept Implementation* comme plus perturbatrices que nécessaire. Un membre du comité d'entreprise, Ray Kopchak, estime que, malgré les progrès accomplis, l'erreur la plus grave que pourraient commettre le syndicat et la direction serait de croire que leurs relations peuvent encore s'améliorer sans efforts communs. Sept ans après l'inauguration de cette nouvelle approche basée sur la collaboration, Ray a encore l'impression qu'il serait toujours plus facile de «retourner aux approches traditionnelles. Mais je ne veux pas – c'est inutile. Nous avons prouvé que la direction et le syndicat peuvent coopérer.»

Source: Aneil Mishra et Karen Mishra (Pennsylvania State University) et Kim Cameron (Brigham Young University).

Questions

1. Comment décririez-vous l'environnement à Parma en ce qui a trait au degré d'incertitude et de complexité ?
2. Comment qualifieriez-vous l'approche privilégiée par Bob Lintz en matière de communication, de prise de décision et d'exercice du pouvoir pour instaurer le changement à Parma ?
3. Quels sont les problèmes les plus aigus auxquels Parma doit encore faire face et comment faut-il les aborder ?
4. Compte tenu de la main-d'œuvre actuelle, quels moyens pourraient permettre de surmonter la résistance au changement ?

Notes

1. *Harbour Report*, 1979-1989, p. 235.
2. *Harbour Report*, 1989-1992, p. 69.

3. Il en coûte à GM 795 $ de plus qu'à Ford pour fabriquer un véhicule. De ce montant, on estime que 396 $ sont attribuables aux coûts d'exploitation des usines d'emboutissage. L'accord actuellement en vigueur entre GM et le syndicat International UAW, auquel Parma et toutes les autres installations doivent se plier, garantit aux syndiqués 95 % de leur salaire net en cas de licenciement pour une période pouvant aller jusqu'à trois ans. Cette clause coûtera 4 milliards de dollars à la compagnie pendant la durée de l'entente qui est de trois ans. Les membres de l'UAW ont en outre reçu des augmentations de salaire de 17 %, ce qui donne aux ouvriers syndiqués un taux horaire moyen, avantages sociaux compris, de 36,60 $.

CAS N° 16
L'histoire du morse qui n'en savait pas assez

À l'affût des bonnes nouvelles, le gros morse perché sur le rocher le plus élevé du rivage aboya : «Comment ça se présente en bas ?»
Sur la grève, un peu plus bas, les jeunes morses discutaient âprement. Ça ne se passait pas bien du tout, mais aucun d'entre eux ne tenait à révéler la vérité à l'Ancêtre. C'était le plus gros et le plus sage du troupeau et il connaissait le métier, mais il avait si mauvais caractère qu'ils étaient tous terrifiés par ses aboiements féroces.

«Qu'est-ce que nous allons lui dire ?» murmura Basile, le second dans la hiérarchie morse. Il se souvenait trop bien de la dernière colère de l'Ancêtre à son égard, lorsque le troupeau n'avait pas capturé le quota de harengs, et il n'était pas pressé de revivre l'expérience. Il avait dû, cependant, se résoudre à admettre que le niveau de l'eau dans cette baie de l'océan Arctique n'avait cessé de baisser depuis plusieurs semaines, ce qui les forçait à s'éloigner toujours plus pour capturer des ressources qui, elles aussi, s'amenuisaient rapidement. Il fallait que quelqu'un en informe l'Ancêtre ; il saurait sans doute quoi faire. Mais qui serait le volontaire, et comment lui présenter la situation ?

Basile finit par se décider. «On peut dire qu'on s'en sort plutôt bien, Chef !» À la pensée des eaux qui reculaient, il se sentit terriblement abattu, mais il poursuivit : «D'ailleurs, il semble que notre plage soit en train de s'élargir.»

«Bien. Très bien, grogna l'Ancêtre, ça nous fera un peu plus d'espace pour nous retourner.» Puis, fermant les yeux, il reprit sa longue sieste au soleil.

Le jour suivant, la situation empira car un autre troupeau de morses vint s'installer un peu plus loin sur la plage. S'ajoutant à la diminution des prises de harengs, cette invasion pouvait avoir des conséquences catastrophiques. Personne ne voulait annoncer la nouvelle à l'Ancêtre, même s'il était le seul à pouvoir prendre les mesures qui s'imposaient face à cette nouvelle concurrence.

À contrecœur, Basile s'approcha du vieux morse qui somnolait sur son rocher. Après avoir parlé de tout et de rien, Basile se risqua : «Au fait, Chef, un autre troupeau de morses semble s'être installé sur notre territoire.» Le vieux ouvrit d'un seul coup ses lourdes paupières et emplit ses poumons, prêt à faire retentir un puissant mugissement, mais Basile s'empressa d'ajouter : «Nous n'anticipons, cependant, aucun problème de ce côté. Ils n'ont pas l'air d'être des mangeurs de harengs. Ils sont sans doute plutôt attirés par les vairons, et vous êtes bien placé pour savoir que le menu fretin ne nous intéresse pas.» Soulagé, l'Ancêtre laissa échapper un profond soupir : «Bon, bon. Pas de raison de s'énerver pour quelques mangeurs de blanchaille, n'est-ce pas?»

Les choses ne s'arrangèrent pas au cours des semaines suivantes. Un matin, de son observatoire haut perché, l'Ancêtre remarqua que la taille de son troupeau semblait avoir diminué. Il fit venir Basile et lui demanda en grognant : «Qu'est-ce qui se passe, Basile? Où sont-ils tous?» Le pauvre Basile n'avait pas le courage d'annoncer au vieux morse que chaque jour les jeunes désertaient en grand nombre pour aller rejoindre l'autre troupeau. Il se racla la gorge nerveusement et dit : «Vous savez ce que c'est, Chef. On est un peu plus strict en ce moment. On s'est débarrassé des bouches inutiles. Après tout, la valeur d'un troupeau se mesure à l'aune de ceux qui le composent.»

«Il ne faut pas plaisanter sur la discipline, c'est ce que je dis toujours, grogna l'Ancêtre. Je suis content d'apprendre que tout va pour le mieux.»

En quelques jours, il ne resta plus du troupeau que l'Ancêtre et Basile, et ce dernier comprit que le moment était venu de révéler la vérité à son vieux chef. Terrifié, mais bien décidé à aller jusqu'au bout, il se traîna jusqu'au rocher de l'Ancêtre. «Chef, dit-il, j'ai de mauvaises nouvelles. Le troupeau tout entier vous a laissé tomber.» Le vieux fut tellement étonné que ses moustaches imposantes retombèrent sur son mufle et il n'eut même pas la force d'émettre un mugissement. «Ils m'ont quitté! se lamenta-t-il. Tous? Mais pourquoi? Qu'est-ce qui a bien pu se produire?»

Basile n'eut pas le cœur de le lui dire et il se contenta de hausser les épaules d'un air découragé.

«Je n'y comprends rien, geignit l'Ancêtre. Et dire que tout allait si bien!»

Source : Barbara McCain (Oklahoma City University).

Questions

1. Quels sont les obstacles à la communication illustrés par cette fable?
2. Quelle est la leçon à propos de la communication que devraient en tirer ceux qui se destinent à des carrières dans le nouveau milieu de travail?

CAS N° 17
Johnson & Johnson : un processus décisionnel d'avant-garde

D es marques comme Tylenol et Band-Aid, les cosmétiques Neutrogena ou les brosses à dents Reach ont fait de **Johnson & Johnson*** (J&J) le plus important fabricant de produits de soins de santé destinés tant à l'usage domestique qu'aux marchés pharmaceutique, hospitalier et médical[1]. Les quinze présidents des filiales du groupe – qui forment un conglomérat –, assistés de leurs conseils d'administration respectifs, veillent sur plus de 180 entreprises (**operating companies**) réparties dans le monde entier[2]. Comment une compagnie aussi grande parvient-elle à insuffler à son processus décisionnel la vitalité d'une petite entreprise en émergence?

Johnson & Johnson

Ce sont les efforts conjugués des frères Johnson – Robert, James et Edward – qui ont conduit **J&J** à se constituer en société en 1887. Les trois frères s'étaient lancés les premiers dans l'industrie des pansements en s'inspirant des travaux de Sir John Lister, un réputé chirurgien britannique qui avait découvert que les germes en suspension dans l'air étaient la source d'infections dans les salles d'opération. J&J mit au point un pansement antiseptique absorbant, fait de coton fin et de gaze, productible en grande quantité pour les hôpitaux, les médecins de campagne et les pharmacies du pays[3].

Dès son incursion au Canada en 1919, J&J mettait l'accent sur l'internationalisation de ses activités (**international focus**). Dans les années vingt, la compagnie entamait un programme de diversification de ses produits en lançant sa gamme Band-Aid et sa crème pour bébé. C'est également à cette époque que le général Johnson, comme on appelait alors le fils de l'un des trois frères, conçut le **credo** de J&J. Ce credo prône un comportement conforme à l'éthique (**ethical behavior**) et respectueux des consommateurs, dont les intérêts sont placés au premier rang des préoccupations de l'entreprise, avant même ceux des actionnaires. Le général Johnson n'était cependant pas sans savoir

---

* Les termes en couleur soulignés indiquent des liens Internet figurant dans le site Web du manuel : www.erpi.com/schermerhorn

que cette approche serait, à long terme, bénéfique pour ces derniers.

J&J est peut-être mieux connu pour la façon dont il a maîtrisé la crise provoquée par la contamination au cyanure (**cyanide contamination**) du Tylenol, son analgésique vedette. En septembre 1982, sept habitants de la région de Chicago sont morts après avoir absorbé des gélules de Tylenol Extra-Fort auxquelles une main criminelle avait ajouté du cyanure. J&J ne pouvait se permettre de perdre cette marque qui représentait 7 % de ses ventes globales et générait 17 % de ses bénéfices[4].

La compagnie choisit donc une approche très dynamique pour faire face à la situation. Cela signifia, entre autres, le rappel des 31 millions de flacons, d'une valeur de 100 millions de dollars, qui étaient en rayons chez les détaillants. Elle proposa également aux consommateurs d'échanger gratuitement leurs gélules contre des comprimés. Par la suite, J&J allait être le premier à mettre en marché les contenants sécuritaires à trois sceaux devenus maintenant la norme dans l'industrie pharmaceutique.

À la fin de la crise, la part du marché des analgésiques du Tylenol avait dégringolé de 35,3 % à 7 %; mais vers mai 1983, il avait déjà reconquis sa part initiale. La même situation se produisit en 1986 après le décès d'une habitante de Westchester (New York) causé par des gélules de Tylenol Extra-Fort contaminées une fois encore au cyanure. La compagnie ne tarda pas à rappeler toutes ses gélules et décida de n'offrir dorénavant son Tylenol que sous forme de pastilles ou de comprimés[5].

J&J ne se considère pas seulement comme une compagnie pharmaceutique, mais comme une organisation qui se consacre aux soins de santé. Son directeur

général[6], **Ralph Larsen**, précise que J&J constitue un regroupement autonome (**autonomous collection**) d'entités indépendantes dont la structure décentralisée (**decentralized structure**) encourage une culture entrepreneuriale. Tout le monde n'est pas d'accord avec la structure en conglomérat de J&J. Ainsi, pour David Lothson, analyste chez Paine Webber, il est clair que J&J devrait constituer trois compagnies. Ce qui inquiète particulièrement certains, c'est le déclin constant dans les ventes et les profits des marques de grande consommation – de 44 % des revenus en 1978, celles-ci ne représentaient plus que 28 % en 1998. Au lieu de se faire aux niveaux élevés des autres compagnies pharmaceutiques, les échanges d'actions de J&J reflètent plutôt une évaluation prudente assez semblable à celle qui s'applique au géant des biens de consommation Procter & Gamble.

Le processus décisionnel exige l'application de l'information et, ce qui est peut-être plus important encore, des connaissances.

Données, information et connaissances constituent les éléments d'un *continuum* dont la valeur ne cesse de croître et qui découle d'une contribution humaine.

Les données – indications sur des événements ou des activités auxquels nous sommes tous les jours exposés – n'ont guère de valeur en elles-mêmes, mais l'informatique les rend faciles à conserver et à manipuler.

Ces données deviennent de l'information lorsque nous les interprétons et les contextualisons. C'est également par l'information que nous exprimons et communiquons les connaissances, en milieu professionnel comme la vie quotidienne. L'information a davantage de valeur que les données, mais elle comporte cependant une plus grande ambiguïté – comme pourrait le confirmer tout gestionnaire aux prises avec les nombreuses significations que peuvent revêtir les mots *clientèle*, *commande* ou *livraison* au sein d'une même entreprise.

La connaissance, c'est la somme d'information contenue dans l'intellect des gens. Sans individus conscients et détenteurs de savoir, il n'y a pas de connaissance. Celle-ci a une très grande valeur, car elle se traduit chez les êtres humains en idées, en intuitions et en interprétations appliquées directement à l'utilisation qu'ils font de l'information et au processus décisionnel. Pour un gestionnaire, elle est difficile à gérer chez les autres, parce que, étant un processus cérébral, elle est immatérielle, et son extraction, sa mise en commun et son utilisation dépendent de la motivation de ses détenteurs[7].

En définitive, pour tirer profit d'une bonne gestion de la connaissance, les organisations doivent comprendre qu'elle passe autant par la gestion

La structure en conglomérat de J&J

Division	Ventes en 1998 – en milliards de dollars US	Principaux produits
Professionnelle	8,57	Endoprothèses vasculaires, produits pour les interventions chirurgicales mineures et la suture des plaies.
Pharmaceutique	8,56	Risperdal dans le traitement de la schizophrénie, Levaquin contre les infections, Procrit contre l'anémie.
Grand public	6,53	Analgésiques Tylenol, pansements Band-Aid, produits pour bébé, cosmétiques de marque Neutrogena[8].

des individus que par celle de l'information.

Le directeur général Ralph Larsen a besoin de convaincre que son modèle en conglomérat est encore viable en tant que source de connaissances. La plupart des membres de J&J admettent que la force de la compagnie repose sur sa diversité, mais on peut se demander comment elle fait pour intégrer, avec efficacité et efficience, cette diversité et les connaissances qu'elle engendre à son processus décisionnel.

Les FrameworkS de J&J

Mis en place en 1993 avec l'aide de la firme d'experts-conseils **McKinsey & Company**, les **FrameworkS** constituent des forums de concertation entre des cadres des diverses entreprises constituant le conglomérat, des spécialistes et surtout des membres de la haute direction. Selon Roger Fine, avocat-conseil chez J&J : «FrameworkS est une tentative pour démocratiser notre façon de prendre des décisions stratégiques et pour modeler notre avenir[9].» Ralph Larsen affirme que jamais, auparavant, on n'avait invité «un groupe d'individus aussi diversifié à participer activement à des questions clés concernant directement la compagnie et en dehors de leurs responsabilités de direction[10].»

Le premier FrameworkS s'est penché sur les changements survenus dans le marché des soins de santé aux États-Unis. Le conseil de direction de J&J a fait appel à une vingtaine de cadres supérieurs pour qu'ils en examinent les aspects essentiels. Après avoir formé des équipes de recherche, ils ont pris contact avec des clients, des spécialistes en stratégies d'entreprise, des représentants du gouvernement et des universitaires pour les interroger sur le marché et la concurrence. Réunis après quelques mois d'enquête, ils ont étudié diverses questions concernant l'administration des soins de santé, de la rémunération à l'acte à la gestion des organismes médicaux. Dennis Longstreet, dirigeant d'une filiale de J&J dans le secteur du matériel médical, Ethicon Endo-Surgery, estime que ce processus a «forcé tous les niveaux de la hiérarchie à découvrir des choses qu'ils n'avaient pas vues auparavant. Nous avons écouté nos clients, et nous avons passé la compagnie à la loupe, en examinant en détail jusqu'à la façon dont nous étions organisés[11].»

Cette étude approfondie a permis quelques découvertes majeures, notamment que les clients les plus importants – réseaux hospitaliers, établissements publics, organismes de gestion intégrée des soins de santé – voulaient pouvoir centraliser l'approvisionnement en produits des diverses filiales de J&J. En conséquence, en trois mois, la compagnie a mis sur pied **Health Care Systems, Inc.** afin d'offrir à ses clients un guichet unique pour tous leurs fournisseurs. David Cassak, éditeur d'un magazine qui couvre l'industrie médicale, affirme qu'il «s'agit d'une structure vraiment unique et innovatrice, le moyen parfait pour répondre aux besoins d'une clientèle tout en maintenant la culture d'autonomie des entreprises qui la constituent[12].»

En 1995, afin d'accentuer ses efforts d'innovation, J&J entama un autre projet FrameworkS visant à mettre en lumière les qualités des compagnies hautement innovatrices. Les équipes de recherche passèrent en revue trois filiales de J&J (Ethicon Endo-Surgery, Janssen Pharmaceutica et Vistakon) et trois compagnies indépendantes (Enron, Hewlett Packard et Nike)[13]. Elles mirent en lumière trois types d'activités innovatrices (voir le tableau en bas de page).

L'objectif était de découvrir des moyens, pour J&J, d'encourager davantage d'innovations substantielles et transformatrices dans ses produits, ses services, ses processus et sa gestion[14]. Le résultat est *What's New*, un programme qui comprend une «trousse à outils» de mesures que les responsables des produits peuvent instaurer pour insuffler un esprit d'innovation dans leurs organisations. On souhaite ainsi «favoriser l'exercice des compétences fondamentales tout en exorcisant les rigidités institutionnelles[15].»

Cela fonctionne-t-il?

Bien qu'il soit difficile de quantifier les effets des FrameworkS sur les activités de J&J, la plupart des membres de la haute direction soutiennent le programme. Ce qui ne signifie pas, cependant, que tout se passe toujours comme prévu. L'année 1998 s'est révélée particulièrement difficile: les recherches sur six médicaments ont pris du retard, les endoprothèses, qui procurent 500 millions de dollars de revenus à J&J, ont perdu 90 % de leur part de marché, un projet de margarine anti-cholestérol a subi un contretemps dû à la législation, et J&J a dû renoncer à

Type d'innovation	Exemple
• Marginale	• Pansement phosphorescent
• Substantielle (modifie la demande du marché par l'introduction de nouveaux produits)	• Brosse à dents Reach
• Transformatrice (change la structure du secteur industriel concerné)	• Verres de contact jetables Vistakon

ses droits commerciaux sur la nouvelle version d'un médicament antianémique parmi les plus vendus[16].

De plus en plus de voix s'élèvent pour exhorter la compagnie à se diviser en unités séparées, mais Ralph Larsen se montre déterminé et soutient que «l'avenir appartiendra aux compagnies ayant des assises larges[17].» La gamme étendue d'entreprises regroupées dans le giron de J&J lui offre-t-elle un avantage concurrentiel exceptionnel, ou ne serait-ce qu'un anachronisme encombrant? Les FrameworkS vont-ils constituer un mécanisme organisationnel suffisant pour tirer de cette diversité tout ce qu'elle peut avoir de productif et de fécond?

Source: David S. Chappell (Ohio University).

Questions

1. Comment la compagnie J&J est-elle parvenue à intégrer la diversité de ses composants à son processus décisionnel?

2. Sur quels plans la direction de J&J espère-t-elle que FrameworkS pourra stimuler la créativité au sein de l'organisation?

3. Quelle est l'approche choisie par J&J pour insuffler une dimension éthique à son processus décisionnel?

Notes

1. «Johnson and Johnson Homepage – 1998 Fact Book» à <http://www.jnj.com/who_is_jnj/factbook/98fb_index.html>, 3 avril 1999.
2. Gladys Montgomery Jones. «Framing the Future: How Johnson and Johnson Executives Keep in Touch with a Changing Marketplace – and One Another», *Continental Inflight Magazine*, mars 1999, p. 39 à 41.
3. «Johnson and Johnson Homepage – History» à <http://www.jnj.com/who_is_jnj/hist_index.html>, 3 avril 1999.
4. Robert F. Hartley. «Contrast – Johnson & Johnson's Tylenol: Great Crisis Management in Regaining Public Trust», *Management Mistakes and Successes*, John Wiley and Sons, New York, p. 330 à 334.
5. *Ibid.*
6. Robert Langreth et Ron Winslow. «Johnson and Johnson Faces Question: Is It Merely an Unwieldy Anachronism?», *The Wall Street Journal*, Londres, 5 mars 1999, p. B1 et B4.
7. «Is KM just good information management?», *Financial Times*, Londres, 8 mars 1999.
8. Langreth et Winslow. *Op. Cit.*
9. G.M. Jones. *Op. Cit.*
10. *Ibid.*
11. *Ibid.*
12. *Ibid.*
13. *Ibid.*
14. *Ibid.*
15. *Ibid.*
16. Langreth et Winslow. *Op. Cit.*
17. *Ibid.*

CAS N° 18
American Airlines traverse une zone de turbulences

American Airlines[*], l'un des plus grands transporteurs aériens des États-Unis, assure des milliers de vols quotidiennement. Après des années sous la présidence de Robert Crandall, la compagnie a nommé, en mai 1998, Donald Carty pour lui succéder. L'une des premières décisions stratégiques du nouveau président fut de finaliser l'acquisition de **Reno Air**, un petit transporteur régional du sud-ouest offrant des voyages à tarif réduit. En réaction à cet achat, les pilotes d'AA ont organisé, en février 1999, une grève perlée au cours de laquelle plus de 1 000 d'entre eux ont pris des congés de maladie. Cette action a gravement paralysé le fonctionnement d'AA et s'est soldée par une perte de plus de 150 millions de dollars US. Comment le conflit entre American Airlines et ses pilotes a-t-il pu s'envenimer à ce point?

L'industrie aérienne

L'ère moderne de l'industrie aérienne américaine remonte à l'année 1978 et à la déréglementation de ce secteur. Auparavant, la Federal Aviation Administration (FAA) et le Civil Aeronautics Board (CAB) contrôlaient l'ensemble des grandes compagnies aériennes en tant qu'oligopole subventionné par l'État. La concurrence y était minimale et le secteur ressemblait à une chasse gardée; mais avec la déréglementation, des petites compagnies aux tarifs peu élevés ont pénétré de nombreux marchés, réduisant d'autant les marges de profits des plus anciennes. Si cela s'est traduit, pour les voyageurs, par de meilleurs services à moindre coût, pour les compagnies aériennes bien établies et ayant des coûts d'exploitation plus élevés que leurs jeunes concurrentes, ce fut une période difficile.

Les catégories de transporteurs

Les grandes compagnies. Ce sont les compagnies aériennes dont les revenus annuels dépassent 1 milliard de dollars; elles exploitent généralement des lignes intérieures et internationales, et ne desservent que les grands aéroports. Ce sont des transporteurs long-courriers.

Les transporteurs nationaux. Ils assurent des vols sur de courtes distances et proposent parfois quelques destinations internationales. Leurs revenus se situent généralement entre 100 millions et 1 milliard de dollars.

___
* Les termes en couleur soulignés indiquent des liens Internet figurant dans le site Web du manuel: www.erpi.com/schermerhorn

Les transporteurs régionaux.
Les compagnies régionales ont généralement des revenus annuels inférieurs à 100 millions de dollars et elles concentrent leurs services sur certaines zones géographiques des États-Unis. Comme elles disposent rarement de gros-porteurs, le nombre de passagers qui y voyagent est réduit ; par contre, elles peuvent desservir de petits aéroports ruraux auxquels les gros-porteurs n'ont pas accès[1].

Voici une liste des dix plus importantes compagnies assurant le transport de passagers :

1. **Delta**
2. **United**
3. **American**
4. **US Airways**
5. **Southwest**
6. **Northwest**
7. **Continental**
8. **Trans World**
9. **America West**
10. **Alaska**

En 1980, Robert Crandall a lancé chez American Airlines, à l'intention des grands voyageurs, les primes-voyages *AAdvantage*, programme que le reste de l'industrie n'a pas tardé à copier. Forcée de casser les prix à cause de la forte augmentation du coût des carburants consécutive à la guerre du Golfe, de la récession et des mesures de réduction des dépenses mises en place par les entreprises qui ont déplacé de nombreux voyageurs d'affaires de la 1re classe vers la classe économique, l'industrie aérienne a enregistré des pertes sans précédent.

Les pertes de 5 milliards de dollars survenues entre 1990 et 1992 dans l'industrie aérienne équivalent aux bénéfices combinés des 67 années précédentes[2]. Face à cette situation, les hauts dirigeants des compagnies avaient exercé des pressions sur les divers syndicats représentant les pilotes, le personnel navigant et les mécaniciens pour qu'ils acceptent de faire des concessions. Depuis 1995, la situation s'est améliorée et les compagnies font à nouveau des bénéfices plus qu'honorables ; aussi les syndicats ont-ils repris du mordant et cherchent-ils à récupérer les avantages et les augmentations salariales perdus au cours de cette période.

Les salaires du personnel (pilotes, agents de bord et personnel au sol) constituent 36 % des frais d'exploitation de l'industrie aérienne. Viennent ensuite les dépenses administratives et de publicité (17 %), puis les coûts de carburants (11,7 %). Ces frais d'exploitation sont tributaires de forces très instables, et ses revenus nets dépendent de facteurs sur lesquels l'industrie n'a aucun contrôle[3].

Conséquemment, les compagnies cherchent à implanter de nouvelles manières de restreindre leurs dépenses. Cela se traduit par l'apparition des billets prépayés réduisant les procédures administratives, par les sites d'achat dans Internet, par la diminution ou l'élimination des commissions aux agences de voyage, par l'implantation des technologies de l'information et des communications, ainsi que par un recours accru aux réseaux en étoile, ou plaques tournantes, au partage de dénominations et aux alliances. En cette période de restructuration, les conflits de travail – une grève des pilotes chez Northwest en 1998, une grève des agents de bord évitée de justesse chez America West au début de 1999 et la grève perlée des pilotes chez American Airlines – sont autant de facteurs déstabilisants pour les transporteurs aériens.

American Airlines

American Airlines est une division d'AMR Corporation possédant un passé riche de premières (**rich history**). Avec d'imposants carrefours aériens à Chicago, à Dallas et à New York, AA dessert près de 160 destinations à travers les trois Amériques et l'Europe (dont certaines résultent d'accords de partage des codes de vol avec des compagnies étrangères). La compagnie dirige également **Oneworld**, **alliance** mondiale avec **British Airways** et d'autres transporteurs. AMR exploite American Eagle, un groupe de petits transporteurs régionaux, possède Reno Air, un transporteur offrant des voyages à tarif réduit, et détient 82 % du groupe **SABRE** (Semi-Automated Business Research Environment), le principal système de réservations aériennes.

Globalement, American Airlines est le deuxième transporteur aérien national, précédé seulement par United, pour ce qui est du total de voyages payés et des revenus d'activités aériennes en 1997. Non seulement AA doit-il faire face à la concurrence nationale et internationale des grands transporteurs, mais il doit également affronter de nouvelles compagnies régionales et nationales prêtes à tout pour s'imposer sur ce marché. Ces petites compagnies, exploitées à moindres frais, frappent de plein fouet tant les grands transporteurs que les transporteurs régionaux en gagnant des parts de marché grâce à des tarifs que ne peuvent se permettre leurs concurrents. AA évalue à près de 47 % la baisse de réservations attribuable à la concurrence des transporteurs bon marché.

Pour tirer parti des occasions de croissance, American Airlines, après avoir conclu de nombreuses alliances avec des transporteurs nationaux et étrangers, a cherché à s'implanter dans d'autres marchés par l'acquisition d'actions. C'est ainsi qu'AA a conclu, en 1996, une alliance stratégique avec British Airways, la plus importante compagnie aérienne au monde (**strategic alliance**). Selon cet accord, les deux compagnies partageraient les codes de vol et combineraient certaines de leurs activités de transport de passagers et de marchandises, une fois l'alliance approuvée par le ministère américain des Transports et le gouvernement britannique. En 1997, les deux compagnies ont, par ailleurs, décidé de créer un programme commun de primes pour les grands voyageurs. Enfin, en septembre 1998, AA s'est joint à une alliance stratégique appelée **Oneworld** destinée à concurrencer celle d'United Airlines et de la Lufthansa. Parmi les membres de cette alliance, on compte British Airways, Canadian Airlines, Cathay Pacific et Qantas.

La concurrence renouvelée consécutive à la déréglementation dans l'industrie aérienne s'est transformée, dans une certaine mesure, en une lutte pour construire le réseau le plus étendu possible. Sur ce point, l'un des facteurs avantageux pour AA est l'existence d'un réseau de liaisons aéroportuaires très solide. En devenant des plaques tournantes entre des marchés éloignés, les gros aéroports permettent aux compagnies aériennes d'accroître de façon exponentielle le nombre de combinaisons de destinations qu'elles peuvent desservir. La réussite d'AA est très certainement attribuable à ses activités dans les aéroports de Dallas (Fort Worth), Miami, Chicago et, dans une moindre mesure, San Juan de Puerto Rico[4].

Depuis 1980, American Airlines a beaucoup évolué, passant d'une position de transporteur national à celle d'une des compagnies aériennes les plus internationales. En 1997, ses vols internationaux ont généré plus de 30 % de ses revenus de transport de passagers, et sa clientèle sud-américaine augmenta de 7 % par rapport à l'année précédente[5].

Le marché asiatique s'avère être, pour American Airlines, sa plus grande faiblesse ; contrairement à ses concurrents, la compagnie n'y maintient que quelques lignes. Les statistiques de 1996 révèlent qu'elle ne détenait que 4 % des parts de marché des transporteurs américains assurant des vols à destination et en provenance de l'Asie. Parmi les autres points faibles, il faut mentionner sa structure très coûteuse, lorsqu'on mesure le coût par siège-kilomètre offert et le coût de main-d'œuvre par siège-kilomètre offert. Les frais d'exploitation d'AA sont parmi les plus élevés de cette industrie, particulièrement le coût de la main-d'œuvre.

La grève perlée des pilotes

Richard Aboulafia, expert-conseil dans le domaine de l'industrie aérienne au sein du Teal Group (Virginie), relève plusieurs éléments qui favorisent les conflits de travail dans ce secteur, et en particulier chez American Airlines. « La plupart des litiges entre les employeurs et les syndicats du début des années 1990 se sont réglés à une époque de baisse des bénéfices dans tous les secteurs de l'industrie. Maintenant que la situation s'améliore, les syndicats exigent leur part du gâteau[6]. » Il cite d'autres facteurs comme les membres les plus radicaux de l'Allied Pilots Association, surtout ceux de New York et de Miami, le régime de salaire à double palier en vigueur chez AA et les obstacles au déclenchement de grèves qu'impose la législation sur les transports (**Railway Labor Act**). Comme il ne reste guère d'options, les syndicats ont recours à diverses tactiques d'interruption et de ralentissement du travail. « Le climat s'est extrêmement détérioré, surtout chez American Airlines, qui paie maintenant le prix de cette atmosphère conflictuelle[7]. »

AA et ses pilotes ont frôlé l'arrêt de travail en février 1997. Quelques minutes après la fin du préavis de grève, le président Clinton a décrété une procédure d'urgence, mis sur pied le Presidential Emergency Board et ordonné aux parties de poursuivre l'exploitation normale en attendant les solutions recommandées par le comité[8]. Les pilotes ont fini par accepter un accord plutôt que de voir le Congrès leur imposer une convention. Au cours de l'été 1998, lorsque le syndicat a découvert que l'employeur déplaçait vers **Canadian Airlines** (un de ses partenaires étrangers) un plus grand nombre de passagers que prévu par leur accord, les pilotes d'AA ont cessé d'effectuer des heures supplémentaires, ce qui a provoqué l'annulation d'un petit nombre de vols. C'est l'acquisition de Reno Air (**purchase of small Reno**) qui a réactivé le conflit entre les pilotes et la compagnie. AA pensait pouvoir faciliter son expansion dans les lucratifs marchés de la côte ouest avec cette fusion, et s'en servir comme tremplin vers l'Extrême-Orient.

Mais restait la question de l'intégration des 300 pilotes de Reno Air dont les salaires étaient inférieurs à ceux des pilotes d'AA. La compagnie a discuté de l'acquisition avec les dirigeants syndicaux de l'**Allied Pilots Association**, mais a finalisé l'achat le 28 décembre 1998, sans être parvenue à un accord avec le syndicat sur les détails de la fusion[9]. American Airlines affirmait avoir besoin de 18 mois pour former les équipages et réaménager les appareils de Reno. Le syndicat des pilotes rétorquait qu'AA faisait tout ce qu'elle pouvait pour continuer à employer les pilotes de Reno à de faibles salaires, peut-être en vue d'instaurer un précédent pour de futures acquisitions[10].

La grève perlée a vraiment commencé le 6 février 1999 et a duré dix jours, ce qui a forcé l'annulation de 6600 vols et causé des pertes de plus de 150 millions de dollars. Vu la taille d'AA, ces problèmes ont bloqué dans les aéroports un nombre effarant de passagers, certains pendant des jours. La compagnie a porté l'affaire devant les tribunaux et le juge fédéral de première instance,

Joe Kendall, de Dallas, a émis une injonction provisoire contre le syndicat. Kendall a également déclaré le syndicat et deux de ses dirigeants coupables d'outrage au tribunal pour n'avoir pas encouragé la reprise immédiate du travail. Il a, d'autre part, condamné le syndicat à déposer une caution de 10 millions de dollars – et les leaders une caution de 15 000 $ – à valoir sur des amendes possibles pour outrage au tribunal[11]. Les pilotes ont finalement renoncé à leur grève perlée et ont repris leur horaire de travail.

Que va-t-il se passer maintenant?

L'un des principaux concurrents d'AA, UAL, est à 60 % la propriété des salariés, d'où l'implantation en 2000 d'un système de rémunération des cadres basé sur le rendement et, en partie, sur la satisfaction des travailleurs évaluée par une firme extérieure. La satisfaction de la clientèle et la ponctualité entrent par ailleurs dans le calcul des primes, soit plus de la moitié de ce que les 635 cadres d'UAL reçoivent. Dans un premier temps, la direction avait rejeté cette idée, puis a fini par l'accepter lorsque le syndicat s'est préparé à déposer une résolution des actionnaires qu'il était certain de faire voter, vu le nombre d'actions détenues par les syndiqués[12].

Chez AA, selon le premier sondage sur la satisfaction des salariés mené depuis 1993, à peine 23 % d'entre eux déclarent estimer que la compagnie fait du bon travail pour susciter leur loyauté, tandis que seulement 31 % accordent de la crédibilité à ce que leur dit la haute direction. Pour 30 %, le moral du personnel est plutôt bon. Bien que 91 % aient répondu aimer leur travail, globalement, les résultats sont assez décevants. Donald Carty, le président d'AA, estime qu'il a besoin de travailleurs satisfaits car ils sont les seuls à pouvoir offrir un service

de qualité, attrayant pour les voyageurs d'affaires qui paient leurs billets à des tarifs élevés. Constituer une main-d'œuvre satisfaite «demeure un objectif crucial que nous devons atteindre». Carty, déjà en train de discuter des résultats du sondage avec les salariés – une première chez AA –, a l'intention d'amener les cadres et les travailleurs à coopérer à la résolution des problèmes. Selon lui, «un tel sondage ne peut que heurter le moral d'une compagnie, à moins qu'il ne débouche sur des changements.» Il est clair qu'American Airlines en a vraiment besoin, et le plus tôt sera le mieux[13].

Source: David S. Chappell (Ohio University).

Questions

1. Examinez la situation chez AA en vous basant sur les phases du conflit présentées au chapitre 18.

2. En vous servant des approches de gestion directe d'un conflit traitées au chapitre 18, envisagez les méthodes qu'il est possible d'utiliser dans le cas d'AA.

3. Quelles seraient, selon vous, les approches de négociation rai-

sonnée ou distributive dont pourraient disposer les deux parties dans le conflit chez AA?

Notes

1. «Air Transport Association» à <http://www.air-transport.org/data/>, 22 mars 1999.
2. Cynthia Jonson. «Hoovers–Airline» à <http://www.hoovers.com/featuress/industry/airline.html>, 22 mars 1999.
3. *Ibid.*
4. «AMR Corporate» à <http://www.amrcorp.com/annual/airline_group.htm>, 22 mars 1999.
5. *Ibid.*
6. Philip Dine. «Airlines Face Labor's 'Payback' Need: Workers Seek Rewards for Earlier Concessions», *St. Louis Post-Dispatch*, 16 février 1999, p. A1.
7. *Ibid.*
8. «AMR-Investor Information» à <http://www.amrcorp.com/annual/year_in_review.htm>, 22 mars 1999.
9. Laurence Zuckerman. «Persistent Mistrust and Big Egos Lie at Heart of American Pilots Dispute», *New York Times*, 15 février 1999, p. A14.
10. *Ibid.*
11. Daniel Petersen. «Stranded and Fuming», *Newsweek*, 22 février 1999, p. 39.
12. David Leonardt et autres. «UAL: Labor Is My Co-Pilot», *Business Week*, 1er mars 1999, p. 38.
13. Wendy Zellner. «Blue Crew at American», *Business Week*, 22 février 1999, p. 8.

CAS N° 19
Un nouveau vice-recteur pour Mid-West U*

Section A

Peu de temps après l'entrée en fonction du nouveau recteur de Mid-West U, le vice-recteur annonça sa démission. Malheureusement, personne ne se pressait pour occuper son poste, et un gel de l'embauche empêcha que l'on entame des recherches à l'extérieur pour lui trouver un remplaçant.

Plusieurs doyens de faculté et d'anciens administrateurs suggérèrent au recteur de désigner Jennifer Treeholm, la vice-rectrice

adjointe aux affaires universitaires, au poste de vice-rectrice intérimaire. Elle jouissait d'une grande popularité dans tout le campus et avait

---

* Ne lisez que les sections indiquées par votre professeur. Attendez ses consignes avant de poursuivre votre lecture.

10 ans d'expérience à titre de vice-rectrice adjointe. Elle connaissait tout le monde et tout ce qu'il fallait savoir à propos de l'Université. Jennifer, selon eux, était le choix évident et *méritait* vraiment ce poste. Elle faisait preuve d'un dévouement hors pair à l'égard de l'établissement et possédait des réserves illimitées d'énergie. Le nouveau recteur suivit leur conseil et nomma Jennifer vice-rectrice intérimaire pour une période pouvant aller jusqu'à trois ans. Il accepta également qu'elle soit candidate à la permanence lorsqu'on lèverait le gel de l'embauche.

Jennifer et ses amis étaient ravis. Il était plus que temps que des femmes occupent des postes supérieurs dans le campus. Ils l'invitèrent à une petit fête en son honneur pour la féliciter et discuter de sa promotion.

À l'exception d'une brève période, Jennifer avait fait toute sa carrière à Mid-West U. Elle avait commencé par donner un cours d'introduction en histoire puis, visant un poste permanent, avait repris ses études et décroché un doctorat à Metropolitan U tout en continuant à enseigner à Mid-West. Dès l'obtention de son diplôme, on l'avait nommée professeure adjointe, puis professeure agrégée en raison de sa popularité et de la qualité de son enseignement.

Non seulement on l'appréciait, mais on reconnaissait également son total dévouement à Mid-West : elle aida à mettre sur pied le premier syndicat, obtint des subventions, composa des sketches pour les fêtes des professeurs, et était toujours prête à venir en aide à autrui.

Finalement, Jennifer fut élue présidente de l'assemblée des professeurs et, après deux ans à ce poste, elle se vit offrir celui de vice-rectrice adjointe. Pendant les dix années qu'elle passa à ce poste, elle s'occupa de la plupart des problèmes touchant la formation, dirigea plusieurs comités, prit en main la majeure partie de la correspondance et des rapports du vice-recteur et, à plus d'une occasion, fit des commissions personnelles pour le recteur. Tout le monde savait pouvoir compter sur Jennifer.

Questions

1. À cette étape, quelles sont vos prédictions sur Jennifer au poste de vice-rectrice intérimaire ?
2. Selon vous, quel sera son style de gestion ou de leadership ?
3. Quels sont ses points forts et ses points faibles ? Sur quoi fondez-vous votre opinion ?

Après avoir traité la section A, passez à la section B.

Section B

La nomination de Jennifer au poste de vice-rectrice intérimaire souleva l'enthousiasme à Mid-West. Enfin, l'Université faisait appel à *l'un des siens*, une personne sensible à sa culture, qui en connaissait le corps professoral et qui allait faire bouger les choses.

Toutefois, le campus ne tarda pas à s'apercevoir que rien ne bougeait et que Jennifer, en dépit de sa popularité de longue date, avait du mal à prendre des décisions ardues. Son désir de plaire à tous et d'essayer de satisfaire tout le monde compliquait les choix. (Et ses difficultés à planifier, à organiser et à gérer son temps n'arrangeaient guère la situation.)

Le problème se résumait en fait à ceci : elle ne comprenait pas le rôle qu'elle avait à jouer en tant que *numéro deux* de l'organisation. Le recteur s'attendait à ce qu'elle l'épaule et soutienne ses décisions sans discuter. Avec le temps, il s'attendit même à ce qu'elle mette en œuvre certaines d'entre elles – qu'elle fasse le *sale boulot*. Cela devenait vraiment problématique lorsqu'il fallait congédier quelqu'un ou refuser quelque chose à des vieux copains professeurs. De plus, Jennifer n'était pas à l'aise avec les cadres supérieurs de l'équipe du recteur. Même si elle n'était pas la seule femme – la vice-rectrice au contentieux, une femme brillante et rationnelle, faisait partie du groupe –, Jennifer découvrit que le comportement au sein de la direction et le style de prise de décision étaient différents de ce dont elle avait l'habitude.

La plupart des hommes suivaient les ordres du recteur et ne discutaient pas grand-chose au cours des réunions, choisissant plutôt d'influer sur les décisions en privé. Il arrivait souvent qu'une décision à l'ordre du jour soit déjà un fait accompli. Jennifer se sentait exclue, se demandant pourquoi, si elle était vice-rectrice, elle se sentait si impuissante.

Avec le temps, Jennifer et le recteur se rencontrèrent de moins en moins pour discuter des affaires du campus. Même si ses relations avec les cadres supérieurs masculins demeuraient cordiales, elle parlait surtout à ses collègues féminines.

Ses amis, particulièrement le groupe de femmes collègues de longue date, l'assurèrent que c'était parce qu'elle n'était qu'intérimaire. «Contente-toi de ne pas faire de vagues», lui conseillèrent-ils. Bien entendu, cela ne fit qu'accroître les hésitations de Jennifer lorsqu'elle avait un choix difficile à faire.

Comme, après une première année de *lune de miel*, l'image du recteur commençait à changer, Jennifer décida d'écouter ses amis plutôt que de suivre son supérieur. Après tout, sa réputation sur le campus était en jeu.

Questions

1. Quel est le plus grand problème auquel Jennifer doit faire face ?

2. Que feriez-vous si vous étiez à sa place ?

3. Croyez-vous qu'un homme éprouverait les mêmes problèmes que Jennifer ?

4. Est-ce que certaines de vos prédictions concernant son style de gestion semblent se vérifier ?

Section C

Lorsque prit fin le gel de l'embauche et que le poste de Jennifer put être comblé de façon permanente, le recteur insista pour faire un appel national de candidatures. Jennifer et ses partisans considéraient cela comme inutile puisqu'elle entamait sa troisième année à ce poste, mais elle posa tout de même sa candidature.

Au bout d'un an, le comité responsable des candidatures rencontra le recteur pour lui apprendre qu'aucun candidat de l'extérieur ne leur semblait acceptable. Ils recommandèrent, par contre, que Jennifer obtienne la permanence à la condition qu'elle modifie son style de gestion. Après un temps de réflexion, le recteur lui accorda le bénéfice du doute et une chance de prouver ce qu'elle valait. Elle obtint sa permanence, mais un accord confidentiel fixait les conditions suivantes :

1. Elle allait organiser son bureau et son personnel de manière à pouvoir déléguer davantage de tâches.

2. Elle *jouerait* son rôle de numéro 2 comme il se doit, soutiendrait le recteur et ses positions sur l'énoncé de mission de l'Université.

3. Elle orienterait davantage les doyens de facultés sous sa responsabilité.

Jennifer accepta le poste, devenant ainsi la première femme vice-rectrice, et présida le conseil de onze doyens, dont trois étaient ses meilleures amies. Elles ne manquèrent pas de se retrouver dans leur bar habituel pour fêter ça.

Questions

1. À la place de Jennifer, auriez-vous accepté le poste ?

2. À titre de nouveau vice-recteur ou de nouvelle vice-rectrice titulaire, que feriez-vous ?

3. Croyez-vous que Jennifer va modifier son style de gestion ? Si oui, de quelle façon ?

4. Quelles sont vos prédictions pour l'avenir ?

Section D

Ils avaient été nombreux à prédire que les choses s'arrangeraient lorsque Jennifer détiendrait sa permanence, mais ce fut tout le contraire qui se produisit. Les gens s'attendaient maintenant à ce qu'elle fasse preuve d'esprit de décision, mais elle n'avait toujours pas l'impression d'avoir les coudées franches.

Chaque fois qu'un problème surgissait, elle passait des semaines, des mois même, à tenter de prendre le pouls du campus. En fait, plus rien ne bougeait dès lors que son bureau s'en chargeait. Au bout d'un certain temps, on commença à appeler son service *le trou noir*, parce que tout ce qui y entrait disparaissait à tout jamais !

Ses subordonnés directs s'inquiétaient et rongeaient leur frein. Non seulement se montrait-elle incapable de déléguer efficacement, mais son désir d'améliorer la situation la poussait à en assumer toujours plus.

Ses fonctions de vice-rectrice exigeaient également qu'elle réponde à certaines invitations et remplisse diverses obligations sociales. Là encore, elle essayait de plaire à tout le monde et courait d'un événement à l'autre, essayant de montrer son intérêt et son soutien à tous les corps constitués du campus. Elle s'épuisait, était débordée et, consciente des conditions de son mandat, s'inquiétait de l'évaluation que ferait le recteur.

Au sein de son conseil de doyens, les choses allaient plutôt mal. Plusieurs des doyens hommes, fatigués de devoir attendre des orientations qui ne venaient pas à propos des projets lancés par le recteur, commencèrent à prendre des décisions sans en référer à Jennifer.

« Des *francs-tireurs* ! c'est ce qu'elle disait de quelques-uns d'entre eux. Ils n'écoutent rien et se lancent dans leurs propres projets. »

Avec deux d'entre eux, cela prenait des proportions inquiétantes, car ils n'acceptaient pas une réponse négative de Jennifer. En privé, ils reconnaissaient qu'un *non* de sa part ressemblait à un *peut-être* – avec elle, on pouvait négocier encore et encore.

Quel que fût le problème, et il commençait à y en avoir un certain nombre, on remettait toujours en question le leadership de Jennifer. Même si sa popularité restait inchangée, de plus en plus de gens du campus exprimaient leur frustration à l'égard de ce qui ressemblait parfois à des messages contradictoires de sa part et de celle du recteur, et quelquefois à une absence totale d'orientation. Les gens voulaient qu'on s'attaque aux priorités mais, au lieu de cela, ils se retrouvèrent en gestion de crise.

Source : Adapté de Donald D. Bowen et autres. *Experience in Management and Organizational Behavior,* 4e éd., John Wiley & Sons Inc., New York, 1997.

Questions

1. Si vous étiez le recteur, que feriez-vous ?

2. Si vous étiez Jennifer, que feriez-vous ?

Conclusion

Jennifer organisa plusieurs journées d'études avec ses cadres supérieurs. Chaque fois, elle s'engageait à déléguer davantage, à dresser des priorités, à s'attaquer aux questions relatives à la gestion du temps mais, une semaine plus tard, les choses reprenaient leur cours habituel.

Le recteur décida d'engager une personne d'expérience en matière d'organisation pour combler le poste de vice-recteur aux finances et à l'administration. Cet homme avait une longue expérience du travail d'équipe, avait survécu à plusieurs fusions d'entreprises, avait été licencié mais avait fait un retour en force, et avait passé des années comme numéro 2 de plusieurs sociétés. En quelques mois, il avait gagné le respect du campus et du recteur, et il apparaissait de plus en plus comme la vraie tête dirigeante. Le recteur pouvait ainsi se concentrer sur les affaires extérieures et les collectes de fonds.

Jennifer se sentit soulagée. Son rôle lui semblait plus clair. Elle pouvait se consacrer aux questions touchant la formation et les professeurs et ne se sentait plus obligée de jouer les *hommes de main*.

Tandis qu'approchait l'âge d'une retraite anticipée, elle se mit à parler de plus en plus de ce qu'elle entreprendrait alors.

EXERCICES

Mon meilleur patron

Procédure

1. Dressez une liste des qualités décrivant le meilleur patron pour qui vous ayez travaillé. Si vous n'avez pas d'exemple concret, établissez la liste des qualités que vous voudriez voir chez un supérieur, au cours de votre prochain emploi.

2. Formez des groupes de quatre ou cinq étudiants et comparez vos listes.

3. Dressez une liste unique des qualités du *meilleur patron* selon votre groupe. Vérifiez que toutes les qualités citées y figurent bien, mais ne citez chacune d'elles qu'une seule fois. Indiquez par un crochet celles que plus d'un membre de votre équipe a citées. L'un d'entre vous se préparera afin de présenter ces conclusions à l'occasion d'une discussion en classe.

4. Lorsque tous les groupes auront terminé l'étape 3, les porte-parole s'adresseront à toute la classe. Le professeur pourra en tirer une liste commune des qualités du meilleur patron selon l'ensemble de la classe.

5. N'hésitez pas à poser des questions et à discuter des conclusions.

Les mots de la fin : remue-méninges et idées en vrac

Procédure

1. Donnez le plus de versions possible aux phrases suivantes en les complétant.

(a) Lorsque j'ai commencé ce cours, je pensais…

(b) Ce qui m'inquiète avant tout, à propos de cette session, …

(c) Dans trois ans, je serai…

(d) Le plus grand défi que le monde actuel doit relever, c'est…

(e) Les spécialistes en comportement organisationnel peuvent…

(f) Les ressources humaines, ce sont…

(g) L'analyse organisationnelle, c'est…

(h) La question la plus utile qu'on m'ait jamais posée est : «…?»

(i) Au sein des organisations, le phénomène le plus important est…

(j) C'est lorsque… que j'apprends le plus.

2. Votre professeur organisera une discussion en se basant sur vos réponses. Accordez une attention particulière aux similitudes et aux différences entre les réponses des divers étudiants.

Source : Barbara K. Goza, professeure invitée (University of California, Santa Cruz), et professeure (California State Polytechnic University, Pomona). Tiré du *Journal of Management*, 1993.

Mon meilleur emploi

Procédure

1. Dressez la liste des cinq premières choses que vous attendez de votre premier (ou prochain) emploi à plein temps.

2. Échangez votre liste avec celle d'un autre étudiant. Vous indiquerez ensuite, sur la liste de votre collègue, les probabilités que chaque objectif retenu se réalise. (*Note :* le professeur voudra sans doute que tout le monde se serve de la même échelle de probabilités.)

3. Discutez de vos évaluations respectives avec votre vis-à-vis. Essayez d'éliminer les objectifs superficiels ou modifiez-les pour leur donner du contenu.

Reformulez également les objectifs irréalistes. Aidez votre collègue à faire de même.

4. Regroupez-vous en équipes de 4 à 6 personnes. Chacun expose les objectifs qui lui semblent les plus réalistes afin que l'équipe constitue une liste commune à tous ses membres. Un porte-parole transmet au reste de la classe un échantillon de la liste commune.

5. Réfléchissez à ce que vous avez retiré de l'exercice. Discutez-en avec les membres de votre équipe. Préparez-vous ensuite à une discussion élargie avec le reste de la classe, animée par le professeur.

Que valorisez-vous particulièrement dans un travail ?

Procédure

1. Les neuf éléments suivants sont tirés d'un sondage mené par Nicholas J. Beutell et O.C. Brenner («Sex Differences in Work Values», *Journal of Vocational Behavior*, vol. 28, p. 29 à 41, 1986). Classez ces caractéristiques d'un emploi selon leur importance pour vous (de 1 = la moins importante, à 9 = la plus importante).

Il est important pour moi d'avoir un emploi qui…

_____ inspire le respect des autres.

_____ encourage l'acquisition continue de connaissances et de talents.

_____ procure la sécurité d'emploi.

_____ procure un sentiment d'accomplissement.

_____ donne l'occasion de gagner une rémunération élevée.

_____ est stimulant sur le plan intellectuel.

_____ reconnaît un bon rendement et le récompense.

_____ offre de bonnes conditions de travail.

_____ offre de bonnes possibilités de promotion à des postes élevés dans la hiérarchie.

2. Formez des équipes selon les consignes de votre professeur. Dans chaque groupe, les *hommes* vont établir ensemble le classement général auquel, *selon eux*, les *femmes* en sont arrivées au cours du sondage mené par Beutell et Brenner. Discutez des raisons pour lesquelles tel ou tel élément devrait être classé à tel niveau. Bien entendu, les *femmes* de chaque groupe ne devraient pas participer à ce classement, mais elles écouteront les échanges entre les hommes et noteront leurs commentaires en vue de la discussion générale qui va suivre. Un porte-parole des hommes communiquera le classement établi à l'ensemble de la classe.

3. (*facultatif*) Formez des équipes, mais exclusivement masculines ou féminines. Chaque groupe déterminera quelles valeurs, selon lui, ont été classées <u>première</u> et <u>dernière</u> par les personnes *de sexe opposé* au cours du sondage mené par Beutell et Brenner. Discutez des raisons pour lesquelles vous arrivez à ces conclusions et de celles pour lesquelles, selon vous, les autres valeurs n'ont pas été classées première ou dernière. Les porte-parole font ensuite part des résultats à l'ensemble de la classe.

Source: J. Lewiki *et al. Experiences in Management and Organizational Behavior*, 3ᵉ éd., John Wiley & Sons, New York, 1988, p. 23 à 26.

EXERCICE 5

Mon actif

Toute entreprise détient un actif, un ensemble de ressources qu'elle utilise pour produire des biens ou des services recherchés par une clientèle. Cet actif comprend, entre autres, du capital, des terrains, des produits ou des processus brevetés, des installations, du matériel, des matières premières et des ressources humaines.

Chacun de nous dispose également d'un actif qui lui permet d'atteindre les objectifs qu'il se fixe. Nous parlons alors de *talents*, d'*habiletés* et de *compétences*. Si nous en héritons certains de nos parents, nous en acquérons un grand nombre par l'apprentissage. Une chose est sûre, nous en sommes généralement fiers.

Procédure

1. Voici un tableau que vous allez remplir. Dans la colonne de droite, inscrivez cinq ou six de vos réalisations — des choses dont vous êtes vraiment fier. Il doit s'agir de réalisations personnelles *dont vous pouvez clamer la paternité*. Si vous êtes fier d'une association à laquelle vous appartenez, vous ne pouvez l'inclure dans votre liste à moins que vous n'estimiez pouvoir vous en attribuer en bonne partie la réussite. Par contre, si vous avez l'impression que le fait même d'avoir été invité à vous joindre à cette association est une réussite en soi, incluez-la dans votre liste.

Une fois remplie la colonne de droite, passez à celle de gauche en nommant les *talents*, les *habiletés* et les *compétences* qui vous ont permis d'accomplir ce qui figure dans la colonne des réalisations.

Mon actif

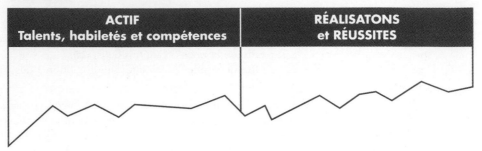

ACTIF Talents, habiletés et compétences	RÉALISATONS et RÉUSSITES

2. Tandis que chaque membre de votre équipe montre sa liste aux autres, portez attention à vos propres perceptions et sentiments. Notez leurs effets sur vos attitudes à l'égard des autres membres.

3. Chaque groupe discute ensuite à partir des questions suivantes:
(a) Sur quel point vos attitudes et sentiments à l'égard des autres membres ont-ils changé au cours de l'exercice? Quelles conclusions tirez-vous à propos des processus qui entrent en jeu dans la façon dont nous apprenons à connaître et à respecter les autres?
(b) Qu'avez-vous pensé des instructions de cet exercice? À quel genre de résultat vous attendiez-vous? Vos attentes se sont-elles confirmées?

Source: Donald D. Bowen *et al. Exercices in Management and Organizational Behavior,* 4ᵉ éd., John Wiley & Sons, New York, 1997.

EXERCICE 6

Un poste à l'étranger

Cet exercice porte sur des questions concernant les travailleurs susceptibles d'être affectés à des postes à l'étranger. Il a pour objectif de mettre en lumière le grand nombre de problèmes que l'expatriation peut poser. Il souligne combien il est important, pour les gestionnaires qui veulent des travailleurs expatriés productifs et motivés, d'être conscients de ces problèmes et prêts à les résoudre. Parmi les sujets qui seront immanquablement abordés au cours de cet exercice, citons la nécessaire formation à la culture du pays de destination et les cours de langue pour les travailleurs et leur famille, ainsi que l'incidence potentielle de l'obtention d'un poste à l'étranger sur la famille et le rôle déterminant de cette dernière sur l'intérêt des travailleurs pour de tels postes.

Procédure

1. Par équipes, composez des *familles* de quatre ou cinq personnes. Comme il existe de plus en plus de familles monoparentales, il serait intéressant que quelques équipes ne comportent qu'un chef de famille. Chaque étudiant se voit attribuer un rôle à jouer dans sa *famille*; une description sommaire de la personne qu'il ou elle représentera (voir ci-après) lui sera fournie.

2. Prenez une vingtaine de minutes pour discuter des effets qu'une proposition de poste à l'étranger aura sur les membres de votre *famille*. Vous avez pour objectif de parvenir à une décision: soit d'accepter le poste proposé, soit de le refuser. Vous devez également décider si toute la famille va déménager ou uniquement la personne embauchée. L'affectation est de deux ans minimum avec possibilité de renouvellement annuel jusqu'à un maximum de quatre ans. La famille, ou le travailleur, aura droit à un voyage annuel au pays d'origine, aux frais de la compagnie, pour un maximum de deux semaines. Si elle décide de s'expatrier seule, la personne à qui l'on offre le poste ne doit pas s'attendre à d'autres indemnités de logement ou de vie chère que celles figurant dans sa description de rôle, et ce, même si elle s'attend à ce que ses dépenses dépassent considérablement l'indemnité de séjour offerte par la compagnie. Abordez les questions suivantes au cours de votre discussion :

(a) Qu'est-ce qui inquiète le plus votre famille en ce qui concerne une expatriation temporaire ?

(b) Qu'avez-vous besoin de savoir sur le pays de destination pour prendre une décision en toute connaissance de cause ?

(c) S'il décide d'être le seul à partir, que peut faire le travailleur à qui l'on propose ce poste pour faciliter la transition ? Et si toute la famille l'accompagne ?

(d) Que devrait faire le travailleur pour éviter que l'expatriation ne crée un stress inutile pour lui ou le reste de sa famille ?

(e) Quelles leçons pourraient tirer de cet exercice les gestionnaires ayant des travailleurs expatriés ?

Essayez de parvenir à un consensus *familial* ; si ce n'est pas possible, tentez de résoudre les divergences d'opinions selon ce qui vous semble correspondre aux rôles décrits plus loin.

3. Partagez vos réponses avec le reste de la classe, expliquez-en les raisons et répondez aux questions des autres étudiants.

4. (*facultatif*) Lorsque toutes les *familles* auront donné leur réponse à une question, le professeur pourrait demander aux étudiants si leurs réponses semblent correspondre (ou pas) à ce qui est pratique courante chez les gestionnaires d'après les études sur ce sujet.

Descriptions des membres de la famille

La personne à qui l'on propose le poste à l'étranger

Il s'agit d'un cadre intermédiaire qui est en train de gravir rapidement les échelons et qui devrait accéder bientôt à la haute direction. On vient de lui offrir l'occasion de gérer des activités de sa compagnie à l'étranger, tout en lui promettant un poste de vice-président à son retour. La compagnie paiera les frais de déménagement, y compris les dépenses liées à la vente de la maison et les coûts de réinstallation de la famille au retour. L'employeur offrira

des cours de langue au cadre et une formation à la culture du pays de destination à l'ensemble de la famille. Il accordera également une indemnité de séjour correspondant à 20 % du salaire, ce qui devrait permettre à la famille d'entretenir un mode de vie équivalent à celui dont elle jouit actuellement.

Le conjoint ou la conjointe

C'est également un(e) professionnel(le) qui possède une expérience et des compétences recherchées dans le marché du travail local. Il n'est pas certain que ce conjoint ou cette conjointe puisse trouver un emploi dans le pays de destination. Le couple a besoin de ses revenus d'emploi, bien qu'ils soient moins élevés que ceux de la personne à qui l'on propose le poste à l'étranger, pour éventuellement pouvoir payer les études universitaires de leurs enfants. Cette personne a consacré quinze ans de sa vie à sa carrière, y compris à l'obtention d'un diplôme en étudiant le soir.

L'aîné(e)

Il(elle) termine sa première année de cégep et a l'intention d'obtenir son diplôme dans un an et demi. S'expatrier en ce moment retarderait sans doute ses projets de six mois. Depuis un peu plus d'un an, il(elle) vit une relation amoureuse sérieuse ; on parle de mariage après l'obtention du diplôme, mais il n'y a pas encore eu de fiançailles officielles.

Le deuxième enfant

Il(elle) termine ses études secondaires et a déjà visité quelques cégeps afin de préparer sa demande d'admission pour l'automne suivant. Il(elle) participe à un grand nombre d'activités scolaires ; on lui a demandé de prendre les photos de l'album de finissants et il(elle) appartient à une équipe sportive. Cet enfant a des difficultés d'apprentissage pour lesquelles son école lui fournit des services.

Le cadet ou la cadette

Âgé(e) de 13 ans, il(elle) poursuit ses études secondaires, est membre d'une troupe de scouts et suit des cours de piano. Il(elle) a eu des problèmes de santé sérieux qui ont nécessité des visites fréquentes chez le médecin et chez des spécialistes. Il(elle) fréquente la même école et le même groupe d'amis depuis plusieurs années.

Source : Robert E. Ledman (Morehouse College).

Signaux culturels

Introduction

Dans un contexte professionnel, la *culture* fait référence à des convictions et à des attentes communes qui modèlent le comportement des individus. Dans cet exercice, *culture étrangère* désigne un ensemble de convictions et d'attentes différentes de celles de la culture des participants (les caractéristiques de cette dernière culture seront déterminées par les participants eux-mêmes).

Procédure

1. (10 à 15 minutes) Divisez-vous en deux groupes dont les membres porteront des badges d'identification de couleurs différentes — cela peut se faire avec de simples *Post-it* bleus et jaunes sur lesquels chaque membre des groupes bleu et jaune inscrira son nom.

Chaque groupe préparera collectivement ses propres signaux culturels. Inventez des types de comportement ou des mots qui auront une signification unique pour les membres du groupe et qui leur donneront un sentiment d'appartenance. Pour chaque catégorie figurant dans le tableau suivant, déterminez au moins une caractéristique importante dans *votre culture*.

Signaux culturels	Dans votre culture
• Expressions du visage :	_____
• Regard (note : vous devez avoir un certain niveau de contact oculaire pour observer les autres) :	_____ _____ _____
• Poignée de main :	_____
• Langage corporel (note : montrez-le debout pour que cela soit assez évident) :	_____ _____ _____
• Phrases ou mots clés :	_____

Après avoir déterminé certains aspects culturels particuliers à votre collectivité, entraînez-vous à les extérioriser. Le mieux serait de former des équipes de trois ou quatre personnes au sein des deux groupes respectifs et de vous lancer dans des conversations. L'objectif est d'en apprendre le plus possible les uns des autres (les intérêts, les loisirs, le lieu d'habitation, le genre de famille que l'on a, les cours que l'on suit) tout en employant les phrases clés et les autres signaux culturels définis par votre groupe. Rien ne vous oblige à révéler des choses personnelles et authentiques ; les échanges entre vous ne servent qu'à permettre l'observation culturelle. À cette étape de l'exercice, votre but est de vous sentir à l'aise avec les signaux de votre groupe culturel. Répétez-les jusqu'à ce que vous les ayez assimilés complètement.

2. Imaginez maintenant que vous êtes au service d'une compagnie qui a décidé d'explorer la possibilité de faire des affaires avec des entreprises appartenant à une autre culture. Il vous faut donc en apprendre le plus possible sur cette *culture étrangère,* et vous envoyez deux ou trois représentants en «voyage d'affaires». Ils devront, dans la mesure du possible, se comporter de façon cohérente et conforme à leur *culture d'origine*. Il leur faut, individuellement, essayer d'en apprendre le plus possible sur les gens de l'autre groupe, tout en observant les comportements et en notant les expressions qu'il serait utile de connaître pour de futures négociations avec les entreprises étrangères. (*Note*: il sera considéré comme contraire à l'éthique que les envoyés posent des questions directes sur les signaux culturels de l'autre groupe. Il faut les obtenir sur le terrain par l'observation et les conversations.)

Tandis que vos représentants seront en voyage d'exploration, vous recevrez la visite de ceux de l'autre culture qui entreront en contact avec vous pour recueillir des renseignements sur votre propre culture. Vous devez respecter scrupuleusement les aspects culturels définis par votre groupe au cours de vos conversations avec eux.

3. (5 à 10 minutes) Tous les voyageurs d'affaires rentrent *chez eux*. Chacun des deux groupes discute et note les renseignements recueillis sur l'autre culture au cours des échanges avec les visiteurs et ceux rapportés par les représentants. Ces renseignements serviront à orienter les actions des prochains représentants envoyés en visite *à l'étranger*.

4. (5 à 10 minutes) Choisissez de un à trois représentants qui effectueront un nouveau voyage afin de vérifier les hypothèses émises par votre groupe sur la *culture étrangère*. Ces personnes devront intégrer à leur comportement les signaux culturels relevés *chez l'étranger* pour vérifier s'ils ont bien été compris.

5. (5 à 10 minutes) Une fois les représentants revenus et leurs observations notées, préparez deux rapports respectifs pour informer la classe de ce que vous aurez appris sur la *culture étrangère*.

Source: Adapté par Susan Rawson Zacur et W. Alan Randolph (University of Baltimore) du *Journal of Management Education*, vol. 17, n° 4 (nov. 1993), p. 510 à 516.

EXERCICE 8

Les préjugés au quotidien

Procédure

1. Tous ensemble, préparez une liste des groupes qui sont souvent la cible de préjugés et de stéréotypes dans notre société — il peut s'agir de groupes fondés sur le sexe, la race, l'origine ethnoculturelle, l'orientation sexuelle, l'origine régionale, la religion, etc. Après avoir établi cette liste, inscrivez quelques préjugés négatifs et positifs associés à chaque groupe cible (à cette étape, la classe peut se scinder en petites équipes). Comparez les préjugés dont sont l'objet les divers groupes cibles: y a-t-il des liens entre eux, des tendances communes? Discutez des conséquences des préjugés chez chacun des groupes cibles; comparez sur ce plan les groupes cibles à qui l'on attribue des caractéristiques valorisées par les organisations, aux groupes cibles à qui l'on attribue des caractéristiques dévalorisées par celles-ci.

2. Individuellement, réfléchissez aux listes de préjugés établies et indiquez à quels groupes vous vous assimilez. Décrivez un événement au cours duquel vous avez été victime d'un préjugé parce qu'on vous a considéré comme appartenant à tel ou tel groupe. Posez-vous les questions suivantes et notez vos réflexions:

(a) À quel groupe vous identifiez-vous le plus?

(b) Quel était le stéréotype dont vous avez été victime?

(c) Que s'est-il passé? Où et quand l'incident est-il survenu? Quel genre de propos ont été échangés?

(d) Quelles ont été vos réactions? Qu'avez-vous ressenti? Qu'avez-vous pensé? Qu'avez-vous fait?

(e) Cet événement a-t-il eu des conséquences sur vous et sur les autres?

3. En petits groupes, discutez maintenant de vos expériences. Décrivez brièvement l'incident et soulignez ce que vous avez ressenti. Choisissez collectivement l'un des incidents relatés dans votre

groupe. Chaque équipe va *jouer* l'incident pour l'ensemble de la classe, et tous les étudiants vont ensuite discuter de leurs réactions à chaque événement. Déterminez le préjugé ou le stéréotype mis en scène, les sentiments évoqués et les conséquences de l'incident.

4. Pensez maintenant à vos propres préjugés à l'égard d'autres personnes et aux stéréotypes que vous entretenez. Demandez-vous *à l'égard de quel groupe particulier vous nourrissez des préjugés*. Quelles sortes de stéréotypes attribuez-vous aux membres de ces groupes? Comment ces préjugés sont-ils apparus? Est-ce un membre de votre famille, un ami ou les médias qui vous ont influencé et qui vous ont amené à juger un groupe donné d'une certaine manière?

5. Essayez maintenant de déterminer les effets des préjugés et des stéréotypes en milieu de travail. En quoi les préjugés influent-ils sur les travailleurs, sur les cadres, sur les relations entre les individus et sur l'ensemble d'une organisation? Réfléchissez à la façon dont vous pourriez vous débarrasser des clichés que vous entretenez et cherchez comment vous pourriez encourager d'autres personnes à le faire.

Source: Susan Schor (Pace University) et Annie McKee (Warton School, University of Pennsylvania), avec la collaboration de Ariel Fishman (Warton School).

EXERCICE 9

Comment percevons-nous les différences?

Introduction

Il est clair qu'à l'avenir les milieux de travail seront de plus en plus diversifiés. Il y aura davantage de femmes et de personnes d'origines ethnoculturelles différentes, une plus grande diversité dans les modes de vie et les compétences, etc. Se montrer capable de gérer une main-d'œuvre diversifiée et de travailler avec des gens très différents devient rapidement une compétence essentielle chez les gestionnaires efficaces.

Il est, en outre, de plus en plus évident que la diversité au sein d'une équipe de travail peut améliorer sensiblement la créativité et la qualité du rendement. Dans le monde des affaires tel que nous le connaissons, c'est-à-dire en évolution constante, mettre à profit cette diversité de la main-d'œuvre donnera au gestionnaire et à son organisation un avantage concurrentiel et la capacité de tirer parti plus efficacement des ressources humaines disponibles. Cet exercice est un premier pas vers la compréhension de notre façon de travailler avec des gens que nous considérons comme différents de nous. Quoiqu'il soit relativement simple, cet exercice n'en porte pas moins sur un sujet extrêmement sérieux.

Procédure

1. Lisez ce qui suit.

Imaginez-vous au volant d'une voiture de location, dans une ville que vous visitez pour la première fois. Vous êtes à une heure de distance de votre destination et vous allez emprunter une autoroute où la circulation est fluide. Vous décidez de passer le temps en écoutant votre musique préférée.

L'autoradio comporte quatre touches de sélection déjà programmées sur quatre chaînes offrant des genres musicaux différents. Sur l'une on passe de la musique country, sur l'autre du rock, sur la troisième de la musique classique et sur la dernière du jazz. Quel genre de musique voulez-vous écouter pendant le trajet? (Supposons que vous voulez vous détendre et que vous ne souhaitez pas passer d'une chaîne à l'autre.)

2. Formez des groupes basés sur le genre de musique choisi. Ceux qui ont opté pour la musique country se rassemblent dans un coin de la salle indiqué par le professeur; les amateurs de rock vont se placer dans un autre coin, etc. Chaque groupe répond à la question suivante:

Par quels mots décririez-vous les gens qui aiment écouter les trois autres genres de musique que celui que vous avez choisi? Répondez pour chacun des trois groupes.

Désignez un porte-parole qui communiquera les réponses de votre équipe à l'ensemble de la classe.

3. Poursuivez par une discussion collective portant sur les questions suivantes:
   (a) Selon vous, quel peut être l'objectif de cet exercice? Et son intérêt?

(b) Qu'avez-vous remarqué à propos des qualificatifs employés pour décrire les autres groupes? Avez-vous été *surpris* au cours de cet exercice?

(c) Sur quelles données les opinions exprimées se fondent-elles?

(d) Quel terme courant désigne ces généralisations que nous faisons au sujet des autres?

(e) Quelles pourraient en être les conséquences?

(f) Quel lien y a-t-il entre la façon de percevoir les différences de goûts musicaux et la façon de percevoir d'autres sortes de différences (race, sexe, aptitude physique et mentale, origine ethnoculturelle, âge, nationalité, etc.)?

(g) Avez-vous appris quelque chose sur la facilité avec laquelle des stéréotypes se forment d'un groupe à l'autre?

(h) Quels moyens les organisations pourraient-elles prendre pour apprécier davantage les différences entre les individus et les mettre à profit?

Source: Exercice mis au point par Barbara Walker, une pionnière dans la recherche sur l'appréciation des différences. Adapté ici par Douglas T. Hall.

EXERCICE 10

La rivière aux alligators

La rivière aux alligators

Il était une fois une femme nommée Abigael, amoureuse d'un homme nommé Grégoire. Les deux amants vivaient sur les rives opposées d'une rivière qui grouillait d'alligators dangereux. Un beau matin, Abigael voulut la traverser pour rejoindre Grégoire, mais les fortes crues de la semaine précédente avaient malheureusement emporté le seul pont existant. Elle alla donc voir Sinbad, propriétaire d'une barque, pour qu'il la transporte de l'autre côté. Il lui répondit qu'il serait ravi de le faire, mais à condition qu'elle le rejoigne d'abord dans sa couche pour quelques instants. Abigael refusa et alla voir son ami Yvan pour lui faire part de sa détresse, mais ce dernier ne voulait absolument pas intervenir dans cette affaire.

Abigael finit par se dire qu'elle n'avait d'autre choix que d'accepter la condition de Sinbad – ce qu'elle fit. Sinbad tint aussi sa promesse, et elle put enfin se réfugier dans les bras de Grégoire, ou du moins le croyait-elle…

Car, lorsqu'Abigael conta à Grégoire l'infidélité involontaire qu'elle avait dû commettre pour pouvoir traverser la rivière, il la repoussa avec mépris. Humiliée et désemparée, elle alla faire le récit de ses malheurs à Sam, un autre voisin et ami. Sam, empli de compassion pour Abigael, s'en prit à Grégoire à qui il infligea une sérieuse correction. Abigael était ravie de se voir ainsi vengée de l'indifférence de son ex-amoureux. Le soleil se coucha sur la rivière aux alligators, et les gens entendirent Abigael rire à gorge déployée du sort de Grégoire.

Procédure

1. Lisez le conte de la rivière aux alligators.

2. Après votre lecture, classez les cinq personnages en commençant par celui dont le comportement vous semble *le plus répréhensible* et en finissant par celui dont l'attitude vous paraît *la moins répréhensible*. Vous aurez bien entendu vos propres raisons pour les classer ainsi, expliquez-les brièvement.

3. Formez des équipes selon les consignes de votre professeur (au moins deux personnes de chaque sexe par groupe).

4. Chaque équipe doit:
   (a) se choisir un porte-parole;
   (b) comparer les divers classements des coéquipiers;
   (c) examiner les raisons avancées par chacun pour justifier son classement;
   (d) tenter de parvenir à un classement consensuel final reflétant l'opinion de l'équipe.

5. Le porte-parole choisi fera part à l'ensemble de la classe des conclusions de l'équipe et des raisons pour lesquelles elle en est arrivée à un classement consensuel ou non. Une discussion générale s'ensuivra.

Source: Sidney B. Simon, Howard Kirschenbaum et Liland Howe. *Values Classification, The Handbook*, éd. révisée, 1991, Value Press, P.O. Box 450, Sunderland, MA, 01375.

Travail d'équipe et motivation

Procédure

1. Lisez la situation décrite ci-dessous :

Vous êtes le (la) propriétaire d'une petite entreprise manufacturière qui fabrique des *bidules*. Votre *bidule* est une copie d'un bidule réputé sur le plan national. Appelé *WooWoo*, l'article que vous vendez est moins cher et mieux distribué que la marque vedette. En ce moment, vous enregistrez un niveau élevé de ventes. Il y a cependant un grand nombre d'articles rejetés pour défaut de fabrication, ce qui augmente vos coûts de production et retarde les livraisons. Vous employez 50 travailleurs répartis dans les services suivants : vente, production, techniques, administration.

2. En équipes, discutez des méthodes pouvant motiver tous les salariés de l'organisation. Classez-les ensuite par ordre de préférence.

3. Concevez ensuite un plan de motivation organisationnel destiné à entraîner un haut degré de satisfaction professionnelle, un faible roulement de la main-d'œuvre, une productivité élevée et un travail d'excellente qualité.

4. Que peut-on faire de particulier en ce qui concerne les travailleurs du bas de la hiérarchie payés au salaire minimum ? Comment motiver ces salariés ? Sur quelle théorie de la motivation fondez-vous votre opinion ?

5. Chaque équipe présente son plan de motivation au reste de la classe et résume ses idées au tableau. L'ensemble des étudiants travaille à concevoir un plan unique à partir de celles-ci. Discutez des corrections et des ajouts suggérés.

6. Remplissez la «feuille de travail» suivante : inscrivez dans la colonne de droite les qualités qu'un travailleur doit posséder pour collaborer pleinement à une équipe de travail ; ces qualités s'opposent aux caractéristiques d'un travailleur qui a une attitude individualiste.

Feuille de travail

Travailleur individualiste	Membre d'une équipe de travail
Bavarde	
Est centré sur lui-même	
Est axé uniquement sur son service	
Est compétitif	
Est logique	
Utilise notes et messages écrits	
Accorde de l'importance à son image et à celle des autres	
Garde l'information pour lui	
A une vision à court terme	
Vise des résultats immédiats	
Est critique	
S'en tient à sa fonction	

Source : Dr Barbara McCain (Oklahoma City University).

Les désavantages des mesures disciplinaires

Procédure

Il existe de nombreux problèmes associés à l'emploi des mesures punitives ou disciplinaires pour modifier un comportement. Les punitions ont un effet négatif sur le milieu de travail. Pour mieux comprendre ces répercussions, formez des équipes et trouvez des exemples illustrant les énoncés suivants :

(a) Il n'est pas toujours possible d'infliger une punition à la personne dont on désire changer le comportement.

_____

_____

(b) Des punitions à répétition risquent d'entraîner la disparition des comportements socialement convenables.

_____

_____

(c) Les punitions déclenchent une aversion pour leur auteur.

_____

_____

(d) Les punitions provoquent des émotions néfastes telles que l'anxiété et l'agressivité.

_____

_____

(e) Les punitions accroissent le désir d'éviter d'être puni plutôt que celui d'adopter le comportement convenable.

_____

_____

(f) Réprimer un comportement donné n'assure pas l'apparition du comportement souhaité.

_____

_____

(g) Le suivi des résultats obtenus par l'administration de punitions exige des ressources supplémentaires.

_____

_____

(h) Les punitions peuvent créer des obstacles à la communication et freiner la circulation de l'information.

_____

_____

Source : Dʳ Barbara McCain (Oklahoma City University), d'après les notes de cours du Dʳ Larry Michaelson (Oklahoma City University).

Augmentations de salaire annuelles

Procédure

1. Lisez les profils des membres du personnel présentés ci-dessous et fixez le pourcentage d'augmentation que vous allez accorder à chacun d'entre eux.

2. Formulez des recommandations en ce qui concerne les augmentations de salaire des huit cadres que vous supervisez. Votre société n'a pas fixé de limite au pourcentage individuel d'augmentation, mais le total accordé ne devrait pas dépasser la somme de 10 900 $ (soit 4 % du total des salaires) prévue au budget. Vous disposez de toute une gamme d'informations sur lesquels fonder vos décisions, y compris un *indice de productivité* (IP) que l'ingénierie industrielle définit comme un critère quantitatif de l'efficacité opérationnelle de l'unité de travail de chaque cadre. Cet indice va de 10 (coefficient le plus élevé) à 1 (le plus faible). Indiquez le pourcentage d'augmentation que *vous* accorderiez à chacun des cadres dans l'espace à côté de leur nom, et soyez prêt à justifier votre décision.

_____ *A. Alvarez.* M. Alvarez est nouveau dans l'entreprise. Il est responsable d'une équipe de travail assez difficile et dont les tâches sont pénibles et salissantes. Son poste n'est pas facile, néanmoins vous n'êtes pas très impressionné par son travail. De vos discussions avec les autres cadres, il ressort qu'ils ont un avis semblable. IP = 3. Salaire = 33 000 $

_____ *B.J. Ouellette.* Célibataire, M. Ouellette est un *joyeux drille* consacrant beaucoup de temps à ses *loisirs*. Tout le monde plaisante sur les difficultés de B.J. à obtenir que le travail se fasse. Selon vous, il y a un manque flagrant de ce côté-là. M. Ouellette est à ce poste depuis deux ans. IP = 3. Salaire = 34 500 $

_____ *Z. Davis.* Depuis trois ans à ce poste, M. Davis est l'un de vos meilleurs éléments, bien que d'autres cadres ne soient pas du même avis. Ayant une épouse assez fortunée, M. Davis n'a pas vraiment besoin d'argent, mais il aime travailler. IP = 7. Salaire = 36 600 $

_____ *M. Tremblay.* M. Tremblay éprouve des problèmes personnels et financiers. Des rumeurs circulent à propos de son rendement, mais vous êtes relative-ment satisfait de ce cadre au service de votre entreprise depuis deux ans. IP = 7. Salaire = 34 700 $

_____ *C.M. Liu.* M. Liu est en train de terminer sa première année à un poste difficile. Très respecté de ses collègues et subordonnés, M. Liu vient de recevoir une offre d'une autre société qui lui propose 15 % de plus que son salaire actuel. Cette offre vous a impressionné et, selon ce que vous savez de la situation de M. Liu, la question du salaire sera déterminante dans sa décision. IP = 9. Salaire = 34 000 $

_____ *B. Beauchemin.* M. Beauchemin en est à sa première année à titre de cadre. Ses collègues et vous estimez qu'il fait du bon travail. Cela en surprend certains, étant donné que M. Beauchemin s'est avéré un *esprit libre* qui ne semble pas accorder d'importance à l'argent ni au statut professionnel. IP = 9. Salaire = 33 800 $

_____ *H. Loiselle.* C'est sa première année à ce poste. Récemment divorcée, elle a deux enfants à charge. Ses collègues l'apprécient beaucoup, mais votre évaluation n'est pas aussi enthousiaste. Il est certain que Mme Loiselle saurait quoi faire d'un peu plus d'argent. IP = 5. Salaire = 33 000 $

_____ *G. Gagné.* Très dépensier, M. Gagné est toujours tiré à quatre épingles et il circule dans une voiture de l'année. Il en est à sa première année à un poste que vous considérez comme étant facile, mais les résultats qu'il y obtient sont discutables. Cependant, les autres parlent de lui comme du *meilleur du lot.* IP = 5. Salaire = 33 000 $

3. Regroupez-vous par équipes de quatre à sept personnes et comparez vos décisions concernant les augmentations.

4. Décidez collectivement des augmentations que vous allez accorder et préparez-vous à en faire part au reste de la classe. Assurez-vous que le porte-parole de votre équipe est capable de fournir les raisons du pourcentage accordé à chacun des cadres.

5. Le professeur demande à chaque équipe de présenter ses décisions puis, après discussion, fournit l'avis d'un *spécialiste.*

EXERCICE 14

Le jeu de construction

Matériel nécessaire

Des boîtes de jeu *Tinker Toys*

Procédure

1. Formez des équipes selon les consignes de votre professeur. Chaque groupe – ou organisation temporaire – a pour mission de construire la tour la plus haute possible à l'aide du jeu de construction. Il faut définir les rôles de chacun au sein des groupes : au moins quatre *constructeurs,* quelques *consultants* pour faire des suggestions, et des *observateurs* silencieux pour remplir la fiche d'observation ci-dessous.

2. Les règles :
- Chaque équipe dispose de 15 minutes pour planifier la construction de la tour, mais de *seulement 60 secondes* pour l'ériger.
- Pendant l'étape de la planification, on ne peut assembler plus de deux éléments du jeu.
- Avant de commencer la compétition, on doit replacer toutes les pièces dans la boîte de jeu.
- La tour construite doit tenir debout d'elle-même.

Feuille d'observation

(a) Quelles activités de planification avez-vous observées ?

_____

Les membres de l'équipe ont-ils respecté les règles ?

_____

(b) Quelles activités d'organisation avez-vous observées ?

_____

Le travail à accomplir a-t-il été subdivisé en sous-tâches ? Y a-t-il eu division du travail ?

_____

(c) Le groupe était-il motivé à réussir ? Justifiez votre réponse.

_____

(d) Y a-t-il eu recours à des techniques de contrôle?

_____

Une personne chargée de la gestion du temps a-t-elle été désignée?

_____

Y a-t-il eu des discussions pour prévoir des plans de rechange?

_____

(e) Avez-vous constaté l'apparition d'un leader manifeste dans le groupe?

_____

Quels étaient les comportements indiquant que cette personne était le leader?

_____

Comment le leader a-t-il réussi à gagner la confiance du groupe?

_____

(f) Y a-t-il eu des conflits au sein du groupe?

_____

Y a-t-il eu une lutte de pouvoir autour du leadership?

_____

_____
Source: Bonnie McNeely. «Using the Tinker Toy Exercise to Teach the Four Functions of Management», *Journal of Management Education*, vol. 18, n° 4 (novembre 1994), p. 468 à 472.

EXERCICE 15

Préférences en matière de conception de poste

Procédure

1. Dans la colonne de gauche, classez les caractéristiques de poste suivantes selon leur importance *pour vous* (de 1 = la plus importante, à 10 = la moins importante). Dans celle de droite, classez ces caractéristiques selon l'importance qu'elles ont, d'après vous, *pour les autres*.

_____	Variété des tâches	____
_____	Rétroaction sur le rendement	____
_____	Autonomie/marge de manœuvre	____
_____	Travail en équipe	____
_____	Responsabilités	
_____	Relations amicales avec les collègues	____
_____	Intégralité de la tâche	____
_____	Importance du poste aux yeux des autres	____
_____	Disponibilité des ressources nécessaires pour bien travailler	____
_____	Horaires variables	____

2. Divisez-vous en équipes selon les consignes du professeur. Présentez vos classements à vos coéquipiers. Discutez des différences concernant vos préférences respectives en matière de conception de poste, puis des différences concernant ce que chacun de vous estime être les préférences des autres en matière de conception de poste. Constatez-vous des similitudes importantes au sein de votre groupe, que ce soit dans une colonne ou dans l'autre? Établissez un classement consensuel pour chaque colonne. Désignez un porte-parole qui présentera vos conclusions et les résultats de vos discussions au reste de la classe.

EXERCICE 16

Un emploi de rêve

1. Imaginez un emploi qui correspondrait à ce que vous estimez être l'emploi idéal ou un *emploi de rêve*. Pour les fins de la discussion, essayez d'imaginer un poste que vous occuperiez dans l'année qui suivra la fin de vos études. Décrivez brièvement cet emploi dans l'espace ci-dessous. Commencez votre description par les mots suivants: «Mon emploi de rêve serait…»

_____

_____

_____

2. Relisez la description du modèle de la théorie des caractéristiques de l'emploi (Hackman et Oldham) figurant au chapitre 8. Prêtez une attention particulière aux caractéristiques fondamentales d'un poste. Réfléchissez à la façon dont chacune d'elles pourrait être appliquée intégralement dans votre emploi idéal. Décrivez dans les espaces ci-dessous comment certains aspects propres à votre emploi de rêve seront liés ou correspondront à chacune de ces caractéristiques fondamentales.

(a) Polyvalence: _____

(b) Intégralité de la tâche: _____

(c) Valeur du poste: _____

(d) Autonomie: _____

(e) Rétroaction: _____

3. Formez des équipes selon les consignes du professeur. Au sein de chaque équipe, comparez vos descriptions respectives de votre *emploi de rêve* et les caractéristiques fondamentales que vous lui avez attribuées. Choisissez l'un d'entre vous pour qu'il (elle) présente son emploi idéal au reste de la classe. Préparez-vous à participer à une discussion générale sur les caractéristiques fondamentales d'un poste et sur la façon dont elles pourraient être (ou ne pas être) liées au rendement et à la satisfaction professionnelle. Interrogez-vous également sur la probabilité que ces emplois de rêve décrits par vos collègues étudiants puissent exister; autrement dit, le rêve peut-il devenir réalité?

_____

Source: Lady Hanson (California State Polytechnic University, Pomona).

EXERCICE 17

Travœufs pratiques

Matériel requis pour chaque équipe

1 œuf
6 pailles de plastique
1 mètre de ruban isolant
1 grand bocal de plastique

Procédure

1. Formez des équipes égales de cinq à sept personnes.

2. L'objectif est de faire *tomber* l'œuf dans le bocal, à partir d'une chaise, sans qu'il se casse. Les équipes ont 10 minutes pour évaluer le matériel disponible et pour échafauder une solution. Durant cette période, les objets ne peuvent pas être manipulés.

3. Chaque équipe a également 10 minutes pour mettre en œuvre la solution trouvée.

4. Debout sur une chaise, un membre de chaque équipe laissera tomber un œuf dans le bocal. Cela doit se faire devant toute la classe, équipe par équipe.

5. *Facultatif :* donnez un nom à votre œuf.

6. Chaque équipe se regroupe et discute des comportements individuels et collectifs au cours de l'activité. (*Facultatif :* cette analyse peut se faire par écrit.) Les questions suivantes peuvent servir à amorcer l'analyse :

   (a) Quel type de groupe constituez-vous ? Expliquez.

   (b) L'équipe fait-elle preuve de cohésion ? Expliquez.

   (c) En quoi la cohésion a-t-elle influé sur les résultats ? Expliquez.

   (d) Y a-t-il eu apparition évidente d'une *pensée de groupe* ? Expliquez.

   (e) Avez-vous fixé des normes collectives ? Expliquez.

   (f) Y a-t-il eu des conflits évidents ? Expliquez.

   (g) Y a-t-il eu manifestation de *paresse sociale* ? Expliquez.

   ***

   Source : Dr Barbara McCain (Oklahoma City University).

EXERCICE 18

Harmonisation fonctionnelle d'une équipe : la chasse aux trésors

Introduction

Réfléchissez à ce qu'implique la participation à une équipe à succès. Qu'est-ce qui fait qu'une équipe réussira mieux qu'une autre ? Que doit faire chacun des membres pour que son équipe réussisse ? Quelles sont les caractéristiques d'une équipe efficace ?

Procédure

1. Formez des équipes selon les consignes du professeur. Trouvez les objets* figurant sur la liste « Les *trésors* à rapporter » tout en respectant les règles suivantes :

   (a) Les coéquipiers *doivent demeurer ensemble pendant toute la durée de l'activité* – autrement dit, nul ne peut aller dans une direction différente.

   (b) L'équipe doit être de retour dans la classe dans les délais prescrits par le professeur.

   L'équipe ayant rapporté le plus grand nombre d'objets de la liste sera déclarée gagnante.

2. Réfléchissez ensuite à l'expérience collective que vous venez de vivre. Qu'a fait chaque membre ? Quelle était la stratégie mise en œuvre par votre équipe ? Qu'est-ce qui a rendu votre équipe efficace ? Dressez la liste des éléments qui ont le plus contribué à l'efficacité de votre équipe. Désignez un porte-parole qui résumera vos discussions pour l'ensemble de la classe. Quelles similitudes apparaissent entre les équipes concernant ce qui les a aidées à être efficaces ?

Les *trésors* à rapporter

Localisez chaque objet, allez le chercher, puis rapportez-le à la salle de cours.

1. Un livre dont le titre comporte le mot équipe.

2. Une blague, une histoire drôle sur une équipe que vous raconterez à l'ensemble de la classe.

3. Un brin d'herbe provenant du terrain de sport.

4. Un souvenir de la région.

5. La photo d'une équipe ou d'un groupe.

6. Un article de journal traitant d'une équipe.

7. Une chanson composée par l'équipe que vous interpréterez devant la classe.

8. Une feuille de chêne.

9. Du papier à lettres provenant du bureau du doyen.

10. Une tasse de sable.

***

*Selon les régions, le professeur pourra substituer certains objets de la liste.

11. Une pomme de pin.

12. Un reptile vivant (il se peut qu'un des coéquipiers en ait un pour animal familier ou que vous puissiez vous rendre dans une animalerie).

13. Une définition de la «cohésion d'un groupe» que vous communiquerez au reste de la classe.

14. Une paire de baguettes pour manger.

15. Trois boîtes de légumes en conserve.

16. Une branche d'orme.

17. Trois objets insolites au choix.

18. Une pelote de fil de coton.

19. Une figue de Barbarie.

20. Un nom de groupe.

Source: Michael R. Manning et Paula J. Schmidt (New Mexico State University). «Building Effective Work Teams: A Quick Exercise Based on a Scavenger Hunt», *Journal of Management Education*, Sage Publications, Thousand Oaks (Californie), 1995, p. 392 à 398. La liste d'objets de la chasse au trésor est tirée de C.E. Larson et F.M. Lafas. *Team Work: What Must Go Right/What Can Go Wrong*, Sage Publications, Newbury Park (Californie), 1989.

EXERCICE 19

Dynamique d'une équipe de travail

Introduction

Pensez à l'équipe de travail dont vous faites partie dans ce cours ou un autre cours, ou à toute autre équipe suggérée par le professeur. Indiquez ensuite dans quelle mesure chacune des affirmations suivantes correspond à votre expérience dans cette équipe. Utilisez cette échelle:

4 = toujours, 3 = souvent, 2 = parfois, 1 = jamais.

_____ (a) Je peux y faire entendre mes idées.

_____ (b) On m'encourage à avancer des idées novatrices et à prendre certains risques.

_____ (c) L'équipe encourage la diversité des opinions.

_____ (d) J'ai toute la responsabilité que je désire.

_____ (e) Les coéquipiers sont traités équitablement.

_____ (f) Les membres se font confiance quant à l'exécution des tâches respectives qui leur sont assignées.

_____ (g) L'équipe se fixe des normes élevées en matière de rendement.

_____ (h) Les coéquipiers partagent les tâches et se les échangent.

_____ (i) Dans cette équipe, on peut tirer la leçon de ses erreurs.

_____ (j) Cette équipe a institué de bonnes règles de fonctionnement.

Procédure

Constituez des groupes selon les consignes du professeur. Idéalement, il devrait s'agir de l'équipe que vous venez d'évaluer. Les membres de chaque équipe prennent connaissance de leurs évaluations respectives, puis établissent une évaluation globale de leur équipe. Ils encerclent les points sur lesquels leurs opinions divergent le plus; ils en discutent afin d'essayer de comprendre les raisons de ces divergences.

Généralement, cette échelle permet d'évaluer le potentiel de créativité d'une équipe. Additionnez les points attribués : plus le résultat total obtenu est élevé, meilleur est le potentiel de créativité. Si tous les membres de votre groupe ont évalué la même équipe, dressez la liste des cinq choses les plus importantes que les coéquipiers en question pourraient faire pour améliorer le fonctionnement de leur équipe. Désignez un porte-parole qui résumera les discussions de l'équipe pour l'ensemble de la classe.

Source : William Dyer. _Team Building_, 2ᵉ éd., Addison-Wesley, Reading (Massachusetts), 1987, p. 123 à 125.

EXERCICE 20

Détermination des normes de groupe

Procédure

1. Choisissez une organisation que vous connaissez assez bien.

2. Complétez les phrases ci-dessous en utilisant les critères suivants :

> (a) seraient nettement d'accord ou l'encourageraient fortement.
> (b) seraient d'accord ou l'encourageraient.
> (c) ne considéreraient pas cela comme important.
> (d) seraient en désaccord ou le décourageraient.
> (e) seraient nettement en désaccord ou le décourageraient fortement.

Si un salarié de cette organisation…

1. montrait un intérêt certain pour les problèmes vécus par l'organisation et proposait des solutions pour les régler, la plupart des autres… _____

2. se fixait des normes personnelles de rendement élevées, la plupart des autres… _____

3. essayait d'amener son groupe de travail à fonctionner comme une véritable équipe dans le traitement des problèmes, la plupart des autres… _____

4. pensait à s'adresser à un supérieur lorsqu'un problème se présente, la plupart des autres… _____

5. évaluait les coûts en fonction des bénéfices qu'en tirera l'organisation, la plupart des autres… _____

6. manifestait son intérêt pour le bien-être des autres membres de l'organisation, la plupart des autres… _____

7. faisait attendre un client ou un consommateur pour s'occuper d'affaires personnelles, la plupart des autres… _____

8. critiquait un collègue essayant d'améliorer certains aspects du travail, la plupart des autres… _____

9. cherchait sérieusement des façons d'accroître ses connaissances afin de faire un meilleur travail, la plupart des autres… _____

10. se montrait vraiment honnête dans ses réponses à ce questionnaire, la plupart des autres… _____

Notation

(a) = +2, (b) = +1, (c) = 0, (d) = –1, (e) = –2

1. Fierté et intérêt personnels/Fierté et intérêt pour l'organisation

   Note ____

2. Rendement/Excellence

   Note ____

3. Travail d'équipe/Communication

   Note ____

4. Leadership/Supervision

   Note ____

5. Rentabilité/Efficience

   Note ____

6. Relations avec les collègues

   Note ____

7. Relations avec la clientèle

   Note ____

8. Esprit novateur/Créativité

   Note ____

9. Formation/Croissance

   Note ____

10. Franchise/Ouverture d'esprit

    Note ____

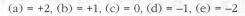

EXERCICE 21

Culture de groupe de travail

Procédure

1. L'échelle bipolaire employée ici peut servir à évaluer le fonctionnement d'un groupe de diverses manières intéressantes. Appliquez-la à votre évaluation de la situation présente d'un groupe. Pour ce faire, encerclez le chiffre qui correspond le mieux à *votre point de vue sur la culture de ce groupe*. Vous pouvez également indiquer comment vous estimez que le groupe *devrait fonctionner* en employant un autre signe (∧), ou donner l'opinion que vous avez déjà eue à propos du groupe en employant un (□).

2. (a) Si vous évaluez votre propre groupe, faites en sorte que chaque membre donne son évaluation, puis établissez la moyenne des résultats. Discutez ensuite de ce qui a motivé les interprétations de chacun ainsi que de leurs répercussions possibles sur le fonctionnement ultérieur du groupe. Cette étape est souvent très productive et contribue à améliorer le fonctionnement d'un groupe ou d'une équipe.

(b) Si vous évaluez un autre groupe que le vôtre, basez votre rétroaction sur les résultats de l'évaluation par l'échelle bipolaire. Veillez à commenter en particulier les comportements *que vous avez constatés* et à donner votre interprétation subjective des notes que vous avez accordées.

(c) Vous pouvez également utiliser ce classement pour comparer l'autoévaluation d'un groupe à celle établie par un autre groupe.

Relations basées sur la confiance	1	2	3	4	5	Relations empreintes de méfiance
Entraide	1	2	3	4	5	Indifférence, obstruction
Expression des sentiments	1	2	3	4	5	Refoulement des sentiments
Audace	1	2	3	4	5	Prudence
Franchise	1	2	3	4	5	Tromperie
Confrontation	1	2	3	4	5	Fuite, diplomatie
Ouverture d'esprit	1	2	3	4	5	Fermeture d'esprit

Source: Conrad P. Jackson (MPC Inc.), d'après Donald D. Bowen *et al. Experiences in Management and Organizational Behavior*, 4e éd., John Wiley and Sons, New York, 1997.

La chaise vide

Procédure

1. Formez des équipes selon les consignes du professeur.

2. Lisez ce qui suit :

Il y a quelques jours, on a demandé au professeur Stevens d'assister à une réunion facultaire à l'université. Il était en congé sabbatique, mais un chargé de cours l'a discrètement convaincu d'y participer afin de protéger les droits de cette catégorie d'enseignants. Le doyen est un *machiavélique* typique ne défendant que ses propres intérêts. M. Stevens a déjà eu quelques démêlés avec lui à propos de son style dominateur et hargneux ainsi que de ses mauvaises relations avec les chargés de cours. Plusieurs d'entre eux le craignent et se sentent traités injustement.

Le corps professoral de la Faculté comprend différents types d'enseignants – on y rencontre, entre autres, des enseignants en management, des comptables, des informaticiens, et des enseignants en analyse quantitative. La Faculté comporte six départements, une École et une section rattachée au doyen. La confusion et l'inquiétude règnent dans la faculté, surtout depuis la mise en place de cette nouvelle structure organisationnelle. Il y a de nombreux conflits entre ses membres à propos de l'orientation que vient de prendre leur Faculté.

Au cours de la réunion, on a prévu de discuter de plusieurs propositions qui vont avoir de sérieuses répercussions sur l'avenir de certains chargés de cours, particulièrement parmi ceux de management. Le doyen, un informaticien, a des relations tendues avec les professeurs de management qui, selon lui, «sont toujours en train d'analyser les actions et les motifs des gens». M. Stevens, enseignant titulaire en comportement organisationnel, est déterminé à protéger les intérêts de ses collègues chargés de cours et à contrer les intentions du doyen.

Outre le directeur et M. Stevens, sept membres du corps enseignant vont assister à la réunion. Le schéma apparaissant ci-dessous illustre leur répartition autour de la table et la disposition générale de la salle. Les **X** correspondent à des partisans du doyen, et les **+** à ses détracteurs soutenant le professeur Stevens. Les **?** sont indécis et pourraient pencher pour l'un ou l'autre camp. Les chiffres encerclés indiquent des places inoccupées. Les deux **?** sont des enseignants en management et le **+** assis à côté d'eux est un spécialiste de l'analyse quantitative. Près de la porte, le premier **X** est un comptable, les deux **+** suivants sont des enseignants en management et le second **X** enseigne l'analyse quantitative. Le schéma montre les places occupées par tous les participants à l'exception de celle du professeur Stevens, qui est le dernier arrivé dans la salle. De la porte, M. Stevens observe la salle et, en moins de 10 secondes, il sait exactement quelle place lui permettra d'atteindre son objectif avec le plus d'efficacité.

3. Avec les autres membres de votre équipe, répondez aux questions suivantes :
  (a) Quel fauteuil le professeur Stevens a-t-il choisi ? Pourquoi ?
  (b) Quel est le schéma probable de communication et d'interaction dans ce groupe d'individus ?
  (c) Que pourrait-on faire pour que ce groupe travaille de façon harmonieuse ?

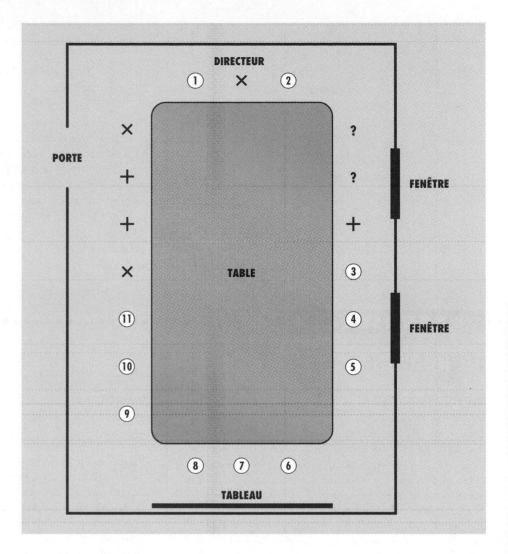

Source: Barry R. Armandi (SUNY-Old Westbury).

Les coulisses des organisations

Procédure

1. Procurez-vous un exemplaire de chaque document apparaissant dans la liste qui suit. Vous pourriez les obtenir de la société pour laquelle vous travaillez, demander à un parent de le faire pour vous ou vous adresser à votre université. Les universités possèdent des énoncés de mission, des codes d'éthique destinés aux corps étudiant et professoral, des organigrammes, des définitions de postes, des formulaires d'évaluation de l'enseignement et des outils de contrôle. Certaines associations d'étudiants pourraient également avoir ces documents. Il n'est pas nécessaire que tous les documents que *vous devez rapporter en classe* proviennent de la même organisation.

- (a) Énoncé de mission
- (b) Code d'éthique
- (c) Organigramme
- (d) Définition de poste
- (e) Formulaire d'évaluation
- (f) Outil de contrôle

2. Répartissez-vous en équipes selon les consignes du professeur. Montrez les documents respectifs que vous avez rapportés et informez vos coéquipiers de ce que vous avez appris en cherchant à les obtenir. Ainsi, avez-vous découvert que certaines organisations ont bel et bien *une mission* sans pour autant en posséder un *énoncé* écrit ? Avez-vous constaté qu'il peut exister des définitions de postes sans toutefois qu'elles servent vraiment ou qu'elles soient mises à jour ?

Source : Bonnie L. McNeely (Murray State University). «Make Your Principles of Management Class Come Alive», *Journal of Management Education*, vol. 18, n° 2, mai 1994, p. 246 à 249.

EXERCICE 24

D'un hamburger à l'autre...

Introduction

S'il est une étape critique de l'amélioration ou du changement au sein de toute organisation, c'est bien celle du *diagnostic* servant à analyser son fonctionnement courant. Bien des efforts visant à changer et à améliorer le fonctionnement d'une organisation ne parviennent pas à leurs objectifs parce que cette étape cruciale a été omise ou menée superficiellement. Pour illustrer cette situation, imaginez votre réaction si, après avoir confié à votre médecin que vous souffrez de douleurs à l'estomac, ce dernier recommandait une intervention chirurgicale sans procéder à des analyses, sans autre information et sans même vous examiner. Il est probable que vous changeriez de médecin !

Il est pourtant fréquent de voir des gestionnaires tenter d'instaurer des changements majeurs sans véritable diagnostic préalable, ce qui revient à entreprendre de vastes projets fondés sur des brouillons d'idées.

Au cours de cet exercice, on vous demandera d'effectuer le diagnostic collectif de deux organisations du secteur de la restauration rapide. Cette activité vous donnera l'occasion d'intégrer une bonne partie des connaissances acquises dans d'autres exercices et en étudiant d'autres sujets. Votre tâche consiste à décrire ces organisations aussi précisément que possible en fonction de plusieurs concepts organisationnels clés. Bien que vous connaissiez sans doute déjà ces entreprises, essayez de prendre du recul et de les évaluer comme si vous les observiez pour la première fois.

Procédure

1. Après la formation d'équipes de quatre à six étudiants, voici ce que vous avez à faire :

S'il existe une expérience commune à un grand nombre d'Américains, c'est sans doute la visite d'un établissement McDonald's pour y manger un hamburger. En fait, on dit souvent que les archéologues du XXVe siècle faisant des fouilles dans les ruines de notre civilisation concluront sans doute que la principale religion de notre époque était fondée sur un culte d'arches dorées.

Votre cabinet conseil – *RapidoExpert* – a la réputation d'être le plus habile, le plus perspicace et le plus coûteux des cabinets canadiens. Le président de McDonald's vous a engagés pour que vous fassiez des recommandations afin d'améliorer la motivation et le rendement du personnel dans les établissements franchisés. Nous partirons du principe que les tâches clés des activités d'exploitation dans ces franchises sont la préparation de la nourriture, la réception des commandes, les relations avec la clientèle et les tâches récurrentes d'entretien.

Depuis quelque temps, le président de McDo soupçonne ses concurrents principaux tels que Burger King, A&W, Mikes, Dunkin' Donuts et divers autres spécialisés dans la pizza, d'entamer sérieusement les parts de marché de sa société. Il a également engagé une agence d'études de marché afin qu'elle compare les qualités respectives des sandwiches, des frites et des boissons servies chez McDonald's et chez son principal concurrent. Il a également demandé à cette agence d'évaluer les campagnes publicitaires des deux organisations. Vous n'avez pas besoin de vous préoccuper des questions de marketing, sauf en ce qui concerne leur incidence possible sur le comportement des travailleurs. Le président désire que *vous* examiniez *l'organisation* des franchises afin de déterminer les points forts et les points faibles de McDo et de cette chaîne concurrente. Choisissez un concurrent qui *talonne* vraiment McDonald's dans votre région.

Le président a établi un contrat inhabituel avec vous : il veut que vos recommandations se fondent sur vos observations en tant que client. Il ne tient pas à un diagnostic complet basé sur des entrevues, des sondages ou ce que vous observeriez dans *les coulisses* des établissements. Votre rapport devra comporter deux parties (décrites plus loin). Souvenez-vous que le président veut obtenir des recommandations concrètes, précises et pragmatiques. Évitez les généralisations vagues du type «améliorer la communication» ou «accroître la confiance». Exprimez clairement *ce que doit faire* la direction pour améliorer le rendement de l'organisation. Justifiez vos suggestions en vous appuyant sur une ou plusieurs théories de la motivation, du leadership, des groupes de travail ou de la conception de postes.

1re partie

Étant donné que sa société a des objectifs de rentabilité, de volume de vente, de service rapide et courtois, et de propreté, le président de McDonald's veut une analyse *comparative* de McDo et de son concurrent *faisant ressortir leurs différences dans les domaines suivants* :

- Objectifs organisationnels
- Structure organisationnelle
- Technologie
- Environnement
- Motivation du personnel
- Communication
- Style de leadership
- Politiques/Procédures/Règles/Normes
- Conception des tâches
- Climat social au sein de l'organisation

2e partie

Étant donné les objectifs décrits dans l'introduction de la 1re partie (rentabilité, volume de vente, service rapide et courtois, propreté), quelles mesures spécifiques la direction de McDonald's et les propriétaires

de franchises pourraient-ils appliquer dans les domaines suivants pour les atteindre ?

- Conception de postes et circuits de production
- Structure organisationnelle (à l'échelle des établissements)
- Mesures d'incitation destinées aux membres du personnel
- Leadership
- Recrutement et sélection du personnel

En quoi McDonald's et son concurrent diffèrent-ils dans ces domaines ? Quelle société a la meilleure approche ?

2. Commencez par vous rendre en équipe dans un établissement McDonald's, puis dans un restaurant franchisé concurrent. Autant que possible, prenez un repas dans chacun d'eux. Afin de parvenir à une évaluation valable, choisissez des restaurants situés dans le même quartier ou la même région. Après avoir observé ce qui se passe dans chaque restaurant, réunissez-vous pour préparer un rapport de 10 minutes destiné au conseil de direction.

2. Chaque équipe présentera son rapport au reste de la classe qui jouera le rôle du conseil de direction. Le professeur désignera un *pointeur* afin de s'assurer que chaque équipe s'en tient aux 10 minutes permises.

Les questions à aborder au cours de la discussion pourraient couvrir les sujets suivants :

(a) Quelles sont les similitudes entre les deux organisations ?

(b) Quelles sont leurs différences ?

(c) Avez-vous des *intuitions* quelconques sur l'origine de certaines caractéristiques organisationnelles observées ? Ainsi, pourriez-vous essayer d'expliquer les raisons pour lesquelles l'une des organisations possède un type particulier de structure, de système de motivation et de climat social ?

(d) Pouvez-vous expliquer l'existence de ces caractéristiques en fonction d'autres aspects ? Par exemple : les objectifs sont-ils à l'origine de la structure, ou est-ce l'environnement qui a une incidence sur cette dernière ?

Source : D. T. Hall (Boston University) et F. S. Hall (University of New Hampshire).

Une invasion extraterrestre

Procédure

Cet exercice porte sur la culture organisationnelle. Vous ferez partie d'une équipe qui aura pour tâche de visiter une organisation.

1. Visitez en groupe les installations de l'organisation choisie dans les conditions décrites dans la section «situation» ci-dessous.

2. Prenez des notes détaillées sur les différents aspects de la culture organisationnelle que vous observez.

3. Préparez un exposé afin de présenter à la classe le résultat de vos observations et toutes les conclusions que vous avez pu en tirer sur la nature de cette organisation – son idéologie, ses valeurs et ses normes de comportement.

4. Veillez à expliquer les fondements de vos conclusions sur les manifestations de sa culture organisationnelle.

Vous disposerez de 20 minutes pour présenter votre rapport; préparez donc votre exposé avec soin. N'hésitez pas à utiliser tout document ou matériel que vous auriez pu rapporter pour aider votre auditoire à comprendre ce que vous avez découvert.

Situation

Vous êtes des Martiens qui viennent de débarquer de l'espace au cours du premier voyage habité en provenance de votre planète. Vos supérieurs vous ont confié la mission d'en apprendre le plus possible sur les Terriens et sur leurs comportements, sans leur laisser deviner quoi que ce soit de vos origines. Il est crucial, pour la réussite des plans futurs de vos supérieurs, que vous ne fassiez rien qui dérange ces créatures. Malheureusement, comme votre langage martien est constitué d'émissions d'ondes électromagnétiques, il vous est impossible de communiquer par la parole et de poser des questions aux indigènes de la planète Terre. Même si vous le pouviez, ce serait trop risqué, car il ressort des informations recueillies par l'Agence de Sécurité Interplanétaire – un organisme généralement fiable – que les Terriens ont tendance à dévorer ceux qui les irritent. Vous avez cependant bénéficié d'un cours intensif en langues terriennes, ce qui vous permettra de lire des documents dans la zone où votre astronef a atterri.

Ces consignes limitent votre collecte de données à la simple observation et vous empêchent de *parler* aux *indigènes*. Il y a deux raisons à ces consignes. Tout d'abord, votre objectif est d'apprendre comment fonctionne l'organisation dans l'exécution quotidienne de ses activités et non pas de vous fonder sur des réponses données, par des membres empressés, à un groupe d'étudiants curieux. Ensuite, il est probable que vous allez être surpris de pouvoir en découvrir autant par la simple observation, dans la mesure où vous faites preuve d'une concentration suffisante. Un grand nombre de gestionnaires d'expérience ont recours à ce talent pour *percevoir* ce qui se déroule lorsqu'ils font un simple tour de leur usine ou de leurs bureaux.

Comme vous ne pouvez parler à qui que ce soit, vous ne pourrez cerner certaines des composantes de la culture organisationnelle (les récits, les anecdotes, etc.), à moins de pouvoir vous procurer des exemplaires du matériel promotionnel de l'organisation au cours de votre visite (brochures, rapports annuels, matériel publicitaire). Ne vous découragez pas, car les aspects visibles tels que les objets, le cadre, les symboles et, parfois, les rituels peuvent transmettre beaucoup d'informations sur la culture de l'organisation. Ayez l'œil ouvert, les oreilles en alerte, et déployez vos antennes de Martien!

Source: Donald D. Bowen *et al. Experiences in Management and Organizational Behavior*, 4e éd., John Wiley and Sons, New York, 1997.

Interview d'un dirigeant

Procédure

1. Prenez rendez-vous avec un leader afin de l'interviewer. Il peut s'agir d'un chef d'entreprise ou d'un dirigeant d'un organisme sans but lucratif, d'une société d'État, d'un établissement d'enseignement, etc. Préparez votre interview à partir du questionnaire proposé ci-dessous, mais n'hésitez pas à y ajouter vos propres questions.

2. Apportez vos notes en classe. Formez des équipes selon les consignes du professeur. Comparez les réponses obtenues par chacun des membres de l'équipe. Quels sont les sujets qui reviennent d'une interview à l'autre? En quoi diffèrent-ils? Constatez-vous un degré de stress aussi élevé chez les leaders travaillant dans des organismes sans but lucratif que chez ceux qui dirigent des sociétés à but lucratif? Le nombre d'heures de travail de ces personnes vous a-t-il surpris?

3. Préparez un rapport écrit résumant les interviews menées dans votre équipe, si le professeur vous le demande.

Questionnaire suggéré pour l'interview

Nom de l'étudiant(e) _____ Date _____

1. Quel poste occupez-vous dans l'organisation (quel est votre titre)?
2. Depuis combien d'années occupez-vous ce poste?
   Combien d'années d'expérience à des postes de direction avez-vous?
3. Combien de subordonnés directs avez-vous?
4. Combien d'heures travaillez-vous en moyenne par semaine?
5. Comment avez-vous commencé à occuper des postes de direction?
6. Quel est l'aspect le plus stimulant du travail d'un leader?
7. Quelle est la partie la plus difficile de votre travail?
8. Selon vous, quelles sont les *clés de la réussite* pour un leader?
9. Quel(s) conseil(s) donneriez-vous à une personne qui aspire à devenir un leader?
10. À titre de leader, à quel type de questions éthiques avez-vous dû faire face?
11. Si vous deviez vous inscrire à un séminaire sur le leadership, quels sujets ou problèmes désireriez-vous approfondir?
12. Vos propres questions:

    (a) _____

    (b) _____

    (c) _____

    …

Sexe: M _____ F _____ Nombre d'années d'études _____

Degré de stress professionnel: Très élevé ___ Élevé ___ Moyen ___ Faible ___

Organisation à but lucratif ___ Organisme sans but lucratif ___

Informations complémentaires / Commentaires:

Source: Bonnie McNeely (Murray State University). «Make Your Principles of Management Class Come Alive», *Journal of Management Education*, vol. 18, n° 2, mai 1994, p. 246 à 249.

Inventaire des compétences en leadership

Procédure

1. Lisez attentivement la liste des compétences ci-dessous et demandez au professeur des précisions sur celles que vous ne comprenez pas.

2. Cochez la colonne *Excellente* ou *À améliorer* pour chaque compétence, selon ce que vous estimez être votre propre niveau.

3. Ensuite, décrivez brièvement une situation dans laquelle vous avez eu à utiliser chacune de ces compétences.

4. Retrouvez-vous en équipes pour discuter de vos inventaires respectifs. Préparez un rapport sur les compétences nécessitant le plus d'améliorations dans votre groupe.

Compétence	Excellente	À améliorer	Situation
• Communication	_____	_____	_____
• Gestion de conflits	_____	_____	_____
• Délégation de responsabilités	_____	_____	_____
• Comportement éthique	_____	_____	_____
• Écoute	_____	_____	_____
• Motivation	_____	_____	_____
• Négociation	_____	_____	_____
• Évaluation du rendement et rétroaction	_____	_____	_____
• Planification et fixation d'objectifs	_____	_____	_____
• Pouvoir et influence	_____	_____	_____
• Présentation et persuasion	_____	_____	_____
• Résolution de problèmes et prise de décisions	_____	_____	_____
• Gestion du stress	_____	_____	_____
• Harmonisation fonctionnelle de l'équipe	_____	_____	_____
• Gestion du temps	_____	_____	_____

Leadership et participation au processus décisionnel

Procédure

1. Pour chacune des 10 situations décrites ci-dessous, indiquez lequel des trois styles de prise de décision vous adopteriez. Indiquez vos choix par les lettres A, C ou G dans l'espace prévu à cette fin.

> A – Décision par voie d'autorité. Vous prendriez seul la décision sans informations supplémentaires.

> C – Décision par consultation. Vous prendriez la décision en vous appuyant sur les informations fournies par le groupe.

> G – Décision collective. Vous permettriez au groupe de prendre part au choix de la décision finale.

Situations exigeant une décision :

_____ 1. Vous avez mis au point une nouvelle procédure destinée à accroître la productivité. Votre patron apprécie votre idée et voudrait que vous l'implantiez d'ici à quelques semaines. Vous jugez vos subordonnés relativement compétents et estimez qu'ils se montreront ouverts au changement proposé.

_____ 2. De nouveaux concurrents viennent d'apparaître dans votre secteur de marché, et votre entreprise subit une baisse de revenus. On vous a demandé de congédier 3 de vos 10 salariés d'ici à deux semaines. Vous êtes leur supérieur depuis un an et vous les estimez très compétents.

_____ 3. Votre service fait face au même problème depuis plusieurs mois. Les nombreuses solutions implantées ont toutes échoué. Vous venez finalement d'avoir une idée pour résoudre ce problème, mais vous n'êtes pas certain des répercussions possibles du changement émanant de votre solution ni du degré d'assentiment de vos subordonnés, qui sont par ailleurs très compétents.

_____ 4. La popularité des horaires variables est grande dans votre organisation. Certains services permettent aux travailleurs de commencer et de finir leur travail à l'heure qui leur convient. Vous ne connaissez pas le degré d'intérêt de vos subordonnés à l'égard d'un changement d'horaire, mais vous songez à imiter ce qui se fait dans les autres services. Ils forment une équipe très compétente et aiment prendre des décisions.

_____ 5. La technologie dans votre secteur industriel évolue si rapidement que les membres de votre organisation ont du mal à suivre. La haute direction a engagé un expert-conseil qui vient de soumettre ses recommandations. Vous avez deux semaines pour prendre une décision à cet égard. Vos subordonnés sont compétents et ils apprécient la possibilité qui leur est donnée de participer au processus décisionnel.

_____ 6. Votre patronne vous a téléphoné pour vous annoncer qu'un client vient de passer une commande, revenant à votre service, assujettie à un délai très court de livraison. Elle vous prie de lui dire dans 15 minutes si vous acceptez ou refusez ce contrat. En consultant votre calendrier de production, vous comprenez qu'il sera très difficile d'honorer la commande à temps. Ce serait néanmoins possible si votre équipe mettait les bouchées doubles. Vos subordonnés sont coopératifs et compétents, et aiment prendre part au processus décisionnel.

_____ 7. La haute direction vient d'émettre une directive de changement. La façon de l'implanter vous concerne. Le changement doit prendre effet dans un mois. Il va toucher tout le monde dans votre service. L'accord de vos subordonnés est essentiel à la réussite du changement. Ils ne se montrent généralement pas très désireux de participer au processus décisionnel.

_____ 8. Vous croyez possible d'accroître la productivité de votre service. Vous avez envisagé diverses mesures pour y parvenir, mais vous n'êtes pas certain de leur efficacité. Vos subordonnés sont très expérimentés, et la plupart d'entre eux ont plus d'ancienneté dans le service que vous.

_____ 9. La haute direction songe à instaurer un changement qui touchera tous vos subordonnés. Vous savez qu'ils vont être furieux de ses conséquences sur leurs conditions de travail. Un ou deux d'entre eux vont probablement démissionner. Le changement prendra effet dans un mois. Vos subordonnés sont très compétents.

_____ 10. Un client vient de vous proposer un contrat d'achat de l'un de vos produits assorti de délais de livraison très courts. Son offre échoit dans deux jours. Pour honorer les délais du contrat, les salariés devront travailler de nuit, samedis et dimanches compris, durant six semaines. Vous ne pouvez exiger qu'ils fassent des heures supplémentaires. Signer ce contrat très lucratif pourrait vous aider à obtenir l'augmentation, méritée selon vous, que vous visez. Par contre, si vous ne tenez pas parole et ne respectez pas les délais, vos chances d'obtenir cette augmentation seront anéanties. Vos employés sont très compétents.

2. Regroupez-vous selon les consignes du professeur. Comparez vos choix pour chaque situation. Essayez de résoudre les divergences de points de vue et soyez prêt à justifier vos choix au cours d'une discussion générale.

■ EXERCICE 29 ●

Mon meilleur patron II

Procédure

1. Reportez-vous à l'exercice 1 (*Mon meilleur patron*) et à la liste des qualités établie par l'ensemble de la classe.

2. Relisez également *votre* liste personnelle. Imaginez qu'avec cette liste vous interrogiez une centaine de *citoyens ordinaires* dans la rue (ou dans un centre commercial) et que vous leur posiez la question suivante : Selon vous, tel trait de personnalité _____ ou telle qualité _____ est-il(elle) *plus courant(e) chez les femmes ou chez les hommes*, dans notre société ?

Que pensez-vous que *la plupart d'entre eux* vont répondre ? Que _____ (qualité X ou Y) se rencontre plus fréquemment *chez les femmes* ? Chez les *hommes* ? Chez les deux sexes ou chez aucun d'eux[1] ? Procédez de la même manière pour chaque trait ou qualité de la liste que vous avez établie (5 minutes).

3. Procédez de la même manière pour la liste établie collectivement par la classe (5 minutes).

4. La classe répondra ensuite elle-même au sondage de façon sommaire : elle déterminera à quel sexe elle associe chacune des qualités de la liste collective (10 à 15 minutes)[2].

5. Discussion. Que remarquez-vous dans les données générées par votre classe ? Quelles conclusions en tirez-vous ? (15 à 20 minutes)

---

1. Cela permet aux étudiants de prendre conscience, au-delà de leurs *propres* conceptions, des définitions que la société donne aux concepts de *masculinité* et de *féminité*.

2. Procédez à main levée et à la majorité absolue. Indiquez par un F les qualités attribuées aux femmes et par un M, celles qu'une majorité attribue aux hommes (cette procédure se rapproche de la méthode de la répartition moyenne utilisée dans l'inventaire de Bem sur les rôles sexuels). Si une nette majorité ne se dessine pas (si le vote est *serré*), indiquez par F/M que la classe attribue ce trait ou cette qualité aux deux sexes.

Source : J. Marcus Maier (Chapman University). «The Gender Prism», *Journal of Management Education*, vol. 17, nᵒ 3, 1993 (mis à jour en 1996), p. 285 à 314. (Prix Fritz Roethlisberg 1994 du meilleur article.)

• • • • • • • • • EXERCICE 30 •

Écoute active

Procédure

1. Relisez la section du chapitre 16 consacrée à l'écoute active (entre autres, le *Gestionnaire efficace 16.2*) et aux compétences et comportements qui y sont associés.

2. Formez des équipes de trois étudiants : une personne *écoutera*, une autre *parlera* et la troisième *observera* (s'il est impossible de diviser la classe en groupes de trois, on peut avoir deux observateurs dans une ou deux équipes).

3. Le *parlant* est libre d'aborder tout sujet qui l'intéresse *tant qu'il perçoit une écoute active* de la part de l'*écoutant*. Il devrait cesser de parler dès qu'il ne se sent plus écouté activement.

4. L'*écoutant* devrait se servir des règles de base de l'écoute active énoncées au chapitre 16 et en respecter le plus grand nombre possible pour s'assurer que la personne qui parle poursuit ses explications. Il ne devrait pas y avoir d'autres interventions de sa part – qu'il se contente d'écouter activement.

5. L'*observateur* prendra des notes sur les comportements et les compétences de l'*écoutant,* et sur leur incidence apparente sur le processus de communication.

6. Changez de rôle jusqu'à ce que chaque étudiant ait rempli les trois fonctions.

7. Le professeur organisera une discussion sur les remarques des observateurs et sur les comportements des *parlants* et des *écoutants*. La discussion portera surtout sur les règles de base de l'écoute active qui ont été respectées, sur celles qui n'ont pas été respectées, ainsi que sur l'effet du comportement des *écoutants* sur la communication.

Source : Robert Ledman (Morehouse College), d'après son exposé intitulé *An Experiential Exercise to Teach Active Listening,* présenté à la *Organizational Behavior Teaching Conference* (Macomb, Illinois, 1995).

Évaluation d'un supérieur

Procédure

1. Formez des équipes selon les consignes du professeur.

2. Le professeur quitte la salle.

3. Chaque équipe se réunit et prend 10 minutes pour établir une liste des commentaires, problèmes, questions et préoccupations qu'elle voudrait faire connaître au professeur concernant le cours depuis son commencement jusqu'au moment de cet exercice. *Souvenez-vous* que l'intérêt de cet exercice est double : (a) communiquer vos impressions au professeur, (b) en apprendre davantage sur le processus de rétroaction, à la fois pour celui qui la donne et celui qui la reçoit.

4. Choisissez un porte-parole, qui communiquera les impressions de votre équipe au professeur.

5. Les porte-parole devraient se réunir brièvement pour décider de la disposition la plus appropriée des chaises et des tables pour la séance de rétroaction. Réaménagez la salle de classe en fonction de leurs décisions.

6. Pendant que les porte-parole se réunissent, les équipes devraient discuter de ce qu'elles attendent de l'activité. L'expérience de rétroaction va-t-elle être positive pour toutes les patries concernées ? Préparez-vous à observer d'un œil critique le déroulement du processus.

7. Le professeur revient dans la salle, et la séance de rétroaction proprement dite commence. Des observateurs désignés devraient prendre des notes afin de présenter des commentaires constructifs à la fin de l'exercice.

8. Une fois la séance de rétroaction terminée, le professeur lancera la discussion en demandant aux observateurs de faire part de leurs commentaires et aux porte-parole de présenter leurs réactions.

Rétroaction à 360 degrés

Introduction

Bien des membres des organisations éprouvent une anxiété véritable au moment des périodes d'évaluation du rendement. Ce processus est néanmoins un important rituel organisationnel et un élément clé de la gestion des ressources humaines. Les organisations établissent généralement des procédures et des mécanismes pour se livrer à cette évaluation. Il est, par ailleurs, rare que les gestionnaires soient à l'aise avec le processus. Ils se sentent souvent embarrassés dans ce rôle de *juge tout-puissant* qui leur incombe. Il est fort possible que cela se produise parce que les gestionnaires reçoivent rarement une formation véritable sur la façon de fournir de la rétroaction. Pourtant, pour le gestionnaire, la capacité de fournir une rétroaction adéquate est au cœur même de sa fonction d'*entraîneur* et de *formateur*. Elle permet alors d'investir dans le développement professionnel d'un autre individu et n'est pas le mécanisme punitif que l'on associe souvent aux *commentaires du patron*. Pour ce qui est des subordonnés, il est clair que la plupart d'entre eux veulent savoir où ils en sont – un désir souvent atténué par la crainte de *se faire tirer les oreilles*. Mais il arrive trop souvent, dans certaines organisations, que la rétroaction fournie soit imprécise et édulcorée.

Procédure

1. Relisez la section du chapitre 16 qui traite de la rétroaction (entre autres, le *Gestionnaire efficace 16.1*) avant de venir en cours. Il serait également intéressant que vous preniez des notes sur vos perceptions et sentiments à l'égard du cours *avant de vous présenter en classe*.

2. Par petits groupes, les étudiants discutent de leurs expériences, positives et négatives, concernant le cours. Chaque groupe devrait déterminer sur quels aspects ils vont évaluer le cours *et* le professeur. Ainsi, vous pourriez discuter à partir de critères tels que la pertinence de ce que l'on vous enseigne (par rapport à votre formation de gestionnaire), la façon dont l'enseignant structure et présente le contenu (cours magistral, travaux pratiques, etc.), ainsi que son style d'enseignement (enthousiasme, impartialité, etc.).

3. Chaque groupe désigne l'un d'entre ses membres pour qu'il le représente dans un groupe de porte-parole qui fournira ensuite de la rétroaction au professeur devant toute la classe.

4. L'ensemble des étudiants fournit ensuite à ce groupe de porte-parole de la rétroaction sur l'efficacité dont ses membres ont fait preuve au cours de l'exercice, c'est-à-dire jusqu'à quel point ils ont su effectivement mettre en pratique les principes d'une rétroaction efficace (commentaires descriptifs, spécifiques plutôt que généraux).

Source : D'après Timothy J. Serey (Northern Kentucky University). *Journal of Management Education,* vol. 17, n° 2, mai 1993.

EXERCICE 33

Analyse et négociation de rôle

Introduction

Un rôle correspond à un ensemble de comportements attendus de la part d'un individu (ou d'un groupe) occupant une position particulière. Ces attentes à l'égard des rôles existent dans tous les types d'organisations, qu'il s'agisse de lieux de travail, d'établissements d'enseignement, de familles, d'associations, etc. Il se produit une ambiguïté de rôle lorsqu'une personne éprouve des incertitudes à propos de ce que l'on attend d'elle. Il peut également arriver qu'un rôle comporte des attentes contradictoires, telles que la loyauté à l'égard d'une entreprise qui enfreint la loi.

La méthode d'analyse de rôle (*Role Analysis Technique*) sert à améliorer l'efficacité d'une équipe ou d'un groupe. Cette méthode permet de clarifier les attentes liées aux rôles – tous les membres d'une organisation ont des responsabilités qui se traduisent en attentes. D'une définition consensuelle des exigences associées à un rôle – faisant appel à toutes les personnes concernées – découleront davantage d'efficacité et une plus grande satisfaction mutuelle. La participation et la collaboration des membres à ce processus de définition et d'analyse des rôles devraient clarifier le partage des responsabilités et accroître le degré d'engagement de chacun à l'égard des décisions prises.

Procédure

Procédez individuellement. Lisez attentivement le plan de cours que vous a remis le professeur. Notez par écrit vos questions sur tous les points qui ne vous semblent pas clairs ou que vous comprenez mal. Accordez une attention particulière aux exigences concernant votre rendement dans le cours. Dressez une liste de tout ce que l'on attend de vous pour que vous réussissiez. Discutez ensuite de vos questions respectives en petits groupes.

Source: Paul Lyons (Frostburg State University). «Developing Expectations with the Role Analysis Technique», *Journal of Management Education*, vol. 17, n° 3, août 1993, p. 386 à 389.

EXERCICE 34

Les naufragés

Introduction

Imaginez cette situation:

Le yacht sur lequel vous vous trouvez dérive sur les eaux du Pacifique sud lorsqu'éclate un incendie qui détruit le bateau et la plus grande partie de ce qu'il contenait. Vous faites partie d'un petit groupe de survivants ayant trouvé refuge sur un canot de sauvetage équipé de rames. Vous ne savez pas exactement quelle est votre position, mais vous l'estimez à près d'un millier de kilomètres de la côte la plus proche. L'un d'entre vous vient de trouver cinq billets de un dollar et une boîte d'allumettes dans ses poches. Par contre, vos poches et celles des autres sont vides. À bord du canot de sauvetage vous disposez des objets suivants:

	A	B	C
Un sextant	___	___	___
Un miroir de poche	___	___	___
20 litres d'eau	___	___	___
Une moustiquaire	___	___	___
Une ration de survie	___	___	___
Des cartes de l'océan Pacifique	___	___	___
Un coussin pneumatique	___	___	___
8 gallons de carburant	___	___	___
Une petite radio-transistor	___	___	___
Du produit répulsif contre les requins	___	___	___
Une bâche en plastique noir de 6 m²	___	___	___
Un litre de rhum	___	___	___
5 m de corde en nylon	___	___	___
24 tablettes de chocolat	___	___	___
Du matériel de pêche	___	___	___

Procédure

1. *En procédant seul*, classez les 15 objets par ordre d'importance pour votre survie dans la colonne A (1 = indispensable – 15 = moins important).

2. *Avec le groupe auquel vous serez assigné*, produisez le même type de classement dans la colonne B. Désignez l'un d'entre vous pour présenter vos conclusions au reste de la classe.

3. N'écrivez rien dans la colonne C tant que votre professeur ne vous aura pas donné d'autres consignes.

Source : «Lost at Sea : A Consensus Seeking-Task», *The 1975 Handbook for Group Facilitators.*

• • • • • • • **EXERCICE 35** •

Incursion dans l'inconnu

Procédure

1. Formez des groupes de quatre ou cinq étudiants. Prenez quelques minutes dans votre groupe pour réfléchir aux *premières attitudes* que manifestent généralement les membres d'organisations qui se trouvent dans des situations nouvelles, puis à leurs comportements lorsqu'ils sont dans un cadre familier.

2. Selon les consignes du professeur, séparez-vous pour former de nouveaux groupes de quatre ou cinq personnes.

3. Ces nouveaux groupes vont consacrer de 15 à 20 minutes à faire connaissance. Il n'y aucune consigne particulière concernant la façon de procéder, mais soyez tous davantage conscients de vos *premières attitudes* dans un nouveau groupe. Essayez d'agir de façon à vous sentir davantage à l'aise au sein de votre groupe.

4. Réfléchissez ensuite à ce qui s'est déroulé dans votre nouveau groupe en accordant une attention particulière aux points suivants :

(a) De quels sujets avez-vous discuté (contenu) ? Cela portait-il sur la situation présente ou sur des situations éloignées de votre cadre actuel ?

(b) Quelle approche votre groupe a-t-il adoptée pour cette tâche (processus) ? Quelle approche avez-vous adoptée, au sein de votre groupe, pour cette même tâche ? Avez-vous tenté de lancer la discussion ou avez-vous attendu pour y participer ? De quelle façon ? Avez-vous posé des questions ou vous êtes-vous contenté d'écouter ? Avez-vous répondu à celles des autres ? Avez-vous proposé des sujets ?

(c) Étiez-vous davantage préoccupé par votre façon d'entrer en communication avec les autres que par celle des autres d'entrer en communication avec vous ? Vous êtes-vous montré prudent ou entreprenant ? Avez-vous fait preuve d'ouverture ? Avez-vous abordé des sujets qui pouvaient paraître difficiles ou risqués ? Votre groupe a-t-il utilisé l'humour ? Cela a-t-il nui ou a-t-il eu un effet positif ?

(d) Que pensez-vous de l'approche ou des comportements que vous avez adoptés ? Était-ce difficile ou facile ? Les autres ont-ils réagi comme vous vous y attendiez ? Y a-t-il certaines attitudes que vous désireriez manifester plus souvent, mieux ou moins souvent ?

(e) Vos attitudes correspondaient-elles à ce que vous aviez prévu (objectifs) ?

5. L'ensemble de la classe discutera ensuite des réponses à ces questions. (*Remarque:* les réponses auront tendance à varier au sein d'un groupe, mais il devrait y avoir certaines similitudes d'un groupe à l'autre.) Cette discussion permettra aux étudiants de prendre conscience de leurs *premières attitudes* et de les comprendre.

6. *Facultatif:* Un nombre restreint d'étudiants partagent leurs premières attitudes; ils peuvent discuter pendant 5 à 10 minutes de leurs perceptions mutuelles.

   (a) Quelles attitudes ces étudiants ont-ils appréciées ou estimées particulièrement utiles? Lesquelles n'ont-ils pas aimées?

   (b) Quelles ont été vos réactions à l'égard des autres? Avez-vous remarqué les approches par lesquelles les autres ont tenté d'entrer en communication? Si oui, quelles sont ces approches?

   (S'il y a des inquiétudes à propos des aspects personnels de cette discussion, le professeur peut demander aux groupes d'exprimer ce qu'ils ont aimé et ce qu'ils n'ont pas aimé sans faire de référence à des individus précis.)

Source: Michael R. Manning (New Mexico State University), Conrad N. Jackson (MPC Inc., Huntsville, Alabama) et Paula S. Weber (New Mexico Highlands University).

EXERCICE 36

Le casse-tête des congés

Procédure

Pouvez-vous résoudre ce casse-tête? Essayez, puis comparez vos réponses à celles des autres étudiants. Faites appel à vos talents de communicateur!

Le casse-tête

Les professeurs Khalili, McCain, Middleton, Porter et Quintaro enseignent tous à Oklahoma City University. Tous ont droit à deux semaines de vacances annuellement. L'an passé, ils ont tous pris leur première semaine de congé au cours des cinq premiers mois de l'année et leur seconde semaine au cours des cinq derniers mois. Si chaque professeur a pris chacune de ses deux semaines de congé au cours d'un mois différent de celui des autres, au cours de quel mois a-t-il (elle) pris sa première puis sa seconde semaine?

Voici ce qui s'est passé:

(a) McCain a pris sa première semaine avant Khalili qui a pris chacune de ses semaines de vacances avant Porter; l'ordre était inverse pour ce qui est de la deuxième semaine.

(b) Le professeur qui a eu des vacances en mars en a pris également en septembre.

(c) Quintaro n'a pris sa première semaine ni en mars ni en avril.

(d) Ni Quintaro ni le professeur qui a pris sa première semaine en janvier ne sont partis en vacances pendant le mois d'août ou de décembre.

(e) Middleton a pris sa deuxième semaine avant McCain, mais après Quintaro.

Mois	Professeur
Janvier	
Février	
Mars	
Avril	
Mai	
Juin	
Juillet	
Août	
Septembre	
Octobre	
Novembre	
Décembre	

Source : Barbara G. McCain et Dr Mary Khalili (Oklahoma City University), à partir d'une activité conçue par le Dr Khalili.

EXERCICE 37

Les oranges Ugli

Introduction

Dans la plupart des milieux professionnels, les gens ont besoin les uns des autres pour accomplir leurs tâches, servir leur organisation et progresser dans leur carrière. Parvenir à des résultats au sein des organisations exige de nous que nous collaborions avec d'autres, même si leurs objectifs sont différents des nôtres. Votre tâche, au cours de cette activité, est d'apprendre à parvenir à cette collaboration avec davantage d'efficacité.

Procédure

1. Formez des équipes de deux personnes. Un étudiant de chaque équipe lira la description du rôle du Dr Roland et se préparera à le tenir, tandis que l'autre étudiant fera la même chose pour celui du Dr Jean (le professeur vous distribuera ces descriptions). De plus, l'un des deux étudiants sera aussi porte-parole de l'équipe, et l'autre, observateur. Apprenez vos rôles respectifs et préparez-vous à rencontrer votre homologue, puis passez aux étapes 2 et 3.

2. À cette étape, le professeur vous annonce qu'il jouera le rôle de M. Cardoza, propriétaire de l'entreprise pour laquelle travaillent les deux docteurs. Il vous donnera les précisions suivantes :

   (a) la durée de la rencontre avec votre homologue ;

   (b) les informations qu'il vous demandera de lui transmettre à la fin de votre rencontre.

   Lorsque vous aurez ces informations, vous pourrez rencontrer le représentant de l'autre entreprise et déterminer les questions sur lesquelles vous croyez pouvoir parvenir à un accord.

3. Après les rencontres (les négociations), le porte-parole de chaque équipe présentera, au reste de la classe, les accords conclus. L'autre membre de l'équipe, l'observateur, fera état de la dynamique des négociations et du processus ayant permis d'aboutir à un accord.

4. Prêtez attention aux points suivants:

   (a) Avez-vous trouvé une solution? Si oui, qu'est-ce qui a été essentiel pour parvenir à un accord?

   (b) Y a-t-il eu un climat de confiance mutuelle entre vous et l'autre négociateur? Pourquoi ce climat s'est-il (ou ne s'est-il pas) instauré?

   (c) Chaque partie a-t-elle transmis toute l'information dont elle disposait? Quelle proportion de l'information chaque partie a-t-elle partagée?

   (d) Quel est le degré de créativité ou de complexité des solutions proposées? Si ces solutions s'avèrent compliquées, pourquoi, selon vous, cela s'est-il produit?

   (e) La présence de «l'auditoire» a-t-elle eu une incidence sur votre comportement? Sa présence a-t-elle facilité les négociations ou les a-t-elle compliquées?

Source: D'après Hall *et al. Experiences in Management and Organizational Behavior*, 3ᵉ éd., John Wiley and Sons Inc., New York, 1998. Conçu à l'origine par Robert J. Hause. Adaptation de D.T. Hall et R.J. Lewicki avec des suggestions de H. Kolodny et T. Ruble.

EXERCICE 38

Analyse du champ des forces

Procédure

1. Choisissez une situation aux enjeux élevés pour vous (comment obtenir une meilleure note dans tel cours, une promotion ou un poste).

2. En vous servant du tableau d'analyse du champ des forces figurant ci-dessous, appliquez cette méthode à votre situation.

   (a) Décrivez cette situation comme elle se présente en ce moment.

   (b) Décrivez la situation telle que vous vous voudriez qu'elle soit.

   (c) Identifiez les *forces motrices* – les facteurs qui concourent à vous faire aller dans la direction souhaitée.

   (d) Identifiez les *forces restrictives* – les facteurs qui freinent votre progression dans la direction souhaitée.

3. Essayez d'être aussi précis que possible dans la description des facteurs ci-dessus. Dressez-en une liste complète et n'en oubliez pas!

4. Reprenez ensuite votre liste et classez chacune de ces forces en lui attribuant le qualificatif *fort*, *moyen* ou *faible*. Faites-le pour les deux types de forces.

5. À cette étape, classez les forces en fonction de leur capacité à influer sur la situation ou à la contrôler.

6. Comparez vos analyses par petits groupes. Discutez de l'utilité (et des inconvénients) de recourir à cette méthode pour des situations personnelles, et de l'appliquer à des organisations.

7. Préparez-vous afin de communiquer les conclusions de votre groupe au reste de la classe.

Tableau d'analyse des forces en présence

Situation actuelle	Situation recherchée

Forces motrices	Forces restrictives

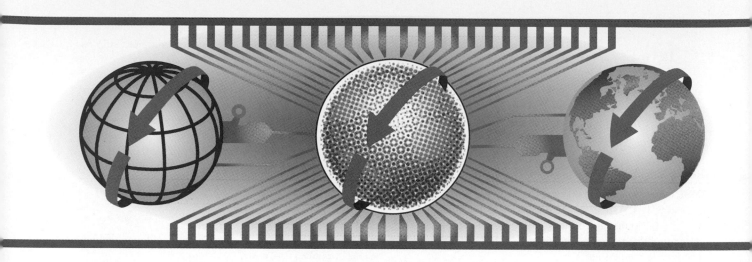

AUTOÉVALUATIONS

TEST 1

Les postulats d'un gestionnaire

Procédure

Lisez les énoncés suivants. Si vous êtes d'accord avec l'affirmation, inscrivez «oui» dans l'espace prévu à cette fin; si vous êtes en désaccord avec l'affirmation, inscrivez «non». Adoptez un point de vue pour chaque proposition.

_____ **1.** Un bon salaire et une sécurité d'emploi suffisent pour satisfaire la plupart des travailleurs.

_____ **2.** Un gestionnaire devrait aider ses subordonnés dans l'accomplissement de leurs tâches et les encadrer.

_____ **3.** La plupart des gens aiment assumer de véritables responsabilités dans leur emploi.

_____ **4.** La plupart des travailleurs craignent d'acquérir de nouvelles connaissances dans le cadre de leur emploi.

_____ **5.** Les gestionnaires devraient laisser leurs subordonnés contrôler la qualité de leur travail.

_____ **6.** La plupart des gens détestent travailler.

_____ **7.** La plupart des gens sont créatifs.

_____ **8.** Un gestionnaire devrait superviser de près ses subordonnés et diriger leur travail.

_____ **9.** La plupart des gens ont tendance à résister au changement.

_____ **10.** La plupart des gens ne travaillent que s'ils y sont obligés.

11. Les gens devraient avoir la possibilité de fixer eux-mêmes leurs objectifs de travail.

12. La plupart des gens sont plus heureux en dehors de leur travail.

13. La plupart des gens ont vraiment à cœur l'organisation pour laquelle ils travaillent.

14. Un gestionnaire devrait aider ses subordonnés à progresser et à s'épanouir dans leur travail.

Résultat

Comptez le nombre de réponses affirmatives aux questions 1, 4, 6, 8, 9, 10, 12, et inscrivez le résultat ici : X = _____. Comptez ensuite le nombre de fois où vous avez répondu «oui» aux questions 2, 3, 5, 7, 11, 13, 14, et inscrivez le résultat ici : Y = _____.

Interprétation

Cette évaluation va vous donner quelques indices sur vos tendances relativement aux hypothèses de la *théorie X* et de la *théorie Y* avancées par Douglas McGregor (vos résultats X et Y). Nous vous suggérons de relire la section du chapitre 1, consacrée à ces hypothèses (*Le travail et la qualité de vie*), et de réfléchir à la façon dont vous allez probablement agir avec les autres individus dans votre cadre de travail. Réfléchissez en particulier aux types de *prophéties qui se réalisent* (chapitre 5) que vous allez probablement générer.

Source : John R. Schermerhorn Jr. *Management*, 5e éd., John Wiley and Sons Inc., New York, 1996, p. 51.

- - - - - - **TEST 2** -

Le gestionnaire du XXIe siècle

Procédure

Procédez à l'évaluation de vos caractéristiques personnelles en vous basant sur le barème ci-dessous :

> F = Fort. Je suis très à l'aise sur ce point.
>
> B = Bon. J'ai encore des progrès à faire sur ce point.
>
> I = Insuffisant. Je dois vraiment travailler fort pour m'améliorer sur ce point.
>
> ? = Indécis. Je ne sais pas.

1. *Résistance au stress*. Aptitude à mener à bien un travail, même dans des conditions stressantes.

2. *Tolérance à l'incertitude*. Aptitude à mener à bien un travail, même dans des conditions ambiguës et incertaines.

3. *Objectivité sociale*. Capacité à agir sans préjugés raciaux, ethnoculturels ou sexistes et autres tendances discriminatoires.

4. *Normes professionnelles personnelles*. Capacité à établir ses propres normes de haute performance et à les respecter.

5. *Endurance*. Capacité à supporter de longues heures de travail.

6. *Flexibilité*. Capacité à faire preuve de souplesse et à s'adapter aux changements.

7. *Confiance en soi*. Capacité à prendre des décisions à maintes reprises et à les faire respecter.

8. *Autoévaluation objective*. Aptitude à évaluer ses points forts autant que ses points faibles, et à connaître ses compétences et motifs personnels au travail.

9. *Introspection*. Capacité à tirer profit des expériences, de la conscience de soi et de l'auto-observation.

10. *Esprit d'entreprise*. Aptitude à s'attaquer aux problèmes et à tirer profit des occasions de changement constructif.

Résultat

Comptez un point par **F** et un demi-point par **B** ; n'accordez aucun point aux caractéristiques marquées d'un **I** ou d'un **?**. Faites le total des points obtenus et inscrivez-le ici : votre *Profil de gestionnaire* _____

Interprétation

Ce test vous permet d'esquisser votre profil de gestionnaire. Êtes-vous le prototype parfait du gestionnaire (résultat de 10) ou votre résultat est-il légèrement inférieur ? Il est probable que la perfection ne sera pas monnaie courante dans votre classe. Demandez à quelqu'un qui vous connaît bien de vous évaluer ; vous serez surpris des différences entre son évaluation et la vôtre. Soyons réalistes, la plupart d'entre nous doivent fournir des efforts pour poursuivre leur développement personnel concernant ces points ainsi que d'autres caractéristiques associées aux fonctions de gestionnaire. Cette liste est un excellent point de départ si vous voulez savoir quelles compétences de gestionnaire améliorer et comment le faire. L'American Assembly of Collegiate Schools of Business (AACSB) recommande de veiller au développement de ces compétences et caractéristiques

personnelles chez les étudiants en administration des affaires. Leur réussite – et la vôtre – à titre de gestionnaires du XXIe siècle pourrait fort bien dépendre (1) d'une prise de conscience de l'importance de ces caractéristiques fondamentales en gestion, et (2) d'une volonté de se consacrer à les renforcer tout au long d'une carrière professionnelle.

Source : Outcome Management Project, Phase I et Phase II, American Assembly of Collegiate School of Business, St. Louis, 1986 et 1987.

TEST 3

Tolérance à l'agitation

Procédure

Les affirmations qui suivent sont celles d'un gestionnaire de 37 ans travaillant dans une grande société prospère. Aimeriez-vous avoir un emploi doté de ces caractéristiques ? En vous basant sur le barème ci-dessous, inscrivez vos réponses dans l'espace prévu à cette fin.

> 4 = J'apprécierais énormément ; c'est tout à fait acceptable.
>
> 3 = Cela serait acceptable et plaisant la plupart du temps.
>
> 2 = Je ne crois pas que je réagirais à cette situation d'une façon particulière.
>
> 1 = Cela serait quelque peu désagréable pour moi.
>
> 0 = Je n'apprécierais pas du tout.

_____ **1.** Je passe fréquemment de 30 % à 40 % de mon temps en réunion.

_____ **2.** Il y a un an et demi, mon poste n'existait pas ; ainsi, j'ai dû le définir au fur et à mesure.

_____ **3.** Très souvent, je ne détiens pas assez d'autorité pour déléguer à d'autres les responsabilités que j'assume ou que l'on me confie.

_____ **4.** À tout moment, j'ai en moyenne une douzaine de messages téléphoniques auxquels je dois répondre.

_____ **5.** Il ne semble pas y avoir de lien entre la qualité de ma performance et ma rémunération.

_____ **6.** Dans mon travail, j'ai besoin de deux semaines par année de formation en gestion, et ce, tout simplement pour me tenir à jour.

_____ **7.** Nous avons un excellent programme d'équité en matière d'emploi, et ma société a des activités transnationales, ce qui m'amène fréquemment à établir des contacts professionnels étroits avec des individus des deux sexes et d'origines ethnoculturelles et de nationalités très diverses.

_____ **8.** Il n'existe aucun moyen objectif de mesurer mon efficacité.

_____ **9.** Je dépends de trois supérieurs pour divers aspects de mon poste et chacun d'eux a son mot à dire dans l'évaluation de ma performance.

_____ **10.** Je consacre en moyenne près du tiers de mon temps à des urgences inattendues qui m'obligent à retarder tout ce que j'avais prévu de faire.

___ **11.** Lorsque je dois rencontrer tous les gens que je supervise, ma secrétaire passe la majeure partie de sa journée à trouver un moment où nous serons tous disponibles; et même lorsqu'elle y parvient, je ne suis jamais certain que tout le monde pourra assister à la réunion jusqu'à la fin.

___ **12.** Mon diplôme universitaire, qui devait me préparer à ce genre d'emploi, est maintenant dépassé, et je devrais probablement retourner étudier pour en obtenir un autre.

___ **13.** Mon poste exige la lecture hebdomadaire de 100 à 200 pages de documentation technique.

___ **14.** Je dois m'absenter de chez moi au moins une nuit par semaine.

___ **15.** Mon service dépend tellement des activités de plusieurs autres services qu'il est presque impossible de déterminer lequel d'entre eux est responsable de l'exécution de certaines tâches.

___ **16.** L'an prochain, le poste auquel je serai probablement promu dans une autre division aura relativement les mêmes caractéristiques que celui que j'occupe actuellement.

___ **17.** Depuis que je travaille ici, il y a eu une restructuration complète chaque année, soit à l'échelle de la société tout entière ou à celle de mon service.

___ **18.** Bien que je puisse envisager plusieurs possibilités d'avancement, je dois admettre qu'objectivement je ne vois aucun véritable cheminement de carrière.

___ **19.** Bien que je puisse envisager plusieurs possibilités d'avancement, je ne crois pas avoir de véritables chances d'accéder aux postes de haute direction.

___ **20.** Même si j'ai bien des idées sur la façon d'améliorer les choses, je n'ai pas vraiment d'influence directe sur la stratégie d'entreprise ni sur la politique concernant les salariés de ma division.

___ **21.** Ma société vient de mettre en place un centre d'évaluation. Tous les cadres, moi y compris, devront y subir une batterie de tests psychologiques destinés à évaluer leur potentiel.

___ **22.** Ma société est partie défenderesse dans un procès antitrust et, si l'affaire est portée devant les tribunaux, je serai probablement amené(e) à témoigner à propos de certaines décisions prises il y a quelques années.

___ **23.** Avec la bureautique et l'informatique, on introduit continuellement de nouvelles technologies dans ma division, et je suis en perpétuel apprentissage.

___ **24.** Sans que je le sache, mes patrons peuvent me contrôler en accédant à mon ordinateur.

Résultat

Additionnez les points de vos réponses et divisez la somme par 24. Inscrivez votre résultat ici: Tolérance à l'agitation = _____.

Interprétation

Ce test permet de vous faire une idée de votre seuil de tolérance en matière de gestion dans des périodes mouvementées; ce qui va probablement caractériser le monde du travail dans ce nouveau siècle. Généralement, plus le résultat est élevé, plus l'individu semble à l'aise dans des situations agitées et marquées par des changements, un signe des plus positifs. À des fins de comparaison, la moyenne des résultats de 500 jeunes gestionnaires et étudiants à la maîtrise en administration des affaires a été de 1,5 à 1,6. L'auteur du test suggère d'interpréter le résultat à la façon d'une moyenne cumulative d'un bulletin pour laquelle 4 correspondrait à un A d'excellence. Selon cette interprétation, 1,5 correspondrait à un C... Et vous, qu'avez-vous obtenu?

Indice de préparation à la mondialisation

Procédure

Établissez votre autoclassement pour chacun des points suivants afin d'évaluer votre degré de préparation à un environnement de travail mondialisé. En vous basant sur le barème ci-dessous, inscrivez vos réponses dans l'espace prévu à cette fin.

> 1 = Très peu
> 2 = Peu
> 3 = Passablement
> 4 = Bien
> 5 = Très bien

_____ **1.** Je comprends ma propre culture en matière d'attentes et de valeurs ainsi que son incidence sur la communication et les relations interpersonnelles.

_____ **2.** Si quelqu'un me présente un point de vue différent du mien, j'essaie de le comprendre plutôt que de le critiquer.

_____ **3.** Je suis parfaitement à l'aise dans des situations où il y a un manque d'information et dont les résultats sont imprévisibles.

_____ **4.** Je suis ouvert(e) à la nouveauté et suis toujours à la recherche de nouvelles données et d'occasions d'apprendre.

_____ **5.** Je comprends assez bien les attitudes à l'égard de ma culture et les perceptions que peuvent en avoir des personnes issues d'autres cultures.

_____ **6.** Je suis toujours à la recherche d'information sur d'autres pays et cultures afin d'apprendre toujours plus.

_____ **7.** Je suis parfaitement au courant de ce qui différencie les systèmes de gouvernement et les systèmes politiques et économiques à travers le monde.

_____ **8.** Je m'efforce d'accroître ma compréhension des personnes issues d'autres cultures.

_____ **9.** Je suis capable d'adapter mon style de communication afin de travailler plus efficacement avec des gens de cultures différentes.

_____ **10.** Je peux déceler les effets des différences culturelles sur les relations professionnelles et adapter mes attitudes et mon comportement en conséquence.

Interprétation

Pour réussir dans l'environnement de travail du XXIe siècle, il faut être à l'aise avec la dimension mondiale de l'économie et la diversité culturelle qui y est inhérente. Cela exige un _esprit d'ouverture sur le monde_, réceptif aux différences culturelles et respectueux de ces différences ; une _connaissance des réalités mondiales_, qui passe par l'envie continuelle de connaître les autres nations et cultures et d'en apprendre plus sur elles ; et des _compétences professionnelles adaptées au contexte de la mondialisation_ permettant de travailler efficacement avec toutes les cultures.

Résultat

L'objectif est de parvenir à un résultat aussi près que possible d'un «5» parfait pour chacune des trois dimensions suivantes de la préparation à la mondialisation. Pour chacune d'elles, calculez votre résultat de la manière spécifiée :

Esprit d'ouverture sur le monde
$$\text{Points } (1 + 2 + 3 + 4) / 4 = \underline{\hspace{1cm}}$$

Connaissances des réalités mondiales
$$\text{Points } (5 + 6 + 7) / 3 = \underline{\hspace{1cm}}$$

Compétences professionnelles adaptées au contexte de la mondialisation
$$\text{Points } (8 + 9 + 10) / 3 = \underline{\hspace{1cm}}$$

Source : «Is Your Company Really Global», _Business Week_, 1er décembre 1997.

Valeurs personnelles

Procédure

Évaluez les 16 éléments ci-dessous, selon l'ordre d'importance que vous leur accordez, de 0 (pas important) à 100 (très important), en vous servant de l'échelle suivante :

Pas important			Relativement important					Très important		
0	10	20	30	40	50	60	70	80	90	100

_____ **1.** Avoir un emploi satisfaisant et agréable.

_____ **2.** Avoir un emploi très bien rémunéré.

_____ **3.** Faire un bon mariage.

_____ **4.** Lier de nouvelles connaissances, participer à des événements sociaux.

_____ **5.** S'engager dans des activités communautaires.

_____ **6.** Adhérer à une religion.

_____ **7.** Faire du sport et de l'exercice.

_____ **8.** Se développer intellectuellement.

_____ **9.** Embrasser une carrière riche en défis.

_____ **10.** Posséder une belle voiture, de beaux vêtements, une belle maison, etc.

_____ **11.** Consacrer du temps à sa famille.

_____ **12.** Avoir plusieurs bons amis.

_____ **13.** Faire du bénévolat dans des organismes sans but lucratif comme la Fondation québécoise du cancer.

_____ **14.** Méditer, prendre le temps de réfléchir, de prier, etc.

_____ **15.** Avoir une alimentation bien équilibrée.

_____ **16.** Bénéficier de lectures enrichissantes, suivre des émissions de télévision intéressantes, participer à des programmes de formation personnelle, etc.

Résultat

Transcrivez les nombres que vous avez attribués à ces éléments dans les espaces appropriés des colonnes du tableau ci-dessous, puis additionnez chaque paire de nombres.

	Vie professionnelle	Finances	Vie familiale	Dimension sociale
	1. ____	2. ____	3. ____	4. ____
	9. ____	10. ____	11. ____	12. ____
Totaux	____	____	____	____

	Vie communautaire	Dimension spirituelle	Dimension physique	Dimension intellectuelle
	5. ____	6. ____	7. ____	8. ____
	13. ____	14. ____	15. ____	16. ____
Totaux	____	____	____	____

Interprétation

Quel que soit le domaine, le total indique l'importance que vous lui accordez. Des totaux similaires ou presque dans les huit domaines indiquent une personnalité harmonieuse. Pensez aux efforts et au temps que vous consacrez à vos trois valeurs essentielles. Sont-ils suffisants pour vous permettre d'atteindre le niveau de réussite que vous visez dans chacun de ces domaines? Si ce n'est pas le cas, comment pourriez-vous vous améliorer? Y a-t-il un domaine pour lequel vous estimez que vous devriez avoir un total plus élevé? Si oui, lequel, et que pourriez-vous faire?

Source: Robert N. Lussier. *Human Relations in Organizations*, 2e éd., Richard D. Irwin, Homewood (Illinois), 1993.

TEST 6

Degré de tolérance à l'ambiguïté

Procédure

Pour déterminer votre degré de tolérance à l'ambiguïté, commentez les affirmations ci-dessous. **Vous devez donner votre point de vue sur *toutes* les affirmations, sans en laisser de côté.** En vous basant sur le barème ci-dessous, inscrivez dans l'espace prévu à cette fin le chiffre qui correspond le plus fidèlement à votre attitude.

1	2	3	4	5	6	7
Tout à fait en désaccord	Moyennement en désaccord	Un peu en désaccord		Un peu d'accord	Moyennement d'accord	Tout à fait d'accord

_____ **1.** Un spécialiste qui ne peut fournir de réponse précise n'est probablement pas très compétent.

_____ **2.** Un problème impossible à résoudre, ça n'existe pas.

_____ **3.** J'aimerais vivre quelque temps dans un pays étranger.

_____ **4.** Les gens qui vivent selon un horaire précis passent sans doute à côté des joies de l'existence.

_____ **5.** Dans un bon emploi, on sait toujours clairement ce qu'il y a à faire et la façon de le faire.

_____ **6.** À long terme, il est plus productif de s'attaquer aux petits problèmes simples qu'aux grands problèmes compliqués.

_____ **7.** Il est plus amusant de s'attaquer à un problème compliqué que de résoudre un problème simple.

_____ **8.** Souvent, les gens les plus intéressants et les plus stimulants sont ceux qui n'ont pas peur de se montrer originaux et différents.

_____ **9.** Nous préférons toujours ce qui nous est familier à ce qui nous est inconnu.

_____ **10.** Bienheureux ceux qui mènent une vie régulière et équilibrée, rarement marquée par des surprises ou des événements inattendus.

_____ **11.** Les gens qui tiennent absolument à ce qu'une réponse soit négative ou affirmative ne savent rien de la complexité des choses.

_____ **12.** Nous prenons un grand nombre de nos décisions les plus importantes sans disposer de toute l'information voulue.

_____ **13.** Je préfère les soirées où je connais la plupart des gens à celles où les invités me sont presque tous inconnus.

_____ **14.** Il est essentiel d'avoir des idéaux très tôt dans la vie.

_____ **15.** Les professeurs ou les superviseurs qui ne fournissent pas trop de détails sur les travaux ou les tâches à effectuer donnent aux gens la chance de faire preuve d'initiative et d'originalité.

_____ **16.** Un bon professeur est quelqu'un qui vous amène à réfléchir à votre façon de voir les choses.

Résultat

S. Brudner, qui a élaboré ce test, fait état d'un indice de constance de 0,85 avec des échantillons variés (surtout des étudiants et des travailleurs dans le domaine de la santé). Cependant, ces données datent de plus de trente ans, et il est fort possible que des changements significatifs se soient produits dans les attitudes évaluées. Les deux extrêmes des résultats sont 16 et 112 ; les résultats sont généralement compris entre 25 et 79 ; et la moyenne est d'environ 49.

On a conçu ce test pour mesurer les diverses composantes des réactions qui peuvent se produire dans des situations perçues comme menaçantes à cause de leur nouveauté, de leur complexité ou de leur insolubilité.

On a *inversé* la moitié des affirmations (3, 4, 7, 8, 11, 12, 15, 16). Pour calculer votre résultat, commencez par *inverser* le barème de notation pour ces huit affirmations (autrement dit, une note 1 devient une note 7 ; 2 = 6 ; 3 = 5 ; 5 = 3 ; etc.)

Vous pouvez ensuite additionner les notes attribuées aux 16 affirmations. Plus le résultat est élevé, moins vous êtes tolérant à l'ambiguïté.

Interprétation

Plus votre résultat est élevé, moins vous êtes tolérant à l'ambiguïté. Empiriquement, on note une corrélation positive entre une faible tolérance à l'ambiguïté et les tendances suivantes :
- Conformisme dans les convictions religieuses.
- Fréquentation élevée des lieux de culte.
- Foi plus profonde.
- Acceptation de la censure.
- Autoritarisme élevé.
- Machiavélisme faible.

L'application de ce concept aux pratiques de gestion des années 2000 est claire et évidente. L'ambiguïté et le changement caractérisent le monde du travail d'aujourd'hui et nombre d'organisations. Aussi est-il probable que les personnes dotées d'une plus grande tolérance à l'ambiguïté pourront œuvrer plus efficacement dans des organisations et des contextes marqués par l'effervescence, un degré élevé de changement et moins de certitude sur les attentes, les normes de performance, les tâches à accomplir, etc. À l'opposé, il y a davantage de risques que les individus pouvant moins bien supporter l'ambiguïté se montrent incapables de s'adapter rapidement aux bouleversements, à l'incertitude et au changement. Il est probable que ces individus se montreront plus rigides et réagiront par la colère, le stress et la frustration à un degré élevé d'incertitude et d'ambiguïté dans leur environnement de travail. On associe donc des degrés élevés de tolérance à l'ambiguïté à la capacité de suivre le mouvement à une époque où les organisations, les conditions environnementales et les exigences changent rapidement.

Source : S. Budner. «Intolerance of Ambiguity as a Personality Variable», *Journal of Personality*, vol. 30 (1962), nº 1, p. 29 à 50.

Profil bifactoriel

Procédure

Pour chacune des six situations suivantes, répartissez un total de 10 points entre les deux possibilités qui vous sont proposées. *Exemple :*

Saison chaude   (_7_)...........(_3_) Saison froide

1. Poste à responsabilités élevées   (_5_)...........(_5_) Sécurité d'emploi

2. Reconnaissance   (_5_)...........(_5_) Bonnes relations avec
des réalisations   les collègues

3. Possibilités d'avancement   (_8_)...........(_2_) Patron compétent

4. Possibilités d'apprentissage   (_5_)...........(_5_) Bonnes conditions de travail
et d'épanouissement au travail

5. Poste favorisant   (_7_)...........(_3_) Qualité de l'encadrement et
l'accomplissement de soi   des politiques de l'employeur

6. Objectifs professionnels   (_6_)...........(_4_) Salaire de base élevé
ambitieux

Résultat

Faites le total des points attribués aux éléments de la *colonne de gauche* et inscrivez-le ici : FM : _36_

Faites le total des points attribués aux éléments de la *colonne de droite* et inscrivez-le ici : FH : _24_

Interprétation

Les éléments de la *colonne* de gauche correspondent aux facteurs moteurs (FM). Les points attribués à ces éléments indiquent donc l'importance relative que vous accordez aux facteurs de satisfaction professionnelle selon la théorie bifactorielle de Herzberg. Ils témoignent de l'importance que vous accordez à la nature même du travail.

Les éléments de la *colonne* de droite correspondent aux facteurs d'hygiène (FH). Les points attribués à ces éléments indiquent l'importance relative que vous accordez aux facteurs d'ambiance déterminant le niveau d'insatisfaction professionnelle selon la théorie bifactorielle de Herzberg. Ils témoignent de l'importance que vous accordez à l'environnement de travail ou au contexte professionnel.

Êtes-vous *universel*?

Procédure

Réagissez aux affirmations suivantes selon une échelle allant de 1 à 5:

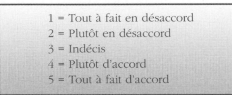

1 = Tout à fait en désaccord
2 = Plutôt en désaccord
3 = Indécis
4 = Plutôt d'accord
5 = Tout à fait d'accord

_____ **1.** Vous estimez qu'un professionnel a le droit de prendre ses propres décisions en ce qui concerne le travail à accomplir.

_____ **2.** Vous croyez qu'un professionnel ne devrait assumer que des fonctions de conseiller, peu importe les sacrifices en matière de salaire.

_____ **3.** Une promotion à un poste administratif élevé ne vous intéresse pas.

_____ **4.** Vous estimez qu'il vaut mieux qu'un professionnel soit évalué par ses pairs que par la direction.

_____ **5.** Vos amis se retrouvent plutôt parmi des membres de votre profession.

_____ **6.** Vous préféreriez que l'on reconnaisse vos réalisations, ou que l'on vous en attribue le mérite, à l'extérieur de votre organisation plutôt qu'à l'interne.

_____ **7.** Vous considérez qu'il est plus important de contribuer au bien-être de la collectivité qu'à celui de l'organisation qui vous emploie.

_____ **8.** Les gestionnaires ne devraient pas déléguer aux professionnels les tâches de planification des horaires et des barèmes de coûts.

Résultats et interprétation

Un gestionnaire *universel* s'identifie à sa carrière professionnelle, tandis qu'un gestionnaire *local* s'identifie à l'organisation qui l'emploie.

Faites le total des points. De 30 à 40, votre orientation professionnelle est plutôt celle d'un gestionnaire *universel*; de 10 à 20, elle correspond à un gestionnaire *local*; un total de 20 à 30 est signe d'une orientation mixte.

Source: Joseph A. Raelin. *The Clash of Cultures, Managers and Professionnals*, Harvard Business School Press, 1986.

Efficacité d'un groupe

Procédure

Pour cette évaluation, choisissez un groupe particulier au sein duquel vous travaillez ou avez travaillé. Il peut s'agir aussi bien d'un groupe professionnel que d'une équipe de travail dans un de vos cours. Indiquez la fréquence des comportements et des attitudes correspondant aux huit affirmations à l'aide du barème fourni. Notez votre réponse dans l'espace prévu à cette fin.

_____ **1.** Les membres font preuve de loyauté les uns envers les autres et à l'égard du leader du groupe.

_____ **2.** Les membres et le leader éprouvent une grande confiance mutuelle.

_____ **3.** Les valeurs et les objectifs du groupe correspondent aux valeurs et aux attentes des membres.

_____ **4.** Les activités du groupe se déroulent dans une atmosphère de collaboration et de soutien.

_____ **5.** Le groupe tient à contribuer à l'épanouissement de ses membres.

_____ **6.** Le groupe connaît la valeur d'un *conformisme constructif*, sait à quel moment s'en servir et pour quels objectifs.

_____ **7.** Les membres se communiquent franchement toute l'information pertinente aux activités du groupe.

_____ **8.** Les membres ne craignent pas de prendre les décisions qu'ils jugent appropriées.

Résultat

Additionnez les points : _____ et indiquez par un **X** où vous situez le groupe sur l'axe ci-dessous.

Groupe efficace   8.............16,.,.,...........24.............32   Groupe inefficace

Interprétation

Plus le résultat est bas, plus le groupe est efficace. Que pourriez-vous faire pour contribuer à en améliorer l'efficacité? Et le groupe, comment pourrait-il s'améliorer?

TEST 10

Préférences en matière de structure organisationnelle

Procédure

Indiquez dans l'espace prévu à cette fin et selon le barème ci-dessous, jusqu'à quel point ces affirmations correspondent à votre point de vue.

> 5 = Tout à fait d'accord
>
> 4 = Plutôt d'accord
>
> 3 = Indécis
>
> 2 = Plutôt en désaccord
>
> 1 = Tout à fait en désaccord

Je préfère travailler dans une organisation où…

_____ **1.** ce sont les personnes haut placées dans la hiérarchie qui définissent les objectifs.

_____ **2.** l'on définit clairement les méthodes de travail et les procédures à adopter.

_____ **3.** la haute direction prend les décisions importantes.

_____ **4.** ma loyauté compte autant que mon aptitude à accomplir le travail.

_____ **5.** l'on a établi clairement les prérogatives et les responsabilités de la hiérarchie.

_____ **6.** la haute direction se montre ferme et résolue.

7. l'on s'occupe de planifier ma carrière pour moi.

8. je peux me spécialiser.

9. mon ancienneté compte autant que mon niveau de performance.

10. la direction peut me fournir l'information dont j'ai besoin pour accomplir mon travail.

11. la chaîne de commandement est bien établie.

12. tout le monde respecte les règles et les procédures.

13. l'on accepte l'autorité inhérente à un poste de leader.

14. les travailleurs sont loyaux à l'égard de leur supérieur.

15. les gens font ce qu'on leur demande.

16. les travailleurs s'adressent à leur supérieur avant de consulter un échelon plus élevé.

Résultat

Faites le total de vos points et inscrivez-le ici : _____

Interprétation

Ce test mesure vos préférences en matière de structure organisationnelle, soit le modèle *organique,* ou au contraire le modèle *mécaniste* (chapitre 11). Un résultat très élevé (au-dessus de 64) indique votre attirance pour une structure mécaniste, tandis qu'un résultat inférieur à 48 vous classe plutôt parmi les tenants d'une structure organique. Entre 48 et 64, vous n'avez pas une attirance marquée pour l'un ou l'autre des modèles et vous pourriez être à l'aise dans l'une ou l'autre de ces structures organisationnelles. Ces préférences en matière de structure organisationnelle constituent une question importante dans les nouveaux milieux de travail. Tout semble indiquer que les organisations modernes optent de plus en plus pour les caractéristiques du modèle organique. On peut donc présumer que ceux d'entre nous qui travaillent ou travailleront pour elles devront se plaire dans ce type de structure.

Source: John F. Veiga et John N. Yanouzas. *The Dynamics of Organization Theory: Gaining a Macro Perspective*, West, St. Paul (Minn.), 1979, p. 158 à 160.

TEST 11

Quelle est la culture qui vous convient ?

Procédure

Encerclez le chiffre correspondant à la culture organisationnelle qui vous conviendrait le mieux.

1. Une culture qui valorise le talent, l'esprit d'entreprise et la performance plutôt que l'engagement ; qui est généreuse dans ses rétributions financières ; et qui reconnaît les réalisations individuelles.

2. Une culture qui met l'accent sur la loyauté, sur le fait de travailler pour le bien du groupe et sur l'établissement de nombreux contacts professionnels ; et qui valorise les *généralistes* et un cheminement de carrière progressif.

3. Une culture qui offre peu de sécurité d'emploi ; qui fonctionne avec une mentalité de survivant ; qui considère que tout individu peut faire la différence ; et qui cherche à saisir les occasions s'offrant à elle.

4. Une culture qui valorise les relations à long terme ; qui met l'accent sur un cheminement de carrière systématique ; qui favorise la formation régulière ; et qui privilégie un système de promotion fondé sur l'acquisition d'une expertise fonctionnelle.

Résultat

Ces descriptions correspondent aux quatre types dominants de cultures organisationnelles (chapitre 13) : 1 = l'équipe de base-ball ; 2 = le club ; 3 = la forteresse ; 4 = l'académie.

Interprétation

La réussite de votre future carrière pourrait, dans une certaine mesure, dépendre d'un emploi dans une organisation dont la culture s'accorderait bien avec vos valeurs. Ce test pourrait vous aider à distinguer les diverses cultures organisationnelles dominantes, à évaluer leur capacité de répondre à vos attentes ainsi qu'à prendre conscience que ces dernières peuvent changer avec le temps. Ainsi, une personne qui aime prendre des risques ne serait sans doute pas à sa place dans un *club,* mais s'intégrerait sans problème dans une *équipe de base-ball*. Quelqu'un qui est à l'affût de tous les débouchés possibles n'apprécierait pas une *académie,* mais se sentirait bien au sein d'une *forteresse*.

Source: Carol Hymowitz, « Which Corporate Culture Fits You ? », *The Wall Street Journal*, 17 juillet 1989, p. B1.

Le collègue le moins apprécié

Procédure

Pensez à tous ceux et celles avec qui vous avez travaillé, dans une entreprise, dans une association, pour un projet universitaire ou dans un autre contexte. Ensuite, pensez à *la personne* avec laquelle vous avez eu les relations *les plus difficiles,* autrement dit, celle avec laquelle vous aviez le plus de difficulté à accomplir le travail. Qu'il s'agisse d'un collègue, d'un supérieur ou d'un subordonné, c'est la personne avec qui vous voudriez le moins travailler de nouveau. Décrivez-la en encerclant le chiffre qui correspond le mieux à cette personne sur chacun de ces axes dont les extrémités correspondent à des qualificatifs contraires. Faites-le rapidement. Il n'y a pas de *bonnes* ni de *mauvaises* réponses.

Plaisant	8	7	6	5	4	3	2	1	Déplaisant
Amical	8	7	6	5	4	3	2	1	Inamical
Difficile à convaincre	1	2	3	4	5	6	7	8	Facile à convaincre
Tendu	1	2	3	4	5	6	7	8	Détendu
Distant	1	2	3	4	5	6	7	8	Affable
Froid	1	2	3	4	5	6	7	8	Chaleureux
Bienveillant	8	7	6	5	4	3	2	1	Hostile
Ennuyeux	1	2	3	4	5	6	7	8	Intéressant
Querelleur	1	2	3	4	5	6	7	8	Conciliant
Pessimiste	1	2	3	4	5	6	7	8	Optimiste
Confiant	8	7	6	5	4	3	2	1	Méfiant
Déloyal	1	2	3	4	5	6	7	8	Loyal
Indigne de confiance	1	2	3	4	5	6	7	8	Digne de confiance
Sensible	8	7	6	5	4	3	2	1	Insensible
Antipathique	1	2	3	4	5	6	7	8	Sympathique
Agréable	8	7	6	5	4	3	2	1	Désagréable
Hypocrite	1	2	3	4	5	6	7	8	Franc
Gentil	8	7	6	5	4	3	2	1	Insupportable

Résultat

Ce test s'appelle le *questionnaire du collègue le moins apprécié* (questionnaire du CMA). Faites le total des chiffres que vous avez encerclés pour connaître votre indice CMA, et inscrivez-le ici : indice CMA = _____

Interprétation

Fred Fiedler se sert du questionnaire du CMA pour définir le style de leadership dominant chez un individu (chapitre 14). Selon lui, ce style est une dimension relativement stable de la personnalité, et il est donc difficile de le modifier. Ce postulat a conduit Fiedler à l'approche situationnelle du leadership selon laquelle le succès d'un leader dépend de sa capacité à adapter son style de leadership à la situation dans laquelle il l'exerce. Si votre résultat est égal ou supérieur à 73, Fiedler considère que vous êtes un leader axé sur les relations tandis que, si votre indice CMA est égal ou inférieur à 64, il considère que vous êtes un leader axé sur les tâches. Un résultat situé entre 65 et 72 vous laisse le choix de décider du style de leadership qui vous convient le mieux.

Source : Fred E. Fiedler et Martin M. Chemers. *Improving Leadership Effectiveness : The Leader Match Concept,* 2e éd., New York, John Wiley & Sons Inc., 1984.

Style de leadership

Procédure

Les énoncés suivants décrivent des attitudes d'un leader. En encerclant la lettre correspondante, indiquez la fréquence probable à laquelle vous adopteriez ces différentes attitudes si vous étiez le leader d'un groupe de travail.

T = toujours   F = Fréquemment   P = Parfois   R = Rarement   J = Jamais

T (F) P R J   **1.** Agir à titre de porte-parole du groupe.

T F P (R) J   **2.** Encourager les membres du groupe à faire des heures supplémentaires.

T F P R (J)   **3.** Accorder aux membres du groupe une liberté totale dans leur travail.

T F (P) R J   **4.** Encourager l'utilisation de procédures uniformes.

T F (P) R J   **5.** Laisser les membres du groupe résoudre eux-mêmes leurs problèmes.

(T) F P R J   **6.** Insister pour devancer les groupes concurrents.

T F P (R) J   ? **7.** Parler au nom du groupe.

(T) F P R J   **8.** Pousser les membres du groupe à accroître leurs efforts.

T (F) P R J   **9.** Faire l'essai de nouvelles idées issues du groupe.

T F (P) R J   **10.** Laisser les membres travailler de la manière qu'ils estiment être la meilleure.

(T) F P R J   **11.** Veiller à son propre avancement.

T F P (R) J   **12.** Tolérer l'incertitude et la remise à plus tard de certaines activités.

T (F) P R J   **13.** En présence de visiteurs, exprimer le point de vue du groupe.

(T) F P R J   **14.** Maintenir une cadence de travail rapide.

T (F) P R J   **15.** Donner une tâche à effectuer, puis laisser faire les membres.

T F P (R) J   **16.** Régler les conflits internes du groupe.

T F (P) R J   **17.** Mettre l'accent sur les détails du travail à effectuer.

(T) F P R J   **18.** Représenter le groupe dans les réunions de travail.

T F (P) R J   **19.** Éviter d'accorder trop de liberté aux membres du groupe.

T F (P) R J   **20.** Décider ce qui doit se faire et la façon de le faire.

T (F) P R J   **21.** Pousser la productivité.

T F P (R) J   **22.** Accorder de la latitude à certains membres du groupe.

T (F) P R J   **23.** S'attendre à ce que les choses se passent comme prévu.

T (F) P R J   **24.** Permettre au groupe de prendre des initiatives.

T F (P) R J   **25.** Affecter certains membres du groupe à des tâches particulières.

(T) F P R J   **26.** Se montrer ouvert au changement.

T F (P) R J   **27.** Demander aux membres du groupe de travailler plus dur.

T (F) P R J   **28.** Faire confiance au jugement des membres du groupe.

(T) F P R J   **29.** Planifier le travail à effectuer.

T F P R (J)   **30.** Refuser d'expliquer ses actions.

T F (P) R J   **31.** Persuader les autres que ses idées sont les meilleures.

T F P (R) J   **32.** Permettre au groupe d'établir son propre rythme de travail.

T F P R J   **33.** Exhorter le groupe à battre son précédent record de production.

T F P (R) J   **34.** Agir sans consulter le groupe.

(T) F P R J   **35.** Exiger des membres du groupe qu'ils respectent les normes établies.

$$T \frac{8}{9} \qquad R \frac{8}{6}$$

Résultat

1. Soulignez les éléments 8, 12, 17, 18, 19, 30, 34 et 35.
2. Inscrivez le **chiffre 1** à côté des *éléments soulignés* lorsque vous avez répondu **R** (rarement) ou **J** (jamais).
3. Inscrivez le **chiffre 1** à côté des *éléments non soulignés* lorsque vous avez répondu **T** (toujours) ou **F** (fréquemment).
4. Encerclez les **chiffres 1** qui apparaissent maintenant à côté des *éléments* 3, 5, 8, 10, 15, 18, 19, 22, 24, 26, 28, 30, 32, 34 et 35.
5. *Comptez le nombre de chiffres 1 encerclés.* C'est votre résultat relatif à un style de leadership axé sur les relations. Inscrivez-le vis-à-vis de la lettre R à la fin du questionnaire. 6
6. *Comptez le nombre de chiffres 1 non encerclés.* C'est votre résultat relatif à un style de leadership axé sur les tâches. Inscrivez-le vis-à-vis de la lettre T à la fin du questionnaire.

TEST 14

Leadership transactionnel et leadership transformateur

Procédure

Voici 10 paires d'affirmations. Selon vos convictions, la perception que vous avez de vous-même ou l'affirmation qui vous caractérise le mieux, répartissez 5 points entre les deux affirmations (*a* et *b*) de chaque paire. Vous êtes libre de répartir ces 5 points entre l'affirmation *a* et l'affirmation *b* selon les formules suivantes : 5 pour *a*, 0 pour *b* ; 4 pour *a*, 1 pour *b* ; 3 pour *a*, 2 pour *b* ; etc. Mais vous ne pouvez pas attribuer 2,5 à chacun. Réfléchissez à vos choix en fonction de vos traits personnels ou de vos convictions.

1. (a) À titre de leader, j'ai pour mission première de maintenir la stabilité. ____
   (b) À titre de leader, j'ai pour mission première d'instaurer le changement. ____

2. (a) À titre de leader, je dois provoquer les événements. ____
   (b) À titre de leader, je dois aller dans le sens des événements. ____

3. (a) Je veille à ce que mes subordonnés soient récompensés équitablement pour leur travail. ____
   (b) Je veille à ce que les aspirations personnelles de mes subordonnés soient satisfaites. ____

4. (a) Je préfère penser à long terme : Que *pourrait-il* se produire ? ____
   (b) Je préfère penser à court terme : Que *va-t-il* se produire ? ____

5. (a) À titre de leader, je dépense énormément d'énergie à gérer des objectifs distincts, mais qui s'inscrivent dans une même perspective. ____

(b) À titre de leader, je dépense énormément d'énergie à créer des espoirs, des attentes et des aspirations chez mes subordonnés. ____

6. (a) Je suis convaincu qu'une grande part de mes activités de leadership peuvent être assimilées au travail d'un enseignant, même si cette affirmation ne doit pas être prise au pied de la lettre. ____
   (b) Je crois qu'une bonne part de mon travail de leader consiste à jouer un rôle de catalyseur. ____

7. (a) À titre de leader, mon sens moral doit être aussi élevé que celui de mes subordonnés. ____
   (b) À titre de leader, mon sens moral doit être plus élevé que celui de mes subordonnés. ____

8. (a) J'aime stimuler mes subordonnés afin qu'ils aient envie de se surpasser. ____
   (b) J'aime récompenser mes subordonnés pour un travail bien fait. ____

9. (a) Le leadership devrait se fonder sur le pragmatisme. ____
   (b) Le leadership devrait être axé sur l'inspiration. ____

10. (a) Si j'ai le pouvoir d'influencer les autres, c'est avant tout parce que je peux les amener à s'identifier à moi et à mes idées. ____
    (b) Si j'ai le pouvoir d'influencer les autres, c'est avant tout grâce à mon statut et à ma position. ____

Résultat

Encerclez les points attribués aux affirmations 1b, 2a, 3b, 4a, 5b, 6a, 7b, 8a, 9b, 10a, puis additionnez-les. Inscrivez le résultat ici : T^1 = _____

Additionnez maintenant les points attribués aux affirmations (non encerclées) 1a, 2b, 3a, 4b, 5a, 6b, 7a, 8b, 9a, 10b et inscrivez le total ici : T^2 = _____

Interprétation

Ce test vous permet d'avoir une idée de vos tendances en matière de leadership, orienté soit vers le type transformateur (T^1), soit vers le type transactionnel (T^2).

Nous vous suggérons de relire les concepts qui s'y rattachent au chapitre 14. Aujourd'hui, on accorde une grande attention aux aspects *transformateurs* du leadership – ces qualités personnelles qui inspirent une vision et suscitent, chez les subordonnés, le désir d'accomplir de grandes choses. Les leaders qui auront le plus de succès dans l'avenir se compteront sans doute parmi ceux qui affichent des tendances élevées dans les deux types de leadership.

Source : W. Warner Burke.

Responsabilisation des autres

Procédure

Pensez aux occasions que vous avez eu de diriger un groupe : il peut s'agir d'une situation professionnelle à temps partiel ou à temps plein, d'une équipe de travail à l'université ou d'un tout autre contexte. Remplissez le questionnaire ci-dessous en indiquant votre opinion sur chacune des affirmations selon le barème suivant :

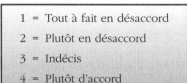

> 1 = Tout à fait en désaccord
> 2 = Plutôt en désaccord
> 3 = Indécis
> 4 = Plutôt d'accord
> 5 = Tout à fait d'accord

Lorsque je suis responsable d'un groupe, j'estime…

_____ **1.** que les autres sont, la plupart du temps, trop inexpérimentés pour accomplir leur travail ; alors je préfère le faire moi-même.

_____ **2.** que cela prend souvent plus de temps d'expliquer les choses que de les faire soi-même.

_____ **3.** que les erreurs des autres sont lourdes de conséquences ; aussi je ne leur donne pas trop de travail à faire.

_____ **4.** qu'il y a certaines tâches que l'on ne devrait jamais déléguer.

_____ **5.** que j'obtiens des résultats plus rapidement en accomplissant le travail moi-même.

_____ **6.** que la plupart des gens ne sont efficaces que dans des tâches bien précises et qu'il vaut mieux ne pas leur donner trop de responsabilités.

_____ **7.** que la plupart des gens sont trop occupés pour qu'on leur assigne des tâches supplémentaires.

_____ **8.** que la plupart des gens ne sont tout simplement pas prêts à assumer des responsabilités supplémentaires.

_____ **9.** que ma position m'autorise à prendre mes propres décisions.

Résultat

Faites le total des points et inscrivez-le ici : _____

Interprétation

Ce questionnaire vous donnera une idée de votre degré de *volonté de déléguer*. Les résultats peuvent aller de 9 à 45 points. Plus votre résultat est élevé, moins vous êtes disposé à déléguer des tâches à autrui. Ce trait est une caractéristique importante chez les gestionnaires. Il devient essentiel si, à titre de cadre, vous avez l'intention d'*auto-nomiser* vos subordonnés, c'est-à-dire de leur donner l'occasion d'assumer des responsabilités et de gérer eux-mêmes leur travail. Vu l'importance toujours plus grande accordée à l'autonomisation dans les nouveaux milieux de travail, vous devez réfléchir sérieusement à votre volonté de déléguer.

Source : L. Steinmetz et R. Todd, *First Line Management*, 4ᵉ éd., Homewood (Illinois), BPI/Irwin, 1986, p. 64 à 67.

Machiavélisme

Procédure

Pour chacune des affirmations suivantes, encerclez le chiffre qui correspond le plus à votre attitude.

	Tout à fait en désaccord	Plutôt en désaccord	Indécis	Plutôt d'accord	Tout à fait d'accord
1. Pour bien s'y prendre avec les gens, il faut leur dire ce qu'ils ont envie d'entendre.	(1)	2	3	4	5
2. Lorsque vous demandez à quelqu'un de faire quelque chose pour vous, il vaut mieux lui en donner la vraie raison que d'en chercher d'autres plus convaincantes.	1	2	3	4	(5)
3. Faire totalement confiance à quelqu'un, c'est courir après les ennuis.	1	(2)	3	4	5
4. Pour que les choses avancent, il faut savoir prendre des raccourcis.	1	2	3	(4)	5
5. Mieux vaut être conscient du fait que tout le monde a un côté malveillant, car celui-ci peut se manifester à tout moment.	1	(2)	3	4	5
6. On ne devrait agir que conformément à la morale.	1	2	(3)	(4)	5
7. La plupart des gens sont fondamentalement bons et honnêtes.	1	2	3	(4)	5
8. Quelle que soit la raison, on ne devrait jamais mentir.	1	2	3	(4)	5
9. La plupart des gens oublient plus facilement la mort de leur père que la perte d'un bien.	(1)	2	3	4	5
10. D'une façon générale, les gens ne travaillent dur que s'ils y sont forcés.	1	2	3	(4)	5

Résultat et interprétation

Ce test est conçu pour évaluer votre degré de machiavélisme à l'aide de l'*échelle de Mach*. On peut ainsi établir votre orientation à l'égard du pouvoir. L'individu qui a une forte tendance au machiavélisme est pragmatique, garde ses distances vis-à-vis des autres et estime que la fin peut justifier les moyens. Pour connaître votre résultat sur l'échelle de Mach, additionnez les chiffres encerclés pour les affirmations 1, 3, 4, 5, 9 et 10. Pour les quatre affirmations restantes, *inversez* les chiffres que vous avez encerclés : 5 devient 1 ; 4 devient 2 ; 2 devient 4 ; et 1 devient 5. Ajoutez leur somme au total précédent pour connaître votre indice de Mach. Un échantillon aléatoire d'adultes américains a donné une moyenne de 25. Généralement, les étudiants en administration des affaires obtiennent des résultats plus élevés.

Les recherches effectuées à l'aide de l'échelle de Mach indiquent que (1) les hommes sont généralement plus machiavéliques que les femmes ; (2) les personnes plus âgées le sont généralement moins que les jeunes adultes ; (3) le degré de machiavélisme n'est pas lié à l'intelligence ni aux aptitudes des personnes ; (4) le degré de machiavélisme des personnes n'est pas lié à certaines caractéristiques démographiques comme le niveau d'études ou l'état matrimonial ; (5) les personnes à forte tendance machiavélique se rencontrent souvent dans les professions qui mettent l'accent sur le contrôle et la manipulation (ex.: les cadres, les avocats, les psychiatres et les spécialistes du comportement.

Source : R. Christie et F. L. Geis, *Studies in Machiavellianism*, New York, Academic Press, 1970.

Votre profil de pouvoir

Procédure

Voici une liste d'énoncés décrivant des comportements que des superviseurs (leaders) ont parfois à l'égard de leurs subordonnés. Commencez par lire attentivement chaque énoncé en pensant à la façon dont vous préférez exercer votre influence sur autrui. Pour chacun de ces énoncés, encerclez le chiffre qui correspond le plus à votre point de vue. Utilisez le barème suivant :

> 5 = Tout à fait d'accord
> 4 = Plutôt d'accord
> 3 = Indécis
> 2 = Plutôt en désaccord
> 1 = Tout à fait en désaccord

Affirmations	Tout à fait en désaccord	Plutôt en désaccord	Indécis	Plutôt d'accord	Tout à fait d'accord
Pour influencer les autres, il faut…					
1. augmenter leur salaire.	1	②	3	4	5
2. les valoriser.	1	2	3	4	⑤
3. leur assigner des tâches désagréables.	①	2	3	4	5
4. leur faire sentir qu'on les appuie.	1	2	3	4	⑤
5. leur faire sentir qu'ils ont des engagements à respecter.	1	2	3	4	⑤
6. faire en sorte qu'ils se sentent personnellement acceptés.	1	2	3	4	⑤
7. faire en sorte qu'ils se sentent importants.	1	2	3	4	⑤
8. leur faire de bonnes suggestions techniques.	1	2	3	4	⑤
9. rendre leur travail difficile.	①	2	3	4	5
10. partager son expérience et sa formation avec eux.	1	2	3	4	⑤
11. leur rendre la vie désagréable.	①	2	3	4	5
12. faire en sorte qu'ils finissent par détester venir travailler.	①	2	3	4	5
13. les aider à obtenir une augmentation de salaire.	1	2	3	4	⑤
14. leur faire sentir qu'ils doivent satisfaire aux exigences de leur poste.	1	2	3	④	5
15. leur donner des conseils judicieux en ce qui concerne leurs tâches.	1	2	3	4	⑤
16. leur accorder des avantages spéciaux.	1	2	3	4	⑤
17. les aider à obtenir de l'avancement.	1	2	3	4	⑤
18. leur faire sentir qu'ils ont des responsabilités à assumer.	1	2	3	4	⑤
19. leur donner la formation technique dont ils ont besoin.	1	2	3	4	⑤
20. leur faire comprendre qu'ils ont des tâches à accomplir.	1	2	3	4	⑤

Résultat

Inscrivez vos réponses aux 20 propositions dans la grille qui suit et comptabilisez-les selon cette méthode :

- *Pouvoir de récompense :* additionnez vos réponses aux énoncés 1, 13, 16 et 17, puis divisez le résultat par 4.
- *Pouvoir de coercition :* additionnez vos réponses aux énoncés 3, 9, 11 et 12, puis divisez le résultat par 4.

- *Pouvoir légitime:* additionnez vos réponses aux énoncés 5, 14, 18 et 20, puis divisez le résultat par 4.
- *Pouvoir de référence:* additionnez vos réponses aux énoncés 2, 4, 6 et 7, puis divisez le résultat par 4.
- *Pouvoir d'expertise:* additionnez vos réponses aux énoncés 8, 10, 15 et 19, puis divisez le résultat par 4.

Pouvoir de récompense	Pouvoir de cœrcition	Pouvoir légitime	Pouvoir de référence	Pouvoir d'expertise
1 _2_	3 _1_	5 _5_	2 _5_	8 ___
13 ___	9 ___	14 ___	4 ___	10 ___
16 ___	11 ___	18 ___	6 ___	15 ___
17 ___	12 ___	20 ___	7 ___	19 ___
Total ___	___	___	___	___
Divisé par 4 ___	___	___	___	___

Interprétation

Un résultat élevé (4 ou plus) dans l'une ou l'autre des cinq dimensions du pouvoir signifie que vous préférez influencer le comportement d'autrui en ayant recours à cette forme particulière de pouvoir pour exercer une influence sur autrui. Un résultat peu élevé (2 ou moins) indique que vous préférez ne pas avoir recours à cette forme particulière de pouvoir. Cela représente votre profil de pouvoir. Le pouvoir que l'on détient ne correspond pas à la simple addition de ces cinq sources, mais plutôt à certaines synergies entre ces dernières; ces combinaisons sont alors plus puissantes que la somme de leurs composantes. Ainsi, le pouvoir de référence tend à amplifier l'effet des autres sources de pouvoir, car l'intention d'influencer émane d'une personne respectée. Le pouvoir de récompense accroît souvent l'effet du pouvoir de référence, car les gens ont tendance à apprécier ceux qui leur accordent ce qu'ils désirent. En revanche, certaines combinaisons des formes de pouvoir produisent parfois des effets contraires; autrement dit, leur association a un effet moindre que la somme de leurs composantes. Ainsi, le recours (ou la menace de recourir) au pouvoir de coercition entraîne généralement un affaiblissement de toutes les sources du pouvoir détenu par une personne.

Source: T. R. Hinken et C. A. Schriesheim, «Development and Application of New Scales to Measure the French and the Raven (1959) Bases of Social Power», *Journal of Applied Psychology,* vol. 74, 1989, p. 561-567. Contribution de Marcus Maier (Chapman University).

TEST 18

Êtes-vous intuitif?

Procédure

Répondez sincèrement et aussi vite que vous le pouvez à ce questionnaire. Choisissez les réponses qui vous conviennent le mieux:

1. Lorsque vous travaillez à un projet, vous préférez…
   (a) que l'on vous fasse part du problème, tout en vous accordant une grande latitude concernant la façon de le résoudre.
   (b) que l'on vous donne des consignes préalables précises sur la façon de résoudre le problème.

2. Lorsque vous travaillez à un projet, vous préférez que vos collègues soient…
   (a) pragmatiques.   (b) inventifs.

3. Les gens que vous admirez le plus sont…
   (a) créatifs.   (b) prudents.

4. Vos amis tendent à être…
(a) sérieux et travailleurs.   (b) passionnés et souvent émotifs.

5. Si vous demandez un conseil à un collègue à propos d'un problème,…
(a) vous ne vous énervez jamais, ou ne vous énervez que rarement, s'il met en doute vos hypothèses de base.
(b) vous vous énervez s'il met en doute vos hypothèses de base.

6. Lorsque commence votre journée de travail,…
(a) vous préparez ou suivez rarement un plan précis.
(b) vous commencez par planifier vos activités.

7. Quand vous manipulez des chiffres,…
(a) vous ne commettez jamais d'erreurs, ou n'en commettez que rarement.
(b) vous commettez souvent des erreurs.

8. Vous estimez…
(a) qu'il vous arrive rarement de rêvasser et, le cas échéant, vous n'êtes guère satisfait de vous.
(b) qu'il vous arrive fréquemment de rêvasser et, chaque fois, vous en ressentez du bien-être.

9. Lorsque vous abordez un problème, vous préférez…
(a) suivre les indications ou les consignes que l'on vous donne.
(b) contourner les indications ou les consignes que l'on vous donne.

10. Lorsque vous assemblez quelque chose, vous préférez…
(a) suivre étape par étape les instructions fournies.
(b) observer l'illustration de l'objet assemblé.

11. Ceux qui vous irritent *le plus* sont les gens…
(a) désordonnés.   (b) bien organisés.

12. Si une crise inattendue survient et que vous devez y faire face,…
(a) vous éprouvez de l'anxiété.
(b) vous êtes stimulé par le défi qui l'accompagne.

Résultat

Faites le total des réponses *a* aux questions 1, 3, 5, 6 et 11, puis inscrivez-le ici: *a* = _____.

Procédez de la même façon pour les réponses *b* aux questions 2, 4, 7, 8, 9, 10 et 12, puis inscrivez le résultat ici: *b* = _____.

Additionnez ces deux totaux: *a* + *b* = _____. Le résultat, situé entre 0 et 12, correspond à votre *indice d'intuition*.

Interprétation

Dans son ouvrage *Intuition in Organizations*[1], Weston H. Agor souligne que «les méthodes traditionnelles d'analyse […] ne sont pas aussi utiles au processus décisionnel qu'elles l'ont déjà été. […] Si vous cherchez à vous préparer à l'environnement de travail de demain, il serait logique d'accorder une certaine attention à l'utilisation et au développement des aptitudes intuitives pouvant servir à la prise de décision». M. Agor a mis au point ce questionnaire afin d'aider les gens à évaluer leur tendance à recourir à l'intuition avant de prendre une décision. L'indice que vous avez obtenu peut vous donner une idée de votre force dans ce domaine. Vous pourriez également en conclure qu'il vous faut améliorer cette aptitude et ne pas craindre de vous appuyer davantage sur l'intuition en matière de prise de décision (voir chapitre 17).

---

1. Weston H. Agor. *Intuition in Organizations*, Newbury Park (Calif.), Sage, 1989, p. 10 et 11.

Source: Enquête AIM (El Paso, Texas), ENFP Entreprises, 1989, Weston H. Agor, 1989.

Influence des heuristiques sur le processus décisionnel

Procédure

Êtes-vous capable d'éviter les écueils les plus courants en matière de prise de décision ? Procédez à votre autoévaluation en répondant aux questions suivantes :

1. Qu'est-ce qui est le plus risqué :
   (a) un voyage de 800 km en voiture ?
   (b) un vol de 800 km en avion ?

2. En anglais, y a-t-il plus de mots…
   (a) commençant par la lettre *r* ?
   (b) dont la troisième lettre est un *r* ?

3. Marc est en train de terminer sa maîtrise en administration des affaires dans une université prestigieuse. Il s'intéresse beaucoup aux arts et a même songé à faire une carrière de musicien. Il est probable qu'il acceptera un emploi…
   (a) dans une entreprise du domaine des arts, à titre d'administrateur.
   (b) dans un cabinet d'experts-conseils en gestion.

4. Vous êtes sur le point d'engager un directeur commercial pour la région centrale du pays, et ce, pour la cinquième fois cette année. Selon la loi des probabilités, vous estimez que celui-ci devrait se montrer à la hauteur puisque les quatre précédents étaient des incompétents. Ce raisonnement vous semble-t-il…
   (a) correct ?
   (b) incorrect ?

5. Un fabricant d'ordinateurs de la région de Boston vient d'embaucher un ingénieur ayant quatre années d'expérience et d'excellentes qualifications. Un chimiste, ne connaissant pas grand-chose à la profession ni à l'industrie et à qui l'on demanda d'estimer le salaire de base de cet ingénieur, a avancé la somme de 35 000 $US par an. Quelle est votre estimation ?
   (a) _____ par an
   (b) _____ par an

Résultat

Votre professeur vous indiquera les bonnes réponses et vous donnera quelques précisions.

Interprétation

Chacune de ces questions sert à analyser vos tendances à laisser diverses heuristiques influer sur votre jugement. Dans son livre *Judgment in Managerial Decision Making*, Max Bazerman qualifie ces heuristiques de «stratégies exploratoires» ou de «procédés simplificateurs» employés dans la prise de décision. Il affirme que «les heuristiques sont généralement utiles, mais qu'elles peuvent également provoquer des erreurs majeures […] S'ils prennent conscience des répercussions négatives que peut entraîner le recours aux heuristiques, les gestionnaires peuvent alors décider de les utiliser en fonction de la situation et du moment.» Ce test vous donnera un premier aperçu de la façon dont vous utilisez les heuristiques. Un décideur informé comprend leur nature, est capable de les reconnaître lorsqu'elles se produisent, et s'en détourne si elles risquent de fausser son jugement et ses décisions.

Poussez plus loin cette autoévaluation. *Avant que le professeur ne vous fasse part de ses commentaires*, reprenez vos réponses et, à côté de chacune d'elles, écrivez quelle heuristique du jugement s'applique selon vous (voir le chapitre 17).

Décrivez ensuite une situation vécue au cours de laquelle une idée préconçue a joué un rôle dans le processus décisionnel. Préparez-vous à la présenter en classe et à en discuter.

Source: Max H. Bazerman, *Judgment in Managerial Decision Making*, 3ᵉ éd., John Wiley & Sons Inc., 1994, p. 13-14.

TEST 20

Styles de gestion de conflit

Procédure

Réfléchissez à votre façon d'agir en situations de conflit, c'est-à-dire lorsqu'une ou plusieurs personnes vont à l'encontre de ce que vous désirez. Pour chacune des affirmations ci-dessous, inscrivez dans l'espace prévu à cette fin le chiffre qui correspond le mieux à la probabilité que vous adoptiez, dans une situation de conflit, la réaction mentionnée.

> 1 = Très peu probable
>
> 2 = Peu probable
>
> 3 = Probable
>
> 4 = Très probable

_____ **1.** Je me montre généralement ferme dans la poursuite de mes objectifs.

_____ **2.** J'essaie d'imposer mon point de vue.

_____ **3.** Je suis prêt à faire des concessions.

_____ **4.** J'estime qu'il ne vaut pas la peine de s'inquiéter des différences d'opinions.

_____ **5.** J'essaie de parvenir à une position intermédiaire entre la mienne et celle de mon vis-à-vis.

_____ **6.** Lorsque j'entame une négociation, j'essaie de tenir compte des désirs de l'autre partie.

_____ **7.** J'essaie de démontrer la logique et les avantages de mes points de vue.

_____ **8.** Je préfère toujours discuter franchement et ouvertement d'un problème.

_____ **9.** J'essaie d'aboutir à une combinaison équitable de gains et de pertes pour les deux parties.

_____ **10.** Je tente de résoudre immédiatement les divergences qui apparaissent.

_____ **11.** J'essaie d'éviter de me retrouver dans une situation désagréable.

_____ **12.** J'essaie d'apaiser les sentiments de mon interlocuteur pour préserver nos bonnes relations.

_____ **13.** Je m'efforce de mettre rapidement en lumière toutes les préoccupations et inquiétudes.

_____ **14.** J'évite parfois d'avancer des opinions susceptibles de créer des controverses.

_____ **15.** J'essaie de ne pas froisser autrui.

Résultat

Faites le total des points attribués aux énoncés 1, 2 et 7, et inscrivez-le ici : *Affrontement :* _____

Faites le total des points attribués aux énoncés 8, 10 et 13, et inscrivez-le ici : *Résolution de problème :* _____

Faites le total des points attribués aux énoncés 3, 5 et 9, et inscrivez-le ici : *Compromis :* _____

Faites le total des points attribués aux énoncés 4, 11 et 14, et inscrivez-le ici : *Évitement :* _____

Faites le total des points attribués aux énoncés 6, 12 et 15, et inscrivez-le ici : *Accommodation :* _____

Interprétation

Chaque résultat ci-dessus correspond à l'un des styles de gestion de conflit décrits au chapitre 18. Les études sur ce sujet montrent que chaque style peut être approprié dans certaines circonstances, mais que la résolution de problème est généralement la meilleure stratégie de gestion des conflits. Elle seule permet de résoudre véritablement les problèmes et les conflits. Nous vous suggérons de réfléchir à la tendance indiquée par votre résultat et de définir la meilleure façon de gérer les conflits auxquels vous vous trouvez mêlé.

Source: Thomas et Kilmann, *Conflict Mode Instrument*, 1974, Xicom inc., Tuxedo, NY 10987.

Votre type de personnalité

Procédure

En ce qui vous concerne, quel est le degré de véracité de ces affirmations ? Encerclez le chiffre qui correspond le plus à votre attitude.

	Faux		Ni vrai ni faux		Vrai
1. Je déteste abandonner tant que je ne suis pas certain d'avoir perdu.	1	2	3	4	5
2. J'ai parfois l'impression que je ne devrais pas travailler aussi dur, mais quelque chose me pousse à continuer.	1	2	3	4	5
3. J'adore les défis. Plus j'en ai, mieux c'est.	1	2	3	4	5
4. Je m'investis davantage dans mon travail que la plupart des gens que je connais.	1	2	3	4	5
5. Il me semble que j'aurais besoin de journées de 30 heures pour finir tout ce que je commence.	1	2	3	4	5
6. J'aborde généralement mon travail avec plus de sérieux que la plupart de ceux que je connais.	1	2	3	4	5
7. Il existe sans doute des gens nonchalants au travail, mais ce n'est pas mon genre.	1	2	3	4	5
8. On estime que mes réalisations sont considérablement plus élevées que celles de la plupart des gens que je connais.	1	2	3	4	5
9. On m'a souvent demandé de diriger des groupes.	1	2	3	4	5

Résultat

Additionnez tous vos points : _____

Interprétation

Les individus ayant une personnalité de type A (impatients, compétitifs) ont tendance à obtenir des résultats de 36 ou plus. Les individus ayant une personnalité de type B (détendus) ont tendance à obtenir des résultats de 22 ou moins. Les résultats allant de 23 à 35 indiquent une combinaison équilibrée des deux types.

Source : Job Demands and Worker Health, (HEW Publication n⁰ [NIOSH] 75-160), US Department Of Health, Education and Welfare, Washington DC, 1975, p. 253 et 254.

Comment gérez-vous votre temps?

Procédure

Répondez par *O* (oui) ou *N* (non) aux questions ci-dessous. Efforcez-vous d'y répondre avec franchise pour obtenir un portait fidèle de vos tendances dans ce genre de situations.

_____ **1.** Si plusieurs tâches tout aussi urgentes et importantes les unes que les autres m'attendent, je commence généralement par la plus facile.

_____ **2.** Je règle les choses les plus importantes pendant la période de la journée où je sais que je suis le plus efficace.

_____ **3.** La plupart du temps, je ne fais pas ce que d'autres peuvent faire aussi bien que moi; je préfère leur déléguer le travail dans ce cas.

_____ **4.** Même si les réunions sans objectif clair et utile me dérangent, je les tolère.

_____ **5.** Avant de lire un document, je le feuillette rapidement; si j'estime qu'il ne me rapportera pas suffisamment pour le temps que je vais y investir, je m'arrête là.

_____ **6.** Si je n'accomplis pas au moins une tâche importante chaque jour, je n'en fais pas une maladie.

_____ **7.** Je garde les tâches les plus insignifiantes pour la période de la journée où je me sens le moins créatif.

_____ **8.** Mon espace de travail est propre et bien rangé.

_____ **9.** La porte de mon bureau n'est jamais *fermée*; je travaille rarement dans une quiétude totale.

_____ **10.** Je programme chacune de mes journées de travail heure par heure.

_____ **11.** Je n'aime pas trop prévoir et programmer. Je préfère réagir au gré des événements quotidiens.

_____ **12.** Chaque jour ou chaque semaine, je me réserve un certain temps que je consacre à des activités prioritaires.

Résultat

Comptez le nombre de *O* aux énoncés 2, 3, 5, 7, 8 et 12. Inscrivez le résultat ici: _____.

Comptez le nombre de *N* aux énoncés 1, 4, 6, 9, 10 et 11. Inscrivez le résultat ici: _____.

Faites le total: _____

Interprétation

Plus le total est élevé, plus votre comportement correspond à celui que l'on recommande en matière de gestion du temps. Relisez les points pour lesquels votre réponse n'était pas la réponse attendue. Pourquoi cette différence? Pourquoi votre comportement sur ce point devrait-il différer de ce que l'on recommande pour bien gérer son temps? Réfléchissez à ce que vous pourriez faire (et à la facilité avec laquelle ce pourrait être fait) pour que votre comportement corresponde mieux à ces lignes directrices en matière de gestion du temps. Sur ce sujet, consultez: Christine Guilloux et Joël F. Nérot, *Le guide pratique de la gestion du temps: planification,* Paris, éditions d'Organisation, 1991.

Source: Robert E. Quinn *et al., Becoming a Master Manager: A Contemporary Framework,* New York, John Wiley & Sons, Inc., 1990, p. 75-76.

Glossaire

Les chiffres entre crochets à la fin des définitions renvoient au(x) chapitre(s) où le terme est défini et utilisé.

Accommodation   Stratégie de gestion de conflit par laquelle on aplanit les divergences, et se focalise sur les ressemblances et les points d'entente [18]

Activité de leadership liée aux relations   Activité qui permet à un groupe de maintenir sa cohésion et sa vitalité en tant qu'entité sociale en évolution [10]

Activité de leadership liée aux tâches   Activité qui contribue directement à l'accomplissement des tâches importantes incombant à un groupe [10]

Adaptation externe   Capacité de l'organisation d'atteindre ses objectifs et de composer avec les forces de l'environnement ; concerne les tâches à accomplir ainsi que les méthodes à employer pour atteindre les objectifs organisationnels et, le cas échéant, pour assumer les succès et les échecs [13]

Adhocratie   Structure organisationnelle caractérisée par un processus décisionnel décentralisé et participatif ; une spécialisation horizontale poussée ; un petit nombre de niveaux hiérarchiques ; la rareté des politiques, procédures et directives ; et une absence quasi totale de mécanismes de contrôle formels [12]

Affrontement   Stratégie de gestion de conflit où la victoire revient à celle des parties qui réussit à s'imposer par son poids, par la supériorité de ses compétences ou par son influence [18]

Agent de changement   Individu ou groupe qui prend en charge la modification des schèmes de comportement d'une personne ou d'un système social [19]

Alliance interentreprises   Rapprochement stratégique d'entreprises indépendantes sous forme d'accords de coopération ou de coparticipation [12]

Ambiguïté de rôle   Situation où un individu a des incertitudes quant à ce qu'on attend de lui [10] [18]

Amélioration continue   Principe selon lequel tout ce qui se fait dans l'organisation doit être constamment amélioré [2]

Analyse de poste   Processus de collecte, de traitement et de classification de l'information relative aux tâches que l'organisation doit accomplir [7]

Anarchie contrôlée   Climat qui règne dans une organisation ou une division durant une période de transition caractérisée par des changements très rapides ainsi que par un manque de hiérarchie légitimée et de collégialité [17]

Apprentissage organisationnel   Processus d'acquisition de connaissances et d'utilisation de l'information qui permet aux organisations et à leurs membres de s'adapter aux circonstances [1] [12]

Apprentissage organisationnel global   Processus qui permet aux organisations et à leurs membres de recueillir partout sur la planète les connaissances et les informations susceptibles de favoriser leur adaptation à long terme à l'environnement [3]

Approche de la contingence   Approche qui tente de répondre aux besoins de gestion en tenant compte des particularités du contexte [1]

Approche satisfaisante de la décision   Approche selon laquelle le décideur choisit la première possibilité qui lui semble donner une solution satisfaisante ou acceptable à un problème donné [17]

Aptitude   Prédisposition à apprendre ; capacité potentielle [4]

Arbitrage   Règlement d'un différend par un tiers neutre qui agit comme arbitre et qui, après avoir entendu les arguments des parties, prend une décision à laquelle elles sont liées [18]

Attentes   Dans la théorie des attentes, probabilité aux yeux de l'individu que les efforts investis dans l'exécution d'une tâche se traduiront en un niveau donné de rendement [6]

Attitude   Prédisposition à réagir de façon positive ou négative à une situation ou à un individu donné [4]

Automatisation   Procédé qui substitue des machines aux travailleurs pour l'exécution de certaines tâches [8]

Autonomisation   Pratique de gestion consistant à permettre aux travailleurs de prendre, individuellement ou en équipe, les décisions qui concernent directement leurs tâches [2]

Autoritarisme   Tendance à adhérer scrupuleusement à des valeurs traditionnelles, à obéir à l'autorité établie, et à privilégier la fermeté et le pouvoir [4]

Besoin d'accomplissement   Dans la théorie des besoins acquis, désir de faire mieux et plus efficacement, de résoudre des problèmes ou de maîtriser des tâches complexes [6]

Besoin d'affiliation   Dans la théorie des besoins acquis, désir d'établir et d'entretenir des relations chaleureuses avec autrui [6]

Besoins d'ordre inférieur   Dans la théorie de la hiérarchie des besoins de Maslow, besoins physiologiques, besoin de sécurité et besoins sociaux [6]

Besoins d'ordre supérieur   Dans la théorie de la hiérarchie des besoins de Maslow, besoin d'estime et besoin de réalisation de soi [6]

Besoin de pouvoir   Dans la théorie des besoins acquis, désir d'exercer son emprise sur les autres, d'influencer leur comportement ou d'en être responsable [6]

Besoins de développement   Dans la théorie ERD, besoins liés au désir d'épanouissement et d'accomplissement [6]

Besoins existentiels   Dans la théorie ERD, besoins liés au désir de bien-être physique et matériel [6]

Besoins relationnels   Dans la théorie ERD, besoins liés au désir de relations interpersonnelles satisfaisantes [6]

Bien-être   État de satisfaction du corps et de l'esprit qui passe par une bonne santé physique et mentale et qui permet de mieux résister au stress [19]

Bruit parasite   Toute perturbation qui interfère dans la transmission du message et interrompt le processus de communication [16]

Bureaucratie   Forme d'organisation, idéale selon le sociologue allemand Max Weber, qui s'appuie sur l'autorité, la logique et l'ordre ; se caractérise par la division du travail, le contrôle hiérarchique, l'avancement au mérite, les possibilités de carrière à long terme et une gestion fondée sur des directives [11]

Bureaucratie mécaniste   (ou *modèle mécaniste*) Type de bureaucratie qui privilégie la spécialisation verticale et le contrôle, recourt à des modes formels de coordination et s'appuie fortement sur la standardisation, la formalisation, les directives, les politiques et les procédures [11]

Bureaucratie professionnelle (ou *modèle organique*) Type de bureaucratie qui privilégie la spécialisation horizontale, recourt à des modes interpersonnels de coordination et réduit au minimum les directives, les politiques et les procédures [11]

Canal de communication   Voie empruntée pour la transmission d'un message (rencontre en personne, téléphone, lettre, note de service, courriel, messagerie vocale, etc.) [16]

Canal de communication formel   Canal de communication qui suit la ligne d'autorité établie par la structure hiérarchique [16]

Canal de communication informel   Canal de communication qui emprunte d'autres voies que la ligne d'autorité établie par la structure hiérarchique [16]

Capacité   Faculté d'accomplir les tâches inhérentes à un poste donné [4]

Capital intellectuel   Somme de connaissances, d'expertise et d'énergie mise à la disposition d'une organisation par ses membres [1] [2]

Caractéristique sociodémographique   Variable qui reflète la situation sociale d'un individu (âge, sexe, scolarité, etc.) et qui influe sur son devenir [4]

Causalité   Relation entre deux variables dont l'une est la cause et l'autre l'effet

Centralisation   Concentration du pouvoir décisionnel aux échelons supérieurs de la hiérarchie organisationnelle [11]

Cercle de qualité Groupe de travailleurs qui se rencontrent régulièrement pour trouver des moyens d'améliorer continuellement la qualité des activités et des produits au sein de leur organisation [10]

Changement non planifié Changement qui survient spontanément ou par hasard, sans l'intervention d'un agent de changement [19]

Changement planifié Changement qui résulte des efforts délibérés d'un agent de changement, en réaction à un écart de rendement perçu [19]

Classement Méthode comparative d'évaluation du rendement où l'on classe les travailleurs évalués du *meilleur* au *moins bon* pour chaque aspect du rendement visé par l'évaluation [7]

Cohésion Résultat du désir des membres d'un groupe d'appartenir à ce groupe et de leur motivation à y maintenir une participation active [10]

Commerce électronique Commerce où les transactions se font par Internet [2]

Communication Processus d'émission et de réception de messages porteurs de sens [16]

Communication efficace Communication où le sens donné par l'émetteur à son message et le sens saisi par le récepteur sont pratiquement identiques [16]

Communication efficiente Communication qui offre le meilleur rapport possible entre le coût en ressources et les résultats [16]

Communication non verbale Communication qui passe par l'expression faciale, le regard, la position du corps, la mimique, etc. [16]

Communication organisationnelle Processus par lequel l'information circule et s'échange de façon descendante, ascendante et horizontale à travers les structures formelles et informelles d'une organisation [16]

Comparaison par paires Méthode comparative d'évaluation du rendement où l'on compare chaque travailleur à chacun de ses collègues évalués [7]

Compétence conceptuelle Aptitude qui contribue à l'analyse et à la résolution des problèmes complexes [1]

Compétence humaine Aptitude qui permet de bien travailler avec d'autres [1]

Compétence technique Aptitude à effectuer certaines tâches spécialisées [1]

Complexité de l'environnement Ampleur des problèmes et des occasions que présente l'environ-nement organisationnel immédiat et global, telle que la révèlent trois variables majeures : sa richesse, l'étroitesse de ses liens d'interdépendance avec l'organisation et le degré d'incertitude qu'il génère [12]

Comportement conforme à l'éthique Comportement considéré comme juste et moral selon les valeurs sociales dominantes [1]

Comportement organisationnel Étude du comportement des individus et des groupes au sein des organisations [1]

Composante affective d'une attitude Sentiment particulier qu'éprouve l'individu à l'égard de quelqu'un ou de quelque chose ; attitude elle-même [4]

Composante cognitive d'une attitude Ensemble des croyances, opinions, connaissances et informations que possède un individu, et qui engendrent l'attitude ; antécédents de l'attitude [4]

Composante comportementale d'une attitude Intention de comportement ou prédisposition à agir d'une façon donnée résultant d'une attitude [4]

Compromis Stratégie de gestion de conflit où chaque partie cède à l'autre sur un point important [18]

Conception de poste Planification et spécification des tâches inhérentes à un poste, et détermination des conditions dans lesquelles s'accompliront ces tâches [8]

Conception organisationnelle Processus qui consiste à déterminer la structure appropriée pour l'organisation et à la mettre en œuvre [12]

Concordance de statut Situation où la position d'un individu dans un groupe correspond à celle qu'il occupe à l'extérieur du groupe [9]

Conditionnement opérant (ou *conditionnement instrumental*) Processus qui vise à influer sur le comportement en modifiant ses conséquences [6]

Conditionnement répondant (ou *conditionnement pavlovien*) Forme d'apprentissage par association qui fait appel à la manipulation de stimuli pour influencer le comportement [6]

Conflit Désaccord sur des questions de fond, ou frictions résultant de problèmes relationnels entre des individus ou des groupes [18]

Conflit constructif Conflit qui a des retombées positives pour les individus, les groupes ou l'organisation [18]

Conflit de fond Désaccord fondamental sur les buts et objectifs à poursuivre, ou sur les moyens d'y parvenir [18]

Conflit de rôle Situation où un individu ne parvient pas à répondre aux attentes liées à son rôle parce qu'elles sont contradictoires ou incompatibles [10] [18]

Conflit destructeur Conflit qui a des retombées négatives pour les individus, les groupes ou l'organisation [18]

Conflit émotionnel Problèmes relationnels qui se manifestent notamment par des sentiments de colère, de méfiance, d'animosité, de crainte et de rancune [18]

Conflit intergroupes Conflit qui oppose deux groupes ou davantage [18]

Conflit interorganisationnel Conflit qui oppose deux organisations ou davantage [18]

Conflit interpersonnel Conflit qui oppose deux individus ou davantage [18]

Conflit intrapersonnel Déchirement intérieur issu de l'incompatibilité, réelle ou perçue, entre les attentes ou objectifs d'un individu d'une part, et les attentes qu'on entretient à son égard ou les objectifs qu'on lui fixe d'autre part ; ou issu d'un choix que l'individu a à faire [18]

Conglomérat Société formée par la concentration de plusieurs organisations exerçant des activités diversifiées sans rapport entre elles [11]

Congruence des valeurs Situation où des gens disent avoir la satisfaction d'être en contact avec d'autres personnes dont les valeurs sont similaires aux leurs [4]

Consensus Accord général obtenu dans un groupe, la plupart des membres appuyant la solution choisie et les autres acceptant de s'y rallier [9]

Consultation sur le fonctionnement du groupe Méthode de développement organisationnel qui consiste en une série d'activités structurées, animées par un expert-conseil, et visant à améliorer l'efficacité fonctionnelle du groupe [13]

Contexte décisionnel d'incertitude Contexte où les décideurs disposent de si peu d'information qu'il leur est impossible d'évaluer les probabilités associées aux résultats des actions qu'ils envisagent [17]

Contexte décisionnel de certitude Contexte où les décideurs disposent de suffisamment d'information pour prévoir les résultats de chacune des actions qu'ils envisagent [17]

Contexte décisionnel de risque Contexte où les décideurs n'ont pas de certitude absolue quant aux résultats des diverses actions qu'ils envisagent, mais connaissent les probabilités qui y sont associées [17]

Contrainte Stratégie de gestion de conflit où l'une des parties, s'appuyant sur son autorité hiérarchique, impose sa solution et spécifie les gains et les pertes de chacune [18]

Contre-culture Philosophie et valeurs propres à un groupe, et qui se définissent en opposition à la culture dominante de l'organisation [13]

Contrôle Ensemble de mécanismes qui servent à maintenir les activités et la production d'une organisation dans des limites prédéterminées [11]

Contrôle des processus Mécanismes de contrôle organisationnel qui spécifient la façon dont les tâches doivent être accomplies [11]

Contrôle des résultats Mécanismes de contrôle organisationnel qui consistent à fixer des critères d'évaluation ou des objectifs, à évaluer les résultats par rapport à ces critères ou objectifs et, au besoin, à instaurer des mesures correctives [11]

Coordination Ensemble des mécanismes qu'utilise l'organisation pour établir un agencement cohérent des activités de ses diverses unités [11]

Créativité Capacité d'élaborer des réponses originales et ingénieuses aux problèmes ou aux occasions qui se présentent [17]

Croyance Idée qu'entretient l'individu sur une personne ou sur une situation ; conclusion qu'elle génère [4]

Culture Bagage commun de valeurs et de façons de faire d'un groupe, d'une collectivité ou d'une société [3]

Culture à contexte pauvre Culture où les locuteurs ont tendance à être très explicites dans leur utilisation du discours ou de l'écrit, le message étant en grande partie transmis par les mots utilisés plutôt que par le contexte [3]

Culture à contexte riche Culture où les locuteurs ont tendance à ne transmettre par les mots qu'une partie du message, le reste devant être interprété selon la situation, le langage corporel et d'autres indices contextuels [3]

Culture monochronique Culture où domine une perception linéaire du temps et où les gens ont tendance à ne faire qu'une chose à la fois [3]

Culture organisationnelle (ou *culture d'entreprise*) Ensemble des attitudes, valeurs et croyances communes qu'acquièrent les membres d'une organisation, et qui guident leur comportement [13]

Culture polychronique   Culture où domine une perception circulaire du temps et où les gens ont tendance à faire plus d'une chose à la fois [3]

Cyberentreprise   Entreprise qui se sert du réseau Internet et, plus généralement, des technologies de l'information et des communications pour soutenir l'intégration informatique de toutes ses opérations [2]

Cycle négatif   Phénomène caractérisé par une baisse de performance de l'organisation, suivie d'une détérioration encore plus marquée [12]

Cycle positif   Phénomène caractérisé par une adaptation réussie de l'organisation, suivie d'autres améliorations [12]

Décentralisation   Délégation du pouvoir décisionnel aux échelons inférieurs de la hiérarchie organisationnelle [11]

Décision collective   Décision prise par l'ensemble des membres d'un groupe [17]

Décision non programmée   Décision qui répond à un problème par une solution conçue sur mesure [17]

Décision par association   Décision qui répond vaguement à un problème ennuyeux et récurrent par une solution qui, bien qu'elle n'ait pas été conçue spécifiquement pour le résoudre, peut y être associée [17]

Décision par consultation   Décision que prend un responsable après avoir demandé l'avis des membres de son groupe [17]

Décision par voie d'autorité   Décision que prend un responsable en s'appuyant sur l'information dont il dispose, et à laquelle les membres de son groupe n'ont pas participé [17]

Décision programmée   Décision qui répond à un problème par une solution uniformisée ayant fait ses preuves [17]

Décristallisation   Étape préliminaire du changement planifié, durant laquelle on remet en question des attitudes et des comportements présents pour que le besoin de changement soit clairement ressenti [19]

Description réaliste de poste   Approche de recrutement qui donne aux postulants un portrait objectif de l'organisation ainsi que du poste à pourvoir [7]

Développement organisationnel (DO)   Approche globale de changement planifié conçue pour améliorer à long terme l'efficacité générale des organisations [13]

Dilemme éthique   Situation où une personne doit choisir de poser ou non un acte qui présente des avantages potentiels tout en étant contraire à l'éthique [1]

Dissonance cognitive   Malaise que ressent l'individu lorsqu'il y a contradiction entre ses attitudes et ses comportements [4]

Distance hiérarchique   Degré d'acceptation par une culture des différences de statut et de pouvoir entre ses membres [3]

Diversité de la main-d'œuvre   Différences de sexe, d'origine ethnoculturelle, d'âge ou d'aptitude physique et mentale au travail au sein de la main-d'œuvre [1] [4]

Dogmatisme   Tendance à percevoir le monde comme une source de menaces et à tenir l'autorité légitime pour absolue [4]

Dynamique de groupe   Phénomènes psychosociaux qui influent sur les relations personnelles et professionnelles des membres du groupe [9]

Dynamique de la personnalité   Façon dont l'individu intègre et organise toutes les composantes et tous les traits de sa personnalité (traits sociaux, traits relatifs à la conception personnelle du monde, traits d'adaptation affective) [4]

Dynamique intergroupes   Phénomènes relationnels entre des groupes qui entretiennent des relations de collaboration ou de compétition [9]

Échelle d'évaluation comportementale   Méthode d'évaluation du rendement où, après avoir recensé une série de comportements professionnels observables dans un emploi donné, on établit une échelle constituée de comportements typiques précis qui servent de références, chacun correspondant à un niveau de rendement [7]

Échelle d'évaluation graphique   Méthode d'évaluation du rendement où l'on mesure le niveau de rendement sur une échelle graphique réunissant divers aspects que l'on estime liés à un rendement satisfaisant dans un poste donné [7]

Écoute active   Façon d'écouter qui aide l'émetteur à exprimer ce qu'il veut vraiment dire

Effet d'indulgence   Erreur dans l'évaluation du rendement où l'évaluateur tend à accorder des notes exagérément élevées à la quasi-totalité des personnes évaluées [7]

Effet de complaisance   Tendance à nier sa responsabilité personnelle en cas d'échec, et à s'attribuer le mérite d'un succès [5]

Effet de contraste   Erreur de perception qui peut se manifester dans une situation où les caractéristiques d'un individu tranchent avec celles d'autres individus rencontrés quelque peu avant et évalués nettement plus favorablement ou défavorablement [5]

Effet de halo   Erreur de perception qui consiste à se faire une impression générale d'une personne ou d'une situation à partir d'une seule de ses caractéristiques [5] [7]

Effet de récence   Erreur dans l'évaluation du rendement où l'évaluateur, obnubilé par des événements récents, occulte des faits antérieurs qu'il devrait prendre en considération [7]

Effet de sévérité   Erreur dans l'évaluation du rendement où l'évaluateur tend à accorder des notes exagérément faibles à la quasi-totalité des personnes évaluées [7]

Effet de tendance centrale   Erreur dans l'évaluation du rendement où l'évaluateur tend à accorder à toutes les personnes qu'il évalue des notes tournant autour de la moyenne [7]

Effet des stéréotypes   Erreur dans l'évaluation du rendement où l'évaluateur laisse ses préjugés personnels touchant certaines caractéristiques sociodémographiques – origine ethnoculturelle, âge, sexe ou handicaps, etc. – influer sur son évaluation [7]

Effet « motus »   Phénomène qui consiste à rester bouche cousue par politesse ou par réticence à transmettre une mauvaise nouvelle [16]

Élaboration du plan de carrière   Processus au cours duquel le travailleur se penche avec son supérieur ou un spécialiste en RH sur ses perspectives de carrière à plus long terme [7] [13]

Élargissement des tâches   Approche de la conception de poste où l'on augmente la diversité des tâches en confiant au titulaire du poste un plus grand nombre de tâches différentes, sans pour autant augmenter le degré de difficulté des tâches ni le niveau de responsabilité du poste [8]

Énoncé de mission   Déclaration écrite qui fait état de la raison d'être d'une organisation [11]

Enquête   Protocole de recherche qui repose sur un questionnaire et vise à décrire ou à prédire un phénomène [MC]

Enquête de rétroaction   Méthode de développement organisationnel qui repose sur une collecte de données au moyen d'un questionnaire adressé à tous les membres de l'organisation ou à un échantillon représentatif [13]

Enrichissement des tâches   Approche de la conception de poste où l'on rehausse la nature du travail en ajoutant aux fonctions d'exécution des fonctions de planification et de contrôle traditionnellement attribuées à des cadres [8]

Entrevue   Technique de collecte de données qui repose sur un entretien, en personne, au téléphone ou par l'entremise de systèmes informatisés, durant lequel on interroge les répondants sur divers sujets d'intérêt [MC]

Épopée   Récit légendaire qui raconte les exploits du héros [13]

Équilibre entre vie professionnelle et vie personnelle   Situation qui permet à la personne de concilier les exigences de son travail et de ses activités personnelles [1]

Équipe   Petit groupe de travailleurs aux compétences complémentaires qui collaborent activement à l'atteinte d'un objectif commun, dont ils se considèrent collectivement responsables [10]

Équipe de travail autonome   Équipe ou groupe de travail qui a la latitude nécessaire pour planifier, organiser et évaluer ses tâches [2] [10]

Équipe favorisant la participation des travailleurs   Groupe de travailleurs qui se rencontrent régulièrement pour se pencher sur des questions d'importance au sein de leur organisation [10]

Équipe interfonctionnelle   Équipe dont les membres occupent diverses fonctions dans l'organisation et travaillent à une tâche commune [10]

Équipe virtuelle   Équipe dont les membres se réunissent et travaillent ensemble à distance grâce aux technologies de l'information et des communications (TIC) [10]

Erreur de faible différenciation   Erreur dans l'évaluation du rendement où l'évaluateur, victime de l'effet d'indulgence, de l'effet de sévérité ou de l'effet de tendance centrale, n'utilise qu'une petite partie de l'échelle d'évaluation [7]

Erreur fondamentale d'attribution   Tendance à sous-estimer l'influence des facteurs externes et à surestimer celle des facteurs internes lorsqu'on évalue le comportement d'autrui [5]

Étalonnage concurrentiel   Procédé qui consiste, pour une organisation, à comparer ses produits, ses services et ses méthodes à ceux de ses concurrents les plus sérieux et des chefs de file dans son domaine ; s'inscrit dans une démarche d'amélioration continue [12]

Étapes de carrière   Étapes que traverse un individu au cours de sa vie professionnelle et auxquelles correspondent divers niveaux de responsabilités et de réalisations [7]

Étude de cas   Protocole de recherche qui repose sur l'analyse en profondeur d'une ou de quelques unités (individu, milieu, organisation, événement, etc.) [MC]

Évaluation du rendement   Processus qui permet d'évaluer systématiquement le rendement quantitatif et qualitatif des membres du personnel, et de fournir une rétroaction à partir de laquelle les améliorations voulues pourront être apportées [7]

Évaluation par incidents critiques   Méthode d'évaluation du rendement où l'on consigne dans un registre des incidents critiques liés au comportement du travailleur : succès ou échecs sortant de l'ordinaire et touchant diverses dimensions du rendement [7]

Éventail de subordination   Nombre d'individus qui dépendent d'un même supérieur hiérarchique [11]

Évitement (ou *fuite*)   Stratégie de gestion de conflit par laquelle on élude le problème en se comportant comme s'il n'existait pas [18]

Expérimentation en laboratoire   Protocole de recherche où, dans un milieu artificiel, les chercheurs manipulent une ou des variables indépendantes dans des conditions rigoureusement contrôlées [MC]

Expérimentation sur le terrain   Protocole de recherche avec expérience où, dans un milieu naturel, les chercheurs manipulent une ou des variables indépendantes en s'efforçant de contrôler la situation aussi rigoureusement que possible [MC]

Extinction   Stratégie de renforcement qui consiste à éliminer le renforçateur afin de faire disparaître le comportement qui était encouragé jusque-là [6]

Facilitation sociale   Tendance du comportement individuel à être modifié par le simple fait de la présence d'autres gens [9]

Façonnement   Stratégie de renforcement qui consiste à modeler un nouveau comportement par le renforcement positif d'une suite d'essais conduisant peu à peu au comportement désiré [6]

Facteurs d'hygiène (ou *facteurs d'ambiance*)   Dans la théorie bifactorielle, facteurs associés au cadre de travail et qui déterminent le niveau d'insatisfaction professionnelle [6]

Facteur de stress   Agent de stress [19]

Facteurs moteurs   Dans la théorie bifactorielle, facteurs associés à la nature même du travail et qui déterminent le niveau de satisfaction professionnelle [6]

Fiabilité   Qualité d'un instrument de mesure qui donne des résultats consistants et stables [MC]

Fixation des objectifs   Processus d'élaboration, de négociation et de mise en forme des objectifs ou des cibles que le travailleur doit atteindre [8]

Fonctions du gestionnaire   1) *Planifier* Fixer des objectifs et déterminer les actions à entreprendre pour les atteindre ; 2) *Organiser* Répartir les tâches et coordonner les ressources en fonction des objectifs ; 3) *Diriger* Insuffler au personnel de l'enthousiasme et de l'ardeur au travail ; 4) *Contrôler* Surveiller le rendement et prendre les mesures correctives qui s'imposent [1]

Formalisation   Mécanisme de contrôle des processus qui consiste à présenter par écrit les politiques, procédures et directives de l'organisation [11]

Formation   Ensemble d'activités destinées à l'acquisition et à l'amélioration des connaissances théoriques et pratiques nécessaires à l'exercice d'une fonction, d'un emploi ou d'une technique [7]

Gestion du stress   Stratégie qui consiste à déterminer les causes et les symptômes d'un stress excessif, puis à prendre des mesures pour le ramener au niveau optimal [19]

Gestion intégrale de la qualité (GIQ)   Type de gestion qui vise la qualité totale des biens et services produits, l'amélioration continue et la satisfaction des consommateurs [2]

Gestion par déambulation Stratégie de gestion qui consiste, pour le gestionnaire, à sortir régulièrement de son bureau pour aller parler à ses subordonnés à leur poste de travail [16]

Gestion par objectifs (GPO) Processus conjoint de détermination d'objectifs où les subordonnés fixent avec leur supérieur hiérarchique des objectifs liés à leurs tâches et qui contribueront à la réalisation des objectifs plus larges du supérieur [7]

Gestion stratégique de l'organisation Système mis en place par la haute direction en matière d'autorité, d'influence et de normes de comportement des gestionnaires [15]

Gestionnaire Au sein d'une organisation, personne dont la tâche consiste à soutenir les efforts déployés par d'autres [1]

Gestionnaire sans frontières Gestionnaire qui a une conscience mondiale, qui apprécie la diversité culturelle et qui sait concevoir des stratégies en conséquence [3]

Greffage Processus d'acquisition d'individus, d'unités ou d'organisations visant à accroître le savoir de l'organisation qui se porte acquéreur [12]

Groupe Ensemble constitué d'au moins deux individus qui collaborent de façon régulière à l'atteinte d'objectifs communs [9]

Groupe efficace Groupe caractérisé par un rendement élevé, la satisfaction professionnelle de ses membres et la viabilité de l'équipe [9]

Groupe formel Groupe désigné officiellement pour assumer un rôle précis au sein d'une organisation [9]

Groupe informel Groupe qui se forme spontanément, au gré des relations personnelles ou pour répondre à certains intérêts communs de ses membres, sans l'intervention ou sans l'appui officiel de l'organisation [9]

Harmonisation fonctionnelle de l'équipe Série d'actions planifiées visant à recueillir et à analyser des données sur le fonctionnement d'un groupe, puis à amorcer des changements pour faciliter la collaboration entre les membres et améliorer l'efficacité opérationnelle du groupe [10] [13]

Harmonisation fonctionnelle intergroupes Méthode de développement organisationnel qui vise à améliorer les relations de travail entre deux ou plusieurs groupes, et du même coup leur efficacité respective [13]

Heuristique Stratégie ou procédé simplificateur utilisé dans la prise de décision [17]

Heuristique de l'accessibilité mentale Procédé qui consiste à juger un événement présent à la lumière des situations passées qui reviennent le plus facilement à la mémoire [17]

Heuristique de la représentativité Procédé qui consiste à évaluer la probabilité d'un événement sur la base des similitudes qu'il présente avec d'autres situations à propos desquelles on entretient des idées préconçues [17]

Heuristique des données de référence Procédé qui consiste à évaluer un événement présent sur la base de données provenant d'expériences passées ou d'une source extérieure, et adaptées aux circonstances actuelles [17]

Horaire de travail variable Aménagement du temps qui laisse aux travailleurs une certaine latitude quant à leur horaire de travail quotidien, leur permettant entre autres de choisir à leur convenance l'heure d'arrivée et l'heure de départ [8]

Hypothèse de recherche Proposition qui prédit l'existence d'une relation entre deux ou plusieurs variables, et que la recherche va tenter de confirmer, d'infirmer ou de nuancer [MC]

Îlot de haute performance Unité qui fonctionne comme une OHP, bien qu'elle soit englobée dans une entité qui n'en présente pas les caractéristiques et qui peut même lui être réfractaire [2]

Image de soi Conception que chacun se fait de son identité sociale, physique, spirituelle et morale [4]

Imitation Procédé qui consiste, pour une organisation, à reproduire des pratiques qui ont démontré leur efficacité dans d'autres organisations [12]

Impérialisme éthique Opinion selon laquelle il existe un code de la morale unique qui s'applique en toute situation, peu importe le lieu et le contexte culturel [3]

Indice du potentiel de motivation (IPM) Indice qui permet de déterminer dans quelle mesure les caractéristiques fondamentales d'un poste le rendent stimulant pour son titulaire [8]

Individualisme et collectivisme   Tendances culturelles opposées, l'une privilégiant l'intérêt individuel et l'autre l'intérêt collectif; indiquent si les gens préfèrent le travail individuel ou le travail en groupe [3]

Influence   Effet sur autrui du pouvoir qu'exerce un individu; réaction comportementale à l'exercice du pouvoir [15]

Innovation   Processus qui consiste à générer et à appliquer des idées nouvelles

Innovation en matière de procédés   Introduction de méthodes de travail ou d'activités d'exploitation nouvelles et améliorées [19]

Innovation en matière de produits   Introduction de produits (biens ou services) nouveaux et améliorés afin de mieux répondre aux besoins de la clientèle [19]

Insatisfaction professionnelle   Sentiment négatif que le travailleur éprouve, à divers degrés, à l'égard de son emploi et de son milieu de travail [6]

Instauration du changement   Étape intermédiaire du changement planifié, durant laquelle on implante des mesures visant à changer une situation en modifiant des paramètres comme les tâches, la structure, la technologie ou l'effectif de l'organisation [19]

Instrumentalité   Dans la théorie des attentes, probabilité aux yeux de l'individu que le niveau de rendement atteint se traduira par une juste récompense [6]

Insuffisance de rôle   Situation où les attentes à l'égard d'un individu sont trop faibles, et où celui-ci se sent sous-utilisé [10]

Intégration interne   Capacité des membres de l'organisation de se donner une identité collective et d'harmoniser leurs façons de travailler ensemble et de se côtoyer [13]

Intelligence artificielle   Simulation par ordinateur du fonctionnement du cerveau d'un expert humain [17]

Intuition   Faculté de connaître ou de déceler rapidement et sans hésiter les possibilités d'une situation donnée [17]

Jeu politique en milieu organisationnel   Selon la perspective: 1) exercice du pouvoir pour parvenir à des fins que l'organisation désapprouve ou pour obtenir des résultats qu'elle approuve, mais par des moyens qu'elle réprouve; 2) art d'élaborer des compromis originaux pour concilier des intérêts rivaux [15]

Justice distributive   Justice qui garantit un traitement équitable à tout être humain [1]

Justice procédurale   Justice qui garantit le respect des règles et des procédures établies dans tous les cas où elles s'appliquent [1]

Leadership   Type d'influence interpersonnelle par laquelle un individu amène un autre individu ou un groupe à s'acquitter de la tâche qu'il veut voir menée à bien [14]

Leadership axé sur la considération pour autrui   Type de leadership où le dirigeant, axé sur les travailleurs, manifeste beaucoup de considération pour autrui, est très sensible à ce que ressentent ses subordonnés et s'efforce de les satisfaire [14]

Leadership axé sur la structuration des activités   Type de leadership où le dirigeant, axé sur la tâche, cherche surtout à en préciser les exigences et à clarifier les autres aspects du travail [14]

Leadership charismatique   Type de leadership où le dirigeant, uniquement grâce à sa personnalité, parvient à exercer une influence forte et profonde sur ses subordonnés [15]

Leadership de soutien   Type de leadership qui accorde la priorité aux besoins et au bien-être des subordonnés, et qui favorise l'instauration et le maintien d'un climat de travail amical [14]

Leadership directif   Type de leadership qui consiste à expliquer de manière très détaillée les tâches que les subordonnés doivent accomplir ainsi que la manière dont ils doivent le faire [14]

Leadership orienté vers les objectifs   Type de leadership qui met l'accent sur la fixation d'objectifs stimulants et sur l'obtention d'un rendement élevé; repose sur une confiance inébranlable en la capacité des membres du groupe d'atteindre les résultats visés, si ambitieux soient-ils [14]

Leadership partagé   Au sein d'un groupe, responsabilité collective dans la satisfaction des besoins en matière de tâches et de relations harmonieuses [10]

Leadership participatif   Type de leadership axé sur la consultation: le dirigeant invite les subordonnés à lui faire part de leurs suggestions, et en tient compte dans ses prises de décisions [15]

Leadership transactionnel   Type de leadership qui repose sur les échanges nécessaires entre le dirigeant et ses subordonnés pour atteindre au jour le jour le niveau de rendement convenu [15]

Leadership transformateur   Type de leadership où le dirigeant : 1) amène ses subordonnés à élargir leurs horizons, à mieux comprendre les objectifs et la mission du groupe et à se les approprier ; incite les subordonnés à voir au-delà de leur propre intérêt pour envisager celui d'autrui [15]

Lieu de contrôle externe   Tendance de l'individu à attribuer ce qui lui arrive à des facteurs externes sur lesquels il n'a pas d'emprise [4]

Lieu de contrôle interne   Tendance de l'individu à attribuer ce qui lui arrive à des facteurs inhérents à sa personne et à se croire maître de sa destinée [4]

Loi de l'effet   Loi selon laquelle un comportement suivi d'une conséquence agréable a de fortes chances de se répéter, tandis qu'un comportement suivi d'une conséquence désagréable ne se reproduira probablement pas [6]

Loi du renforcement contingent   Loi selon laquelle, pour maximiser son effet renforçateur, la récompense doit n'être accordée que s'il y a manifestation du comportement souhaité [6]

Loi du renforcement immédiat   Loi selon laquelle, pour maximiser son effet renforçateur, la récompense doit venir le plus rapidement possible après la manifestation du comportement souhaité [6]

Machiavélisme   Tendance à manœuvrer pour parvenir à ses fins par tous les moyens [4]

Main-d'œuvre de la génération X   Main-d'œuvre constituée de travailleurs nés entre 1965 et 1977 [2]

Maîtrise de l'incertitude   Propension culturelle à éviter le risque et l'ambiguïté [3]

Maîtrise situationnelle   Marge de manœuvre dont jouit le leader pour déterminer les comportements de son groupe, et capacité du leader à prévoir les retombées des actions et des décisions des membres de ce groupe [14]

Marge de négociation   Écart entre les niveaux d'acceptation respectifs – minimal pour l'un, maximal pour l'autre – des protagonistes d'une négociation [18]

Médiation   Processus où un tiers neutre tente, par la persuasion et les arguments rationnels, d'amener des parties à une solution négociée [18]

Message contradictoire   Décalage entre les mots que prononce un individu et ce que révèlent ses gestes et son langage corporel [16]

Méthode de développement organisationnel   Activité mise en œuvre par un spécialiste en développement organisationnel pour faciliter le changement organisationnel planifié et aider ceux qui y sont engagés à améliorer leur capacité de résolution de problèmes [13]

Méthode scientifique   Démarche de recherche qui repose essentiellement sur les quatre étapes suivantes : 1) l'élaboration de la problématique ; 2) la formulation d'une ou de plusieurs hypothèses de recherche ou d'explications sur son objectif ; 3) l'élaboration d'un protocole de recherche ; et, 4) la collecte, l'analyse et l'interprétation des données de la recherche [MC]

Méthodes non réactives   Techniques de recherche qui permettent de recueillir des données sans perturber la situation étudiée [MC]

Mirage du leadership   Phénomène qui consiste à attribuer au leader des qualités et des vertus mystérieuses ou envoûtantes, presque surnaturelles [15]

Modèle de la poubelle   Modèle selon lequel les principales composantes du processus décisionnel – problèmes, solutions, intervenants et contexte décisionnel – se trouvent pêle-mêle dans la «poubelle» de l'organisation [17]

Modification du comportement organisationnel   En milieu de travail, renforcement systématique des comportements recherchés, et non-renforcement ou punition des comportements indésirables [6]

Mondialisation de l'économie   Phénomène caractérisé par une interdépendance accrue de la concurrence, des sources d'approvisionnement et des marchés à l'échelle planétaire [3]

Motivation au travail   Ensemble des énergies qui sous-tendent l'orientation, l'intensité et la persistance des efforts qu'un individu consacre à son travail [6]

Multinationale   Organisation qui opère à grande échelle dans plus d'un pays étranger [3]

Mythe organisationnel   Croyance non fondée qui circule dans l'organisation, et que la plupart de ses membres acceptent tacitement sans la remettre en question [12] [13]

Négociation   Processus par lequel des parties qui privilégient des possibilités divergentes tentent de parvenir à une décision commune [18]

Négociation de rôle   Méthode de développement organisationnel qui permet à des travailleurs de clarifier leurs attentes respectives et mutuelles dans le cadre de leurs relations professionnelles [13]

Négociation distributive   Négociation centrée sur les positions respectives des parties, chacune luttant pour maximiser ses propres gains [18]

Négociation raisonnée (ou *négociation à gains mutuels*)   Négociation centrée sur l'évaluation des questions à régler et des intérêts en jeu, et où toutes les parties cherchent conjointement une solution qui maximise leurs gains mutuels [18]

Neutralisants du leadership   Caractéristiques des subordonnés, de la tâche ou de l'organisation qui empêchent le leader d'adopter certains comportements ou annulent les effets de ses actions [15]

Norme   Règle de conduite ou critère de comportement que se donnent les membres d'un groupe [10]

Nouveau leadership   Type de leadership qui privilégie les approches charismatique et transformatrice, ainsi que diverses dimensions de la vision qui leur sont associées [15]

Objectif de production   Objectif organisationnel qui délimite le champ d'activité de l'organisation et précise les aspects généraux de son énoncé de mission [11]

Objectif sociétal   Objectif organisationnel relatif à la contribution que l'organisation entend faire à l'ensemble de la société [11]

Objectif stratégique   Objectif organisationnel qui énonce une condition dont on croit qu'elle peut accroître les chances de survie de l'organisation [11]

Observation   Technique de collecte de données qui consiste à observer un événement, un objet ou une personne, et à consigner ses caractéristiques [MC]

OHP créée de toutes pièces   Organisation hautement performante qui prend son départ dans des installations spécialement conçues dans l'optique de la haute performance [2]

Organigramme   Représentation graphique de la structure formelle de l'organisation [11]

Organisation   Regroupement d'individus qui œuvrent à un objectif commun, à savoir la production de biens et services pour la société [1]

Organisation en trèfle   Société qui opère avec un noyau de travailleurs permanents, auxquels se greffent des sous-traitants et des travailleurs à temps partiel [2]

Organisation hautement performante (OHP)   Organisation délibérément conçue pour inciter ses membres à donner le meilleur d'eux-mêmes et pour produire des résultats supérieurs de façon soutenue [2]

Organisation parallèle   Méthode de développement organisationnel conçue pour activer un mécanisme créatif de résolution de problèmes au cours de rencontres en petits groupes d'un échantillon représentatif de toute l'organisation [13]

Orientation à court terme et orientation à long terme   Tendances culturelles opposées, l'une privilégiant des valeurs associées à l'avenir comme l'*esprit d'économie* et la *persévérance,* l'autre des valeurs centrées sur le présent, voire l'immédiat ; se traduisent dans les organisations par des objectifs de rendement à long terme ou, au contraire, à court terme [3]

Orientation masculine et orientation féminine   Tendances culturelles divergentes indiquant la propension des organisations à privilégier la compétitivité et la combativité ou, au contraire, l'empathie et l'harmonie dans les relations interpersonnelles [3]

Paresse sociale   Phénomène qui se manifeste par une diminution du rendement des individus en situation de travail collectif [9]

Partage de poste   Formule qui consiste à répartir la totalité des tâches d'un poste à temps plein entre deux travailleurs ou plus, selon des horaires convenus entre eux ainsi qu'avec l'employeur [8]

Pensée de groupe   Tendance, chez les membres de groupes où la cohésion est très forte, à perdre tout sens critique [9]

Perception   Processus par lequel l'individu sélectionne, organise, interprète et récupère l'information que lui transmet son environnement [5]

Perception sélective   Tendance à privilégier une lecture de la réalité qui correspond à ses propres besoins, attentes, valeurs et attitudes, et qui amène à ne voir que certains aspects d'une situation, d'un individu ou d'un point de vue [5]

Personnalité   Profil global d'un individu ; combinaison de traits qui font de lui un être unique dans sa manière de se comporter et d'entrer en relation avec autrui [4]

Personnalité de type A   Personnalité caractérisée par l'impatience, le désir de la réussite et le perfectionnisme [4]

Personnalité de type B   Personnalité caractérisée par un caractère calme et un faible esprit de compétition [4]

Philosophie de gestion   Philosophie organisationnelle qui relie les questions clés relatives aux objectifs de l'organisation aux questions clés relatives à la collaboration entre les membres pour indiquer à grands traits les méthodes que l'organisation devrait adopter dans la conduite de ses affaires [13]

Piège de la confirmation   Erreur consistant à chercher les informations qui confirment ce qu'on croit être vrai, et à ignorer ou à négliger celles qui pourraient infirmer cette conviction [17]

Piège du jugement a posteriori   Erreur qui consiste à surestimer rétrospectivement ce qu'on aurait pu ou dû prévoir d'un événement [17]

Plafond de verre   Barrière invisible qui freine la promotion des femmes et des minorités dans les organisations [1]

Plafonnement professionnel   Situation où un travailleur constate qu'il a cessé de grimper des échelons de la hiérarchie organisationnelle et qu'il ne pourra probablement plus assumer de responsabilités professionnelles plus importantes [7]

Planification stratégique des ressources humaines   Processus visant à doter l'organisation de travailleurs qui ont la motivation et les compétences nécessaires pour concrétiser sa mission et sa vision [7]

Polyvalence   Capacité des travailleurs d'assumer toute une variété de fonctions et de tâches [10]

Pouvoir   Selon la perspective : 1) capacité d'un individu d'amener autrui à accomplir la tâche qu'il veut voir menée à bien ; 2) outil ou ressource qui permet d'influer sur le cours des événements [15]

Pouvoir d'expertise   Capacité qu'a un individu d'influer sur le comportement d'autrui grâce aux connaissances, à l'expérience ou au discernement qui lui sont propres, et dont d'autres, qui ne les possèdent pas, ont besoin [15]

Pouvoir de coercition   Capacité qu'a le gestionnaire d'influer sur le comportement de ses subordonnés en leur refusant les récompenses qu'ils convoitent ou en les punissant [15]

Pouvoir de persuasion rationnelle   Capacité qu'a un individu d'influer sur le comportement d'autrui en l'amenant à admettre le bien-fondé d'un objectif donné ainsi que des moyens proposés pour l'atteindre [15]

Pouvoir de récompense   Capacité qu'a le gestionnaire d'influer sur le comportement de ses subordonnés en leur offrant des récompenses extrinsèques ou en créant un contexte professionnel favorisant les récompenses intrinsèques [15]

Pouvoir de référence   Capacité qu'a un individu d'influer sur le comportement d'autrui à cause du désir qu'a ce dernier de s'identifier à la source de pouvoir [15]

Pouvoir légitime (ou *autorité*)   Capacité qu'a le gestionnaire d'influer sur le comportement de ses subordonnés en s'appuyant sur leur conviction que «le patron a le droit de commander» [15]

Prise de décision (ou *processus décisionnel*)   Processus qui consiste à choisir un plan d'action pour régler un problème ou pour saisir une occasion [17]

Problématique diversité/consensus   Phénomène selon lequel une diversité accrue dans un groupe tend à rendre la collaboration plus difficile, même si elle augmente la somme d'aptitudes et de compétences disponibles pour la résolution des problèmes [9]

Producteur de savoir   Travailleur dont la principale tâche est de générer de nouvelles connaissances, le plus souvent à l'aide d'outils informatiques [2]

Programme d'actionnariat des travailleurs   Système de rémunération qui, comme le programme de participation aux bénéfices, récompense les travailleurs selon la performance globale de l'organisation, mais par des actions de la société plutôt que par de l'argent [7]

Programme d'augmentations salariales forfaitaires   Système de rémunération où les travailleurs peuvent choisir de recevoir le montant de leur augmentation salariale en un ou plusieurs versements forfaitaires [7]

Programme d'avantages sociaux à la carte   Système de rémunération où les travailleurs peuvent personnaliser l'assortiment d'avantages sociaux dont ils bénéficient selon leurs besoins individuels [7]

Programme de formation «adéquation leader-situation»   Programme de formation où les leaders apprennent à analyser la situation dans laquelle ils se trouvent afin d'harmoniser leur indice CMA à la maîtrise situationnelle qu'elle leur confère [14]

Programme de partage des gains de productivité   Système de rémunération qui accorde aux travailleurs un supplément de rémunération proportionnel aux gains de productivité de l'organisation [7]

Programme de participation aux bénéfices Système de rémunération qui récompense les travailleurs en liant leur rémunération à la performance globale de l'organisation [7]

Projection Fait d'attribuer à autrui ses propres caractéristiques – idées, convictions, attentes ou besoins [5]

Prophétie qui se réalise Propension à susciter ou à découvrir ce à quoi on s'attend chez quelqu'un ou dans une situation donnée [5]

Protocole de recherche Plan ou stratégie d'ensemble qui permettra à la recherche de vérifier la ou les hypothèses avancées ou d'atteindre son objectif [MC]

Protocole quasi expérimental Protocole de recherche avec expérience se caractérisant par le fait que les sujets ne sont pas assignés au hasard à des groupes et que les *variables étrangères* échappent au *contrôle* parfait du chercheur [MC]

Prototype de leadership Représentation mentale du leader idéal [15]

Punition Stratégie de renforcement qui consiste à attribuer des conséquences négatives à un comportement indésirable ou à éliminer des conséquences positives à la suite d'un tel comportement, afin de diminuer la probabilité que ce comportement se répète dans des conditions similaires [6]

Qualité de vie professionnelle (QPV) Qualité globale des expériences humaines dans le milieu de travail [1]

Questionnaire Instrument de collecte de données qui permet d'interroger les répondants sur leurs opinions, leurs attitudes et leurs perceptions touchant divers sujets [MC]

Questionnaire du collègue le moins apprécié (CMA) Instrument de mesure qui permet de déterminer si le style de leadership d'un dirigeant est axé sur les relations ou sur la tâche [14]

Recherche-action Approche d'évaluation organisationnelle et de résolution de problèmes qui repose sur une collecte systématique de données, suivie d'une rétroaction qui mène à la planification des actions à entreprendre, puis de l'évaluation des résultats par la collecte et l'analyse de nouvelles données obtenues une fois le plan d'action mis en œuvre [13]

Récompense extrinsèque Récompense attribuée à un individu par quelqu'un d'autre pour un travail jugé satisfaisant [6]

Récompense intrinsèque Récompense qui découle directement de l'accomplissement du travail et du rendement obtenu, sans qu'il y ait eu renforcement extérieur [6]

Recristallisation Étape finale du changement planifié, durant laquelle on consolide et on assimile à long terme les acquis du changement [19]

Recrutement Dans le processus de dotation en personnel, ensemble des démarches visant à amener les gens les plus qualifiés à se porter candidats aux postes à pourvoir dans l'organisation [7]

Redéfinition de poste Méthode de développement organisationnel qui vise à établir une adéquation durable entre les besoins et compétences d'un travailleur et les exigences de son poste [13]

Réingénierie des processus d'affaires Démarche qui amène une organisation à repenser et à restructurer de fond en comble ses processus d'affaires afin de favoriser l'innovation et d'améliorer ses résultats par rapport à des mesures de performance critiques comme les coûts, la qualité, le service et la rapidité; inclut l'analyse, la rationalisation et la reconfiguration des activités et des tâches nécessaires pour atteindre ces objectifs [2]

Relativisme culturel Opinion selon laquelle il n'existe pas de comportement universellement juste, dans la mesure où les règles éthiques dépendent entièrement du contexte culturel [3]

Remue-méninges Technique d'aide à la prise de décision collective fondée sur la libre expression du plus grand nombre d'idées possible sans critique immédiate [9]

Rémunération au mérite Système de rémunération où le salaire et les augmentations des travailleurs sont directement liés à l'évaluation de leur rendement pour une période donnée [7]

Rémunération fondée sur les compétences Système de rémunération qui récompense les travailleurs pour l'acquisition ou le perfectionnement d'habiletés associées à leur travail [7]

Renforcement Attribution d'une conséquence à un comportement afin d'influer sur ce comportement [6]

Renforcement continu Stratégie de renforcement qui consiste à récompenser le comportement souhaité chaque fois qu'il se manifeste [6]

Renforcement intermittent (ou *partiel*) Stratégie de renforcement qui consiste à ne récompenser le comportement souhaité qu'occasionnellement [6]

Renforcement négatif (ou *évitement*) Stratégie de renforcement qui consiste à faire suivre le comportement souhaité du retrait de conséquences négatives ou désagréables, ce qui tend à favoriser la répétition de ce comportement dans des conditions similaires [6]

Renforcement positif Stratégie de renforcement qui consiste à faire suivre le comportement souhaité de conséquences positives afin d'augmenter la probabilité de le voir se reproduire dans un contexte similaire [6]

Répartition forcée Méthode comparative d'évaluation du rendement fondée sur un nombre restreint de catégories – *excellent, bon, acceptable, médiocre, insatisfaisant* – et où l'on précise à l'évaluateur la proportion de travailleurs devant figurer dans chacune [7]

Réseau de communication centralisé Réseau de communication où le coordonnateur du groupe centralise l'information [16]

Réseau de communication décentralisé Réseau de communication où la circulation et le partage de l'information s'effectuent par communication directe entre tous les membres du groupe [16]

Réseau de communication restreint Réseau de communication où les sous-groupes en présence sont en désaccord et campent sur leurs positions respectives, ce qui limite la circulation et le partage de l'information [16]

Résistance au changement Tout comportement ou toute attitude indiquant un refus de soutenir ou d'opérer un changement proposé [19]

Résolution de conflit Situation où les causes sous-jacentes d'un conflit ont été éliminées [18]

Résolution de problème Stratégie de gestion de conflit qui s'appuie sur la collecte et l'évaluation de l'information pertinente [18]

Responsabilisation du personnel Degré de pouvoir décisionnel délégué par l'organisation à ses travailleurs de tous les niveaux hiérarchiques [2]

Responsabilité sociale Obligation, pour les organisations, d'adopter une conduite conforme à l'éthique et à la morale [1]

Ressources humaines Êtres humains qui accomplissent tout ce qui contribue à réaliser la mission d'une organisation [1]

Restructuration organisationnelle Méthode de développement organisationnel qui consiste à modifier la structure de l'organisation ou ses principaux sous-systèmes pour en améliorer l'efficacité opérationnelle [13]

Rétroaction Dans le processus de communication, message qu'adresse à son tour le récepteur d'un message à son émetteur de départ, généralement pour transmettre son évaluation de ce que ce dernier a dit ou fait [16]

Rétroaction à 360 degrés Approche de l'évaluation du rendement qui ajoute aux sources internes d'information (supérieur immédiat, collègues, subordonnés) l'évaluation par la clientèle et par d'autres personnes avec qui le travailleur est en contact à l'extérieur de son unité de travail, ainsi que l'autoévaluation [7]

Rite Activité planifiée, standardisée et récurrente à laquelle on recourt à un moment précis afin d'influer sur la perception et sur le comportement des membres de l'organisation [13]

Rituel Ensemble de rites [13]

Rôle Ensemble d'attentes associées à un poste ou à une fonction au sein d'un groupe [10]

Rotation des postes Approche de la conception de poste où l'on augmente la diversité des tâches des travailleurs en les affectant périodiquement à des postes différents, sans pour autant augmenter le degré de difficulté des tâches ni le niveau de responsabilité du poste [8]

Satisfaction professionnelle Sentiment positif que le travailleur éprouve, à divers degrés, à l'égard de son emploi et de son milieu de travail [6]

Schème Cadre cognitif qui correspond à la connaissance, structurée par le temps et l'expérience, qu'a l'individu d'un concept ou d'un stimulus donné [5]

Séance d'échange de vues Méthode de développement organisationnel qui sert à déterminer et à implanter rapidement les mesures susceptibles d'améliorer le fonctionnement de l'organisation [13]

Sélection Dans le processus de dotation en personnel, étape qui englobe toutes les démarches qui vont de la présélection des postulants jusqu'à l'embauche proprement dite [7]

Semaine de travail comprimée Horaire de travail qui permet de répartir les tâches hebdomadaires d'un emploi à temps plein sur moins de cinq jours complets [8]

Simplification des tâches Approche de la conception de poste où les procédés sont standardisés, et où les travailleurs sont confinés à des tâches normalisées, clairement définies et hautement spécialisées [8]

Socialisation Dans le processus de dotation en personnel, étape finale visant à faciliter l'intégration de la nouvelle recrue à l'organisation et, plus particulièrement, à son unité de travail [7]

Souplesse Faculté d'un individu d'adapter son comportement aux facteurs environnementaux (situation, cadre de travail, etc.) [4]

Sous-culture Philosophie et valeurs propres à un groupe, mais qui ne se définissent pas en opposition à la culture dominante de l'organisation [13]

Spécialisation horizontale Division du travail qui mène à la création d'unités ou de groupes de travail au sein de l'organisation [11]

Spécialisation verticale Division hiérarchique du travail qui répartit l'autorité et détermine les échelons auxquels se prennent les décisions importantes [11]

Standardisation Mécanisme de contrôle des processus qui consiste à imposer une limite aux actions permises dans l'accomplissement d'une tâche ou d'une série de tâches; implique la détermination de lignes de conduite très précises afin que des activités similaires soient toujours accomplies de la même manière [11]

Stimulus Agent déclencheur qui provoque une réaction comportementale [6]

Stratégie de coercition Stratégie où l'agent de changement s'appuie sur son pouvoir légitime (l'autorité), sur son pouvoir de récompense ou sur son pouvoir de coercition pour amener les personnes à se soumettre au changement qu'il propose [19]

Stratégie de partage du pouvoir Stratégie où l'agent de changement s'appuie sur son pouvoir de référence pour responsabiliser les personnes touchées par le changement proposé et favoriser leur participation à sa planification et à son implantation [19]

Stratégie de persuasion rationnelle Stratégie où l'agent de changement s'appuie sur son pouvoir d'expertise ou sur son pouvoir de persuasion rationnelle pour convaincre les personnes qu'elles ont avantage à adhérer au changement qu'il propose [19]

Stratégie organisationnelle Processus qui consiste à positionner l'organisation dans son environnement concurrentiel et à implanter les mesures qui lui permettront de soutenir efficacement cette concurrence [12]

Stress État de tension provoqué par des contraintes, des exigences ou des occasions extraordinaires [19]

Structure divisionnaire Structure organisationnelle qui regroupe les individus et les ressources par produits, secteurs géographiques, types de services, clients ou entités juridiques [11]

Structure fonctionnelle Structure organisationnelle qui regroupe les individus par compétences, connaissances et activités [11]

Structure matricielle Structure organisationnelle qui combine des éléments des structures fonctionnelle et divisionnaire, et où le travailleur est assigné à plus d'un type d'unité

Structure pluricellulaire Structure organisationnelle constituée d'un réseau de cellules quasi autonomes, mais qui collaborent à l'amélioration du savoir-faire, des produits et des services du réseau, de manière à innover dans tous les champs d'activité où opère l'une des cellules [12]

Structure simple Configuration structurelle d'une organisation qui présente une ou deux formes de spécialisation des unités et des travailleurs [12]

Substituts du leadership Caractéristiques des subordonnés, de la tâche ou de l'organisation qui remplacent l'influence exercée par le leader et la rendent ainsi moins nécessaire, voire superflue [15]

Surcharge de rôle Situation où les attentes à l'égard d'un individu sont trop élevées, et où celui-ci se sent submergé par la charge de travail [10]

Surenchère irrationnelle Investissement d'efforts supplémentaires dans un plan d'action dont tout indique qu'il est un échec [17]

Symbole culturel Objet, action ou événement qui transmet un message d'ordre culturel [13]

Syndrome de la compartimentation Ensemble de problèmes qui résultent d'un manque de communication et d'interactions entre les travailleurs des divers services et unités d'une organisation [10]

Synergie   Phénomène de coordination des énergies qui fait que le tout dépasse la somme des parties [9]

Système flexible de fabrication   Système qui, grâce à la technologie informatique et à la conception intégrée des postes, permet de passer aisément et rapidement de la fabrication d'un produit à l'autre [8]

Système ouvert   Système qui transforme des ressources humaines et matérielles en produits finis (biens et services) [1]

Système sociotechnique   Système qui vise à intégrer les ressources humaines et les technologies dans des cadres de travail axés sur la haute performance [8]

Technique Delphi   Technique d'aide à la prise de décision collective qui fait appel à une succession de questionnaires distribués à de nombreux décideurs pour susciter un consensus [9]

Technique du groupe nominal   Technique d'aide à la prise de décision collective qui fait appel à des règles structurées pour générer les idées et les hiérarchiser [9]

Techniques de production intégrée   Systèmes performants d'information et de conception des postes utilisés pour obtenir une plus grande flexibilité dans les processus de fabrication et dans les services [2]

Technologies de l'information et des communications (TIC)   Combinaison de l'équipement, du matériel, des procédures et des systèmes qu'on utilise pour recueillir, emmagasiner, analyser et diffuser l'information, afin que celle-ci puisse se traduire en savoir [12]

Technologies liées aux activités d'exploitation   Combinaison des ressources, du savoir et des techniques qui crée un extrant (bien ou service) pour l'organisation [12]

Téléphone arabe   Transmission de rumeurs et d'informations officieuses, généralement de bouche à oreille, à travers les réseaux d'amis et de connaissances [16]

Télétravail   Aménagement du travail qui permet aux gens d'exercer leurs activités professionnelles à distance, chez eux ou ailleurs, tout en restant reliés à l'organisation grâce aux technologies de l'information et des communications [8]

Théorie   Ensemble de concepts, de définitions et de propositions en interrelation, qui propose une vue systématique d'un phénomène afin d'expliquer ses manifestations et de les prédire [MC]

Théorie bifactorielle (ou *théorie des deux facteurs, Herzberg*)   Théorie qui distingue les facteurs à l'origine de la satisfaction professionnelle de ceux qui peuvent prévenir l'insatisfaction professionnelle : les facteurs moteurs et les facteurs d'hygiène [6]

Théorie classique de la décision   Théorie selon laquelle le décideur évolue dans un univers de certitude [17]

Théorie comportementale de la décision   Théorie selon laquelle le décideur agit seulement en fonction de ce qu'il perçoit d'une situation donnée [17]

Théorie de l'attribution   Théorie qui s'intéresse à la façon dont un individu tente de comprendre les causes d'un événement, de départager les responsabilités et d'évaluer les qualités personnelles des gens qui y ont joué un rôle [5]

Théorie de l'équité (Adams)   Théorie selon laquelle, lorsque l'individu compare ce qu'il reçoit pour son travail à ce que d'autres en retirent, toute iniquité perçue devient une source de motivation ; l'individu tentera de redresser la situation afin d'éliminer la tension qui résulte de l'iniquité perçue [6]

Théorie de la hiérarchie des besoins (Maslow)   Théorie selon laquelle les besoins humains progressent en fonction de la hiérarchie suivante : besoins physiologiques, besoin de sécurité, besoins sociaux, besoin d'estime et besoin de réalisation de soi [6]

Théorie des attentes (Vroom)   Théorie selon laquelle la motivation au travail résulte d'un calcul rationnel fondé sur la relation perçue entre les efforts déployés, le niveau de rendement atteint et la valeur de la récompense qui y est associée [6]

Théorie des besoins relationnels (FIRO-B)   Théorie qui met en lumière les différences dans la façon dont les gens entrent en rapport les uns avec les autres selon leurs besoins d'exprimer des sentiments liés à l'appartenance, au pouvoir et à l'affection, et de se voir témoigner de tels sentiments [9]

Théorie des caractéristiques de l'emploi   Théorie qui met en lumière cinq caractéristiques fondamentales de l'emploi particulièrement importantes dans la conception de poste : la polyvalence, l'intégralité de la tâche, la valeur de la tâche, l'autonomie et la rétroaction [8]

Théorie des échanges leader-membres Théorie du leadership selon laquelle la qualité des échanges leader-membres a un effet déterminant, pour l'organisation et pour les subordonnés, sur les résultats [14]

Théorie du cheminement critique (House) Théorie du leadership selon laquelle la fonction clé du leader consiste à adapter ses comportements aux contingences d'une situation donnée de manière à les pallier [14]

Théorie du traitement des données sociales Théorie selon laquelle les besoins individuels, la perception des tâches et les réactions qui en découlent se fondent sur des réalités d'origine sociale [8]

Théorie ERD (Alderfer) Théorie selon laquelle les besoins humains se divisent en besoins existentiels, en besoins relationnels et en besoins de développement [6]

Théories de contenu Théories de la motivation qui portent sur la compréhension des besoins susceptibles de motiver le comportement de l'individu [6]

Théories de processus Théories de la motivation qui portent sur la compréhension des processus cognitifs déterminant le comportement [6]

Théories des comportements du leader Théories du leadership selon lesquelles ce sont en grande partie les comportements du leader qui permettent de prédire les résultats d'un leadership donné [14]

Théories des traits personnels du leader Théories du leadership selon lesquelles ce sont en grande partie des attributs personnels qui permettent de distinguer leaders et non-leaders, et de prédire les résultats d'un leadership donné [14]

Théories du leadership situationnel Théories du leadership selon lesquelles ce sont les contingences situationnelles qui, associées aux traits et aux comportements du leader, permettent de prédire les résultats d'un leadership donné [14]

Théories du renforcement Théories de la motivation qui portent sur les moyens de mettre en œuvre le conditionnement opérant [6]

Théories sur le développement de la personnalité Théories qui établissent des modèles et des typologies sur l'évolution de la personnalité [4]

Traits relatifs à l'adaptation affective Traits de personnalité qui déterminent dans quelle mesure un individu est émotionnellement instable ou enclin aux comportements inadmissibles [4]

Traits relatifs à la conception personnelle du monde Traits de personnalité qui se rapportent à la façon dont un individu conçoit son environnement social et physique, à ses croyances et à ses convictions intimes sur diverses questions [4]

Traits sociaux Caractéristiques apparentes qui composent l'image que projette un individu en interaction sociale [4]

Travail d'équipe Travail de groupe où les membres mettent leurs compétences respectives au service d'un objectif commun [10]

Travail permanent à temps partiel Formule qui consiste, pour un individu ayant un statut de travailleur permanent, à travailler moins d'heures que dans une semaine de travail normale [8]

Travail temporaire à temps partiel Formule qui consiste, pour un individu ayant un statut de travailleur temporaire, à travailler moins d'heures que dans une semaine de travail normale [8]

Travailleur expatrié Personne qui vit dans un pays étranger durant une période relativement longue et y travaille [3]

Unité fonctionnelle Groupe de travail qui seconde les unités opérationnelles de l'organisation en leur fournissant de l'expertise et des services spécialisés [11]

Unité opérationnelle Groupe de travail qui assume les activités premières de l'organisation [11]

Valence Dans la théorie des attentes, valeur accordée par l'individu à chaque récompense possible [6]

Valeurs Principes généraux qui orientent les jugements et les actions d'un individu [4]

Valeurs finales Valeurs relatives aux choix de l'individu quant aux buts et aux objectifs qu'il se fixe dans la vie [4]

Valeurs instrumentales Valeurs relatives aux moyens que prend l'individu pour atteindre ses buts et ses objectifs [4]

Validité Qualité des résultats de recherche exacts et utilisables [MC]

Variable Mesure utilisée pour décrire un phénomène du monde réel [MC]

Variable dépendante   Fait ou événement auquel le chercheur s'intéresse et qui, selon son hypothèse de recherche, devrait varier sous l'effet de la variable indépendante [MC]

Variable indépendante   Fait ou événement qui, selon l'hypothèse de recherche, devrait avoir une incidence sur la variable dépendante [MC]

Variable intermédiaire   Fait ou événement qui favorise la relation présumée entre une variable indépendante et une variable dépendante, et qui permet de la préciser [MC]

Variable modératrice   Fait ou événement qui, s'il est modifié systématiquement, a une incidence sur la relation entre une variable indépendante et une variable dépendante [MC]

Zone d'indifférence   Éventail des demandes de ses supérieurs auxquelles un subordonné accepte de se conformer sans les juger ni les critiquer [15]

Notes et références bibliographiques

■ **CHAPITRE 1**

Notes

1. John Huey. «Managing in the Midst of Chaos», *Fortune*, 5 avril 1993, p. 38 à 48. Consulter également Tom Peters, *Thriving on Chaos*, NewYork, Knopf, 1991; Jay R. Galbraith, Edward E. Lawler III et autres, *Organizing for the Future: The New Logic for Managing Organizations*, San Francisco, Jossey-Bass, 1993; William H. Davidow et Michael S. Malone, *The Virtual Corporation: Structuring and Revitalizing the Corporation of the 21ˢᵗ Century*, Newe York, Harper Business, 1993; Charles Handy, *The Age of Unreason*, Boston, Harvard Business School Press, 1990, et *The Age of Paradox*, Boston, Harvard Business School Press, 1994; Peter Drucker, *Managing in a Time of Great Change*, New York, Truman Talley, 1995; et Tom Peters, «The Brand Called You», *Fast Company*, août/septembre 1997.

2. Voir Gary Hamel et Jeff Sampler, «The e-Corporation», *Fortune*, 7 décembre 1998, p. 79 à 90; ainsi que David Kirkpatrick, «The E-Ware War», *Fortune*, 7 décembre 1998, p. 115 à 117.

3. Voir Daniel H. Pink, «Free Agent Nation», *Fast Company*, décembre 1997, p. 131ff; et Tom Peters, «The Brand Called You», *Fast Company*, août/septembre 1997.

4. Thomas Petzinger Jr.. «A New Model for the Nature of Business: It's Alive!», *Wall Street Journal*, 26 février 1999, p. B1 et B4.

5. Robert B. Reich. «The Company of the Future», *Fast Company*, novembre 1998, p. 124ff.

6. Basé sur Jay A. Conger, *Winning 'em Over: A New Model for Managing in the Age of Persuasion*, New York, Simon & Schuster, 1998, p. 180 et 181; Stewart D. Friedman, Perry Christensen et Jessica DeGroot, «Work and Life: The End of the Zero-Sum Game», *Harvard Business Review*, nov.–déc. 1998, p. 119 à 129; et C. Argyris, «Empowerment: The Emperor's New Clothes», *Harvard Business Review*, mai-juin 1998, p. 98 à 105.

7. Tiré du rapport sur la diversité dans les milieux de travail aux États-Unis, *Workforce 2000: Work and Workers in the 21ˢᵗ Century*, Indianapolis, Hudson Institute, 1987. Pour de plus amples informations, consulter Martin M. Chemers, Stuart Oskamp et Mark A. Costanzo, *Diversity in Organizations: New Perspectives for a Changing Workplace*, Beverly Hills (Calif., Sage, 1995; et Robert T. Golembiewski, *Managing Diversity in Organizations*, Tuscaloosa (Alabama), University of Alabama Press, 1995.

8. David A. Thomas et Suzy Wetlaufer. «A Question of Color: A Debate on Race in the U.S. Workplace», *Harvard Business Review*, septembre/octobre 1997, p. 118 à 132.

9. "Change at the Top», *Wall Street Journal*, 9 mars 1999, p. B12.

10. Selon le *Catalyst Survey 1998* tel que publié dans «Executive Pay Gap Widens», New York, Associated Press; repris également dans *The Columbus Dispatch*, 10 novembre 1998, p. 2C; et «You've Come a Short Way, Baby», *Business Week*, 23 novembre 1998, p. 82 à 88. Pour de l'information sur les meilleures approches dans ce domaine, voir *Advancing Women in Business: The Catalyst Guide*, San Francisco, Jossey-Bass, 1998.

11. James G. March. *The Pursuit of Organizational Intelligence*, Malden (Mass.), Blackwell, 1999.

12. Voir Peter Senge, *The Fifth Discipline*, New York, Harper, 1990; D. A. Garvin, «Building a Learning Organization», *Harvard Business Review*, nov./déc. 1991, p. 78 à 91; Chris Argyris, *On Organizational Learning*, 2ᵉ éd., Malden (Mass.), Blackwell, 1999.

13. Information tirée de Reich, *op. cit.*, p. 124ff.

14. Pour une vue d'ensemble sur le sujet, voir W. Lorsch éd., *Handbook of Organizational Behavior*, Englewood Cliffs (New Jersey), Prentice Hall, 1987.

15. Geert Hofstede. «Cultural Constraints in Management Theories», *Academy of Management Executive*, nᵒ 7, 1993, p. 81 à 94.

16. Pour en savoir plus sur l'énoncé de mission, voir Patricia Jones et Larry Kahaner, *Say It and Live It: The 50 Corporate Mission Statements That Hit the Mark*, New York, Currency-Doubleday, 1995; et John Graham et Wendy Havlick, *Mission Statements: A Guide to the Corporate and Nonprofit Sectors*, New York, Garland Publishers, 1995.

17. www.biochempharma.com

18. C. Collins et Jerry I. Porras. «Building Your Company's Vision», *Harvard Business Review*, septembre/octobre 1996, p. 65 à 77.

19. www.aircanada.ca

20. Reich. *Op. cit.*

21. Voir Michael E. Porter, *Competitive Strategy: Techniques for Analyzing Industries and Competitors*, New York, Free Press, 1980; *Competitive Advantage: Creating and Sustaining Superior Performance*, New York, Free Press, 1986; Gary Hamel et C. K. Prahalad, «Strategic Intent», *Harvard Business Review*, mai-juin 1989, p. 63 à 76; et Richard A. D'Aveni, *Hyper-Competition: Managing the Dynamics of Strategic Maneuvering*, New York, Free Press, 1994.

22. Citation tirée de Jeffrey Pfeffer, *The Human Equation: Building Profits by Putting People First*, Boston, Harvard Business School Press, 1998.

23. Voir Dave Ulrich, «Intellectual Capital = Competence x Commitment», *Harvard Business Review*, hiver 1998, p. 15 à 26.

24. «What Makes a Company Great?», *Fortune*, 26 octobre 1998, p. 218.

25. Voir Brian Dumaine, «The New Non-Manager Managers», *Fortune*, 22 février 1993, p. 80 à 84; et Walter Kiechel III, «How We Will Work in the Year 2000», *Fortune*, 17 mai 1993, p. 38.

26. Tiré de Henry Mintzberg dans *The Nature of Managerial Work*, Harper & Row, New York, 1973. Pour des sujets associés, voir Morgan W. McCall, Jr. et autres, *Studies of Managerial Work: Results and Methods, Technical Report Nᵒ 9*, Greensboro (NC), Center for Creative Leadership, 1978; John P. Kotter, *The General Managers*, New York, Free Press, 1982; Fred Luthans, Stuart Rosenkrantz et Harry Hennessey, «What Do Successful Managers Really Do?», *Journal of Applied Behavioral Science* 21, nᵒ 2, 1985, p. 255 à 270; Robert E. Kaplan, *The Warp and Woof of the General Manager's Job, Technical Report Nᵒ 27*, Greensboro (NC), Center for Creative Leadership, 1986; et Fred Luthans, Richard M. Hodgetts et Stuart A. Rosenkranz, *Real Managers*, New York, HarperCollins, 1988.

27. John R. Schermerhorn Jr.. *Management*, 6e éd., New York, Wiley, 1999.

28. Mintzberg. *Op. cit.*, 1973. Voir également Henry Mintzberg, *Mintzberg on Management*, New York, Free Press, 1989; et «Rounding Out the Manager's Job», *Sloan Management Review*, automne 1994, p. 11 à 26.

29. Kotter. *Op. cit.* (1982); John P. Kotter, «What Effective General Managers Really Do», *Harvard Business Review*, nᵒ 60, nov.-déc. 1982, p. 161. Voir Kaplan, *op. cit.* (1984).

30. Herminia Ibarra. «Managerial Networks», Notes de cours #9 495-039, Boston (Mass.), Harvard Business School Publishing.

31. Robert L. Katz. «Skills of an Effective Administrator», *Harvard Business Review*, nᵒ 52, sept.-oct. 1974, p. 94. Voir également Richard E. Boyatzis, *The Competent Manager: A Model for Effective Performance*, New York, Wiley, 1982.

32. Conger. *Op. cit.* (1998).

33. Pour un excellent aperçu, voir Linda K. Trevino et Katherine J. Nelson, *Managing Business Ethics*, 2ᵉ éd., New York, Wiley, 1999.

34. Voir Blair Sheppard, Roy J. Lewicki et John Minton, *Organizational Justice: The Search for Fairness in the Workplace*, New York, Lexington Books, 1992; Jerald Greenberg, *The Quest for Justice on the Job: Essays and Experiments*, Thousand Oaks (Calif.), Sage Publications, 1995; Robert Folger et Russell Cropanzano, *Organizational Justice and Human Resource Management*, Thousand Oaks (Calif.), Sage Publications, 1998.

35. Voir Steven N. Brenner et Earl A. Mollander, «Is the Ethics of Business Changing?», *Harvard Business Review*, n° 55, janvier/février 1977, p. 50 à 57; Saul W. Gellerman, «Why 'Good' Managers Make Bad Ethical Choices», *Harvard Business Review* n° 64, juillet/août 1986,p. 85 à 90; Barbara Ley Toffler, *Tough Choices: Managers Talk Ethics*, New York, John Wiley, 1986; Justin G. Longnecker, Joseph A. McKinney et Carlos W. Moore, «The Generation Gap in Business Ethics», *Business Horizons*, n° 32, sept./oct.1989, p. 9 à 14; John B. Cullen, Vart Victor et Caroll Stephens, «An Ethical Weather Report: Assessing the Organization's Ethical Climate», *Organizational Dynamics*, hiver 1990, p. 50 à 62; Dawn Blalock, «Study Shows Many Execs Are Quick to Write Off Ethics», *Wall Street Journal*, 26 mars 1996, p. C1.

36. Élaboré partiellement à partir de Alan L. Otten, «Ethics on the Job: Companies Alert Employees to Potential Dilemmas», *Wall Street Journal*, 14 juillet 1986, p. 17.

37. D'après Gellerman, *op. cit.* (1986).

38. Pour la recherche sur les *dénonciateurs*, voir Paula M. Miceli et Janet P. Near, *Blowing the Whistle*, New York, Lexington, 1992.

39. Information tirée de Timothy D. Schellhardt, «An Idyllic Workplace under a Tycoon's Thumb», *Wall Street Journal*, 23 novembre 1998, p. B1.

40. Douglas McGregor. *The Human Side of Enterprise*, New York, McGraw-Hill, 1960.

41. David A. Nadler et Edward E. Lawler III. «Quality of Work Life: Perspectives and Directions», *Organizational Dynamics*, n° 11, 1983, p. 22 à 36. Autres sources sur la QVP: Thomas G. Cummings et Edgar F. Huse, *Organizational Development and Change*, St. Paul (Minn.), West, 1990; et Stewart D. Friedman, Perry Christensen et Jessica DeGroor, «Work and Life: The End of the Zero-Sum Game», *Harvard Business Review*, nov.-déc. 1998, p. 119 à 129.

42. Jeffrey Pfeffer. *Op. cit.*, p. 292.

Références bibliographiques

Information tirée de Jeff Cole, «New Boeing CFO's Assignment: Signal a Turnaround», *Wall Street Journal*, 26 janvier 1999, p. B1 et B4.
L'information sur Trilogy est tirée de Robert B. Reich, «The Company of the Future», *Fast Company*, novembre 1998, p. 124ff; ainsi que du site Internet de la société.
Florida A & M University. Diana Kunde, «Black University, Corporations Find Close Ties Benefit Everyone», *The Columbus Dispatch*, 5 octobre 1998, p. 4.
Information sur Great Plains Software tirée de Robert B. Reich, «The Company of the Future», *Fast Company*, novembre 1998, p. 124ff.

■ **CHAPITRE 2**

Notes

1. Analyse tirée de notes de cours préparées par Barry A. Macy pour Management 5371, *Managing Organizational Behavior and Organizational Design*, Texas Tech University, printemps 1999.

2. Tiré d'un entretien avec Barry A. Macy, 5 mars 1999.

3. «What Makes a Company Great?», *Fortune*, 26 octobre 1998, p. 218.

4. Voir Thomas A. Stewart, «Planning a Career Without Managers», *Fortune*, 20 mars 1995, p. 72 à 80.

5. *Workplace Visions*, septembre/octobre 1998, p. 2.

6. Lester Thurow. *Head to Head: The Coming Economic Battle among Japan, Europe, and America*, Morrow, New York, 1992; et Barry A. Macy. *Successful Strategic Change*, Barrett-Koehler, San Francisco [en cours d'impression].

7. «Unemployment Falls 4.2 Percent to 29-Year Low», *Lubbock Avalanche-Journal*, 3 avril 1999, p. E-1.

8. Nina Munk. «The New Organization Man», *Fortune*, 16 mars 1998, p. 63 et 64.

9. Thurow. *Op. cit.* (1992).

10. Voir entre autres: Jay R. Galbraith, Edward E. Lawler III et associés, *Organizing for the Future: The New Logic for Managing Organizations*, San Francisco, Jossey-Bass, 1993; ou Peter Drucker, *Managing in a Time of Great Change*, New York, Truman Talley, 1995.

11. Michael Hammer et James Champy. *Reengineering the Corporation*, New York, Harper Collins, 1993.

12. Voir Gary Hammel et Jeff Sampler, «The e-Corporation», *Fortune*, 7 décembre 1998, p. 79 à 90; et David Kirkpatrick, «The E-Ware War», *Fortune*, 7 décembre 1998, p. 115 à 117.

13. William H. Davidow et Michael S. Malone. *The Virtual Corporation: Structuring and Revitalizing the Corporation of the 21st Century*, New York, Harper Business, 1993; ainsi que Andrew Kupfer, «Alone Together: Will Being Wired Set Us Free?», *Fortune*, 20 mars 1995, p. 94 à 104.

14. Voir Daniel H. Pink, «Free Agent Nation», *Fast Company*, décembre 1997, p. 131ff; et Tom Peters, «The Brand Called You», *Fast Company*, août/septembre 1997.

15. Charles Handy. *The Age of Unreason*, Boston, Harvard Business School Press, 1990; voir également un ouvrage plus récent du même auteur: *The Age of Paradox*, Boston, Harvard Business School Press, 1994.

16. Jeffrey Pfeffer. *The Human Equation: Building Profits by Putting People First*, Boston, Harvard Business School Press, 1998.

17. Voir Dave Ulrich, «Intellectual Capital = Competence x Commitment», *Harvard Business Review*, hiver 1998, p. 15 à 26.

18. Bradley L. Kirksman, Kevin B. Lowe et Dianne P. Young. «The Challenge in High Performance Work Organizations», *Journal of Leadership Studies*, vol. 5, n° 2, printemps 1998, p. 3 à 15.

19. *Ibid.*, p. 5.

20. *Ibid.*

21. *Ibid.*; voir également les notes de cours de Management 5371 (1999).

22. *Ibid.*, p. 5 et 6.

23. *Ibid.*, p. 5.

24. C. B. Gibson et B. L. Kirksman. «Our Past, Present and Future in Teams: The Role of the Human Resources Professional in Managing Team Performance», dans *Changing Concepts and Practices for Human Resources Management: Contributions from Industrial Organizational Psychology*, éd. par Kraut et Korman, San Francisco, Jossey-Bass, (en cours d'impression).

25. P. S. Goodman, R. Devadas et T. L. Hughson. «Groups and Productivity: Analyzing the Effectiveness of Self Managing Work Teams», dans *Productivity in Organizations: New Perspectives from Industrial and Organizational Psychology*, éd. par J. P. Campbell et R. J. Campbell, San Francisco, Jossey-Bass, 1988, p. 295 à 237.

26. Robert E. Markland, Shawnee K. Vickery et Robert A. Davis. *Operations Management*, 2e éd., Cincinnati (Ohio), Southwestern Publishing, 1998, p. 646.

27. Lee J. Kraijewski et Larry R. Ritzman. *Operations Management*, 5e éd., Reading (Mass.), Addison-Wesley, 1989, p. 158 et 159.

28. *Ibid.*

29. Voir D. A. Garvin, «Building a Learning Organization», *Harvard Business Review*, juillet-août 1993, p. 78 à 91; et Danny Miller, «A Preliminary Typology of Organizational Learning: Synthesizing the Literature», *Journal of Management*, vol. 22, n° 3, 1996, p. 485 à 505.

30. Kirksman, Lowe et Young. *Op. cit.*, p. 6 et 7.

31. Barry A. Macy. *Successful Strategic Change*, Barrett-Koehler, San Francisco [en cours d'impression].

32. Macy. Notes de cours, printemps 1999.

33. Voir Jack O'Toole, *Forming the Future: Lessons from the Saturn Corporation*, Cambridge (Mass.), Basil Blackwell, 1996, p. 15.

34. Kirksman, Lowe et Young. *Op. cit.*, p. 7 à 12.

35. *Ibid.*

36. *Ibid.*, p. 9.

37. Macy. Notes de cours, printemps 1999.

38. *Ibid.*

39. Kirksman, Lowe et Young. *Op. cit.*, p.10 à 12.

40. O'Toole. *Op. cit.* (1996), p. 15.

41. Voir B. A. Macy et J. Izumi, «Organizational Change, Design, and Work Innovation: A Meta-Analysis of 131 North American Field Studies— 1961-1991», dans *Research in Organizational Change and Development*, éd. par W. A. Pasmore et R. W. Woodman, vol.7, Greenwich (Conn.), Jai Press, 1993, p. 235 à 311.

42. Macy. Notes de cours, printemps 1999.

43. O'Toole. *Op. cit.* (1996).

44. Barry A. Macy. *Successful Strategic Change*, Barrett-Koehler, San Francisco [en cours d'impression].

45. Pour cette section, nous avons tiré nos informations de Eryn Brown, «VF Corp. Changes Its Underware», *Fortune*, 7 décembre 1998, p. 115 à 118.

46. Nina Monk. «How Levi's Trashed a Great American Brand», *Fortune*, 12 avril 1999, p. 82 à 91.

Références bibliographique

Information tirée de William B. Brenneman, J. Bernard Keys et Robert M. Fulmer, «Learning Across a Living Company: The Shell Companies' Experiences», *Organizational Dynamics*, été 1998, p. 67 et 68.
Information tirée de Katharine Mieszkowski, «Web Commerce As If Customers Mattered», *Fast Company*, novembre 1998, p. 98ff.
Information tirée de Eric Sundstrom et associés, *Supporting Work Team Effectiveness*, San Francisco, Jossey-Bass, 1999, p. 218 à 223.
Information tirée de Rhonda Thompson, «An Employee's View of Empowerment», *HR Focus*, juillet 1993, p. 14.

Information tirée de Eric Sundstrom et associés, *Supporting Work Team Effectiveness*, San Francisco, Jossey-Bass, 1999, p. 233.

Informations obtenues par J. G. Hunt au cours d'une visite de l'usine de Benevia (15 et 17 octobre 1997).

Information tirée de Leonard D. Goodstein et Howard E. Butz, «Customer Value: The Linchpin of Organizational Change», *Organizational Dynamics*, été 1998, p. 26 et 27.

Information tirée de Jack O'Toole, *Forming the Future: Lessons from the Saturn Corporation*, Cambridge (Mass.), Blackledge, 1996, chap. 5, p.1 à 5.

Information tirée de Barry A. Macy, *Successful Strategic Change*, San Francisco, Barrett-Koehler, (en cours d'impression).

Élaboré à partir de E. E. Lawler III, «Total Quality Management and Employee Involvement: Are They Compatible?», *Academy of Management Executive*, vol. 8, n° 1, 1994, p. 68 à 76.

Information tirée de B. A. Macy, *op. cit.*, (en cours d'impression).

Adapté de Bradley L. Kirkman, Kevin B. Lowe et Dianne P. Young, «The Challenge of Leadership in High Performance Work Organizations», *Journal of Leadership Studies*, vol. 5, n° 2, 1998, p. 8.

Basé sur l'article d'Eryn Brown, «VF Corp. Changes Its Underware», *Fortune*, 7 décembre 1998, p. 117.

■ CHAPITRE 3

Notes

1. Information tirée de John Lorinc, «Road Warriors», *Canadian Business*, octobre 1995, p. 26 à 43; Arthur Johnson, «Editor's Note», *Canadian Business*, octobre 1995, p. 11; Steven Pearlstein, «Canadian Stores Take on U.S. Rivals», *The Plain Dealer*, 14 janvier 1999, p. 1H.

2. «A Way to Measure Global Success», *Fortune*, 15 mars 1999, p. 196 et 197.

3. Kenichi Ohmae. *The Borderless World*, New York, Harper Business, 1989; Peter F. Drucker. «The Global Economy and the Nation-State», *Foreign Affairs*, sept./oct. 1997.

4. Voir l'ouvrage en trois tomes de Michael Porter: *The Competitive Advantage of Nations*, *Competitive Advantage* et *Competitive Strategy*, New York, The Free Press, 1998.

5. Kenichi Ohmae. *The Evolving Global Economy*, Cambridge (Mass.), Harvard Business School Press, 1995; Kenichi Ohmae. «Putting Global Logic First», *Harvard Business Review*, janvier-février 1995, p. 119 à 125; et Jeffrey E. Garten, «Can the World Survive the Triumph of Capitalism?», *Harvard Business Review*, janvier-février, 1997, p. 67 à 79.

6. William B. Johnston. «Global Workforce 2000: The New World Labor Market», *Harvard Business Review*, mars-avril 1991, p. 115 à 127.

7. Voir Porter, *op. cit.* (1998); Kenichi Ohmae. *The End of the Nation State: The Rise of Regional Economies*, New York, Free Press, 1995; et William Greider, *One World, Ready or Not: The Manic Logic of Global Capitalism*, New York, Free Press, 1998.

8. Pour une analyse des investissements étrangers aux États-Unis, voir Paul R. Krugman, *Foreign Direct Investment in the United States*, 3ᵉ éd., Washington DC, 1995. Les statistiques sur ce sujet sont disponibles en ligne auprès du Bureau of Economic Analysis, International Accounts Data à <http://www.bea.doc.gov/bea/di1.htm>.

9. «Just a Wee Bit of Life in Silicon Glen», *World Business*, mars-avril 1996, p. 13.

10. Michael E. Porter. «Clusters and the New Economics of Competition», *Harvard Business Review*, novembre-décembre 1998.

11. Voir l'article «Alphabet Spaghetti», *The Economist*, 3 octobre 1998, p. 19 à 22; et «The Atlantic Century», *Business Week*, 8 février 1999, p. 64 à 67.

12. «Europe Rising», *Business Week*, 8 février 1999, p. 68 à 70.

13. http://www.unites.uqam.ca/gric/INDEX.htm

14. Sarita Kendall et Nancy Dunne. «Business Spurs All-America Free Trade Accord», *Financial Times*, 22 mars 1996, p. 3.

15. Pour une opinion sur la crise économique asiatique, voir George Soros, «Toward a Global Open Society», *Atlantic Monthly*, janvier 1998.

16. Michael M. Phillips. «Into Africa», *The Wall Street Journal*, 18 septembre 1997, p. R6 et R20.

17. James A. Austin et John G. McLean. «Pathways to Business Success in Sub-Saharan Africa», *Journal of African Finance and Economic Development*, vol. 2, 1996, p. 57 à 76.

18. Information tirée de «International Business: Consider Africa», *Harvard Business Review*, vol. 76, janvier-février 1998, p. 16 à 18.

19. Robert T. Moran et John R. Riesenberger. *Making Globalization Work: Solutions for Implementation*, New York, McGraw-Hill, 1993; «Don't Be an Ugly-American Manager», *Fortune*, 16 octobre 1995, p. 225; et «A Way to Measure Global Success», *Fortune*, 15 mars 1999, p. 196 à 197.

20. «Working Overseas—Rule No. 1: Don't Miss the Locals», *Business Week*, 15 mai 1995, p. 8.

21. «Don't Be an Ugly-American Manager», *op. cit.*, p. 225.

22 Vanessa Houlder. «Foreign Culture Shocks», *Financial Times*, 22 mars 1996, p. 12.

23. Geert Hofstede. *Culture's Consequences: International Differences in Work-Related Values*, Beverly Hills (Calif.), Sage Publications, 1980; et Fons Trompenaars, *Riding the Waves of Culture: Understanding Cultural Diversity in Business*, Londres, Nicholas Brealey Publishing, 1993; pour une excellente réflexion sur la culture, voir aussi le chapitre 3 («Culture: The Neglected Concept») dans Peter B. Smith et Michael Harris Bond, *Social Psychology Across Cultures*, 2ᵉ éd., Boston, Allyn & Bacon, 1998.

24. Geert Hofstede. *Culture and Organizations: Software of the Mind*, Londres, McGraw-Hill, 1991.

25. Pour une bonne vue d'ensemble des cultures du monde: Richard D. Lewis. *When Cultures Collide: Managing Successfully Across Cultures*, Londres, Nicholas Brealey Publishing, 1996.

26. Benjamin L. Whorf. *Language, Thought and Reality*, Cambridge (Mass.), MIT Press, 1956.

27. *Ibid.*

28. Edward T. Hall. *Beyond Culture*, New York, Doubleday, 1976.

29. Un classique nous a servis pour les exemples: Edward T. Hall. *The Silent Language*, New York, Anchor Books, 1959.

30. Allen C. Bluedorn, Carol Felker Kaufman et Paul M. Lane. «How Many Things Do You Like to Do at Once?», *Academy of Management Executive*, vol. 6, nov. 1992, p. 17 à 26.

31. Nos exemples sont inspirés d'un ouvrage consacré: Edward T. Hall. *The Hidden Dimension*, New York, Anchor Books, 1969 – réédité en 1990 par Peter Smith, Magnolia (Michigan); à consulter également Edward T. Hall, *Hidden Differences*, New York, Doubleday, 1990.

32. Sur ce sujet, l'ouvrage de référence est Max Weber, *The Protestant Ethic and the Spirit of Capitalism*, New York, Scribner, 1930; pour une description des influences religieuses sur les cultures de l'Asie, voir S. Gordon Redding, *The Spirit of Chinese Capitalism*, New York, Walter de Gruyter, 1990.

33. Hofstede. *Op. cit.* (1980); ainsi que Geert Hofstede et Michael H. Bond, «The Confucius Connection: From Culture Roots to Economic Growth», *Organizational Dynamics*, vol. 16 (1988), p. 4 à 21.

34. Hofstede. *Op. Cit.* (1980).

35. Sur la culture chinoise, lire «Chinese Values and the Search for Culture-Free Dimensions of Culture», *Journal of Cross-Cultural Psychology*, vol. 18, 1987, p. 143 à 164.

36. Hofstede et Bond. *Op. Cit.*, 1988; et Geert Hofstede, «Cultural Constraints in Management Theories», *Academy of Management Executive*, vol. 7, février 1993, p. 81 à 94; pour d'autres analyses des valeurs asiatiques et du confucianisme, voir aussi Jim Rohwer, *Asia Rising: Why America Will Prosper as Asia's Economies Boom*, New York, Simon & Schuster, 1995; et le chapitre 3 sur la chine dans Lewis, *op. cit.* (1996).

37. Pour un exemple, voir John R. Schermerhorn Jr. et Michael H. Bond, «Cross-Cultural Leadership Dynamics in Collectivism + High Power Distance Settings», *Leadership and Organization Development Journal*, vol. 18 (1997), p. 187 à 193.

38. Zhan Su et Louis-Frédéric Lessard. «Les traits culturels des gestionnaires québécois», *Revue Organisation*, vol. 7, n° 1, printemps 1998, p. 29-40.

39. Trompenaars. *Op. cit.* (1993).

40. Voir Hofstede, *op. cit.* (1980, 1993); et Adler, *op. cit.* (1991).

41. Alvin Toffler. *The Third Wave*, New York, William Morrow, 1980.

42. *Ibid.*

43. Information tirée de «Sweatshop Wars», *The Economist*, 27 février 1999, p. 62 et 63.

44. Adler. *Op. cit.* (1991).

45. Information tirée de Jennifer Scott, «Workers Being Sent Abroad Are Finding More Support», *The Columbus Dispatch*, 8 mars 1999, p. 10 et 11.

46. *Ibid.*

47. Voir J. Stewart Black et Hal B. Gregersen, «The Right Way to Manage Expats», *Harvard Business Review*, mars–avril 1999.

48. Voir Rosalie Tung, «Expatriate Assignments: Enhancing Success and Minimizing Failure», *Academy of Management Executive*, mai 1987, p. 117 à 126; et Adler, *op. cit.* (1991).

49. Nancy J. Adler. «Reentry: Managing Cross-Cultural Transitions», *Group and Organization Studies*, vol. 6, no3 (1981), p. 341 à 356; et Adler, *op. cit.* (1991).

50. *Ibid*

51. Pour une analyse de l'éthique commerciale internationale, voir Thomas Donaldson et Thomas W. Dunfee, *Ties That Bind*, Boston, Harvard Business School Press, 1999; Thomas Donaldson, «Values in Tension: Ethics Away from Home», *Harvard Business Review*, septembre-octobre 1996, p. 48 à 62; et Debora L. Spar, «The Spotlight and the Bottom Line», *Foreign Affairs*, mars-avril 1998.

52. «Cracking Down on Overseas Bribes», *Business Week*, 1er mars 1999, p. 41.
53. «Business Ethics : Sweatshops», *The Economist*, 27 février 1999, p. 62 à 63.
54. Information fournie par le site Internet du Council for Economic Priorities Accreditation Agency à <www.cepaa.org.>.
55. Donaldson. *Op. cit.* (1996).
56. *Ibid.*; ainsi que Thomas Donaldson et Thomas W. Dunfee, «Towards a Unified Conception of Business Ethics: Integrative Social Contracts Theory», *Academy of Management Review*, vol. 19 (1994), p. 252 à 285; et Donaldson et Dunfee, *op. cit.* (1999). Pour une analyse de sujets connexes, voir John R. Schermerhorn Jr., «Alternative Terms of Business Engagement in Ethically Challenging Environment», *Business Ethics Quarterly*, 1999.
57. Geert Hofstede. «Motivation, Leadership and Organization: Do American Theories Apply Abroad?», *Organizational Dynamics*, vol. 9 (1980), p. 43 et suivantes; et Hofstede, *op. cit.* (1993).
58. Les deux classiques sur ce sujet sont William Ouchi, *Theory Z: How American Businesses Can Meet the Japanese Challenge*, Reading (Mass.), Addison-Wesley, 1981; et Richard Tanner et Anthony Athos, *The Art of Japanese Management*, New York, Simon & Schuster, 1981.
59. Voir J. Bernard Keys et autres, «The Japanese Management Theory Jungle—Revisited», *Journal of Management*, vol. 20 (1994), p. 373 à 402; ainsi que Min Chen, «Japanese and Korean Management Systems», chap. 13 de *Asian Management Systems*, New York Routledge, 1995.
60. Wellford W. Wilms, Alan J. Hardcastle et Deone M. Fall. «Cultural Transformation at NUMMI», *Sloan Management Review*, automne 1994, p. 99 à 113.

Références bibliographiques

Information tirée de «A Global Sightseeing Tour», *Business Week*, 1ᵉʳ février 1999, p. ENT3.
Information tirée de «Yahoo!», *Business Week*, 7 septembre 1998, p. 66 à 76.
«Just a Wee Bit of Life in Silicon Glen», *World Business*, mars/avril 1996, p. 13.
Site Internet du Council on Economic Priorities Accreditation Agency: <www.cepaa.org.>.
Élaboré à partir de Geert Hofstede, *Culture's Consequences*, Beverly Hills (Calif.), Sage Publications, 1980.
Élaboré à partir de Fons Trompenaars, *Riding the Waves of Culture*, Londres, Nicholas Brealey Publishing, 1993.
Élaboré à partir de Nancy J. Adler, *International Dimensions of Organizational Behavior*, 2ᵉ éd., Boston, Kent, 1991.
John R. Schermerhorn Jr. *Management,* 6e éd., New York, Wiley, 1999, p. 118.

■ **CHAPITRE 4**

Notes

1. J. Laabs. «Interest in Diversity Training Continues to Grow», *Personnel Journal*, octobre 1993, p. 18.
2. L. R. Gomez-Mejia, D. B. Balkin et R. L. Cardy. *Managing Human Resources*, Englewood Cliffs (New Jersey), Prentice-Hall, 1995, p. 154.
3. John P. Fernandez. *Managing a Diverse Workforce*, Lexington (Mass.), D. C. Heath, 1991; et Jamieson et Julia O'Mara, *Managing Workplace 2000*, San Francisco, Jossey-Bass, 1991.
4. T. G. Exner. «In and Out of Work», *American Demographics*, juin 1992, p. 63; A. N. Fullerton, «Another Look at the Labor Force», *Monthly Labor Review*, novembre 1993, p. 34; M. K. Foster et B. J. Orser, «A Marketing Perspective on Women in Management», *Canadian Journal of Administrative Sciences*, vol. 11, nᵒ 4 (1994), p. 339 à 345; et L. Gardenswartz et A. Rowe, «Diversity Q & A», *Mosaics*, mars/avril 1998, p. 3.
5. Gilbert Leduc. *Le Soleil*, 10 juin 2000, p. A 19.; et www.statcan.ca/francais/Pgdb/People/Population/demo18a_f.htm.
6. Gilbert Leduc. *Op. cit.*
7. Développement des ressources humaines Canada. (Les italiques sont de nous).
8. *Ibid.*, p. 405; et Michelle N. Martinez, «Equality Effort Sharpens Bank's Edge», *HR Magazine*, janvier 1995, p. 38 à 43.
9. Voir E. Maccoby et C. N. Jacklin, *The Psychology of Sex Differences*, Stanford (Calif.), Stanford University press, 1974; G. N. Powell, *Women and Men in Management*, Beverly Hills (Calif.), Sage Publications, 1988; T. W. Mangione, «Turnover—Some Psychological and Demographic Correlates», dans *The 1969-70 Survey of Working Conditions*, éd. par R. P. Quinn et T. W. Mangione, Ann Arbor, Univ. of Michigan Survey Research Center, 1973; R. Marsh et H. Mannari, «Organizational Commitment and Turnover: A Predictive Study», *Administrative Science Quarterly*, mars 1977, p. 57 à 75; R. J. Flanagan, G. Strauss et L. Ulman, «Worker Discontent and Work Discontent and Work Place Behavior», *Industrial Relations*, mai 1974, p. 101 à 123; K. R. Garrison et P. M. Muchinsky, «Attitudinal and

Biographical Predictions of Incidental Absenteeism», *Journal of Vocational Behavior*, avril 1977, p. 221 à 230; G. Johns, «Attitudinal and Nonattitudinal Predictions of Two Forms of Absence from Work», *Organizational Behavior and Human Performance*, décembre 1978, p. 431 à 444; R. T. Keller, «Predicting Absenteeism from Prior Absenteeism, Attitudinal Factors, and Nonattitudinal Factors», *Journal of Applied Psychology*, août 1983, p. 536 à 540.
10. www.statcan.ca/francais/Pgdb/People/Labour/labor01a_f.htm.
11. Gilbert Leduc. *Op. cit.*
12. American Association of Retired Persons. *The Aging Work Force*, Washington DC, AARP, 1995, p. 3.
13. Nina Monk. «Finished at Forty», *Fortune*, 1er février 1999, p. 50 à 58.
14. *Mosaics*, vol. 3, nᵒ 2, mars/avril 1997, p. 3.
15. Paul Mayrand. «Older Workers: A Problem or the Solution?», *AARP Textbook Authors' Conference Presentation*, octobre 1992, p. 29; G. M. McEvoy et W. F. Cascio, «Cumulative Evidence of the Relationship Between Employee Age and Job Performance», *Journal of Applied Psychology*, février 1989, p. 11 à 17.
16. Voir Fernandez, *op. cit.* (1991), p. 236; *Mosaics*, vol. 4, nᵒ 2, mars-avril 1998, p. 4.
17. Voir Taylor H. Co et Stacy Blake, «Managing Cultural Diversity: Implications for Organizational Competitiveness», *Academy of Management Executive*, vol. 5, nᵒ 3, 1991, p. 45.
18. Les ouvrages sur ce sujet sont passés en revue dans le chapitre 2 de Stephen P. Robbins, *Organizational Behavior*, 8e éd., Englewood Cliffs (New Jersey), Prentice-Hall, 1998.
19. *Ibid.*
20. www.statcan.ca/francais/Pgdb/People/Population/demo25b_f.htm
21. Larry L. Cummings et Donald P. Schwab. *Performance in Organizations: Determinants and Appraisal*, Glenview (Illin.), Scott, Foresman, 1973, p. 8.
22. Voir J. Hogan, «Structure of Physical Performance in Occupational Tasks», *Journal of Applied Psychology*, vol. 76 (1991), p. 495 à 507.
23. *Ibid.*
24. R. Jacob. «The Resurrection of Michael Dell», *Fortune*, août 1995, p. 117 à 128.
25. Voir N. Brody, *Personality: In Search of Individuality*, San Diego (Calif.), Academic Press, 1988, p. 68 à 101; et C. Holden, «The Genetics of Personality», *Science*, 7 août 1987, p. 598 à 601.
26. Voir Geert Hofstede, *Culture's Consequences: International Differences in Work-Related Values*, éd. abrégée, Beverly Hills, Sage Publications, 1984.
27. Chris Argyris. *Personality and Organization*, New York, Harper & Row, 1957; Daniel J. Levinson, *The Seasons of a Man's Life*, New York, Alfred A. Knopf, 1978; Gail Sheehy, *New York Passages*, New York, Ballantine Books, 1995.
28. M. R. Barrick et M. K. Mount. «The Big Five Personality Dimensions and Job Performance: A Meta Analysis», *Personnel Psychology*, vol. 44 (1991), p. 1 à 26; et «Autonomy as a Moderator of the Relationships Between the Big Five Personality Dimensions and Job Performance», *Journal of Applied Psychology*, février 1993, p. 111 à 118.
29. Voir Jim C. Nunnally, *Psychometric Theory*, 2ᵉ éd., New York, McGraw Hill, 1978, chap. 14.
30. Voir David A. Whetten et Kim S. Cameron. *Developing Management Skills*, 3e éd., Harper Collins, New York, 1995, p. 72.
31. Raymond G. Hunt et autres. «Cognitive Style and Decision Making», *Organizational Behavior and Human Decision Processes*, vol. 44, nᵒ 3 (1989), p. 436à 453. Pour d'autres ouvrages sur les styles de résolution de problèmes, voir Ferdinand A. Gul, «The Joint and Moderating Role of Personality and Cognitive Style on Decison Making», *Accounting Review*, avril 1984, p. 264 à 277; Brian H. Kleiner, «The Interrelationship of Jungian Modes of Mental Functioning with Organizational Factors: Implications for Management Development», *Human Relations*, novembre 1983, p. 997 à 1012; James L. McKenney et Peter G. W. Keen, «How Managers' Minds Work», *Harvard Business Review*, mai-juin 1974, p. 79 à 90.
32. J. M. Kunimerow et L. W. McAllister fournissent quelques exemples d'entreprises utilisant l'indicateur Myers-Briggs dans «Team Building with the Myers-Briggs Type Indicator: Case Studies», *Journal of Psychological Type*, vol. 15 (1988), p. 26 à 32; voir également G. H. Rice et autres, «Personality Types and Business Success of Small Retailers», *Journal of Occupational Psychology*, vol. 62 (1989), p. 177 à 182; et B. Roach, *Strategy Styles and Management Types: A Resource Book for Organizational Management Consultants*, Stanford (Calif.), Balestrand Press, 1989.
33. J. B. Rotter. «Generalized Expectancies for Internal versus External Control of Reinforcement», *Psychological Monographs*, vol. 80 (1966), p. 1 à 28.
34. Don Hellriegel, John W. Slocum et Richard W. Woodman. *Organizational Behavior*, 5ᵉ éd., St. Paul (Minn.), West, 1989, p. 46.

35. Voir John A. Wagner III et John R. Hollenbeck, *Management of Organizational Behavior*, Englewood Cliffs (New Jersey), Prentice-Hall, 1992, chap. 4.

36. Nicolas Machiavel. *Le prince*, Paris, J'ai lu (Librio Martinguale), 1997.

37. Richard Christie et Florence L. Geis. *Studies in Machiavellianism*, New York, Academic Press, 1970.

38. Voir M. Synder, *Public Appearances/Private Realities: The Psychology of Self-Monitoring*, New York, W. H. Freeman, 1987.

39. *Ibid.*

40. Adapté de R. W. Bortner, «A Short Scale: A Potential Measure of Pattern A Behavior», *Journal of Chronic Diseases*, vol. 22 (1969).

41. Voir Meyer Friedman et Ray Roseman, *Type A Behavior and Your Heart*, New York, Alfred A. Knopf, 1974. Pour un point de vue différent, voir Walter Kiechel III, «Attack of the Obsessive Managers», *Fortune*, 16 février 1987, p. 127 à 128.

42. Viktor Gecas. «The Self-Concept», *Annual Review of Sociology*, éd. par Ralph H. Turner et James F. Short jr., vol. 8, Palo Alto (Calif.), Annual Review, 1982, p. 3; Arthur P. Brief et Ramon J. Aldag, «The 'Self' in Work Organizations: A Conceptual Review», *Academy of Management Review*, janvier 1981, p. 75 à 88; et Jerry J. Sullivan, «Self Theories and Employee Motivation», *Journal of Management*, juin 1989, p. 345 à 363.

43. À comparer avec Philip Cushman, «Why the Self Is Empty», *American Psychologist*, mai 1990, p. 599 à 611.

44. Inspiré en partie d'une définition dans Gecas, *op. cit.* (1982), p. 3.

45. Suggéré par J. Brockner, *Self-Esteem at Work*, Lexington (Mass.), Lexington Books, 1988, p. 144; et Wagner et Hollenbeck, *op. cit.* (1992), p. 100 et 101.

46. Voir P. E. Jacob, J. J. Flink et H. L. Schuchman, «Values and Their Function in Decisionmaking», *American Behavioral Scientist*, vol. 5, suppl. 9 (1962), p. 6 à 38.

47. Voir M. Rokeach et S. J. Ball Rokeach, «Stability and Change in American Value Priorities, 1968-1981», *American Psychologist*, mai 1989, p. 775 à 784.

48. Milton Rokeach. *The Nature of Human Values*, New York, Free Press, 1973.

49. Voir W. C. Frederick et J. Weber, «The Values of Corporate Managers and Their Critics: An Empirical Description and Normative Implications», dans *Business Ethics: Research Issues and Empirical Studies*, éd. par W. C. Frederick et L. E. Preston, Greenwich (Conn.), JAI Press, 1990, p. 123 à 144.

50. Gordon Allport, Philip E. Vernon et Gardner Lindzey. *Study of Values*, Boston, Houghton Mifflin, 1931.

51. Adapté de R. Tagiuri, «Purchasing Executive: General Manager or Specialist?», *Journal of Purchasing*, août 1967, p. 16 à 21.

52. Bruce M. Maglino, Elizabeth C. Ravlin et Cheryl L. Adkins. «Value Congruence and Satisfaction with a Leader: An Examination of the Role of Interaction», manuscrit non publié, Columbia (Caroline du Sud), University of South Carolina, 1990, p. 8 et 9.

53. *Ibid.*

54. Daniel Yankelovich. *New Rules! Searching for Self-Fulfillment in a World Turned Upside Down*, New York, Random House, 1981; Daniel Yankelovich et autres, *Work and Human Values: An International Report on Jobs in the 1980s and 1990s*, Aspen (Colorado), Aspen Institute for Humanistic Studies, 1983.

55. Kathy Noël. «Plus indépendants et opportunistes: Les employés sont plus ouverts aux offres des concurrents», *Les Affaires*, 27 mai 2000, p. 23.

56. Voir Jamieson et O'Mara, *op. cit.* (1991), p. 28 et 29.

57. À comparer avec Martin Fishbein et Icek Ajzen, *Belief, Attitude, Intention and Behavior: An Introduction to Theory and Research*, Reading (Mass.), Addison-Wesley, 1975.

58. Voir A W. Wicker, «Attitude versus Action: The Relationship of Verbal and Overt Behavioral Responses to Attitude Objects», *Journal of Social Issues*, automne 1969, p. 41 à 78.

59. Leon Festinger. *A Theory of Cognitive Dissonance*, Palo Alto (Calif.), Stanford University Press, 1957.

60. H. W. Lane et J. J. DiStefano (éd.), *International Management Behavior*, Scarborough (Ontario), Nelson Canada, 1988, p. 4 et 5; Z. Abdoolcarim, «How Women Are Winning at Work», *Asian Business*, novembre 1993, p. 24 à 29.

61. Michelle Neely Martinez. «Health Care Firm Seeks to Measure Diversity», *HR News*, octobre 1997, p. 6.

62. *Ibid.*, p. 6.

63. Jonathan Stutz et Randy Massengale. «Measuring Diversity Iniatives», *HR Magazine*, décembre 1997, p. 84 et 90.

Références bibliographiques

Information tirée de Timothy D. Schellhardt, «In a Factory Schedule, Where Does Religion Fit In?», *Wall Street Journal*, 4 mars 1999, p. B1 et B12.

Information tirée de Christine W. Letts, William P. Ryan et Allen Grossman, *High Performance Nonprofit Organizations*, New York, Wiley, 1999, p. 69 et 70.

Information tirée de «Allstate Creating a World-Class Diversity Program», *BNAC Communicator*, vol. 15, automne 1997, p. 1 et 6.

Information tirée de Sharon Johnson, «Hospitals Prepare for the International Marketplace», *New York Times Advertising Supplement*, 12 novembre 1995, p. WF7.

Information tirée de Gary N. Powell, «One More Time: Do Female and Male Managers Differ?», *Academy of Management Executive*, vol. 4, n° 3 (1990), p. 74.

Information tirée de John P. Fernandez, *Managing a Diverse Workforce*, Lexington (Mass.), D. C. Heath, 1991; D. Jamieson et Julia O'Mara, *Managing Workplace 2000*, San Francisco, Jossey-Bass, 1991.

Information tirée de Janie Shockley et Coy Gayle, «Diversity on the Border», *MOSAICS; SHRM Focuses on Workplace Diversity*, juillet-août 1997, p. 5.

Information tirée de Sharon Johnson, «Hospitals Prepare for the International Marketplace», *New York Times Advertising Supplement*, 12 novembre 1995, p. WF16-WF17.

Information tirée de Bernice Kanner, «Successful Entrepreneurs Share Important Personality Attributes», *Lubbock-Avalanche-Journal*, 22 novembre 1998, p. 13A.

Information tirée de J. M. Kunimerow et L. W. McAllister, «Team Building with the Myers-Briggs Type Indicator: Case Studies», *Journal of Psychological Type*, vol. 15 (1988), p. 26 à 32.

Information tirée de Sang M. Lee, Snagjim Yoo et Tosca M. Lee, «Korean Chaebol: Corporate Values and Strategies», *Organizational Dynamics*, printemps 1991, p. 40.

Information tirée de John Cloud, «Why Coors Went Soft», *Time* (November 2, 1998), p. 70.

Voir Michelle Neely Martinez, «Health Care Firm Seeks to Measure Diversity», *HR News*, octobre 1997, p. 6.

Chris Argyris. *Personality and Organization*, New York, Harper & Row, 1957.

Information tirée de R. P. McIntyre et M. M. Capen, «A Cognitive Style Perspective on Ethical Questions», *Journal of Business Ethics* 12 (1993): 631; et D. Hellriegel, J. Slocum et Richard Woodman, *Organizational Behavior*, 7e éd., Minneapolis, West Publishing, 1995, chap. 4.

Information tirée de M. Rokeach, *The Nature of Human Values*, New York, The Free Press, 1973.

■ **CHAPITRE 5**

Notes

1. «Clark's Catch Engraved in NFL Lore», *Lubbock Avalanche-Journal*, 11 janvier 1992, p. D5.

2. H. R. Schiffmann. *Sensation and Perception: An Integrated Approach*, 3e éd., New York, Wiley, 1990.

3. Barth Britt-Mary. *L'Apprentissage de l'abstraction*, éd. Retz (Actualité des sciences humaines), 1987, p. 88.

4. Exemple tiré de John A. Wagner III et John R. Hollenbeck, *Organizational Behavior*, 3e éd., Upper Saddle River (New Jersey), Prentice-Hall, 1998, p. 59.

5. Voir M. W. Levine et J. M. Shefner, *Fundamentals of Sensation and Perception*; Georgia T. Chao et Steve W. J. Kozlowski, «Employee Perceptions on the Implementation of Robotic Manufacturing Technology», *Journal of Applied Psychology*, vol. 71 (1986), p. 70 à 76; Steven F. Cronshaw et Robert G. Lord, «Effects of Categorization, Attribution, and Encoding Processes in Leadership Perceptions», *Journal of Applied Psychology*, vol. 72 (1987), p. 97 à 106.

6. Voir Robert Lord, «An Information Processing Approach to Social Perception's, Leadership, and Behavioral Measurement in Organizations», dans *Research in Organizational Behavior*, éd. par B. M. Staw et L. L. Cummings, vol. 7, Greenwich (Connecticut), JAI Press, 1985, p. 87 à 128; T. K. Srull et R. S. Wyer, *Advances in Social Cognition*, Hillsdale (New Jersey), Erlbaum, 1988; et U. Neisser, *Cognition and Reality*, San Francisco, W. H. Freeman, 1976, p. 112.

7. Voir J. G. Hunt, *Leadership: A New Synthesis*, Newbury Park (Calif.), Sage Publications, 1991, chap. 7; R. G. Lord et R. J. Foti, «Schema Theories, Information Processing, and Organizational Behavior», dans *The Thinking Organization*, éd. par H. P. Sims Jr. et D. A. Gioia, San Francisco, Jossey-Bass, 1986, p. 20 à 48; et S. T. Fiske et S. E. Taylor, *Social Cognition*, Reading (Mass.), Addison-Wesley, 1984.

8. Voir J. S. Phillips, «The Accuracy of Leadership Ratings: A Categorization Perspective», *Organizational Behavior and Human Performance*, vol. 33 (1984), p. 125 à 138; J. G. Hunt, B. R. Baliga et M. F. Peterson, «Strategic Apex Leader Scripts and an Organizational Life Cycle Approach to Leadership and Excellence», *Journal of Management Development*, vol. 7 (1988), p. 61 à 83.

9. D. Bilimoria et S. K. Piderit, «Board Committee Membership Effects of Sex-Biased Bias», *Academy of Management Journal*, vol. 37 (1994), p. 1453 à 1477.

10. Dewitt C. Dearborn et Herbert A. Simon, «Selective Perception: A Note on the Departmental Indentification of Executives», *Sociometry*, vol. 21 (1958), p. 140 à 144.

11. J. P. Walsh, «Selectivity and Selective Perception: An Investigation of Managers' Belief Structures and Information Processing», *Academy of Management Journal*, vol. 24 (1988), p. 453 à 470.

12. J. Sterling Livingston. «Pygmalion in Management», *Harvard Business Review*, juillet/août 1969.

13. R. A Rosenthal et L Jacobson, *Pygmalion à l'école – Succès ou échec scolaire un facteur important: le préjugé du maître*, Tournai, Casterman,1971.

14. D. Eden et A. B. Shani. «Pygmalian Goes to Boot Camp», *Journal of Applied Psychology*, vol. 67 (1982), p. 194 à 199.

15. Voir B. R. Schlenker, *Impression Management: The Self-Concept, Social Identity, and Interpersonal Relations*, Monterey (Calif.), Brooks/Cole, 1980; W. L. Gardner et M. J. Martinko, «Impression Management in Organizations», *Journal of Management*, juin 1988, p. 332; R. B. Cioldini, «Indirect Tactics of Image Management: Beyond Banking», dans *Impression Management in the Organization*, éd. par R. A. Giacolini et P. Rosenfeld, Hillsdale (New York Jersey), Erlbaum, 1989, p. 45 à 71.

16. Voir H. H. Kelley, «Attribution in Social Interaction», dans *Attribution: Perceiving the Causes of Behavior*, éd. par E. Jones et autres, Morristown (New Jersey), General Learning Press, 1972.

17. Voir Terence R. Mitchell, S. G. Green et R. E. Wood, «An Attribution Model of Leadership and the Poor Performing Subordinate», dans *Research in Organizational Behavior*, éd. par Barry Staw et Larry L. Cummings, New York, JAI Press, 1981, p. 197 à 234; John H. Harvey et Gifford Weary, «Current Issues in Attribution Theory and Research», *Annual Review of Psychology*, vol. 35 (1984), p. 427 à 459.

18. Données obtenues dans John R. Schermerhorn Jr., «Team Development for High Performance Management», *Training & Development Journal*, vol. 40 (nov. 1986), p. 38 à 41.

19. R. M. Steers, S. J. Bischoff et L. H. Higgins. «Cross Cultural Management Research», *Journal of Management Inquiry*, déc. 1992, p. 325 et 326; J. G. Miller, «Culture and the Development of Everyday Causal Explanation», *Journal of Personality and Social Psychology*, vol. 46 (1984), p. 961 à 978.

20. A. Maass et C. Volpato. «Gender Differences in Self-Serving Attributions About Sexual Experiences», *Journal of Applied Psychology*, vol. 19 (1989), p. 517 à 542.

21. Voir J. M. Crant et T. S. Bateman, «Assignment of Credit and Blame for Performance Outcomes», *Academy of Management Journal*, février 1993, p. 7 à 27; E. C. Pence et autres, «Effects of Causal Explanations and Sex Variables on Recommendations for Corrective Actions Following Employee Failure», *Organizational Behavior and Human Performance*, avril 1982, p. 227 à 240.

22. Voir F. Forsterling, «Attributional Retraining: A Review», *Psychological Bulletin*, nov. 1985, p. 496 à 512.

Références bibliographiques

Information tirée de «Vormawha Holds Unique Position as Africa's First Female Sea Captain», *Lubbock Avalanche-Journal*, 3 janvier 1996, p. 4B.

Données compilées dans Edward E. Lawler III, Allan M. Mohrman Jr. et Susan M. Resnick, «Performance Appraisal Revisited», *Organizational Dynamics*, vol. 13, été 1984, p. 20 à 35.

Information tirée de Elizabeth Langton, «Simulated Mayhem Training», *Lubbock Avalanche-Journal*, 8 décembre 1998, p. 8A.

Information tirée de Kevin Rubens, «Changes in Russia Challenge HR», *HR Magazine*, novembre 1995, p. 72.

Information tirée de «Marketing Excellence Ontario Award Recipient, 1995 Entrepreneur of the Year», *Canadian Business* (novembre 1995), p. 11 et 12; et information à propos du MAC AIDS Fund (mai 1999).

J. Sterling Livingston. «Pygmalion in Management», *Harvard Business Review*, juillet/août 1969; D. Eden et A. B. Shani, «Pygmalion Goes to Boot Camp», *Journal of Applied Psychology*, vol. 67 (1982), p. 194 à 199.

Information tirée de Christine W. Letts, William P. Ryan et Allen Grossman, *High Performance Non-profit Organizations*, New York, Wiley, 1999, p. 93 à 96.

Information tirée de *Lubbock Avalanche-Journal*, 19 novembre 1988, p. 1E.

Information tirée de *Lubbock Avalanche-Journal*, 2 mars 1997, p. 1 et 2H.

Information tirée de «Corporate Identity», *Lubbock Avalanche-Journal*, 12 juillet 1998, p. 1et 2E.

Données fournies par John R. Schermerhorn Jr.; «Team Development for High Performance Management», *Training and Development Journal*, vol. 40 (nov. 1986), p. 38 à 41.

Information tirée de B. R. Schlinker, *Impression Management: The Self-Concept, Social Identity, and Interpersonal Relations*, Monterey (Calif.), Brooks/Cole, 1980.

■ CHAPITRE 6

Notes

1. Voir John P. Campbell et autres, *Managerial Behavior Performance and Effectiveness*, New York, McGraw-Hill, 1970, chap. 15.

2. Pour un article qui fait le point sur les besoins d'intégrer davantage les théories sur la motivation, voir Terrence R. Mitchell, «Motivation—New Directions for Theory, Research and Practice», *Academy of Management Review* 7, janvier 1982, p. 80 à 88.

3. Geert Hofstede. «Cultural Constraints in Management Theories», *Academy of Management Executive* 7, février 1993, p. 81 à 94.

4. Geert Hofstede. *Culture's Consequences: International Differences in Work-Related Values*, éd. abrégée, Beverly Hills (calif.), Sage Publications, 1984.

5. Pour un bon aperçu des diverses approches en matière de renforcement, voir W. E. Scott Jr. et P. M. Podsakoff, *Behavioral Principles in the Practice of Management*, New York, Wiley, 1985; et Fred Luthans et Robert Kreitner, *Organizational Behavior Modification and Beyond*, Glenview (Illinois), Scott, Foresman, 1985.

6. Entre autres ouvrages de B. F. Skinner, voir *Walden Two*, New York, Macmillan, 1948; *Science and Human Behavior*, New York, Macmillan, 1953; et *Contingencies of Reinforcement*, New York, Appleton-Century-Crofts, 1969.

7. E. L. Thorndike. *Animal Intelligence*, New York, Macmillan, 1911, p. 244.

8. Adapté de Luthans et Kreitner, *op. cit.* (1985).

9. Cette analyse est basée sur Luthans et Kreitner, *op. cit.* (1985).

10. Keith L. Miller expose ces deux lois dans *Principles of Everyday Behavior Analysis*, Monterey (calif.), Brooks/Cole, 1975, p. 122.

11. Bien que certains auteurs se fondent sur le renforcement pour aborder la question de l'apprentissage individuel, nous préférons mettre en lumière les dimensions cognitives de cet apprentissage.

12. Cet exemple s'appuie sur une étude de Barbara Price et Richard Osborn: «Shaping the Training of Skilled Workers», document de travail, Detroit, Department of Management, Wayne State University, 1999.

13. Voir John Putzier et Frank T. Novak, «Attendance Management and Control», *Personnel Administrator*, août 1989, p. 59 à 60.

14. Robert Kreitner et Angelo Kiniki. *Organization Behavior*, 2e éd., Homewood (Illinois), Irwin, 1992.

15. Cela fait des années que les organisations y ont recours. Voir K. M. Evans, «On-the Job Lotteries: A Low-Cost Incentive That Sparks Higher Productivity», *Compensation and Benefits Review* 20, no 4 (1988), p. 63 à 74; A. Halcrow, «Incentive! How Three Companies Cut Costs», *Personnel Journal*, février 1986, p. 12.

16. A. R. Korukonda et James G. Hunt. «Pat on the Back Versus Kick in the Pants: An Application of Cognitive Inference to the Study of Leader Reward and Punishment Behavior», *Group and Organization Studies* 14 (1989), p. 299 à 234.

17. Voir «Janitorial Firm Success Story Started with Cleaning Couple», *Lubbock Avalanche-Journal*, 25 août 1991, p. E7.

18. Edwin A. Locke. «The Myths of Behavior Mod in Organizations», *Academy of Management Review* 2, octobre 197, p. 543 à 553. Pour un point de vue opposé, voir Jerry L. Gray, «The Myths of the Myths about Behavior Mod in Organizations: A Reply to Locke's Criticisms of Behavior Modification», *Academy of Management Review* 4, janvier 1979, p. 121 à 129.

19. Robert Kreitner. «Controversy in OBM: History, Misconceptions, and Ethics», dans *Handbook of Organizational Behavior Management*, éd. par Lee Frederiksen, New York, Wiley, 1982, p. 71 à 91.

20. W. E. Scott Jr. et P. M. Podsakoff. *Behavioral Principles in the Practice of Management*, New York, Wiley, 1985; voir également W. Clay Hamner, «Reinforcement Theory and Contingency Management in Organizational Settings», dans *Motivation and Work Behavior*, 4e éd, éd. par Richard M. Steers et Lyman W Porters, New York, McGraw-Hill, 1987, p. 139 à 165; Luthans et Kreitner, *op. cit.* (1985); Charles C. Manz et Henry P. Sims Jr., *Superleadership*, New York, Berkley, 1990.

21. Abraham Maslow. *Eupsychian Management*, Homewood (Illinois), Irwin, 1965; et *Motivation and Personality*, 2e éd., New York, Harper & Row, 1970.

22. Lyman W. Porter. «Job Attitudes in Management: II. Perceived Importance of Needs as a Function of Job Level», *Journal of Applied Psychology* 47, avril 1963, p. 141 à 148.

23. Douglas T. Hall et Khalil E. Nougaim. «An Examination of Maslow's Need Hierarchy in an Organizational Setting», *Organizational Behavior and Human Performance* 3, 1968, p. 12 à 35; Porter, *op. cit.*, 1963; John M.

Ivancevich, «Perceived Need Satisfactions of Domestic Versus Overseas Managers», p. 274 à 278 [données manquantes sur l'éditeur].

24. Mahmoud A. Wahba et Lawrence G. Bridwell. «Maslow Reconsidered: A Review of Research on the Need Hierarchy Theory», *Academy of Management Proceedings*, 1974, p. 514 à 520; Edward E. Lawler III et J. Lloyd Shuttle, «A Causal Correlation Test of the Need Hierarchy Concept», *Organizational Behavior and Human Performance* 7 (1973), p. 265 à 287.

25. Nancy J. Adler. *International Dimensions of Organizational Behavior*, 2ᵉ éd., Boston, PWS-Kent, 1991, p. 153.

26. *Ibid.*; Richard M. Hodgetts et Fred Luthans, *International Management*, New York, McGraw-Hill, 1991, chap. 11.

27. Clayton P. Alderfer. «An Empirical Test of a New Theory of Human Needs», *Organizational Behavior and Human Performance* 4 (1969), p. 142 à 175; et Clayton P. Alderfer, *Existence, Relatedness, and Growth*, New York, Free Press, 1972; Benjamin Schneider et Clayton P. Alderfer, «Three Studies of Need Satisfaction in Organization», *Administrative Science Quarterly* 18 (1973), p. 489 à 505.

28. Lane Tracy. «A Dynamic Living Systems Model of Work Motivation», *Systems Research* 1 (1984), 191 à 203; John Rauschenberger, Neal Schmidt et John E. Hunter, «A Test of the Need Hierarchy Concept by a Markov Model of Change in Need Strength», *Administrative Science Quarterly* 25 (1980), p. 654 à 670.

29. Entre autres sources pertinentes sur ce sujet: David C. McClelland, *The Achieving Society*, New York, Van Nostrand, 1961; David C. McClelland, «Business, Drive and National Achievement», *Harvard Business Review* 40, juillet/août 1962, p. 99 à 112; David C. McClelland, «That Urge to Achieve», *Think*, nov./déc. 1966, p. 19 à 32; G. H. Litwin et R. A. Stringer, *Motivation and Organizational Climate*, Boston, Division of Research, Harvard Business School, 1966, p. 18 à 25.

30. George Harris. «To Know Why Men Do What They Do: A Conversation with David C. McClelland», *Psychology Today* 4, janvier 1971, p. 35 à 39.

31. David C. McClelland et David H. Burnham. «Power Is the Great Motivator», *Harvard Business Review* 54, mars/avril 1976, p. 100 à 110; David C. McClelland et Richard E. Boyatzis, «Leadership Motive Pattern and Long-Term Success in Management», *Journal of Applied Psychology* 67 (1982), p. 737 à 743.

32. P. Miron et D. C. McClelland. «The Impact of Achievement Motivation Training in Small Businesses», *California Management Review*, été 1979, p. 13 à 28.

33. Herzberg et ses collègues expliquent la théorie bifactorielle dans Frederick Herzberg, Bernard Mausner et Barbara Bloch Synderman, *The Motivation to Work*, 2ᵉ éd., New York, Wiley, 1967; voir aussi Frederick Herzberg, «One More Time: How Do You Motivate Employees?», *Harvard Business Review* 46, janvier/février 1968, p. 53 à 62.

34. Tiré de Herzberg, *op. cit.* (1968), p. 53 à 62.

35. Voir Robert J. House et Lawrence A. Wigdor, «Herzberg's Dual-Factor Theory of Job Satisfaction and Motivation: A Review of the Evidence and a Criticism», *Personnel Psychology* 20 (hiver 1967), p. 369 à 389; Steven Kerr, Anne Harlan et Ralph Stogdill, «Preference for Motivator and Hygiene Factors in a Hypothetical Interview Situation», *Personnel Psychology* 27, (hiver 1974), p. 109 à 124; Nathan King, «A Clarification and Evaluation of the Two-Factor Theory of Job Satisfaction», *Psychological Bulletin* (juillet 1970), p. 18 à 31; Marvin Dunnette, John Campbell et Milton Hakel, «Factors Contributing to Job Satisfaction and Job Dissatisfaction in Six Occupational Groups», *Organizational Behavior and Human Performance* (mai 1967), p. 143 à 174; R. J. House et L. Wigdor, «Herzberg's Dual Factor Theory of Job Satisfaction and Motivation: A Review of the Evidence and a Criticism», *Personnel Psychology* (été 1967), p. 369 à 389.

36. Adler. *Op. cit.* (1991), chap. 6; Nancy J. Adler et J. T. Graham, «Cross Cultural Interaction: The International Comparison Fallacy», *Journal of International Business Studies* (automne 1989), p. 515 à 537; Frederick Herzberg, «Workers Needs: The Same around the World», *Industry Week* (27 septembre 1987), p. 29 à 32.

37. Voir, par exemple, J. Stacy Adams, «Toward an Understanding of Inequality», *Journal of Abnormal and Social Psychology* 67 (1963), p. 422 à 436; et J. Stacy Adams, «Inequity in Social Exchange», dans *Advances in Experimental Social Psychology*, éd. par L. Berkowitz, vol. 2, New York, Academic Press, 1965, p. 267 à 300.

38. Adams. *Op. cit.* (1965).

39. C. Kagitcibasi et J. W. Berry traitent de ces questions dans «Cross-Cultural Psychology: Current Research and Trends», *Annual Review of Psychology* 40 (1989), p. 493 à 531.

40. Victor H. Vroom. *Work and Motivation*, New York, Wiley, 1964.

41. Voir Richard T. Mowday, «Equity Theory Predictions of Behavior in Organizations», dans *Motivation and Work Behavior*, 4ᵉ éd, éd. par Richard M. Steers et Lyman W. Porter, New York, McGraw-Hill, 1987, p. 89 à 110.

42. Voir Steers et Porter, *op. cit.* (1987); Gerald R. Salancik et Jeffrey Pfeffer, «A Social Information Processing Approach to Job Attitudes and Task Design», *Administrative Science Quarterly* 23 (juin 1978), p. 224 à 253.

43. Voir Terence R. Mitchell, «Expectancy Models of Job Satisfaction, Occupational Preference and Effort: A Theoretical, Methodological, and Empirical Appraisal», *Psychological Bulletin* 81 (1974), p. 1053 à 1077; Mahmoud A. Wahba et Robert J. House, «Expectancy Theory in Work and Motivation: Some Logical and Methodological Issues», *Human Relations* 27 (janvier 1974), p. 121 à 147; Terry Connolly, «Some Conceptual and Methodological Issues in Expectancy Models of Work Performance Motivation», *Academy of Management Review* 1 (octobre 1976), p. 37 à 47; Terrence Mitchell, «Expectancy-Value Models in Organizational Psychology», dans *Expectancy, Incentive and Action*, éd. par N. Feather, New York, Erlbaum & Associates, 1980.

44. Voir William E. Wymer et Jeanne M. Carsten, «Alternative Ways to Gather Opinions», *HR Magazine* 37, 4 avril 1992, p. 71 à 78.

45. Le *Job Descriptive Index* (JDI) peut être obtenu auprès du Dr Patricia C. Smith, Department of Psychology, Bowling Green State University; et le *Minnesota Satisfaction Questionnaire* (MSQ) auprès du Industrial Relations Center et du Vocational Psychology Research Center de l'université du Minnesota.

46. Barry M. Staw. «The Consequences of Turnover», *Journal of Occupational Behavior* 1 (1980), p. 253 à 273; John P. Wanous, *Organizational Entry*, Reading (Mass.), Addison-Wesley, 1980.

47. Charles N. Greene. «The Satisfaction-Performance Controversy», *Business Horizons* 15 (1972), p. 31; Michelle T. Iaffaldano et Paul M. Muchinsky, «Job Satisfaction and Job Performance: A Meta-Analysis», *Psychological Bulletin* 97 (1985), p. 251 à 273; Greene, *op. cit.* (1972), p. 31 à 41; Dennis Organ, «A Reappraisal and Reinterpretation of the Satisfaction-Causes-Performance Hypothesis», *Academy of Management Review* 2 (1977), p. 46 à 53; Peter Lorenzi, «A Comment on Organ's Reappraisal of the Satisfaction-Causes-Performance Hypothesis», *Academy of Management Review* 3 (1978), p. 380 à 382.

48. Lyman W. Porter et Edward E. Lawler III. *Managerial Attitudes and Performance*, Homewood (Illinois), Irwin, 1968.

49. Ce modèle intégré va dans la logique d'une approche globale suggérée par Martin G. Evans dans «Organizational Behavior: The Central Role of Motivation», *1986 Yearly Review of Management of the Journal of Management* 12 (1986), éd. par J. G. Hunt et J. D. Blair, p. 203 à 222.

Références bibliographiques

Rapport annuel 1997 de WorldCom, p. 36 et 56.

www.omniroyal.com/.

www.Oglebaynorton.com; et Jeremy Kahn, «A CEO Cuts His Own Pay», *Fortune*, 26 octobre 1998, p. 56, 60 et 64.

www.starbucks.com/ et www.starbucks.com/company mission.

www.patagonia.com; et Rapport annuel 1998 de Patagonia.

■ **CHAPITRE 7**

Notes

1. Pour une bonne étude sur la stratégie de gestion des RH et sur ses liens avec la stratégie de gestion globale, voir A. J. Templer et R. J. Cattaneo, «A Model of Human Resources Management Effectiveness», *Canadian Journal of Administrative Sciences*, vol. 12, nᵒ 1, (1995) p. 77 à 88.

2. Voir J. R. Schermerhorn Jr., *Management*, 5e éd., New York, Wiley, 1996, chap. 12; G. M. Bounds, G. H. Dobbins et O. S. Fowler, *Management: A Total Quality Perspective*, Cincinnati, South-Western, 1995, chap. 9; L. R. Gomez-Mejia, D. B. Balkin et R. L. Cardy, *Managing Human Resources*, Englewood Cliffs (New Jersey), Prentice-Hall, 1995, chap. 2 et 6.

3. Bounds, Dobbins et Fowler, *op.cit.* (1995), p. 313 à 318.

4. Bounds, Dobbins et Fowler, *op.cit.* (1995), p. 315.

5. Bounds, Dobbins et Fowler, *op.cit.* (1995), p. 317; Gomez-Mejia, Balkin et Cardy, *op. cit.* (1995) p. 97 à 98.

6. Résumé à partir de Bounds, Dobbins et Fowler, *op.cit.* (1995), p. 319 à 321; et Gómez-Mejía, Balkin et Cardy, *op. cit.* (1995), chap. 6; ainsi que Schermerhorn, *op.cit.* (1996), p. 290 à 293.

7. Voir «Blueprints for Service Quality: The Federal Express Approach», *AMA Management Briefing*, New York, AMA Publications, 1991.

8. Basé sur A. Uris, *Eighty-eight Mistakes Interviewers Make and How to Avoid Them*, New York, AMA Publications, 1988.

9. G. C. Thornton. *Assessment Centers in Human Resource Management*, Reading (Mass.), Addison-Wesley, 1992.

10. B. B. Gaugler et autres. «Meta-Analysis of Assessment Center Validity», *Journal of Applied Psychology,* vol. 72 (1987), p. 493 à 511; G. M. McEvoy et R. W. Beatty, «Assessment Centers and Subordinate Appraisals of Managers: A Seven-Year Study of Predictive Validity», *Personnel Psychology,* vol. 42 (1989), p. 37 à 52.

11. P. M. Muchinsky. «The Use of Reference Reports in Personnel Selection: A Review and Evaluaton», *Journal of Occupational Psychology,* vol. 52 (1979), p. 287 à 297.

12. Ces réflexions sur la formation sont fondées sur Bounds, Dobbins et Fowler, *op. cit.* (1995), p. 326 à 329; Schermerhorn, *op. cit.* (1996), p. 294 à 295; S. R. Robbins, *Organizational Behavior,* 7ᵉ éd., Englewood Cliffs (New Jersey), Prentice-Hall, 1996, p. 641 à 644.

13. Voir Rob Muller, «Training for Change», *Canadian Business Review,* printemps 1995, p. 16 à 19.

14. La première partie de cette section se fonde en bonne partie sur Daniel C. Feldman, «Careers in Organizations: Recent Trends and Future Directions», *Journal of Management,* vol. 15, juin 1989, p. 135 à 156; Irving Janis et Dan Wheeler, «Thinking Clearly about Career Choices», *Psychology Today* (mai 1978), p. 67; Walter Kiechel III, «How We Will Work in the Year 2000», *Fortune,* 17 mai 1993, p. 38 à 52.

15. Charles Handy. *The Age of Unreason,* Boston, Harvard Business School Press, 1991. En français: *L'âge de déraison,* Paris, Éditions Village Mondial, 1996.

16. Cette étude se fonde sur divers textes consacrés au cheminement de carrière, entre autres: Janis et Wheeler, *op. cit.* (1978), p. 67; Daniel J. Levinson, *The Seasons of a Man's Life,* New York, Knopf, 1978; Douglas T. Hall, *Careers in Organizations,* Santa Monica (Calif.), Goodyear, 1975; Lloyd Baird et Kathy Krim, «Career Dynamics: Managing the Superior-Subordinate Relationship», *Organizational Dynamics,* printemps 1983, p. 47; Paul H. Thompson, Robin Zenger Baker et Norman Smallwood, «Improving Professional Development by Applying the Four-Stage Career Model», *Organizational Dynamics,* automne 1986, p. 49 à 62; Thomas P. Ference, James A. F. Stoner et E. Kirby Warren, «Managing the Career Plateau», *Academy of Management Review,* vol. 2, octobre 1977, p. 602 à 612; Gail Sheehy, *New Passages: Mapping Your Life across Time,* New York, Ballantine Books, 1995.

17. «Strategic Issues in Performance Appraisal, Theory and Practice», *Personnel,* vol. 60 (nov./déc. 1983), p. 24; Gómez-Mejía, Balkin et Cardy, *op. cit.* (1995), chap. 8; «Performance Appraisal: Current Practices and Techniques», *Personnel* (mai/juin 1984), p. 57.

18. Voir G. P. Latham et K. N. Wexley, *Increasing Productivity Through Performance Appraisal,* Reading (Mass.), Addison-Wesley, 1981, p. 80.

19. Voir R. J. Newman, «Job Reviews Go Full Circle», *U.S. News and World Report,* 1er novembre 1993, p. 42–43; J. A. Lopez, «A Better Way?», *Wall Street Journal,* 13 avril 1994, p. R6; M. S. Hirsch, «360 Degrees of Evaluation», *Working Woman,* août 1994, p. 20 à 21; B. O'Reilly, «360 Degree Feedback Can Change Your Life», *Fortune,* 17 octobre 1994, p. 93 à 100; Voir *Leadership Quarterly,* vol. 9, nᵒ 4, 1998, num. spécial sur la «360-Degree Feedback in Leadership Research», p. 423 à 474; Stephen P. Robbins, *Organizational Behavior,* 8e éd., Upper Saddle River (New Jersey), Prentice-Hall, 1998, p. 568.

20. Robert C. Hill et Sara M. Freedman, «Managing the Quality Process: Lessons from the Baldrige Award Winner», *Academy of Management Executive,* vol. 6 (février 1992), p. 84.

21. Pour davantage de détails, voir Latham et Wexley, *op. cit.* (1981); Stephen J. Carroll et Craig E. Schneier, *Performance Appraisal and Review Systems,* Glenview (Illinois), Scott, Foresman, 1982.

22. Voir George T. Milkovich et John W. Boudreau, *Personnel/Human Resource Management: A Diagnostic Approach,* 5ᵉ éd., Plano (Texas), Business Publications, 1988.

23. Pour une étude approfondie, voir S. J. Carroll et H. L. Tosi Jr., *Management of Objectives: Application and Research,* New York, Macmillan, 1976; A. P. Raia, *Managing by Objectives,* Glenview (Illinois), Scott, Foresman, 1974.

24. Pour une étude traitant de ces erreurs, voir David L. Devries et autres, *Performance Appraisal on the Line,* Greensboro (North-Car.), Center for Creative Leadership, 1986, chap. 3.

25. E. G. Olson. «The Workplace Is High on the High Court's Docket», *Business Week,* 10 octobre 1988, p. 88 à 89.

26. Basé sur J. J. Bernardin et C. S. Walter, «The Effects of Rater Training and Diary Keeping on Psychometric Error in Ratings», *Journal of Applied Psychology,* vol. 61 (1977), p. 64 à 69; voir aussi R. G. Burnask et T. D. Hollman, «An Empirical Comparison of the Relative Effects of Sorter Response Bias on Three Rating Scale Formats», *Journal of Applied Psychology,* vol. 59 (1974), p. 307 à 312.

27. W. F. Cascio et H. J. Bernardin. «Implications of Performance Appraisal Litigation for Personnel Decisions», *Personnel Psychology,* vol. 34 (1981), p. 221 à 222.

28. Voir David Shar, «Comp Star Adds Efficiency and Flexibility to Performance Reviews», *HR Magazine,* octobre 1997, p. 37 à 42.

29. Pour des analyses poussées de la théorie, de la recherche et des applications, voir Edward E. Lawler III, *Pay and Organizational Effectiveness,* New York, McGraw-Hill, 1971; Edward E. Lawler III, *Pay and Organization Development,* Reading (Mass.), Addison-Wesley, 1981; Edward E. Lawler III, «The Design of Effective Reward Systems», *Handbook of Organizational Behavior,* éd. par Jay W. Lorsch, Englewood Cliffs (New Jersey), Prentice-Hall, 1987, p. 255 à 271.

30. D'après Jean-Marc Salvet. «Des mandarins qui valent leur pesant d'or: de 99 203 $ à ... 325 000 $», *Le Soleil,* 22 juillet 2000, p. A1.

31. D'après René Lewandowski. «L'effet Internet», *Commerce,* juillet 2000, p. 18-29.

32. À titre d'exemple, voir D. B. Balkin et L. R. Gómez-Mejía (éd.), *New Perspectives on Compensation,* Englewood Cliffs (New Jersey), Prentice-Hall, 1987.

33. Jone L. Pearce. «Why Merit Pay Doesn't Work: Implications from Organization Theory», dans David B. Balkin et Luis R. Gómez-Mejía, *op. cit.* (1987), p. 169 à 178; Jerry M. Newman, «Selecting Incentive Plans To Complement Organizational Strategy», dans Balkin et Gómez-Mejía, *op. cit.,* p. 214 à 224; Edward E. Lawler III, «Pay for Performance: Making It Work», *Compensation and Benefits Review,* vol. 21 (1989), p. 55 à 60.

34. Voir Daniel C. Boyle, «Employee Motivation that Works», *HR Magazine* (octobre 1992), p. 83 à 89. Kathleen A. McNally, «Compensation as a Strategic Tool», *HR Magazine* (juillet 1992), p. 59 à 66.

35. S. Caudron. «Master the Compensation Maze», *Personnel Journal* (juin 1993), p. 640 à 648.

36. N. Gupta et autres. «Survey Based Prescriptions for Skill-Based Pay», *American Compensation Association Journal,* vol. 1, nᵒ 1 (1992), p. 48 à 59; L. W. Ledford, «The Effectiveness of Skill-Based Pay», *Perspectives in Total Compensation,* vol. 1, nᵒ 1 (1991), p. 1 à 4.

37. Voir Brian Graham-Moore, «Review of the Literature», dans *Gainsharing,* éd. par Brian Graham-Moore et Timothy L. Ross, Washington DC, The Bureau of National Affairs, 1990, p. 20.

38. S. E. Markham, K. D. Scott et B. L. Little. «National Gainsharing Study: The Importance of Industry Differences», *Compensation and Benefits Review* (jan./fév. 1992), p. 34 à 45.

39. Marie Quinty. «Dix raisons d'aimer son patron», *Affaires Plus,* juin 2000, p. 48.

40. Gomez-Mejia, Balkin et Cardy, *op. cit.* (1995), p. 410 et 411.

41. *Ibid.,* p. 409 et 410.

42. C. O'Dell et J. McAdams. «The Revolution in Employee Benefits», *Compensation and Benefits Review* (mai/juin 1987), p. 68 à 73.

Références bibliographiques

Information tirée de Eileen P. Gunn, *Fortune* (12 octobre 1998), p. 98.

Information tirée de «Mattell Sets 'Code of Conduct' for its Manufacturers», *Lubbock Avalanche-Journal,* 24 novembre 1997, p. 10C.

Information tirée de A. Uris, *Eighty-eight Mistakes Interviewers Make and How to Avoid Them,* New York, AMA Publications, 1988.

«Lubbock Company Gives Voice to Customers», *Lubbock Avalanche-Journal,* 1er février 1998, p. 1E.

Information tirée de *Lubbock Avalanche-Journal,* 31 décembre 1998, p. 8C.

Information tirée de «The Revenge of the Fired», *Newsweek,* 16 février 1987, p. 46 à 47.

Information tirée de «Rank-and-File Get CEO-Style Perks», *Lubbock Avalanche-Journal,* 29 septembre 1998, p. 3A.

Bill Holleran, «Training Resources Are Available on Internet via ALX», *HR News,* octobre 1998, p. 13.

Information tirée de David Shair, «Comp Star Adds Efficiency and Flexibility to Performance Reviews», *HR Magazine* (octobre 1997), p. 37 à 42.

Information tirée de Ivan Maisel et Steve Richardson, «The Price of Glory», *Dallas Morning News* (6 juin 1993), p. 16B.

Information tirée de J. Zignon, «Making Performance Appraisal Work for Teams», *Training* (juin 1994), p. 58 à 63.

Adapté de Andrew D. Szilagi Jr. et Marc J. Wallace Jr., *Organizational Behavior and Performance,* 3ᵉ éd., Glenview (Illinois), Scott, Foresman, 1983, p. 393 et 394.

Adapté de J. P. Cambell et autres, «The Development evaluation of Behaviorally Based Rating Scales», *Journal of Applied Psychology,* vol. 57 (1973), p. 18. Copyright 1973 de la American Psychological Association.

■ **CHAPITRE 8**

Notes

1. Frederick W. Taylor. *The Principles of Scientific Management,* New York, W.W. Norton, 1967.

2. Information tirée de «Building the S80 : More Than a Sum of Its Parts», *Volvo S80* (1998).

3. Frederick Herzberg. «One More Time : How Do You Motivate Employees?», *Harvard Business Review* 46 (janvier-février 1968), p. 53 à 62.

4. Paul J. Champagne et Curt Tausky. «When Job Enrichment Doesn't Pay», *Personnel*, vol. 3 (janvier-février 1978), p. 30 à 40.

5. Pour une description exhaustive de ce modèle, voir J. Richard Hackman et Greg R. Oldham, *Work Redesign*, Reading (Mass.), Addison-Wesley, 1980.

6. Voir J. Richard Hackman et Greg Oldham, «Development of the Job Diagnostic Survey», *Journal of Applied Psychology*, vol. 60 (1975), p. 159 à 170.

7. Hackman et Oldham, *op. cit.* (1975); sur les recherches des précurseurs dans ce domaine, voir Charles L. Hulin et Milton R. Blood, «Job Enlargement Individual Differences, and Worker Responses», *Psychological Bulletin*, vol. 69 (1968), p. 41 à 55; Milton R. Blood et Charles L. Hulin, «Alienation, Environmental Characteristics and Worker Responses», *Journal of Applied Psychology*, vol. 51 (1967), p. 284 à 290.

8. Gerald Salancik et Jeffrey Pfeffer. «An Examination of Need-Satisfaction Models of Job Attitudes», *Administrative Science Quarterly*, vol. 22 (1977), p. 427 à 456; Gerald Salancik et Jeffrey Pfeffer, «A Social Information Processing Approach to Job Attitude and Task Design», *Administrative Science Quarterly*, vol. 23 (1978), p. 224 à 253.

9. George W. England et Itzhak Harpaz, «How Working Is Defined : National Contexts and Demographic and Organizational Role Influences», *Journal of Organizational Behavior* (juillet 1990), p. 253 à 266.

10. William A. Pasmore. «Overcoming the Roadblocks to Work-Restructuring Efforts», *Organizational Dynamics*, vol. 10 (1982), p. 54 à 67; Hackman et Oldham, *op. cit.* (1975).

11. Voir William A. Pasmore. *Designing Effective Organizations : A Sociotechnical Systems Perspective*, New York, Wiley, 1988.

12. *The Economist* (17 octobre 1998), p. 116.

13. Voir Malcolm S. Salter et Wayne A. Edesis, «Wolfsburg at the Center», *Harvard Business Review* (juillet–août 1991).

14. Peter Senker. *Towards the Automatic Factory : The Need for Training*, New York, Springer-Verlag, 1986.

15. Volt Ramchandran Jaikumar, «Postindustrial Manufacturing», *Harvard Business Review*, vol. 44 (1986), p. 69 à 76.

16. Michael Hammer. «Reengineering Work : Don't Automate, Obliterate», *Harvard Business Review* (juillet-août 1990), p. 104 à 112.

17. Voir Thomas M. Koulopoulos, *The Workflow Imperative : Building Real World Business Solutions*, New York, Van Nostrand Reinhold, 1995.

18. Pour un bon aperçu général, voir Michael Hammer et James Champy, *Reengineering the Corporation*, New York, Harper Business, 1993; et Michael Hammer, *Beyond Reengineering*, New York, Harper Business, 1997.

19. Information tirée de «The Business Imperative for Workflow & Business Process Reengineering», *Fortune* (27novembre 1995), cahier publicitaire spécial.

20. Edwin A. Locke et autres. «Goal Setting and Task Performance : 1969-1980», *Psychological Bulletin*, vol. 90 (juillet-novembre 1981), p. 125 à 152; Edwin A. Locke et Gary P. Latham, «Work Motivation and Satisfaction : Light at the End of the Tunnel», *Psychological Science*, vol. 1, n° 4 (juillet 1990), p. 240 à 246; et Edwin A. Locke et Gary P. Latham, *A Theory of Goal Setting and Task Performance*, Englewood Cliffs (New Jersey), Prentice-Hall, 1990.

21. Voir E. A. Locke et G. P. Latham, «Work Motivation and Satisfaction», *Psychological Science*, vol. 1, n° 4 (juillet 1990), p. 241.

22. Gary P. Latham et Edwin A. Locke. «Goal Setting—A Motivational Technique That Works», *Organizational Dynamics*, vol. 8 (automne 1979), p. 68 à 80; Gary P. Latham et Timothy P. Steele, «The Motivational Effects of Participation versus Goal-Setting on Performance», *Academy of Management Journal*, vol. 26 (1983), p. 406 à 417; Miriam Erez et Frederick H. Kanfer, «The Role of Goal Acceptance in Goal Setting and Task Performance», *Academy of Management Review*, vol. 8 (1983), p. 454 à 463; et R. E. Wood et E. A. Locke, «Goal Setting and Strategy Effects on Complex Tasks», dans *Research in Organizational Behavior*, éd. par B. Staw et L. L. Cummings, Greenwich (Conn.), JAI Press, 1990.

23. E. A. Locke et G. P. Latham. *Op. cit.* (1990).

24. Information tirée de Joel B. Obermayer, «The Mad Hatters», *The News and Observer on the Web* (17 janvier 1999), <www.news-observer.com.>.

25. Pour une réflexion informée sur la GPO, voir Anthony P. Raia, *Managing by Objectives*, Glenview (Illinois), Scott, Foresman, 1974.

26. *Ibid.*; Steven Kerr résume également très bien les principales critiques sur ce sujet dans «Overcoming the Dysfunctions of MBO», *Management by Objectives*, vol. 5, n° 1 (1976).

27. Pour quelques études générales sur le sujet, voir Allan R. Cohen et Herman Gadon, *Alternative Work Schedules : Integrating Individual and*

Organizational Needs, Reading (Mass.), Addison-Wesley, 1978; et Jon L. Pearce et autres, *Alternative Work Schedules*, Boston, Allyn & Bacon, 1989. Voir également Sharon Parker et Toby Wall, *Job and Work Design*, Thousand Oaks (Calif.), Sage, 1998.

28. Voir B. J. Wixom Jr., «Recognizing People in a World of Change», *HR Magazine* (juin 1995), p. 7 et 8; et «The Value of Flexibility», *Inc.* (avril 1996), p. 114.

29. C. Latack et L. W. Foster. «Implementation of Compressed Work Schedules : Participation and Job Redesign as Critical Factors for Employee Acceptance», *Personnel Psychology*, vol. 38 (1985), p. 75 à 92.

30. *Business Week* (7 décembre 1998), p. 8.

31. «Aetna Life & Casualty Company», *Wall Street Journal*, 4 juin 1990, p. R35; et 18 juin 1990, p. B1.

32. Getsy M. Selirio. «Job Sharing Gains Favor as Corporations Embrace Alternative Work Schedule», *Lubbock Avalanche-Journal*, 13 décembre 1992, p. 2E.

33. *Ibid.*

34. Yan Barcelo. «Le télétravail séduit de plus en plus», *Les Affaires*, 27 mai 2000, p. T1.

35. Yan Barcelo. «Le télétravail séduit de plus en plus», *Les Affaires*, 27 mai 2000, p. T1.

36. «Making Stay-at-Homes Feel Welcome», *Business Week*, 12 octobre 1998, p. 153 à 155.

37. T. Davenport et K. Pearlson. «Two Cheers for the Virtual Office», *Sloan Management Review* (été 1998), p. 51 à 64.

38. Carol Hymowitz. «Remote Managers Find Ways to Narrow the Distance Gap», *Wall Street Journal*, 6 avril 1999, p. B1.

39. «Making Stay-at-Homes Feel Welcome», *Business Week*, 12 octobre 1998, p. 153 à 155.

40. *Ibid.*

41. Daniel C. Feldman et Helen I. Doerpinghaus. «Missing Persons No Longer : Managing Part-Time Workers in the '90s», *Organizational Dynamics* (été 1992), p. 59 à 72.

Références bibliographiques

«When Is a Temp Not a Temp?», *Business Week* (7 décembre 1998), p. 90 à 91.

Adapté de J. Richard Hackman et Greg R. Oldham, «Development of the Job Diagnostic Survey», *Journal of Applied Psychology*, vol. 60 (1975), p. 161.

Basé sur Edwin A. Locke et Gary P. Latham, «Work Motivation and Satisfaction : Light at the End of the Tunnel», *Psychological Science*, vol. 1, n° 4 (juillet 1990), p. 244.

Xerox Canada : information tirée de Kerry Shapansky, «How Fact-Based Management Works for Xerox», *CMA Magazine*, vol. 68 (décembre 1994/ janvier 1995), p. 20 à 22.

UPS : information tirée de Robert Frank, «Efficient UPS Tries to Increase Efficiency», *The Wall Street Journal* (24 mai 1995), p. B1 et B4.

Excite Inc. : information tirée de Quentin Hardy, «Aloft in a Career Without Fetters», *The Wall Street Journal* (29 septembre 1998), p. B1.

Gap Inc. : information tirée de David Kirkpatrick, «The E-Ware War», *Fortune* (7 décembre 1998), p. 102 à 110.

■ CHAPITRE 9

Notes

1. Information tirée de David Kirkpatrick, «The Second Coming of Apple», *Fortune*, 9 novembre 1998, p. 86 à 92. Consulter aussi Brent Schlender, «The Three Faces of Steve», *Fortune*, 9 novembre 1998, p. 96 à 104.

2. Pour une excellente étude sur les groupes et les équipes en milieu de travail, voir Jon R. Katzenbach et Douglas K. Smith, «The Discipline of Teams», *Harvard Business Review*, mars-avril 1993, p. 111 à 120.

3. Harold J. Leavitt et Jean Lipman-Blumen. «Hot Groups», *Harvard Business Review* , juillet-août 1995, p. 109 à 116.

4. Voir entre autres : Edward E. Lawler III, *High-Involvement Management*, San Francisco, Jossey-Bass, 1986.

5. Information tirée de «Empowerment That Pays Off», *Fortune*, 20 mars 1995, p. 145 à 146.

6. Marvin E. Shaw. *Group Dynamics : The Psychology of Small Group Behavior*, 2e éd., New York, McGraw-Hill, 1976.

7. et Alex Taylor III, «The Germans Take Charge—Creating Daimler Chrysler Was a Coup for Jurgen Schrempp, But Can He Make the New Company Work?», *Fortune*, 11 janvier 1999, p. 92.

8. David M. Herold. «The Effectiveness of Work Groups», dans *Organizational Behavior*, éd. par Steven Kerr, New York, Wiley, 1979, p. 95.

9. *Ibid.*

10. Bib Latane, Kipling Williams et Stephens Harkins. «Many Hands Make Light the Work: The Causes and Consequences of Social Loafing», *Journal of Personality and Social Psychology*, vol. 37 (1978), p. 822 à 832; E. Weldon et G. M. Gargano, «Cognitive Effort in Additive Task Groups: The Effects of Shared Responsibility on the Quality of Multi-attribute Judgments», *Organizational Behavior and Human Decision Processes*, vol. 36 (1985), p. 348 à 361; John M. George, «Extrinsic and Intrinsic Origins of Perceived Social Loafing in Organizations», *Academy of Management Journal*, mars 1992, p. 191 à 202; et W. Jack Duncan, «Why Some People Loaf in Groups While Others Loaf Alone», *Academy of Management Executive*, vol. 8 (1994), p. 79 à 80.

11. D. A. Kravitz et B. Martin. «Ringelmann Rediscovered», *Journal of Personality and Social Psychology*, vol. 50 (1986), p. 936 à 941.

12. Un article devenu un classique: Richard B. Zajonc. «Social Facilitation», *Science*, vol. 149 (1965), p. 269 à 274.

13. Gerald Salancik et Jeffrey Pfeffer. «A Social Information Processing Approach to Job Attitude and Task Design», *Administrative Science Quarterly*, vol. 23 (1978), p. 224 à 253.

14. Rensis Likert. *New Patterns of Management*, New York, McGraw-Hill, 1961.

15. Pour une bonne étude sur les groupes des projet, voir James Ware, «Managing a Task Force», note 478-002, Harvard Business School, 1977.

16. Voir «The Corporate Jungle Spawns a New Species: The Project Manager», *Fortune*, 10 juillet 1995, p. 179 et 180.

17. Information tirée de Myron Maget, «Who's Winning the Information Revolution?», *Fortune*, 30 novembre 1992, p. 110 à 117; et Paul Taylor, «Big Names Drawn by High Skills and Low Cost Levels», *The Financial Times*, 2 décembre 1998, p. 2.

18. Greg L. Stewart, Charles C. Manz et Henry P. Sims. *Teamwork and Group Dynamics*, New York, John Wiley & Sons, 1999, p. 139 à 141.

19. Voir, par exemple, Leland P. Bradford, *Group Development*, 2ᵉ éd., San Francisco, Jossey-Bass, 1997.

20. Dave Ulrich. «Intellectual Capital = Competence + Commitment», *Sloan Management Review*, hiver 1998, p. 15 à 26.

21. J. Steven Heinen et Eugene Jacobson. «A Model of Task Group Development in Complex Organization and a Strategy of Implementation», *Academy of Management Review*, vol. 1, octobre 1976, p. 98 à 111; Bruce W. Tuckman, «Developmental Sequence in Small Groups», *Psychological Bulletin*, vol. 63 (1965), p. 384 à 399; et Bruce W. Tuckman et Mary Ann C. Jensen, «Stages of Small Group Development Revisited», *Group & Organization Studies*, vol. 2, 1977, p. 419 à 427.

22. Voir J. Richard Hackman, «The Design of Work Teams», dans *Handbook of Organizational Behavior*, éd. par Jay W. Lorsch, Englewood Cliffs (New Jersey), Prentice Hall, 1987, p. 343 à 357; et Herold, *op. cit.* (1979). Voir également l'étude sur les groupes de projet réalisée par Stewart et autres, *op. cit.* (1999), p. 142 et143.

23. Daniel Ilgen, Jeffrey A. Lepine et John R. Hollenbeck. «Effective Decision Making in Multinational Teams», dans *New Perspectives on International Industrial/Organizational Psychology*, éd. par P. Christopher Earley et Miriam Erez, San Francisco, New Lexington Press, 1997, p. 377 à 409; et Warren Watson, «Cultural Diversity's Impact on Interaction Process and Performance», *Academy of Management Journal*, vol. 16, 1993.

24. L. Argote et J. E. McGrath. «Group Processes in Organizations: Continuity and Change», dans *International Review of Industrial and Organizational Psychology*, éd. par C. L. Cooper et I. T. Robertson, Wiley, New York, 1993, p. 333 à 389.

25. Voir Ilgen, Jeffrey et Hollenbeck, *op. cit.* (1997).

26. William C. Schutz. *FIRO, A Three-Dimensional Theory of Interpersonal Behavior*, New York, Rinehart, 1958.

27. William C. Schutz. «The Interpersonal Underworld», *Harvard Business Review*, vol. 36, juillet et août 1958, p. 130.

28. Katzenbach et Smith. *Op. cit.* (1993).

29. E. J. Thomas et C. F. Fink. «Effects of Group Size», dans *Readings in Organizational and Human Performance*, éd. par Larry L. Cummings et William E. Scott, Homewood (Illinois), Irwin, 1969, p. 394 à 408.

30. Shaw. *Op. cit.* (1976).

31. George C. Homans. *The Human Group*, New York, Harcourt Brace, 1950.

32. Pour une étude de la dynamique intergroupes, voir Edgar H. Schein, *Process Consultation*, Addisson-Wesley Publishing Company, 1988, vol. 1, p. 106 à 115.

33. «Producer Power», *The Economist*, 4 mars1995, p. 70.

34. Analyse préparée à partir des propos de Schein, *op. cit.* (1988), p. 69 à 75.

35. *Ibid.*, p. 73.

36. *Ibid*

37. Élaboré à partir des lignes directrices proposées dans l'article de Jay Hall, «Decisions, Decisions, Decisions», *Psychology Today*, novembre 1971, p. 55 et 56.

38. Norman R.F. Maier. «Assets and Liabilities in Group Problem Solving», *Psychological Review*, vol. 74, 1967, p. 239 à 249.

39. Irving L. Janis. «Groupthink», *Psychology Today*, novembre 1971, p. 43 à 46; Irving L. Janis, *Groupthink*, 2ᵉ ed., Boston, Houghton Mifflin, 1982; voir également J. Longley et D. G. Pruitt, «Groupthink: A Critique of Janis' Theory», dans *Review of Personality and Social Psychology*, éd. par L. Wheeler, Beverly Hills (Calif.), Sage Publications, 1980; Carrie R. Leana. «A Partial Test of Janis's Groupthink Model: The Effects of Group Cohesiveness and Leader Behavior on Decision Processes», *Journal of Management*, vol. 11, no. 1, 1985, p. 5 à 18; et Jerry Harvey, «Managing Agreement in Organizations: The Abilene Paradox», *Organizational Dynamics*, été 1974, p. 63 à 80.

40. Janis. *Op. cit.* (1982).

41. Gayle W. Hill. «Group versus Individual Performance: Are N1 1 Heads Better Than One?», *Psychological Bulletin*, vol. 91, 1982, p. 517 à 539.

42. Ces méthodes sont fort bien expliquées dans George P. Huber, *Managerial Decision Making*, Glenview (Illinois), Scott, Foresman, 1980; ainsi que dans Andre L. Delbecq et autres, *Group Techniques for Program Planning: A Guide to Nominal Groups and Delphi Techniques*, Glenview (Illinois), Scott, Foresman, 1975; voir aussi William M. Fox, «Anonymity and Other Keys to Successful Problem-Solving Meetings», *National Productivity Review*, vol. 8, printemps1989, p. 145 à 156.

43. Delbecq et autres. *Op. cit.* (1975); et Fox, *op. cit.* (1989).

44. R. Brent Gallupe et William H. Cooper. «Brainstorming Electronically», *Sloan Management Review*, automne 1993, p. 27 à 36.

Références bibliographiques

Sony: information tirée de «Videoconferencing by Sony, Naturally», *Business Week*, 16 novembre 1998, cahier publicitaire.

EDS: information tirée de Eric Matson, «The Seven Sins of Deadly Meetings», *Fast Company Handbook of the Business Revolution*, New York, Fast Company, 1997, p. 31.

W. L. Gore & Associates: information tirée de Shelley Branch, «The 100 Best Companies to Work for in America», *Fortune*, 11 janvier 1999, p. 126.

Information tirée de Jennifer Scott, «More Workers Have Option of Taking Stock in Company», *The Columbus Dispatch*, 25 janvier 1999, p. 10 et 11.

Edgar H. Schein, *Process Consultation*, vol. 1 © 1988 (Addison-Wesley Publishing Company).

■ **CHAPITRE 10**

Notes

1. *Fortune*, 7 mai 1990, p. 52 à 60. Voir aussi Ronald E. Purser et Steven Cabana, *The Self-Managing Organization*, New York, Free Press, 1998.

2. Susan Albers Mohrman et autres. *Tomorrow's Organization: Crafting Winning Capabilities in a Dynamic World*, San Francisco, Jossey-Bass, 1998.

3. Christian Février. «Les cinq commandements du défi néo-zélandais», *Le Figaro*, 2 mars 2000, p. 26.

4. Jon R. Katzenbach et Douglas K. Smith. «The Discipline of Teams», *Harvard Business Review*, mars et avril 1993a, p. 111 à 120; Jon R. Katzenbach et Douglas K. Smith, *The Wisdom of Teams: Creating the High-Performance Organization*, Boston, Harvard Business School Press, 1993b.

5. Jay A. Conger. *Winning 'em Over: A New Model for Managing in the Age of Persuasion*, New York, Simon & Schuster, 1998.

6. *Ibid.*, p. 191.

7. Katzenbach et Smith, *op. cit.* (1993a et 1993b).

8. Voir aussi Jon R. Katzenbach, «The Myth of the Top Management Team», *Harvard Business Review*, vol. 75, novembre et décembre 1997, p. 83 à 91.

9. Information tirée de Robert B. Reich, «The Company of the Future», *Fast Company*, novembre 1998, p. 124 et +.

10. Katzenbach et Smith, *op. cit.* (1993a et 1993b).

11. Pour un bon aperçu sur le sujet, voir Greg L. Stewart, Charles C. Manz et Henry P. Sims, *Team Work and Group Dynamics*, New York, Wiley, 1999.

12. Katzenbach et Smith, *op. cit.* (1993a), p. 112.

13. Élaboré à partir de Katzenbach et Smith, *op. cit.* (1993a), p. 118 et 119.

14. Voir Stewart et autres, *op. cit.* (1999), p. 43 et 44.

15. Voir Daniel R. Ilgen et autres, «Effective Decision Making in Multinational Teams», *New Perspectives on International Industrial/Organizational Psychology*, éditeurs: P. Christopher Earley et Miriam Erez, San Francisco, New Lexington Press, 1997, p. 377 à 409.

16. Ilgen et autres. *Op. cit.* (1997); et Warren Watson, «Cultural Diversity's Impact on Interaction Process and Performance», *Academy of Management Journal*, vol. 16, 1993.

17. Pour une bonne analyse de la formation d'équipe, voir William D. Dyer, *Team Building*, 3ᵉ éd., Reading (Mass.), Addison-Wesley, 1995.

18. Élaboré à partir de Edgar H. Schein, *Process Consultation*, Reading (Mass.), Addison-Wesley, 1969, p. 32 à 37; et de Schein, *Process Consultation: Volume I*, 1988, p. 40 à 49.

19. Pour un classique sur le sujet, voir Robert F. Bales, «Task Roles and Social Roles in Problem-Solving Groups», dans *Readings in Social Psychology*, éd. par Eleanor E. Maccoby, Theodore M. Newcomb et E. L. Hartley, New York, Holt, Rinehart & Winston, 1958.

20. Schein. *Op. cit.* (1988).

21. Pour une bonne description des activités de leadership liées aux tâches et aux relations, voir John J. Gabarro et Anne Harlan, «Note on Process Observation», note 9-477-029, Harvard Business School, 1976.

22. Voir Daniel C. Feldman, «The Development and Enforcement of Group Norms», *Academy of Management Review*, vol. 9, 1984, p. 47 à 53.

23. Voir Robert F. Allen et Saul Pilnick, «Confronting the Shadow Organization: How to Select and Defeat Negative Norms», *Organizational Dynamics*, printemps 1973, p. 13 à 17; Alvin Zander. *Making Groups Effective*, San Francisco, Jossey-Bass, 1982, chap. 4.; et Daniel C. Feldman, *op. cit.* (1984).

24. Pour un résumé de la recherche menée sur la cohésion des groupes, voir Marvin E. Shaw, *Group Dynamics*, New York, McGraw-Hill, 1971, p. 110 à 112 et p. 192.

25. Information tirée de Stratford Sherman, «Secrets of HP's 'Muddled' Team», *Fortune*, 18 mars 1996, p. 116 à 120.

26. Voir Jay R. Galbraith et Edward E. Lawler III, «The Challenges of Change: Organizing for Competitive Advantage», *Tomorrow's Organization: Crafting Winning Capabilities in a Dynamic World*, éd. par Susan Albers et associés, San Francisco, Jossey-Bass, 1998.

27. Voir Kenichi Ohmae, «Quality Control Circles: They Work and Don't Work», *Wall Street Journal*, 29 mars 1982, p. 16; Robert P. Steel et autres, «Factors Influencing the Success and Failure of Two Quality Circles Programs», *Journal of Management*, vol. 11, no. 1, 1985, p. 99 à 119; Edward E. Lawler III et Susan A. Mohrman, «Quality Circles: After the Honeymoon», *Organizational Dynamics*, vol. 15, no. 4, 1987, p. 42 à 54.

28. Voir Jay R. Galbraith, *Designing Organizations*, San Francisco, Jossey-Bass, 1998.

29. Jerry Yoram Wind et Jeremy Main, *Driving Change: How the Best Companies Are Preparing for the 21ˢᵗ Century*, New York, The Free Press, 1998, p. 135.

30. Jessica Lipnack et Jeffrey Stamps, *Virtual Teams: Reaching Across Space, Time, and Organizations with Technology*, New York, Wiley, 1997.

31. Line Dubé et Guy Paré. «Les technologies de l'information et l'organisation à l'ère du virtuel», *Gestion*, vol. 24, nᵒ 2, été 1999, p.14-22.

32. Pour une étude de quelques solutions de rechange, voir Jeff Angus et Sean Gallagher, «Virtual Team Builders—Internet-Based Teamware Makes It Possible to Build Effective Teams from Widely Dispersed Participants», *Information Week*, 4 mai 1998.

33. Christine Perey. «Conferencing and Collaboration: Real-World Solutions for Business Communications», *Business Week*, cahier publicitaire, 1999.

34. R. Brent Gallupe et William H. Cooper. «Brainstorming Electronically», *Sloan Management Review*, automne 1993, p. 27 à 36.

35. William M. Bulkeley. «Computerizing Dull Meetings Is Touted as an Antidote to the Mouth That Bored», *Wall Street Journal*, 28 janvier 1992, p. B1, B2.

36. Voir Gallupe et Cooper, *op. cit.* (1993).

37. Pour les premières recherches menées sur des concepts relatifs au travail d'équipe, voir Richard E. Walton, «How to Counter Alienation in the Plant», *Harvard Business Review*, nov. et déc. 1972, p. 70 à 81; Richard E. Walton, «Work Innovations at Topeka: After Six Years», *Journal of Applied Behavior Science*, vol. 13, 1977, p. 422 à 431; et du même auteur, «The Topeka Work System: Optimistic Visions, Pessimistic Hypotheses, and Reality», dans *The Innovative Organization*, éd. par Zager et Rosow, ch. 11.

38. Information tirée de Vanaja Dhanan et Cecille Austria, «Where Workers Manage Themselves», *World Executive's Digest*, octobre 1992, p. 14 à 16; on trouve une autre analyse des TIC en Malaisie dans Stewart et autres, *op. cit.*, 1999, p. 18 à 26.

Références bibliographiques

Extrait de «Employee Case Study», Corning Glass Works. À consulter sur le site Internet de la société à www.corning.com/company_info/index.html.

MCI WorldCom: Informations tirées de «MCI WorldCom Conferencing», *Business Week*, 16 novembre 1998, cahier publicitaire, ainsi que du site Internet de la société.

Charles Schwab & Co.: Information tirée de Eric Matson, «The Seven Sins of Deadly Meetings», *Fast Company Handbook of the Business Revolution*, New York, Fast Company, 1997, p. 31.

John R. Schermerhorn Jr. *Management*, 5ᵉ éd., New York, Wiley, 1996, p. 274.

■ **CHAPITRE 11**

Notes

1. La majeure partie de ce chapitre est basée sur Richard N. Osborn, James G. Hunt et Lawrence R. Jauch, *Organization Theory: Integrated Text and Cases*, Melbourne (Florida), Krieger, 1985. Pour une étude récente et tout aussi sérieuse, voir Lex Donaldson, «The Normal Science of Structural Contingency Theory», *Handbook of Organizational Studies*, éd. par Stewart R. Clegg, Cynthia Hardy et Walter R. Nord, Londres, Sage Publications, 1996, p. 57 à 76.

2. H. Talcott Parsons. *Structure and Processes in Modern Societies*, New York, Free Press, 1960.

3. Voir Jeffrey Pfeffer, «Barriers to the Advance of Organization Science», *Academy of Management Review* 18, nᵒ 4, 1993, p. 599 à 620; Richard M. Cyert et James G. March, *A Behavioral Theory of the Firm*, Englewood Cliffs (New Jersey), Prentice-Hall, 1963. Pour une intéressante étude des objectifs des organisations, voir Charles Perrow, *Organizational Analysis: A Sociological View*, Belmont (Calif.), Wadsworth, 1970; et Richard H. Hall, «Organizational Behavior: A Sociological Perspective», dans *Handbook of Organizational Behavior*, éd. par Jay W. Lorsch, Englewood Cliffs (New Jersey), Prentice-Hall, 1987, p. 84 à 95.

4. Voir entre autres Terri Lammers, «The Effective and Indispensable Mission Statement», *Inc.*, août 1992, p. 1, 7 et 23; I. C. MacMillan et A. Meshulack, «Replacement versus Expansion: Dilemma for Mature U.S. Businesses», *Academy of Management Journal* 26, 1983, p. 708 à 726.

5. Voir Stewart R. Clegg et Cynthia Hardy, «Organizations, Organization and Organizing», dans *Handbook of Organizational Studies*, éd. par Clegg, Hardy et Nord, 1996, p. 1 à 28; et William H. Starbuck et Paul C. Nystrom, «Designing and Understanding Organizations», *Handbook of Organizational Design: Adapting Organizations to Their Environments*, éd. par P.C. Nystrom et W. H. Starbuck, New York, Oxford University Press, 1981.

6. Voir Osborn, Hunt et Jauch, *op. cit.* (1985).

7. Janice Beyer, Danta P. Ashmos et R. N. Osborn. «Contrasts in Enacting TQM: Mechanistic vs. Organic Ideology and Implementation», *Journal of Quality Management* 1, 1997, p. 13 à 29; pour un ouvrage plus ancien sur le sujet, voir Paul R. Lawrence et Jay W. Lorsch, *Organization and Environment*, Homewood (Illinois), Irwin, 1969.

8. Voir Osborn, Hunt et Jauch, *op. cit.* (1985); et Clegg, Hardy et Nord, *op. cit.* (1996).

9. Voir Prashant C. Palvia, Shailendra C. Palvia et Edward M. Roche, *Global Information Technology and Systems Management: Key Issues and Trends*, Nashua (New Hampshire), Ivy League Publishing, 1996.

10. Voir, par exemple J.E.M. McGee, M. J. Dowling et W. L. Megginson, «Cooperative Strategy and New Venture Performance: The Role of Business Strategy and Management Experience», *Strategic Management Journal* 16, 1995, p. 565 à 580; et James B. Quinn, *Intelligent Enterprise: A Knowledge and Service Based Paradigm for Industry*, New York, Free Press, 1992.

11. Voir P. Candace Deans, *Global Information Systems and Technology: Focus on the Organization and Its Functional Areas*, Harrisburg (Pennsylvanie), Ideal Group Publishing, 1994; ainsi que Osborn, Hunt et Jauch, *op. cit.* (1985).

12. Haim Levy et Deborah Gunthorpe. *Introduction to Investments*, 2ᵉ éd., Cincinnati (Ohio), South-Western, 1999; et William G. Ouchi et M. A. McGuire, «Organization Control: Two Functions», *Administrative Science Quarterly*, 20, 1977, p. 559 à 569.

13. Kathy Noël. «Le nouveau visage de la surveillance au travail», *Les Affaires*, 27 mai 2000, p. 3.

14. Adapté de W. Edwards Deming, «Improvement of Quality and Productivity Through Action by Management», *Productivity Review*, février 1982, 12, p. 22; et W. Edwards Deming, *Quality, Productivity and Competitive Position*, Cambridge (Mass.), MIT Center for Advanced Engineering, 1982.

15. Beyer, Ashmos et Osborn, *op. cit.* (1997).

16. Pour des textes sur ce sujet, voir W. Richard Scott, *Organizations: Rational, Natural, and Open Systems*, 2ᵉ éd., Englewood Cliffs (New Jersey), Prentice-Hall, 1987; Osborn, Hunt et Jauch, *op. cit.* (1985); et Clegg, Hardy et Nord, *op. cit.* (1996).

17. Osborn, Hunt et Jauch, *op. cit.* (1985), p. 273 à 303.

18. *Ibid.*

19. *Ibid.*

20. Pour des études sur les tendances en matière de structures et leur effet sur les résultats, voir aussi Scott, *op. cit.* (1987); et Clegg, Hardy et Nord, *op. cit.* (1996).

21. Pour une bonne analyse des premières utilisations des structures matricielles, voir Stanley Davis et autres, *Matrix*, Reading (Mass.), Addison-Wesley, 1977.

22. Voir P. R. Lawrence et J. W. Lorsch, *Organization and Environment: Managing Differentiation and Integration*, Homewood (Illinois), Richard D. Irwin, 1967.
23. Voir Osborn, Hunt et Jauch, *op. cit.* (1985).
24. Max Weber. *The Theory of Social and Economic Organization*, traduit par A. M. Henderson et H. T. Parsons, New York, Free Press, 1947.
25. *Ibid.*
26. Ces liens ont été décrits pour la première fois par Tom Burns and G. M. Stalker, *The Management of Innovation*, Londres, Tavistock, 1961.
27. Voir Henry Mintzberg, *Structure in Fives: Designing Effective Organizations*, Englewood Cliffs, New Jersey, Prentice-Hall, 1983.
28. *Ibid.*
29. Pour une analyse étoffée, voir Osborn, Hunt et Jauch, *op. cit.* (1985).
30. Voir Peter Clark and Ken Starkey, *Organization Transitions and Innovation—Design*, Londres, Pinter Publications, 1988.
31. Osborn, Hunt et Jauch, *op. cit.* (1985).

Références bibliographiques
<www.electroglas.com/puglic/031698.htm.>
<www.ford.com/finaninvest/stockholder/3q98rel.html>
Laura Dudio. «How Data General Is Turning Itself Around», <www.dg.com/news/press-releases/clustrfn.html>, LAN Times, 6 janvier 1992, p. 26 à 29.

■ **CHAPITRE 12**

Notes
1. www.gm.com
2. R. N. Osborn, J. G. Hunt et L. Jauch. *Organization Theory: Integrated Text and Cases*, Melbourne (Floride), Krieger, 1984, p. 123 à 215.
3. Voir Henry Mintzberg, *Structure in Fives: Designing Effective Organizations*, Englewood Cliffs (New Jersey), Prentice-Hall, 1983.
4. Pour une analyse complète, voir W. Richard Scott, *Organizations: Rational, Natural, and Open Systems*, 2e éd., Englewood Cliffs (New Jersey), Prentice-Hall, 1987.
5. Voir Peter M. Blau et Richard A. Schoenner, *The Structure of Organizations*, New York, Basic Books, 1971.
6. Joan Woodward. *Industrial Organization: Theory and Practice*, Londres, Oxford University Press, 1965.
7. *Ibid.*
8. Gerardine DeSanctis. «Information Technology», dans *Blackwell Encyclopedic Dictionary of Organizational Behavior*, éd. par Nigel Nicholoson, Cambridge (Mass.), Blackwell Publishers Ltd., 1995, p. 232 à 233.
9. James D. Thompson. *Organization in Action*, New York, McGraw-Hill, 1967.
10. Woodward. *Op.cit.* (1965).
11. Pour des analyses sur ce sujet, voir Osborn, Hunt, et Jauch, *op. cit.*, (1984); et Louis Fry, «Technology-Structure Research: Three Critical Issues», *Academy of Management Journal* 25 (1982), p. 532 à 552.
12. Mintzberg. *Op. cit.* (1983).
13. Charles Perrow. *Complex Organizations: A Critical Essay*, 3e éd., New York, Random House, 1986.
14. Mintzberg. *Op. cit.* (1983).
15. Prashant C. Palvia, Shailendra C. Palvia et Edward M. Roche. *Global Information Technology and Systems Management: Key Issues and Trends*, Nashua (New Hampshire), Ivy League Publishing, 1996.
16. DeSanctis. *Op. cit.* (1995).
17. P. Candace Deans. *Global Information Systems and Technology: Focus on the Organization and Its Functional Areas*, Harrisburg (Pennsylvanie), Ideal Group Publishing, 1994.
18. Osborn, Hunt et Jauch. *Op. cit.* (1984).
19. David A. Nadler et Michael L. Tushman. *Competing by Design: The Power of Organizational Architecture*, New York, Oxford University Press, 1997.
20. David Lei, Michael Hitt et Richard A. Bettis. «Dynamic Capabilities and Strategic Management», *Journal of Management* 22 (1996), p. 547 à 567.
21. Melissa A. Schilling. «Technological Lockout: An Integrative Model of the Economic and Strategic Factors Driving Technological Success and Failure», *Academy of Management Review* 23, no 2 (1998), p. 267 à 284.
22. Jack Veiga et Kathleen Dechant. «Wired World Woes:www.help», *Academy of Management Executive* 11, no 3 (1997), p. 73 à 79.
23. Jaana Woiceshyn. «The Role of Management in the Adoption of Technology: A Longitudinal Investigation», *Technology Studies* 4, no 1 (1997), p. 62 à 99.
24. Janice Beyer, Danta P. Ashmos et R. N. Osborn. «Contrasts in Enacting TQM: Mechanistic vs Organic Ideology and Implementation», *Journal of Quality Management* 1 (1997), p. 13 à 29.
25. Veiga et Dechant. *Op. cit.* (1997).

26. Michael A. Hitt, R. Duane Ireland et Robert E. Hoskisson. *Strategic Management: Competitiveness and Globalization*, Cincinnati, South-Western College Publishing, 1999.
27. Nous nous sommes servis pour cette section de R. N. Osborn et J. G. Hunt, «The Environment and Organization Effectiveness», *Administrative Science Quarterly* 19 (1974), p. 231 à 246; ainsi que de Osborn, Hunt, et Jauch, *op. cit.* (1984).
28. Voir R. N. Osborn et C. C. Baughn, «New Patterns in the Formation of U.S./Japanese Cooperative Ventures», *Columbia Journal of World Business* 22 (1988), p. 57 à 65.
29. R. N. Osborn. *The Evolution of Strategic Alliances in High Technology*, document de travail, Detroit, Department of Management, Wayne State University, 1997; voir aussi Shawn Tully, «The Modular Corporation», *Fortune*, 8 février 1993.
30. L. R. Jauch et R. N. Osborn. «Toward an Integrated Theory of Strategy», *Academy of Management Review* 6 (1981), p. 491 à 498; Alfred D. Chandler, *The Visible Hand: The Managerial Revolution in America*, Cambridge (Mass.), Belknap, 1977; Karen Bantel et R. N. Osborn, «The Influence of Performance, Environment and Size on the Identifiability of Firm Strategy», *British Journal of Management* 6 (1995), p. 235 à 248.
31. Hitt, Ireland et Hoskisson. *Op. cit.* (1999).
32. M. E. Porter. *Competitive Strategy*, New York, Free Press, 1980.
33. J. C. Spencer et R. M. Grant. «Knowledge and the Firm: Overview», *Strategic Management Journal* 17, numéro spécial – hiver 1996, p. 5 à 10.
34. G. Huber. «Organizational Learning: The Contributing Process and the Literature», *Organization Science* 2, no 1 (1991), 88 à 115.
35. J. W. Myer et B. Rowan. «Institutionalized Organizations: Formal Structure as Myth and Ceremony», *American Journal of Sociology* 83 (1977), p. 340 à 363.
36. Albert Bandura, *Social Learning Theory*, Englewood Cliffs (New Jersey), Prentice-Hall, 1977.
37. Voir, par exemple, A. M. Morrison, R. P. White et E. Van Velsor, *Breaking the Glass Ceiling*, Reading (Mass.), Addison-Wesley, 1987; J. D. Zalesny et J. K. Ford, «Extending the Social Information Processing Perspective: New Links to Attitudes, Behaviors and Perceptions», *Organizational Behavior and Human Decision Processes* 47 (1990), p. 205 à 246; M. E. Gist, C. Schwoerer et B. Rosen, «Effects of Alternative Training Methods of Self-Efficacy and Performance in Computer Software Training», *Journal of Applied Psychology* 74 (1989), p. 884 à 891; D. D. Sutton et R. W. Woodman, «Pygmalion Goes to Work: The Effects of Supervisor Expectations in a Retail Setting», *Journal of Applied Psychology* 74 (1989), p. 943 à 950; M. E. Gist, «The Influence of Training Method on Self-Efficacy and Idea Generation among Managers», *Personnel Psychology* 42 (1989), p. 787 à 805.
38. Voir M. E. Gist, «Self Efficacy: Implications in Organizational Behavior and Human Resource Management», *Academy of Management Review* 12 (1987), p. 472 à 485; Albert Bandura, «Self Efficacy Mechanisms in Human Agency», *American Psychologist* 37 (1987), p. 122 à 147.
39. J. March. *Decisions and Organizations*, Oxford, Basil Blackwell, 1988.
40. R. N. Osborn, et D. H. Jackson, Leaders. «Riverboat Gamblers on Purposeful Unintended Consequences in the Management of Complex Technologies», *Academy of Management Journal* 31 (1988), p. 924 à 947.
41. Voir A. L. Stinchcombe, *Economic Sociology*, New York, Academic Press, 1983.
42. *Ibid.*
43. Osborn et Jackson. *Op. cit.* (1988).
44. *Ibid.*
45. O. P. Walsch et G. R. Ungson. «Organization Memory», *Academy of Management Review* 16, no 1 (1991), p. 57 à 91.
46. A. A. Marcus. *Business and Society: Ethics Government and the World of Economy*, Homewood (Illinois), Richard D. Irwin, 1993.
47. Raymond E. Miles et autres. «Organizing for the Knowledge Age: Anticipating the Cellular Form», *Academy of Management Executive* 11, no 4 (1997), p. 7 à 20.

Références bibliographiques
George Anders. «Discomfort Zone: Some Companies Long to Embrace the Web But Settle for Flirtation», *Wall Street Journal*, 4 nov. 1998), p. 1 et 14; et Jermiah Sullivan, «Functions of the Corporate Web», *Journal of World Business*, [sous presse].
Tiré du rapport annuel de la Chase Manhattan Corporation et de son site Internet à <www.chasemanhattan.com.>
Rapport annuel 1997 de Warner-Lambert Annual, p. 24.
http://www.com/cgi-bin/cgi; Caree P&G Pursues Greatest Growth Ever, 9 septembre 1998; Douglas G. Shaw et Vincent C. Perro, «Beating the Odds: Five Reasons Why Companies Excel», *Management Review*, août 1992; Rapports annuels 1992, 1995, 1997 de P&G.
www.solutions-4u.com/barter/49063a73.htm/.

■ **CHAPITRE 13**

Notes

1. Pour une analyse récente du regain d'intérêt des organisations à l'égard des individus, voir Jeffrey Pfeffer, *The Human Equation: Building Profits by Putting People First*, Boston, Harvard Business School Press, 1998.
2. Edgar Schein. «Organizational Culture», *American Psychologist*, vol. 45 (1990), p. 109 à 119; et E. Schein, *Organizational Culture and Leadership*, San Francisco, Jossey-Bass, 1985.
3. Schein. *Op. cit.* (1990).
4. Tiré des commentaires recueillis par Richard Osborn auprès d'employés de Daimler-Chrysler après la fusion des deux sociétés.
5. Cet exemple provient d'un interview d'Edgar Schein publié dans «Corporate Culture Is the Real Key to Creativity», *Business Month*, mai 1989, p. 73 et 74.
6. Pour les premières études menées sur ce sujet, voir T. Deal et A. Kennedy, *Corporate Culture*, Reading (Mass.), Addison-Wesley, 1982; Peters et R. Waterman, *In Search of Excellence*, New York, Harper & Row, 1982. Les études plus récentes sont résumées dans Joanne Martin et Peter Frost, «The Organizational Culture War Games: The Struggle for Intellectual Dominance», dans *Handbook of Organizational Studies*, éd. par Clegg, Hardy et Nord, Londres, Sage Publications, 1996, p. 599 à 621.
7. Schein. *Op. cit.* (1985).
8. Pour une analyse étoffée, voir J. M. Beyer et H. M. Trice, «How an Organization's Rites Reveal Its Culture», *Organizational Dynamics*, printemps 1987, p. 27 à 41.
9. A. Cooke et D. M. Rousseau. «Behavioral Norms and Expectations: A Quantitative Approach to the Assessment of Organizational Culture», *Group and Organizational Studies* 13 (1988), p. 245 à 273.
10. Martin et C. Siehl. «Organization Culture and Counterculture», *Organizational Dynamics* 12 (1983), p. 52 à 64.
11. *Ibid.*
12. «Is Sony Finally Getting the Hang of Hollywood?», *Business Week*, 7 septembre 1992, p. 76.
13. Voir Pfeffer, *op. cit.* (1998).
14. Taylor Cox Jr. «The Multicultural Organization», *Academy of Management Executive*, vol. 2, n° 2, mai 1991, p. 34 à 47.
15. Carl Quintanilla. «DU-UDE: CEOs, Feeling Out of Touch with Junior Employees, Try to Get 'Withit'», *Wall Street Journal*, 10 novembre 1998, p. 1.
16. Schein. *Op. cit.* (1985), p. 52 à 57.
17. Peters et Waterman. *Op. cit.* (1982).
18. Schein. *Op. cit.* (1990).
19. H. Gertz. *The Interpretation of Culture*, New York, Basic Books, 1973.
20. Beyer et Trice. *Op. cit.* (1987).
21. *Business Week*, 23 novembre 1992, p. 117.
22. H. M. Trice et J. M. Beyer. «Studying Organizational Cultures Through Rites and Ceremonials», *Academy of Management Review*, vol. 3 (1984), p. 633 à 669.
23. J. Martin et autres. «The Uniqueness Paradox in Organizational Stories», *Administrative Science Quarterly*, vol. 28 (1983), p. 438 à 453.
24. Deal et Kennedy. *Op. cit.* (1982).
25. Jean-Paul Gagné. «Communication et travail d'équipe, des principes clés en gestion», *Les Affaires*, 28 octobre 2000, p. 41.
26. Cette section est basée sur R. N. Osborn et C. C. Baughn, *An Assessment of the State of the Field of Organizational Design*, Alexandria (Virginie), U.S. Army Research Institute, 1994.
27. Osborn et Baughn. *Op. cit.* (1994).
28. R. N. Osborn et D. Jackson. «Leaders, River Boat Gamblers or Purposeful Unintended Consequences», *Academy of Management Journal*, vol. 31 (1988), p. 924 à 947.
29. G. Hofstede et M. H. Bond. «The Confucius Connection: From Cultural Roots to Economic Growth», *Organizational Dynamics*, vol. 16 (1991), p. 4 à 21.
30. Martin et Frost. *Op. cit.* (1996).
31. Warner Burke. *Organization Development*, Reading (Mass.), Addison-Wesley, 1987; Wendell L. French et Cecil H. Bell Jr., *Organization Development*, 4e éd., Englewood Cliffs (New Jersey), Prentice-Hall, 1990; Edgar F. Huse et Thomas G. Cummings, *Organization Development and Change*, 4ᵉ éd., St. Paul (Minnesota), West, 1989.
32. Warren Bennis. «Using Our Knowledge of Organizational Behavior», dans Lorsch, p. 29 à 49.
33. On trouve d'excellents aperçus sur le sujet dans Huse et Cummings, *op. cit.* (1989), p. 32 à 36 et p. 45; ainsi que dans French et Bell, *op. cit.* (1990).
34. Richard Beckhard. «The Confrontation Meeting», *Harvard Business Review*, vol. 45 (mars/avril 1967), p. 149 à 155.
35. Voir Dale Zand, «Collateral Organization: A New Change Strategy», *Journal of Applied Behavioral Science* 10 (1974), p. 63 à 89; Barry A. Stein et

Rosabeth Moss Kanter, «Building the Parallel Organization», *Journal of Applied Behavioral Science*, vol. 16 (1980), p. 371 à 386.
36. J. Richard Hackman et Greg R. Oldham. *Work Redesign*, Reading (Mass.), Addison-Wesley, 1980.

Références bibliographiques

Albert Pang. «E-commerce Bonanza: Is It Real or Imagined?», *Internet Computing*, 9 février 1998; Thomas l. Friedman, «The Internet Wars», *New York Times*, 11 avril 1998.
Tiré d'entrevues avec Fred Fernandez.
www.hp.com.
David Kirpatrick. «The Second Coming of Apple», *Fortune*, 9 novembre 1998; et Brent Schlender, «The Three Faces of Steve», *Fortune*, 9 novembre 1998, p. 8 et 27.
Basé sur les travaux de Jeffrey Sonnenfeld analysés par Carol Hymowitz dans «Which Corporate Culture Fits You?», *Wall Street Journal*, 17 juillet 1989, p. B1.
Copyright 1969, the Regents of the University of California. Tiré de *California Management Review* 12, n° 2 (1996), p. 26.

■ **CHAPITRE 14**

Notes

1. Voir J. P. Kotter, *A Force for Change: How Leadership Differs from Management*, New York, Free Press, 1990.
2. Voir Bernard M. Bass, *Bass and Stogdill's Handbook of Leadership*, 3ᵉ éd., New York, Free Press, 1990.
3. Voir Alan Bryman, *Charisma and Leadership in Organizations*, Londres, Sage Publications, 1992, chap. 5.
4. Ralph M. Stogdill. *Handbook of Leadership*, New York, Free Press, 1974.
5. Basé sur des informations tirées de Robert J. House et Ram Aditya, «The Social Scientific Study of Leadership: Quo Vadis?» *Journal of Management*, vol. 23, 1997, p. 409 à 474; Shelley A. Kirkpatrick et Edwin A. Locke, «Leadership: Do Traits Matters?», *The Executive*, vol. 5, n° 2, 1991, p. 48 à 60; Gary Yukl, *Leadership in Organizations*, 3ᵉ éd., Upper Saddle River (New Jersey), Prentice-Hall, 1998, chap. 10.
6. Rensis Likert. *New Patterns of Management*, New York, McGraw-Hill, 1961.
7. Bass. *Op. cit.* (1990), chap. 24.
8. Yukl. *Op. cit.* (1998); George Graen, «Leader-Member Exchange Theory Development: Discussant's Comments», *Academy of Management 1998 Meeting*, San Diego, 7 au 12 août 1998.
9. Yukl. *Op. cit.* (1998); Peter G. Northouse, *Leadership Theory and Practice*, Thousand Oaks (Calif.), Sage, 1997, chap. 7.
10. Voir M. F. Peterson, «PM Theory in Japan and China: What's in It for the United States?», *Organizational Dynamics*, printemps 1988, p. 22 à 39; J. Misumi et M. F. Peterson, «The Performance-Maintenance Theory of Leadership: Review of a Japanese Research Program», *Administrative Science Quarterly*, vol. 30, 1985, p. 198 à 223; P. B. Smith et autres, «On the Generality of Leadership Style Measures Across Cultures», exposé présenté au *International Congress of Applied Psychology*, Jerusalem, juillet 1986.
11. G. B. Graen et M. Uhl-Bien. «Relationship-Based Approach to Leadership: Development of Leader-Member Exchange (LMX) Theory of Leadership Over 25 Years: Applying a Multi-Level Multi-Domain Perspective», *Leadership Quarterly*, vol. 6, été 1995, p. 219 à 247.
12. R. J. House et R. Aditya. «The Social Scientific Study of Leadership: Quo Vadis?», *Journal of Management*, vol. 23, 1997, p. 409 à 474.
13. Kirkpatrick et Locke. *Op. cit.* (1991); voir aussi Yukl, *op. cit.* (1998), chap. 10; et J. G. Hunt et G. E. Dodge, «Management in Organizations», *Handbook of Psychology*, Washington DC, American Psychological Association, sous presse.
14. Cette section est basée sur Fred E. Fiedler et Martin M. Chemers, *The Leader Match Concept*, 2ᵉ éd., New York, Wiley, 1984.
15. La section sur la théorie des ressources cognitives s'appuie sur Fred E. Fiedler et Joseph E. Garcia, *New Approaches to Effective Leadership*, New York, Wiley, 1987.
16. Voir L. H. Peters, D. D. Harke et J. T. Pohlmann, «Fiedler's Contingency Theory of Leadership: An Application of the Meta-analysis Procedures of Schmidt and Hunter», *Psychological Bulletin*, vol. 97, 1985, p. 274 à 285.
17. Yukl. *Op. cit.* (1998).
18. F. E. Fiedler, M. M. Chemers et L. Mahar. *Improving Leadership Effectiveness: The Leader Match Concept*, 2ᵉ éd., New York, Wiley, 1984.
19. Pour de la documentation sur ce sujet, voir Fred E. Fiedler et Linda Mahar, «The Effectiveness of Contingency Model Training: A Review of the Validation of Leader Match», *Personnel Psychology*, printemps 1979, p. 45 à 62; Fred E. Garcia et autres, «Increasing Mine Productivity and

Safety through Management Training and Organization Development : A Comparative Study », *Basic and Applied Social Psychology*, mars 1984, p. 1 à 18; Arthur G. Jago et James W. Ragan, « The Trouble with Leader Match Is that It Doesn't Match Fiedler's Contingency Model », *Journal of Applied Psychology,* novembre 1986, p. 555 à 559.

20. Voir Yukl, *op. cit.* (1998); R. Ayman, M. M. Chemers et F. E. Fiedler, « The Contingency Model of Leadership Effectiveness : Its Levels of Analysis », *Leadership Quarterly,* vol. 6, été 1995, p. 147 à 168.

21. Cette section est basée sur Robert J. House et Terence R. Mitchell, « Path-Goal Theory of Leadership », *Journal of Contemporary Business*, automne 1977, p. 81 à 97.

22. *Ibid.*

23. C. A. Schriesheim et L. L. Neider. « Path-Goal Theory : The Long and Winding Road », *Leadership Quarterly,* vol. 7, 1996, p. 317 à 321; M. G. Evans, « Commentary on R. J. House's Path-Goal Theory of Leader Effectiveness », *Leadership Quarterly,* vol. 7, 1996, p. 305 à 309.

24. R. J. House. « Path-Goal Theory of Leadership : Lessons, Legacy, and a Reformulated Theory », *Leadership Quarterly,* vol. 7, 1996, p. 323 à 352.

25. Pour une étude de cette approche, voir Paul Hersey et Kenneth H. Blanchard, *Management of Organizational Behavior*, Englewood Cliffs (New Jersey), Prentice-Hall, 1988.

26. R. P. Vecchio et C. Fernandez. « Situational Leadership Theory Revisited », dans *1995, Southern Management Association Proceedings*, éd. par M. Schnake, Valdosta (Georgie), Georgia Southern University, 1995, p. 137 à 139; et Claude L. Graeff, « Evolution of Situational Leadership Theory : A Critical Review », *Leadership Quarterly,* vol. 8, 1977, p. 153 à 170.

27. Voir T. R. Mitchell, S. G. Green et R. E. Wood, « An Attributional Model of Leadership and the Poor Performing Subordinate : Development and Validation », dans *Research in Organizational Behavior*, vol. 3, éd. par L. L. Cummings and B. M. Staw, Greenwich (Connecticut), JAI Press, 1981, p. 197 à 234.

28. James G. Hunt, Kimberly B. Boal et Ritch L. Sorenson. « Top Management Leadership : Inside the Black Box », *Leadership Quarterly*, vol. 1, 1990, p. 41 à 65.

29. C. R. Gerstner et D. B. Day. « Cross-cultural Comparison of Leadership Prototypes », *Leadership Quarterly,* vol. 5, 1994, p. 121 à 134.

30. Hunt, Boal et Sorenson. *Op. cit.* (1990).

31. Voir J. Pfeffer, « Management as Symbolic Action : The Creation and Maintenance of Organizational Paradigms », dans *Research in Organizational Behavior*, vol. 3, éd. par L. L. Cummings et B. M. Staw, Greenwich (Connecticut), JAI Press, 1981, p. 1 à 52.

32. James R. Meindl. « On Leadership : An Alternative to the Conventional Wisdom », dans *Research in Organizational Behavior*, vol. 12, éd. par B. M. Staw et L. L. Cummings, Greenwich (Connecticut), JAI Press, 1990, p. 159 à 203.

33. À comparer avec Bryman, *op. cit.* (1992); voir également *Leadership Quarterly*, vol. 10, n° 2, numéro spécial éd. par James G. Hunt et Jay A., 1re partie, sous presse.

34. Meindl. *Op cit.* (1990).

35. Voir Bradley L. Kirman, Kevin B. Lowe et Dianne P. Young, « The Challenge in High Performance Organizations », *The Journal of Leadership Studies*, vol. 5, n° 2 (1998), p. 3 à 15.

36. Voir R. J. House, « A 1976 Theory of Charismatic Leadership », dans *Leadership : The Cutting Edge*, éd. par J. G. Hunt et L. L. Larson, Carbondale (Illinois), Southern Illinois University Press, 1977, p. 189 à 207.

37. R. J. House, W. D. Spangler et J. Woycke. « Personality and Charisma in the US Presidency », *Administrative Science Quarterly*, vol. 36, 1991, p. 364 à 396.

38. R. Pillai et E. A. Williams. « Does Leadership Matter in the Political Arena? Voter Perceptions of Candidates Transformational and Charismatic Leadership and the 1996 U.S. Presidential Vote », *Leadership Quarterly*, vol. 9 (1998), p. 397 à 416.

39. Voir Jane M. Howell et Bruce J. Avolio, « The Ethics of Charismatic Leadership : Submission or Liberation », *Academy of Management Executive*, vol. 6, mai 1992, p. 43 à 54.

40. Jay Conger et Rabindra N. Kanungo. *Charismatic Leadership in Organizations*, San Francisco, Jossey-Bass, 1998.

41. *Ibid*

42. B. Shamir. « Social Distance and Charisma : Theoretical Notes and an Exploratory Study », *Leadership Quarterly*, vol. 6, printemps 1995, p. 19 à 48.

43. Voir B. M. Bass, *Leadership and Performance Beyond Expectations*, New York, Free Press, 1985; et A. Bryman, *Charisma and Leadership in Organizations*, Londres, Sage Publications, 1992, p. 98 et 99.

44. B. M. Bass. *A New Paradigm of Leadership*, Alexandria (Virginie), US Army Research Institute for the Behavioral and Social Sciences, 1996.

45. Bryman. *Op. cit.* (1992), chap. 6; B. M. Bass et B. J. Avolio, « Transformational Leadership : A Response to Critics », dans *Leadership Theory and Practice : Perspectives and Directions*, éd. par M. M. Chemers et R. Ayman, San Diego (Calif.), Academic Press, 1993, p. 49 à 80; Kevin B. Lowe, K. Galen Kroeck et Nagaraj Sivasubramanium, « Effectiveness Correlates of Transformational and Transactional Leadership : A Meta-Analytic Review of the MLQ Literature », *Leadership Quarterly,* vol 7 (1996), p. 385 à 426.

46. Voir J. R. Kouzes et B. F. Posner, *The Leadership Challenge : How to Get Extraordinary Things Done in Organizations*, San Francisco, Jossey-Bass, 1991.

47. Voir Jay A. Conger et Rabindra N. Kanungo, « Training Charismatic Leadership : A Risky and Critical Task », dans *Charismatic Leadership : The Elusive Factor in Organizational Effectiveness*, éd. par Jay A. Conger, Rabindra N. Kanungo et associés, San Francisco, Jossey-Bass, 1988, chap. 11.

48. Charles C. Manz et Henry P. Sims Jr.. « Leading Teams to Lead Themselves : The External Leadership of Self-Managed Work Teams », *Administrative Science Quarterly*, vol. 32, 1987, p. 106 à 128; Susan G. Cohen, Lei Chang et Gerald E. Ledford Jr., « A Hierarchical Construct of Self-Management leadership and Its Relation to Quality of Work Life and Perceived Work Group Effectiveness », *Personnel Psychology*, vol. 50 (1997), p. 275 à 308.

49. Voir J. R. Kouzes et B. F. Posner, *The Leadership Challenge : How to Get Extraordinary Things Done in Organizations*, San Francisco, Jossey-Bass, 1991.

50. B. M. Bass. *New Paradigm*; Bass et Avolio, *op. cit.* (1993).

51. Conger et Kanungo. *Op. cit.* (1988).

52. Kouzes et Posner. *Op. cit.* (1991).

53. Marshall Sashkin. « The Visionary Leader », dans *Charismatic Leadership : The Elusive Factor in Organizational Effectiveness*, éd. par Conger, Kanungo et ass., San Francisco, Jossey-Bass, 1988, chap. 5.

Références bibliographiques

Information provenant de Chuck Salter, « Progressive Makes Big Claims », *Fast Company*, novembre 1998, p. 176 à 194.

Information tirée de Robert Lamme, « Medicine Man », *Sky*, octobre 1997, p. 133 à 136.

Information tirée de Eryn Brown, « America's Most Admired Companies », *Fortune,* 1er mars 1999, p. 68 à 73.

Information tirée de Burk Uzzle, « John Deere Runs on Chaos », *Fast Company,* novembre 1998, p. 173.

Delphi Packers Electric Systems, Brookhaven facility, « Summary Manager's Network Information Packet », Lubbock (Texas), Center for Productivity and Quality of Work Life, Texas Tech University, mai 1995.

Robert B. Reich. « The Company of the Future », *Fast Company*, novembre 1988, p. 124ff.

David Tarrant. « High Profile : Jack Lowe, Jr. », *Dallas Morning News*, 21 février 1999, p. E 1 à 3.

D'après des informations tirées de Robert J. House et Ram Aditya, « The Social Scientific Study of Leadership : Quo Vadis? », *Journal of Management*, vol. 23 (1997), p. 409 à 474; Shelley A. Kirkpatrick et Edwin A. Locke, « Leadership : Do Traits Matter? », *The Executive*, vol. 5, no. 2 (1991), p. 48 à 60; Gary Yukl, *Leadership in Organizations*, Upper Saddle River (New Jersey), Prentice Hall, 1998, chap. 10.

Adapté de Richard N. Osborn, James G. Hunt et Lawrence R. Jauch, *Organizational Theory : An Integrated Approach*, New York, Wiley, 1980, p. 464.

D'après Paul Hersey et Kenneth H. Blanchard, *Management of Organizational Behavior*, Prentice-Hall, Englewood Cliffs (New Jersey), 1988, p. 171.

D'après Steven Kerr et John Jermier, « Substitutes for Leadership : Their Meaning and Measurement », *Organizational Behavior and Human Performance*, vol. 22 (1978), p. 387; et Fred Luthans, *Organizational Behavior*, 6e éd., New York, McGraw-Hill, 1992, chap. 10.

D'après Boas Shamir, « Social Distance and Charisma : Theoretical Notes and an Exploratory Study », *The Leadership Quarterly*, vol. 6 (1995), p. 19 à 48.

■ CHAPITRE 15

Notes

1. Nous tenons à remercier Janice M. Feldbauer, Michal Cakrt, Judy Nixon et Romuald Stone pour leurs commentaires sur l' organisation de ce chapitre et l'accent mis sur le point de vue des gestionnaires en matière de pouvoir.

2. Rosabeth Moss Kanter. « Power Failure in Management Circuit », *Harvard Business Review*, juillet et août 1979, p. 65 à 75.

3. John R. P. French et Bertram Raven. « The Bases of Social Power », dans *Group Dynamics : Research and Theory*, éd. par Dorwin Cartwright, Evanston (Illinois), Row, Peterson, 1962, p. 607 à 623.

4. *Ibid.*
5. John P. Kotter. «Power, Success, and Organizational Effectiveness», *Organizational Dynamics* 6 (hiver 1978), p. 27; David A. Whetten et Kim S. Cameron, *Developing Managerial Skills*, Glenview (Illinois), Scott, Foresman, 1984, p. 250 à 259.
6. David Kipinis et autres. «Patterns of Managerial Influence: Shotgun Managers, Tacticians, and Bystanders», *Organizational Dynamics* 12 (hiver 1984), p. 60 et 61.
7. *Ibid.*, p. 58 à 67; David Kipinis, Stuart M. Schmidt et Ian Wilkinson, «Intraorganizational Influence Tactics: Explorations in Getting One's Way», *Journal of Applied Psychology* 65 (1980), p. 440 à 452.
8. Warren K. Schilit et Edwin A. Locke. «A Study of Upward Influence in Organizations», *Administrative Science Quarterly* 27 (1982), p. 304 à 316.
9. *Ibid.*
10. Stanley Milgram. «Behavioral Study of Obedience», dans *The Applied Psychology of Work Behavior* Dennis, éd. par W. Organ, Dallas, Business Publications, 1978, p. 384 à 398; voir aussi Stanley Milgram, «Behavioral Study of Obedience», *Journal of Abnormal and Social Psychology* 67 (1963), p. 371 à 378; Stanley Milgram, «Group Pressure and Action Against a Person», *Journal of Abnormal and Social Psychology* 69 (1964), p. 137 à 143; «Some Conditions of Obedience and Disobedience to Authority», *Human Relations* 1 (1965), p. 57 à 76; Stanley Milgram, *Obedience to Authority*, New York, Harper & Row, 1974.
11. Chester Barnard. *The Functions of the Executive*, Cambridge (Mass.), Harvard University Press, 1938.
12. *Ibid.*
13. Voir Steven N. Brenner et Earl A. Mollander, «Is the Ethics of Business Changing?», *Harvard Business Review* 55 (février 1977), p. 57 à 71; Barry Z. Posner et Warren H. Schmidt, «Values and the American Manager: An Update», *California Management Review* 26 (printemps 1984), p. 202 à 216.
14. Bien que les travaux sur le jeu politique en milieu organisationnel ne soient pas très nombreux, on en dénombre tout de même quelques-uns, dont un chapitre dans Robert H. Miles, *Macro Organizational Behavior*, Santa Monica (Calif.), Goodyear, 1980; Bronston T. Mayes et Robert W. Allen, «Toward a Definition of Organizational Politics», *Academy of Management Review* 2 (1977), p. 672 à 677; Gerald F. Cavanagh, Dennis J. Moberg et Manuel Velasquez, «The Ethics of Organizational Politics», *Academy of Management Review* 6 (juillet 1981), p. 363 à 374; Dan Farrell et James C. Petersen, «Patterns of Political Behavior in Organizations», *Academy of Management Review* 7 (juillet 1982), p. 403 à 412; D. L. Madison et autres, «Organizational Politics: An Exploration of Managers' Perceptions», *Human Relations* 33 (1980), p. 92 à 107.
15. Mayes et Allen. *Op. cit.* (1977), p. 675.
16. Jeffrey Pfeffer. *Power in Organizations*, Marshfield (Mass.), Pitman, 1981, p. 7.
17. Michael Sconcolfi, Anita Raghavan et Mitchell Pacelle. «All Bets Are Off: How the Salesmanship and Brainpower Failed at Long Term Capital», *Wall Street Journal*, 16 novembre 1998, p. 1, p. 18 à 19.
18. B. E. Ashforth et R. T. Lee. «Defensive Behavior in Organizations: A Preliminary Model», *Human Relations*, juillet 1990, p. 621 à 648. [enquête menée par Ashforth auprès de travailleurs en décembre 1998]
19. Voir Pfeffer, *op. cit.* (1981); M. M. Harmon et R. T. Mayer, *Organization Theory for Public Administration*, Boston, Little, Brown, 1986; W. Richard Scott, *Organizations: Rational, Natural and Open Systems*, Englewood Cliffs (New Jersey), Prentice-Hall, 1987.
20. Élaboré d'après James L. Hall et Joel L. Leldecker, «A Review of Vertical and Lateral Relations: A New Perspective for Managers», dans *Dimensions in Modern Management*, 3e éd., éd. par Patrick Connor, Boston, Houghton Mifflin, 1982, p. 138 à 146. Ce texte se fondait en partie sur Leonard Sayles, *Managerial Behavior*, New York, McGraw-Hill, 1964.
21. Voir Jeffrey Pfeffer, *Organizations and Organization Theory*, Boston, Pitman, 1983; Jeffrey Pfeffer et Gerald R. Salancik, *The External Control of Organizations*, Englewood Cliffs (New Jersey), Prentice-Hall, 1978.
22. R. N. Osborn. «A Comparison of CEO Pay in Western Europe, Japan and the U.S.», document de travail, Detroit, Department of Management, Wayne State University, 1998.
23. René Lewandowski. «L'effet Internet», *Commerce*, juillet 2000, p. 20.
24. Voir les premiers travaux sur ce sujet: James D. Thompson, *Organizations in Action*, New York, McGraw-Hill, 1967; et des études plus récentes telles que R. N. Osborn et D. H. Jackson, «Leaders, Riverboat Gamblers, or Purposeful Unintended Consequences in Management of Complex Technologies», *Academy of Management Journal* 31 (1988), p. 924 à 947; M. Hector, «When Actors Comply: Monitoring Costs and the Production of Social Order», *Acta Sociologica* 27 (1984), p. 161 à 183; T. Mitchell et W. G. Scott, «Leadership Failures, the Distrusting Public and Prospects for the Administrative State», *Public Administration Review* 47 (1987), p. 445 à 452.

25. J. J. Jones. *The Downsizing of American Potential*, New York, Raymond Press, 1996.
26. Cette analyse est basée sur Cavanagh, Moberg et Velasquez, *op. cit.* (1981); et Manuel Velasquez, Dennis J. Moberg et Gerald Cavanagh, «Organizational Statesmanship and Dirty Politics: Ethical Guidelines for the Organizational Politician», *Organizational Dynamics* 11 (1983), p. 65 à 79. Ces deux articles contiennent d'intéressantes réflexions sur l'éthique, le pouvoir et le jeu politique.

Références bibliographiques
Linda Corman. «As Good as It Gets: The 1998 Compensation Survey», *CFO*, novembre 1998, p. 41 à 54.
www.catalinamktg.com.
D'après les informations fournies par John Lornic dans «Managing When There Is No Middle», *Canadian Business*, juin 1996, p. 86 à 89 et p. 94.
Littlecaesars.com; «New Ex Takes Reins at Hospice», *Detroit News*, 25 octobre 1998, p. C-l.

■ **CHAPITRE 16**

Notes

1. Informations et citations tirées de Sue Shellenbarger, «More Managers Find a Happy Staff Leads to Happy Customers», *Wall Street Journal*, 28 décembre 1998, p. B1; et Robert D. Hoff, «Sun Power: Is the Center of the Computing Universe Changing?» *Business Week*, 18 janvier 1999.
2. Bill Gates. «Bill Gates' New Rules», *Time*, 22 mars 1999, p. 72 à 84. Cet article présentait le livre de Bill Gates, *The Speed of Thought: Using a Digital Nervous System*, New York, Warner Books, 1999. Voir également Henry Mintzberg, *The Nature of Managerial Work*, New York, Harper & Row, 1973; Morgan W. McCall Jr., Ann M. Morrison et Robert L. Hannan, *Studies of Managerial Work: Results and Methods*, Technical Report No. 9, Greensboro (Caroline du Nord), Center for Creative Leadership, 1978; et John P. Kotter, *The General Managers*, New York, Free Press, 1982.
3. Lucent Technologies, *1998 Annual Report*.
4. Steve Axley – auteur de *Communication at Work: Management and the Communication-Intensive Organization* (Westport, Conn., Quorum Books, 1996) – souligne que c'est le destinataire qui attribue sa signification ultime à tout message reçu.
5. Élaboré d'après J. Stephen Morris, «How to Make Criticism Sessions Productive», *Wall Street Journal*, 12 octobre 1981, p. 24.
6. Voir Axley, *op. cit.* (1996).
7. Voir Richard L. Birdwhistell, *Kinesics and Context*, Philadelphie, University of Pennsylvania Press, 1970.
8. Edward T. Hall. *The Hidden Dimension*, Garden City (New York), Doubleday, 1966.
9. Voir D. E. Campbell, «Interior Office Design and Visitor Response», *Journal of Applied Psychology* 64 (1979), p. 648 à 653; P. C. Morrow et J. C. McElroy, «Interior Office Design and Visitor Response: A Constructive Replication», *Journal of Applied Psychology* 66 (1981), p. 646 à 650.
10. M. P. Rowe et M. Baker. «Are You Hearing Enough Employee Concerns?», *Harvard Business Review* 62, mai et juin 1984, p. 127 à 135.
11. Cette analyse s'appuie sur Carl R. Rogers et Richard E. Farson, «Active Listening», Chicago, Relations Center of the University of Chicago.
12. *Ibid.*, adapté d'un exemple figurant dans ce document.
13. Richard V. Farace, Peter R. Monge et Hamish M. Russell. *Communicating and Organizing*, Reading (Mass.), Addison-Wesley, 1977, p. 97 à 98.
14. Ces exemples de communication hermétique sont tirés de *Business Week*, 6 juillet 1981, p. 107.
15. Voir A. Mehrabian, *Silent Messages*, Belmont (Calif.), Wadsworth, 1981.
16. Information tirée de «How Not to Do International Business», *Business Week*, 12 avril 1999.
17. Voir C. Barnum et N. Woliansky, «Taking Cues from Body Language», *Management Review* 78 (1989), p. 59; et, des mêmes auteurs, *Cultures in Contact: Studies in Cross-Cultural Interaction*, éd. par S. Bochner, Londres, Pergamon, 1982; A. Furnham et S. Bocher, *Culture Shock: Psychological Reactions to Unfamiliar Environments*, Londres, Methuen, 1986.
18. On fait le point sur les études dans ce domaine dans John C. Athanassiades, «The Distortion of Upward Communication in Hierarchical Organizations», *Academy of Management Journal* 16, juin 1973, p. 207 à 226.
19. F. Lee. «Being Polite and Keeping MUM: How Bad News is Communicated in Organizational Hierarchies», *Journal of Applied Social Psychology* 23 (1993), p. 1124 à 1149.
20. Thomas J. Peters et Robert H. Waterman Jr., *In Search of Excellence*, New York, Harper & Row, 1983.

21. Certaines parties de cette section s'inspirent de John R. Schermerhorn Jr., *Management*, 5e éd., New York, Wiley, 1996, p. 375 à 378.
22. Selon Kotter, *op. cit.* (1982*)*, le réseautage est un élément essentiel des activités du gestionnaire.
23. Peters et Waterman. *Op. cit.* (1983).
24. *Business Week*, 16 mai 1994, p. 8.
25. Le concept des groupes interactifs, d'action parallèle et de neutralisation est expliqué dans Fred E. Fiedler, *A Theory of Leadership Productivity*, New York, McGraw-Hill, 1967.
26. Pour des données sur la recherche à propos des réseaux de communication, voir Alex Bavelas, «Communication Patterns in Task-Oriented Groups», *Journal of the Acoustical Society of America* 22 (1950), p. 725 à 730; voir aussi la «Research on Communication Networks» telle que résumée dans Marvin E. Shaw, *Group Dynamics: The Psychology of Small Group Behavior*, New York, McGraw-Hill, 1976, p. 137 à 153.
27. Voir «e.Biz: What Every CEO Should Know about Electronic Business», *Business Week*, Special Report, 22 mars 1999.
28. Voir C. Brod, *Technostress: The Human Cost of the Computer Revolution*, Reading (Mass.), Addison-Wesley, 1984; et G. Brockhouse, «I Have Seen the Future…», *Canadian Business*, août1993, p. 43 à 45.
29. Deborah Tannen. *Talking 9 to 5*, New York, Avon, 1995.
30. Deborah Tannen. *You Just Don't Understand: Women and Men in Conversation*, New York, Ballantine Books, 1991.
31. Deborah Tannen. «The Power of Talk: Who Gets Heard and Why», *Harvard Business Review*, septembre et octobre 1995, p. 138 à 148.
32. Compte-rendu de cette étude dans *Working Woman*, novembre 1995, p. 14.
33. *Ibid.*
34. Pour un éditorial sur ce sujet, lire Jayne Tear, «They Just Don't Understand Gender Dynamics», *Wall Street Journal*, 20 novembre 1995, p. A14.
35. Information tirée de Hal Lancaster, «Performance Reviews: Some Bosses Try a Fresh Approach», *Wall Street Journal*, 1er décembre 1998, p. B1.
36. Voir «My Boss, Big Brother», *Business Week* , 22 janvier 1996, p. 56.

Références bibliographiques
Eryn Brown. «VF Corp. Changes its Underware», *Fortune*, 7 décembre 1998, p. 115 à 118; et «Stitching Together an E-Corporation», *Fortune*, 7 décembre 1998, p. 117.
Monsanto: information tirée de Timothy D. Schellhardt, «Monsanto Best on Box Buddies», *Wall Street Journal*, 23 février 1999, p. B1.
UAL: d'après «UAL: Labor Is My Co-Pilot», *Business Week*, 1er mars 1999, p. 38.
American Express: informations récentes tirées de «The Rise of a Star», *Business Week*, 21 décembre 1998, p. 60 à 68.
John R. Schermerhorn Jr. *Management*, 5e éd., New York, Wiley, 1996, p. 377.

■ **CHAPITRE 17**

Notes

1. Pour des aperçus concis sur le sujet, voir Susan J. Miller, David J. Hickson et David C. Wilson, «Decision-Making in Organizations», dans *Handbook of Organizational Studies*, éd. par Stewart R. Clegg, Cynthia Hardy et Walter R. Nord, Londres, Sage Publications, 1996, p. 293 à 312; George P. Huber, *Managerial Decision Making*, Glenview (Illinois), Scott, Foresman, 1980.
2. Cette section est basée sur Michael D. Choen, James G. March et Johan P. Olsen, «The Garbage Can Model of Organizational Choice», *Administrative Science Quarterly* 17 (1972), p. 1 à 25; et sur James G. March et Herbert A. Simon, *Organizations*, New York, Wiley, 1958, p. 137 à 142.
3. On attribue généralement cette distinction à Herbert Simon dans *Administrative Behavior*, New York, Free Press, 1945; on peut cependant consulter un ouvrage plus récent de Simon: *The New Science of Management Decision*, New York, Harper & Row, 1960.
4. *Ibid.*
5. Voir également *Decision Making: Alternatives to Rational Choice Models*, éd. par Mary Zey, Thousand Oaks (Calif.), Sage Publications, 1992.
6. Simon. *Op. cit.* (1945).
7. Pour divers points de vue, voir Choen, March, et Olsen, *op. cit.* (1972); Miller, Hickson et Wilson, *op. cit.* (1996); et Michael Masuch et Perry LaPontin, «Beyond Garbage Cans: An AI Model of Organizational Choice», *Administrative Science Quarterly* 34 (1989), p. 38 à 67.
8. Weston H. Agor. *Intuition in Organizations*, Newbury Park (Calif.), Sage Publications, 1989.
9. Henry Mintzberg. «Planning on the Left Side and Managing on the Right», *Harvard Business Review* 54 (juillet/août 1976), p. 51 à 63.
10. Voir Weston H. Agor, «How Top Executives Use Their Intuition to Make Important Decisions», *Business Horizons* 29 (janvier/février 1986), p. 49 à 53; et Agor, *op. cit.* (1989).

11. Pour un *classique* sur ce sujet, consulter la série d'articles publiés par D. Kahneman et A. Tversky: «Subjective Probability: A Judgement of Representativeness», *Cognitive Psychology* 3 (1972), p. 430 à 454; «On the Psychology of Prediction», *Psychological Review* 80 (1973), p. 237 à 251; «Prospect Theory: An Analysis of Decision under Risk», *Econometrica* 47 (1979), p. 263 à 291; «Psychology of Preferences», *Scientific American* (1982), p. 161 à 173; «Choices, Values, Frames», *American Psychologist* 39 (1984), p. 341 à 350.
12. Les définitions et l'analyse qui suit s'appuient sur Max H. Bazerman, *Judgment in Managerial Decision Making*, 3e éd., New York, Wiley, 1994.
13. Cameron M. Ford et Dennis A. Gioia. *Creative Action in Organizations*, Thousand Oaks (Calif.), Sage Publications, 1995.
14. G. Wallas. *The Art of Thought*, New York, Harcourt, 1926. Cité par Bazerman dans *op. cit.* (1994).
15. E. Glassman. «Creative Problem Solving», *Supervisory Management* (janvier 1989), p. 21 à 26; ainsi que B. Kabanoff et J. R. Rossiter, «Recent Developments in Applied Creativity», *International Review of Industrial and Organizational Psychology* 9 (1994), p. 283 à 324.
16. Information tirée de Kenneth Labich, «Nike vs. Reebok», *Fortune*, 18 septembre 1995, p. 90 à 106.
17. James A. F. Stoner. *Management*, 2e éd., Englewood Cliffs (New Jersey), Prentice-Hall, 1982, p. 167 à 168.
18. Victor H. Vroom et Philip W. Yetton. *Leadership and Decision Making*, Pittsburgh, University of Pittsburgh Press, 1973; Victor H. Vroom et Arthur G. Jago, *The New Leadership*, Englewood Cliffs (New Jersey), Prentice-Hall, 1988.
19. Barry M. Staw. «The Escalation of Commitment to a Course of Action», *Academy of Management Review* 6 (1981), p. 577 à 587; Barry M. Staw et Jerry Ross, «Knowing When to Pull the Plug», *Harvard Business Review* 65 (mars/avril 1987), p. 68 à 74; voir aussi Glen Whyte, «Escalating Commitment to a Course of Action: A Reinterpretation», *Academy of Management Review* 11 (1986), p. 311 à 321.
20. Joel Brockner. «The Escalation of Commitment to a Failing Course of Action: Toward Theoretical Progress», *Academy of Management Review* 17 (1992), p. 39 à 61; J. Ross et B. M. Staw, «Organizational Escalation and Exit: Lessons from the Shoreham Nuclear Power Plant», *Academy of Management Journal* 36 (1993), p. 701 à 732.
21. Bazerman. *Op. cit.* (1994), p. 79 à 83.
22. Voir Brockner, *op. cit.* (1992); Ross et Staw, *op. cit.* (1993); et J. Z. Rubin, «Negotiation: An Introduction to Some Issues and Themes», *American Behavioral Scientist* 27 (1983), p. 135 à 147.
23. Voir «Computers That Think Are Almost Here», *Business Week*, (17 juillet 1995), p. 68 à 73.
24. A. R. Dinnis et J. S. Valacich. «Computer Brainstorms: Two Heads Are Better Than One», *Journal of Applied Psychology*, (février 1994), p. 77 à 86.
25. *Ibid.*
26. B. Kabanoff et J. R. Rossiter. «Recent Developments in Applied Creativity», *International Review of Industrial and Organizational Psychology* 9 (1994), p. 283 à 324.
27. Fons Trompenaars. *Riding the Waves of Culture: Understanding Cultural Diversity in Business*, Londres, Nicholas Brealey Publishing, 1993, p. 6.
28. *Ibid.*, p. 58 et 59.
29. Pour une bonne étude du processus décisionnel dans les organisations japonaises, voir Min Chen, *Asian Management Systems*l, New York, Routledge, 1995.
30. Nancy J. Adler. *International Dimensions of Organizational Behavior*, 2e éd., Boston, PWS-Kent, 1991.
31. Voir Miller, Hickson et Wilson, *op. cit.* (1996).
32. Nous tenons à remercier Kristi M. Lewis qui nous a fait remarquer l'importance de ces critères d'identification et d'évaluation, et nous a convaincu d'inclure cette section consacrée à l'éthique.
33. Stephen Fineman. «Emotion and Organizing», dans *Handbook of Organizational Studies*, éd. par Clegg, Hardy et Nord, p. 542 à 580.
34. *Ibid.*
35. Pour une analyse étoffée des critères d'analyse éthique impliqués dans le processus décisionnel, voir Linda A. Travino et Katherine A. Nelson, *Managing Business Ethics*, New York, Wiley, 1995; Saul W. Gellerman, «Why 'Good' Managers Make Bad Ethical Choices», *Harvard Business Review* 64 (juillet/août 1986), p. 85 à 90; et Barbara Ley Toffler, *Tough Choices: Managers Talk Ethics*, New York, Wiley, 1986.

Références bibliographiques
PNCBank.com.; PNCBank.com/whoarewe/corpinfo/officers.html.
Rapport 1997 de Nokia, p. 22.

«The Brain Behind the Brain», *Business Week* (17 juillet 1995), p. 71.

Analog.com/publications/DSP; Otis Port et Paul C. Judge, «Chips That Mimic the Human Senses», *Business Week* (30 novembre 1998), p. 158 et 159.

Tiré de Victor H. Vroom et Arthur G. Jago, *The New Leadership*, Englewood Cliffs (New Jersey), Prentice-Hall, 1988, p. 184.

■ CHAPITRE 18

Notes

1. Voir, par exemple, Henry Mintzberg, *The Nature of Managerial Work*, New York, Harper & Row, 1973; et John R.P. Kotter, *The General Managers*, New York, Free Press, 1982.

2. Sur ce sujet, un classique: Richard E. Walton, *Interpersonal Peacemaking: Confrontations and Third-Party Consultation*, Reading (Mass.), Addison-Wesley, 1969.

3. Kenneth W. Thomas et Warren H. Schmidt. «A Survey of Managerial Interests with Respect to Conflict», *Academy of Management Journal* 19 (1976), p. 315 à 318.

4. Pour un bon aperçu sur le sujet, voir Richard E. Walton, *Managing Conflict: Interpersonal Dialogue and Third Party Roles*, 2ᵉ éd., Reading (Mass.), Addison-Wesley, 1987; et Dean Tjosvold, *The Conflict-Positive Organization: Stimulate Diversity and Create Unity*, Reading (Mass.), Addison-Wesley, 1991.

5. Walton. *Op. cit.* (1969).

6. *Ibid.*

7. Richard E. Walton et John M. Dutton. «The Management of Interdepartmental Conflict: A Model and Review», *Administrative Science Quarterly* 14 (1969), p. 73 à 84.

8. Information tirée de Richard Gibson, «Starbucks Plans to Test a Paper Cup That Insulates Hands from Hot Coffee», *Wall Street Journal* (22 février 1999), p. B17.

9. Geert Hofstede. *Culture's Consequences: International Differences in Work-Related Values* Beverly Hills (Calif.), Sage Publications, 1980; et «Cultural Constraints in Management Theories», *Academy of Management Executive* 7 (1993), p. 81 à 94.

10. Ces phases sont conformes aux modèles de conflits décrits dans Alan C. Filley, *Interpersonal Conflict Resolution*, Glenview (Illinois), Scott, Foresman, 1975; voir aussi Louis R. Pondy, «Organizational Conflict: Concepts and Models», *Administrative Science Quarterly* 12 (septembre 1967), p. 269 à 320.

11. Information tirée de «Capitalizing on Diversity: Navigating the Seas of the Multicultural Workforce and Workplace», *Business Week*, supplément publicitaire, 4 décembre 1998.

12. Walton et Dutton. *Op. cit.* (1969).

13. Rensis Likert et Jane B. Likert. *New Ways of Managing Conflict*, New York, McGraw-Hill, 1976.

14. Information tirée de Robert L. Simison, «Ford Roles Out a New Model of Corporate Culture», *Wall Street Journal* (13 janvier 1999), p. B1.

15. Voir Jay Galbraith, *Designing Complex Organizations*, Reading (Mass.), Addison-Wesley, 1973; David Nadler et Michael Tushman, *Strategic Organizational Design*, Glenview (Illinois), Scott, Foresman, 1988.

16. E. M. Eisenberg et M. G. Witten. «Reconsidering Openness in Organizational Communication», *Academy of Management Review* 12 (1987), p. 418 à 426.

17. R. G. Lord et M. C. Kernan. «Scripts as Determinants of Purposeful Behavior in Organizations», *Academy of Management Review* 12 (1987), p. 265 à 277.

18. Voir Filley, *op. cit.* (1975); et L. David Brown, *Managing Conflict at Organizational Interfaces*, Reading (Mass.), Addison-Wesley, 1983.

19. *Ibid.*, p. 27 et 29.

20. Pour quelques études sur ce sujet, voir Robert R. Blake et Jane Strygley Mouton, «The Fifth Achievement», *Journal of Applied Behavioral Science* 6 (1970), p. 413 à 427; Kenneth Thomas, «Conflict and Conflict Management», dans *Handbook of Industrial and Organizational Behavior*, éd. par M. D. Dunnett, Chicago, Rand McNally, 1976, p. 889 à 935; et Kenneth W. Thomas, «Toward Multi-Dimensional Values in Teaching: The Examples of Conflict Behaviors», *Academy of Management Review* 2 (1977), p. 484 à 490.

21. Pour un excellent aperçu, voir Roger Fisher et William Ury, *Getting to Yes: Negotiating Agreement Without Giving In*, New York, Penguin, 1983; voir aussi James A. Wall Jr., *Negotiation: Theory and Practice*, Glenview (Illinois), Scott, Foresman, 1985.

22. Roy J. Lewicki et Joseph A. Litterer. *Negotiation*, Homewood (Illinois), Irwin, 1985, p. 315 à 319.

23. *Ibid.*, p. 328 et 329.

24. Pour une bonne analyse, voir Michael H. Bond, *Behind the Chinese Face*, Londres, Oxford University Press, 1991; et Richard D. Lewis, *When Cultures Collide*, Londres, Nicholas Brealey Publishing, 1996, chap. 23.

25. L'analyse qui suit est basée sur Fisher et Ury, *op. cit.* (1983); ainsi que sur Lewicki et Litterer, *op. cit.* (1985).

26. Exemple élaboré à partir de Max H. Bazerman, *Judgment in Managerial Decision Making*, 2ᵉ éd., New York, Wiley, 1991, p. 106 à 108.

27. Pour une analyse détaillée, voir Fisher et Ury, *op. cit.* (1983); et Lewicki et Litterer, *op. cit.* (1985).

28. Élaboré à partir de Bazerman, *op. cit.* (1991), p. 127 à 141.

29. Fisher et Ury, *op. cit.* (1983), p. 33.

30. Lewicki et Litterer (1985), p. 177 à 181.

Références bibliographiques

John R. Schermerhorn Jr. *Management*, 6e éd., New York, Wiley, 1999, p. 341.

Sun Microsystems: information tirée de Sue Shellenbarger, «More Managers Find a Happy Staff Leads to Happy Customers», *The Wall Street Journal*, 23 décembre 1998, p. B1.

HRM News: information tirée de Carol Kleiman, «Performance Review Comes "Full Circle"», *The Columbus Dispatch*, 31 janvier 1999, p. 29I.

Deloitte Touche: information tirée de Sue Shellenbarger, «Three Myths that Make Managers Push Staff to the Edge of Burnout», *The Wall Street Journal*, 17 mars 1999, p. B1.

■ CHAPITRE 19

Notes

1. Voir Peter F. Drucker, *Managing for the Future: The 1990s and Beyond*, New York, Truman Talley Books/Dutton, 1992; et Peter F. Drucker, *Peter Drucker on the Profession of Management*, Cambridge (Mass.), Harvard Business School Press, 1997.

2. Tom Peters. *Thriving on Chaos*, New York, Random House, 1987; Tom Peters, «Managing in a World Gone Bonkers», *World Executive Digest*, février 1993, p. 26 à 29; et Tom Peters, *The Circle of Innovation*, New York, Alfred A. Knopf, 1997.

3. Voir David Nadler et Michael Tushman, *Strategic Organizational Design*, Glenview (Illinois), Scott, Foresman, 1988; et Noel M. Tichy, «Revolutionize Your Company», *Fortune*, 13 décembre 1993, p. 114 à 118.

4. Jay A. Conger, Edward E. Lawler III et Gretchen M. Spreitzer. *The Leaders Change Handbook*, San Francisco, Jossey-Bass, 1999.

5. Rosabeth Moss Kanter, Barry A. Stein et Todd D. Jick. «Meeting the Challenges of Change», *World Executive's Digest* (mai 1993), p. 22 à 27.

6. Sur ce sujet, on trouve la description *classique* des organisations dans Harold J. Leavitt, «Applied Organizational Change in Industry: Structural, Technological and Humanistic Approaches», *Handbook of Organizations*, éd. par James G. March, Chicago, Rand McNally, 1965. Cette application a été élaborée à partir de Robert A. Cooke, «Managing Change in Organizations», dans *Management Principles for Nonprofit Organizations*, éd. par Gerald Zaltman, New York, American Management Association, 1979; voir aussi David A. Nadler, «The Effective Management of Organizational Change», *Handbook of Organizational Behavior*, éd. par Jay W. Lorsch, Englewood Cliffs (New Jersey), Prentice-Hall, 1987, p. 358 à 369.

7. Voir, par exemple, Ralph H. Kilmann, *Beyond the Quick Fix*, San Francisco, Jossey-Bass, 1984; Noel M. Tichy et Mary Anne Devanna, *The Transformational Leader*, New York, Wiley, 1986; et Peter M. Senge, *The Fifth Discipline: The Art & Practice of the Learning Organization*, New York, Doubleday, 1990.

8. Kurt Lewin. «Group Decision and Social Change», dans *Readings in Social Psychology*, éd. par G. E. Swanson, T. M. Newcomb et E. L. Hartley, New York, Holt, Rinehart & Winston, 1952, p. 459 à 473.

9. Tichy et Devanna. *Op. cit.* (1986), p. 44.

10. Pour une description des stratégies de changement, voir Robert Chin et Kenneth D. Benne, «General Strategies for Effecting Changes in Human Systems», *The Planning of Change*, 3ᵉ éd., éd. par Warren G. Bennis et autres, New York, Holt, Rinehart & Winston, 1969, p. 22 à 45.

11. Exemple élaboré à partir d'un exercice figurant dans J. William Pfeiffer et John E. Jones, *A Handbook of Structured Experiences for Human Relations Training*, vol. 2, La Jolla (Calif.), University Associates, 1973.

12. *Ibid.*

13. *Ibid.*

14. Donald Klein. «Some Notes on the Dynamics of Resistance to Change: The Defender Role», *The Planning of Change*, éd. par Bennis et autres, 1969, p. 117 à 124.

15. Voir Everett M. Rogers, *Communication of Innovations*, 3ᵉ éd.. New York, Free Press, 1993.

16. *Ibid.*

17. John P. Kotter et Leonard A. Schlesinger. «Choosing Strategies for Change», *Harvard Business Review*, vol. 57 (mars/avril 1979), p. 109 à 112.

18. Un classique dans ce domaine : Peter F. Drucker, *Innovation and Entrepreneurship*, New York, Harper, 1985.
19. Edward B. Roberts. « Managing Invention and Innovation », *Research Technology Management* (janvier/février 1988), p. 1 à 19. Pour une étude de cas étoffée, voir John Clark, *Managing Innovation and Change*, Thousand Oaks (Calif.), Sage Publications, 1995 ; pour une étude récente de l'innovation dans l'industrie, voir « Innovation in Industry », *The Economist* (20 février 1999), p. 5 à 18.
20. Citations tirées de Kenneth Labich, « The Innovators », *Fortune* (6 juin 1988), p. 49 à 64.
21. Pour un résumé de la recherche sur ce sujet, voir Steve M. Jex, *Stress and Job Performance*, Thousand Oaks (Calif.), Sage, 1998.
22. Arthur P. Brief, Randall S. Schuler et Mary Van Sell. *Managing Job Stress*, Boston, Little, Brown, 1981
23. Alexandre Sirois. « Travailler… c'est trop dur », *Le Soleil,* 10 novembre 1999, p. A1.
24. Groupe Financier Banque Royale et Groupe-conseil Aon. « Les Canadiens au travail », Banque Royale du Canada, 1999.
25. Philippe Boulet-Gercourt. « Travail : le ras-le-bol des Américains », *Le Nouvel Observateur,* 2 novembre 2000, p. 14.
26. Voir Orlando Behling et Arthur L. Darrow, *Managing Work-Related Stress*, Chicago, Science Research Associates, 1984.
27. Meyer Friedman et Ray Roseman. *Type A Behavior and Your Heart*, New York, Alfred A. Knopf, 1974.
28. Voir H. Selye, *The Stress of Life*, éd. révue et corrigée, New York, McGraw-Hill, 1976.
29. Jeffrey Pfeffer. *The Human Equation : Building Profits by Putting People First*, Boston, Harvard Business School Press, 1998.
30. Citations tirées de Alan M. Webber, « Danger : Toxic Company », *Fast Company* (novembre 1998), p. 152.
31. Voir John D. Adams, « Health, Stress, and the Manager's Life Style », *Group and Organization Studies,* vol. 6 (septembre 1981), p. 291 à 301.
32. Carl Thériault. « La fatigue responsable de 60% des congés de maladie », *Le Soleil,* 2 décembre 2000, p. A13.
33. Kathy Noël. « Quand nouvelle économie rime avec… nouvelles maladies », *Les Affaires,* 7 octobre 2000, p. 3.
34. Stéphane Labrèche. « Le stress coûte 20 milliards par année à l'économie canadienne », *Les Affaires,* 3 octobre 1998, p.3.
35. Robert Kreitner. « Personal Wellness : It's Just Good Business », *Business Horizons,* vol. 25 (mai/juin 1982), p. 28 à 35.
36. Information tirée de Mike Pramik, « Wellness Programs Give Businesses Healthy Bottom Line », *Columbus Dispatch* (18 janvier 1999), p. 10 à 11.
37. *Ibid.*
38. Pfeffer. *Op. cit.* (1998).

Références bibliographiques

John R. Schermerhorn Jr. *Management*, 4ᵉ éd., New York, Wiley, 1999, p. 381.

Richard Pascale. « Change How You Define Leadership and You Change How You Run a Company », *Fast Company, The Professor Series*, Boston, Fast Company, 1998.

General Motors : information tirée de Craig S. Smith, « GM Seeks Ways to Boost Viability of New China Plant », *The Asian Wall Street Journal*, 16 décembre 1998, p. 1.

Unilever : information tirée de Darren McDermott et Fara Warner, « Unilever Finds Brisk Business », *The Asian Wall Street Journal* (20 novembre 1998), p. 1.

Lonnie Johnson : information from Patricia J. Mays, « Gun Showers Wealth on Inventor », *The Columbus Dispatch* (24 janvier 1999), p. 6B.

John R. Schermerhorn Jr. *Management for Productivity*, 4e éd., New York, Wiley, 1996, p. 661.

■ **MODULE COMPLÉMENTAIRE**

Notes

1. Voir Richard L. Daft, « Learning the Craft of Organizational Research », *Academy of Management Review*, vol. 8 (octobre 1983), p. 539 à 546 ; Eugene Stone, *Research Methods in Organizational Behavior*, Santa Monica (Calif.), Goodyear, 1978, p. 21.
2. Stone. *Op. cit.* (1978), p. 26.
3. Stone. *Op. cit.* (1978).
4. C. William Emory. *Business Research Methods*, éd. revue et corrigée, Homewood (Illinois), Irwin, 1980.
5. Duane Davis et Robert M. Casenza. *Business Research for Decision Making*, Belmont (Calif.), Wadsworth, 1993, p. 134.
6. *Ibid.*, chap. 5.
7. *Ibid.*
8. *Ibid.*, p. 174.
9. *Ibid.*, p. 125.
10. Cette section est basée sur Davis et Casenza, *op. cit.* (1993), chap. 5.
11. Cette section est basée sur Stone, *op. cit.* (1978).
12. Voir G. Pinchot, *Intrapreneuring*, New York, Harper, 1985.
13. Sur le même sujet, un autre ouvrage : A. D. Aczel, *Complete Business Statistics*, Homewood (Illinois), Irwin, 1989.
14. Davis et Casenza. *Op. cit.* (1993).
15. *Ibid.*, chap. 14.
16. La référence n'est pas disponible.

Photographies

Index